vieillard rationnel 231   Maître des patiences 255

menteur 230

passi Anti-Colonialistes ds ses derniers jours
209

P9-EML-369   12002

Balthazar Bodule-Jules : dits pays colonisé (p 170) 205 199 cirque —
217

- indépendantiste : 15, 28, etc.   - revête 34, 34, 44   roms 7
- anticolonialiste : 33, 45, 50   - atonome 34   vp 252
- libérateur 43   - 231- vieillard rationnel   264
                                   - réincarnam 66, 79

Traité d'énonciateur englobant 1 (debut...) p 114, 122, 124, 128, 127, 131, 135, 140, 141
Énonciateur englobant non-fiable : 114, 120 196   143, 146 (vp3)

Énonciateur englobant p 71 — S'il n'y comprend rien, (comment)
peut-il rapporter b, dires de Limarelle, le père de Balthaz?
Répara p 103? p 104 = réponse MAGNETO 114 119 122, 128, 131, 5? 140, 42
143   (vp3)

        Limarelle = énonciateur? p 83, 102
        = énonciateur pas fiable : 103, 102, 104, 78-9? 105?

énonciatin → Limarelle raconte, mais utilise les mêmes d'histoire qu'énonciateur
        (titres, p.82, p 96)

pays entier 46, 50

    Imaginaire collectif ! signes autour que le récit de Balthaz : p 71

SS Surnaturel suggéré p 75
SD Surnaturel dit :

premier niveau de non rationnel? 78, 9, 104   → 48 Reconstitution de l'agonie d'un homme
                                                     (SS)

    Énonciation non-rationnelle → 29 — Condenser la vision de cet
                                        homme jq'à toute une
    → Versions du réel, du vrai p 33-45   communauté
            réel inépuisable p 45

Balthaz raconte sa vie, mais ce sont des rêves!
Parfois, narrateur laisse entendre qu'il soit accepté que ce sont des rêves !
52, 66, 67 (NC) (C)
NC = Narr. démontre que personnage ≠ sous ans
  C = Narr. fort preuvent de croyance
  M = Middleground.

Mais comment, exactement, est racontée NR
l'histoire de ① Minorelle ? ② Manette ? 70-| 102,105
: 113, 128,127, 130

Manette | Non fiable ? -112, 133, 140, 141, 193 ← vp 3

Grasso est là en personne p 135

Zombis 357-
Modèle des déguisée de NR : Sarah →355→, 365
Manthippe) lien du récit 349
aura 318, 325
Discours anti-queer ? 324 ou Queer 330, 337-→347
Logeurachers ! 33, 323
238-▽ Au NR = femmes

Défon. le réel = atrayant 299,
Occident - 282-3, 285, 341, 350
340- rire comme dissimulation de la révolte 340-3, 345
231-3   Temps dostropue ? : Botteor se ressent plus L'Oubliée : Antilles qui oublie
                        Antilles ?
De'ci o'a = 232 + plusieurs autres 244, 249, 269, 280, 286, 301-3, 308, 313, 375-6, 385
Totalité ? : mesyear — 235   238
Gepbs passage Orchidées 204 et avant
Man L'Oubliée = modèle : 216,7, 219 (bcp d'autres) 201-2
Vaincre sans combattre : 216
Version - 213, 323, 330, 334→5
Isonade Calypso : 213, 216, 271
                             penser citations - ex p 15
Saint-Joseph 34, 112, 89, 133, 134, 141, 140, 213, 307...
                                                    (s)

Oralité : 114, 122, 127, 128, 142, 147, 162
/Voulour/d'amour : 116, 112, 109, 125
Pays entière   46, 50
mémoire 147 180-1 202-3, 204-5, 220, 230, 238, 244, 251-2, 255 = lien avec femme
modèle pr Antilles- 155,156, 158-9 , 166, 265, 356? 361, 364, 380-3, 385-7, 390, 392
sans age 174 (et Balthos & Man l'oubliée & Yvonelle Cléoste ?) 183, 220, 221, 252, 305
Aspect oredes : 179, 181, 183, 184, 191, 213?, 218, 237? 245, 259, 266, 315, 350, 361, 373,
Parole 181
Éclatectesient de l'histoire : traite, esclavaget p 198
Femme Dieu 209

Méthode d'énonciateur général; énonciation générale <u>non - rationnelle</u>.

(Avant (vp) (vp2)) TRAITS COMMENT
                    FIABLE ? NON - FIABLE ?

146, 144, 145, 147- Sorte de documentaire (anthropologie)? 148 - 154 159 163 164 169 170 177, 9
183, 4, 5 190 - 192 199-200 201 210 213 214 : Énonciateur aybant = Chamoiseau ?
      Le Changement = moins rationnel. dernier "titre" = 192 ? oui) avant p304
222, 230-1, 244, 246, 249, 251-2, 254 - 5, 256 7, 261, 263 - Botther parle
264-, 268, 271, 280, 285-6, 289 (à 300-3 313 314 - 316 323 332-3 - 334-5

et mémoire, mémoire (v) histoire "officielle", mémoire = totalité, 275 280

→ 358 (Zombis sauvage)

392

DU MÊME AUTEUR

Aux Éditions Gallimard

CHRONIQUE DES SEPT MISÈRES, *roman*, 1986. Prix Kléber Haedens; prix de l'île Maurice (« Folio », n° *1965*).

SOLIBO MAGNIFIQUE, *roman*, 1988 (« Folio », n° *2277*).

ÉLOGE DE LA CRÉOLITÉ, avec Jean Bernabé et Raphaël Confiant, essai, 1989.

TEXACO, *roman*, 1992. Prix Goncourt (« Folio », n° *2634*).

ANTAN D'ENFANCE, 1993. *Éd. Hatier*, 1990. Grand prix Carbet de la Caraïbe. (« Folio », n° *2844 : Une enfance créole*, I).

ÉCRIRE *LA PAROLE DE NUIT*. LA NOUVELLE LITTÉRATURE ANTILLAISE, *en collaboration*, 1994 (« Folio Essais », n° *239*).

CHEMIN-D'ÉCOLE, 1994 (« Folio », n° *2843 : Une enfance créole*, II).

L'ESCLAVE VIEIL HOMME ET LE MOLOSSE, *roman*, 1997.

ÉCRIRE EN PAYS DOMINÉ, 1997.

ELMIRE DES SEPT BONHEURS. *Confidence d'un vieux travailleur de la distillerie Saint-Étienne*, 1998.

ÉMERVEILLES. Avec Maure, 1998, « Giboulées ».

Chez d'autres éditeurs

MANMAN DlO CONTRE LA FÉE CARABOSSE, *théâtre conté, Éd. Caribéennes*, 1981.

AU TEMPS DE L'ANTAN, *contes créoles, Éd. Hatier, 1988*. Grand prix de la littérature de jeunesse.

MARTINIQUE, *essai, Éd. Hoa-Qui*, 1989.

LETTRES CRÉOLES, *tracées antillaises et continentales de la littérature, Martinique, Guadeloupe, Guyane, Haïti, 1635-1975*, en collaboration avec Raphaël Confiant, *Éd. Hatier*, 1991.

GUYANE, TRACES-MÉMOIRES DU BAGNE, *essai, C.N.M.H.S.*, 1994.

BIBLIQUE DES DERNIERS GESTES

PATRICK CHAMOISEAU

*(p 45 — = narrateur (+ voir "traits d'énonciateur englobats"
à la page 1.
ⓞ 257 (inditve)*

BIBLIQUE
DES DERNIERS GESTES

roman

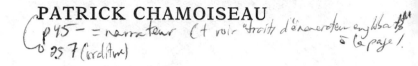

GALLIMARD

À Catherine Mélina,
pour ce soleil et pour cette force.

P. C.

*Nous pouvons aussi concevoir
pour l'expression artistique
une démesure de la démesure.*

ÉDOUARD GLISSANT.

*Les choses anciennes sont passées ;
voici, toutes choses sont devenues nouvelles.*

Épître de Paul aux Corinthiens.

Pani rimèd la pèn si'w pasa pran'y.
(Pas de remède à la peine si tu ne sais pas la prendre.)

MARIE-JOSÉE ALIE.

ANNONCIATION

Voici l'histoire d'un homme, M. Balthazar Bodule-Jules. Il vécut dans le monde mais il mourut icite, en site de Martinique, sur zeph de Saint-Joseph, en dernier naire du dernier millénaire. *Allons-y donc zizi mon bouffi...*

« Notre morceau de fer ».
Cantilènes d'Isomène Calypso,
conteur à voix pas claire de la commune de Saint-Joseph.

LIVRE
DE LA CONSCIENCE DU PAYS OFFICIEL

*Vois la voie, mon Ti-Cham : il existe une parole qui est dite
mais que personne n'entend ; elle monte de nos abîmes
pour dire ce que nous ne disons pas ou ne savons pas dire.
Balthaz Bodule-Jules entendait cette voix dans les blesses de
son âme, c'est pourquoi on pouvait le crier : l'Entendant
justement.*

« Notre morceau de fer ».
Cantilènes d'Isomène Calypso,
conteur à voix pas claire de la commune de Saint-Joseph.

Le grand indépendantiste, Balthazar Bodule-Jules,
annonça qu'il mourrait dans trente-trois jours, six heures,
vingt-six minutes, vingt-cinq secondes, victime non pas de
son grand âge mais des rigueurs de son échec. Il l'annonça
en scoop à un journaliste du quotidien *France-Antilles* qui
(par hasard) avait sonné chez lui. Le journaliste arpentait
ce coin perdu de la commune de Saint-Joseph en vue de
constituer un formidable dossier (dans le supplément télé
du week-end) sur une grande dame de la chanson créole.
L'irremplaçable vertu de cette illustre personne consistait
à se souvenir de chansonneries antiques qui arrachaient
des larmes aux personnes âgées et des rires diaboliques
aux jeunes ensorcelés par le ragga-muffin. Elle avait ainsi
habité des sommets aux hit-parades de nos détestations et
de nos affections, puis avait fini par disparaître dans les
éclats de cette gloire stagnante. Nous l'avions ainsi perdue

15

de vue sans même en prendre conscience, et sans nous en souvenir. Le journaliste était tombé sur une photo jaunie de ces 14 Juillet où l'auguste oubliée chantait *La Marseillaise* à l'arrière d'une fanfare. Ému par cette beauté qu'augmentait l'encre ancienne, il avait sans plus attendre voulu la retrouver, et s'était englué dans ces quartiers humides où pas un nègre vivant n'avait un souvenir d'elle, et encore moins de son adresse, d'autant que chacun (en cette heure difficile) s'exposait aux émois d'une série américaine et souffrait mal d'être distrait de ces aimables angoisses.

Donc, il allait de maison en maison, frappait à tout hasard, criait son *To To To*, espérait à chaque porte voir surgir cette grande dame finalement plus oubliée que ses chants oubliés. Quelle ne fut la surprise de l'éminent journaliste [1] quand il vit apparaître à une porte Bodule-Jules en personne, coiffé du bakoua emblématique de son essence martiniquaise, le pied nu, le torse pris dans son tricot de corps jauni par les âges et la sueur de ses luttes. Le grand indépendantiste arborait un visage impassible. Ses gestes étaient empreints d'une pompe inhabituelle, inscrite dans ce temps désormais sans limite qu'ouvre une mort certaine.

Le journaliste fit rôle d'être venu le voir, accepta son punch avec l'ultime rhum agricole du pays (les autres ayant sombré dans la mélasse industrielle), un vrai petit citron à punch, et un sucre rougi de tradition très pure. Le journaliste prêta l'oreille au long discours de Bodule-

---

1. (Il avait suivi les cours d'une école parisienne, et, depuis son retour au pays, avait réalisé de gigantesques portraits de nos six peintres, nos quatre sculpteurs et nos deux derniers joueurs de tambour, dans des documentaires que la télévision officielle diffusait à cinq heures du matin, non parce qu'elle était à peu près sûre que nul ne les verrait, ni même parce que cela n'intéressait personne, mais à cause de la symbolique — signalée par l'auteur — de ces portraits mêlés aux lueurs du soleil neuf, quand l'aube virginale dans un doigté de rose se dévoile aux annonces des coqs insomniaques.)

Jules sur l'origine de ce breuvage, puis se surprit à l'interroger sur le combat de sa vie pour l'indépendance de ce petit pays ; enfin, au fil de la parole, l'éminent se piqua d'établir un bilan de cette belle existence vouée à libérer notre peuple que Bodule-Jules affirmait encayé sous un néocolonialisme. C'est alors que pour tout historique, contrairement à ses interminables péroraisons sur notre tragédie, le grand indépendantiste annonça (sobrement) qu'il mourrait au bout de la période susdite, et ce, pour cause d'échec — *notre colonisation ayant,* disait-il, *réussi.*

*

Cette nouvelle nous parvint dans le supplément télé alors que nous fêtions les quatre-vingts ans du nègre fondamental, père de notre conscience, ce bien-aimé vivant, poète noir d'ampleur universelle, loué par André Breton. *[manuscrit en marge : Aimé Césaire]* Cet humaniste classique, maire de la capitale, fondateur prophétique de notre prodigieux festival culturel, avait lui aussi consacré son existence (s'il fallait en croire les membres de son parti) à lutter sur un banc d'Assemblée contre le colonialisme. Nous relisions pour la dix millième fois le récit de son arrivée dans le cénacle de la Sorbonne, sa rencontre avec Senghor dans le hall désertique en ces années 50 ; l'immédiate amitié que le combat commun nouerait à tout jamais ; nous nous torturions sur l'origine de ce mot *négritude* dont il ne savait plus s'il provenait de lui ou du chantre africain ; nous relisions sa belle adresse contre Staline à feu Maurice Thorez secrétaire général des communistes français ; ou cette diatribe terrible contre le colonialisme où s'exprima une face inexplorée de sa vie politique ; nous suivions avec délices ce documentaire du Centre régional de documentation pédagogique, où de pédagogiques personnes, drapées de noir, charroyeuses de flambeaux, hal-

17

lucinées de haute concentration, récitaient ses poèmes. Nous avions donc là (en théâtre, films, articles, rétrospectives, diaporamas financés par nos instances locales...) de quoi nous passionner d'une réussite qui semblait être la nôtre.

De fait, pas une âme ne s'inquiéta du destin annoncé de notre Bodule-Jules, non par manque de conscience, mais parce que, outre les festivités de cet anniversaire, le dossier sur la Grande Dame de la chanson créole avait crevé la une. Le journaliste l'avait finalement réalisé, et nous offrait de dramatiques informations sur ses rhumatismes dévergondés, nous détaillait ses récriminations sur l'absence d'une salle de spectacle pour les artistes martiniquais, nous listait ses suppliques en faveur des victimes de la dernière ondée, et s'appesantissait sur son erreur avouée d'être restée dans ce petit pays alors qu'en Métropole une carrière de diva s'était offerte à elle. La Grande Dame nous arrachait aussi des larmes sur ces musiciens-pays qui n'intéressaient la télévision qu'à l'instant de leur mort, et pour juste-compte leur consacrer une page spéciale de six secondes trois quarts, entre le dernier journal télévisé et la mire de la nuit. Ô, nous lisions et relisions ce supplément télé qui très vite s'épuisa. On en chercha au marché noir, mais la demande fut telle qu'il fallut recourir au piratage de la photocopie, puis au scanner d'un internaute branché qui nous le mit à pleine disposition sur le cyberespace.

L'autre facteur de notre indifférence à propos de Bodule-Jules, c'est que — pendant notre extasiée lecture du supplément télé — il y eut (malgré l'annonce beau-temps des services météo) une ondée tropicale qui nous creva dessus. Un tourment de nuages en grande part immobiles. Ils s'accrochèrent à la pointe de la montagne Pelée et déversèrent sur les communes du Nord le total de leurs soutes.

L'ennui, c'est qu'avec les déboisements occasionnés par le Progrès [1], l'eau des nuages eut la voie libre pour dévaler les pentes. Le déluge put bouler en n'importe quel côté, notamment au travers des maisons, put s'amasser en des zones imprévues et charroyer des pieuvres de terre mobile que plus une racine d'arbre ne pouvait contrôler.

Quelques lots de familles se retrouvèrent livrées aux épluches de la boue ou des eaux divagantes. Alors, nos vingt-sept télés dites de proximité firent leur précieux travail. Elles filmèrent et refilmèrent la fange barbare, les limons acides, les flaques prédatrices, les cases défoncées, les familles sinistrées qui (dès le point du jour) concoctaient le décompte de leurs pertes en prévision des bienfaisances de nos autorités. Chacun fut filmé par trois ou quatre fois et sous des angles divers. Chacun devait montrer le point exact où l'eau avait surgi furieuse, souligner à quel niveau elle avait bouillonné, mimer par où elle s'en était allée comme une apocalypse ; en contrepartie, chacun devant les caméras, au fil des flashes spéciaux et des communiqués, put révéler le chiffre sans décimales de ce qu'il avait perdu et qui en général se résumait par « Tout ». L'ondée devint (comme d'habitude) une catastrophe télévisuelle qui dépassa les limites de nos plages pour atteindre le cœur aimant de cette chère Métropole. La Sainte Vierge est très bonne et elle est charitable.

On vit alors débarquer la ministre des Droits humanitaires. Elle s'envola de Saint-Martin à bord d'un hélicoptère angoissé pour venir arpenter en bottines militaires la scène de nos ruines. Elle se fit escorter des autorités pré-

---

1. Ô Progrès : ... les hôtels de béton, les carrières békées qui éventrent les versants et fournissent tant d'emplois, les détournées des sources qui gênent les villas, la lutte immémoriale entre maires et préfet pour savoir qui devrait curer les embouchures, ces promotions extraordinaires autour des arrivages de Connexion But Conforama qui nous incitent à balancer nos mobiliers locaux dans le lit des rivières...

fectorales, du colonel des forces armées, de l'évêque, de l'unique député qui par un bel hasard était resté sur place, des hommes politiques de sa majorité, des conseillers généraux aux manchettes retroussées, tous ostensiblement prêts à s'imposer aux éléments. La ministre (qui nous ressemblait tant) fut filmée devant les cases tordues, au-dessus des cours d'eau débondés, aux côtés des glissements de terrain qui dévoraient les rocades et les routes. Nous contemplâmes son image (si semblable à nous-mêmes) devant les BMW englouties sous la fange hérétique. Nous savourâmes sa silhouette indignée aux abords des outils ménagers qui nouaient l'embouchure des rivières. Nous la vîmes clamer son *Tyenbé rèd* aux vieilles manmans sinistres qui l'enrobaient alors d'un *Ne m'oubliez pas...* Nous la vîmes en illustration devant ces dégâts de la chaussée qu'un ingénieur de la DDE avait chiffrés au premier clair de l'aube à trente millions de francs. Et nous l'entendîmes, en un appel vibrant, exhorter les gens à garder leur courage car sitôt le prochain Conseil des ministres, j'obtiendrai un déblocage instantané de trois cents millions de francs pour les secours urgents et les consolations : *Mère patrie est lointaine mes enfants, mais elle n'est pas ingrate.*

La ministre promit aussi une déclaration gouvernementale de catastrophe naturelle afin que nous puissions actionner les fonds d'assurances, les aides européennes, et ce lot d'organisations charitables qui secouraient de par le monde les tragédies du siècle. Nous aimions cette ministre, nous étions fiers de sa réussite ; fiers qu'elle soit la première Antillaise à intégrer un gouvernement de cette chère Métropole, fiers qu'elle soit noire, avec des manières d'être, de marcher et de dire conformes à celles que l'on pouvait trouver dans le naturel brut de nos marchés-poissons. C'était l'extrême de notre gloire : *un visage au Pouvoir, qui nous ressemblait tant !...* C'est pourquoi nous eûmes le sentiment d'être un petit brin abandonnés quand son hélicoptère, salué par les forces militaires, décolla du pays. Bienheureux furent ceux qui purent immortaliser dans leur magnétoscope son ultime regard vers nous, et ce geste de la main que sa féminité perdue habita soudainement d'une douceur fantomatique.

Elle fut suivie de près du ministre de l'Outre-mer. Nous pûmes, pleins d'émotion reconnaissante, voir ce dernier cheminer dans la boue, en bras de chemise et col ouvert, chiffonné du fait qu'il était venu vite de cette chère Métropole. On le vit (comme la ministre) sur l'immuable circuit des ruines spectaculaires, accompagné des mêmes gens, lancer le même appel vibrant mais sortir (sans délai cette fois-ci) la somme de trois millions de francs vu qu'il était d'autorité autorisée et que son métier consistait à s'occuper de nous dans la sollicitude de tout un ministère. Nous le vîmes repartir avec une pointe d'abandonnisme vite submergée par la confuse satisfaction d'avoir reçu cette manne.

Le petit encadré concernant Bodule-Jules ne nous occupa nullement l'esprit non plus, durant la semaine qui suivit le supplément télé. Les radios et les journaux du jour nous absorbaient sans rémission. Il nous fallut suivre sur le circuit de nos ruines le président du Conseil régional, le président du Conseil général, le président de la Chambre de commerce, le député du Nord-Caraïbe, celui du Centre, celui du Sud, et celui qui aspirait à l'être quelque part. Il nous fallut être attentifs aux différents conseillers maires politiciens secrétaires généraux de toutes sortes qui eux aussi se firent médiatiser sur le parcours de ce désastre. Il nous fallut nous attrister sur un maire qui pleurait l'injustice dont souffrait sa commune : malgré un dossier-catastrophe concocté dans les règles, elle n'avait pas été inscrite sur l'index authentifié des débris et des ruines.

Une télé éleva cette iniquité au rang de ses causes essentielles, qui fait qu'elle nous fut diffusée toutes les demi-heures. Nous lui exprimâmes notre soutien par douze mille signatures et une série de « coups de gueule » enregistrés devant les caméras sur la grand-place de la commune. Le préfet put soutenir cette pression durant deux ou trois jours, puis, sans même une déclaration, déversa sur cette mairie le contenu d'une caisse noire.

Puis nous dûmes épauler la ruée des organisations qui s'étaient développées dans les non-dits de nos désirs : clubs services, associations, cartels, groupes, cercles, centres, fondations, mouvements de jeunes sportifs, ligue des cœurs aimants, guilde de troisième âge, sociétés des amis de tout le genre humain... C'est vrai que nous cultivions une angoisse convenue pour la Paix dans le monde, contre les grandes épidémies, la pollution, les mines anti-personnel, pour les beaux soucis humanitaires, pour toutes manœuvres de bon aloi « Universel » où s'engouffraient nos énergies abandonnées. Cela autorisait à nous imaginer un peu actifs au monde. Ces organisations ouvrirent des comptes postaux, des numéros de téléphone, des adresses en réseaux, des boîtes postales, des points-dépôts. Toutes rivalisaient d'imagination pour recueillir des chèques-secours, des mandats de solidarité, des virements de compassion, des vêtements d'ardente bénédiction, de l'eau, du sucre, du lait, pétrole et allumettes... bref, toutes espèces de charités devenues nécessaires. Leurs membres arboraient des brassards fluo, des casquettes brodées de leurs mots d'ordre et de leurs sigles ; ils s'agitaient au-dessous des banderoles qui signalaient leur appartenance à telle ou telle égide internationale vers laquelle, de temps à autre, ils levaient le regard comme vers une auréole. De les voir si militants, affairés, efficaces, nous rassurait de nous savoir capables de tant d'implication dans les adversités.

Chaque soir, le président du Conseil régional, celui du Conseil général, les députés du Nord, du Centre, du Sud, et même le député potentiel, les conseillers généraux détenteurs d'arrière-parents dans les communes touchées, les présidents des Lions, Kiwanis, Rotary, les francs-maçons, les rosicruciens, les dirigeants de toutes qualités d'organismes, les directeurs de DDASS, Aimé Césaire en personne, les artistes, les peintres, les équilibristes, les producteurs de bananes, défilèrent dans les médias pour exprimer leur émotion et lancer des appels à la solidarité, au secours, au soutien, à l'aide, aux subsides, à la subvention, au don, au prêt. On rappela les assistantes sociales en vacances. On construisit de petits abris climatisés pour des antennes sociales qui devaient fonctionner de jour comme de nuit. Si bien que les mairies du circuit de la ruine officielle se retrouvèrent nanties d'une profusion admirable de tables, de chaises, de bouchons, de bouteilles d'eau, d'étiquettes, de vêtements divers, de lentilles, de savon, de matériel scolaire, de berceaux, de jeux-dominos, de boutons, d'aiguilles, de photos de la Vierge, de chapelets, de colis tellement nombreux que nulle industrie ne sut les ouvrir tous. Une commission ad hoc au Conseil général s'employait à répartir entre les sinistrés les sommes débloquées dans l'urgence absolue. Elle décida (sans discussion et de manière très louable) de verser symboliquement mille francs même à ceux qui n'auraient perdu qu'un unique napperon. Chaque jour, rameutés par la cohorte des assistantes sociales, des gens qui avaient tout perdu furent invités à compléter la liste de leurs pertes ; et ceux dont la liste avait été partielle se virent sommés de la parfaire aussi. Mais ceux qui au départ n'avaient pas fourni de liste voulurent tout à coup accéder aux tables des secours en assiégeant de leurs dégâts inattendus les antennes sociales que l'on dut finalement protéger avec du fil barbelé, des vigiles sanguinaires et des dogues de la douane. Nature humaine n'est pas divine.

Une rumeur laissa entendre qu'une dame avait dû accoucher des suites d'une convulsion occasionnée par la tempête. L'histoire fut détaillée sans merci sur les ondes, délayée dans les journaux, évoquée dans les discours tragiques de maints politiciens, qui gémirent à l'idée du nouveau-né exposé dans la boue, sa pauvre manman à ses côtés luttant contre les eaux durant une nuit entière, et puisant son courage dans les pleurs de l'enfant. Nos autorités et les organisations de nos désirs cachés, sans compter nombre de particuliers prompts à participer, acheminèrent dans la commune sept cent trente mille berceaux dont le maire effaré ne sut jamais que faire. D'abord parce que l'armée des assistantes sociales ne découvrit jamais l'indigente accouchée, ensuite parce que le hall de sa mairie fut condamné sous un ouélélé de couffins, roulettes, layettes, chaussons, brassières, bavettes, chauffe-biberons, barreaux et tringles de berceaux démontés. Il essaya de les répertorier, puis de les classer par genre, puis de creuser dans leur masse compacte de petites voies d'accès aux différents services ; enfin exaspéré, il les fit ramasser par une pelleteuse qui s'en alla les déverser en un endroit approprié qu'aucune instance autorisée ne voulut révéler. Dans le même temps, un conseiller régional et général qui possédait d'arrière-parents dans une commune homologuée se fit médiatiser devant un Himalaya de bouteilles d'eau minérale et de crayons de couleur, obtenus de sa poche. Il précisa qu'il s'agissait d'une démarche personnelle, une affaire de pure conscience intime qu'il voulait honorer. Nous mesurâmes ainsi combien certains politiciens pouvaient se révéler sensibles à l'affliction des petites gens. Les artistes-plasticiens et les artisans-d'art mirent aux enchères tout ce qu'ils n'avaient su vendre durant leur existence. Nous dûmes acheter (dans une ivresse de bonne conscience) des formes en bois d'inspiration négriste, des poteries qui mélangeaient le souvenir d'Afrique aux désespoirs amérindiens, et un lot de tableaux difficiles à décrire tellement leurs harmonies relevaient d'une visée identitaire profonde. Un peu après, des containers de vêtements, de clous, de pointes Bic, nous arrivèrent des pays de la Caraïbe, accompagnés de multiples délégués que nous pûmes admirer (assis auprès de leur correspondant local) sur de belles méridiennes mises à disposition par l'Office du tourisme. Ils nous expliquèrent avoir reçu cinq sur cinq les appels déchirants de cibistes courageux, radio-amateurs, éleveurs de pigeons voyageurs, internautes et spirites conscients de leurs devoirs, qui leur avaient dressé une vision scientifiquement désespérée de notre situation. C'est à cause de ces spécialistes de l'appel à l'aide que nous reçûmes ces secours de Cuba, du Brésil, du Venezuela ou de la Colombie ; que Sainte-Lucie nous achemina en yoles gouvernementales des boîtes de thé anglais, qu'une tribu esquimaude nous fit parvenir dix mille sachets d'une graisse de phoque séchée, ou que le peuple d'Islande nous transmit ce délice annoncé d'une chair de requin blanc confite dans l'ammoniaque. Les Conseils régional et général se réunirent en assemblée plénière pour savoir quoi en faire. Après trois jours de discussions complexes, il fut décidé que l'on distribuerait tout cela dans les cantines scolaires des communes sinistrées, lesquelles reçurent deux mois plus tard des colis malodorants, suintants d'une décomposition avancée, car la résolution n'avait pas déterminé le mode d'acheminement. Les personnels de la Région et du Département avaient donc hésité durant un lot de semaines avant de prendre (avec une détermination admirable) une vigoureuse initiative. Pour ne pas alourdir le budget, ils décidèrent d'acheminer les colis par le biais d'une chaîne humaine qui partirait de Fort-de-France pour atteindre les communes en question. Ils eurent l'idée époustouflante de composer cette chaîne en associant les générations extrêmes : les clubs du troisième âge et les enfants de maternelle, lesquels furent alignés le long des rues, au fil de la rocade, sur les bas-côtés de l'autoroute et des routes de campagne. On les avait coiffés de bakoua afin d'atténuer les ardeurs du soleil, et ils devaient chanter en transmettant les colis de secours d'une main juvénile à une main ridée. Si les vieux-corps n'avaient pas été crucifiés par la furie solaire, et si les marmailles innocentes avaient su mesurer le sens profond de cette opération, il est certain que les colis auraient filé plus vite. Mais entre les poses pour les télés, les points sonores des trente mille radios libres, et les interventions chagrinantes du SAMU, il ne demeura que peu de temps au mouvement de cette chaîne humaine. Les colis arrivèrent comme ils purent, et dans l'état qu'on sait, mais nous fûmes satisfaits du déploiement de ce symbole entre nos aînés et nos enfants. Les choses allèrent ainsi, de jour en jour, en profusion tellement inépuisable que l'on perdit de vue et la tempête et sa coulée de boue. Il y eut des dons et des secours entassés tout-partout, à l'emplacement d'antennes sociales qui avaient disparu, sous les croix des carrefours, le parvis des églises, sur la grand-place de ces communes du circuit officiel où plus d'un malheureux n'avait même plus souvenir d'avoir été frappé. Mais la Vierge reste sainte.

Mais nous étions contents d'une telle vitalité dans le secours urgent, satisfaits d'observer notre propre énergie à l'entour des déveines. Notre pauvre petit pays disposait d'une vaillante aptitude à organiser de grandiose façon l'assistance solidaire. Malgré nos opulences, nous avions cultivé intact comme un *prends-garde-mon-fils* à l'encontre des déveines, comme l'appréhension d'un quelque chose que nous portions en nous et qu'il nous faudrait tôt ou tard affronter. C'est donc cet esprit-là (arc-bouté au concret du malheur combattu) qui nous empêcha de considérer l'annonce de Bodule-Jules; ce qui ne veut pas dire qu'en temps normal nous l'aurions fait; le grand indépendantiste n'était même plus notre mauvaise conscience : nous n'avions plus besoin du juvénile de sa révolte ni même des illusions (confirmées sans issue) de sa lucidité.

*

Donques, son annonce se trouvait à la page trente du supplément devenu introuvable, entre le dossier sur la Grande Dame de la chanson créole, les pages spéciales sur les quatre-vingts ans du Grand Poète, et un reportage très minutieux sur un chanteur de zouc décrit comme « *Grand Monsieur à la voix d'or* ». L'annonce consistait en un quart de page très sommaire, comportant une photo déjà ancienne, quelques lignes, et une étrange biographie du grand indépendantiste. Elle n'avait ni date de naissance, ni rappel du nom de sa manman ni de celui de son papa, ni indication de sa commune d'apparition, ni petit nom de voisinage. Le journaliste, certainement sur les conseils du vieux bonhomme, et sans vraiment comprendre, avait seulement marqué :

M. BALTHAZAR BODULE-JULES
Né en toutes époques,
en tous lieux, et sous toutes oppressions.
Mort dans trente-trois jours, six heures, vingt-six minutes, vingt-cinq secondes,
en toutes terres dominées et tous pays vaincus.

C'est vraiment de cette manière aussi insignifiante que cette affaire fut portée à notre connaissance. Nous l'oubliâmes, puis nous y revînmes en relisant de temps à autre le dossier sur la Grande Dame, les pages spéciales à propos du poète immortel, ou le dithyrambe sur le *Grand Monsieur à la voix d'or*. C'est grâce à eux, au verso de leurs pages précieuses, que nous avions conservé trace de cette

27

annonce. Nous la lisions, la relisions sans y penser et sans comprendre pourquoi. Il nous fallut du temps avant de réaliser qu'elle nous taraudait d'une sorte particulière. Elle était dérisoire; nous le savions; nous le disions; certains d'entre nous en riaient même, affirmant que cette fois Bodule-Jules avait perdu l'ultime fil de sa tête. Mais nous la lisions, la relisions, en un acte machinal enrayé sur sa répétition, jusqu'à ce qu'elle se mît à résonner dans le vide de nos rêves, à traverser les artifices de nos tourments et à nous obséder en creux telle une présence-absence. Ceux qui parvinrent à établir un lien entre ce lancinement et la désuète annonce furent rares, et plus rares encore ceux qui, sur le coup, s'émurent de cette pauvre agonie dont l'annonce s'était portée vers nous.

Puis certains d'entre nous se mirent à penser à Bodule-Jules. Comme ça. Une bouture de songer. Une arrière-souvenance. L'entrelacs imprévu d'une chimère. Le fugace d'un mot sans grande portée ou d'une parole perdue. Tel moment de sa vie, tel aspect de ses luttes, tel épisode de ses disparitions. On évoqua son temps de naissance et ce qu'il en disait, on revit le visage de sa manman, de son papa, des personnes qui venaient avant eux et que lui-même aimait à nous décrire sans fin. On en parla, comme ça, en fin de conversation, ou en début de punch, au chaud de nos méchouis de plage, ou dans l'attente hagarde d'un épisode de nos séries télévisées. Nous l'évoquâmes au détour d'une lettre, dans le post-scriptum d'un fax, dans nos forums de discussion sur la toile d'Internet. Il apparut dans « Le courrier des lecteurs » de *France-Antilles* et du supplément télé dans lesquels nous étalions d'habitude de longs ersatz de nos angoisses. L'évocation de Bodule-Jules devint une vague silencieuse, comme une partition majeure qui composait de manière erratique la vie pour le moins insolite du grand indépendantiste. Il aurait fallu comme un réceptacle de notre conscience insue, une antenne réceptrice de notre ombre collective, un point focal capable de recevoir tout cela, et (sans rien trier ni ordonner) d'en sédimenter une vision de cet homme — cet homme à la fois dérisoire à l'extrême et surprenant toujours. Et même si cela avait été possible, qui aurait voulu le faire et à quoi cela aurait-il bien pu servir?

Le trast de l'énonciation

= But de ce livre est de condenser la vision d'une même communauté a d'un homme.

LIVRE DE L'AGONIE

Oala, petit Cham : sur cette vie, il te faut comme greffer des merveilles. De légendes en légendes, avec les contes, les fables, les sagas, les miracles et les mythes, réensemence le monde sans jamais fatiguer. M. Balthazar Bodule-Jules le savait et se battait comme ça... *Ho, je sens le fruit de vie...*

« Notre morceau de fer ».
Cantilènes d'Isomène Calypso,
conteur à voix pas claire de la commune de Saint-Joseph.

1

INCERTITUDES
D'UN COMMENCEMENT AU CŒUR
ÉMU DU PAYS ENTERRÉ

> On dit qu'il se mit à mourir exactement comme un soleil
> se lève.
>
> *« Notre morceau de fer ».*
> *Cantilènes d'Isomène Calypso,*
> conteur à voix pas claire de la commune de Saint-Joseph.

Au commencement de son agonie, plutôt que de ressasser
(comme on eût pu le supposer) les guerres anticolonialistes d'une vie interminable, M. Balthazar Bodule-Jules,
soulevé par un tison de vigueur, songea aux sept cent
vingt-sept amours qui exaltèrent son existence.

Loquenciers, ne restez plus assis car je prends la parole.

Cette agonie dura, au très exact, le temps qu'il avait lui-
même annoncé, avec pour inconnue les circonstances de
son amorce, tant il est vrai que l'absence de témoin
oculaire des événements de cette matinée-là autorisa une
infinie carburation des témoignages de toute espèce. C'est
pourquoi, en guise de démarrage d'une agonie qui est en
fait une genèse, subsistent ce lot de versions possibles et
ce principe d'incertitude qui dans toute cette affaire
deviendra structurel. Il est donc possible de dire qu'ici on
ne commence pas, mais qu'on diffracte soudain.

Déjà pour un. En ce bon matin-là, le vieux rebelle s'était réveillé comme certains jeunes oiseaux : avant le jour qu'il aimait voir suinter sur les pics des pitons du Carbet. Il habitait, quartier des Bois, commune de Saint-Joseph, dans une petite case de mode traditionnel. Elle possédait une terrasse ouverte sur la pente d'un minuscule jardin peuplé de colibris domestiqués et d'orchidées très rares. Il s'était créé lui-même ce cocon végétal que ses visiteurs découvraient dans une stupeur réelle. On s'apprêtait plutôt (croyant bien le connaître) à le trouver environné d'armes spectrales, de pointes aiguës, de mitraillettes huilées, d'une batterie de coutelas d'égorgeur et d'épées sans fourreaux, de pains de plastic et de pièges en bambou. On s'attendait à visiter un arsenal de guerres anciennes et de vestiges de champs de bataille, et non pas ces ciselures végétales dont il s'était fait une passion indévoilée et délicate autant.

La case était peinte de ces couleurs criardes qui viennent des goûts passés pour le gros rouge, le gros jaune et le bleu triomphant. De sa terrasse, dans le vidé des colibris ivres de sucre et de vie sédentaire, dans la splendeur des orchidées qui déployaient pour se nourrir la chevelure de leurs racines, on découvrait la campagne de Saint-Joseph, ses brumes flottantes, ses ombres vertes, et l'émergence céleste des pitons du Carbet que le vieil homme contemplait sans jamais se lasser. C'était pour lui un signe de la beauté mais surtout un bel espace de liberté où les nègres du temps de l'esclavage réfugiaient d'orgueilleuses résistances et l'inmontrable du désespoir. Donc, il s'était assis là, avec son bol d'aluminium où fumait l'eau de café. Il s'était assis là, les bretelles du tricot accrochées aux épaules, le pantalon de toile kaki retenu sur sa hanche par la grosse ficelle jaune, les pieds nus, la tête nue, le regard nu aussi. Il s'était assis là, dit-on, comme durant chaque matinée d'une vie incalculable, et, à mesure que cette vie s'en allait, s'était mis à songer aux sept cent vingt-sept femmes qu'il avait tant aimées.

POUR DEUX, TROIS ET QUATRE. Il est possible que, ce bon matin-là, il s'éveilla à la même heure, mais que cette fois il eut du mal à sortir de sa chambre de vieux bougre solitaire. Qu'il ouvrit la fenêtre persiennée où s'étageaient la limite du jardin et une facette oblique des pitons du Carbet. Il est possible qu'il se remit au lit avec l'idée (jouet d'une fatigue ou d'une prescience) d'y demeurer quelques instants encore. C'était un lit en fer d'une couleur indistincte, costaud et sans grincement, longeant une commode d'acajou millénaire où il rangeait ses linges de sortie pour bombes et enterrements. Sur le tabouret qui lui servait de table de chevet, une lampe à pétrole complétait l'empilement de quelques livres de Saint-John Perse.

Au pied de sa cabane, il avait conservé le vase émaillé de ses pipis nocturnes qui lui venait de sa grand-mère. Il l'avait installé là en guise de souvenir, puis l'avait érigé en symbole de ces liens qu'il voulait maintenir avec les gens de sa lignée ; puis il s'était mis à l'utiliser à mesure que les âges avaient rendu sa vessie bien plus autoritaire que ses besoins de sommeil. C'est là qu'il arrosait le monde à chacun de ses réveils, lentement, longuement, avec le soin considérable qu'il accordait au moindre de ses actes. Il contemplait la couleur de son urine, en appréciait l'odeur tel un fauve contrôlerait les fragrances d'un territoire vital.

C'est peut-être dans la couleur ou dans l'odeur de son urine qu'il eut soudain le signe flagrant de son échec, et que son agonie commença, juste là, dans cette mousse ammoniaque et la mélodie tintinnabulante de ce seau en émail. Il était donc debout, comme il l'avait toujours été face aux bêtes de guerre des armées coloniales. Et c'est

35

debout, une de ses armes favorites à la main, que son âme martiale entama son départ.

Mais il a pu faire pipi bien tranquillement, et s'être recouché sans plus d'émoi, toujours porté par cette fatigue ou cette prescience. La fenêtre (d'après ce qui a pu être établi) devait lui diffuser l'atmosphère du jardin mêlée aux alizés libres qui tombaient des Pitons. Le silence à cette heure était tissé d'éveils imperceptibles, que le vieux rebelle pouvait déchiffrer, dénombrer, prévoir et suivre avec ses sens aiguisés par les dangers extrêmes qu'il avait de tout temps affrontés.

Et c'est peut-être là, dans cette symphonie de mille éveils [1], qu'il eut soudain conscience d'être coupé de son pays natal ; de ne plus porter en lui cet horizon de choses possibles qu'il avait déclaré conserver comme un fils, un prophète, comme un gardien fatal sur un ultime rempart. Se sentir brusquement clos. Achevé. Buter contre un à-plat dans une absence de lignes de fuite. Découvrir la boucle d'asphyxie de ses rêves les plus chers. Il perçut cela dans le parfum des orchidées et le frou-frou des colibris qui le cherchaient pour leur sucre matinal. Ses muscles de guerre durent tressauter comme des serpents piégés. Il dut éprouver un arroi de vertige, et tenter de faire comme si de rien n'était, s'abîmer dans les gestes habituels : la terrasse, l'eau de café, le regard aux beautés des Pitons, puis l'inspection de son jardin. Il avait tout planté dans cet espace minuscule : pommes-cannelles, mangues-julie, corossol, caïmites, prunes-chili, tamarin-des-Indes, oranges, mandarines, avocats, piments, cristophines, tapioca... Il avait ses oignons-pays, sa citronnelle, son basilic, ses deux espèces de thym, son persil, sa menthe glaciale. Il

1. (... Mouches éphémères, floraisons d'orchidées, craquelures d'œufs de colibri, amours de vieux anolis, nouées de vers de terre, écorce d'arbres qui épaississent, floraison de pommes-cannelles, sève agissante sous la paupière des feuilles très jeunes...)

avait ses mottes d'ignames, ses variétés de dachines, ses patates douces, une ligne de carottes, une dissémination de pastèques et de melons. Dans ce jardin (tel que cela fut observé lors d'enquêtes ultérieures) surgissaient ses herbages de médecines : aloès, herbe à tous maux, herbe couresse, et une théorie de plantes dont l'usage s'était gommé de la mémoire d'ici. Avec ce bout de terre, il n'avait besoin d'aucun supermarché et se déclarait capable de soutenir un siège de cent cinquante-cinq ans. Toute sa vie, l'inépuisable rebelle avait maintenu cette autonomie alimentaire. Ce rapport ancestral à la tourbe nourricière se constituait pour lui en fondement des libertés pérennes. Dans ce jardin, il arpentait une part de lui-même, un reflet des paysages sacrés de son esprit, le prolongement de sa propre volonté. Il avait là mille choses à faire, pour aérer le sol, repérer les méfaits des insectes et vermines, élaguer, effeuiller, contempler, parler à ces âmes végétales dont il se savait proche. Mais, en ce matin-là, chacun de ces gestes fut pour lui douloureux. Ils s'effectuaient à vide comme s'ils avaient rompu leurs invisibles amarres. Et c'est ce vide qui à chaque fois le flagellait.

C'est telle une yole fantôme que le vieil homme dut arpenter ce jardin de son âme aux emmêlements invraisemblables. Il dut s'y perdre sans doute, parvenir aux bambous qui occupaient le bas de la pente et retenaient la terre lors des pluies diluviennes. Au pied de ces bambous coulait la rivière blanche, son eau froide, pure comme un songe malgré les pesticides, et dans laquelle il s'immergeait d'un coup pour s'éveiller vraiment. Il étirait dans l'eau glaciale les muscles de son corps nu, dénouait les nœuds de son sang, triturait ses anciennes cicatrices, et cela suffisait à le remettre d'aplomb. Mais là, cette fois-ci, son corps demeura noué, son esprit continua de flotter, en proie à une chimère informulable, et il se mit (sans trop savoir pourquoi) à se souvenir de ces femmes qui avaient

peuplé son cœur de cataclysmes divers. Elles vibrion-
nèrent soudain dans son esprit avec bien plus de fracas
que les bruits et les fureurs de ses guerres coutumières.

POUR CINQ. Il s'était peut-être aussi réveillé en pleine nuit,
s'était assis dans le noir de sa terrasse comme il aimait à
le faire au moment des grands tournants de ses combats;
et sans doute là, dans le clair à deviner d'une nuit qui
s'épuisait déjà, avait-il eu le sentiment de son échec et de
l'inutilité de son existence. Alors, dans le sursaut d'un
homme qui se noie, il s'était mis à méditer sur ses amours
anciennes. C'est comme si son activisme des trente dernières années n'avait été qu'un mensonge infligé à lui-
même. Le voile de ce mensonge s'était d'un coup déchiqueté. On ne sait trop pourquoi, et ce que l'on ne sait pas
reste au-dessus de nous. On dit que la mort venante aug-
mente le regard, permet de voir, écaille les illusions,
délave les ciels de faux-semblants, et qu'alors (suspendu
au fragile battre de son cœur) on mesure l'essentiel de sa
vie. La mort approchante du vieux rebelle avait dû le surprendre ainsi : par une brusque vérité. La plus violente, la
plus exacte, la plus fatale aussi puisque la plus intime. Et
ces femmes lui étaient venues comme une bouée irraisonnée, une chiquetaille du vivre, une protestation pour se
dire à lui-même *oooo ou viv ko'w ti-mal*, Oh mon cher, tu
as été vivant !...

POUR SIX, SEPT ET HUIT. Ou alors, il ne s'était sans doute
pas endormi cette nuit-là. Il était demeuré sur sa terrasse,
devant sa chère gamelle de zinc où se figeait un reste de
soupe claire, éclairé par sa lampe à pétrole car il n'avait
jamais voulu s'abonner au service des électricités du
Centre qu'il combattait. Et là, il est probable qu'il ait passé
la nuit à relire le poème *Anabase* de Saint-John Perse pour
lequel il nourrissait les sentiments (pas si contradictoires)
de la détestation et de l'amour. L'œuvre entière de ce

38

poète béké avait été retrouvée aux endroits clés de la maison, dans la chambre, sur la terrasse, dans le cagibi des WC, et sous le petit abri du jardin où le vieil homme affrontait en compagnie de ses colibris les après-midi chaudes. Il possédait les éditions de poésie courantes, la parution de la Pléiade dans laquelle Saint-John Perse s'était forgé une vie, des éditions de luxe en grand format qu'il s'était procurées on ne sait trop comment. Les ouvrages portaient les stigmates d'une éternité de corps à corps, les pliures-cicatrices des lectures suspendues, des annotations méditatives au crayon, des surlignages d'âges différents, des commentaires illisibles recouvrant les marges et les pages de garde. Les livres de Perse côtoyaient les recueils de Césaire, Glissant, Char, Segalen, Hölderlin et Claudel. Nul n'aurait pu penser que cet homme de force et de violence ouverte, de lutte sans faille, tout en gestes décisifs, avait mené de si profondes plongées dans des textes poétiques. Chaque ouvrage apparaissait rompu comme une vieille arme, patiné, déformé. Ils semblaient avoir été lus ensemble, en différentes périodes, à tout moment. Ils portaient les flétrissures de circonstances terribles où M. Balthazar Bodule-Jules avait dû les lire dans la boue, sous des déluges acides, auprès de violents incendies. Il devait associer ses lectures à des écritures sur des feuilles d'épicerie, numérotées, dont seulement quinze exemplaires ont pu être retrouvés. Ces feuilles d'écriture devaient provenir des emballages de ses petits achats (beurre, farine, saucisson...) chez le Chinois de la croisée ; elles étaient tachées de graisse, décolorées par des gouttes non identifiables, éprouvées. Il les avait coupées en carrés inégaux, entassées avec soin dans une boîte de fer-blanc. Son écriture d'encre violette élaborait un entrelacement de signes perdus, en grande part illisibles, ne suggérant qu'ils disposaient d'un sens que grâce à leur égale répartition sur les feuilles d'épicerie. La boîte était restée ouverte sur la table de la terrasse, auprès de l'*Anabase* (lui aussi grand ouvert), le Bic d'encre violette déposé à côté, dans l'ombre tordue d'une vieille mappemonde. Le jour devait l'avoir enrobé là, flap, comme au débouché d'une rupture de conscience. Et, dans la lumière qui se disséminait, avec dans son esprit les enchantements de Saint-John Perse, une illumination négative l'avait forcé à penser son échec, et donc à décider (tout doucement) de ne plus continuer à vivre.

Il s'était alors avancé vers son orchidée confidente, l'avait caressée, l'avait rassurée d'un mouvement insolite de ses doigts. À son approche, l'orchidée avait comme chaque fois libéré son parfum de hautes montagnes d'Asie, qui lui avait imprégné la main, s'était glissé dans la texture de son tricot, lui avait nimbé les cheveux d'une aura de senteurs. Il avait visité les autres, une à une, comme à l'accoutumée, mais cette fois avec des gestes d'un passé maintenant irrémédiable. Peut-être s'était-il demandé s'il fallait les brûler, ou les abandonner au bon cœur de ceux qui se souviendraient de lui. En tout cas, il les avait laissées telles quelles, faisant confiance à leur talent sans âge pour la survie en condition extrême. Supposons qu'il rencontra aussi les colibris, somnolents dans leur nid, lesquels ne frémirent nullement à son approche car il les visitait souvent et à n'importe quelle heure de soleil ou de lune. Qu'il avait eu, là aussi, les gestes de cette sapience intime qu'il possédait envers les animaux. Puis qu'il était revenu sur la terrasse afin de voir le ciel récupérer son bleu au-dessus des Pitons. Là, il avait goûté à la descente des premiers alizés chargés du frais des hauts inaccessibles. Et (imperceptible déflagration) c'est le parfum de l'orchidée amie qui, dans une volte quasi magique du vent, lui aurait ramené un beau visage de femme, puis la douceur d'un autre, puis le tendre d'un regard, déclenchant une formidable exaltation de sa mémoire sur toute une existence de guerre sentimentale.

POUR NEUF ET DIX. On ne sait pas à quand remonte son ultime écriture car les feuillets ne portent pas de date. L'analyse de l'encre aurait pu révéler quelque chose, mais les Bic sèchent bien vite et se pétrifient trop. Le vieux rebelle avait sorti la boîte de ses feuillets. Elle restera durant cette agonie sur la table en bambou qui meublait la terrasse, juste dessous le globe tordu de l'antique mappemonde. Cela permet de supposer qu'il s'était rendu dans cette vieille armoire, laquelle lui provenait d'une arrière-tantante, un monstre de bois verni du sud-ouest de la France, et qu'il utilisait non pas pour des vêtements, mais pour y entreposer des photos, des articles de journaux, du courrier qui lui venaient de maintes époques guerrières, de nombreux coins du monde où des peuples avaient secoué un joug. L'armoire était le tabernacle d'un amas de textes imprimés en des langues dans lesquelles il avait dû s'exercer à survivre. Il est possible qu'il en ait extirpé cette boîte à chaussures où s'entassaient des lettres délicates ; elles lui venaient des femmes qu'il avait adorées, ou qui l'avaient abandonné, ou qu'il avait abandonnées. Des lettres charroyeuses d'émotions asphyxiantes, d'avalasses sentimentales, de floraisons hargneuses ou satisfaites, d'une jonchée de reproches et d'extases indémêlés. Il avait dû empoigner une de ces lettres, non, la boîte avait dû se renverser, et il avait ramassé les enveloppes une à une, se laissant solliciter par les parfums différents et usés. Les formes d'écriture, la couleur pâle des encres, un mot capté par-ci, un prénom retrouvé, le basculaient d'un coup dans les affres d'une amour. Il avait choisi une de ces lettres, ou s'était vu accroché par elle pour une raison encore indé-terminée. Il l'avait lue en diagonale, puis l'avait relue, puis s'était assis en rapprochant la lampe à pétrole pour mieux la distinguer. Libérée par la lettre, une histoire l'avait alors enveloppé, un vrac de cœur sauté, de passion célé-brée, de rires, de larmes, de rêves, d'espoirs désespérés ; la lettre s'était transformée en vibration vivante, en personne, en chair, en odeur d'aisselle. Elle était devenue un esprit, des dents, un parfum, de clairs mouvements d'un corps. Qui était-elle, et pourquoi cet unique souvenir avait-il provoqué un effondrement aussi considérable chez un guerrier indestructible ? Qui était-elle, ô femme et centre de gravité de ce séisme intime ?

POUR ONZE. Variations : un état d'esprit particulier l'avait peut-être incité à rechercher cette lettre. On dit que les vieilles personnes ont tendance à remâcher la poussière de leur vie, que les vieilles chairs appellent les vitamines de la rumination, et qu'alors, si la vie s'alentit autour de leurs désirs, elle s'accélère dans leur mémoire. Il avait donc pensé à cette lettre. En pleine nuit. Ou durant le faire-pipi de son réveil. L'avait cherchée avec un rien de fièvre. L'avait trouvée. L'avait emportée sur la table de la terrasse. Ou même sous l'abri du jardin. Sans doute l'avait-il relue au bord de la rivière blanche, à l'ombre de la touffe de bambou, avec cette concentration sans faille dont il était capable et qui alors le rendait bien plus massif qu'un très vieux xamana.

On avait retrouvé la lettre en charpie, pulvérisée en miettes sans avenir, à telle enseigne qu'il fut impossible aux policiers-experts (qui depuis son retour au pays résidaient dans son ombre) de la recomposer. Dans leurs procès-verbaux, ils marquent qu'elle diffusait un parfum obsédant, décrépi à la manière d'une argile verte des marais du Congo, et qui alors rappelait l'écorce de flamboyant, la menthe décomposée et l'alcool de figue des vieilles cours du Maroc. Un chicot d'écriture avait retenu l'observation des policiers : une écriture aux lettres trop détachées les unes des autres, appliquée aux pleins et aux déliés, un peu scolaire, qui pouvait donner à penser que la personne était très jeune. Était-ce vraiment une de ses

42

femmes aimées, ou avait-il engendré une fille lors de ses
fornications parmi les terres colonisées et les combats
libérateurs ? Pas sûr. On dit qu'il n'avait jamais eu
d'enfant. Des femmes qui avaient tenté (on ne sait trop
pourquoi) d'obtenir de lui un rejeton de fibre guerrière,
n'avaient rien vu venir malgré un renfort appuyé de leur
fécondité. L'homme, ce belliqueux de vigueur volcanique,
avait semble-t-il été anormalement stérile. Il avait (sans
doute en quelque coin de l'Asie ou de l'Afrique) avalé une
mixture pas très bonne pour les graines, ou alors était-ce
la conséquence de ces fièvres innombrables qu'il se cho-
pait dans les déserts, les marais, les montagnes sulfu-
reuses, les bouillons de forêt vierge où il avait parfois dû
vivre comme un rat de chaland, dans des humus fétides,
sous des racines malades, dans des tunnels creusés avec
l'unique rage liturgique de ses ongles. Il est possible aussi
que les forces secrètes qui le traquaient de par le monde
l'aient empoisonné tel l'ardent Frantz Fanon, victime
d'une leucémie d'origine policière. Lui, elles l'avaient raté
car, mis à part les migraines titanesques, les insomnies
des derniers temps, la jérémiade de ses blessures de
guerre durant la saison des pluies, on ne lui avait pas
connu les symptômes des poudres radioactives que la fli-
caille colonialiste vaporisait sur le chemin des dirigeants
rebelles. Leur attaque contre lui avait dû être vicieuse,
indécelable à cause de son exceptionnelle constitution :
elle ne lui avait transmis aucun message d'alarme tandis
que le poison lui dévastait les graines et les rendait à tout
jamais bouarangues.

Donques, la lettre, lue au terme de son incalculable existence, ne pouvait provenir que d'une femme. Une lettre
unique car les policiers ne retrouvèrent jamais cette écriture, ce papier ou cette encre, dans les entassements de la
boîte à chaussures. Cette lettre datait d'on ne sait combien
de temps (mais très longtemps compte tenu du papier

parcheminé comme une peau de momie) et n'avait peut-être jamais été ouverte. Ce jour-là, il y avait pensé. L'avait ouverte, et l'avait lue. Cette lecture (tel un piège libéré d'une tension de mille ans) l'avait précipité dans un temps très spécial de sa vie et avait déclenché l'insolite agonie.

POUR DOUZE. Il n'y a pas de commencement de la mort. Elle existe dès la conception, enrobe la naissance, se loge dans l'existant, reste un principe actif des projections vers le futur. Elle compose le revers des lieux de vie extrême, ceux de l'amour surtout, où le cœur bat si vaillant qu'il paraît invincible. Instinctivement, le vieil homme avait voulu livrer cette bataille finale en compagnie des amours de sa vie. C'était des éclats de soleil à opposer aux éboulements nocturnes qui s'amassaient en lui. Il avait pu d'emblée déterminer le temps qui lui restait — trente-trois jours — parce qu'il se savait déjà mort depuis une charge d'années ; parce qu'il se l'était occulté à lui-même avec ses artifices de rebelle obsolète. Mais, en parvenant à refouler cette mort déjà développée en lui, il avait pu se mettre en scène durant près de vingt ans, telle une marionnette sous un reste d'élastique, et ces trente-trois jours d'un ultime délai lui furent nécessaires, non pour tenter de survivre, mais pour une fois encore savourer (la goutte après la goutte, amour après amour) l'oxygène le plus violent du brasier de sa vie.

POUR TREIZE. Il venait de chiffrer ce solde existentiel quand le journaliste avait cogné sa porte. Surpris de cette coïncidence, le vieux rebelle l'interpréta comme un signe du destin. Il le fit entrer, lui offrit le punch, parla de choses et d'autres, et lui fit l'annonce que le pays officiel découvrirait quelque temps plus tard dans le supplément télé de ce fameux week-end. Au départ du journaliste, l'agonisant avait ouvert portes et fenêtres, secoué son lit, balayé la case avec le même soin que d'habitude, et s'était

44

installé sur la terrasse, dans ce fauteuil d'osier qui lui venait d'un coin de l'Indochine, et c'est bien encagnardé dans son fauteuil, ceint de la gloire des orchidées et du vol solaire des soixante colibris, qu'il avait entamé son glissement de trente-trois jours vers son étrange mort...

Voilà ce que l'on peut laisser entendre de l'instant initial de cette fatalité, mais, pour le reste, les témoignages ne se sont pas éteints. À quoi bon les répertorier tous quand on sait qu'il n'y aura jamais en la matière la moindre certitude ? Que chacun dise et raconte ce qu'il veut, autant qu'il le veut, car c'est le seul moyen d'approcher d'un réel toujours inépuisable...

Ceux qui vinrent le voir, de ses amis intimes (ou même moi dont il ignorait l'existence et les livres), le trouvèrent assis avec une pose de sénateur dans son fauteuil d'osier, la mine parfois réjouie, parfois grave et pensive, parfois terrible comme s'il songeait à ses guerres incessantes. Comme s'il remontait le fil des fausses victoires, décrochait un à un les triomphes postiches dont il fut affublé, jusqu'à mettre à nu l'échec ultime qui le clouait sur le fauteuil d'une agonie. Ses amis demeuraient en silence près de lui, respectant ce qu'ils croyaient être une plongée méditative dans les combats anticolonialistes. On voyait les brumes amères de son regard alourdir ses paupières. On voyait d'imperceptibles sourires divaguer sur ses lèvres comme des yoles défoncées. On voyait des tristesses empoigner son visage comme des malfinis morts. On voyait des frissons inconnus lui féconder le ventre. Il ne voulait ni boire ni manger ; parfois il prenait un verre d'eau de coco ou acceptait un morceau d'igname sec. Il prit même de temps à autre un punch cérémonieux en compagnie de vieux compagnons de lutte. Il était clair pour tous que le vieil homme n'avait jamais été aussi vivant. Jamais aussi puissant. Il était difficile de soutenir la clairvoyance de son regard, de ne pas se sentir écrasé par l'ampleur caverneuse de sa voix. De ne pas admirer depuis le fond d'une petitesse ce maintien impérial qui lui aiguisait la mâchoire et proposait son front aux fastes des souvenirs. Même quand il replongeait dans une absence sans signes, il était évident que, de toute son existence, le vieux rebelle n'avait jamais connu une telle force de vivre.

La nouvelle de son agonie circula dans le pays enterré de manière zinzolante, en dehors des médias. Elle chevaucha des billets de paroles et des mulets de confidences. Elle put ainsi atteindre le fondoc des quartiers retirés où ne parvenaient ni l'eau ni l'électricité ni les journaux ni les antennes télé. Dessous l'indifférence officielle, il y eut des conques de lambis qui résonnèrent toutes seules; on entendit gémir des fromagers et pleurer d'immenses touffes de bambous; des tambours peuplèrent les mornes lointains d'une alerte insondable. C'est pourquoi (selon l'article ancien de la visite aux vieux agonisants) de vieilles tantantes débarquèrent des campagnes avec des poules nourries à la macandja mûre, des canards de ravines qui sentaient le bois d'Inde, des écrevisses de sources plus grosses que des langoustes. Qu'un vieux tonton que l'on pensait perdu descendit des bois de son exil avec des porcs sauvages et un cabri assez vaillant pour soutenir les bombances d'un baptême. Que l'on vit s'accumuler dans le jardin, au gré des allées-virées de sa famille (reconstituée comme une niche de fourmis visionnaires), des charrois de manioc, des sacs de patates douces, des paniers de dachines, des régimes de bananes qui dégouttaient du lait de leur fraîcheur blessée. Des cousins jusqu'alors inconnus lui apportèrent des variétés de potirons dont nul n'avait les titres. D'autres firent offrande de choux rouges sans calibre, de tomates surhumaines, sapotilles et concombres macissis. De vieux koulis, bouchers de leur état, lui apportèrent ces testicules de taureau que l'on cuit en salade, et ces tranches de peau claire qui sont merveilles en souskays et piments. De vieux pêcheurs vinrent des rives délaissées, pour amasser dans les bassines de la maison des poissons électriques dont la chair tressautait dans un feu d'artifice. Ils lui apportèrent des poissons-coffres aux yeux mélancoliques, des lambis introuvables criblés de perles roses, des congres verts noués par leur propre fureur, et des boyaux de thon dont ils faisaient délices. Ils s'installèrent un peu partout, se mirent à écailler, à vider les poissons, à les assaisonner, à chanter sur deux notes des complaintes de haute mer. On utilisa le réchaud à pétrole, d'abord pour une soupe de malade alité, puis pour une eau de café, puis pour un blaff de carpes bleues, puis pour une daube de thazard, puis pour quelques marinades lestées d'un rhum à 70° que d'anciens distillateurs avaient rapporté dans des dames-jeannes caduques.

Bientôt, au fil des heures, au fil des jours, on installa de-ci de-là, dans le jardin, autour de la maison, des braises à quatre roches sur lesquelles des canaris de terre mitonnaient des mangers. Le beurre rouge, l'oignon-pays et le piment menaient des bombes barbares. Un ancêtre tambouyé survint, escorté d'une lignée de comparses, afin de cogner un bel son de tambour en l'honneur du mourant ; ils se mirent à chigner en le voyant prostré dans son fauteuil d'osier, puis se perdirent dans un rythme *pajambel* qui ne s'arrêta plus durant cette agonie. Il y eut des quimboiseurs dégarés des oublis pour encercler la case, inspecter le jardin, tenir des signes contre le destin et la fatalité. Il y eut des conteurs que l'on imaginait morts depuis une charge de temps, qui surgirent sans annonce au milieu de la nuit, le chapeau à la main, et le bâton de sapience glissé sous le bras gauche. Il y eut des driveurs qui eurent du mal à s'arrêter, et qui (pris par leur vice de marcher sans arrêt) se contentèrent de tournoyer comme des toupies mabiales sur les traces terreuses d'alentour la maison. Il y eut des pacotilleuses, irréelles dans leurs robes étrangères, qui lui portèrent des pastilles jamaïcaines assurées bonnes contre les toux profondes. Il y eut de ces nègres étranges qui (à chaque carnaval) se transformaient en diable rouge à cornes et à miroirs, et d'autres qui disparaissaient sous les feuilles-bananes-sèches d'une Marianne Lapo Figue. Et il y eut (seigneur ayez pitié) les nègres désordreurs dont la seule présence précipitait l'enfer dans n'importe quel meeting, mais qui, là, se contentèrent de rôder autour de la maison comme des chiens échaudés, le regard à genoux et le sourcil tombé. Après, il fut très difficile de voir qui arrivait, qui s'installait, qui observait. Les voisins d'alentour, émoustillés par l'insolite effervescence, vinrent zieuter eux aussi, rendre leur petite visite, ramasser le milan. Ils téléphonèrent (sous sceau de confidence) à deux-trois autres compères, qui s'en vinrent avec leurs camarades. Celui-ci appela celui-là qui appela les autres qui appelèrent leur monde. La case fut envahie d'un remué de marché qui ne semblait provenir que de l'agonisant — lui, pourtant inébranlable (et pas présent) au fond de son fauteuil.

*

Oala, petit Cham, la vie du Morceau-de-fer c'est comme l'allée d'un vent : il a rêvé cette vie autant qu'il l'a vécue... et notre vie l'a rêvé autant qu'elle l'a forgé...

« Notre morceau de fer ».
Cantilènes d'Isomène Calypso,
conteur à voix pas claire de la commune de Saint-Joseph.

Reconstituer cette agonie est affaire difficile. Elle ouvre à toute une vie, invoque les ombres et les lumières de toute une destinée. De plus, l'agonisant n'ouvrit jamais la bouche, ou si peu, ne savourant que le viatique de son silence. Le plus simple fut pour moi de ramasser les gestes de cette affaire, l'un après l'autre, et de les nouer ensemble au gré de leurs hasards et des nécessités. J'avais eu connaissance immédiate de l'agonie. J'eus envie de lui téléphoner et de le voir. Le téléphone semblait avoir été coupé ou jamais installé. Et c'est en me rendant chez lui (pour la première fois) que je trouvai l'étonnante assemblée. Je fus surpris de découvrir autant de personnes réunies sans que les abords du quartier soient encombrés de voitures-quatre-quatre BMW Clio Golf Audi, et autres merveilles pour asphalte ordinaire. Sur les bas-côtés, aux entours de sa case, n'apparaissaient que des mobylettes jaunes, des bâchées délabrées revenues de deux guerres, deux-trois mulets d'existence impossible, et quelques taxis collectifs qui ne savaient plus s'il leur fallait attendre ou reprendre le chemin de leurs communes lointaines. Cette assemblée emplissait la maison et entourait Balthaz (ils le criaient ainsi) dans ses derniers instants. Elle s'était constituée en moins d'une journée, baignant dans l'odeur des épices, des fritures, des bouillons, du poisson frais, des encens et des bougies, du café grillé et des sueurs. Elle bourdonnait d'un contentement qui n'était pas de la joie, d'une plénitude sans rapport au bonheur. Certains s'étaient livrés aux éternités de ces jeux-dominos qu'ils savaient fracasser pour fasciner la chance ; d'autres goûtaient aux mystères des dés du jeu-serbi et aux aveuglages des cartes de la belote. Une tristesse flottait là sans douleur ni misère. Son exaltation semblait désespérée, aveugle et clairvoyante, sourde et clair-audiante — et en même temps sereine. Cette assemblée m'apparaissait tellement invraisemblable que je passai une heure à errer parmi elle, à la fois incrédule et saisi d'envoûtement. Je croyais côtoyer des spectres des temps anciens, fantômes d'époques invalidées, détenteurs des sapiences désapprises depuis déjà longtemps. Ces hommes, ces femmes, ces odeurs, ces manières, cette posture des corps, les sonorités du bavardage créole, ces discours de silences, ces murmures solitaires, me plongeaient dans un bain d'étrangeté radicale et de très vieille proximité. Ces étran-

49

gers relevaient du réel oublié, celui que M. Balthazar Bodule-Jules nommait sans rire depuis déjà longtemps : *le pays enterré.*

Je parvins à son fauteuil d'un pas quelque peu hésitant. Je le vis pour la première fois de près, ses yeux de quatre cents ans, cette volonté terrible qui lui sculptait la face, cette lassitude mêlée à de vitales intensités. Je désirais le voir pour évoquer ces guerres anticolonialistes dont il fut le témoin — et très souvent l'acteur —, démêler ces histoires de nos luttes dont il était expert, et surtout recueillir le récit de sa vie avant le grand silence. Il ne me connaissait pas mais il sembla me reconnaître. Il me fit un signe ambigu de la main. Cela semblait signifier qu'il m'attendait comme il avait attendu la plupart de ceux qui se trouvaient là. Je n'en tirai aucune fierté, juste l'écrasement d'une charge que je ne sus identifier. Je lui parlai. Un bredouillage. Il secoua juste-compte la tête, et replongea dans ces absences qui nimbaient sa posture d'une énigme singulière. Sans trop savoir quoi faire, je m'assis dans un coin de terrasse, entre deux canaris, un peu en face de lui. J'attendais un signe de ses mains pour entamer une conversation. Ce signe ne vint jamais. Durant l'interminable attente, je changeai les piles de mon magnétophone, préparai mes carnets, révisai mes tables sur les guerres coloniales, affinai mes questions. Je tentais de m'extraire de cette vie fantasque qui déployait ses pompes dans toute la maison. Je ressentais, le regardant, une asphyxie envahissante, comme une oscillation aux abords d'un abîme dont je devinais l'importance inéclose. Cela me nouait la gorge et m'emplissait d'une trouble excitation. C'est pourquoi je refusai les thés, le mabi, les soupes, les marinades, les poissons rares offerts par des mains d'hospitalité vieille, et que je passai mon temps à l'observer, lui plus fixe qu'un grand arbre, et de spectacle aussi inépuisable.

50

Et, soudain, flap, ooooye, je fus le seul à deviner que ce qui se bousculait dans la tête du vieil homme était le fil extraordinaire de ses amours anciennes. Des amours. Des sentiments. Des affaires de cœur, de chairs désirées, de femmes soumises au petit châtiment. J'en restais (pas ahuri, non) estébécoué. Je reconnus ce tendre infini qui lui emportait les paupières ; ces remords, ces regrets et ces exaltations, ce manque irrémédiable, cette incompréhension vertigineuse que seules certaines femmes pouvaient inspirer à un être vivant. Et puis cette lettre, cette ruine exposée au centre de la table sous une vieille mappemonde ; ce papier déchiqueté avec la fougue émotionnelle que seule peut déclencher la lettre d'une amante. C'étaient les seuls astres visibles d'un univers en perdition ; les seules accroches offertes sur l'écran de ses silences, de son regard et de son corps. Il ne me restait qu'à le guetter, le surprendre, et tout imaginer, d'amour en amour : aux marques ineffaçables des raides foudres de l'amour

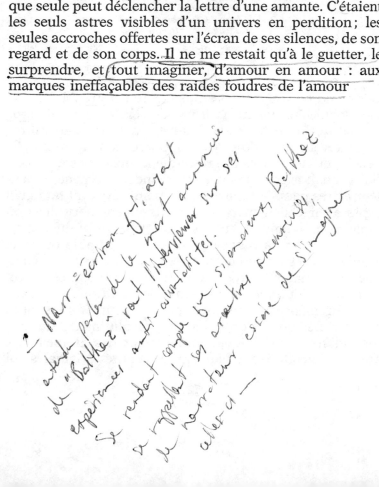

2

INCERTITUDES
SUR LES TRENTE-DOUZE AMOURS
DE SON ENFANCE SORCIÈRE

On nous disait : un morceau de fer va venir. Nous, on attendait sans trop savoir de quoi il s'agissait. Comment imaginer que ça serait un bougre des terres de Saint-Joseph, crié : M. Balthazar Bodule-Jules ? C'est pourquoi, croix en croix, on le titrait des fois : *L'attendu pas attendu.*

« Notre morceau de fer ».
Cantilènes d'Isomène Calypso,
conteur à voix pas claire de la commune de Saint-Joseph.

LES GRANDES AMOURS COSMIQUES. À l'en croire, M. Balthazar Bodule-Jules était né il y a de cela quinze milliards d'années. En ce temps-là, l'univers n'était qu'un infime point rêveur, constitué d'une matière dont la masse, la densité et la température resteraient inconnues à jamais. Il l'évoquait avec son pouce et son index promenés à hauteur de ses paupières plissées. Le point rêvassait tant qu'il explosa en cauchemars, en monts et en merveilles, en espace, en temps et en cosmos, et se répandit à tout jamais dans la substance encore indéchiffrable du vide. Tandis que les nuages de gaz s'émotionnaient en galaxies, que les chants d'hydrogène des étoiles naissantes parvenaient à l'hélium, les quatre-vingt-douze briques de l'existant commencèrent un peu partout leurs fantastiques amours. Les quarks et les leptons s'agglutinaient en protons et neutrons, lesquels enfantaient des atomes. Ces atomes engendraient à leur tour des entités originales qui n'allaient plus finir de s'autoféconder, jusqu'à la naissance des astres, des mondes, de notre système solaire, de la planète Terre, de l'infinie diversité de ses espèces vivantes, et (entre autres finissements) de M. Balthazar Bodule-Jules en personne, né sur un caillot d'archipel dans les petites Antilles.

C'est pourquoi, durant ses échanges amicaux ou l'envol de ses discours politiciens, avec un frétillement évocateur des doigts, M. Balthazar Bodule-Jules se disait porteur, dans chacune des cellules de son corps, de treize poussières d'étoiles et de miettes du soleil. Il ondulait des bras pour s'illustrer porteur des houles de dilatations, de contractions, de fusions, de refroidissements, d'accrétions, de répulsions, de chaos génésiques en œuvre depuis cette date dans les arcanes de l'univers. Et c'est avec ses poings mimant une vénérable machine qu'il se déclarait fils aîné du soleil, lequel ne se situait sur le fil de cette création qu'à quatre milliards d'années. Cela pour avancer que, là-même, sa sensibilité déborda de l'espace de son île, et que, souvent, ses rêves l'avaient presque initié à l'énigme de la matière et de l'antimatière, socle toujours inconcevable de l'univers connu.

Je suis plus vieux que la Terre, affirmait-il aussi, qui n'aligne même pas cinq milliards d'années. Je garde le souvenir de ces poussières qui s'agglutinent en blocs, de ces blocs qui se fondent en planètes, de ces vents solaires qui s'allument tout-partout, des énergies totales qui se heurtent, se contredisent, se fondent et se construisent sans fin. Je vois encore cette épouvante alchimique qu'est notre Terre qui naît. Je vois les condensations fabuleuses, les déluges initiaux, les océans qui naissent comme des mangroves furieuses où tout sera possible. Et puis, dans l'apaisement qui finit par se produire (là, il ouvrait les mains comme des oiseaux de mer en fin d'une migration), je vois les continents qui se cherchent, se devinent, se sédimentent. Je vois les îles naître de l'eau vivante comme des songes impossibles du temps géologique. Et puis, tout le reste relève de l'inouï désir copulatoire des molécules, des acides et des sucres, qui se mêlent et s'emmêlent, se repoussent ou fusionnent, s'agglutinent et s'augmentent, au rythme de cette force à jamais inconnue et qui ressemble à l'idée que les humanités ont pu se faire de Dieu. Ses mains se mettaient à grimper le long de son visage, puis semblaient proliférer dans l'espace au-dessus de sa tête : Je connais ces végétaux qui surgissent du hasard des cellules; j'habite encore ces chairs qui se dessinent dans des bourgeons de vies et des creusements de morts jusqu'à produire l'infinie diversité des formes vivantes à milliards de cellules; et croyez-moi, inconscients, trois de mes cauchemars conservent leur résidence entre la fibre végétale et la chair animale, dans ces formes incertaines qui demeurent à tout jamais fanatiques du futur. De tous futurs possibles. Dites à mes ennemis que, quoi qu'il puisse m'arriver, j'ai de la famille dans cet incertain-là!

Et voilà le Vivant qui va de mille manières tout essayer, tout élaborer, tout envisager. Voici la vie et la mort indissociables qui mènent leurs créations et leurs essais aveugles. Voilà la violence. Voici l'amour. Voici la concorde. Et voici la discorde. Voici les dominants et les dominés, celui qui mange et celui qui est mangé, celui qui prolifère et celui qui s'épuise. Celui qui a besoin de croire et celui qui ne croit en rien. Voici les fauves et les guerriers, et voici les agneaux et les cabris de sacrifice. Voici, disait M. Balthazar Bodule-Jules, d'un mouvement du bras gauche qui balayait la création, voici de quelle soupe je proviens et dans quel magma j'ai pagayé ma vie. Et on croyait le voir nimbé des mystères instables de l'univers. Or, peuples trop doux, l'amour est au départ de la vie.

L'amour est dans ces poussières d'astres qui s'attirent et s'emmêlent. L'amour est dans ces bactéries qui (sans que nul comprenne) se mettent à se désirer ou à se détester, à s'avaler ou à se dissocier. L'amour ordonne à ces cellules qui s'embrassent, se liquéfient entre elles en des soupes passionnelles, il ordonne à ces gamètes qui s'offrent tout entières dans un don sans retour. Les biologistes vivent cette misère de ne pas comprendre que la vie est relation, et que l'amour est le moteur de toute relation. Que son envers, la haine, n'existe que par sa vibration seule, ne se densifie que dans le creux de sa matière, et relève du même feu. C'est pourquoi, quand on aime, on est attiré comme ces poussières d'étoiles entre elles, comme ces acides, ces sucres, ces bactéries, ces cellules, ces gamètes, c'est pourquoi l'on veut se fondre à l'être aimé, et (avec sa chair accordée à la sienne) s'y perdre pour créer du nouveau sans arrêt. Dans cet amour originel, seul ADN de mes cellules, j'ai trouvé force de refuser la mort que les colonialistes voulaient nous infliger. J'ai refusé la mort que transportaient leurs croisades civilisatrices. Et toute ma vie, je n'ai pu que me battre contre toutes espèces de morts, sans aucun autre choix que celui du rebelle, parce que (plus que vous autres, ô frères, cabris de sacrifice !...) je suis la force d'amour !

Son corps et ses silences parlaient. Ses mouvements de la tête, du pied, de la main, de la hanche, l'ondulation de ses vertèbres, faisaient parfois grincer le fauteuil d'osier. Cet homme d'action s'était toujours montré attentif à son corps. Il s'était toujours conservé une écoute de ses organes les plus insignifiants, comme s'il y avait eu là une mémoire particulière, une sapience, capable de l'orienter dans les événements qu'il devait affronter. J'essayai d'analyser le parler de ce corps d'agonisant, de relier ses mouvements aux interviews que j'avais pu lire de lui. De le reconstituer, lui tout entier, avec ce que j'avais entendu de ses discours et de ses déclarations qui amusaient tout le monde sans trop porter à conséquence. Chaque mouvement de son corps à l'agonie me renvoyait à des pans de sa vie. Ils m'arrosaient sans mot : le silence les compactait avec une force bouleversante. J'avais l'impression, à chaque mouvement, de recevoir des pans de significations plus denses et plus inépuisables que les textes fondateurs des peuples premiers. Beaucoup des effets de son corps me parvenaient comme des blocs d'une énigme insondable. Je tentai de les décrire avec soin, conscient que cette description n'en soulignait qu'une opacité pleine et achevait de me désemparer. J'avais accordé tant d'importance à la parole que là, en face d'un corps vibrant d'une destinée entière, un corps offert dans l'écrin d'un silence, mis à ma portée par sa mort imminente, j'abîmais toutes certitudes dans la sidération.

> Sa mémoire était hurlante car ses chairs *devinaient*.
>
> « Notre morceau de fer ».
> *Cantilènes d'Isomène Calypso*,
> conteur à voix pas claire de la commune de Saint-Joseph.

UNE AMOUR EN ENFER GÉNÉSIQUE. Mais M. Balthazar Bodule-Jules se revendiquait aussi, avec la même emphase, d'une Genèse autre, et pour le moins inattendue. Elle était associée à la première et lui permettait de relever d'un Temps long de seulement quatre siècles. À l'évocation de cette Genèse, contrairement à ce qui se produisait auparavant, son corps devint une douleur. J'ignore comment le sentiment de cette douleur me parvint soudain, car son visage demeura impassible, son corps d'une immobilité minérale. Il semblait pétrifié dans une décomposition dont la violence élimina tout signe de vie en lui. Sa respiration même sembla s'être suspendue. Ses yeux (déménagés) se mirent à glisser sur le monde. De temps à autre, son bras gauche se soulevait de sa cuisse comme une écorce aride, et sa main de soldat (soudain fragile) balayait à hauteur de ses yeux le voilage d'une nuit invisible. Alors, son corps irradiait d'un vrac de souffrances sans adresse. L'horreur aphone. L'incompréhension hagarde. L'hypnose silencieuse d'une mort sans rituels. Toute humanité engluée de ténèbres dans un roulis interminable. Je compris que son agonie l'avait transporté d'une étrange manière dans la cale d'un vaisseau négrier. La Traite des nègres à travers l'Atlantique. Le crime fondateur des peuples des Amériques.

En temps normal, M. Balthazar Bodule-Jules avait coutume de déclarer une de ses naissances dans le tombeau d'une cale. Celle d'un de ces milliers de navires occidentaux qui, par millions, charrièrent des nègres aux Amériques. Il citait même, de temps à autre, le nom délicieux du navire de cette naissance abominable. C'était souvent *la Belle-Pauline*. Ou encore *le Contrat-Social*, ou *la Parfaite-Union*. Il parlait aussi de *l'Heure-du-Berger* ou de *la Bien-Aimée*. Ou encore (avec un sourire extatique) de *la Reine-des-Anges*. Les noms variaient en fonction de ses humeurs ou des glissements de sa mémoire. Il évoquait ces traversées épouvantables avec charge de détails terrifiants qu'il affirmait encore bien éloignés de la réalité. L'horreur étant engagée, disait-il, elle n'avait plus de limites. C'est ce qui caractérise la Traite des nègres et l'esclavage aux Amériques : son absence de limites. Le pouvoir absolu du colon ou du maître face à la déchéance absolue du colonisé ou de l'esclave. Dans l'espace infini qu'ouvrent ces absolus, on peut tout imaginer en termes de tortures, de blessures, de misères, d'injustices, de désespoirs, d'actes de mutilation. On peut débonder son esprit sur les folies meurtrières dont l'imagination la plus dantesque pourrait se rendre capable, et cela sans pouvoir épuiser l'enfer de ces navires et de ces champs. Et ce crime a duré plus de trois siècles. Trois siècles durant lesquels les puissances occidentales ont déshabillé l'idée que l'on avait de l'Homme. Ô vous, héritiers de colons esclavagistes, oui vous, descendants de leurs victimes esclaves, vous croyez l'avoir oublié mais, dans chacune de vos cellules, ce traumatisme majeur a déposé sa marque, disait M. Balthazar Bodule-Jules : il suffit d'écouter sa rumeur nous remonter les os.

Cette évocation de la Traite des nègres comme douloureuse Genèse permettait à M. Balthazar Bodule-Jules de dresser réquisitoire contre l'Occident colonialiste et de se relier de manière indéfectible à l'Afrique perdue. Il était, disait-il, un Africain né aux Amériques, c'est pourquoi durant de longues années on le vit porter des djellabas et des boubous, et se déclarer prêt à regagner sans plus attendre le territoire perdu. Durant ses ardeurs juvéniles, il s'était imprégné des mythologies africaines avec lesquelles il essaya de négrifier son esprit orphelin. Il avait étudié chaque millimètre de cette mère lointaine, appris ses religions, ses peuples, ses fleuves, ses langues, ses arts, ses empires. Sur une mappemonde qui traversa ses âges, il avait effacé les frontières factices que les colonialistes avaient dressées entre les ethnies, et créé (dans sa tête de fils exilé) une Afrique de peuples fraternels où régnaient, bien avant l'Occident, l'élévation philosophique et les fastes d'une civilisation. Ce vouloir identitaire africain prit une telle démesure qu'il eut tendance à oublier cette terre des Antilles qui fut destination du négrier de sa naissance. C'est en Africain qu'il regarda le monde, et c'est en Africain qu'il se jeta à corps perdu (durant les deux premiers tiers de sa vie) dans les combats où des hommes colonisés voulaient se libérer du joug de l'Occident. Mais là, durant cette agonie où son corps s'adressait à une assemblée qui ne comprenait hak, M. Balthazar Bodule-Jules plongea dans une douleur d'avant toute mémoire. Elle semblait le démantibuler, lui défaire l'esprit, l'anéantir au plus extrême. Son corps disait, cette fois, qu'il y avait eu dans cette cale une explosion des hommes et une dilatation de leur être semblables à ce qui s'était produit dans le vide du cosmos. Son corps, captif dans cette cale, se souvenait à peine de sa terre africaine. Ses frères (complices des négriers) l'avaient forcé à tournoyer sept fois autour du grand arbre de l'oubli, avant de le livrer, avec l'esprit brisé, aux chaloupes irrémédiables du navire mangeur d'hommes. Cette terre africaine avait achevé de s'épuiser en lui à mesure que le navire, quittant la barrière de corail, avait déployé en direction des terres nouvelles le désir de ses voiles. Ses chairs et son esprit s'étaient dissous dans un noir stomacal qui les digérait de seconde en seconde, à la manière d'un dragon sans manman. D'heure en heure, de jour en jour, de semaine en semaine, l'angoisse et l'incompréhension s'étaient muées en un ferment gastrique qui décomposait chaque atome de son être. Ce corps eut conscience de lui-même comme d'un chyme de chair et d'os, de langues tombées, de valeurs empêchées, de dieux pâlis, de traditions en effiloches qui peuplaient ses cellules tétanisées. Cette conscience fut d'abord une inconcevable douleur, puis un flottement hagard, puis un vouloir-vivre erratique. C'est avec cette nouvelle conscience (cette fraîcheur enfantine vieille d'une ruine de souvenirs) qu'il s'était éveillé dans ce noir sans passé, dans les crasses aveugles, les râles inhabités, dans la faim animale, la maladie de toutes les maladies, la peur primale sans avenir. Dans ce terrible berceau, tout contre lui, un cadavre inconnu refroidissait éternellement. La chair glacée voulait lui aspirer son restant de chaleur, tentait d'entrer en lui, de l'avaler entier. Il avait voulu bondir pour briser ce contact. Le croc des fers fixés à son cou, ses poignets, ses chevilles, l'avait crucifié dans l'espace minuscule où il devait survivre. La chair morte était demeurée en ventouse contre lui, glaciale comme un abîme, et il dut se raidir en lui-même pour combattre son vertige. Il avait basculé en elle, elle s'était introduite en lui, et l'avait dispersé dans les chairs défaites tout au long de la cale. Alors, il avait senti ruer en lui les six cent cinquante-trois hommes, femmes, enfants qui commençaient à perdre leur âme dans cet enfer sans nom. Sa solitude fut soudain peuplée des présences de la Grue couronnée et de l'Hyène primordiale. Il avait entendu, tout autour et en lui-même, mêlé aux déhanchements de sorcière du navire, l'immémorial fracas de la vie et de la mort qui, une fois encore et à jamais, s'affairaient au fourneau des créations nouvelles. M. Balthazar Bodule-Jules se déclarait né là, au pile-exact de cette conscience. Le contact avec la chair glaciale du mort l'avait éclaboussé d'une lucidité barbare, solaire et nocturne, en devenir imperturbable. Il put, sans un geignement, observer les allées-virées des marins qui portaient à ses multiples bouches une bouillie véreuse. Il put les voir, jour après jour, désenclaver les morts, les haler comme des sacs disloqués, les traîner dans le boyau ténébreux et les hisser vers le carré de lumière inexorable qui semblait une gueule. Il put entendre ce chant sourd, qui roulait dans la cale comme une onde invisible, une alarme et une promesse, et que pas un marin n'entendait : *À té néfè Odono !... À té néfè Odono !...*

Il savait sans savoir mais il savait quand même. Cesse qu'on a dit kilikiki.

« Notre morceau de fer ».
Cantilènes d'Isomène Calypso,
conteur à voix pas claire de la commune de Saint-Joseph.

Le navire battait en mer depuis deux-trois semaines. La cale digérait plus de six cents esclaves. Une fois encore, le capitaine avait dépassé les limites du transportable. Il avait entassé les captifs dans l'entrepont d'une hauteur d'un mètre trente, et laissé moins de soixante centimètres cubes à chaque corps enferré. Les pieds et les mains et les chaînes se nouaient et se renouaient dans les convulsions du navire, la chaleur, l'asphyxie, les vomissures, les excréments. De temps en temps, les marins balançaient des bailles d'eau de mer et parfumaient la cale de vinaigre bouilli. Cette savante précaution n'avait pas exorcisé les fièvres qui commencèrent à ronger les poumons, les gorges, les yeux, les cervelles, à les liquéfier en matières indescriptibles. Elles se répandaient sans frontières dans la cale, et chaque captif échangeait les siennes avec celles des autres. Le capitaine avait pris le parti (par prudence) de ne pas les sortir sur le pont où les risques de révolte étaient exacerbés. Il les avait laissés dans le bloc de la cale, sans même oser ouvrir les écoutilles, abandonnant au chirurgien-major le soin d'administrer ses magies et médecines, et de sortir des nœuds de la ferraille les cadavres du matin et de chaque fin de journée. Un jour, au plein mitan de l'Atlantique, les vents avaient subitement disparu. Le navire s'était pétrifié comme sous l'effet d'une malédiction. Les voiles s'étaient flétries sur les cordes et les mâts. La barre avait molli. L'eau s'était muée en une plaque métallique, frappée d'un soleil fixe. Les ailerons de requins qui suivaient le navire semblèrent dériver comme des crocs de granit et déchirer sans conséquence cette tôle d'acier. Elle se recomposait derrière eux dans le silence d'une féerie sombre.

Le temps avait passé ainsi. Deux jours. Puis quatre jours. Puis une semaine. Puis deux semaines. Le capitaine n'avait chargé de victuailles qu'au plus juste dans le but d'affecter le plus d'espace possible à son bétail captif; il se mit donc à manquer d'eau, à manquer de nourriture. Il diminua les rations journalières de son bétail. Il les diminua pour ses officiers et ses hommes d'équipage. Il les diminua encore, et encore, et fit prier pour qu'en la grâce de Dieu et de la Vierge très Sainte les vents reviennent aux voiles. Bientôt, il lui fut impossible de désaltérer et de nourrir tout le monde, alors, afin de sauver ce qui pouvait l'être encore, il décida d'alléger le navire. Sous le regard de son dieu et de la Vierge très Sainte, il fit jeter par-dessus bord une rangée de captifs enferrés l'un à l'autre. Ce chapelet d'une trentaine de nègres brisa la plaque d'acier et disparut dans un bouillon de sang et d'ailerons de requins. Le capitaine se sentit mieux, et les marins chantèrent, comme si cette offrande avait apaisé on ne sait quel démon tapi dans l'autre face de leur cœur. Une journée s'écoula. Les voiles demeurèrent mortes. Effrayé par la désapparition indéfinie des vents, le capitaine fit balancer une seconde rangée. Puis une autre. Puis une autre. Les requins dévorèrent durant cette semaine-là plus de deux cents de ces rebuts de chairs, et, bien qu'ils fussent innombrables, on vit flotter dans l'éclat métallique des icebergs de peau noire et de caillots de sel qui semblaient baliser un songe d'apocalypse.

M. Balthazar Bodule-Jules, dans sa nouvelle conscience, ouvrit les yeux et les oreilles dans cette apocalypse. Sa redécouverte du monde s'amplifia avec les chutes régulières de ces centaines de corps. Il entendit leur agonie que le gouffre-océan diffusait tout au long de la coque du navire, avec une précision spectrale. Ses oreilles neuves s'aiguisèrent (au-delà des cris de la cale, des grincements du navire immobile, du choc des requins contre le bois imprégné par les chairs, de la résonance adamantine de l'eau) sur les ultimes pulsations de ces corps qui s'enfonçaient sans fin dans l'Atlantique. Une détresse extrême, bouillonnante en chaque morceau de chair, transformait ces chapelets d'hommes déchiquetés en une musique aiguë. C'est alors qu'il avait entendu le cri de la femme.

On dit qu'elle commença par disparaître de sa vie pour mieux s'y enchouker pour toute l'éternité. Cesse qu'on dit dikidi.

« Notre morceau de fer ».
Cantilènes d'Isomène Calypso,
conteur à voix pas claire de la commune de Saint-Joseph.

Les femmes et leurs bébés étaient recluses à l'avant du navire, auprès des marins et des officiers. Le plus souvent, ils en faisaient leur chose durant la traversée. Elles accédaient au pont. Ne portaient pas de fers tant qu'elles restaient dociles. Toutes voyaient leurs bébés mourir les uns après les autres. M. Balthazar Bodule-Jules avait entendu les flops réguliers des petits corps dans la friture d'écume où les requins n'en faisaient qu'une gueulée. Les mères ne supportaient pas cet effondrement des vérités élémentaires et s'anéantissaient dans de fatals chagrins : certaines laissaient leur cœur se dessécher dans leur poitrine ; d'autres se basculaient par-dessus la rambarde, comme des fleurs coupées, des fruits mûrs achevés, et leur corps, dans cette mer métallique, résonnait autrement. M. Balthazar Bodule-Jules avait perçu ce cri, cette chute d'un corps de femme, et (par extraordinaire) n'avait pas ressenti la charge folle des requins. Ces monstres avaient en grand mystère déserté l'eau dormante. Il entendit couler le corps sans que les cris de surprise des marins retentissent : exténués de famine et de soif, ces derniers demeuraient avachis dans les hamacs et dans les cordes. La chute de ce corps sembla dénouer la Malédiction : les vents surgirent soudains, puissants, et le navire s'ébranla sur la mer en alarme. Les marins hurlèrent leur joie et déployèrent leurs frénésies dans la voilure devenue enthousiaste. Une pluie froide se mit à fracasser le pont, apportant au navire de l'eau et de l'espoir, plongeant dans l'océan les banians de sa force. Le navire bondit comme un fauve blessé échappant à un piège, puis, pour la première fois depuis ces trois semaines, fendit les vagues ressuscitées. Dans cet envol général, M. Balthazar Bodule-Jules avait perdu trace du corps de la femme, et crut l'avoir perdue à tout jamais. Mais soudain il entendit, ou plutôt il sentit une présence juste de l'autre côté de la coque du navire, là où d'habitude ne se percevait que le glissement du tirant d'eau. La femme s'était accrochée là. À un rebord. Une avancée de sabord. Un cordage oublié. À un nœud des filins de la barre ou à la chaîne de l'ancre.

M. Balthazar Bodule-Jules ne le sut jamais. Elle était là, étirée comme une algue par l'écume impétueuse. Vivante et morte en même temps. Raccrochée au navire qui filait. Ses ongles avaient peut-être pénétré le bois. Son corps s'était sans doute dissocié de son esprit : dans une crispation aveugle, il s'accrochait à ce bateau. Son esprit, anéanti par une douleur informulable, n'était qu'un vent de désarroi. Il lui parla immédiatement. Murmura des sons rassurants. Gratta le bois avec ses fers de la manière douce et rythmée d'une berceuse. Il poussa vers elle une exaltation de tendresse et de compassion. Il la prit sous sa protection impuissante. Il l'enveloppa de boucliers mentaux inefficients. Malgré cet impossible que dressait la paroi, il la serra contre lui, la rassura, apaisa ses sanglots, adoucit le vif de sa désolation, but son fleuve de détresse, aspira son malheur, lui fit offrande d'une chaleur vitale. La femme semblait l'entendre. Sa présence impossible s'était faite un rien plus attentive. Elle sembla même s'abandonner à lui, se confier, attendre qu'il dénoue ce mal extraordinaire qui défaisait l'ordre du monde. Il l'imaginait belle dans un déploiement inconcevable de force et de faiblesse, d'abandon et de refus, de vie barbare et de mort orgueilleuse. Elle demeura ainsi, accrochée auprès de M. Balthazar Bodule-Jules, n'ayant plus que lui dans l'univers maintenant indéchiffrable.

Elle demeura ainsi durant une éternité puis son corps se détacha — ou alors, les requins halés par le mouvement l'avaient repérée, et leurs gueules s'étaient mises à cogner le navire à l'endroit où elle s'était trouvée. Il avait hurlé. Malgré le labourage des fers, il avait cogné la paroi pour la défoncer, et lui tendre la main. Quand elle disparut à jamais, M. Balthazar Bodule-Jules, anéanti, comprit qu'il l'avait (durant cette fulgurante éternité) aimée de toute la force et de toute la révolte dont il serait capable durant son existence.

Il s'était toujours dit tracassé par la cale négrière. Mais je fus surpris de découvrir, dans les aveux de son corps, cette histoire à la fois irréelle et sincère. Elle fluait de son torse immobile, telle une chimère obsessionnelle. Par une répétition inlassable durant près de cinq cents ans, elle avait laissé dans ses muscles, dans son esprit, une émotion inextinguible. C'était un rêve vrai. Une vérité imaginaire. C'était un impossible dont les traces subjuguaient le réel. Je ne pouvais que l'accueillir ainsi : la mémoire charnelle relevait d'une autre mesure de la réalité. Mille furent les rêves de M. Balthazar Bodule-Jules pour imaginer le visage de cette femme, composer le timbre de sa voix, reconstruire son histoire africaine, sa capture, et son suicide sur le bateau. Il fut désormais obsédé par cette présence. Je la devinais dans les oasis émotives de son corps. Ce qu'il avait pu reconstituer d'elle demeura un mystère ; pour le reste, il raconta en maintes audiences la fin du négrier de sa naissance. La révolte éclata juste après le suicide de la femme. Le capitaine découvrit avec effroi qu'il avait un guerrier à bord. Il ne sut jamais comment ces nègres se libérèrent des fers, se répandirent dans les coursives, abattirent les cloisons, bloquèrent le gouvernail, obligeant le navire à tournoyer sur lui-même comme une toupie mabiale. Les captifs recherchèrent vainement des armes, et demeurèrent bloqués dans l'entrepont, buvant des liquides fermentés, dévastant des ballots de marchandises. Le capitaine fit balancer des baquets d'huile chaude et de la mitraille de plomb à travers les écoutilles. Les rebelles affrontaient cette mort avec une foi sauvage, mais ils durent refluer au profond de la cale, hors d'atteinte des foudres de l'équipage. Ils patientèrent ainsi, le navire tournant-fou, et les marins épouvantés. M. Balthazar Bodule-Jules prétendit avoir lancé l'assaut lors d'une nuit propice, de lune pleine, où la mer diffusait une impassible clarté. Sa charge avait surpris les marins affectés aux bombardes qui protégeaient le gaillard d'avant. Il s'était trouvé, après vingt-sept blessures, en face du capitaine. Il l'avait égorgé d'un coup de sabre sans même lui dire un mot. Pris d'une sainte fureur, il lui avait tranché la tête, arraché le cœur, coupé les mains, et avait levé ces trophées au-dessus de ses troupes hagardes. Les captifs avaient forcé les marins survivants à faire demi-tour en direction de l'Afrique. Ces derniers avaient maintenu le cap en direction des îles où la marine française avait, finale de compte, arraisonné le navire et restitué la cargaison aux survivants de l'équipage. Comme les autres captifs, M. Balthazar Bodule-Jules fut vendu à un planteur sur un marché de port. C'est ainsi qu'il devint, dans l'exercice de ses cauchemars, esclave dans les plantations antillaises.

> Celle-là en souffrante gésine, était une et nombreuse car nous la portons tous. Mais lui la *devina*.
>
> « Notre morceau de fer ».
> *Cantilènes d'Isomène Calypso*,
> conteur à voix pas claire de la commune de Saint-Joseph.

L'ACCOUCHÉE. Il était capable de produire d'interminables récits sur les résistances qu'il mit en œuvre dedans les plantations, sabotant les outils, empoisonnant les chevaux et les bœufs de labour, déraillant les chaudières et moulins. Il prétendit s'être fait spécialité de l'incendie des champs juste avant les récoltes, ruinant ainsi bien plus d'un maître esclavagiste. Il prenait aussi un solennel plaisir à raconter comment il devint nègre marron, poursuivi pendant sept jours sept nuits par trois dogues sanguinaires qu'il parvint à semer. Il prétendit, de toute éternité, avoir vécu dans les bois et crevasses de la montagne Pelée, s'alimentant de racines, de graines-bois, d'écrevisses cuites dans des feuilles-balisier, mangeant les crabes à la manière de ces Amérindiens dont il devint un ami perpétuel. Il prétendit que ces derniers l'initièrent aux secrets des grands bois, et qu'il apprit d'eux les modes de la survie dans ces mélanges d'eau et de feuilles où la force du soleil n'arrive qu'en ficelle de lumière. Il donnait tant de précisions qu'on eût pu le croire né pour de bon à cette époque maudite que les gens du pays essayaient d'oublier. Mais il n'y avait là que le folklore verbal des résistances réelles ou poétiques que nos romanciers, en mal de héros, avaient scribouillé à loisir. Son corps n'avait gardé pièce traces de ces histoires et aucun de ses muscles n'articulait un geste venu de ces époques que sa parole détaillait goulûment. La vraie parole des résistances à l'esclavage s'était dissimulée, et n'avait témoigné de son existence que dans la structure même et la thématique (toujours obscures) de nos contes et proverbes. Je m'apprêtais donc à consigner son fracas verbal dans les marges d'une parole ivre d'elle-même, quand son corps s'agita. Ce fut son ventre qu'il se mit à tenir à deux mains, comme affrontant les affres d'un accouchement fatal.

Et il y eut cette nuit durant laquelle il descendit des bois, lui, nègre marron, poursuivi par toutes les confréries de chasseurs de Saint-Pierre. Il pénétra cette nuit-là sur une plantation florissante, à la recherche d'outils pour ses nègres des bois. Il n'avait aucun contact avec les esclaves de cet endroit, qui semblaient tous avoir admis cette fatalité et accepté leur condition. Aucun acte de résistance ne s'était signalé là, et M. Balthazar Bodule-Jules, y pénétrant, craignait surtout de se faire empoigner par les nègres eux-mêmes. Donc, il se faufilait par-ci, rampait par-là, s'immobilisait pour zinzoler dans telle ombre épaissie. Mais en se coulant aux abords d'une case, il entendit ces gémissements qu'il ne devait plus jamais oublier. Une femme. Seule dans sa case. Qui accouchait et pleurait en même temps. Il contempla le spectacle de cette femme qui se serrait le bas du ventre. Elle avait fermé les yeux mais les larmes semblaient traverser ses paupières, lui sortir du front, du nez, des joues et du menton. Des

67

larmes totales qui ruisselaient sur son ventre convulsif. Elle retenait ses cris et les éclats de son corps comme dans une bordée de contrebande. M. Balthazar Bodule-Jules ne voyait d'elle qu'un ombrage incertain, pâli de-ci de-là par le clair-obscur qui tombait des étoiles. Elle était sans doute très jeune, le cheveu coiffé de boulettes qui transformaient son crâne en un casque de guerre. Son corps semblait une sculpture de douleur et de force, d'eau tremblante et du granit des déterminations. Elle réussit à extirper l'enfant de son ventre et à couvrir son cri. Il sentit son cœur se tordre à la vue de cette naissance tragiquement silencieuse. Il éprouva le sentiment absurde que c'était lui qui naissait là, de cette manière obscure, avec cette mère d'ombre inconnue à jamais. L'accouchée prit le bébé entre ses bras. M. Balthazar Bodule-Jules crut ressentir la chair moite de son corps, ses tremblements, la peur glaciale qui labourait sa peau. Dans la pénombre, il crut voir qu'elle coupait le cordon, ou qu'elle le nouait d'une étrange façon. Puis il la vit se redresser et soudain se pétrifier. L'accouchée serrait le bébé contre elle en un geste maternel. Elle semblait vouloir le faire rentrer dans sa poitrine, dans son cœur, dans son âme, elle le serrait, le serrait, le serrait. Balthaz se sentit oppressé. Une charge terrible lui brisait la poitrine. Il comprit flap, en un hoquet d'horreur, que l'accouchée était en train de l'étouffer. D'étouffer le bébé. Il bondit dans la case, pour la retenir, et pour sauver l'enfant. L'accouchée ne fut même pas surprise de le voir. Son visage baigné d'ombre et de clarté brumeuse demeura d'une sérénité incroyable. Elle le regarda. Un regard empreint d'une certitude inébranlable et d'une fatale absence. C'est ce regard qu'il n'oublia plus jamais. C'est dans ce regard qu'il découvrit le drame. L'accouchée ne voulait pas que son fils naisse esclave. Elle l'avait libéré d'un monde qui n'avait plus de sens. M. Balthazar Bodule-Jules évoqua tout au long de sa vie ce drame de la chair que l'on tue au nom de la liberté. C'est l'acte de guerre le plus épouvantable que je connaisse, pleurait-il, car il invoque l'emmêlement de la vie et de la mort, il détruit le rebelle et le libère en même temps ; la mère fait don de la mort à son fils, mais elle lui offre sa propre vie aussi ; elle demeure non pas vivante mais désanimée dans le bloc d'une rancune totale. Il sortit à reculons de cette case. Il emporta le visage de cette femme vivante et morte. Il révéla n'avoir pas eu le courage de chercher les outils qu'il était venu prendre. Il repartit vers les bois après avoir incendié les champs, tout saccagé sur sa route avec la fureur sainte des nègres marrons devenus fous. Cette femme devint un des songes de sa vie. Ma manman, disait-il, avec une compassion infinie et une culpabilité inexplicable. La nuit et la douleur, sa détresse et sa détermination, avaient modifié ses traits et dissimulé à jamais son visage. M. Balthazar Bodule-Jules n'avait en tête que le casque à boulettes et le sombre abîme de ses pupilles. Il ne sut pas si c'était de l'amour filial, ou de la compassion, ou l'émoi d'une totale admiration. Parfois le visage de cette femme se confondait avec ce qu'il imaginait de la femme du bateau. C'était sans doute la même, revenue vers lui avec la même force et la même faiblesse, le même désir de vivre qui la projetait dans les remous impassibles de la mort. D'autres fois, les deux femmes se dissociaient. Elles étaient sœurs, et complices, de même nature, de même courage, de même révolte, de même beauté. M. Balthazar Bodule-Jules les sentait vivre ensemble à l'intérieur de lui, il les appelait quand sa détermination perdait de sa vigueur, les imitait quand son courage tombait en crépuscule. Les invoquait quand il lui fallut, lors des guerres ultérieures, fixer la mort en face pour deviner la piste d'une liberté.

M. Balthazar Bodule-Jules le savait : cette histoire de négresse esclave qui libère son bébé par la mort, dans la solitude et le noir d'une case, apparaît de manière récurrente dans les romans d'Édouard Glissant. Il les avait sans doute lus, et cela lui avait imprégné l'esprit de cette manière. Je le savais aussi. Mais de la retrouver inscrite dans sa chair, exprimée par ses postures d'agonisant, me troublait tout bonnement. Il y avait là, dans cette scène du romancier, la *vision prophétique du passé* dont ce dernier s'était fait une opaque esthétique. Et je pouvais maintenant la comprendre. C'était le témoignage visionnaire d'une mémoire collective qui nous habitait tous, dans toutes les Amériques, et qui, au gré des presciences et des divinations, surgissait en nous, n'importe où, n'importe comment, selon les modalités imprévisibles d'une mémoire obscure. M. Balthazar Bodule-Jules se déclarait ainsi fils de cet obscur et fils de ce silence. C'est paradoxalement, disait-il, la force de l'oubli et du non-dit qui me transforme en être conscient, désespérément conscient. Les ombres du passé sont les énergies de ma vie et les ferments de mes combats. J'avais devant moi, vraiment, le corps silencieux d'un homme qui fut longtemps esclave et de tout temps rebelle.

Abobo sept bobos !
La diablesse fut comme son ombre portée et sa nuit de chaque
jour.

« Notre morceau de fer ».
Cantilènes d'Isomène Calypso,
conteur à voix pas claire de la commune de Saint-Joseph.

YVONNETTE CLÉOSTE. L'histoire de l'accouchée entraînait toujours M. Balthazar Bodule-Jules vers les légendes de sa propre famille. Sa mère, son père, son temps, sa naissance au pays. Sa manière de se tenir le ventre déclencha dans l'assemblée (faussement inattentive autour de l'agonie) des murmures de souvenance. Les madames surtout, Man ceci, Man cela, tantantes et cousines, commères ou alliées de ses défunts parents, se livrèrent à ces songeries où s'attisent les braises de la langue indiscrète. Certaines désordreuses imitaient sa manman Manotte, fille de Féli-

cité Jean-Luce qui mourut dans les cannes d'un béké ;
d'autres maquerelles affectaient la voix trop aiguë du papa
(Limorelle Bodule-Jules, à l'ascendance très incertaine à
cause d'une branche amérindienne dépourvue d'âmes
chrétiennes, et des secrets sans écriture d'un ancêtre venu
de La Rochelle). La naissance de M. Balthazar Bodule-
Jules s'étoilait ainsi dans des sillons de confidences, parmi
les canaris bouillants et le fracas des dominos brisés.
Tambouyés, conteurs, pacotilleuses, pêcheurs, quimboiseurs attardés, tous semblaient la connaître d'une manière unique, sans les variances coutumières qui sont
le sel de la parole. Leurs macaqueries indéchiffrables,
hochements de tête, petits sourires, jeux d'épaule, paupières en véranda, laissaient à croire qu'ils goûtaient au
récit d'un parleur invisible qui serait le même pour tous.
Moi, j'en étais réduit à capter par-ici et par-là quelques
bribes de murmures ; eux semblaient recevoir, de demi-
mot en demi-mot, le bloc entier d'un dit qu'ils connaissaient déjà : *En fait, gens de la compagnie...*

En fait, gens de la compagnie, j'aurais dû être un peu
mieux véyatif, manière de vigilance, et entendre
l'heure sonner avant même qu'elle ne sonne. Je
n'aurais sans doute pas agi autrement, mais l'impression d'être charroyé comme la poussière au vent
aurait été moins forte, et moins tragique aussi l'idée
d'être dans la vie comme la feuille envolée. Manotte et
moi, Bodule-Jules Limorelle qui vous parle, crûmes
que Balthaz allait venir au pipiri de la journée.
Manotte s'était sentie en dérangement (deux-trois
vapeurs dans sept tremblades) et son ventre s'était
mis en mouvement sur la douleur d'enfance. J'avais
donc fait mander cette Yvonnette Cléoste qui, à mon
avis, devait être au courant des affaires d'accouchement. Je ne connaissais pas cette personne-là, n'avais
jamais touché ses mains, mais elle était la seule à

demeurer aux abords de ma case, dans les bois sous la treizième ravine. En ce temps-là, je n'habitais pas au bourg, ma case était plantée au plus près des jardins à manioc que je raclais sur les terres de Michel (un béké fatigué incapable de contrôler ses terres). Manotte pouvait donc s'occuper des jardins tout à l'aise de son corps. Moi, j'allais battre les grands-bois pour cueillir les graines rares et la chair des gibiers de passage. Je creusais aussi des fours-charbon alimentés avec un bois léger impossible à nommer. J'étais un bougre des bois. Une race à part. Un autre sang que vous. Je sais lire des livres, écrire, compter, parler le même français qu'une personne d'esprit, mais c'est dessous les arbres que je me sentais vivre; mon papa lui-même était ainsi; je ne le connus jamais car il disparut tôt, avant même ma naissance, dans ces bois ténébreux où il trouvait à vivre vingt-trois jours de chaque mois.

Donques, cette mère-matrone, Yvonnette Cléoste, vint déposer un œil sur le ventre de Manotte. Je voulus savoir si elle était une matrone-accoucheuse; elle me répondit être bien plus que ça. Je la crus sans forcer car ses manières signalaient la personne pas manchote dans la vie. Elle s'approcha du ventre de Manotte comme un malheureux aborderait une fosse à trésor, s'assit lentement à ses côtés, lui palpa l'abdomen, les hanches, et se mit à fixer son nombril comme pour atteindre le profond de la poche et de l'œuf. Elle demeura ainsi longtemps, fixée et pétrifiée. Balthaz se mit à s'agiter dans le ventre de Manotte. Avec ses mains Yvonnette Cléoste semblait examiner chacun de ses organes. Ses doigts pliaient, sculptaient, lissaient une invisible argile. Elle frissonnait mieux qu'une mouche-à-miel et ses yeux s'éclairaient d'un sentiment sans nom. Au bout de trente minutes,

72

elle se releva avec un air bizarre et retira ses pieds en ronchonnant que le temps en cette espèce allait prendre son temps. Du coup, Balthaz prit son siècle pour sortir, comme s'il avait eu d'autres vies à vivre avant, en d'autres coins de l'univers, en d'autres heures du Temps. L'ennui, c'est que Manotte était déjà enceinte depuis neuf lunes au dépassé.

La onzième lune passa. Et la douzième aussi. Il y eut une treizième qui entama ses jours. Yvonnette Cléoste revenait chaque semaine, et à chaque fois pratiquait le même cirque. Balthaz représentait sa chose la plus précieuse, presque sa propre chair. Elle apposait ses lèvres au nombril de Manotte, et parlait et chantait et priait en nous oubliant là. Manotte sentait son ventre s'engourdir sous un combat de glace et de chaleur. Je me disais, sans plus, que l'Yvonnette Cléoste devait être stérile et que l'affaire d'enfant la travaillait beaucoup. Mais je pensais surtout que mon fils ne voulait pas quitter le ventre de sa manman car il n'avait pas goût pour les joies d'ici-là. Bientôt, les douleurs semblèrent filtrer d'ailleurs que de son ventre lui-même, à comme dire les douleurs d'une personne différente, inconnue de Manotte mais habitant ses membres. Durant tout ce temps-là, elle se crocheta à moi, Limorelle Bodule-Jules, son homme, qui lui parlais sans cesse par crainte qu'elle ne tombe folle. Je parlais aussi à l'enfant égaré pour le ramener vers la sortie.

Un bon-matin, Balthaz voulut sortir. Pour l'aider, Manotte poussa poussa poussa avec le sentiment de décrocher son cœur. Elle poussait avec tant de force que c'est son âme elle-même qui aurait dû jaillir. Mais Balthaz ne pouvait pas sortir. Manotte, sans trop savoir pourquoi, ne voulait pas que j'aille chercher l'Yvonnette Cléoste. Elle la craignait sans vouloir me

73

l'avouer. Il pleuvait cette nuit-là en raison d'un cyclone avorté. Je partis quand même dessous la pluie, à travers les cinquante fromagers qui désignaient de leurs branches basses la case de cette personne. Il était passé minuit, mais la mère-matrone ne dormait pas. Elle semblait même plus fringante qu'en plein jour. Ses cocos d'yeux brillaient comme des yeux de chatte noire. C'était la première fois que je venais chez elle : une case en bois ti-baume, couverte de tuiles en bois selon les modes d'avant. Cette case paraissait un mystère, pas du fait des ombres et du brouillard de pluie, mais parce qu'elle se situait hors des jours et des âges, momifiée comme une rocaille des temps originels. Ses cloisons s'élevaient frémissantes. Elles étaient couvertes d'herbes prostrées, de feuilles nouées, de plantes grises, de fleurs saisies au vol, de racines tourmentées et blêmes comme des chandelles. La pluie les réveillait d'une léthargie octogénaire. Elles dégageaient tant de choses en même temps, que je crus renifler des destinées entières, des sangs d'anges gâchés. Je soupçonnais dans ces plantes amassées, des soufres venus de loin et des inflammations, des oxydes de sève et des ivresses sans rémission. *Danger, oui !* J'étais un bougre des bois, je pouvais le savoir : ces plantes étaient terribles.

Je préférai rester en dehors de cette case, loin de ces plantes, dessous la pluie qui effeuillait les arbres et me couvrait de leurs angoisses. Yvonnette Cléoste apparut là-même sur le pas de sa porte (comme m'ayant attendu ou m'ayant vu venir) et me dit de sa voix sans baptême : *!!!! Limorelle, mon fi, l'affaire est très sérieuse, cette marmaille qui te vient n'est pas comme toutes les autres, et Manotte risque sa vie, le travail est à faire, mais un travail sérieux qui va te coûter cher !!!!...* Elle m'avait dit cela avec la tête de pain rassis d'un abbé en confesse, sans rigolade dans le tranchant de sa voix. Mais je n'avais rien entendu. Ou rien voulu entendre. Seul m'importait de délivrer Manotte et d'accueillir (si Seigneur donnait grâce) le premier de mes fils. Je répondis *Oui oui...* mais *Oui oui* n'est pas dire, ce n'est ni *oui* ni *non*, c'est rien qu'un vent de bouche entre coco et z'abricot. Mais Yvonnette Cléoste fit son rôle d'entendre *Oui*. C'est ça qui l'arrangeait. Elle ramassa un lot de ses affaires, cala sur sa tignasse son chapeau de toile morte, et me sourit sans joie en prenant le chemin. Je lui souris aussi, mais j'aurais dû pleurer car, moi Bodule-Jules Limorelle, je venais de brocanter avec l'enfer.

Nous allions vers ma case. Je marchais derrière elle, à bonne distance sans trop savoir pourquoi. C'est long-temps après, en y calculant bien, que je m'aperçus de certaines choses pas catholiques : cette Cléoste avan-çait entre les grosses racines d'arbres, sous le brouil-lard de pluie, dans la noirceur, avec autant d'aisance qu'en pleine lumière du jour. Moi qui suis bougre des bois, il me fallait parer à gauche, veiller à droite, gar-der l'œil sur l'aguets des bêtes-longues affolées par la pluie. Il me fallait aussi assurer ma cheville sur l'incertain des pentes et le huilé des boues. Mais, elle, l'Yvonnette Cléoste, allait droit-direct, comme flot-tante. Et (à bien y songer) ses sandalettes ne produi-saient aucun chuintement sur l'humus gorgé d'eau. Sous la pluie, les grenouilles et les criquets se réveillent et mènent des bals de joie, mais là, à mesure que l'Yvonnette Cléoste avançait parmi eux, entre les touffes de raziés, un silence s'installait et atténuait encore la rumeur de l'averse. Et elle chantait, ou priait, ou implorait d'une voix sans souffle *!!!! Ô général Chanta-marcha, je suis dessous tes ordres pour mener la grande œuvre, ô maître-*

général Chanta-marcha, tends la main pour me soute-
nir dans l'œuvre et retiens tes esprits ! ! ! !... C'est longtemps après, dans la cellule de ma prison, que je
pensai et compris tout cela ; et c'est sept jours plus
tard que je commençai à ressentir la peur. Mais sur le
coup, loin derrière cette personne, j'avançais tracassé
vers le malheur de ma Manotte.

Yvonnette Cléoste pénétra dans la case et se mit en
travail. Elle vira-venir avec des eaux désengourdies,
des gluants de gombos, des serviettes, des manières
impassibles hors d'atteinte des souffrances à soigner.
Elle frotta le ventre fabuleux de ma Manotte avec des
pommades et des huiles qui sentaient l'amande
douce. Elle lui fit avaler des tisanes de gombos, de
giroflier ou de mombin. Elle lui massa les tempes, les
jambes, les chevilles, la cocotte, avec des fibres de
liane brûlante. Elle la baigna avec une eau tiédie où
flottaient des feuilles de glycérine et de plante dou-
van-neg. Elle lui apposa les doigts de sa main gauche
en certains points sensibles sous l'à-plat de ses pieds.
Elle lui démêla les cheveux, les brossa, lui tressa de
ces nattes que les négresses enroulent sous le secret
de leur madras. Elle lui parlait aussi, à voix basse
aussi incomprenable qu'un bourdon de chapelle, ou
alors plus cinglante qu'une braise qui éclate. Je
m'étais renfrogné dans un coin de la case, effaré de
terreur car je voyais Manotte inanimée s'en allant de
ce monde à mesure que l'Yvonnette Cléoste lui
manœuvrait le corps. Mais la confiance émanant de
cette mère-matrone me rassurait. Ses gestes charriaient mille ans de certitude. Ils provenaient d'une
souvenance sans faille, coulée comme d'une source,
la dépassant elle-même. Je la sentais affronter cette
chose invisible qui nouait Manotte à mon fils égaré ;
je la sentais aussi capable de la vaincre. La nuit se

déroula ainsi, brève et longue en même temps : j'étais perclus d'angoisses et oublieux des heures pluvieuses.

Roye! Mon ti-bonhomme Balthaz jaillit sans une annonce du corps de sa manman. *Sans un cri ni un souffle de vivant.* Manotte, éveillée flap, devint un arceau de terreur. Je me sentis tomber faiblard, glacé par la fatalité. L'Yvonnette Cléoste, elle, poussa un cri d'amygdales déchirées. Elle reculait en regardant l'enfant posé inerte sur le ventre de Manotte : un voile fluorescent lui couvrait le visage et la tête. Cette coiffe semblait repousser l'Yvonnette Cléoste : *Tiré sa bay... !!!!* Enlève-lui ça!!!!... lui cria-t-elle. Manotte lui enleva l'étrange coiffe avec ses mains tremblantes. Alors une froidure s'installa dans la case.

L'Yvonnette Cléoste (sans une tremblade malgré ce froid mortuaire qui nous cerclait soudain) le saisit par les pieds, le secoua comme un prunier chargé. Elle le présenta aux quatre coins du monde et lui souffla sur la poitrine l'air gorgé d'ail de ses poumons. Dans le même balan, elle lui bailla aux fesses une tape particulière. Balthaz se mit non à crier (car crier est parole) mais à gémir un bruit ancien d'au-delà des musiques. Yvonnette Cléoste eut des gestes sur son nombril, pas des macaqueries mais des *gestes.* Ses dents serrées mâchaient d'ardentes injonctions; ses yeux restaient levés au ciel vers d'insolites aïeux; son torse zinzolait sur des formes insensées; ses bras répertoriaient des torsions de bête-longue; ses doigts couraient sur de vieilles gammes tactiles qui devaient s'appliquer à l'ombilic des nouveau-nés. La mère-matrone libéra la gorge de Balthaz, lui déroula sa langue, lui frictionna les jambes pour lever la chaleur et trancha le cordon au-dessus de trois doigts. Elle était vive sans affolement, à dire une mécanique nourrie d'une énergie glaciale. Je demeurai saisi dessous ce froid-la-mort qui empoignait la case. C'est alors que je dus commencer à comprendre dans quoi je m'étais mis.

La porte de la case, qui ne grinçait jamais, s'écarta en grinçant. Une boule de pluie chargée d'un goût de corne brûlée bouscula l'intérieur, et je vis entrer cette femme matador, belle mais sans attrait, pâle et bleue, irréelle comme une âme. Elle semblait être l'épure d'une lumière de lune, encore inachevée mais vieille de cent mille ans, sans vie, sans âge, sans nom. Elle m'inspira d'un bloc le sentiment de la mort. Un cheveu incolore lui couvrait les épaules, coulait à ses chevilles pour se dissoudre dans l'auréole de pluie qui baignait ses orteils. Un voile lui habillait la poitrine et les hanches d'un souffle presque incertain, sans donner l'impression de couvrir une chair; sa figure demeurait indécise, avec des formes fugaces, surgies pour disparaître, comme si plus de sept femmes sereines et trois jeunes filles brutales se bousculaient en elle. L'Yvonnette Cléoste, qui lui tournait le dos, se retourna d'un bloc, mon Balthaz dans les bras, et dressa le bras gauche au-dessus de son visage, la main tendue en bouclier. Un mur de quinze mille ans se dressa entre nous et l'étrange femme-zombi. Cette dernière se dissipa dans les battements de porte que le vent provoquait. L'Yvonnette bondit et la bloqua d'une main, faisant claquer le vieux loquet d'une manière impossible, qui nous enleva de cette terre pour nous plonger dans un silence de vingt mille mètres.

L'Yvonnette Cléoste resta comme ça, l'enfant entre les bras, immobile, véyative, en contact avec ce je-ne-sais-quoi qui voulait gober notre petit Balthaz. On aurait juré qu'elle ne voulait plus le donner à personne, même pas à nous. Avec Balthaz entre ses bras, elle redevenait une femme véritable, pétrie d'émotions tendres. Une manman. Une impossible manman qui regardait l'enfant avec des yeux hallucinés. Soudain, elle se mit à bouger. Je ne savais quoi dire car rien n'était à dire, aucun mot, pièce parole qui ne soit inutile, aucun battement de langue qui ne soit babillage, seules les mains de l'Yvonnette savaient comment agir, et elles seules le pouvaient. Je la vis filer et défiler son corps devant le jour ouvrant. Elle semblait accomplir une danse orgiaque avec ses os, une autre plus langoureuse avec sa chair, et les deux en même temps ; en d'autres instants, elle paraissait manipuler des outils invisibles suspendus dans la case. Ce n'était pas des actes qui amarrent ou démarrent, qui nouent ou qui dénouent, qui mêlent ou qui démêlent les affaires de ce monde, mais des gestes qui ne font pas, et qui déchaînent la toute-puissance d'un verbe inexplicable. C'est comme ça que l'Yvonnette Cléoste sauva mon petit bougre. Manotte put alors sortir de son vertige ; moi retrouver ma tête, et me mettre dans l'idée d'accueillir ma marmaille d'un bon coup de tafia en compagnie des nègres-soiffeurs que j'aurais alertés par le lambi des joies.

Je passe sur les sauvegardes pour que l'enfant vienne bien. Je passe sur le thé de menthe-à-femme que dut gober Manotte, j'oublie son arrière-fièvre, et l'étonnement de ses paupières en l'honneur de sa vie retrouvée. Je reste sur l'Yvonnette Cléoste ; c'est sur elle que la plus belle est sous la baille. Elle voulut s'en aller avec le cordon à nombril de notre petit Balthaz. Pour l'enterrer, disait-elle, dessous un arbre de protection, car cet enfant serait sa vie durant menacé par la mort. Elle nous expliqua (avec plus de mains que de paroles) pourquoi l'étrange créature avait voulu pénétrer dans la case : c'était Basile elle-même — la mort en personne — que pas une âme n'avait le droit de nommer. L'Yvonnette Cléoste avait pu l'arrêter sans l'arrêter vraiment car cette chose était devenue l'alliée nocive de notre Balthaz, l'essence de sa vie et son principe aussi. Notre bonhomme resterait de tout temps en face d'elle, bien plus proche de son gouffre que n'importe quel mortel. Nous acceptâmes, cœurs faibles, qu'elle emporte le nombril. Elle l'enveloppa d'une manière espéciale dans deux nœuds de drap blanc et sur une étoffe noire. Je crus alors que ce cauchemar était fini : il ne faisait que commencer.

Manotte s'occupait de Balthaz quand l'Yvonnette Cléoste (en m'entraînant à part) me demanda l'argent de son salaire. Une somme que je n'aurais pas su calculer et qui à mon avis n'existait pas dans la bourse des békés les plus riches.
Je lui dis comme ça :
— Man Yvonnette Cléoste, j'ai le respect pour vous, et je sais mesurer le bien que je vous dois, mais je vous dis là-même que je ne pourrais jamais au grand jamais vous rembourser tout ça. Je suis un bougre des bois, je n'ai qu'une case, que mon vieux mousqueton, que trois jardins-manioc et quinze trous à racines. Tout ça est à vous maintenant tout de suite et à jamais. Et quant à moi, je suis votre nègre, votre bougre pour le service, le coup de main, tout ce que vous aurez à faire sans en avoir la force. Je suis votre bougre devant l'éternité...
J'étais sincère et désolé de ne pas disposer d'une jarre d'Aubagne pleine d'or à lui offrir. Je lui parlai donc de cette manière, directe, avec mon cœur — et c'est là que l'enfer s'installa devant moi.

80

Comment imaginer l'existence d'un autant de fureur, de méchanceté, d'intensité mauvaise dans une seule personne ? De fréquenter les bois m'avait initié — comme mon papa, et plein de gens de ma lignée — aux mystères de ce temps. Je devinais des forces se nouer et se dénouer dans le réel du monde. Les voltiges de vie et de mort étaient aveugles, hors du bien et du mal, du juste et de l'injuste, et elles me demeuraient obscures. Mais je vivais en elles selon l'instinct des bougres des bois qui peuplent notre pays. Je n'étais donc pas innocent en face de cette Cléoste. Mais je ne la sentais pas : elle existait au fond d'un pas-visible dépourvu d'oxygène, une distorsion entre soleil et lune, entre lumière et ombre, entre le haut et le bas de toutes choses essentielles. Et ce que je vis dans ses yeux, ce cri de bête sifflé comme une damnation, me basculèrent d'un coup en face du mal le plus absurde. Quelque chose d'en dehors des équilibres du monde, loin du mouvement des astres et des chimies de la terre. Une totale aberration. Elle me couvrit d'un vrac acide de mots créoles anciens, d'un babil de démence plus brûlante qu'un venin ; elle me pointa les torsions de ses mains, de ses doigts, de son torse tout entier ; elle m'accabla des giclées de malheurs qui devaient s'accrocher à ma peau et à mon pauvre destin. Je crus l'entendre gronder que Balthaz serait sa chose tant que cette dette existerait, qu'elle le tenait désormais dans sa main... Je crus la voir aussi pénétrer dans la case ; je la suivis de peur qu'elle n'immole mon Balthaz ou ma douce Manotte, mais elle se mit à fouiller nos affaires, à prendre ci, à prendre ça — à saisir deux ou trois victuailles raclées pour notre premier enfant. Elle les fourra dans un de ses sacs et prit disparaître dans cette pluie que le matin transformait en laitance.

créole ancien

Nous quittâmes cette case sans attendre. Je ne voulais pas rester auprès de cette diablesse, aussi loin dans les bois. Je passe sur nos errances, comme Joseph et Marie, sous la pluie, sur les routes, de presbytère en presbytère où nous dormions sur les préaux. Nous trouvâmes une petite case aux environs du bourg de la commune de Saint-Joseph. Là, nous essayâmes de vivre dans une angoisse que je veux oublier. Ma Manotte n'avait jamais été une femme de combat, plutôt douce et morose, mais je la vis s'éveiller pour notre petit Balthaz. Elle fit remonter d'elle une vaillante énergie, une aptitude tranchante à l'agir décidé. Pas de cri. Pas de larme. Pas un seul gémissement. Je ne lui avais jamais connu cette force auparavant. Je ne sais pas si elle avait tout suivi : entrevu le zombi pâle qui avait essayé de happer notre marmaille, entendu la damnation finale de l'Yvonnette Cléoste et sa fatale menace. Par prudence, je ne lui révélai rien de tout cela. Je craignais qu'elle ne dépérisse comme font les femmes qui ont très peur. Mais rien de cela ne se produisit. Au contraire. En la voyant changer au point de devenir une femme-matador, je sus qu'elle avait tout compris : nous étions désormais en face d'ennemis terribles, et il fallait nous battre un peu plus que les nègres ordinaires, pour lesquels la vie n'est déjà pas facile.

> Il est dit qu'on l'emmena vers elle alors que ce fut elle qui accepta de la trouver : pas mettre coco dans z'abricot ni Coca-Cola dans caca-collé.
>
> « Notre morceau de fer ».
> *Cantilènes d'Isomène Calypso*,
> conteur à voix pas claire de la commune de Saint-Joseph.

LE MENTÔ. Donc, nous reprîmes la vie dans ce quartier du bourg. Les mois et les années passèrent. Je retrouvai mes traces, mes chasses, mes pêches dans les ravines, les ventes à mes clients fidèles que je visitais avec mes prises et marchandises en revenant des bois. Manotte s'occupait des jardins et faisait du repassage chez les grosses gens du bourg. Elle pratiquait aussi de la petite couture sur une vieille Singer, à moitié écrasée, offerte par une dame mulâtresse qui nous aimait beaucoup. Nous n'avions plus de nouvelles de l'Yvonnette Cléoste, mais des signes troublaient notre soucieuse tranquillité. Notre case dans les bois avait pris disparaître — ni brûlée, ni cassée, ni démontée : proprement effacée de cette terre du bondieu. Malgré ma science des traces, il me fut impossible de la situer vraiment. Nous avions abandonné les premiers jardins pour en gratter deux autres un peu plus près de Saint-Joseph. De temps à autre, Manotte montait y travailler, mais elle devait laisser tomber en croyant voir surgir des sillons de terre fraîche une petite flamme aux manières insolentes ; quant à notre manioc, il pourrissait plus d'une fois sur lui-même sans avoir de raison. Dans les bois, durant mes battues solitaires, je sentais une présence s'attacher à mes pas comme une bête aux aguets. Mais au fond de ces grands-bois c'était comme si j'étais chez moi, et — vanité sans doute — rien n'aurait pu me faire dégringoler le cœur. De plus, je m'étais fait couler par un bon bijoutier quatre balles en argent, porteuses chacune d'une croix potencée, et sanctifiées en douce pendant la messe des innocents. Ce genre de balles pouvait défolmanter n'importe quel zombi. Je savais donc que l'Yvonnette Cléoste ne nous avait pas oubliés. Je lui mettais de côté, autant que possible, un sou par-ci deux sous par-là. Manotte les conservait dans un sachet bénit. Mon idée était de lui porter un jour ce sachet épaissi de manière conséquente afin de lui montrer que (avec ou sans malédiction) je n'étais pas un malhonnête. C'est alors que nous comprîmes que rien n'était fini.

Notre petit Balthaz se développa normal puis cessa de profiter. Il restait maigre, chiffonné, trop débile pour son âge. Il ne parlait pas, levait le pied avec hésitation, semblait toujours posé sur le fil d'une bascule. Il fut impossible de le laisser sur un des bancs de l'école. Le sommeil l'emportait à n'importe quel moment ; il n'en sortait jamais car son regard demeurait fixe, abasourdi de somnolences et de rêves mal bouclés. Le temps passa et repassa. Balthaz ne disait pas un mot alors que les marmailles de sa génération pépiaient déjà depuis des mois. Ses jambes étaient normales, mais il tombait à chaque minute, ne pouvait pas courir, marchait comme canard cou coupé. Nous le fîmes voir par un de ces médecins diplômés de Paris ; mais, mis à part des fortifiants — l'huile ricin et je ne sais quelles vitamines —, le diplômé ne trouva rien d'anormal à traiter. Ses chimies ne modifièrent pas l'état de notre pauvre petit bougre. Nous le fîmes voir par une guérisseuse — une vieille chabine aveugle qui soignait en rêvant. Elle apposa ses doigtés de dormeuse sur les jambes de Balthaz, sur sa tête, lui effleura la langue, lui donna neuf tapes d'éveil entre les yeux et derrière les oreilles. Mais son état demeura inchangé.

Je n'étais pas versé dans les mœurs de quimbois, d'envoûtements et autres persécutions, mais plus j'observais notre Balthaz, plus je comprenais que l'Yvonnette Cléoste l'avait amarré comme on amarre les bonnes vaches à béké pour qu'elles ne profitent pas. Cette science terrible venait de loin, depuis les plantations où les nègres s'opposaient aux méchancetés de l'esclavage. Ces souffrants avaient dû, pour mener résistance, attaquer colons blancs et békés de mille manières possibles, par leurs champs, leurs cultures, leurs outils, leurs bestiaux, et souvent leur chair même. Le poison et le pouvoir des nègres-à-maléfices avaient ouvert comme ça une guerre invisible d'une violence sans manman. J'étais un bougre des bois, une sorte de créature posée à part de toute éternité ; je relevais d'une lignée sans chaînes que les békés n'avaient pu dominer. Je savais tout cela et disposais d'une antenne espéciale qui m'amenait à deviner (comme les poules noires frisées) les signes d'une force quelconque. Je fus donc résolu d'emmener notre Balthaz chez un séancier du quartier, un bougre qui pourchassait les sortilèges et dressait des garde-corps contre les quimboiseurs. Manotte n'était pas trop d'accord, mais voir notre petit Balthaz se flétrir un peu plus à chaque cran de son âge finit par l'emporter : au bout de quelque temps elle accepta l'idée.

Le séancier se criait Paul. On disait monsieur Paul pour marquer le respect. C'était un nègre d'un savoir indéniable ; il n'était pas un bougre des bois mais il aurait pu l'être. Disons que c'était un bougre des bois demeuré dans les bourgs,... dans ces lieux où servitude et résistance s'étaient emmaillotés pour produire nos manières. Monsieur Paul affirmait posséder du pouvoir sur les plantes, sur la terre, sur le feu, sur les eaux et sur l'air. Il se proclamait l'allié d'Ogoun-Ferraille qui avait domestiqué ses rêves depuis l'instant de sa naissance. Ogoun l'avait persécuté pour lui montrer la voie : rêves de clous, cauchemars de ferraillages, visions de tôles et de tiges métalliques. Il en avait gardé un caractère fantasque, des yeux flottants trop rouges, des rires inexplicables, et une conduite désarticulée qui laissait supposer qu'il tombait parfois fou. Il fut bien content de me voir car je n'avais jamais sollicité son aide, et surtout parce qu'il avait connu Adénor Bodule-Jules, mon inconnu papa — ce

85

grand bonhomme des bois, moitié breton moitié amérindien, que les gens comme monsieur Paul estimaient tout bonnement.

Manotte et moi arrivâmes vers trois heures du matin à l'officine de monsieur Paul. Une petite case de tôle et de paille, couverte d'une liane-diable. Il y consultait à ces heures-là afin de profiter des présences de la nuit. Une centaine de personnes s'y piétaient déjà, dans un silence d'église. Ces gens transportaient leurs douleurs, leurs malheurs, leurs échecs, leurs terreurs, et espéraient de monsieur Paul qu'il puisse dénouer tout ça. Je n'attendis pas longtemps. Monsieur Paul me fit appeler par un de ses aides — une sorte d'ababa porteur de sept chapelets à l'entour de cou. Je passai donc la file en compagnie de ma Manotte, pour me retrouver en face du séancier, dans un antre éclairé d'une bougie et plein d'objets pas regardables. Je n'eus même pas à lui causer : il sut pourquoi j'étais venu. Tout en me parlant de mon papa par-ci, de mon papa par-là, monsieur Paul conservait son regard sur Balthaz. Soudain, il eut un retrait de son corps. Il releva ses mains en forme de bouclier comme s'il craignait d'avoir avec notre petit bonhomme un effleurement quelconque. Il nous fit signe de quitter l'antre obscur, et c'est dehors qu'il murmura :
— Il a quelque chose mais je peux rien faire pour lui ! Faut voir plus haut ! Plus haut ! Moi, je suis rien, j'aide un peu pour les petites misères, mais là, avec cette marmaille, tu es tombé trop loin de mon cerclage ! Faut aller voir plus haut...
— Plus haut c'est quoi ?
— Mentô !
— Où c'est que je peux trouver ça ?
— C'est ça le problème ! Les Mentô sont là, mais les trouver c'est le problème !

— Donne-moi un nom...

— Peux pas! Moi-même suis pas sûr de connaître un! Crois savoir mais suis pas sûr! De toute manière, peux pas te dire! Trouve! Fais vite...

Il ne voulut pas être payé — plutôt content de nous voir déguerpir.

Je connaissais cette légende. Des quimboiseurs la répandaient depuis la nuit des temps. Quand leurs besognes se révélaient stériles en face d'un mal ou d'un problème, ils renvoyaient à mots couverts aux invisibles Mentô. Qui n'en trouvait pas un n'était pas digne d'être secouru, et puis c'était fini pour lui. J'avais surpris au fond des bois d'étranges nègres silencieux, perdus dessous des ajoupas, en sympathie pas comprenable avec les bêtes-longues et le grouillement de hautes végétations. Je ne les avais jamais approchés; je les sentais relever d'un autre vouloir du monde. Les bougres des bois respectent l'inconnu végétal, et ces alliés qui les entourent; ils les contournent, et vont au fil des traces en espérant ne pas les avoir dérangés. Le problème m'étant posé, ces vieux-nègres se mirent à me hanter la tête comme de possibles Mentô. Mais ces derniers, je le savais, pouvaient être n'importe où, dans les grands-bois mais aussi au cœur des plantations, dans les bourgs, dans les villes; ils vivaient selon un autre calendrier, d'autres marquages indécelables. Je ne m'étais jamais inquiété d'eux, je n'avais voulu en rencontrer pas plus que je ne cherchais à rencontrer les rêves. Je m'évertuai à soigner Balthaz moi-même avec ce que je savais des vertus de la plante aloès, mais il me parut tellement flétri de jour en jour que j'abandonnai cette prétention pour me mettre — anxieux oui — à chercher un Mentô.

J'ai d'abord regardé autour de nous, dans Saint-Joseph et ses quartiers. Drôle d'exercice que de zieuter les gens pour surprendre ce qu'ils sont derrière ce qu'ils présentent. Toutes espèces de personnes vivaient dans ces contrées : des nègres joyeux, des nègres mélancoliques, des mulâtres importants, des békés arrogants, des koulis chiffonnés, des bougres à travail raide qui les rendait étiques, des innocents en grand bonheur avec leur femme et leurs enfants. Au-dessus de cette masse se distinguaient les insolents du Parti communiste : ils animaient d'imposantes réunions pour fomenter des grèves et arracher aux usiniers békés un petit sou en plus. Se détachait aussi la longue tralée des artisans (tonneliers, tailleurs, bijoutiers, charpentiers de marine, scieurs de long, ébénistes, bouchers, forgerons...) qui pourchassaient en solitaires les rares aubaines de l'existence. Il y avait le maître d'école, débarqué de la lune, et ne s'alimentant que du papier de ses gros livres ; et ce fameux médecin dont le savoir-soigner dormait dans un diplôme... Mais le bourg était trop illisible pour moi, je ne savais pas y découvrir les signes. Il me fallait rechercher mon Mentô dans les bois, dans mon milieu vivant, là où mes intuitions pouvaient atteindre l'extrême du plus sensible.

Je battis les grands-bois durant douze semaines. Je ne m'étais jamais éloigné aussi longtemps de ma Manotte et de Balthaz, et chaque jour me rongeait d'inquiétude : la crainte que l'Yvonnette Cléoste ne les foudroie directement. Je cherchais mon Mentô selon cette traque que les chasseurs appliquent aux caches de l'aigle-malfini : explorer l'abord des fromagers, l'ombrage des acacias, les silences frémissants autour des xamanas, consulter les arbres les plus anciens, ceux dont l'écorce conserve la marque des âges passés. Ces arbres majestueux s'érigeaient en piliers des grands-bois ; ils devaient être reliés entre eux de manière impalpable, et déployaient sur tous les autres le filet d'une emprise. Je cherchai dans leur entour le gîte d'une vie quelconque. Je prospectai aussi aux abords des cascades, là où l'eau vaporise un brouillard lumineux qui fascine les bêtes-longues. Je tentai aussi de repérer les sept pointes étoilées de la plante aloès — signe d'une présence subtile. Je ne trouvai rien. Ne sentis rien. N'entendis rien. Je rencontrai bien sûr deux ou trois nègres marrons — bougres perdus pour la raison et pour la chrétienté qui ne savaient même pas que l'esclavage était fini. Je surpris un bougre qui fuyait les gendarmes pour avoir violé une fillette, et un autre, égaré sur les traces d'une de ces femmes-comètes qui traversent les vies. Je rencontrai aussi ceux qui étaient comme moi — nés pour vivre sous les arbres — à qui je demandais conseil pour trouver un Mentô. Tous se révélaient impuissants à m'aider, tellement ils s'étaient appliqués à contourner les forces qui dépassaient la leur. Ces douze semaines furent inutiles. La mort dans l'âme, je pris-descendre vers Saint-Joseph — pleurant d'avance sur le destin de mon petit Balthaz.

Mais la chance est si belle quand on en a besoin ! Sur le chemin du retour (en fait pas loin de Saint-Joseph) je trouvai quelque chose. Je sus là-même que c'était une personne particulière. Je m'étais approché de la rivière Blanche, en un coin où j'empoignais d'habitude d'énormes écrevisses pour mes clients et pour Manotte. Existait-là un bassin (presque invisible) où j'avais mes habitudes de pêche. J'y plongeais à chaque virée, et, en un flap-flap de temps, je remplissais deux-trois sacs d'écrevisses-z'habitants plus épaisses que ma main. En approchant, je vis, déjà sur place, une silhouette longiligne, coiffée d'un grand chapeau-bakoua, en train de pêcher d'une manière étrange. Elle était à mi-jambe dans l'eau, se penchait, et cueillait des écrevisses agglutinées autour de ses genoux. Sa main saisissait ses proies, sans précipitation et sans avidité, avec une certitude dépourvue de limites. C'était extraordinaire. Les z'habitants sont d'une méfiance sans nom ; pour les trouver, il faut fourrer la main au plus loin sous les roches, ou les piéger dans les boyaux des cayes où elles guettent leur manger. Les z'habitants ne se débattaient pas entre les doigts de cette curieuse personne. Elle les fourrait une à une dans son sac en leur soufflant dessus. Je connaissais ce geste de vieux-nègre : c'était un mode d'excuse aux vies que l'on doit prendre. Avec peu d'écrevisses, la silhouette sortit de l'eau. Et c'est là que mon cœur sursauta sur lui-même : cette personne était une femme, même pas vieille, sorte de jeune fille sans âge qui semblait à la fois sortie de son berceau et déjà familière des vieilles éternités. J'étais serré selon ma science, entre raziés et racines, de telle manière qu'aucun animal n'aurait pu me déceler. Elle, me vit là-même — ou plutôt, elle regarda pile sur moi et se prit d'un beau rire.

— *Sé fronmi-a ké pété tout lonba'w*... Les fourmis vont te manger les fesses...

Je sortis de ma cache avec une petite honte. Elle m'adressa le salut des bois et s'éloigna par une trace en gloussant. Un rire silencieux lui secouait les épaules. Elle était des plus insignifiantes : pas maigrelette mais allongée, très droite, une vieille gaule de madras lui partait des épaules pour atteindre la mi-jambe. Elle maniait un long bâton tortueux pour assurer ses pas — de ces bâtons qu'empoignent les vieux-nègres qui doivent marcher longtemps. Une allure très banale au pays mais qui ne cadrait pas avec celle d'une jeune fille. C'est sans doute pourquoi j'eus le sentiment que c'était un Mentô. Je savais qu'un Mentô ne pouvait être une femme, mais il émanait d'elle un dérangement spécial. Pas de la sérénité ou de la force, mais une absence semblable à celle des arbres anciens. Ça devait être ça : l'impression incertaine d'avoir en face de moi la jouvence d'une source claire et l'éternité sombre d'un très vieil arbre de chair et d'os, un vieil arbre coiffé d'une tête de câpresse enfantine et d'yeux éclairés d'une malice de mille ans. Instinctivement, je l'appelai *Man untel...*

— Excuse-moi, *Man untel...*
Elle se retourna un peu surprise, et dit :
— Pourquoi m'appeler comme ça ?...
C'est vrai qu'on ne disait *Man* qu'aux dames d'un certain âge, se trouvant en ménage, élevant des enfants et porteuse de respect. Le *untel* était l'astuce aimable pour s'enquérir de son nom véritable.
— J'ai besoin d'un coup de main...
Elle rit encore d'un rire de capistrelle espiègle, et me dit :
— C'est plutôt toi qui dois m'aider à trouver des racines et des graines à manger...
Ouvrant mes sacs, je lui offris deux-trois dachines, des ignames pacala, des framboises sauvages, des icaques bleues, des pois doux, des pommes-roses, des cœurs de coco, de la vanille, des sapotilles, un tamarin doux... mille trésors qui l'émerveillaient : *Pchuuu comment tu fais pour trouver tout ça !...* Et moi, je continuais à tout lui montrer, à tout lui offrir, avec l'énergie que déploierait un naufragé dans les voumvak du désespoir.

Je passai une dizaine de jours auprès de cette jeune fille, ou de cette madame. Elle vivait dans une sorte

91

d'ajoupa, construit selon les modes amérindiens, à la tête d'une ravine où des pierres anciennes émergeaient de la terre. Il n'y avait pas de grands arbres auprès d'elle. Seuls de fatigués bambous jaunissaient-là sans suspendre les grincements de leurs âges. Son nom demeura incertain : elle me dit s'appeler *L'Oubliée*, mais que cela n'avait pièce importance car les noms d'ici-là n'étaient pas de vrais noms. Pour le reste, elle était femme du silence et du vivre-content. Elle échappait aux poids qu'engrange sur nos épaules là charge de l'existence. Ses gestes autour du feu, du manger, du coucher, les formes de son corps constituaient ses uniques invariances. Pour le reste, elle devenait un fluide, coulé-coulant, à comme dire une rivière quand il pleut et qu'on s'y tient debout ; ou comme le vent (contraire aux alizés) qui passe sans creuser d'habitude. Vraiment un morceau de silence. Je connaissais cela. Les bougres des bois, famille des solitudes, ne sont pas très causants. Mais son silence à elle tigeait bien au-delà. Il provenait d'une façon d'exister qui n'avait pas besoin des paroles ordinaires. Le Mentô — si tant est que cette madame-enfant fût Mentô pour de bon — se concentrait en dehors de ce monde.

Jamais — de tout le temps passé là — elle ne me fit le signe qu'elle était un Mentô. Elle prétendit même ne pas savoir ce que ça voulait dire. Elle disait, sur un mode désolé, n'être qu'une simple oubliée : oubliée dans les bois, oubliée dans la vie, oubliée sur cette terre. Quand je lui demandais de quel quartier quelle commune quelle famille elle provenait (comme on le fait ici pour peser une personne sans pièce indiscrétion), elle se disait tombée d'un morne inconnu des routes et des sentiers. Man L'Oubliée passait le plus clair de son temps à se promener entre les arbres, à zieuter les oiseaux, à écouter le chanté des rivières, à s'esbaudir du saut lourd d'un crapaud, à suivre des envols de yens-yens, ou scruter très sérieuse les grandes toiles d'araignées... toutes choses classées comme inutiles, et enfantines, et qui faisaient de son existence une énigme insoluble.

Je restais à ses côtés, respectant son silence, la main sur ma pétoire, prêt à la protéger d'une frappe de bête-longue. Elle, qui ne portait ni coutelas ni canif, se retournait de temps à autre, m'observait sans comprendre, et explosait de son rire enfantin en découvrant mes mains sur le fusil. Il me fallut trois jours avant de prendre conscience qu'autour d'elle l'ombre des bois s'apaisait ; quand elle bougeait, pas une feuille ne tremblait, pas un milieu n'était troublé, pas un yen-yen ne s'envolait — sauf quand moi, apparu sur ses pas, brisais cet équilibre avec la force d'un bouledogue. Son innocence m'intimidait — moi qui n'avais jamais connu de maître. Elle m'inclinait sous la voûte de son ordre, m'imposait le silence d'un respect instinctif. J'étais d'autant plus troublé qu'il s'agissait d'une femme. Je les savais puissantes dans le fond du pays, mais elles déployaient cette puissance de manière sans soleil, en bordure de notre vie, et sans effets repérables sur nous. J'avais aussi rencontré des lots de femmes-à-graines, matadors-grand-chapeau et brusquantes-à-bottines, dangers de la nature, mais celles-là s'avançaient dans les manières viriles et n'étaient plus seulement des femmes. Et là, en face de cette jeune fille fragile, capistrelle jeune et *Man* très vieille, je n'avais plus de marques pour affermir ma voix. J'étais en pleine déroute comme un kokofiolo. Un soir de pluie violente, j'osai lui parler de Balthaz. Nous étions coincés autour du feu, sous le couvert de l'ajoupa, très proches l'un de l'autre

93

comme de vrais frères des bois. Je lui contai l'histoire de l'Yvonnette Cléoste, le malheur de Balthaz qui ne profitait pas. Elle m'écouta sans rien dire, avec une attention inquiète. Certains passages l'effrayaient encore plus que moi-même. Elle s'essuyait le front avec l'air de découvrir la méchanceté du monde. En conclusion, je lui demandai de regarder Balthaz pour moi. Elle fut surprise :

— Mais pourquoi tu demandes ça à moi ?

Cette question anodine ne l'était pas vraiment : ses yeux étaient devenus deux petites nuits sans fond. Elle me regardait comme jamais personne ne m'avait regardé sur cette terre en déveine. Intimidé, je lui répondis avec le chaud du cœur :

— C'est parce que la vie te connaît, Man L'Oubliée, la vie te connaît...

Je ne saurais jamais le sens de cette parole. C'était venu comme ça. Elle se mit à rire de sa drôle de manière, et murmura tranquille :

— *An pa suiv hak ansa, mé mennen ti-manmay-la pwan van pa isiya... Bwa-a ké fèy dibyen...* Je ne comprends hak à ce que tu me dis, mais amène cette marmaille prendre un peu l'air des bois. Ça va lui faire du bien...

Balthaz était sauvé !

Je revins à son ajoupa quatre jours après. J'étais remonté seul avec Balthaz sur les épaules. J'avais préféré voyager de cette manière afin de mieux répondre aux dangers des grands-bois. La présence de Manotte, très caponne des bêtes-longues, m'aurait embarrassé. Je déposai Balthaz devant elle. Man L'Oubliée le prit là-même dans ses bras, dans un élan de protection sans fin. J'aurais pu en pleurer. Elle l'embrassa, lui parla comme on parle aux enfants, l'emmena à la rivière, dessous les arbres, lui montra comment pêcher de sa drôle de manière, ramasser des lianes douces, cueillir des graines sucrées, guetter les chouval-bwa dans l'univers des branches. Avec elle, Balthaz riait comme jamais il n'avait ri. Il riait tant que ses pauvres jambes tremblantes ne pouvaient pas le soutenir, et il roulait par terre, et il restait-là — comme tortue sur l'écale — jusqu'à ce que Man L'Oubliée s'en vienne le ramasser. Moi, réfugié dans mon coin, je voyais Man L'Oubliée prendre un âge de huit ans, se roulant elle aussi par terre, riant aux éclats, faisant la folle d'une manière si sincère que je doutai alors qu'elle pût être un Mentô.

Je ne pus que les regarder vivre. Deux jours passèrent ainsi sans que Man L'Oubliée me dise quoi que ce soit. Un soir (Balthaz endormi au fond de l'ajoupa), je lui dis :
— Alors, qu'est-ce que tu peux faire pour lui ?
— L'air des bas-bois est bon. Laisse-le ici. Il va vivre avec moi.
Je fus déçu d'un coup. Man L'Oubliée ne proposait pièce remède, ni travail contre les forces, ni même une clarté. Elle voulait que Balthaz vive cette vie des bois, tellement chiche et austère. Les bois, c'était ma vie, mon destin, mais l'avenir ne passait plus par-là, ni pour les gens de ma lignée ni pour personne au monde. À mon sens, Balthaz devait vivre autre chose. Je ne m'imaginais pas le laissant-là, avec cette capistrelle pas comprenable. Même si elle m'inspirait l'inattendu sentiment de respect, elle ne paraissait pas en lutte exacte contre les déveines. Je pris la décision de repartir avec Balthaz. Man L'Oubliée ne dit rien ; elle continua de jouer avec lui de plus belle, et nous accompagna dans la descente qui mène au bourg en jouant autour de lui comme une touffe de jeunes filles. Au fond de cette déception, j'étais convaincu

95

d'avoir trouvé une bougresse originale mais qui en fait n'était qu'une bêtiseuse. Je ne devais plus revoir Man L'Oubliée. Seul son visage d'enfant enverrait une clarté sur ces terribles semaines que j'allais passer dans un trou de la geôle.

Il y a ce qui existe et ce qui n'existe pas.
Et entre les deux il y a l'en restant.

« Notre morceau de fer ».
Cantilènes d'Isomène Calypso,
conteur à voix pas claire de la commune de Saint-Joseph.

LE MONSTRE. Manotte fut désespérée de me voir en échec. Elle non plus ne voulut pas laisser Balthaz à cette bougresse des bois : nous n'étions même pas sûrs qu'elle pût être un Mentô. Nous essayâmes de soigner Balthaz à fond. Je lui donnais jour après jour les bains d'héliotrope blanc qui auraient dû le démarrer. Je lui fis infuser les plantes de lunes montantes dont j'avais clair usage. Je lui fis boire le thé de paroka et d'écorce de moubin dans une eau de source chaude. Je lui cuisinais des œufs de caille, des soupes de pied, du foie de taureau, des cervelles de mouton. Manotte l'emmenait chaque dimanche à la messe de six heures et lui mouillait le crâne d'une goutte de bénitier. Nous déposâmes des vœux aux cérémonies de ces Indiens-koulis qui saignaient des cabrittes pour leurs divinités. J'étais aussi soucieux de soigner son esprit. Sans être un grand Grec mapipi, je lui appris à reconnaître des lettres, à dessiner des formes en leur donnant un nom. Balthaz comprenait vite, c'était notre seule joie. Nous essayâmes une fois encore de l'inscrire à l'école mais le maître demeurait intraitable au vu de son manque de paroles ou de sa dégaine maigrichonne et flétrie. J'avais diminué mes virées dans les bois. J'aidais Manotte à le masser avec des huiles tranquilles et des herbes à sept dons, à lui parler du vouloir-vivre, à implorer la main de saint

96

Michel pour dresser devant lui le bouclier des bienfaisances. Cela ne servit à rien. L'Yvonnette Cléoste nous retomba dessus.

Un bon-matin, un papillon soficougnan voleta dans la maison. Sans même le voir, Balthaz fut pris d'une pâleur de chandelle et demeura vingt-cinq minutes inanimé. Un autre bon-matin, il bascula et demeura couché tandis que des fourmis à z'ailes traçaient des formes sur le plafond. Après, nous le vîmes s'en aller à quatre pattes vers l'arrière de sa vie ; intriguée, Manotte vérifia la maison et trouva un crapaud au-dessus de l'armoire. Un autre jour enfin, une solsouris pénétra dans la chambre par la gauche et ressortit par la fenêtre de gauche. Balthaz ce jour-là demeura endormi sans que rien ni personne arrive à l'éveiller. C'était épouvantable. Manotte pleura de petites roches brûlantes. Ce fer me fit gémir. On eut beau lui crier le médecin diplômé, le mettre à l'hôpital, lui donner des piqûres, il demeura engoué dans ce rêve sans fond où il soufflait à peine. Seul le calme de son visage suggérait un sommeil. Au bout d'une semaine, les médecins nous le redonnèrent sans une explication : il fallait dégager le lit dont ils avaient besoin.

Nous passions nuits et jours à son chevet, guettant son souffle, tâtant son pouls, hurlant à leur moindre défaillance. Une fois, après minuit, Manotte bien endormie, je me sentis enveloppé par le froid de la mort. La porte de la chambre sembla se démonter, et je vis flotter la créature blême déjà venue dans notre case des bois. Elle ondulait de même manière, lâchait ce froid sans âme qui vous vidait les os. Je fis ce geste des mains que l'Yvonnette Cléoste avait eu cette nuit-là. La blême disparut flap, et je me crus dégringolé d'un rêve. Une terreur m'envahit. Je halai mon fusil, mes quatre balles en argent, et partis en pleine nuit vers l'Yvonnette Cléoste. Ma tête s'était défaite. Mon cœur battait glacé. J'avais atteint un bout du supportable. Fallait régler mes comptes avec cette diablesse. Elle seule pouvait désamarrer ce qu'elle avait noué. Guidé par un flair d'animal aux abois, je retrouvai l'étrange case sans forcer; elle était là, couverte de sa crinière de feuilles, éprise des cendres de son éternité. La lumière renaissante couvrait ce monde d'un blanc de cimetière. L'Yvonnette Cléoste apparut sur le seuil avec le rire le plus malfaisant que l'on pourrait imaginer.

Elle avait dépassé un arrière des vieillesses, ses cheveux étaient partis en grappes, et sa peau n'était plus qu'un chiffon de momie. Je ne sais plus ce que je lui avais dit, ni ce qu'elle m'avait répondu. En tout cas, je commençai sans doute par lui parler de Balthaz; la supplier de lui rendre sa vie et un fil de destin. Elle répondit peut-être que cela dépendait de moi seul. Ou alors elle continua de rire. Ou ne répondit rien. Je lui dis être prêt à payer tout ce qu'il fallait payer mais sans un sou vaillant. Si tu n'as pas d'argent, me dit-elle, alors donne-moi un peu de ta peau et de ta chair. Je me souviens de ça : Donne-moi ta peau, donne-moi ta chair. *Ta peau. Ta chair.* Sans comprendre, je dis oui. Elle me fit pénétrer dans la case ou alors je me retrouvai là-dedans : une pénombre huileuse, enfumée, encombrée de bougies qui ne s'éteignent jamais, de dames-jeannes, de poteries et de formes torturées impossibles à décrire. Je m'avançai là-dedans comme dans ma propre tombe, mon fusil agrippé à pleines mains, plaqué sur ma poitrine. Yvonnette Cléoste me fit asseoir sur une barrique de cent mille ans et me posa une main sur la cuisse. Sa main ou bien son poing fermé. Ou un croisement de son index et de son

98

pouce. Enfin, *elle me toucha*. Une douleur me cisailla les os. Je fermai les yeux, pendu à mon fusil comme au fil de mon âme. Je m'efforçais de songer à Balthaz. La douleur explosa de nouveau pour m'obliger à regarder. Et je vis. Un trou s'était creusé dans la chair de ma cuisse. L'eau des souffrances m'incendia les pupilles. Je vacillai. La diablesse dut m'appliquer son autre main, car la même douleur surgit près de ma hanche. *Elle me mangeait la chair par la gueule de ses mains !* Je serrai les paupières sous la brûlure des larmes. Balthaz. Balthaz. J'eus le sentiment que chaque effleurement de ses ongles charroyait des lanières de ma peau. Des traînées froides, cuisantes à l'air, se creusaient sur mon corps. Je devenais une plaie vive. Balthaz. Balthaz. J'abandonnais ma vie. J'offrais mon sang à la libération de mon Balthaz et de Manotte. À leurs rires retrouvés. Je les voyais vivre leur corps, une manman-poule et son petit garçon. La vie qui roule. Eau de Cologne. Les lessives et les chants. Un bouquet d'hibiscus. Les messes et les promenades. Cornets de pistaches. Accordéon. Vent des douceurs douces... Mais une puanteur sans nom s'étala dans mon dos : une présence de braise, animale, porteuse d'un poil vivant ou d'une écale de corne se mit à respirer. Cette puanteur me démonta l'esprit. Je criai comme crier s'écrit, me retournai d'un coup, et entrevis la forme dénuée de formes et de lumière. C'était un monstre.

Les histoires de conteurs me revinrent en mémoire. Certaines gens, disait-on, passaient brocante avec des forces pas fréquentables. Elles pouvaient domestiquer des monstres dotés de pouvoirs écœurants. Ces calamités les aidaient à meurtrir leurs voisins et le reste des humains. L'embêtant cependant, c'est que ces saletés devaient être nourries avec de la chair fraîche prise aux chrétiens vivants. Ne pas leur trouver ça vous condamnait à les soigner avec votre propre chair. L'Yvonnette Cléoste s'était échouée dans ce piège sans sortie, avec ce monstre pas même imaginable. J'aurais pu mourir-là, avalé par cette crasse. Mais j'étais bougre des bois. J'avais des réflexes de bête-longue, une vision instinctive, une aptitude au bond digne des voilures de yole. Je virai mon fusil en direction de la puanteur, l'enclenchai en même temps et — avant que l'Yvonnette n'ait pu remuer son corps — je déchargeai biwoua deux des balles en argent. Un désagrément peupla l'univers tout entier. Sûrement un pleurer de douleur ou d'agonie sans paradis. Le monstre était touché. L'Yvonnette fut propulsée dans les dames-jeannes par la vague de son cri. Loin de me renverser, cela me déchaîna. Bien debout sur mes pieds, je me mis à tout briser autour de moi sans pourquoi ni comment. Mes souffrances s'étaient nouées en rage sans démêlage. Je fracassai une lampe huileuse sur les choses d'une cloison. Puis une autre dans la voûte d'araignées qui luisait au faîtage. Je dus faire exploser une dame-jeanne d'alcool, et une autre de pétrole. Je voltigeai aussi des récipients d'éther et des fioles d'alcali. L'air s'infecta acide. Une flamme sombre courut tout-partout dans la pièce. Tout s'enflamma étrange, non comme flambent les choses, mais telles des apparitions se sculptant dans les flammes et mourant sur elles-mêmes pour renaître sans cesse. Une fumée m'empêchait de trouver la sortie. Je tournoyais, asphyxié, mon fusil me servant de pagaie, le doigt aigri sur la gâchette, prêt à décharger mes dernières balles d'argent. Je tournoyais sans boussole sur le fil d'une folie. En fait, je cherchais l'Yvonnette Cléoste. Voulais mourir sur elle. Voir au clair dans son sang. Je ne la trouvai jamais. Le bankoulélé de ce parc-àzombis m'embourbait dans les vases de l'enfer. Soudain, je me sentis happé par une succion aveugle. Le monstre m'avait posé une ventouse. J'étais gobé par des bourgeons vivants, une muqueuse rêche, de plus en plus étroite, d'un décidé irrésistible. Cette fois, j'avais fini de battre.

Là, c'est Balthaz qui me sauva. Je pensai à lui. Livré au malheur sans moi, avec la pauvre Manotte. Des songées comme celles-là réveillent les macchabées. Je donnai de la crosse sur le boyau qui m'aspirait. Mais il me broyait tant que mes côtelettes craquaient. Impossible de presser la gâchette. J'étouffais, et me mis à rendre tout le jus de mon âme. Une faiblesse m'emporta, sans doute la cacarelle, le désarroi, et cette plongée dans une matière inconnue de ce monde. Mon corps devint flasque. Molpi. La chose dut me croire mort : elle relâcha d'un coup son serrage mortel. Je la sentis parcourue d'un spasme de victoire ou de vengeance comblée, et pomper le peu d'air de la pièce pour relancer son avalement. Dans un ultime effort, Balthaz, Balthaz, j'accrochai mon fusil du bout d'un doigt valide, l'ajustai d'une seule main, et, avec les dernières crasses vitales de mon bras, l'enfonçai dans la masse avalante. Mon doigt était coincé. Cassé peut-être. Impossible de tirer. Le monstre reprenait son emprise. Alors, excusez-moi, *je parlai au fusil.* Il me venait de mon papa, et lui l'avait reçu d'un arrière-grand-papa. C'était le fusil de la lignée, un bon ami, presque un frère et un fils de sang. Je lui parlai pour lui dire de tirer. Ça paraît drôle mais c'est comme ça : *je demandai au fusil de tirer.* C'était une supplique. Il tira sans attendre. La balle d'argent ouvrit une porte du ciel. Un zébrage de lumière décomposa le monde. J'entendis le chuintement du monstre touché en plein. Les bourgeons ava-

101

leurs s'agitèrent frénétiques puis s'aplatirent après une convulsion. Sans trop savoir comment, je me retrouvai en dehors dans les bois, courant comme un chien fou. Derrière moi, la case se transformait en cendres sous des flammes gémissantes. Je crus soudain entendre les cris de l'Yvonnette plus hargneuse que jamais, tourbillonnant autour de sa maison, et pleurant sans doute le trépas de son monstre.

J'allai de moi-même à la gendarmerie. Difficile d'expliquer tout cela aux gendarmes. Ils n'y comprenaient hak, ne voulaient rien comprendre. Les égratignures que j'avais sur le corps ne leur semblaient pas provenir de la griffe d'un monstre. Ils montèrent, semble-t-il, chez l'Yvonnette Cléoste constater que la case avait été brûlée. Ils écrivirent que j'avais pris pour cible une vieille malheureuse (sans dents et sans défense). Ils ne trouvèrent aucun monstre dans la cendre. Ce furent du moins les conclusions du juge (un moustachu du sud-ouest de la France, usé par le soleil) qui me prit sans hésiter pour un danger public. J'échouai dans cette cellule, rongé par la douleur, sans trop de nouvelles de Manotte et de Balthaz. Je suis dans un dortoir de la prison de Fort-de-France, nous y sommes environ une trentaine, toutes espèces de pauvres bougres abîmés par la vie. Ils ont commis des crimes, des viols, des vols, des grèves contre exploiteurs, des atrocités à divers épisodes... mais tous préfèrent s'asseoir pour entendre mon histoire. Peut-être que j'en rajoute mais ça n'a pas d'importance. J'ai senti tout cela comme je le raconte, et c'est ce ressenti qui ordonne mes souvenirs. Je leur conte cette histoire sans fatiguer. Et sans défatiguer. Je parle et je déparle. Les prisonniers se la répètent entre eux à leur manière, chacun y ajoutant son sel et sa graine de piment. Moi-même, je découvre à chaque

102

fois un détail que ma douleur avait caché. Je me soûle avec ça. J'aurais aimé l'écrire. Ils me la réclament même quand la fatigue m'emporte. Mais je préfère parler, m'étourdir comme cela, pour oublier que dehors, dans la vie, Manotte et mon Balthaz doivent affronter seuls l'Yvonnette Cléoste et son monstre sans baptême. Non. Non. Plutôt parler, parler, et raconter encore : *En fait, gens de la compagnie, j'aurais dû être un peu mieux véyatif..*

> Manotte, sa manman,
> était fille de Félicité, *tété*
> qui était fille de Désirée, *réré*
> qui était fille d'une qui supporta, *tata*
> laquelle était fifille d'une autre
> qui ne savait même plus de quelle terre elle venait!

> « Notre morceau de fer ».
> *Cantilènes d'Isomène Calypso,*
> conteur à voix pas claire de la commune de Saint-Joseph.

UBRIS ET AGAPÊ. Limorelle Bodule-Jules raconta cette histoire à ses compères de geôle — ultimes compagnons de sa vie. Ces apôtres (pas vraiment du bon genre) transmirent cette histoire au reste de l'univers : de bouche en bouche, de paroles vantardes en silences mensongers, ils permirent qu'elle rôdât parmi nous. ▽

Mais le reste de l'histoire ne provint que de Manotte elle-même, épouse de Limorelle et mère de M. Balthazar Bodule-Jules, parmi les souvenirs qu'elle laissa sur cette terre. Sa présence se fit soudain sentir dans cette case de Saint-Joseph, auprès de ceux qui veillaient sur l'agonie de son fils Balthazar. Désireux de redescendre le cours de cette histoire, les assistants à l'agonie l'invoquèrent, la convoquèrent, l'imaginèrent se racontant. Manotte vint habiter les regards, les ombres et quelques gestes du corps muet de son fils. Alors l'ambiance folle s'apaisa. Manotte était là, parmi nous, offrant à tous le récit du malheur de sa vie, et j'étais sans doute le seul à demeurer incapable de

103

la voir, encore moins de l'entendre. Pour suivre l'évocation de Limorelle, je m'étais promené au cœur de l'assemblée, grappillant les postures et les miettes de vocables, m'abandonnant au fil de ce discours sans voix. Pour l'évocation de Manotte, je dus aller m'asseoir, un peu ridicule avec mon magnéto, mes carnets et ces crayons à mine rétractable que j'arborais comme des outils. Cette suite de l'histoire devenait plus discrète, plus secrète, moins ouverte aux déboulées des signes. Les corps furent moins lisibles. Je dus me tenir immobile, laisser croire mes oreilles et mes yeux entièrement voués à l'agonie de notre vieux rebelle. J'étais à la fois gobé par cette compagnie et placé en dehors. Personne ne me regardait mais tout le monde me surveillait. Chacun m'avait admis mais je devais (comme toujours) mériter ma présence en respectant les règles non édictées d'un damier invisible. Mais j'avais appris à me taire, me fondre et m'effacer tout en demeurant disponible pour chacun. Le brouillage s'amenuisa très vite parmi les canaris, les cercles de danse ou de jeux-dominos, et je pus picorer de quoi interpréter. Avec Manotte, le signe devint plus douloureux (les yeux s'abaissaient sous des paupières en vérandas, les mains cachaient leur paume). Les commères qui chaperonnaient cette mémoire de Manotte perdirent de leur gouaille à scandales et de ces moues sceptiques qui accusaient Limorelle d'inventer des baboules. À leurs manières retenues, j'imaginai Manotte comme une petite *Man* aux façons mesurées, vêtue selon ce temps : gaule de coton ternie par les lessives sur roches, bout de madras serrant des cheveux invisibles. Manotte avait dû être mince, échappée-maigre, fragile d'aspect mais sèche d'une énergie résistante aux déveines. Les tantantes, commères, cousines et alliées de M. Balthazar Bodule-Jules se retrouvaient en elle et exprimaient par elle des années de silence. À travers cet univers de femmes, je pus m'alimenter au récit de Manotte, percevoir ses soupirs autour

104

Impossible écriture

de Jésus, de Marie, de Joseph, et (en trouble vanité) amasser de quoi envisager l'impossible écriture.

Jésus-Marie-Joseph... en fait, Limorelle ne l'avait pas compris, mais l'Yvonnette Cléoste portait notre Balthaz au cœur même de son cœur. Moi, Manotte Bodule-Jules, fille de Félicité Jean-Luce et d'un homme inutile, oui moi manman de notre petit Balthaz, je te dis ça comme cela. Sans être causante, je te laisse cette parole afin de faire savoir comment le protéger. On a cru Limorelle tombé fou, et on me croit déjà folle moi aussi. Mais seul tenir le poêle donne mesure de son chaud ; et ce poêle, Jésus-Marie-Joseph, nous l'avons tenu raide sans soulager nos doigts. Me réveillant cette nuit-là, je sentis une froidure flotter dans la maison. Je vérifiai portes et fenêtres, croyant qu'un vent pas-bon s'infiltrait dans la chambre où Balthaz languissait. Tout était bien fermé, aussi dur qu'avec clou. Je m'aperçus que Limorelle était déjà parti. Il avait emporté son fusil et ses balles en argent et son linge des bois. Quelque chose avait dû se passer pendant cette graine de sommeil où je m'étais pausée. En tout cas, Balthaz allait bonnement mieux. Il dormait plus paisible que durant ces dix dernières années. C'était pas catholique. Quelque chose avait dû se passer et la peur m'étranglait. Je ne bougeai pas de la maison. Balthaz resta serré au profond de mes bras en sorte que rien ne puisse l'atteindre sans me percer le corps, et j'attendis ainsi le retour de mon cher Limorelle — qui ne revint jamais.

Jésus-Marie-Joseph... en fait, l'Yvonnette Cléoste portait Balthaz au cœur. Quand Limorelle la fit appeler, qu'elle survint dans notre case, qu'elle me toucha le ventre, je sentis (parmi la chaleur de ses mains) cette pression particulière qui filtrait de son cœur. Une jalousie me bouleversa. À travers mon ventre, elle semblait toucher à un fils bien-aimé, un fils qui serait le sien. J'étais jalouse mais aussi bien-contente. Jalouse, car je l'imaginais capable d'offrir à Balthaz bien plus que moi (petite négresse-campagne) pourrais jamais donner. Contente, parce que cet attachement mettait Balthaz à l'abri de ses possibles mauvaisetés. Car je sentais, Jésus-Marie-Joseph, l'Yvonnette très puissante et mauvaise. Je la sentais désespérée aussi. Son ventre était sec et désert. Le lait de ses tétés avait tourné venin et cette mauvaise avait dû s'y nourrir en se félicitant que ce ne fût plus du lait. L'âge venant, la vie menant ses comptes, elle avait découvert l'envie d'enfant refoulée dans sa vie. La vieillesse, qui rapproche de la mort, ravive le vœu d'enfant chez ceux qui l'ont dénié comme un vent soulèverait des braises agonisantes une étincelle particulière. Elle avait pour lui le même sentiment que moi — mais monté par le bas.

Pour aider l'accouchement, l'Yvonnette me massait, me coiffait, me baignait, avec des gestes très doux. Je m'y abandonnais, sachant que c'est Balthaz qu'elle caressait ainsi. Je n'existais pas pour elle. J'étais le tabernacle autour de l'objet vénéré. Limorelle ne voyait rien mais moi je voyais tout. C'est elle-même qui empêchait à Balthaz de sortir. Elle-même qui le bloquait! Je ne comprenais pas pourquoi. Son attachement ne pouvait pièce à mon avis porter tort à Balthaz. Elle l'aimait autant que moi et ne pouvait lui faire de mal. Alors je compris qu'en amarrant Balthaz *c'est moi qu'elle voulait tuer.* En bloquant Balthaz dans mon ventre, elle le laissait épaissir dans mon corps. À force de grandir et grossir, c'est Balthaz même qui m'aurait tuée. L'Yvonnette disposait d'assez de science pour le sauver et me laisser mourir. Moi morte, elle aurait été la seule manman que Balthaz aurait vue. La seule voix de femme qu'il aurait entendue. Les seuls bras de femme qui l'auraient accueilli. Je comprenais tout cela sans pouvoir le crier. Dès qu'elle tournait le dos, je poussais à toute force pour que Balthaz puisse sortir de mon corps. Je poussais poussais, poussais pour le sauver, me sauver et sauver notre lien. J'étais sa manman, je devais le gagner. Une barre me tenait le ventre avec un nœud de marin, quelque chose d'extérieur à mes muscles, et qui interdisait toute sortie à Balthaz. Je tentais d'imaginer ce nœud, de le défaire avec le vœu de mon esprit. J'appuyais sur ce nœud avec l'envie de le briser, mais à chaque fois c'était mes propres chairs qui commençaient à se décomposer.

C'est une nuit comme cela, durant laquelle je poussais pour délivrer Balthaz, que Limorelle eut la mauvaise idée d'aller mander cette Yvonnette Cléoste. Je poussai à toute force avant qu'elle ne surgisse, mais elle me trouva en plein dans ce travail, et entreprit de faire ses gestes sur moi. Limorelle ne voyait rien mais je sentais combien ses doigts nouaient et renouaient le nœud sourd de mon ventre. Nous nous gourmions comme ça, en silence, devant mon Limorelle aveugle sur tout ça, elle resserrant le nœud et moi poussant dessus pour que Balthaz s'échappe. Elle allait m'anéantir, je le savais, je le sentais dans ce vieil engourdi qui durcissait mon corps.
C'est alors que je pensai à Balthaz.
Je me mis à parler à mon petit garçon, à lui dire que c'était moi sa manman et qu'en restant au fond de moi il préparait mon propre assassinat. Je lui parlais comme ça et poussais en même temps. Balthaz dut comprendre cette alerte : il s'agitait aussi. Il pesa sur

107

le nœud de toutes ses pauvres forces tandis que
l'Yvonnette le resserrait encore. Mais cette fois nous
étions deux à peser sur ce nœud, d'une manière désespérée... et nous parvînmes à le défaire. Le pauvre Balthaz avait usé ses forces. Il traversa le nœud bien plus
mort que vivant et apparut inerte dans les misères de
notre monde. Cela me fit crier comme crier peut
s'écrire. L'Yvonnette s'aperçut qu'il était né coiffé,
avec le voile de protection majeure alentour de la tête.
C'est à cause de la force de ce voile que nous avions
passé la barre du nœud maudit. À la vue de ce voile,
l'Yvonnette recula de trois pas. À moitié étouffée, elle
parvint à me grincer de l'enlever là-même. J'enlevai le
voile, non pour lui obéir, mais pour éviter qu'il
n'étouffe mon Balthaz. De toute manière, mon petit
bougre était déjà entre mes bras, mes mains furent les
premières à le toucher, et ma peau contre la sienne
fut sa première caresse. L'Yvonnette était devenue
blême. J'avais gagné la première manche : je pus donc
m'endormir, ou m'évanouir, ou tomber en état dès
que je fus certaine que mon Balthaz était vivant.

Pour le reste, je ne revis plus l'Yvonnette Cléoste mais
je la sentais là, auprès de mon Balthaz. Maléfique et
pas-bonne. Limorelle était soucieux pour des raisons
que j'ignorais et qu'il gardait pour lui. J'avais conservé
le voile qui protégeait la tête naissante de mon Balthaz. Je l'avais fait sécher. J'en avais tiré une poudre
que je portais sur moi, à dire un talisman, une sorte de
garde-corps. Quand Balthaz allait mal, sans que
Limorelle le sache, je lui posais cette poudre sur le
creux de la langue. Ça le maintenait en vie. Ce n'était
pas assez pour lui rendre la santé, mais le maintenait
en vie. L'Yvonnette Cléoste le voulait. Son *vouloir* de
lui annulait toute distance pour nous envelopper ; il
était brutal comme un pourri de racine morte ; insistant, asphyxiant et compact comme une ombre.

Vouloir bizarre.

C'était un sentiment d'affection, mais, au fil des impossibles que je lui opposais, il se chargeait de négatif, de destruction, de malveillance sans horizon concentrée sur Balthaz. *Un amour destructeur.* Rien comprendre à cela. Comment avoir de l'affection de cette manière? Était-ce encore de l'affection? Que voulait-elle ainsi, et quelle satisfaction prendre à la mort d'un enfant qu'elle aimait autant que moi? Était-ce la jalousie, cette vieille sorcière des sentiments? Était-ce une folie? L'Yvonnette était prête à décaler mon pauvre petit Balthaz pour qu'il ne soit jamais l'enfant d'une autre qu'elle. Je comprenais et ne comprenais pas.

Jésus-Marie-Joseph... J'attendis le retour de Limorelle jusqu'au-devant du jour. En milieu de matinée, j'étais toujours sans une nouvelle de lui. Je sentis soudain le *vouloir* de l'Yvonnette. Il s'était apaisé pendant les dernières heures, mais là il revenait d'une manière totale. Une prégnance amère et revancharde. Bien enragée aussi. C'était un chatrou invisible, à dix mille tentacules. Chacune de leurs ventouses suçait la vie de mon enfant. Cette chose-là voulait sucer un peu de la mienne aussi, mais j'étais d'une vaillance telle que seule une sourde fatigue accédait à mon corps. Je donnai à Balthaz quelques graines de la poudre. Comme je le sentais mal, je lui en mis encore au-dessous de la langue. Je dus comme ça lui en donner à chaque demi-heure, tellement l'emprise de l'Yvonnette l'aspirait sans faiblir. Je finis par lui faire un barrage de mon corps, par l'envelopper contre ma poitrine, dans la chaleur de mon allant de vie. Je me transformais en écorce ou en roche, en cette argile aveugle qu'aucune pluie ne traverse. Je sentais l'Yvonnette me parcourir la peau pour trouver une faille, alors je me couvrais d'écailles plus épaisses que celles des poissons *grand-tékay* qui brisent les nasses de nos pêcheurs. Quand l'Yvonnette nous envoyait du froid, je devenais plus chaude qu'un bouillon de mangrove et ma peau sentait l'allumette allumée. Nous vécûmes ainsi durant le mois entier, serrés dans la maison, mon Balthaz toujours enveloppé contre moi quand j'allais faire mes djobs chez les mulâtres du bourg. À nous voir, les gens, qui n'y comprenaient rien, criaient comme ça : *Roye, mes z'anmis, voici la man-man-poule... !* Je laissais dire et serrais mon Balthaz une maille plus fort encore...

La rumeur avait couru. Et des amis me l'avaient rapportée : Limorelle s'était fait mettre en chaînes par les gendarmes. On l'avait passé au tribunal. On l'avait enfermé dans un coin de la geôle. J'avais tellement peur de m'éloigner de Balthaz (même pour deux-trois secondes) que je n'allai pas le voir derrière les murs de la prison. Les enfants n'étaient pas admis dans un endroit comme ça. Pour ne pas pleurer, je gardais mon esprit sur Balthaz. En le serrant contre moi, c'est Limorelle que je serrais, et en le protégeant c'est l'esprit même de Limorelle que j'attisais en moi. Une nuit, je sus qu'il était mort.
Je bondis dans le noir, chargée d'une sueur terrible, tremblante, arrachée du sommeil par un cri déchiré. Je crus que c'était Balthaz que la mort avait touché, mais lui dormait sur moi assez paisiblement. Alors, Jésus-Marie-Joseph, je compris que c'était Limorelle. Je me mis à prier pour combattre cette volonté de Dieu, et l'accepter aussi. Pour dire ma foi confiante et ma révolte totale. Je dus prier et-cætera d'heures sans chapelet sans missel. Je répétai le *Notre Père,* puis le *Je vous salue Marie,* puis je me mis à parler au bon Dieu dans des prières à moi. Elles montaient vers lui

échaudées de colère et d'amour, de refus clair et d'acceptation sombre. Ma chair devint prières avec un goût de sang, de rage, d'injures, et de tout ce que je pouvais imaginer comme soumission et comme révolte. Je lui parlai en gros créole.

La nouvelle me parvint le lendemain-bonne-heure. Quarts de mots et rumeurs. Paroles couresses que l'on apporte. On avait empoisonné Limorelle. Quelqu'un de la prison l'avait empoisonné. L'empoisonneur ne faisait pas partie des gens de sa cellule qui l'aimaient tout bonnement. C'était un misérable d'un autre coin de la geôle. Ce chien-fer avait pu pénétrer le dortoir sans réveiller personne. Il devait être une sorte de dorlis capable de traverser les murs ou de filtrer dans les serrures. Ce misérable avait semé des *choses* dans la toile-sac qui servait à Limorelle de drap. Mon Limorelle s'était enveloppé là-dedans sans méfiance. On l'avait retrouvé avec le corps bleu, boursouflé, en grand sang, haché par ce poison plus violent qu'un acide. Je sus (sans même calculer) que c'était l'œuvre de l'Yvonnette Cléoste. Dès cette nuit-là, ses effluves furent chargés d'une gaieté barbare, sauvage à nous vider les os. Elle reprit ses ondes préhensiles de plus belle sur Balthaz. Je dus lui donner sans suspendre des pincées de la poudre de son voile. Cette poudre magnifique émoussait le tranchant de l'influence mauvaise, mais je la voyais avec effroi s'amenuiser de jour en jour, et d'heure en heure, et je redoutais d'avoir à battre sans elle.

Jésus-Marie-Joseph... en fait, Limorelle ne l'avait pas compris, mais l'Yvonnette Cléoste aimait notre Balthaz. L'administration de la geôle nous avait redonné le corps de Limorelle dans une boîte scellée; elle nous avait conseillé de ne pas trop l'ouvrir. Je l'enterrai sans le revoir au cimetière de Saint-Joseph; dans un trou de terre; sans cérémonie d'église; entre la famille et les alliés; avec la simplicité silencieuse qui convient bien aux hommes des bois. Pendant qu'on rejetait sur Limorelle la terre du cimetière, j'eus le sentiment que l'Yvonnette était présente, mais j'avais beau surveiller l'alentour, fixer les visages environnants, je ne vis rien qui lui fût ressemblant — sauf peut-être un papillon de nuit qui voletait dans le soleil (mais ces machins-là arrivent aussi sans maléfices...). Il y eut quand même une petite pluie pas catholique qui se mêla aux éclats du soleil (mais là aussi sont choses qui arrivent...). Je me répétai toutes espèces de paroles pour ne pas me laisser battre par l'imagination, ne pas faire de ma tête une bourrelle bien pire que l'Yvonnette elle-même. À beau dire à beau faire, les signes s'accumulaient. L'Yvonnette était là, à l'affût (... c'est une mouche, c'est une fourmi, c'est un craquement de persiennes...), son *vouloir* pointé sur nous comme une malédiction. Il y eut sans doute des jours où je parvins à l'oublier, et d'autres où elle m'obséda jusqu'à me faire vomir. Mais, que ce fût imaginaire ou pas, je préférais conserver Balthaz enveloppé contre moi, au risque de passer un peu partout pour folle et d'inquiéter le voisinage. Et c'est la suite qui me donna raison.

Assuré pas peut-être : l'Yvonnette fit brûler notre maison du bourg. En pleine nuit. Les flammes sillonnèrent de partout. Je sautai du sommeil environnée de leur brûlure. J'eus à peine le temps de prendre mon Balthaz par une aile, et de baille-descendre par la fenêtre sur l'échelle d'un voisin. Ce curieux avait vu la fumée bien avant tout le monde et avait eu l'idée de grimper dans le tracas des flammes pour voir si nous avions besoin de quelque chose. Le quartier mobilisa une chaîne de bassines et de seaux qui déversaient sur les furies ardentes l'eau froide de la rivière. Mais l'incendie s'alimentait d'une colère à sept têtes. Le bois ne se consumait pas, il explosait en cendres multicolores sur le vide du ciel. La maison se volatilisa comme si elle n'avait jamais pu exister. Les flammes s'avalèrent en claquant et disparurent d'un coup, sans une cendre ou un sable de charbon, laissant une noirceur tragique à l'ancienne place de la maison. Nul ne comprenait ce qui s'était passé mais moi je le savais. L'Yvonnette resserrait son emprise. Je sentais venir le moment où elle surgirait devant moi — en personne ou en diablesse — pour s'emparer de mon Balthaz.

Nous allâmes habiter chez toi, ami de Limorelle, homme des bois toi aussi. Je ne te connaissais pas, je savais juste ton nom d'état civil, Léonard Gaspardo, et ton ti-nom des bois, *Gasdo*. Je savais aussi que ta femme se criait Anaïse. Je savais que vous aviez trois petites chabines et une marmaille en cours qui n'irait pas à terme. Un et-cætera de gens s'étaient proposés pour m'héberger dans un coin de leur case. Mais je ne pouvais avoir confiance qu'en un homme des bois, une sorte de bougre comme Limorelle, jamais inscrit dans les petites saletés des cases de ce pays... Je ne pouvais avoir confiance qu'en toi...

Une énigme s'éclairait pour moi. Le Gaspardo auquel Manotte racontait cette histoire était là, dissimulé quelque part dans l'attroupement de l'agonie. Il m'était impossible de le distinguer. Je dus m'avouer ne pas m'être intéressé jusqu'alors à ces hommes des bois. Je les considérais comme spectres des temps anciens, obscurs avatars des derniers nègres marrons, marginaux sans conséquence sur l'existence d'ici. Pour moi, ils étaient demeurés à l'écart de nos résistances ou de nos soumissions, légers,

113

labiles, livrés à un temps minéral qui n'était pas le nôtre. Me consacrant à d'autres présences fortes, j'avais appris à repérer d'un coup d'œil l'énergie d'un conteur, nommer un quimboiseur, soupçonner un Mentô, prendre mesure du pouvoir d'un danseur de combat, m'incliner sans annonce devant un maître-tambouyé : *mais j'étais resté aveugle sur les hommes des bois.* Je soupesais maintenant l'étendue de ce manque. Il me semblait former une auréole au-dessus de ma tête, visible de tous, risible par tous. Cette ignorance me fit trembler de honte. Impossible de réprimer une eau saumâtre à ma paupière. Quelle inconséquence d'être à ce point gonflé des vanités de l'écriture et de ses illusions ! Où êtes-vous, Léonard Gaspardo ? Quel peut être votre signe ? Où rayonne votre marque vers laquelle tout converge et que je ne sais pas voir ? C'est vous, Léonard Gaspardo, qui avez dû propager les confidences de Manotte Bodule-Jules, et si cette histoire flotte parmi nous avec tant de prégnance (... *j'entends presque la voix de Manotte, son ton particulier, ses silences habités ; je soupèse la distorsion introduite par mon vocabulaire et les effets de ma littérature ; mon écriture va de coupable trahison en coupable trahison ; consciente de cette trahison, elle se sait vaincue par la voix de Manotte qui maintient un idéal inatteignable au-dessus de l'encre, inquiète toujours...*), c'est que vous l'aviez tant et tant racontée qu'elle imprègne cet auditoire. Votre présence discrète sculpte le détail de ce destin qui sans vous aurait connu l'oubli. Par votre seule existence vous le rendez inaltérable. Pour vous repérer parmi cette assemblée, je ne pouvais que guetter M. Balthazar Bodule-Jules lui-même : à un moment du déroulement de cette histoire, il vous fera un signe, vous jettera un regard, composera un mouvement vers vous, dernier gardien du discours de sa manman. C'est pourquoi, demeurant à l'écoute du récit de Manotte, je fixai le corps de notre agonisant, toute imagination bandée pour déceler (ou inventer) le signe révélateur.

Jésus-Marie-Joseph... Tu nous accueillis sans manières, Gasdo, avec une solidarité digne de votre lignée. Ta case était posée juste en dehors du bourg, à l'ombrage d'une ravine qui ouvrait sur les bois. Pour ne pas t'effrayer, je gardai le silence sur cette affaire de l'Yvonnette, mais ton sens à vif perçut là-même autour de mon Balthaz l'effluve de la diablesse. Tu ne dis rien, ni ne dressas le moindre geste protecteur, sauf peut-être ces boucliers mentaux que les hommes des bois élèvent au fond d'eux-mêmes. Tu nous installas dans ta case et considéras Balthaz comme ton propre fils (... faut dire qu'entre tes deux capistrelles tu rêvais d'un garçon...). Une de tes filles plus âgée s'occupait de Balthaz en sortant de l'école. Elle lui apprenait des lettres de l'alphabet et des signes à graver sur la terre lisse qui bordait la rivière. Moi, je ne bougeais plus, l'œil posé sur Balthaz, le cœur toujours battant, faible gardienne du fil fragile d'une vie. Tu m'avais fait comprendre qu'il m'était inutile de travailler, et que toi, avec la rivière, les racines sauvages et les gibiers des bois, tu pouvais nous nourrir sans façons. Je conservais Balthaz à portée de mes yeux et j'aidais Anaïse aux affaires de la case et au sarclage de vos jardins.

Notre existence allait comme ça lorsque la poudre qui protégeait Balthaz se termina... Jésus-Marie-Joseph... Les effluves de l'Yvonnette durent le sentir car ils devinrent puissants. Balthaz se mit à tomber pour un rien, à dormir trop longtemps, à respirer bien mal. Certains jours, une charge d'usine lui pesait aux épaules. Il était blême au dépassé. Il vomissait son âme. Ses pupilles s'inversaient et des états de tremblements le tuaient durant plusieurs minutes. Je n'avais rien à lui donner. Toi Gasdo, tu essayas tes potions caraïbes sans aucun résultat. Tu fis venir certains compères des bois qui détenaient science des plantes parfaites — ils repartirent l'un après l'autre avec des yeux écœurés par ce mal. Nous restâmes seuls avec Balthaz mourant. Sans la poudre magnifique, mon petit bougre était perdu. Je n'avais d'autre choix que d'aller voir moi-même cette Yvonnette Cléoste et mendier son pardon. Mendier la rédemption de je ne savais quelle faute. Mais je serrais au fond de moi une miette d'espoir inacceptable. Cette vieille négresse projetait sur Balthaz ni une folie ni une furie aveugle, mais une malfaisance germée de son *vouloir* d'amour. La présence pas croyable d'un sentiment comme ça m'autorisait à espérer une grâce. Je décidai d'aller vers elle, bougée par cet espoir désespéré dont on scelle les destins.

Ce projet était tellement fou que je n'en parlai à personne — pas même à toi, Gaspardo. J'allai seule exposer mon corps à l'Yvonnette Cléoste. Balthaz avait passé une nuit difficile. J'avais prié au-dessus de son front jusqu'à ce que son souffle redevienne acceptable. Avant le pipiri du jour, il flottait dans un endormi clair. J'en profitai pour sortir de la case, m'échapper à toute vitesse dans les grands-bois en direction de cette Cléoste. Sa case était facile à retrouver : des arbres l'environnaient avec des poses et des manières, à dire une ronde de vieilles personnes vivantes. Limorelle m'avait parlé de ces arbres mais je fus étonnée de les voir. C'étaient d'indéfaisables fromagers, des acacias sans âge, de gris tamariniers témoins des nuits d'esclavage. Roye, ils me faisaient peur. J'étais une émotion vivante. Un déchiré sur pied. Une antenne ballottée par les ondes du tout sensible en vie.

116

Je tournai autour de la maison que je sentais mauvaise comme dragon endormi. Elle devait avoir été reconstruite depuis pas très longtemps car Limorelle l'avait détruite ; mais elle portait déjà, sur ses façades et ses rideaux de feuilles, une poussière chagrine. La porte de devant était fermée au dur. Celle de derrière aussi. Je n'osai pas frapper. Les fenêtres étaient coincées à demi entrouvertes, mais on n'y voyait rien. Je tournai autour de cette case trois fois dans un sens, puis trois fois dans un autre, hurlant au-dedans de ma tête le *Je vous salue Marie* et le *Je crois en Dieu...* De temps en temps, je hélais : Yvonnette, c'est moi ! Yvonnette, me voilà, c'est moi, Manotte, la manman de Balthaz... Mais pas un hak ne répondait.

A-a !... Je ne saurais dire d'où sortit l'Yvonnette !
Je crus la sentir me frôler, puis disparaître, puis je la retrouvai assise à l'angle d'une porte, sur un de ces bancs qui servent à profiter des fraîcheurs du serein. Je la voyais de dos. Elle avait l'air d'une bonne-manman inoffensive, bien plus ratatinée qu'auparavant, le dos plus arrondi. Elle tirait sur une pipe taillée dans des nœuds de bambou ; son tabac exhalait une odeur de tonneau. Malgré son air paisible, je me sentis envahie de tremblade. Mes jambes devinrent une niche de fourmis folles. Sans trop savoir comment, je dégarai un brin de courage pour m'avancer vers elle. J'avais beau racler le sol, faire claquer mes talons, l'Yvonnette ne bougeait pas. Jésus-Marie-Joseph...! J'avais devant moi vraiment une vieille manman, mais quelque chose troublait mon entendement : sa respiration était longue et profonde comme celle d'un bœuf puissant, et ses doigts, noués autour de la pipe, étaient d'une décision que ne pouvait connaître la main tremblée d'une vieille personne.

117

Je restai à deux ou trois mètres d'elle, sans la moindre force d'aller plus loin. Et je criai son nom, doucement, pour pas qu'elle sursaute et prenne ma présence pour une ronde de combat. Elle ne réagit pas à mon premier appel. Au second, je crus l'entendre grincer comme ça : Assieds ton corps, Manotte... Elle ramena un autre banc de je ne sais où, plus petit, que sa main libre me désigna. Je me retrouvai assise en face de cette diablesse, à un mètre d'elle, et bien en face. Je pus voir ses yeux, voir sa figure, voir le grain de sa peau, et je suis incapable de te dire comme ils étaient exactement. Mon esprit était déchiquetaillé par la peur et par l'idée d'être en train de livrer une bataille (déjà perdue) pour sauver mon Balthaz.

...!!!! Manotte! Roye, sacrée cochonnerie de négresse... Caca diable! Chienne à peau de fer et à tête de crapaud! Laideronne à z'ailes et à sabots!... D'où dégares-tu, ô mangeuse de chien, autant de rage pour lutter avec moi!? Mmmh... Chanta-marcha... Ton Balthazar, je le charroie dans mon esprit comme une faiblesse qui fouette! Rien, aucune douleur, aucune chaleur, aucun piment, ne m'avait préparée à n'être pas-bien comme ça... Boire est devenu une soif et manger reste une faim! C'est vivre que je ne vis plus, je me débats sans cesse! Mmmh... Chanta-marcha...!!!!

Mon cœur faillit tomber!... Avant de comprendre ce qui se produisait, je fus submergé par une aigreur visqueuse. M. Balthazar Bodule-Jules, depuis le fauteuil en osier de son agonie, avait un peu arqué son corps; son visage impassible s'était soudain peuplé d'une tralée de dégoûts. Il s'essuyait le front et bougeait de la tête pour se distraire d'un murmure insistant ou décrocher un mauvais souvenir. Je sentais ses muscles se tendre comme pour frapper un ennemi menaçant. L'aigreur qu'il exprimait m'arriva

118

en grincement, et, dessous cette secousse, je crus entendre la voix même de cette personne nommée Yvonnette Cléoste. *Andiet sa !...* J'avais rangé cette créature dans le fantasque des contes, et ne m'étais jamais interrogé sur le possible de sa réalité. Elle appartenait, pour moi, aux troubles émotionnels de Limorelle et de Manotte, et j'avais écrit son personnage en recourant aux effets de fiction. Mais à voir le corps de M. Balthazar Bodule-Jules se ramasser ainsi, j'eus la certitude que cette femme avait bien existé ou existait encore inexplicablement. Sa voix (que je croyais entendre) était une gamme décomposée sur laquelle je pus griffonner quelques phrases dont les mots me rendaient malheureux : je les savais tombés direct d'une imagination rendue malade par ces histoires.

...!!!! Écoute-moi, Manotte ho, misérable isalope, ton fils devint un raide vouloir qui me creusait les flancs et une absurdité qui tiraillait ma vie : tu le portais mais je le portais aussi. Il devait se construire dans deux matrices disjointes ; c'est bien pourquoi il prit autant de lunes pour se sortir de là. Chanta-marcha !... Crasse de négresse, n'ouvre pas la gueule car tu vas être punie...! Chanta-marcha !... Manotte, vermine de nuit sans lune, ô saleté à tétés, je vais pilonner ton espèce et Balthazar sera à moi...!!!!

Jésus-Marie-Joseph... Nous étions donc assises, là comme ça, au-devant de la case. La diablesse me zieutait en silence. J'essayais de la zieuter aussi. Nous nous affrontions dans un bouillon de rage, mais, de l'extérieur, ça donnait l'impression de deux commères assises pour prendre milan. Je ne le perçus pas tout de suite. Je ressentis d'abord la douce ivresse d'un petit punch ; puis à mesure à mesure, mes cheveux se dressèrent en piquants à dire qu'une ventouse voulait les arracher. La peau de mon crâne se contracta

119

comme une terre qui sèche. Les os de ma tête subirent de molles pressions, légères puis appuyées, légères et appuyées.

On me fouillait le crâne.

Ça provenait de l'Yvonnette; sans doute de ses gros yeux qui envoyaient sur moi leur méchanceté rieuse. Cette joie dans ses yeux me rendit enragée. Une rage sans manman grimpa de mes entrailles. Cette rage m'habitait depuis le premier jour des souffrances de Balthaz. En face de l'Yvonnette, je ne disposais plus d'aucune vaillance au cœur, mais cette rage me gonfla comme une voile de gommier au débouché du large. Je trouvai force de lui parler, ou de lui murmurer ce que j'avais à dire. Je ne sais plus si un son quelconque me passa entre les dents, mais je parlai à l'Yvonnette. Parler très raide. Parler sérieux. Elle aussi m'envoyait des paroles. Dans le fouillis d'un aboiement de bête, j'entendais ses injures, ses menaces, son délire incomprenable, mais je n'ai pièce souvenir d'un bougement de sa bouche. Pourtant — et j'en suis assurée — nous avons brocanté et-cætera de mots criés et de paroles pas bonnes.

— Laisse Balthaz tranquille, l'enfant ne t'a rien fait!
— !!!! Saleté... respect quand c'est pour moi que tu parles!!!!
— L'enfant n'a rien fait, laisse-le tranquille.
— !!!! *Tonnan di sò!* Chienne, je t'ai accouchée, soignée, lavée, il faut payer. Paye-moi là-même siouplé!!!!...
— Payer en quelle manière...?

...!!!! *Salopté!... Ton horizon de champs de cannes n'est qu'un fond de la boue! C'est besoin que J'ai besoin de lui, de l'avaler vraiment de toutes manières possibles! Je vole vers lui sans aucune terre pour me poser.*

Je suis l'oiseau des soifs! C'est Balthazar ma terre, c'est lui qui brisera ce vol d'envies sans fin. Chanta-marcha, il est à moi ...!!!!

Quelle manière te payer?!... Je dus lui poser cent mille fois la question, affrontant son regard et ses rides effrayantes. Yvonnette Cléoste restait silencieuse à fumer l'étrange herbe, mais ce silence me parvenait comme une éclaboussure de criées et de ressentiment. Elle donnait l'impression d'une madame très vieille, à moitié finissante, et d'autres fois je croyais affronter une boule animale boursouflée de vaillances. Souvent même, elle devenait un bloc de terre vivante, fermentée d'un tracas invisible. J'abandonnai la question du paiement pour la prendre autrement. J'essayai de savoir ce qu'elle voulait à mon Balthaz, si elle le considérait comme un bout de sa chair, de quel droit elle nourrissait des sentiments pour un enfant qui était mon enfant? Elle hurla que l'unique moyen de la payer c'était de lui donner Balthaz, que mon enfant était à elle, qu'elle l'avait arraché aux forces du néant, et que ça lui donnait toutes les emprises sur lui, toutes les emprises sur moi, que nos vies se trouvaient sur le plat de ses mains, et que si Balthaz ne lui était pas donné, de vieilles souffrances allaient s'abattre et sur lui et sur moi, et que j'en serais pour des siècles et des siècles l'unique âme responsable.

...!!!! Besoin de lui, Chanta-marcha!... Ton Balthazar m'a fait fleurir comme ce papayer mâle qui nomme des fruits impossibles à donner... Il m'a réexpédiée dans ce pauvre corps de femme, dans cette chair que j'avais désavouée. Me voici à présent dessous la graine d'un désiré! Chanta-marcha!... C'est ta vie contre ma vie, misérable cochonnerie...!!!!

121

Je ne pouvais retranscrire ce que glapissait cette madame Cléoste. Cette voix que je croyais entendre était inintelligible. C'était un déchirement sonore qui hantait les sensations glaciales. C'étaient des tressaillements de méchanceté noués comme des gaz de braise. C'était un frissonnement aussi amer qu'inexplicable, qui bousculait des blocs de l'alphabet créole et du lexique d'un français déformé. J'en percevais la teneur générale mais elle se dissipait dans ma pauvre écriture. J'étais englué dans ça. Il me manquait des langues primales et des langages de villes sans âme, des fournées de grognements à modeler comme de l'argile brûlante, des atmosphères d'orage à transformer en signes. Parfois, je cessais mon écrire pour me baigner l'esprit dans cet inexprimable, afin de pouvoir le retrouver aux heures de mise en forme des brouillons et des notes ; pourtant, une illusion me reprenait là-même et j'allais patauger dans une scribe immédiate... Quand la voix de Manotte me parvenait soudain (dessous les aboiements de cette madame Cléoste), elle me semblait gracieuse comme un soupir de mandoline ; je croyais la capter toute lisse de vérité et être capable de transcrire le subtil de sa force. Et, si là aussi l'échec était sensible, il était moins cruel du fait de cette musique qui s'offre (ou que je peux imaginer) dans le parler d'une manman ou dans l'esprit d'une vraie femme.

En parlant, l'Yvonnette Cléoste agitait sa pipe de bambou. À chaque fois qu'elle parlait de Balthaz, sa main libre palpait son estomac ou son gros ventre, comme à vouloir le déposer dans son corps même, l'avaler carrément. Jésus-Marie !... Ma rage fut la plus forte. *Wouap !*... Je frappai l'Yvonnette avec l'envie de la faire disparaître. Je la frappai avec la foi en Dieu ; un peu comme on se jette en dehors de la vie. Ma main toucha la peau rêche de son cou. Flap, elle me prit le poignet, me l'écrasa aussi facile que si ses doigts s'étaient changés en tenaille à tonneau. J'entendis mes os s'écrabouiller. Son autre main, laissant tomber la pipe, me tordit l'autre poignet. D'autres os se brisèrent. J'étais prise. Je dus m'agenouiller devant elle qui gloussait de manière diabolique.

!!!! Saleté, tu n'aurais jamais dû me toucher!!!!
!!!! Tu vas mourir dans une grande peine!!!!...

Je ne sais pas si elle avait hurlé ça, mais dès l'instant où sa main me toucha, je sus que la mort m'avait trouvée, qu'elle avait posé-pied sans même forcer à l'intérieur de moi. Mon corps la connaissait. Mon âme la connaissait. De vieilles ombres en moi se prosternaient pour elle. C'était une parente oubliée qui rentrait au bercail, à l'amorce même du début de mon sang. Mourir, j'allais mourir.

On le criait : « Gasdo le chien des bois »,
mais le titre qui lui reste est « Gasdo caca-dlo »,
car il connut la cacarelle avant d'avoir vingt ans.

« Notre morceau de fer ».
Cantilènes d'Isomène Calypso,
conteur à voix pas claire de la commune de Saint-Joseph.

LA TRAHISON DE GASDO LÉONARD GASPARDO. Un envoi de détresse parcourut l'assemblée. Le corps de M. Balthazar Bodule-Jules se dressa sur son fauteuil d'osier, puis retomba dans une prostration jamais atteinte jusqu'à maintenant. Une atmosphère indescriptible régnait dans les cercles des femmes mal-parlantes et des tables à dominos. De vieux conteurs dansèrent des toumblak de souffrances. Des quimboiseurs commirent des signes qu'ils répandirent aux quatre coins de la case. Trois pacotilleuses s'engagèrent dans un chant espagnol dont les couplets grimpaient jusqu'au latin d'église. On s'éloignait de certains coins, on reculait vers d'autres, on s'agglutinait en tel bord du jardin dans une bouscule fiévreuse. Cette case où M. Balthazar Bodule-Jules vivait son agonie me semblait traversée par un spectre invisible que personne ne voulait rencontrer. Des criées, des révoltes égorgées ou aphones, un ouélé d'émotions me troublèrent l'entendement. Je demeurai dans l'incapacité de griffonner un mot. Et je tremblais sans trop savoir pourquoi. Une vieille lâcheté m'avait fermé les yeux. Quand j'osai les ouvrir, M. Balthazar Bodule-Jules s'était quelque peu retourné. Il recherchait dans l'assemblée quelque chose ou quelqu'un. Son regard se fixa durant un rien de seconde, puis son corps retomba dans le creux du fauteuil. Je crus voir la personne qu'il avait recherchée. Un vieux chabin-chinois d'allure insignifiante. Sec comme racine de bois-casse oubliée dans la mer. Une peau calleuse sur un fouillis de veines. Il était tapi à l'en-bas d'une fenêtre, avec les jambes ouvertes, les coudes abandonnés sur la pointe des genoux, le regard affecté à la visite de son passé. Je sus là-même qu'il s'agissait de vous, Léonard Gaspardo, dit Gasdo, ultime témoin de la mort de Manotte...

Jésus-Marie-Joseph...! L'Yvonnette me repoussa au loin. Mon corps fut projeté je ne sais trop comment et alla percuter l'écorce rêche d'un gros tronc. Un seul trou noir se fit. Quand je revins à moi, je ne savais plus en quel côté j'étais. Je ne reconnaissais ni les arbres, ni la forme des bas-bois, et je ne voyais plus la case de l'Yvonnette. L'immense pied-bois sous lequel je gisais était un calebassier, peuplé de calebasses vertes (calebasses enceintes d'énormité et toutes bien immobiles). Je sentis là-même à quel point la mort avait saisi mon être. Quelque chose circulait dans mon sang, épaississait mon cœur, faisait cailler mon âme : je me solidifiais par en-dedans. J'essayais de ralentir ma respiration. J'essayais même de ralentir mon cœur. De distiller une vie économe pour laisser peu de prise à la chose. Puis mon esprit se fixa sur Balthaz. Pauvre petit bougre, je le sentais en moi.

Tout près de chaque miette de mon corps. Je le voyais avec mes yeux, aussi net qu'à l'arrière d'une lunette. Je voyais qu'il était éveillé. Qu'il pleurait. Que l'Yvonnette l'assassinait. Qu'elle lui suçait son existence en totale liberté car il ne disposait plus du barrage de mon corps et de ma volonté. Il était livré à son emprise violente. De sauts en soubresauts, Balthaz perdait ses amarres en ce monde. Je sentais le plaisir que l'Yvonnette prenait à me l'assassiner. Elle le faisait avec bon-cœur. Le décalait avec amour. Elle le mangeait, l'aspirait fond en elle. Et je croyais entendre les clapotis baveux de cette salope délectation.

J'étais là bras cassés. La mort me terrassait sous l'arbre. Je ne pouvais plus marcher. Je voulus me traîner mais, dès un brin d'effort, je me sentais broyée par ce qui me crevait. Je me réinstallai dessous le calebassier sans trop savoir pourquoi. Il pouvait m'aider. J'étais, sans trop comprendre comment, en sympathie avec cet arbre. Peut-être à cause de la déroute de mon esprit... Le calebassier m'accueillait de son ombre, me proposait son aide, m'appelait. Je voyais scintiller son feuillage sous des perles de soleil. Les calebasses elles-mêmes se transformaient en miroirs aveuglants et voulaient refléter ce qui était en moi. À travers eux, je lançai tout mon être vers Balthaz. J'essayai d'abord de lui transmettre mes entêtements, mes rages, mes violences brise-fer. Puis je compris que je n'en avais plus : chaque lancée m'exténuait à l'extrême. Je n'étais qu'une coulée de faiblesse. Il fallait essayer autre chose.
Quoi lui transmettre ?
Je ne savais. Je sentais combien ce *vouloir* de l'Yvonnette l'écrabouillait de nocive affection et d'un amour dénaturé. Elle le tuait avec la puissance affamée de

son amour de lui. Ce contresens me déroutait. Il ne trouvait aucune assise dans mon esprit. Mon esprit lui-même n'avait plus de fondements; il lochait en dérive parmi mes chairs défaites; je me mettais à réfléchir n'importe comment et à n'importe quoi. C'est pourquoi j'envisageai une riposte insensée.

Me battre contre cet amour avec mon propre amour. Envelopper Balthaz d'un amour de manman, lui lancer l'affection d'une chair complice au plus intime, le soutenir d'un vouloir qui ne voulait rien d'autre que le garder en vie. Un envoi qui ne serait qu'un don. Je savais que ma propre mort menait son train fatal; que d'ici quelques heures j'aurais quitté ce monde; que je n'avais plus rien comme accroche dans cette chair; il ne me restait que Balthaz; Balthaz à qui donner ce que le don contient de plus élémentaire et de plus exaltant.

Ce que le don permet d'atteindre.

Et c'est vrai, Gasdo, je te le raconte tel que je l'ai senti : une vaillance joyeuse me rafraîchit le corps. Un mouvement de clarté, un voumvak d'allégresse qui me rendit légère, aérienne, bien plus proche de Balthaz que je ne le fus jamais. Et en même temps, je me sentais mourir. Une mort pleine de vie. Je pénétrai dans le corps de Balthaz, exactement comme l'Yvonnette avec sa rage extrême parvenait à le faire. Je me perdais en lui, l'emplissais de ce que j'avais pu être, de ce que j'aurais dû être, de mes peurs, de mes joies, de mes vœux, des battements finissants de mon cœur, des allégresses anciennes, éparses dans mon esprit cassé : chansons aimées, moments de rire, matins de brume où l'on sirote sa timbale de café, regards sur un jardin où les semailles viennent bien... mille plaisirs exaltés dans le don sans limites que je pouvais en faire. Et cela s'envolait avec les feux du calebassier, s'augmentait dans l'écho rond des calebasses sèches, dans les miroirs-abîmes des calebasses encore vertes. L'arbre libérait de mon corps les vols d'oiseaux d'une vie enfantine. Je ne sentais plus rien des souffrances de mes chairs. Plus rien de cette mort qui allait m'emporter; elle n'existait même plus... ou alors c'est moi qui n'existais même plus... ou qui subsistais autrement dans cette offrande à mon Balthaz... à cet arbre... ces racines... à cet humus devenu une part de ma peau... une aile de mon esprit... un prolongement de ce que toujours j'avais été... et deviendrais à tout jamais...

Suite à p. 131

Manotte agonisante n'avait pu dire cela. Elle n'avait pu que délirer dans les bras de Gasdo qui lui-même avait interprété. Gasdo, vous n'aviez pas été très clair sur ce qu'elle vous avait confié. Je vous avais revu à trois reprises, en tête à tête, magnétophone ouvert, et à chaque fois vous bafouilliez, gémissiez, pleuriez comme un enfant. Votre émotion ne voulait employer qu'un lourd français cérémoniel qui embrouillait encore votre témoignage. Sur les lieux de l'agonie de M. Balthazar Bodule-Jules, les commères avaient complété vos silences, déclamé leurs avis et des protestations, déballé des sentiments et des explications. J'avais noté tout cela, sans tri ni retenue, juste soucieux de saisir ce qui m'était donné.

(Quelque temps plus tard, maintenant que j'organise tout cela, j'ai l'impression de soustraire une feuille à un feuillage animé de grand vent, de déchiffonner cette feuille et de la présenter comme l'ensemble même de l'arbre. Je vais de temps à autre lorgner un calebassier, étendu sur le dos dans le treillis de ses racines. Contempler ses fruits ronds [bien ronds sur je ne sais quel mystérieux dessein] me suggère la voie qui fut offerte au délire terminal de Manotte. Ces fruits, habités de reflets, n'avaient pu que capter les derniers feux

*de son esprit. Gasdo, vous n'aviez accordé pièce importance
au calebassier, juste désigné ; mais je le replace au centre de
cette mort comme vecteur des effets de fiction que je me dois
d'utiliser. Fiction. La fiction qui m'indifférait tant m'incline
à présent sous son ordre. Tout est faux et incertain quand
on s'alimente aux paroles sillonnantes et aux mémoires des
gens. Mes notes et mes brouillons relus maintenant n'ont
plus grand sens et ne m'offrent nulle vérité. Ils n'attestent
que de mon intention de recueillir des fluidités de perception. Seul l'effet à trouver peut me rapprocher de la réalité.
Seul l'effet doit compter et, pour une fois, je m'y résigne
d'une manière consciente. L'Écrire n'a rien à voir avec la
vérité, ni avec le réel : l'Écrire n'est qu'une quête de la vie, la
plus libre et la plus folle des quêtes, donc la plus tressail-
lante de cette vie même qu'elle cherche... — Notes d'atelier
et autres affres.)*

Léonard Gaspardo, je ne sais plus à quel moment la voix
de Manotte s'était éteinte pour laisser place au fil sombre
de la vôtre, ni comment l'assemblée (dès que M. Balthazar
Bodule-Jules s'était tourné vers vous) avait porté vos souvenirs et vous avait placé au centre de cette évocation.
Mes notes n'indiquent pas de transition, seul un rythme
différent signe l'envoi de votre intervention. Une autre
couleur de l'émotion aussi... Je me retire pour vous
entendre encore : parlez, la place est belle, et la belle sous
la baille...

Balthaz toussait, messieurs et dames. Wonf. Wonf.
Wonf. C'est ce qui m'alerta. C'est vrai : je surveillais
Manotte pour qu'elle ne fasse je ne sais quelle bêtise.
Mais à beau surveiller, jour à malheur ne crie jamais
« Prends garde ». Anaïse et moi, nous ne la trouvâmes
pas au chevet de Balthaz qui toussait. Wonf. Wonf.
Où est Manotte ? Manotte pas là ! Je compris flap
qu'elle s'en était allée rencontrer la diablesse ! Prier.

J'ai prié Dieu. Pleuré aussi. Pleurer en eau. Balthaz était en train de nous mourir entre les bras. Il part, bondieu, il part!... Anaïse l'avait empoigné, frictionné au bay-rhum, lui avait appliqué les potions de vigueur que l'on pose sur les blesses. L'enfant semblait défolmanté par une présence très chaude et glacée en même temps. Elle le tue, elle le tue!... C'était inutile de rester près de lui. Moi, Gasdo, chien des bois, je devais dénicher la diablesse en personne, tenter de rompre ce charme et de sauver Manotte avant qu'un malheur ne nous ferre au fendant.

Mais *a-a!*..., j'allais m'élancer sur les traces de Manotte, quand je sentis sur ma peau une bénédiction. Un *bien* — bon et doux comme il faut — nous enveloppait. Et enveloppait la case. Comment décrire un ressenti comme celui-là? C'était sans doute un égarement de mon esprit. Ce sirop de bonté enveloppait l'enfant comme l'écale d'un garde-corps. Anaïse et moi le vîmes se transformer, comme si la vie l'estimait de nouveau. Une couleur lui revint. Son cœur et son sang retrouvèrent du balan. De temps en temps, je sentais des poussées de la puissance adverse. La bénédiction lui répondait sans gros saut, sans à-coup, avec juste-compte l'allant d'un arbre qui pousse. Elle se bat, elle se bat!... C'était Manotte qui à distance luttait comme ça contre la diablesse. Anaïse imaginait que c'étaient ses médecines qui agissaient enfin, mais je savais que (bien au-dessus de nous) une ronde-combat s'était ouverte, et qu'il fallait descendre longer-main à Manotte.

Je n'eus pièce peine à retrouver ses traces. Je dénichai Manotte sous un vieux calebassier. C'est vrai que, sur le coup, je n'avais pas pesé la hauteur de cet arbre, mais (à présent que mon esprit s'est bien remis en place) ça me revient et ça s'impose. Il y avait du

silence mais ce pied-calebassier résonnait comme une trompette d'apocalypse. Son assourdissant ouélélé de silence se mêlait au silence. Ce n'était plus du silence : c'était le monde qui tressaillait. Je croyais entendre les plus grands bruits du monde tout en ayant conscience que le silence régnait. Mon oreille de chien-bois, compère des sons les plus infimes, percevait cet arbre comme une chorale silencieuse qui transmettait à notre Balthaz le restant de la vie de Manotte. Elle était affalée dessous l'arbre. À moitié morte. Déjà morte, mais frissonnant d'une énergie qui se trouvait déjà en dehors de sa vie. Pleurer oui. J'ai pleuré jusqu'à me dessécher. Je l'ai prise dans mes bras. Il n'y avait rien d'autre à faire que de l'accompagner au fondoc de ce gouffre. Et puis pleurer. Pleurer sur elle. Pleurer eau. Pleurer roche. Pleurer huile chaude. En même temps, je croyais l'entendre me murmurer des choses; je collai mon oreille sur sa bouche sans souffle. Je crus entendre une la-prière, ou une musique, ou des mots plus légers que le coton des fromagers. Longtemps après, je compris qu'elle m'avait raconté ce que je vous ai si souvent raconté. Comme si les mots s'étaient gravés dans mon esprit — non parce que c'étaient les mots d'une morte mais parce qu'ils provenaient d'un autre niveau de l'existence, pas du paradis ou de l'enfer, ou de je ne sais quoi, mais de l'ensemble des choses existant autour d'elle et qui, depuis son souffle absent, propageaient le murmure de ses dernières volontés...
« ... *Jésus-Marie-Joseph... en fait, Limorelle ne l'avait pas compris, mais l'Yvonnette Cléoste portait notre Balthaz au cœur même de son cœur...* »... J'entends sa voix! J'entends sa voix!...

Il y eut une levée d'émotions qui hurlaient : On l'entend, Gasdo, on l'entend...! Et j'étais comme d'habitude le seul

à n'entendre qu'un vrac de bruissements et de silences
troublés.

J'ai ramené le corps de Manotte, sur mon dos,
jusqu'au bourg. Le docteur de garde la crut empoisonnée par une sorte de serpent. Il me montra même
les trous des dents mortelles. Rien à lui dire. À quoi
bon. Je voulais juste le permis-cimetière et courir préparer la veillée de Manotte. Mais, avant tout ça, avant
même d'alerter les familles et alliés, j'ai laissé Anaïse
avec le macchabée enveloppé dans la glace, et j'ai
couru faire ce que Manotte elle-même m'avait demandé de faire : emmener Balthaz pour le Mentô des
bois. Elle me l'avait dit, je ne sais plus quand, mais je
m'en souvenais. Donc, je pris Balthaz sur mon épaule,
qui dormait, et courus-descendre vers le sanctuaire
de L'Oubliée. Selon les vœux de Limorelle et de
Manotte, c'était ce Mentô qui devait maintenant
prendre soin de lui. Je m'exécutai avec d'autant plus
d'empressement que seul un Mentô pouvait — au
véritable — contrer une diablesse. Manotte m'avait
donné quelques indications sur l'endroit où se trouvait le nommé L'Oubliée, et comme ces indications
lui avaient été transmises par Limorelle lui-même, je
n'eus pas à forcer pour retrouver l'endroit. Je tombai
sur les pierres anciennes où devait se situer l'ajoupa ;
les vieux bambous grisés s'élevaient à leur place
comme l'avait raconté Limorelle, mais l'ajoupa n'était
pas là. Le Mentô avait quitté l'endroit. C'était pas
catholique car les Mentô ne se déplacent pour ainsi
dire jamais. Je me dis donc que l'ajoupa devait être là
et qu'à force d'être là il me frappait d'aveuglage pour
m'empêcher de le situer dans l'amas des raziés. Je
m'installai donc sur place avec Balthaz. Je lui cons-
truisis un ajoupa. Nous fîmes du feu de campêche.
Nous mangeâmes des écrevisses et des vers de pal-

mier. Balthaz semblait retrouver un vernis de santé, mais demeurait raide absent, silencieux trop, enfoncé en lui-même, comme s'il se doutait (sans l'avoir demandé) que son âme errait déjà orpheline sur cette terre.

Nous attendîmes à cet endroit durant près de deux jours. La nuit, je gardais l'œil ouvert et la main au fusil. Je ne sais plus si j'avais peur, mais je m'attendais à voir débouler la diablesse sous la forme d'un rat volant ou d'une bête-longue à cinquante têtes. Le Mentô ne venait pas! Je faisais des rondes aux environs, cherchant un de ces petits désordres qui signalent une personne. Mais je ne trouvai hak. L'endroit semblait vierge, et c'est ça-même qui renforçait ma certitude d'être sur le bon endroit; tout était trop fixé, sans rondes d'oiseaux, sans passage de serpents, sans mouches vertes, sans yen-yen. Ce pas-croyable d'innocence végétale ne cadrait pas avec ces roches-diables qui transperçaient l'humus comme des cerveaux de déterrés. Le temps passait autour de moi qui calculais comme ça. Je perdais foi.

Soudain, j'eus tout bonnement l'idée d'interroger Balthaz. Une idée comme ça. *Gran kouté piti ek piti kouté gran.* Le ti-bonhomme restait assis auprès de l'ajoupa, ramassé sur lui-même. Il se perdait à contempler les flammes quand j'allumais le feu, mais, pour le reste du temps, il demeurait posé où il était, comme s'il attendait quelque chose ou quelqu'un. Les gens des bois ne sont pas très causants, et moi je lui parlais très peu. J'étais bouche bée de retrouver dans ses postures les attitudes des hommes des bois où celles de son défunt papa, Limorelle Bodule-Jules. Donc j'eus l'idée de lui dire : Montre-moi le Mentô, montre-moi là où il est, il faut qu'on le trouve vite!... Il me regarda, se redressa et avança sans hésiter dans l'amas des bambous, là où leurs squelettes se nouaient jusqu'à l'indémêlable. Il traversa ainsi ces fûts entremêlés, passa un éboulis de roches-diables, glissa dans des espaces insoupçonnés. Son petit corps filtrait dans des coulures étroites, et j'avais bien du mal à le suivre. Bientôt, nous vîmes le petit ajoupa du Mentô. Et c'est là que j'eus la surprise de ma vie : la personne qui se trouvait là-dedans n'était qu'une jeune négresse. Une marmaille qui semblait avoir encore besoin de lait pour se tenir debout. Balthaz sembla la reconnaître et s'élança vers elle. La jeune marmaille courut à sa rencontre. Ils s'embrassèrent comme des enfants. Moi, je m'accroupis à l'écart pour poser ma patience. Je me disais que c'était sans doute la fillette du Mentô et que celui-ci surgirait assez vite. Mais les heures s'écoulèrent — Balthaz jouant avec la jeune personne — sans qu'aucun homme de force ne signale sa présence. Alors je m'avançai et dis à cette personne qui jusqu'à présent ne m'avait pas zieuté : Son papa Limorelle et sa manman Manotte m'ont dit de l'amener pour un monsieur L'Oubliée ; une diablesse le poursuit ; il faut le protéger. Où est le Mentô L'Oubliée ?

— Mentô, je connais pas... mais c'est L'Oubliée qu'on m'appelle, Anne-Clémire L'Oubliée.

— Y a pas un maître-affaire L'Oubliée par ici ?

— Non. Si on t'a dit L'Oubliée, c'est à moi que tu dois le laisser.

Elle m'avait dit cela de sa voix de marmaille, mais la chose m'écrasa avec plus de puissance qu'un cri d'autorité. Je m'entendis lui dire : D'accord, mais fais bien attention, la diablesse c'est Yvonnette Cléoste, elle est très forte et très mauvaise, il faut sauver l'enfant, je le laisse pour toi, et si tu as besoin de moi, je suis à Ravine claire sur terre de Saint-Joseph,

133

Gasdo, tu demandes pour Gasdo, Gasdo le chien des bois... J'embrassai Balthaz et m'en allai sans plus de discussion. J'avais le cœur soulagé — et tracassé dans le même temps car je venais de laisser un garçon en danger entre les mains d'une marmaille. Elle était trop jeune et trop fragile. Je me répétais ça, mais je sentais en elle un quelque chose de plus solide que les arbres anciens. Je ne savais dire quoi ; elle était plus inarrêtable qu'une eau de grosse rivière, et plus lisse qu'une peau d'avocat vert, et voilà : elle était vivante, vivante même, une force de vie, oui, un désagrément de vie impitoyable. Donc, je redescendis tracassé-rassuré, sans trop savoir que je redescendais vers une trahison.

C'est quoi trahir, tu dis... ?
C'est commencer à se haïr soi-même...

« Notre morceau de fer ».
Cantilènes d'Isomène Calypso,
conteur à voix pas claire de la commune de Saint-Joseph.

J'arrivai pile pour prendre soin de Manotte. Nous alertâmes les familles et alliés. Nous lui trouvâmes un cercueil bien verni avec poignées dorées. Et nous lui fîmes un enterrement à l'église du bourg. Elle repose sa misère auprès de Limorelle, au cimetière de Saint-Joseph. Que la paix et la sérénité les soulagent à présent !... Maintenant je vais vous dire la tablature : c'est le soir même — Anaïse et moi endormis bien couchés, perclus par cette charge d'émotions — que l'Yvonnette Cléoste se présenta chez moi. Je ne l'avais jamais vue, mais je reconnus ces effluves que j'avais ressentis au-dessus de Balthaz. Elle cogna notre porte avec une décision de gendarme à cheval. Je me levai, ouvris et la trouvai en face de moi. *Ayayayaye.* Déchirée. Les cheveux fous, gros et argentés, luisants comme les toiles d'araignées du fond des cimetières. Dans ce devant du jour, son corps n'était qu'un vieux méli-mélo de clartés sans lumière et de noirceurs éblouissantes. Elle me dit : Où est Balthazar ? Réponds-moi si tu ne veux pas mourir !... *L'autorité !* Je me sentis amarré de partout par le fouet de cette voix. Saisi. Battu. Je n'avais pas pensé à blinder mon fusil de ces balles que l'on fait fondre pour ce genre de diablesse. J'étais dégrappé devant elle. Impossible d'imaginer qu'elle aurait déboulé en plein dans ma maison, et pièce réponse ne pouvait se donner au fait de sa présence. Cacarelle. Une cacarelle me saisissait. Première fois ! Pas la crainte, ou la peur ! *la cacarelle !* Il m'aura fallu atteindre mes vingt ans pour savoir ce qu'était la frappe d'une cacarelle. Cette chienne vous éruptionne le ventre, vous terbolise le cœur, vous jette l'esprit dans un dalot : vous n'êtes plus ce que vous pensiez être. Je devins un frisson sans boussole, et répondis là-même : Chez Man L'Oubliée, dans les bois, c'est là qu'il est... Le nom de Man L'Oubliée plongea la diablesse dans une sorte de calcul, elle ne dit plus un mot, sembla même se calmer, et calculer longtemps. Puis elle grinça : L'Oubliée, je ne la connais pas... Je m'entendis répondre : Elle reste auprès des roches anciennes... La diablesse tomba en disparaître. Flap. Je m'effondrai devant la porte, terrassé par la honte d'avoir livré Balthaz. C'est ça ma trahison.

Une douleur me cisaillait le corps. Provenait-elle de cette évocation, ou filtrait-elle des émotions de l'assemblée ? Comment savoir ? J'étais livré comme une corde de banjo aux mains de ces mémoires. Je n'avais aucune prise. Par instants, je ne voyais ni n'entendais plus rien. Alors, je me raccrochais à moi-même, comme à un bois-flotté que l'on regarde aller au gré des tablatures. Gasdo n'avait même pas quitté sa place, il restait renfrogné dans son coin de fenêtre, et cette trahison qu'il évoquait courbait son torse

135

entre la fourche de ses cuisses. On ne voyait de lui qu'un dos rond, et la croix douloureuse de ses bras au-dessus de sa nuque. Je n'entendais plus sa voix, mais son témoignage emplissait toute la case, répercuté et complété à l'infini par les silences, les manières et les boules de paroles d'un auditoire effervescent.

Awa!... Cette jeune fille L'Oubliée ne pourrait rien contre une telle personne... je la percevais comme une bougie pour messe des innocents... sa flamme de vie ne saurait résister aux vieilles saletés que l'Yvonnette Cléoste allait verser sur elle. Anaïse m'aida à me remettre, puis je gagnai les bois pour tenter d'avertir la jeune fille L'Oubliée. Je ne trouvai nulle trace dans les bambous et dans les pierres anciennes, ni de l'ajoupa, ni d'elle, ni de Balthaz, ni du chemin qu'ils auraient pris pour s'enfoncer plus loin. Alors, je retrouvai une grappée d'espoir : cette L'Oubliée était vraiment pas ordinaire! Je résolus de l'aider. Mon idée était simple. Je cueillis une branche du bois-moudongue qui brise l'aine des diablesses ; je croitai une de ces balles d'argent qui vainc les maléfices ; je pris un bain de protection, et je me mis en route vers la maison de l'Yvonnette Cléoste. Je me postai au bord de cette case à mystères, prêt à tirer cette diablesse et à la dérailler à coups de bois-moudongue. Je la vis sortir de la case, hésiter sur un pied, et y rentrer flip-flap comme si elle s'était souvenue d'un je-ne-sais-quoi. Je restai sans bouger, plus effacé dans les raziés qu'une plante pour tisane claire. Et j'attendis. Et j'attendis.
Elle ne vint pas.
Jamais venue.
Pas peux compter combien de temps je patientai comme ça, saisi, transi, le doigt crocheté sur la gâchette. L'Yvonnette ne remontra jamais le bout

136

d'aile de son nez. C'est alors que je me mis à calculer. La diablesse savait que j'étais là !... Je me mis à l'imaginer derrière moi, par-devant moi, à l'aplomb, en oblique, de trois quarts. Tout-partout ! Des frissons me donnaient l'impression qu'elle me fondait dessus. Je n'étais plus immobile, mais raide comme coco-sec. Je n'étais plus dissimulé : j'étais déchiquetaillé comme un fond de poussière. Mon cœur avait cessé de battre et ma chaleur s'était éteinte. Je tremblais de froid. Je tressaillais dessous des gouttes ardentes. J'avais goût de vomir, de courir mais... pas pouvoir me relever de là... alors je me mis à pleurer... ou à fondre par chaque graine coco-d'yeux... encore plus affolé quand la nuit m'enveloppa de ses cérémonies... *Cacarelle !*... Je m'éloignai de cette case en roulant sur moi-même, à gauche, à droite, fou déraillé, m'estourbissant aux racines et aux arbres. Je divaguai pendant sept jours au fond des bois les plus élevés, sans même oser réapparaître devant mon Anaïse. Je trouvai force de revenir (en pensant aux enfants) mais je n'étais qu'une ombre dépourvue de destin... manmay, je charroie cette honte comme une gale de mille ans... et je n'ai plus moyens de regarder quiconque dans le juste de ses yeux. Ô Balthaz pardonne-moi, mais cacarelle est une malédiction...

Gasdo s'était tu, étouffé par les hoquets d'une terreur millénaire. Un silence submergea l'assemblée. Je sentais des résidus de peur s'étaler en de petits frissons qui me troublaient la peau.

Gasdo s'était levé. Il avançait comme un fantôme au travers de la case, se dirigeant vers le fauteuil où M. Balthazar Bodule-Jules s'était noué sur lui-même. Gasdo arriva devant lui, et le vieux rebelle leva tout de suite la tête. Gasdo abaissa les paupières dans une manière de contrition extrême, puis il voulut s'agenouiller (tel un sac dévidé) aux pieds du vieil agonisant. Ce dernier le rattrapa avec une vivacité surprenante, comme pour lui éviter le déshonneur du sol. Il lui ramena la tête sur ses genoux, lui tapota le dos, lui lissa ses cheveux de vieillesse comme on l'aurait fait pour un enfant inconsolable. C'était la première fois que Gasdo revoyait notre M. Balthazar Bodule-Jules depuis la trahison. Il n'avait trouvé le courage d'apparaître devant lui qu'au jour irrémédiable où s'amorça cette agonie. Et, là maintenant, Gasdo sanglotait sur les genoux de ce vieil homme qui aurait pu être son fils mais dont l'irruption dans sa vie avait porté l'enfer [1].

Quand M. Balthazar Bodule-Jules caressa cette tête posée sur ses genoux, je compris que ce n'était pas un geste de pardon, et qu'il n'y avait là rien qu'il faille pardonner. M. Balthazar Bodule-Jules l'accueillait simplement auprès de lui comme on accueille une survivance de vie. Et il se produisit une chose pas ordinaire. Gasdo caca-dlo demeura sanglotant, puis se ressaisit. On s'aperçut alors qu'il avait son fusil d'homme des bois à la main et qu'il le serrait avec un résolu de bête sauvage, de gardien millénaire, de surveillant fatal. Il s'assit auprès du fauteuil en

---

1. La peur, ô mes amis, avait marqué Gasdo d'une odeur qui n'était plus de ce monde, odeur de vie défunte semblable aux empyreumes des mangroves polluées. Il perdit cette grâce qui fait les hommes des bois, et connut la déshérence dans les ravines neurasthéniques. Ce n'est pas seulement quelques années qu'il battit les raziés à la recherche de l'Yvonnette Cléoste, roye non! Il la chercha durant et-cætera de temps et jusqu'au jour de l'agonie, avec d'autant plus d'application qu'il savait au fond de lui-même ne pas vraiment la rechercher. Il savait que son corps (ou son âme) refusait ardemment cette rencontre qu'il désirait pourtant. Donc, à beau monter-descendre, il ne la débusqua jamais. Il dut sans doute la croiser sans la reconnaître, ou sans vouloir la reconnaître, ou sans admettre qu'il la reconnaissait. Il dut sans savoir (tout en le devinant) s'écarter d'une trace qui débouchait sur elle. Il s'en alla ainsi, des années fil courant, comme s'il n'arpentait que ce piège érigé par la peur au-dedans de lui-même et que rien ni personne ne pouvait délacer. Et il devint ce Gasdo caca-dlo, maigre, sec, usé et transparent, que l'on voyait parfois en bordure de l'En-ville, plus déphasé du monde qu'un dimanche sans horloge. On le criait Gasdo caca-dlo!... Gasdo caca-dlo!... Par rigolade, et cruauté bien sûr, mais surtout à cause d'une crainte diffuse d'un jour lui ressembler.

osier, à la place qu'aurait voulu tenir le meilleur chien de garde, et il se mit à regarder autour de lui; il ne semblait pas distinguer l'assemblée, il voyait au-delà. J'eus l'impression soudaine qu'il reprenait la garde qu'on lui avait confiée il y a tant d'années. Oui, c'était cela! Il reprenait intact le fil de ce travail où il avait échoué : il veillait à présent sur M. Balthazar Bodule-Jules — et le surnom de caca-dlo ne semblait plus lui convenir.

Cette attitude jeta un effroi dans la case. Aux pieds de M. Balthazar Bodule-Jules, Gasdo s'était mué en un sinistre bougre des bois qui surveillait les alentours, et qui s'apprêtait à livrer un combat. Ce sauvage sans baptême semblait voir un danger fondre vers la maison, une menace terrible qu'il voulait affronter d'un vœu désespéré. C'était sans doute *quelqu'un*.
Quelqu'un qui était déjà là ou qui allait venir.
On se mit à se taire, à regarder autour de soi, à surveiller portes et fenêtres, à détailler les ombres de cette fin de journée. Une nuit entière se déroula ainsi dans ce silence spectral. Les lueurs d'une aube nouvelle n'arrangèrent pas les choses. Le danger semblait s'être rapproché. Une vieille cousine jusqu'alors ababa se mit à hurler de manière convulsive : *Lyvonèt ka vini, Livonnèt an kay la!*... L'Yvonnette arrive, l'Yvonnette est là... Il y eut un ouélélé qui s'ajouta au désordre habituel : j'entendis voumvaquer des portes et des fenêtres, et des klak de serrures, et des glissades de corps qui tombent ou qui se lèvent. Mais la vieille cousine se calma assez vite et retrouva le réjoui imbécile dont elle avait coutume. Dans un sourire aux anges, elle exhibait des canines jaune citron à moitié déchaussées. L'affolement s'éteignit pour laisser apparaître une attente tracassée, peuplée de rires grincés et d'injures aphones à l'encontre de la vieille. On se dévisageait. On regardait partout. On guettait aux persiennes. Le corps noueux de Gasdo-chien-des-bois était raide à l'ex-

trême, et cette tension barbare jurait avec le détachement de M. Balthazar Bodule-Jules ; derrière lui, le vieux rebelle semblait abandonné aux somnolences séniles. Pourtant, ses yeux mi-clos ne dissimulaient pas l'intensité de son regard : lui aussi surveillait l'alentour et se préparait à livrer une mortelle bataille. Je compris ainsi que le danger était pour lui le même qu'au jour de sa naissance : *L'Yvonnette Cléoste était bien dans ce monde, quelque part, inexplicablement vivante malgré toutes ces années, toujours furieuse dans son désir morbide de l'enfant de Manotte !* C'était son arrivée que chacun redoutait. Je crois me souvenir d'avoir un peu tremblé, mais je n'en suis pas sûr car mes notes de l'époque (qui surveillaient tout le monde) n'avaient pas tenu compte que j'étais dans l'histoire.

Les quimboiseurs ornementèrent portes et fenêtres de protections diverses : en aloès séché, en graines noires accouplées, en crucifix bénits, en eau trouble d'alcali et en jus de citron. Ils consacrèrent leur temps à protéger la case, ses alentours et ses abords, tant et si bien que d'abracadabrantes exhalaisons d'éther-diable se mêlèrent aux odeurs de café et de morue grillée. Elles offusquaient même l'absinthe amère qui ouvrait les journées des bougres les plus soiffeurs. Je sentis, enrobant le jardin et persécutant le vol des colibris, le poids des charmes et contre-charmes qui sanctifiaient le vent allant, le vent venant, et l'air restant. Des pacotilleuses, flanquées des tantantes et cousines, se mirent à conjurer sur des chapelets interminables et demeuraient échouées dans des grimaces mystiques. Les pêcheurs se réfugiaient dans l'écaillage du poisson frais ou l'enfilade des sardines qu'ils mettaient à sécher au soleil. Je vis des tambouyés embrasser leurs tambours en guise de boucliers, et des experts en danse-danmyé se dérouiller les muscles derrière les casiers à légumes ; ils étaient tous nerveux comme à l'orée d'un sale désagrément. Seuls les nègres-désordreurs, à

140

mobylettes et téléphones portables, allaient-viraient au large de la maison, au gré des deals de leur infâme trafic; ils s'éloignaient contents et revenaient inquiets (mais désireux) de voir surgir l'ombre maléfique de l'Yvonnette. Les cuisinières s'attardaient au nettoyage de leurs casseroles, au lavage des branches de thym et des cosses noires du pois d'angole; leurs voix marmottaient bas et leurs yeux surveillaient l'existence tout entière. Des heures et des jours s'écoulèrent ainsi, dans une tension qui ne faiblit jamais, mais qui à force devint le suspense quotidien autour de cette folle agonie.

Il me fallut trois jours pour me reconcentrer sur le corps de M. Balthazar Bodule-Jules. La certitude nous fut bientôt acquise que l'Yvonnette n'était pas dans la maison : aucun quimboiseur n'avait pu la déceler dans cinq kilomètres à la ronde autour de Saint-Joseph. Elle venait, c'était sûr, mais elle n'était pas là. La vigilance demeura le souci de chacun, mais la mémoire du vieux rebelle (libérant à nouveau ses effluves à la manière d'un vieil alcool) s'imposa bientôt à l'attention de tous. Le sentiment qu'il allait mourir retrouva le sensible de nos os, et la tristesse première nous affecta à son écoute comme des colles-roche qui s'apprêteraient aux dernières heures d'une marée. Son fauteuil d'osier redevint la mire de nos consciences hagardes, et son corps : une page, une scène, un écran, l'espace d'une audience à huis clos. Il y eut des larmes, et des soupirs, et des injures contre le sort; puis la vie du vieux rebelle se diffusa en mille esquisses de souvenirs que chacun recevait de manière singulière, et, le plus souvent surpris, que chacun s'en découvrait pour une part détenteur. Ces miettes d'évocation se nouaient en une trame incertaine que j'avais peine à débrouiller. Ceux-là se remémoraient les affaires de familles. Ici, on évoquait des histoires de quartier. D'autres, militants des primes heures, se rappelaient les luttes anticolonialistes, des souf-

frances carcérales, des raids à l'explosif, des drives guerrières en des terres dominées. Certains privilégiaient des
instants d'amitié, et d'autres se complaisaient dans des
moments fugaces à l'importance douteuse. Moi, je m'en
tenais aux manifestations du corps de M. Balthazar
Bodule-Jules. Je restais à la source gestuelle de ce vrac de
mémoires. Et — ahuri une fois encore — je perçus, flottant au-dessus de tout cela, la houle de ces femmes qui lui
peuplaient l'esprit et habitaient son crépuscule de leurs
intensités. C'est ainsi que je pus sentir son corps s'apaiser
à l'extrême, se détendre dans les volutes d'une béatitude.
Il semblait à présent enfantin, livré à son fauteuil avec
cette candeur qui provient des antans de l'enfance. Je
compris que c'était Man L'Oubliée qui dominait cette partie de sa vie.

> À travers elle, approchant de la perfection, il en toucha l'idée
> et en connut le risque...Voici le temps des bois !
>
> « Notre morceau de fer ».
> *Cantilènes d'Isomène Calypso,*
> *conteur à voix pas claire de la commune de Saint-Joseph.*

ADORATIONS. Pour cette période de son enfance, je dis que
M. Balthazar Bodule-Jules vécut auprès de cette Man
L'Oubliée un mode d'adoration. Ils vécurent isolés dans
les bois plusieurs saisons durant avant de se faire voir sur
les trottoirs d'un bourg. Pas même un égaré n'a pu les
observer pendant ces années-là. C'est pourquoi (nul ne
pouvant prétendre au témoignage direct) il y eut foisonnement de paroles inutiles mais pénurie de sens. M. Balthazar Bodule-Jules lui-même n'évoqua cette période qu'en
allusions indécodables. Il avait dit une fois : Durant mon
temps des bois, Man L'Oubliée fut mon cosmos splendide... Personne ne s'était attardé sur cette déclaration.
Deux-trois intelligents supposèrent qu'il avait éprouvé
comme un *cœur-faible* pour elle, mais cela demeurait une
fantaisie de paroleur car pièce nègre réfléchi n'envisageait
vraiment que l'on puisse éprouver un sentiment de cette

142

nature pour un personnage aussi grave qu'un Mentô. De plus, l'idée qu'un Mentô pût être une femme n'accédait même pas aux consciences ordinaires. C'est pourquoi Man L'Oubliée demeura dans l'image populaire, non comme gent de pouvoir, mais comme un être fantasque, qu'on ne pouvait épingler sur pièce géographie de tantes ou de cousines, d'alliances ou de communes. Aucun nom dérivé (inversé, déformé) ne la rattachait à quelque famille considérée. Pas un quartier. Pas une ravine. Pas un registre de plantation. Pas un papier d'état civil ne fixait sa lignée. Rien qui puisse l'enchouker en un coin quelque part et donner signifiance à son passage dans cette histoire. C'était un cas et un tracas. Un vent absurde hors des nomenclatures. Donc, cette étape des bois avec ce personnage demeurait la part insignifiante de la légende du vieux M. Balthazar Bodule-Jules. On disait communément : Son temps des bois fut un temps mort... Pourtant, durant cette agonie, à mesure que cette période lui revint à l'esprit, son corps se mit à réagir. De grands voumvak de troubles fendirent sa longue béatitude comme d'incessants serpents. Je les avais consignés à la six-quatre-et-deux, sans pouvoir dégager les significations qui surgissaient en lui. J'eus besoin d'une enquête ultérieure (sérier les allusions, dépouiller les articles, traiter les interviews où il disserte sur ses « vies passées » ou ses « vies à venir ») pour tenter de débrouiller son rapport à cette femme. Et ma conclusion peut être dite sans attendre : Anne-Clémire L'Oubliée lui fut fondamentale.

La première piste me fut donnée par ses poèmes, écrits à l'encre violette sur les quinze feuilles graisseuses de l'épicerie chinoise. Les policiers-experts, chargés du dossier de sa mort, les avaient retrouvés dans la caisse en fer-blanc, auprès de la masse de courrier qui lui provenait des femmes. Ces feuillets incomplets étaient numérotés de 3 à 80. Les policiers espérèrent y trouver la clé de certains attentats [1] qui (dans le temps) avaient bouleversé le pays officiel; malgré les vantardises d'un groupuscule indépendantiste, on avait à l'époque soupçonné le vieux rebelle lui-même mais sans jamais pouvoir en apporter la preuve. À la découverte de ces textes sibyllins, les policiers avaient cherché des codes de terroristes, des cryptogrammes de guet-apens, des alphabets tactiques, des langages d'artificiers tramés dans les syllabes... puis ils les avaient abandonnés. Quelques semaines après l'incroyable agonie, ils me laissèrent consulter ces feuillets, à deux ou trois reprises, avec l'envie de recevoir deux-trois éclaircissements. Je fis l'ababa-mustapha et ne leur révélai rien, mais l'étude des poèmes me confirma l'insoupçonnable : ils évoquaient des moments, des idées, des cicatrices, des sensations, liés à ces femmes qui lui hantaient l'esprit. Le temps les avait restitués de manière chaotique et, chaque fois, le vieil homme avait tenté de les saisir au vol. Deux de ces feuillets semblaient concerner cette Man L'Oubliée — j'en eus là-même l'intuition brute sans jamais élaborer la moindre certitude. L'écriture d'encre violette entrelaçait ses pattes de mouche à l'infini; il me fallut l'aide d'un chabin graphologue et quelque délire imaginatif pour supposer les énoncés suivants :

> Oala : Grands bois-silence et ciel vivant :
> elle vit c'est pas croyable
> en paysage désinstallé !
> Mais paysage qui ne s'oublie !
> (Feuillet 3)

> Oala : Bidjoule du jour ouvert,
> en cils, en robe, en grand-messe de hanche claire
> dessous l'église des seins.

1. Incendie du palais de justice, explosion des soutes informatiques de la Caisse générale de sécurité sociale, tête coupée de la statue de l'impératrice Joséphine, explosions des relais de EDF et RFO... Voir *France-Antilles*, années 1990, 94, 96.

Tabernacle pas croyable de ce sourire qui tue :
c'est à naître et mourir !
Et c'est Baptême sans huiles !
C'est même pas même croyable, et c'est pas oublié !
(Feuillet 12)

J'essayai, puis j'abandonnai tout déchiffrage plus avancé de ces poèmes. Je m'en servis pour l'imaginer lui, bercé par ces chanters intimes. Et, à chaque fois, son visage d'enfant se présentait à mon esprit, yeux grands ouverts, le menton redressé, la mine éclaircie du seul plaisir de voir. Je compris ce que cela voulait dire : M. Balthazar Bodule-Jules avait passé cette part de son enfance à regarder Man L'Oubliée ! C'était pour lui un paysage ouvert. Son regard de marmaille fut voué à ces beautés d'aubes claires où les ombres et lumières mêlaient le corps de cette femme aux perspectives des bois profonds. Je me souvins alors du *don* qui rassasia son corps d'agonisant échoué dans le fauteuil. Perdant cette vigilance qui lui était usuelle, il s'exposait au monde en pleine confiance tout infantile. Son visage extatique rendit encore plus terrifiante la grimace que Gasdo caca-dlo (accroupi à ses pieds) nous exhibait gaillarde. M. Balthazar Bodule-Jules avait souvent connu de ces bouffées d'extase lors des soirées interminables durant lesquelles il racontait « ses vies » aux jeunes drogués de Saint-Joseph. Cette euphorie bonhomme s'associait à des évocations d'arbres, de forêts, de bois inextricables qui (dans l'esprit de ceux qui venaient l'écouter) se transformaient en théâtres de batailles triomphantes — hypothèse fixe, conforme à l'idée que l'on avait de lui. On avait cru y voir la raison pour laquelle il aimait les forêts. Mais là, pour moi, les grands-bois qui peuplaient ses extases dessinaient une femme. Ils devenaient soudain indissociables d'une femme. Une femme qui elle-même générait la présence de bien d'autres créatures. Je ne pouvais plus faire autrement que tenter d'imaginer la vie de cet enfant persécuté auprès

145

d'un être de singulière puissance : auprès d'une femme Mentô[1]

Man L'Oubliée n'était ni jeune ni vieille, ni belle ni laide. Elle était un reflet incertain. En certains jours, l'enfant la découvrait plus juvénile que lui. Mais, dans l'exécution des choses vitales, elle devenait flap une troublante bonne-manman. L'enfant M. Balthazar Bodule-Jules vécut auprès d'elle durant un nombre d'années impossible à compter, non par manque d'un bon calendrier mais parce qu'il avait échappé là, disait-il, au dévalé du temps[2]. Lui et Man L'Oubliée vécurent là-même dans l'ambiance d'un danger permanent : Yvonnette Cléoste les cherchait!... Ce sentiment ne devait jamais s'atténuer ni s'éteindre. Gasdo n'avait pas tourné le dos que Man L'Oubliée devint d'une vigilance extrême. Elle zieutait l'alentour avec une concentration que l'enfant n'oublia plus. Il n'y avait pas de raideur en elle, d'yeux plissés ou de sourcils froncés, pas même le dos rigide de ceux qui vivent au-dessus d'un abîme. Elle devenait naturellement intense, économe de ses gestes, retenue à l'extrême pour laisser vivre en elle le déploiement des arbres. Son corps prenait la densité d'une roche ou l'éther ramassé d'un parfum de moubin. L'enfant percevait ces changements comme des ondes électriques. Son petit cœur commençait à se débattre dessous l'appréhension d'un danger invisible. Il devenait attentif lui aussi, cœur suspendu, le geste

1. Méthodologie : Deux cent dix-sept témoignages de quimboiseurs et autres séanciers, avec l'idée de savoir ce que pouvaient être les soins apportés à un enfant persécuté comme pouvait l'être l'enfant Balthazar Bodules-Jules ; je voulais aussi obtenir le détail d'une éducation qui serait dispensée par un Mentô. Pour le reste, j'utilisai les témoignages de gens qui les virent ensemble dans certains bourgs, qui furent aidés et soignés par eux. Ces témoignages furent tellement innombrables que je dus les oublier pour mieux les imaginer. (Cassettes numérotées de 189 à 650, boîte IV, Écomusée de Rivière-Pilote, section des traditions orales.)
2. Mon temps des bois n'a eu ni heure, ni jour, ni semaine, il était hors de vos calendriers, hors de vos temps, il était à la source même du temps!... Rencontre avec Balthazar Bodules-Jules, in Le Progressiste, n° 210, octobre 1985.

éteint, désemparé. Il prit ainsi la soucieuse habitude de l'observer, de se modeler à elle, d'imiter sa gestuelle dans l'espace des raziés menaçants.

Durant les premiers jours, ils ne se déplacèrent presque pas, car l'enfant avait du mal à marcher. Il pataugeait dans un état de faiblesse dépassé. Man L'Oubliée dut sans doute le soigner. D'après ce qu'on a pu me dire de ce genre de traitement[1], elle dut lui masser le corps, membre après membre, afin de lui dénouer les énergies vitales. Elle dut le projeter à quelques mètres du sol, le laisser retomber d'une manière spéciale comme font les séancières qui veulent désamarrer un enfant tourmenté. Elle dut le baigner à la gueule des rivières, dans le glacé des sources hautes, puis dans le soufre de sources chaudes qui pulsaient des mangroves. Elle dut le taper sur la nuque, puis sur les reins, puis entre les yeux, des tapes sèches, terribles comme des balles de magnum. Elle dut lui prendre la langue entre ses doigts, tirer dessus, souffler dessus, lui restituer ainsi la force mythique du verbe. Elle dut orienter sa couche en certains axes de la peine lune, du soleil se levant, de l'alizé contraire, veiller à le placer dans le sens vrai des rythmes de la nature. Ce traitement visait, dit-on, à réveiller ses chairs à la mémoire première — cette mémoire qui est là, et qui sait tout, et qui tient la matrice de la santé parfaite.

Avant toute chose, elle dut (sans qu'il le sache ou le comprenne) l'associer à de grands arbres aux âges magiques. Elle dut faire d'eux ses alliés, son soutien et sa force, si bien que — une charge de temps plus tard — quand le rebelle M. Balthazar Bodule-Jules se retrouva dans les jungles du Congo, traqué par des sicaires colonialistes belges, il put échapper à toutes les morts possibles

1. Mon informatrice : Gaëlle Chouchoute, guérisseuse et dormeuse, 98 ans, quartier Bois-Viré, commune de Sainte-Marie, juillet 2001.

selon une chance inexplicable. Dans les maquis, les marais, les forêts et les jungles de ses guerres, il avait toujours fait montre d'aptitudes étonnantes, que lui-même n'avait jamais interrogées. Mais, sur son fauteuil d'agonisant, il se produisit une sorte de dévoilement. Des déchirures parcouraient ce qui était demeuré insondable dans sa vie, des associations se produisirent de manière erratique, et de nouvelles significations surgirent à la chaîne dans l'étonnement de sa conscience. Le vieux rebelle revit les arbres de son enfance, et ces arbres lui ramenèrent tous les arbres qu'il avait rencontrés, tous les arbustes, tous les raziés, les branchages, les marais, les jungles, forêts pluvieuses ou sèches, qui tissèrent le décor chaotique de sa vie. Les souvenirs du rebelle qu'il était devenu et de l'enfant qu'il avait été se mélangeaient dans son esprit à des feuillages multiples, se confondaient dans l'ombrage de troncs immémoriaux, se superposaient sur les touffes de bambous et les rideaux de lianes qui provenaient de partout. Des merles se mêlaient à des songes de corbeaux, des courirs de mangoustes longeaient des soubresauts de tigres, des colibris battaient famine en compagnie de vieux toucans, de chouettes, de quetzals, et de volées d'oiseaux bien plus incalculables que les milliers de noms dont les peuples de la terre les avaient affublés. L'esprit du vieil agonisant devint un gaoulé mental, peuplé de paysages, d'histoires et d'événements, reliés les uns aux autres, se suscitant sans fin. Et cette pagaille se voyait habitée du souvenir (actif plus que jamais en lui) d'Anne-Clémire L'Oubliée. Alors, pour la première fois de toute son existence, M. Balthazar Bodule-Jules établit une corrélation entre ses aptitudes inexplicables et ce qu'il avait vécu auprès de cet être singulier. Et je suppose qu'il tenta enfin d'élucider l'enseignement de cette femme-Mentô. L'expérience d'une vie tout entière lui permit d'accéder en lui-même (pourvu d'une acuité jamais connue auparavant) à cette période d'enfance jusqu'alors négligée. Un jour, avait-il raconté [1], dans une forêt de Birmanie où il soutenait la guérilla d'une des ethnies en lutte (contre les Britanniques ou bien les Japonais), je m'étais plaqué sur l'écorce d'un vieil arbre semblable à un pied-caoutchouc. J'étais épuisé, transi de fièvres, à bout de forces. Je m'étais adossé à cet arbre avec la seule idée de mourir droit-debout. Et la bande d'assassins qui me poursuivait (des sanguinaires aux yeux de chouettes et de serpents) m'avait frôlé sans même me voir, et sans flairer cette puanteur que dégageait mon corps couvert des pus et d'une crasse de six mois. M. Balthazar Bodule-Jules n'avait pas compris pourquoi il semblait devenu invisible, et, sans se poser de questions, il les avait *popopopopo!* abattus un à un. Ces soldats ne parvinrent jamais à soupçonner son angle de tir. Ils regardaient à l'entour d'eux, hagards, mitraillaient n'importe où, se mitraillaient eux-mêmes, puis se voyaient fauchés dans l'incompréhension. M. Balthazar Bodule-Jules avait poursuivi sa guérilla birmane en se persuadant qu'il avait eu de la chance. *Sous cet arbre, j'étais devenu un arbre, j'avais la peau verte, des yeux d'écorce et des poils de lianes sombres!...* avait-il quelquefois précisé dans cette verve sans mesure dont il avait coutume. Il avait toujours vanté son art parfait du camouflage, de l'aveuglage, il se l'était répété à lui-même tout au long de sa vie et y avait peut-être cru, mais là — aujourd'hui, dans ce fauteuil d'osier où la mort approchante élargissait à l'infini le champ de sa conscience — il comprit qu'en fait Man L'Oubliée l'avait initié à des connivences sans limites avec les choses de la nature. *Mais comment?...* Il l'avait tant regardée qu'il ne se souvenait plus du moindre enseignement; il l'avait regardée, c'était tout; maintenant, il s'efforçait de comprendre ce qui lui avait été transmis par ce regard, et son corps d'agonisant tressaillait de l'envie de savoir.

---

1. *Le pays est krasé.* Souvenirs de B. Bodule-Jules, in *Antilla*, avril 85, n° 430.

Subsistait un autre mystère : M. Balthazar Bodule-Jules ne conservait pièce souvenir de cette faiblesse, de ces vertiges et autres *états-tombés* qui avaient tant peiné son papa Limorelle et sa manman Manotte. J'avais relu ses déclarations, listé les témoignages sur ses récits, et jamais les dramatiques tourments des premiers temps de son enfance ne se virent évoqués. L'enfant qu'il fut au fondoc des grands-bois n'eut de lui-même que la conscience d'un corps bouillonnant d'énergie, rapide, tendu, extrême de précision dans ses sauts de survie, qui n'avait rien à voir avec l'enfant débile dont parlaient les témoins. Cela devenait clair maintenant dans l'esprit du vieil homme. La conscience de lui-même avait surgi au contact de cette Man L'Oubliée. C'est elle qui lui avait ouvert les yeux, sur lui-même, sur le monde. C'est elle qui avait endigué les ténèbres que l'Yvonnette Cléoste s'acharnait à déverser sur lui. Mais comment? s'en inquiétait maintenant le corps du vieux rebelle. Et, dans chaque maille de ses chairs, je sentais remonter (comme une sève visionnaire) la mémoire inusitée de cette période des bois.

Donc, elle lui dénoua le corps. Les massages. Les sauts. Les bains. L'obligation de vigilance. Un soir, Man L'Oubliée avait comme d'habitude soufflé sur des braises au bord de l'ajoupa. L'enfant s'était allongé auprès de la flamme, presque en rampant, car ses jambes étaient faibles. Ils étaient demeurés silencieux, puis Man L'Oubliée s'était éloignée de lui, à quelques mètres, puis s'était retournée, puis l'avait regardé. Puis elle avait hurlé. Ou alors un bruit d'apocalypse avait jailli de quelque part entre les arbres. Ce son inhabituel renversa l'ordre du monde. La braise s'éteignit. Les pénombres empoignèrent le petit ajoupa. L'enfant fut affolé, trente-douze vouloirs se bousculèrent en lui. Il ne savait quoi faire. Il gigotait sur son corps-même à la manière d'une chenille. Puis il crut percevoir la voix déjà lointaine d'Anne-Clémire

L'Oubliée : *Vini !...* Viens !... L'injonction majeure tétanisa ses muscles, alors il se leva, marcha, courut, bondit vers celle qui était devenue son seul espoir de vivre. Elle se déplaçait dans les grands-bois avec une vélocité que jamais l'enfant ne lui avait connue. Elle semblait une flamme frénétique. Il crut qu'elle désirait l'abandonner. Alors lui, cœur déchaîné, courut encore plus vite, s'envoya par-dessus les racines, se balança aux lianes, rebondit de ravine en ravine, s'arrangea pour maintenir le contact avec elle. Ils coururent ainsi durant un temps qui n'avait plus de longueur. Et, durant ce moment sans longueur, l'enfant oublia les misères de son corps. Il finit par la rejoindre dessous l'immensité frémissante d'un manguier et voulut se blottir contre elle. Mais Man L'Oubliée le tint à distance, lui enjoignant par sa propre attitude à rester vigilant, immobile, silencieux, attentif aux dangers de la nuit. Cette nuit s'écoula sans une maille de sommeil. Rien qu'une attention terrible qui écarquillait les paupières de l'enfant. Rien qu'une concentration qui pétrifiait ses chairs. Avec les lueurs du jour, Man L'Oubliée parut se détendre et se mit à rire de bon cœur comme si quelque zombi venait de lui conter la plus tordue des couillonnades. En riant, elle l'emmena auprès d'une source chaude pour lui masser le corps, le frotter, le rincer tant et tant qu'elle semblait vouloir lui décoller la peau. Cette scène était claire dans la mémoire du vieux rebelle, claire mais insolite, absurde pour tout dire, au point qu'il l'avait remisée au nombre des facéties d'Anne-Clémire L'Oubliée. Mais, maintenant, M. Balthazar Bodule-Jules s'apercevait avec surprise qu'avant cette nuit folle il n'avait pièce souvenir de lui-même bondissant ainsi à l'aplomb de ses jambes. À ce moment de l'agonie, je vis ses jambes frétiller d'une ivresse juvénile qui peuplait de grincements tout le fauteuil d'osier. C'est donc après cette nuit que les jambes de l'enfant retrouvèrent — à jamais — une vigueur qu'elles semblaient que n'avoir délaissée.

Une fois qu'il put marcher, ils se déplacèrent dans les bois sans arrêt. Ils ne restaient pas en place plus de trois jours de suite. L'enfant sut d'instinct marcher comme elle à travers les bambous et les lianes, poser ses pas où elle posait les siens, demeurer à l'aplomb de son ombre — pas dans l'alignement mais sur le côté gauche, dans l'axe de l'alizé, à quelques mètres en poste arrière. Il sut se maintenir en plein dans ce sillage, avec d'autant plus de zèle que Man L'Oubliée ne se retournait jamais : elle le considérait comme accroché à elle et ne s'en souciait plus. L'enfant dut s'évertuer à garder cette accroche, à la même place, la même distance, la même intensité nourrie du sentiment d'avoir la mort sur ses talons. Elle fut ainsi son pilote vital, et jamais il n'aura un souvenir de lui-même la devançant ne serait-ce que d'un pas.

Suggestion

Dans les grands-bois, l'enfant eut souvent la vision de son dos. La toile délavée qui lui servait de robe brouillait son corps délié infiltrant l'épaisseur végétale. Souvent, elle arborait un couvre-chef en herbe-bakoua qui lui ombrait une bonne part de l'épaule. D'autres fois, elle se nouait les cheveux d'un madras jaune natté en pointes sur sa nuque. La vieille toile de sa robe devenait comme un souffle quand elle passait dans une colonne solaire tombée des frondaisons. Dans les bouffées de vents remontés des ravines, la vieille toile frémissait comme une capeline de vierge; d'autres fois, elle enserrait son corps comme un treillis d'écailles. Il percevait l'arôme frais de son corps — mieux qu'un parfum, c'était l'émanation d'une plante ancienne qui bourgeonnait à chaque instant. Il associa cet arôme à la sécurité d'une bulle invisible aussi puissante qu'un mur de courbaril.

Ils vivaient dans un climat d'extrême danger. Bien souvent, alerté par le regard soudain aigu d'Anne-Clémire

152

L'Oubliée, l'enfant croyait entrevoir une ombre, une présence, un senti maléfique qui s'approchait ou qui les évaluait. Cela le propulsait vers elle : il voulait disparaître dans l'asile de son corps. Les serpents, les rats volants, les mille-pattes à venin, les énormes matoutous-falaise pullulaient autour d'eux. Il ne sombra jamais dans la terreur car Man l'Oubliée l'enveloppait d'une quiétude simplement vigilante. Elle était sûre d'elle. Impériale. La couleur immuable de son esprit, les battements maîtrisés de son cœur, l'énergie foudroyante de ses déplacements, son allant sans fatigue se déversaient dans le corps de l'enfant qui s'efforçait de vivre en fusion avec elle. Elle lui sculpta le corps et l'esprit de cette manière, sans un mot — par osmose. L'enfant vécut avec le sentiment qu'il allait mourir à tout instant, terrassé par la diablesse qui le traquait. Chaque jour fut pour lui le dernier, et chaque nuit aussi. Ce sentiment se voyait renforcé par le soin que Man L'Oubliée apportait au moindre de ses actes : couper une liane, cueillir une écorce, éplucher une graine, pêcher une écrevisse, s'arrêter, écouter le silence, s'asseoir... elle faisait tout comme s'il s'agissait du geste ultime de son existence. Elle semblait ne pas connaître le hasard, rien ne pouvait l'étonner, l'égarer, l'émouvoir, mais tout l'intéressait. Ses mots étaient rares et d'une netteté totale. Son rire emplissait tous les recoins du monde à force d'être généreux. Ses regards sur toutes choses étaient d'une intensité telle que chaque brin du réel pouvait se transformer en un spectacle grandiose : un tout. Dans la chose la plus infime, ou la plus insignifiante, elle découvrait toujours un plaisir, une perspective, un enseignement. Elle dormait à fond comme un bébé et pouvait s'éveiller en une seconde comme un serpent. Cette manière très intense de vivre au quotidien décuplait l'angoisse de l'enfant qui croyait y déceler de petits testaments ; mais il se rendit compte que chacun de ces gestes était un concentré de vie : ils résultaient d'une autorité qui s'imposait au monde avec l'ardeur d'une naissance d'oxygène. Man L'Oubliée n'avait pas de temps à perdre, elle dominait le temps qui lui était donné en y gravant la perfection des mouvements de sa vie. Et je les devinais, ces gestes, esquissés par le corps du vieil agonisant : quelque chose de joyeux, d'onctueux et de puissant, un déploiement impeccable qui suggérait l'omnipotence et, plus inattendue, une sagesse consubstantielle à la totale féminité.

Parfois, elle lui retenait le pied au-dessus d'une fourmi; elle lui dévoilait au revers d'une feuille des peuplements d'insectes; avant de dresser l'ajoupa, elle lui révélait combien l'herbe d'une clairière ou la simple terre battue regorgeaient de créatures à moitié invisibles; dans les rayons du soleil matinal, elle lui montrait à quel point l'espace était tissé de petites vies volantes. Il apprit comme elle à regarder de tous ses yeux. L'enfant se découvrit dans un bouillonnement d'existences incalculables, aux formes sans nombre, de consistance quasi impalpable. Il sut que chacun des mouvements de son corps, ses appuis, ses raclures, ses glissades, déclenchait d'infinies hécatombes dans cette spirale de vies qui s'épousaient entre elles. Il prit conscience qu'un simple acte dans le monde était une houle aux conséquences imprévisibles qui s'étendaient à l'infini, jusqu'aux bouts indéchiffrables des systèmes du vivant. Cette idée le paralysa pendant longtemps, puis elle conféra une légèreté extraordinaire à chacun de ses actes, qu'il investissait alors d'une conscience presque accomplie.

Le vieil agonisant examinait le souvenir de cette femme avec des critères de soldat, de chien de guerre, de vieux briscard rompu aux couleurs des périls. Il était stupéfait. Ce qu'il découvrait, ou redécouvrait, lui submergeait l'esprit et le forçait à de nouvelles admirations. Man L'Oubliée n'avait besoin de rien ni de personne, sa vie se

154

nourrissait d'elle-même, dans la sobre magnificence d'une pleine autonomie ; ce qui lui était vital ne provenait pas de l'extérieur, mais du profond d'elle-même. Elle était aérienne et totale comme un univers lové dans une calebasse. M. Balthazar Bodule-Jules avait adopté sans le savoir de multiples aspects de cette manière d'être. Chaque geste de Man L'Oubliée, dont il élucidait maintenant la pertinence, le renvoyait à un événement de sa vie, une circonstance douloureuse, un abîme ou une tragédie à laquelle il avait échappé sans trop comprendre comment, tandis que ses compagnons du moment avaient perdu un membre, du sang, de la chair ou leur vie. Tant de fois, parmi les dalles rocheuses des hamadas de l'Algérie, dans les graviers des regs, les sables brûlants des ergs, poursuivi par la Légion française, il s'était retrouvé à la tête de moudjahidin déguenillés : des révolutionnaires usés qui n'avaient plus que l'espoir d'être un jour honorés comme martyrs. Ils n'osaient plus demander aux paysans à boire ou à manger, car leur passage dans une willaya déchaînait d'épouvantables vindictes des légionnaires français. Les missions impossibles que l'ALN leur avait assignées lui revenaient en vrac. Ses désespérés et lui avaient dû convoyer des mulets imbéciles (chargés de vieux FM anglais, de pansements ou de pénicilline) dans des zones infestées de paras ; ils avaient dû escorter des personnages d'importance mystérieuse charroyeurs de valises ou de messages codés ; ou encore organiser de dramatiques replis vers une base de fortune située en Tunisie. Ils s'étaient souvent retrouvés encerclés dans des oueds brumeux, talonnés sur des dunes calcinées. Ils s'enveloppaient la tête dans des chèches goudronnés et cachaient leurs équipements sous de sombres djellabas. Souvent, ils ne pouvaient compter que sur eux-mêmes, sans autre choix que tenter l'impossible. Ils devaient s'enterrer le jour, courir la nuit dans la rocaille humide ou les souches d'oliviers qui vous crevaient les jambes. M. Balthazar

Bodule-Jules se souvint alors de ses propres désespoirs : il était effondré, assoiffé, perclus de dérangements, à bout de munitions, il ne comprenait plus où allait cette guerre — mais, sans le savoir, il marchait comme Anne-Clémire L'Oubliée. Le pas juste, souple, décisif. Un allant sans tremblade qui semblait arpenter un chemin familier depuis des millénaires. Le regard assuré, avide des paysages, attentif à la rocaille, aux graviers, aux squelettes de lauriers-roses et aux coulées de sable flambant. L'attention déployée sur chacun, l'écoute de toutes les plaintes, la sympathie ouverte sur toutes les blessures en oubliant les siennes. Le corps détendu à l'extrême, déposé dans ce monde avec une certitude qui lui conférait la souplesse d'une mangouste. Il utilisait une lourde mitraillette soviétique que chaque soir il démontait et remontait avec une précision aveugle, ses mouvements adoptaient le délié d'un rituel que n'affectaient ni la faim ni la soif ni les déroutes de la fatigue. Et, sans qu'il le sache, ses compagnons se conformaient à ses manières, se nourrissaient de cette maîtrise spectaculaire. Ses actes ne leur laissaient pas soupçonner qu'il était aussi désespéré qu'eux. Ils y puisèrent une persévérance telle que ce groupe de pauvres bougres exécuta la plupart de ses missions sans encombre.

Une journée de Man L'Oubliée était en apparence simple. Elle se levait dès quatre heures du matin. Vigilante et tranquille. Et demeurait assise entre les racines de l'arbre le plus ancien des alentours. L'enfant apprit à reconnaître ces sortes d'arbres : leur âge n'était pas signalé par l'étendue de leurs racines ou l'amplitude d'un feuillage millénaire. Ils pouvaient être graciles, assaillis par des plantes turbulentes, menacés par des vermicelles-diable, avoir été pliés par un cyclone ancien, mais ils s'enserraient dans une combinaison que seuls les hommes des bois savent un peu reconnaître. Ces arbres que choisissait Man L'Oubliée[1] poussaient au centre d'un cercle indiscernable dans l'embrouille végétale ; un équilibre imperceptible se constituait à partir d'eux, et le désordre dont ils semblaient victimes se révélait soumis à leur emprise. On repérait dans leur voisinage (selon des symétries imprévisibles) toujours trois acacias, trois ébéniers et un pied-térébinthe[2]. Leurs feuilles étaient d'un vert pensif, lustré, profond, qui les constituaient en mille éclats de miroirs sombres. Leurs frondaisons entremêlaient des ombres éblouissantes et des lumières impénétrables, tissées de même nature, et cet ensemble semblait suspendre le temps. Ils étaient envahis de nichées de poules d'eau, et — autre signe majeur — de plantes bizarres fixées à leur écorce. Parfois, ces plantes explosaient en ruissellement de fleurs, ou déployaient leurs hampes sous une charge de corolles lumineuses. Elles pouvaient peupler l'ombre de fleurs géantes semblables à des soleils échoués, ou consteller l'aurore de petites fleurs brillantes infinitésimales. Man L'Oubliée les connaissait chacune, les regardait longtemps, saluait leurs floraisons dans une émerveille sobre qui modifiait seulement la teinte de ses pupilles. Ces plantes pouvaient mourir, desséchées par un mal intérieur, et renaître de leur propre pourriture ; alors Man L'Oubliée, impassible auprès d'elles, observait leur renaissance avec le soin qu'elle aurait consacré à leurs splendeurs florales. Elle ne les cueillait pas. Elle pouvait se hisser à la fourche d'une branche pour contempler de minuscules bourgeons, mais l'enfant ne la vit jamais en approcher la main, ni tenter autre chose que de les regarder et humer leurs parfums. Elle y passait les premières heures de beaucoup de ses jours. Jour après jour. L'enfant

1. Les initiés interrogés (mystiques des bois ou papa-feuilles) m'ont confirmé cette pratique d'une méditation au pied d'arbres choisis. L'un d'entre eux m'a affirmé pouvoir ainsi capter la sève montante et, dans le même temps, s'élargir sur toute la surface que couvraient les racines.
2. Ces arbres apparaissent souvent dans les romans d'Édouard Glissant, selon une symbolique que je questionne toujours.

grimpait à ses côtés, observait lui aussi ces plantes singulières, mais son souci était seulement d'avoisiner sa protectrice. Parfois, il s'endormait au creux même d'une grosse branche tandis que Man L'Oubliée poursuivait ses insondables échanges avec une de ces plantes.

C'étaient des orchidées.

L'enfant les verra chaque jour sans trop savoir ce qu'elles étaient. Pendant longtemps, il les associera aux grands arbres d'Anne-Clémire L'Oubliée. Elles accompagnèrent son enfance mais aussi toute sa vie. Il en rencontra dans les terres de soleil et de pluie où ses passions guerrières allaient le déporter durant une charge d'années ; il en rencontra dans les îles Caraïbes, dans toutes les Amériques, dans tous les coins de l'Asie ou de l'Afrique. Il en vit parmi des roches brûlantes, dans des creux de falaises, au-dessus de cascades vrombissantes comme des monstres. Il en vit bourgeonner dans des cuvettes de neige fondue. Il en vit sous la frappe de soleils effrayants ouvrir des feuilles de cartilage disposées en faisceaux. Il en vit dans des ombres éternelles, parées de larges feuilles qui suivaient une lumière invisible. Certaines n'étaient qu'un plexus de racines, charnues comme des pattes d'araignée, d'où pouvaient éclore des fleurs étourdissantes qui duraient quelques heures, quelques semaines ou quelques mois. D'autres ébouriffaient des radicelles sensibles comme des éponges, et qui s'achevaient par un vert translucide offert aux alizés. Escortant ses errances, elles surgissaient partout, secrètes, protéiformes, avaient happé le monde dans le réseau de leurs racines, le possédaient en s'accordant à ses diversités. Au début de ses aventures guerrières, M. Balthazar Bodule-Jules ne leur accordait pas une maille d'attention ; puis il avait fini par les chercher des yeux ; enfin, il s'était fait soucieux d'en découvrir une à ses côtés. Souvent, il s'était trouvé coincé sur des sommets dépourvus d'oxygène, ou sur des pentes battues par des goules de vents froids, et, là, l'absence des orchidées (introuvables dans ces lieux de gels raides) l'avait fait soupirer. Une gêne. Un souci. Le trouble d'un mal à l'aise. Un ressenti pas-bien. Faisant le compte de ces instants, le vieil agonisant découvrit l'inquiétude qui l'avait possédé quand elles n'étaient pas là : il s'empressait de mettre violons-en-sacs, de descendre, s'éloigner, de rompre toute escarmouche afin de retrouver ces contrées moins hostiles où l'une d'entre elles, invisible au reste de la troupe, coifferait ses combats d'une bannière subtile.

Chaque matin, Man L'Oubliée s'installait entre les racines d'un de ces arbres. Elle y demeurait jusqu'au clair des raziés et le chant des oiseaux-pipiris atteints par la lumière. L'enfant (toujours pour se coller à elle) la rejoignait dès son réveil. Il imitait sa manière de s'asseoir, la tête posée sur ses genoux que ses bras enserraient. Elle ne semblait pas s'enfermer en elle-même ; l'enfant éprouvait le sentiment qu'au contraire elle s'ouvrait. Que ses yeux, sa peau, son esprit se répandaient dans les grands-bois comme une substance sensible. Il l'avait imitée à chaque fois, mais, craignant qu'elle ne décampe comme en maintes occasions, il n'avait pu s'empêcher de conserver les muscles raides, prêt à bondir sur les traces de ses courses insensées. Quand il fut capable de la rattraper sans efforts, cette crainte l'abandonna ; il put alors en toute sérénité modeler sa posture sur la sienne. Se détendre. Laisser aller. Déposer ses pensées. Ces moments sous un arbre devinrent des espaces de roue libre pour l'esprit de l'enfant. Mais cette liberté mentale se voyait submergée par le souvenir de ses parents. Qu'étaient-ils devenus ?... Que leur était-il arrivé ?... Qui était cette diablesse désireuse de le tuer ?... L'enfant coulait alors au plus fond de lui-même, en des zones douloureuses, confuses et tumultueuses. Quand il sut éviter ces questions, son esprit put zinzoler sans encombre sur la trame des feuillages, auprès des orchidées, vivre l'éveil des ramiers, s'émouvoir comme en rêve des vies incalculables qui les environnaient. À cette époque, tout cela n'était pour lui qu'une rêverie propice à lui ôter conscience de sa situation ; il se rendormait jusqu'à ce que Man L'Oubliée lui ordonne le départ... Voilà... Rien de plus que cette écume de souvenirs... M. Balthazar Bodule-Jules l'avait une charge de fois rencontrée dans ses songes...

Mais, à présent, le vieil homme (bouleversé) découvrait combien une vigueur surprenante l'investissait alors. Il eut une clairvoyance soudaine : l'enfant ne faisait pas que rêvasser ; il accédait à un état spécial !...Dans son esprit, des visions de leurs drives se chevauchaient lentement : ravines pluvieuses, arches de bambous, falaises animées de cascades... Puis surgissaient des lieux inaccessibles aux regards ordinaires : grottes de feuillages bien closes sur une ambiance de cathédrale, ignames en mûrissement dans des matrices terreuses, topographie d'une liane-paroka étale à l'infini... Enfin, soûl de saveurs et de vertiges, le mental de l'enfant s'éparpillait dans la masse végétale. Il se sentait flotter au cœur liquide des sèves, dans des bouillons de matières mortes et d'énergies couresses. Il baignait dans un grouillement de choses aveugles, qui parasitaient, détruisaient, décomposaient, captaient des gaz fugaces comme une vapeur d'alcool. Des quintessences pulsaient du sol ou s'écoulaient des alchimies de la lumière. Elles ranimaient les matières mortes, troublaient les fibres vivantes, administraient les équilibres et les déséquilibres de cet ensemble instable. Ces emmêlements énergétiques constituaient l'organisme invisible des grands-bois. Ils agissaient sur le corps de l'enfant et lui fortifiaient à chaque fois ses cellules (comme métamorphosées en fibrilles végétales). Ce phénomène devait sans doute se produire de façon identique dans le corps d'Anne-Clémire L'Oubliée. Elle devait y puiser comme à une source de jouvence. L'enfant apprit à s'y alimenter comme elle, sans même savoir pourquoi. Il devint aussi vif et rapide, aussi infatigable que son étrange protectrice. S'asseoir avec elle, chaque matin, sous le feuillage d'un de ces arbres, devint pour lui le geste machinal d'une vieille nature. Par la suite, il sut d'instinct se mettre dans cet état quand une faiblesse extrême mena-çait sa vie.

Il avait utilisé cette manière d'être en Indochine, tout au début de la révolution, une charge de temps avant « *la volée de bois vert infligée aux colonialistes français* » dans la cuvette de Diên Biên Phu. Hô Chi Minh n'était encore qu'un patriote rêveur ; on le disait ferré dans une geôle chinoise où il forgeait son âme et calligraphiait les cent poèmes de sa future légende. M. Balthazar Bodule-Jules avait dit se trouver dans la province de Cao Bang, parmi un groupuscule de paysans-guérilleros qui menaient la vie dure aux soldats japonais. Le jour, il somnolait dans les cours politiques dispensés par les cadres du Parti communiste indochinois, car il ne comprenait hak aux dialectes pratiqués. Mais, la nuit, il devenait précieux dans les attaques de véhicules, de postes de jungle, de bases villageoises où l'occupation nipponne tentait de convaincre l'habitant qu'elle leur apportait prospérité. Ce pays était une géographie de ventouses boueuses et de vracs végétaux, dans lequel, sous les yeux stupéfaits de ses compagnons d'armes, M. Balthazar Bodule-Jules se déplaçait à l'aise — *à la manière d'Anne-Clémire L'Ou-bliée !* se disait-il maintenant. Les paysages de l'Indochine rejoignaient ceux de son enfance : arbres à pain, cannes à sucre, manguiers, feuilles à choux, féeries des fougères, lianes, citronniers, mangroves, trombes de rivière, ru-meurs de mer, case en paille, volailles et cochons-planches se nouaient sans qu'il s'en aperçoive par-dessus la distance.

Un jour, à l'aube, de retour d'une descente contre un dépôt de munitions, il eut un pressentiment inexplicable. Il s'arrêta, enfoncé à mi-jambe dans l'eau verte qui bordait le sentier. La troupe de paysans-guérilleros continua d'avancer sur les pas de leur chef. La rizière s'éveillait à la brume du matin. Déjà, d'antiques paysans thaïs (ou Kha ou Moï ou d'une ethnie quelconque) y conduisaient des buffles et de petits mulets. M. Balthazar Bodule-Jules s'immobilisa flap. Il amorça l'arquebuse chinoise qui lui servait d'arme, puis (sans même savoir pourquoi) plongea dans la rizière en hurlant ce qui allait devenir son alarme favorite : *Difé pri!...* D'apocalyptiques rafales décimèrent sa troupe en moins d'une seconde, il fut martelé par une pluie de chairs d'os de cervelle de sang qui lui brouillèrent la vue et le glacèrent d'horreur. Avant qu'il n'ajuste son tir, il se vit fracassé par une avalasse de crosses et de bottes japonaises.

Et il se retrouva dans une cage.

Une cage de bambou jaune pas plus grande que ça. J'avais une épaule coincée entre mes genoux, et la tête de travers. Un de mes bras était plié au-dessus de ma nuque, et l'autre passait dessous mes fesses pour se bloquer entre mes chevilles. Ils m'avaient noué au cou une courroie de cuir qu'ils pouvaient tordre à volonté. Bouger, c'était mourir. Respirer, c'était un falbala. Je devais avoir des os fendus, et ne disposais plus d'une goutte de sang dans mes artères car de bidimes caillots m'emmaillotaient d'une gangue épaisse. Les Japs me laissèrent dans cette cage durant quatre semaines, couvert de miel et mangé à moitié par des grappes de fourmis carnivores, de tiques-buffles et de sangsues sadiques. Ils n'en revenaient pas d'avoir trouvé un nègre dans une horde de bouseux communistes. Ils ne pouvaient pas comprendre ce que je faisais là, ni même d'où je pouvais provenir. M. Balthazar Bodule-Jules comme d'habitude avait fermé la bouche, muet sous les coups de crosse, muet sous les flagellations

162

aux câbles de bambou, muet dans cette cage que l'on plongeait dans un trou d'eau putride jusqu'à ce qu'il hoquette au bord de la noyade. Alors on le remontait pour le plonger encore. Je vis la mort douze fois et l'enfer à chaque fois. Je vis la bête-à-man-Ibê. Je pleurai trente mille roches et pissai de la chaux. Je traversai chacun des cercles de Dante — mais *je* restai vivant. La nuit, ils posaient cette cage aux abords des fourmis scélérates, avec juste un bol d'eau sale et une boule de riz puant pour m'entretenir une maillezingue de vie. Les fourmis me couvraient, et je crus devenir comme Valmiki (ce chantre indien du *Ramayana*) dont la sagesse se mesura à l'épaisseur d'une fourmilière qui l'enveloppa entier. Pour moi, ces fourmis n'attestaient que de douleurs et d'envies de mourir. Mais je restais vivant. Djok. Indestructible, à tel point que mes bourreaux (vaincus par l'ennui d'une torture monotone et qui ne m'arrachait pas un couik de souffrance) devaient se relayer. L'échec transformait leur visage illisible en des masques effrayants, dignes des danses gigaku ou des scènes démentes de leur théâtre nô. De rage, les Japs lui avaient enfoncé des bûchettes de bois dur dans le muscle des cuisses, brûlé la chair entre les mailles de bambous avec d'huileuses torches... Ils m'ont tout fait, tout infligé, j'ai tout senti, tout ressenti, mais je restais vivant. Vivant!... Indestructible!... car moi, camarades, j'ai de la race et la vaillance du bouc, j'ai l'énergie de l'igname pacala et du matété de crabe qu'on ne trouve pas dans vos pâtes Panzani!...Il avait raconté dix mille fois (en quinze versions) l'épisode de la cage et sa survie inexplicable[1]. Il attribuait celle-ci aux vertus des légumes du pays, et à sa force exceptionnelle dont il gonflait les descriptions pour tracasser les colonisés-consentants de son pays natal — tous victimes de malcadi au seul bruit de sa voix.

1. *M. Balthazar Bodule-Jules, un héros d'Indochine,* in *Martinique Hebdo,* août 1983. — *Un Martiniquais en Asie.* Rencontre avec M. Balthazar Bodule-Jules, Émission de RFO-radio Martinique, mercredi 30 septembre 1989. *Un nègre-marron : M. Balthazar Bodule-Jules,* Radio RLDM, 22 mai 1980.

Le vieil homme à l'agonie se revoyait dans cette cage, et son corps dans cette cage se superposait à celui de l'enfant, sous un des arbres spéciaux, aux côtés d'Anne-Clémire L'Oubliée. Il avait ramené ses talons sur le fauteuil d'osier, enserré ses genoux entre ses bras noueux et posé son menton par-dessus. Une sérénité sans pareille se dégageait de lui. Il semblait se répandre dans la case où l'assemblée demeurait silencieuse. On était en pleine nuit. Cousines, tantantes, amis, alliés dormaient dans un tracas de rêves et de ronflements sourds. Deux-trois quimboiseurs insomniaques le fixaient d'un regard que plus rien n'habitait. Seul Gasdo chien-des-bois, demeuré vigilant, surveillait ces ombres tremblotantes qui environnaient les trois lampes à pétrole. Les pêcheurs s'étaient enveloppés dans leurs grands cirés jaunes, et les pacotilleuses se protégeaient la face avec des châles brodés rapportés de Taïwan ou de Madagascar. Moi, j'avais (depuis déjà dix jours) perdu l'aptitude au sommeil. Je révisais mes tables sur la guerre d'Indochine et celle d'Algérie ; je tentais de situer sur des grilles embrouillées l'épisode de la cage et de ces aventures qui me revenaient en vrac. De temps à autre, je l'observais. Les yeux du vieux rebelle flottaient dans tous les sens. Il semblait devenu une substance légère, étale dans la maison, et même bien au-delà. Ses yeux répercutaient cet envol erratique. Quelque temps plus tard, quand je me mis à écrire cette histoire, les choses furent soudain presque évidentes pour moi : dans cette fameuse cage de bambou, M. Balthazar Bodule-Jules était entré en cet état bizarre qui, autrefois, l'éparpillait dans les grands-bois de son enfance. Au fond de l'eau putride, sous la charge des fourmis (des tiques ou des sangsues selon l'époque ou la version), alors que son corps ne disposait plus de la moindre vigueur, son esprit se séparait de ses chairs douloureuses. Il flottait. Il se mêlait à cette eau verte, pleine de terre, de substances végétales, d'organismes architectes de la vie et de la mort. Et il sentait ces grouillements de présences, ces équilibres instables entre la terre et l'eau, ce feu terrible signalé du plus profond du sol. Cela le remplissait d'une énergie que les Japonais ne pouvaient pas comprendre. Il résista ainsi durant plusieurs semaines. Ils le crurent mort souvent. Ils s'effrayèrent de ne pas l'entendre geindre sous la lèche d'une torche ou sous un pieu de bambou qui lui crevait la peau. Ils eurent peur de lui. Ils le maudirent en redoublant de férocité. Ce qui s'était produit était simple : il y avait parmi les Japonais un jeune soldat plus mince, d'apparence plus déliée que les autres. Il restait silencieux, arme au poing, prêt à déchiqueter le prisonnier sitôt que l'ordre lui en serait donné. Il aurait, c'était clair, mitraillé avec la foi en je ne sais quel dieu, sans macayage ni état d'âme. Dès l'arrestation, puis au fil des mouvements de la cage, le regard de M. Balthazar Bodule-Jules avait croisé le sien, le temps d'une zingue de seconde. M. Balthazar Bodule-Jules était prêt à mourir quand *holà !* il perçut (derrière le masque du jeune soldat, l'aigu fixe de ses yeux, sa détermination calme) un impalpable flottement quant à sa nature vraie. Il eut le sentiment soudain qu'il s'agissait d'une femme. Pas possible, qu'est-ce qu'une femme pourrait faire là, parmi ces isalopes ! ? Il ne sait trop pourquoi, ce sentiment se prolongea par l'illusion de voir, dessous cet uniforme, Anne-Clémire L'Oubliée : la même concentration de force, de détermination cyclonique, cette tension d'une féminité, ni virile ni fragile, mais délacée au plus extrême dans une plénitude confondante. *Je suis en train de tomber fou* [1] *!...* Mais cette vision le tisonna d'une énergie secrète, son corps ranimé recherca des ressources, et trouva en lui-même cet état si spécial que lui avait enseigné Man L'Oubliée. Au fond de la cage, il devint inaccessible à tout. Hors d'atteinte. Les Japonais (l'étrange soldat en premier) auraient fini par le tuer, mais, une nuit, le campement fut envahi par une

---

1. *J'ai rencontré des femmes tueuses.* Un entretien avec M. Balthazar Bodule-Jules, *Antilla Madame*, 1997.

horde de paysans sans terre (des Muong trafiquant d'un opium qui provenait du Laos). Ils décimèrent les Japonais, brisèrent la cage, le regardèrent comme s'il s'agissait d'une espèce inconnue de la lignée des singes. Ils l'abandonnèrent en lui laissant la vie du seul fait qu'il avait été le captif d'un ennemi ancestral. M. Balthazar Bodule-Jules ne revit jamais plus cet étrange soldat (mais nul jamais ne l'entendit s'en plaindre).

M. Balthazar Bodule-Jules s'était retrouvé seul dans ces marais, jungles de palétuviers, cavernes de calcaire, une semaine entière qu'il raconta par le détail dans des journaux écologistes, et là encore il avait pu survivre en devenant sans le savoir une manière d'Anne-Clémire L'Oubliée. Il avait pu retrouver son village et réintégrer la guérilla paysanne que Hô Chi Minh en personne allait reprendre en main pour créer les armées du Viêt-minh. M. Balthazar Bodule-Jules n'était alors qu'une sorte de chien de guerre, assoiffé de batailles, amoureux de la graisse des armes et du claquement de leurs culasses. Il ne recherchait pas le sens clair de ses actes, ni ne s'intéressait aux diatribes communistes que les cadres du Viêt-minh aboyaient dans les villages. Il voulait seulement se battre contre les colonialistes, n'importe lesquels, et apaiser une vieille douleur. Il était devenu maigre comme un chien-fer des plateaux du Mexique, ne mangeait chaque jour que vingt-trois grains de riz, buvait des eaux de source sous des filtres de pierre ponce, grignotait des fleurs de bananier bouillies. Il subissait tout le temps les glaciations du paludisme mais son énergie demeurait indomptable grâce à son mimétisme avec Man L'Oubliée. Il s'était si souvent identifié à elle que c'était devenu une seconde nature. Une mécanique de vie et surtout de survie. L'enfant voulait réduire ainsi la distance qu'elle maintenait de force entre son corps et le sien. Elle ne le touchait pas. Elle ne l'embrassait pas. Elle ne le frôlait pas. Ses massages (et les rares fois où elle le toucha pour soigner une blessure) furent des contacts aériens ou brutaux, légers ou profonds, toujours précis, toujours techniques. Lors de ses crises de larmes, elle lui ordonnait le maintien de son corps, la raideur de son dos, et créait de toutes pièces une alarme qui le forçait à de hautes vigilances. Maintenant, le vieil homme découvrait combien Man L'Oubliée avait tiré parti de ces alarmes factices. Elle l'avait maintenu en alerte comme une mangouste sauvage, lui avait enseigné le repos entre sommeil et veille. Elle l'avait forcé à rester prêt au bond, à la riposte lucide, à la fuite maîtrisée. Elle créait ces semblants de danger avec juste la suspension d'un geste, le figement de ses yeux. Il eut souvent besoin de sa chaleur, d'un contact apaisant, mais elle ne se départit jamais d'une distance implacable. L'enfant orphelin (en pleine adoration) ne put jamais entrer en fusion avec elle. Elle le projeta d'emblée dans l'immense solitude de son corps.

Après sa méditation sous un arbre, Man L'Oubliée se dirigeait vers une source et se lavait en compagnie de l'enfant. Jeux d'eaux. Éclaboussures. Fraîcheurs. Bonheurs. Elle devait se laver nue sans doute, mais M. Balthazar Bodule-Jules n'évoqua jamais cette question. Il est possible que le naturel même de sa nudité devînt un voile qui la dérobait au regard de l'enfant. Ils jouaient ensemble dans les écumes, et, là encore, elle lui dénouait le corps, extirpait de ses chairs des diableries invisibles qu'elle balançait par-dessus son épaule. Et, à chaque fois, l'enfant se sentait une maille plus léger, sans doute un brin plus fort. Man L'Oubliée riait, plongeait dans les bassins, disparaissait, surgissait dans une gerbe d'écume. C'étaient des moments de joie canaille où elle devenait plus vibrionnante qu'une touffe de libellules sous une pluie de carême. Cette fête aquatique inaugura chacune des matinées, même quand l'enfant, devenu adolescent, eut propension à s'y soustraire. Sa mémoire demeura pleine de ces jeux dans les eaux du pays. Maintenant, le vieil homme (acculé par cette mort qu'il avait tant défiée) se demandait pourquoi il y en avait autant, et quelle signification cela pouvait avoir.

À force d'égrener dans sa tête ces bons petits matins d'Anne-Clémire L'Oubliée, il s'aperçut que les eaux utilisées étaient bien différentes. Il revit des eaux tranquilles de marigots, un peu marron, un peu verdies, qui enserraient leur corps comme des miroirs fragiles. Il vit les eaux rapides des rivières qui les éclaboussaient d'une dentelle fugace et déclenchaient leurs rires. Il se vit dans les eaux mêlées des embouchures, mi-douces mi-salées, mi-bleues mi-vertes, mi-claires mi-troubles, dans lesquelles Man L'Oubliée s'enfonçait jusqu'aux hanches, bras tendus vers le soleil levant. Il se vit dans les eaux limoneuses des mangroves, entouré des torsades de racines échassières, de crabes silencieux et d'oiseaux apaisés, d'huîtres agglutinées et d'un grouillement de vies naissantes ; montaient vers eux des effluves de sève amère qui stagnaient comme du gaz dessous les bois pourris. Il se souvint, de manière brusque, que l'eau des sources de son enfance était aussi vivace que celle des cyclones, et que Man L'Oubliée propulsait sur chaque bout de son corps leurs bienfaits impalpables. Il se souvint des eaux lourdes de la côte atlantique (dans des criques de rochers déchiquetés par les vagues, couverts de colles-roches et de crabes sémafautes) qui les enveloppaient d'une carapace de sel ; Man L'Oubliée l'obligeait à garder cette armure océane le plus longtemps possible. Puis vinrent les souvenirs des eaux de déluge, des pluies tragiques, terribles, avalasses chargées d'ombres et de foudres qui fracassaient les arbres, et sous lesquelles Man L'Oubliée offrait son torse à d'invisibles bénédictions. Dessous ces eaux de fin du monde, elle dansait de manière lente, serpenteuse, offrant à l'eau furieuse chaque courbe de son corps ; l'enfant reproduisait ses gestes, et, à mesure qu'il grandit, développa sa propre

168

danse selon un rythme intime. Ils sortaient de là affaiblis, fourbus, les muscles travaillés d'une fougue électrique. L'enfant se sentait investi par l'orage. *Toutes ces eaux!* *Toutes ces eaux!*...

Ces temps d'eaux, examinés et réexaminés dans sa mémoire d'agonisant, lui déclenchaient une gestique de nageur. Les mailles d'osier de son fauteuil grinçaient lentement, comme au gré des dérives d'un lourd vaisseau fantôme. Son entour semblait s'être transformé en fluidités liquides. Ses mains (qui essuyaient de temps à autre sa face) semblaient combattre un ruissellement d'averse. Sa tête et ses pupilles allaient sur les remous d'une eau. C'étaient des gestes imperceptibles; la nuit, le silence, le calme de l'assemblée me les offraient dans un écrin. Je n'y percevais pas la légèreté des jeux d'enfance, car trop de gravité creusait les traits de son visage. Avec le temps, avec la mort si proche, avec le vrac des souvenirs qui lui venaient du monde, ces ablutions matinales s'étaient épurées de leurs rires et de leurs farces, et s'éclairaient de significances nouvelles.
Oh, comme il avait été longtemps aveugle!...
À certains moments, le regard de Man L'Oubliée se troublait, ses gestes (toujours les mêmes) devenaient solennels. Entre deux rires, elle officiait imperceptiblement. Le vieux rebelle n'y voyait plus des amusements mais des rites de purification, des bains de baptême, des liturgies de dissolution de tout ce que l'Yvonnette Cléoste avait dû projeter de maléfique sur lui. Ces ablutions ludiques étaient en fait des cérémonies! Des cérémonies pratiquées dans toutes les manières que pouvait connaître l'eau. Au fil de ses errances guerrières, M. Balthazar Bodule-Jules s'était toujours offert des plongées instinctives dans les eaux qui lui étaient données. Les eaux troubles des marécages, les eaux noires des mangroves qui écœuraient ses compagnons, l'avaient attiré comme des matrices régéné-

rantes où il devait à toute force s'immerger. Une fois libéré de la cage en bambou, il s'était traîné dans une flaque d'eau vaseuse, piégée par le calcaire sous des nœuds de jacinthes et de lianes aquatiques. Il était entré là-dedans comme dans un bain de purification. C'est là que j'ai détaché un à un les gros caillots de sang qui me transformaient en crapaud pustuleux. C'est là que j'ai dissous les déjections, la peur, l'horreur, la honte, l'humiliation, le goût de la mort qui m'étaient entrés au fondoc de la peau. C'est là que j'ai écrasé lentement chacune des tiques qui me suçaient les os, et chacune des fourmis, et chacune des bestioles qui n'avaient pas de nom ! C'est dans cette eau que je lavai chacun des trous de mes cuisses, chaque coupure de mes flancs, toutes ces balafres, ces cicatrices ! C'est dans cette eau trouble que j'oubliai mes brûlures pour malaxer mes chairs, me remboîter l'épaule, me défroisser les muscles, me déchiffonner l'âme, me remettre au mitan de mon corps et recouvrer le goût de vivre ! Je l'ai fait en Indochine, mais aussi en Algérie, mais aussi au Congo, mais aussi en Bolivie, tout-partout !... Oui, je l'ai fait dans les eaux du vieux Nil et dans des trous de merde sur les plateaux de Colombie ! Je l'ai fait à Cuba, en Jamaïque, à Saint-Vincent ! Tout-partout ! C'est pourquoi je n'ai pas peur des eaux, mes amis, je n'ai pas peur des fièvres, des bilharzies, des douves mangeuses de foie, des parasites qui vous crèvent l'épiderme et qui vous sortent des yeux comme des larmes gigotantes ! J'ai tout eu, tout subi, tout vaincu, le typhus, la fièvre des poux, la tique calamiteuse, la fièvre pourprée et la fièvre Q !... Sur mon dos, j'ai les stigmates d'un alphabet de pustules, d'herpès, d'ulcères, de boutons, de plaques et de gonflements glauques ! Qu'elles soient noires, blanches, roses, vertes, bleues comme de l'acier maudit, les eaux me furent à chaque fois bénéfiques, car j'ai pu y puiser plus d'énergie que de microbes, plus de vaillances que de virus... et cela grâce à l'usage qu'en faisait mon esprit ! Je ne suis pas comme vous mangeurs de frites-ketchup, qui ne comprenez plus le sens secret du monde [1] !..

Toutes ces eaux ! Toutes ces eaux !... Il se souvint de cette Amérindienne des selvas du Brésil. Elle s'était fossilisée dans son esprit comme une personne seulement énigmatique ; maintenant, elle s'offrait à sa mémoire avec autant de puissance qu'Anne-Clémire L'Oubliée. Cette créature (prêtresse, sans doute, d'un culte ancien détruit par les conquistadores) l'avait pris en compassion inexplicable. En ce temps-là, M. Balthazar Bodule-Jules divaguait en Amérique latine. Lancé sur les traces de l'*El Comandante* (Che Guevara l'imprédictible, qui avait surgi de nulle part pour s'en aller défier la mort sur les hauteurs de Bolivie), M. Balthazar Bodule-Jules avait traversé la mer des Caraïbes sur un cargo de lambis congelés, rasé la côte vénézuélienne en compagnie de Polonais experts en schistes bitumineux, longé le Suriname, et atteint l'Amazone sur la pirogue d'un Boni de Guyane. Il s'était perdu durant deux mois dans le lacis des affluents jusqu'à une ville étrange (un peu avant Cuiabá) d'où, avec un guide amérindien, il espérait atteindre la Bolivie. Mais M. Balthazar Bodule-Jules, déjà fourbu par je ne sais quels combats précédents, fut pris de fièvres salopes aux abords de cette ville. Il réussit à pagayer vers un fourbi de paillotes flottantes sur des terres spongieuses ; là, une âme charitable lui offrit un hamac. M. Balthazar Bodule-Jules s'y laissa tomber comme un pantin basculerait dans le noir d'un abîme. La ville (au nom imprononçable) avait connu de hautes splendeurs entre le caoutchouc, les nuées de chercheurs d'or et le trafic du manganèse. Elle végétait depuis comme une tortue empoisonnée, envahie par les fougères de marécage qui distillaient sur elle les voiles d'une lumière

1. *Plus loin avec M. Balthazar Bodule-Jules,* sur Radio Caraïbes Internationale, Martinique, décembre 1989.

molle. Son peuple d'hommes blancs amers, de nègres damnés et d'Amérindiens fous, abandonnés des femmes, se consolait en gestes mécaniques sur les exploitations. Le soir, ils remontaient les rues désertes pour s'assembler entre une église fantôme et une station d'essence dont les pompes leur débitaient (en échange de pépites) un alcool végétal couleur de pus sanglant. Ce poison déclenchait dans leur tête des visions d'océan qu'ils fixaient de leurs yeux de Touareg solitaires, puis ils se masturbaient avec des mains mélancoliques, aux doigts omnipotents. M. Balthazar Bodule-Jules avait souvent, par le monde, rencontré de ces lieux, saisis dans un temps immobile que déchiraient seuls des cris de singes rageurs, d'oiseaux sans nids et d'un vrac de bestioles. Lui, pris dans les accélérations de ses guerres, y tombait toujours avec surprise, comme dans le colta d'une syncope soudaine. Son hôte (un vieux Malgache mâchonneur de coca), craignant qu'il ne rende l'âme dans le hamac, lui fit crier une sorcière des bois.

Ce fut l'Amérindienne.

Il fut pris en soins par cette femme dont l'origine lui resta inconnue — peut-être une Yanomanis ou une Yanoámas [1]. Petite, sans sourcils, la peau cuivrée, les cheveux lui couvrant les épaules, emmaillotée dans une toile de jute teintée par l'argile rose (qu'elle utilisait moins comme on porte un vêtement qu'en guise de bouclier contre des forces mauvaises). Elle l'avait soigné avec plus de sollicitude qu'il n'en aurait fallu. Elle n'était pas belle mais un charme magnétique nimbait son souvenir. Elle s'était presque effacée de son esprit, mais, là, elle lui revenait comme une offrande des eaux. Dans le brouillard des fièvres, elle fut d'abord pour lui une ombre presque immobile, puis une face impavide penchée sur ses délires, enfin, un corps aux

---

1. M. Balthazar Bodule-Jules : *Je suis un Américain !* Radio banlieue relax, 1976. — *Sauver le Che !* Un combat du Martiniquais Balthazar Bodules-Jules, in *Le Naïf*, n° 245, 1981.

gestes sûrs, vecteurs d'une énergie brûlante. Dès qu'il put se lever du hamac de vieilles cordes, l'Amérindienne l'emmena dans des fonds de mangrove, en des côtés où une source invisible agitait l'eau dormante d'une écume noire, d'une écume blanche, et d'un grouillis de soufre. Elle l'obligeait à quitter la pirogue, et le rejoignait, qui tremblait, fiché jusqu'à la taille dans le limon obscur. Elle l'empoignait comme s'il s'était agi du berceau de Moïse, et l'étendait au fil de l'eau à la manière d'un filtre qu'elle voudrait nettoyer. Elle manœuvrait son corps selon une chorégraphie lente, qui agitait l'eau noire d'un déploiement de cercles parfaits et d'ondes contrariées. Très vite, ils se retrouvaient au centre d'une fresque liquide, toute en effets sphériques et en frissons imprévisibles. Parfois, elle le serrait contre elle, et, ensemble, légers comme des éponges, ils ondoyaient dans cette écume curieuse qui avait goût d'éther. L'Amérindienne abandonnait toujours le drapé de ses toiles, et lui se trouvait nu comme un ver de palmiste. Ce rituel de leurs corps, plongés collés-serrés dans des eaux limoneuses (parmi les nénuphars qui ouvraient çà et là de glauques pupilles d'ivoire), se répéta près d'une dizaine de fois. Cagou mais surtout fasciné, M. Balthazar Bodule-Jules se laissait faire comme un doux ababa. Certains jours, avant le bain, elle s'envoyait (du bout d'un fin bambou) un peu de poudre dans les narines — une poudre végétale, grise, fleurant le mimosa, qui la rendait un peu plus irréelle, et semblait la relier aux forces qu'elle invoquait pour soigner son malade. À bien y réfléchir, M. Balthazar Bodule-Jules se disait maintenant qu'elle avait dû combattre en lui bien plus qu'une simple fièvre des bois : elle le fixait avec les yeux d'une visionnaire qui distinguerait les ailes crochues d'une ombre dans les plis de son âme. Il n'avait jamais eu conscience qu'elle lui avait parlé, pourtant il découvrait en lui le timbre sombre de sa voix, en chantés, en prières, en paroles sentencieuses. Elle lui répétait (dans un vent d'espagnol, de portugais et de lan-

173

gages perdus) que l'eau est la mémoire des formes, que l'eau portait en elle la substance initiale de toutes matières possibles, que l'eau était l'informe d'avant la forme et d'après toutes les formes. Il y avait en cette Amérindienne des tristesses millénaires de femmes, d'enfants, de guerriers humiliés, de dieux décomposés ; ses yeux illisibles semblaient pétris dans la souffrance (à jamais stupéfaite) de ces peuples décimés par les conquistadores. M. Balthazar Bodule-Jules s'était vu fasciné par cette femme sans âge, dont il connut pourtant la douceur ferme des seins, et le ventre électrique plaqué contre le sien dans la succion des eaux, et pour laquelle il n'éprouva qu'une sidération. Lui qui fut toujours une flambée virile, à l'arraché-coupé, se contenta de l'observer comme il avait zieuté l'Anne-Clémire L'Oubliée de son enfance lointaine. Qui étais-tu, l'Amérindienne, et d'où provenait cette force dans ce lot de tristesses ?... C'est sans doute elle qui peuplait son esprit quand, évoquant ses dérades en Amérique latine, et sans qu'on sache pourquoi, entre deux envolées, il répétait ce bout de poème d'Aimé Césaire : ... *le sucre du mot Brésil au fond des marécages... le sucre du mot Brésil au fond des marécages...* À l'époque, il était moins préoccupé par elle que par cette ville étrange qui s'effaçait à leurs côtés, ou par ces toucans-tête-frisée qui, séduits par l'odeur de son corps malade, s'agglutinaient autour de lui. La nuit, demeuré seul dans son hamac pouilleux, il guettait les fourmis aveugles qui avançaient pinces en avant sous le couvert des feuilles, ou ces araignées-bœufs (sensibles au point de perdre leurs poils à la première frayeur) qui voulaient dès minuit l'emmailloter dans leur cocon broyeur. Malgré ses insomnies, il n'avait pas le temps de méditer sur elle, car il voyait surgir des biches hystériques et soupçonnait des pumas invisibles qui les suivaient de près. Il avait sorti de son barda d'armes et de munitions un pistolet-mitrailleur (beretta 38/42 au bloc-culasse d'une pièce, pas une menace mais un danger... !) et un bon vieux coutelas aiguisé au silex, et s'apprêtait à vendre sa peau contre des ombres d'anacondas qui frôlaient son hamac ; mais ce n'étaient le plus souvent que des espèces de rats nageurs ou des familles de manicous. Le jour, dans la lumière spectrale, il levait son front douloureux vers la voûte végétale, vers les frondaisons hautes où la vie explosait en fleurs, en colibris, en singes, en sucriers et en lots de bestioles soûles de vouloir-vivre. Il voyait parfois tomber leurs corps privés de vie dans les eaux noires ou dans l'humus sans âge où les attendait une civilisation de petits charognards. En bas, dans l'ombre, la vie était furtive, comme zombifiée ; là-haut, près du soleil où les arbres et les lianes mêlaient leurs bienveillances, explosait l'énergie de cette forêt. La vie était là-haut, et, dans ce marécage, près de cette ville démantelée, enjôlé par cette femme qui le laissait sans voix, il se sentait coincé dans une boucle du temps — et menacé de pétrification. Son état s'étant amélioré, il n'avait que l'idée de rejoindre le Che, pourtant il restait flasque au fond de ce hamac de merde, dans l'attente extatique de cette Amérindienne qui surgissait dès l'aube du fond des marécages. Elle se déplaçait sur un radeau de fougères sèches et s'approchait de lui avec la certitude d'un prédateur qui aurait déjà paralysé sa proie. Et M. Balthazar Bodule-Jules se laissait faire. Dans cet engourdissement mêlé d'angoisse, il se surprit à rechercher une orchidée quelconque comme un égaré chercherait un repère (c'est donc pourquoi il levait si souvent la tête vers les frondaisons hautes). Un jour, il en vit une, de loin, inatteignable — alors il se sut protégé : elle émergeait d'une treille de feuilles très fines, enroulées comme des tubes avant de s'offrir en écrin pour de minuscules fleurs pourpres ; elle arborait une chevelure de racines mortes, peuplée d'insectes, qui l'imprégnait d'humidité et de sels minéraux. Il la regarda à mort. Il se soûla de sa beauté. Il ne sut jamais si ce fut cette découverte qui le revigora ou le traitement de sa dangereuse bienfaitrice. Il put s'en arracher un jour, bien avant l'aube, très vite, trop vite — taraudé, expliqua-t-il, par la peur d'arriver trop tard auprès de l'*El Comandante* que l'on disait cerné par les rangers américains. Il reprit sa remontée sur la pirogue d'un Allemand schizophrène (chasseur de coléoptères bleus) que lui avait déniché le Malgache à coca, et se perdit dans d'autres rencontres de femmes dans les passes hors du temps de ce fleuve Madeira. Qui étais-tu, l'Amérindienne, et quelle, cette eau, périlleusement donnée ?

> Il n'avait pas les yeux glacés,
> mais pour lui, dès le premier regard sur le monde,
> il sut qu'il n'y avait nulle part plus une maille d'innocence.
>
> « Notre morceau de fer ».
> *Cantilènes d'Isomène Calypso,*
> conteur à voix pas claire de la commune de Saint-Joseph.

Et cette Indienne, un peu bossue, qui elle aussi l'avait troublé. Sa peau sentait l'huile de sésame, et ses cheveux noir-bleu accompagnaient la balance de ses reins telle une pluie ralentie. C'est elle qui lui contait (lors de bains vespéraux dans un de ces lacs qui se creusent dans le limon du Gange) que les filles naturelles étaient filles des fontaines, et qu'une légende chinoise affirmait que les dragons étaient alliés aux eaux par les nuages et par les océans, et que seule cette vertu leur permettait parfois de féconder les princesses nubiles à odeur de poisson... *Toutes ces eaux ! Toutes ces eaux !...* La bossue se vêtait d'un sari qui lui moulait le corps comme une algue brillante, et se couvrait de nénuphars pour lui conter sans fin que, sur les eaux des premiers temps, les lotus furent le berceau des dieux — du dieu Vishnu, du dieu Brahma. Le nom de cette Indienne s'était perdu, et les traits de son visage n'avaient laissé l'empreinte que de son regard sombre, ouvert comme un regard d'enfant, et lumineux à force de nuit sans fond. Ce qui demeurait d'elle se retrouvait dans l'eau. Elle savait transformer l'onde lacustre en substance voluptueuse ; elle le faisait avec les cercles de ses mains, les houles et les

176

orages de sa chevelure libre, le bouillon qu'elle savait engendrer à hauteur de ses seins. L'imperceptible contre-danse de ses hanches imprimait à ce lac sacré un ondoie-ment sensuel. M. Balthazar Bodule-Jules recevait les remous de cette eau comme autant de caresses. Et pour-tant, pièce désir n'avait arqué son corps; tant qu'il demeura dans cette région, auprès de cette bossue et qu'il fit chaque soir cette descente dans le lac, il n'eut jamais envie de goûter sa salive, de lui mordre les seins, de la dompter sous un de ces ruts de cosaque affamé dont il avait coutume. La volupté des eaux l'emplissait tout entier, le rassasiait à fond, et il contemplait cette gracieuse bossue comme l'axe d'une lumière qui dévoilait le lac... C'était sans doute l'époque où M. Balthazar Bodule-Jules s'était retrou-vé sur les rives du Gange en compagnie de quatorze désolés venus de Madagascar — ces bougres avaient perdu toute joie de vivre en se battant contre des Français pour leur indépendance. Ils étaient tombés sur M. Balthazar Bodule-Jules, par hasard, dans une taverne de Port-Louis, en île Maurice, où ce dernier guettait je ne sais quelle charmante (ou quel cargo de contrebande pour je ne sais quelle guerre). Avec des yeux de zombies, les Malgaches lui décri-virent des horreurs qui les mettaient encore dans un état de transe. Un général français (général Garbay, ton nom trouble ma mémoire d'un jappement de chien-fer [1]... !), à la suite d'une insurrection indépendantiste, avait jeté sur les terres malgaches un enfer que des nazis seuls auraient pu concevoir. Ils lui parlèrent de femmes flagellées sur ordon-nance du général, d'hommes dévertébrés à la tenaille rouil-lée, au couteau écorcheur et à la flamme bourrelle. Ils évoquèrent des centaines de jeunes bougres tordus comme des cordes tressées, et enterrés tout flasques sans un os qui les tienne... Ils lui dénombrèrent (avec des chevrotements de vieillards précoces) une liste de plus de cent mille morts

---

1. *Il faut parler des colonialistes!*... Une chronique de M. Balthazar Bodule-Jules, sur *Radio Campêche, la radio* carrément news and music, 1989-1990.

qu'ils désiraient venger vaille que vaille coûte que coûte. Puis ils se turent, yeux aux abois, craignant que M. Balthazar Bodule-Jules ne les prenne pour des fous, mais lui — qui fut témoin de tant de scélératesses coloniales — retrouva là-même sa sacro-sainte colère, et détourna sa route pour les aider à se trouver des armes. C'est lui qui leur conseilla l'Inde où des descendants de cipayes (ex-soldats indiens de l'armée britannique) menaient un trafic ancestral de vieilles armes volées à la Couronne. Mais la rencontre avec les descendants-cipayes s'était mal passée. Ces trafiquants voulurent refiler aux Malgaches des fusils Lee-Enfield, d'antiques casseroles cracheuses de flammes noirâtres, que M. Balthazar Bodule-Jules écarta sans mollir, exigeant des Sniper L96A1 à culasse fixe ou des fusils Mk III, capables de balancer quinze cartouches-minute dans l'œil d'un moustique!...Désireux d'évacuer leurs stocks de pourritures, les cipayes accusèrent M. Balthazar Bodule-Jules d'être un asticot de la CIA ou une taupe du KGB, et rompirent l'entrevue. Ces malades revinrent, mais en pleine nuit, pour les surprendre dans leur sommeil, les saigner et emporter la cagnotte des Malgaches. Ils leur tombèrent dessus à coups de sabre et de bambou empoisonné, puis se mirent à mitrailler dans tous les sens. M. Balthazar Bodule-Jules dut mettre en œuvre sa science des z'attrapes pour se jeter dans l'eau sacrée du Gange. Il regagna la rive à quelques mètres plus loin, puis revint en prenant les foubens à revers. Les Malgaches désolés avaient pour la plupart été massacrés ou avaient disparu dans les jungles avoisinantes (il ne devait plus jamais les revoir). Profitant de la nuit, il harcela les descendants-cipayes avec ses méthodes imprévisibles de tireur solitaire (... Ah manmaye, j'avais un Carcano M1938, de fabrication italienne, calibre 6,5 mm sans sentiment, et qui pouvait lancer-descendre six coups-minute à plus de sept cents mètres-seconde! C'est avec une bête comme ça que Lee Harvey Oswald allait tuer Kennedy...! J'étais à gauche mais je tirais à droite, en tirant du centre je donnais l'impression d'être posté sur la gauche. J'étais en haut en bas, et en boulant je pouvais leur balancer quatre ou cinq coups obliques, si bien qu'ils se crurent encerclés par une légion de tirailleurs furieux, et commencèrent à maculer leur pagne de la dernière des cacarelles! J'aurais pu les descendre tous [1]...) jusqu'à ce qu'un débris de grenade aveuglant lui cognât la poitrine de plein fouet. Aveuglé, le torse en feu, il trouva moyen de bouler vers la rive, et de se livrer une fois encore au Gange qui l'emporta entre les impacts épouvantables d'une mitrailleuse Spandau.

Il avait dérivé durant la nuit entière, puis s'était réveillé sous le regard de la bossue. Elle avait dû le traîner au fond d'un temple-caverne, au bout d'un labyrinthe quasi impraticable. Le vieil agonisant se souvint tout à coup que l'Indienne l'avait regardé avec la même fixité que l'Amérindienne des marécages — à croire qu'elle avait vu en lui, elle aussi, une menace hypothéquer son âme. L'Indienne l'avait soigné. M. Balthazar Bodule-Jules était resté durant un lot de jours dans un état pas-bien, peuplé de rêves et de visions visqueuses. La bossue vivait retirée dans ce temple de pierres plus anciennes que les arbres immenses qui les environnaient. Cette caverne avait dû être creusée aux époques de la gloire du Bouddha, et, depuis, de multiples dieux hindous et djaïns étaient venus s'emmêler dans les gravures, les fresques et les ciselures qui couvraient à profusion le moindre millimètre. Les descendants-cipayes avaient écumé les rives du fleuve pour retrouver son corps. Ils le croyaient mort mais un doute taraudait leur esprit et, à plus d'une reprise, ils avaient dû rôder aux abords du sanctuaire, interroger l'Indienne qui inexplicablement avait pris le parti d'aider M. Balthazar Bodule-Jules. Dans un état de faiblesse extrême, il restait allongé dans un ren-

---

1. *Souvenir de combats — Les exploits d'un grand Martiniquais : M. Balthazar Bodule-Jules*, Radio Lévé Doubout, Martinique, 1990.

foncement de la pierre, tout au fond des dédales du temple abandonné. Sa cache était envahie de mousses sèches et de concrétions minérales aux reflets bleus et roses. L'Indienne disparaissait dès l'aube, et surgissait à ses côtés au coucher du soleil, avec ses tisanes d'épices qu'elle instillait entre ses lèvres tremblantes. Durant ses heures de solitude fiévreuse, c'est à la lueur d'une loupiote de résine, dans une atmosphère nébuleuse, qu'il découvrit à loisir les minutieuses sculptures qui tapissaient les parois du sanctuaire. Il ne les avait pas vraiment regardées, il les vit car il n'y avait que cela à voir, et c'est maintenant qu'elles lui revenaient avec une netteté phénoménale — à croire qu'il les avait examinées durant une vie entière. Elles lui engouaient maintenant l'esprit, mêlées au visage de l'Indienne et aux cérémonies aquatiques d'Anne-Clémire L'Oubliée. *Toutes ces eaux! Toutes ces eaux!...*

Sa poitrine était une meurtrissure, des côtes s'étaient cassées, une clavicule fêlée. Il ne sut trop comment, mais les soins de l'Indienne estompèrent tout cela au bout de trois semaines. Quand il put se mouvoir, l'Indienne (elle lui parlait dans un français grand siècle) lui montra l'ensemble de la caverne sacrée. Salles de prières. Salles d'adoration. Salles d'offrandes. Chambres de reliques. Déambulatoires. Renfoncements mystérieux. Couloirs s'enfonçant en boyaux au fondoc de la roche. Les pillards l'avaient maintes fois écumée, certaines sculptures s'étaient vu desceller; partout régnait une atmosphère de ruine accomplie et d'intangible éternité. Elle le faisait respirer longuement, et marcher pour activer son sang. M. Balthazar Bodule-Jules, furieux de tout ce temps perdu à cause d'une blessure, s'accrochait à son épaule comme à une planche lors d'un naufrage. Rendu muet par les vrilles de souffrance dans son torse, il feignait de voir ce qu'elle lui présentait, mais, en vérité, il ne s'en souciait pas. Maintenant, il se remémorait ces déambulations, tentait de retrouver chaque détail, réinvestir chacun de ces instants qu'il avait cru temps-morts et qui se révélaient en finale prodigieux. L'Indienne déployait envers lui une sollicitude inexplicable. En marchant, elle murmurait des sortes de prières, des instructions rituelles, des poèmes et des formules assurément magiques. Ces murmures résonnaient comme un bourdonnement aux oreilles de M. Balthazar Bodule-Jules. Ils provenaient de quatre parchemins qu'elle lisait toutes les nuits — quatre Veda des temps anciens. Ces vibrations sonores, mantras terribles, résonnaient dans le crâne de M. Balthazar Bodule-Jules, et apaisaient le feu de ses poumons. Il avait prêté l'oreille, quand de temps à autre, pour l'intéresser, elle lui avait lu en anglais victorien, comme pour un enfant à l'orée d'un sommeil, dix mille des cent mille stances du *Mahabharata*. À l'époque, M. Balthazar Bodule-Jules l'avait crue délirante car cela lui semblait sans queue ni tête, mais (par la suite) il comprit que ces lectures provenaient de l'immense conte, déployé comme le plus vaste des arbres. Ce chanter de fureurs guerrières lui restitua ses propres errances dans des batailles, des fuites, des échecs, des amours, des victoires... Lui qui avait connu des nuits entières de contes créoles fut — soudain, dans les lucidités neuves de sa lente agonie — frappé par les similitudes entre le *Mahabharata* et les parlers de plantations — entre le *Mahabharata* et tous ces autres chants qu'il avait rencontrés. Le vieil agonisant crut entendre, mêlée à la rumeur des pays qu'il avait traversés, une spirale de voix multiples s'enrouler autour d'une intention semblable. Il eut l'intuition d'une vibration de la parole commune aux peuples naissants, et par laquelle, dans la diversité des langues, des mythes et des mystères, ils avaient tenté d'articuler le désordre des hommes dans le désordre du monde. La Parole! La Parole!... Je le vis exulter dans son fauteuil d'osier, et crus entendre distinctement ces mots : La Parole! La Parole!... Maintenant, ces chants guerriers dont elle l'avait instruit rejoignaient dans sa tête d'autres paroles immenses récitées par ses compagnons d'armes. Aux pires instants des luttes ou lors des rares partages d'une brève félicité, ces rebelles à l'ordre colonial avaient murmuré quelques paroles, deux-trois stances, une enfilade de vers, sept miettes de trois versets... Il avait fallu à M. Balthazar Bodule-Jules des lectures personnelles et du temps pour les identifier. Et le vieil homme, heureux je crois, les retrouvait maintenant, circulant dans son esprit, parés de leurs énigmes et de leurs obscurités : Ah! j'ai entendu l'*Épopée de Gilgamesh* du peuple de Sumer! Je sais le *Kalevala* des Finlandais où la langue tranche plus souvent que l'épée... J'ai barboté dans le *Livre des morts* des Égyptiens, et dans leurs livres de pierre ou de vieux papyrus!... J'ai cru comprendre le *Popol-Vuh* amérindien où l'homme naît du maïs, et quatre des huit *Livres du Chilam-Balam*... Je me suis cherché dans le *Mvet Ekang* du Cameroun, dans l'*Herekali* des régions swahilies, dans le *Marôn Jagu* des Soninkés, au fil de la célébration des griots africains... J'ai trouvé dans le *Gesar* tibétain une chanson qui redonne du courage!... Et l'*Histoire des trois royaumes* ou l'*Au bord de l'eau* chinois passent dans ma tête comme des coulées sans fin! Quant au *Heike monogatari* des Japonais, c'est comme un reflet de coutelas où j'ai dû me débattre... *car le pire, agneaux de sacrifice, c'est que derrière tous les fusils que j'ai pu renrencontrer il y avait ces chants* [1]!... Il lui aura fallu les apaisements de l'âge pour mesurer combien ces gestes fondaient des communautés d'âmes, et comment, dans ces tissus verbaux, les rebelles puisaient force de refuser la botte colonialiste. Maintenant, dans son fauteuil d'osier, je vis le vieil homme être autrement sensible à ces êtres d'épopée qu'il disait proches de lui : tous étaient agis par une Malédiction, elle les broyait, les projetait dans les errances martiales d'une vie confrontée à un contexte nouveau. Auprès de l'Indienne, il se souvint alors qu'il avait

---

1. *Le socle culturel des grandes révoltes,* article de M. Balthazar Bodule-Jules, in *Acoma,* n° 5, Martinique, 1976.

sangloté (sans doute à cause des élancements de sa poitrine) en bégayant sans pouvoir s'arrêter *Malédiction ! c'est la Malédiction !...* car il avait peut-être songé, avec rage et terreur, à l'Yvonnette Cléoste.

La caverne était profonde d'une quarantaine de mètres. Des colonnes sculptées soutenaient son avancée dans la roche ténébreuse. Des arcs de voûte amorçaient les boyaux, et figuraient par leurs volutes l'invisible des cieux. Tout était déserté. Cet abandon soulignait l'activité des milliers de sculpteurs, venus là porter au fil des âges l'ivresse de leurs croyances et de leurs religions. Un univers encore plus foisonnant que la jungle elle-même avait saisi la pierre. M. Balthazar Bodule-Jules vit les étonnantes sculptures du temps des princes Gupta. Aux côtés des finesses du bouddha hautement stylisé s'accumulèrent les représentations très achevées de tous les dieux de l'Inde. Les fleurs de lotus côtoyaient les serpents et les mythes populaires. Des éléphants, des princes, des ondines sensuelles étageaient leurs présences frémissantes. Les divinités mêlaient leurs formes et leurs visages, partageaient leurs pouvoirs, se modifiaient l'une l'autre, tout en demeurant au cours des temps les mêmes. La caverne vibrait d'un ouélélé d'adorations et de dérèglements, qui provenait de partout, et qui l'emplissait de multiples présences. La solitude et le mystère de l'Indienne se peuplaient de tout cela. Elle y vivait seule — mais dans ce foisonnement inépuisable. Elle vivait retirée — mais dans une participation à toutes les formes de l'existence. Elle vivait hors du temps — mais s'immergeait jour après jour dans le concert de tous les temps de l'Inde. Elle semblait immuable — mais acceptait des dieux divers, changeants, fluides, s'absorbant l'un l'autre et demeurant les mêmes dans un charroi ouvert. Elle était bien plus vivante que moi ! Bien plus présente que moi... se dit soudainement le vieil homme. Il était persuadé que ses errances sans fin lui avaient conféré comme une

183

science du monde, et là il découvrait que l'Indienne, immobile dans sa seule caverne, enkystée dans l'imaginaire touffu de son pays, portait en elle, vivait en elle, une dimension qui pouvait avaler tous les paysages et tous les hommes qu'il avait rencontrés. J'ai trop bougé... gémit l'agonisant, je n'ai été qu'un voyageur...

Une fois, les cipayes envahirent le temple et s'avancèrent avec circonspection parmi les dieux sculptés. Regards en fourmis rouges, ils cherchaient un éventuel indice de la présence du tueur qui les avait si salement mitraillés. Ils avaient cru trouver quelques-unes de ses traces et un peu de son sang sur le limon de la rive. L'Indienne les avait vus venir. L'agonisant se souvint alors qu'elle l'avait emmené se cacher à l'autre bout d'un labyrinthe secret, hors d'atteinte des pillards les plus déterminés, dans une crypte funéraire — une creusée magnifique où l'islam rejoignait l'hindouisme en des mélanges de marbres blancs et de grès rougissant, avec un dôme de jaspe sanguin et d'éclats de lapis-lazuli. C'était son lieu de retirement; elle venait y vivre pendant des heures l'extrême du silence et des contemplations. M. Balthazar Bodule-Jules et elle demeurèrent là, sans un mot, côte à côte, dans l'attente que les cipayes se fatiguent et s'en aillent. Il sentait contre ses flancs la chaleur de son corps et l'odeur d'huile de sésame qui nimbait ses cheveux. Son immobilité était totale. M. Balthazar Bodule-Jules se crut un instant enseveli dans un caveau auprès d'une sainte pétrifiée. Des fleurs minuscules habillaient les parois d'incrustations infimes, qui miroitaient dans l'ombre comme des astres naissants. De minuscules placages de feuilles d'or (cloutées de pierres précieuses microscopiques) servaient d'écrin à d'autres fleurs d'ivoire enchâssées dans la roche. Cette crypte éternisait le souvenir d'un artiste oublié pour un être perdu. Il l'aimait, lui dit-elle, je ne sais pas qui elle était, ni même qui cet homme pouvait être : c'est tout ce qui reste d'eux... Et l'Indienne s'était tue, comme avalée par cette adoration qui transcendait la pierre. Alors, le vieil homme se rendit compte que lui, malgré ses impatiences et son désir de s'en aller, en ces longues heures où ils furent ensevelis dans le silence de cette crypte, que lui, M. Balthazar Bodule-Jules, l'avait aimée sans le savoir.

Le vieux rebelle se souvint alors de l'ovale tendre de son visage, une peau sombre, éclatante, et d'immenses yeux lunaires, éteints par une chagrine sérénité. Belle. *Pas belle à moitié, non ! Belle vraiment !...* Il savait combien il aurait à parler de beauté en rencontrant une femme, et combien ce mot *belle* pouvait couvrir des réalités à la fois indicibles et différentes entre elles. Et combien à chaque fois, dans l'instant, c'était le seul vocable qui vaille et qui soit assez vaste. *Woye, belle ho !...* Même la difformité de son dos se voyait effacée par cette grâce qui irradiait de son visage. Une beauté qui s'imposa à M. Balthazar Bodule-Jules comme une toute-puissance, et devant laquelle, sans se rendre compte, il s'était incliné. Il se revit, durant cette convalescence, abandonné entre ses mains mystiques comme un objet inerte. Il se revit la regardant comme il avait zieuté Anne-Clémire L'Oubliée.

Perdu au fond du dédale de ce temple, M. Balthazar Bodule-Jules restait à délirer. Magnétisé par ces symboles et par ces dieux, il se voyait tracassé de visions qui finirent par faire partie du paysage de son esprit. Si bien que — quand elle dut l'obliger à marcher et qu'elle lui détaillait durant des heures l'univers de la roche — il eut les mêmes gestes qu'elle, exactement comme il avait adopté les postures d'Anne-Clémire L'Oubliée. Et, sans pourtant être les mêmes, bien des gestes de sa protectrice se rapprochaient de ceux de l'Indienne. Elle vénérait la profusion religieuse de son temple comme Man L'Oubliée vénérait son entour végétal — le moindre bambou, la moindre source, la plante la plus petite équivalaient pour l'Indienne bossue aux ciselures magnifiées de la roche. Elle ne fixait pas ses dieux, ne les interpellait ni ne les suppliait, ni ne semblait raidie en fanatisme aveugle : elle allait (comme Man L'Oubliée dans son règne naturel) souveraine entre leurs existences et ne veillait qu'à leur épanouissement. Au coucher du soleil, quand les eaux du Gange (mais elle disait *Ganga*) se transformaient en une gloire moirée, elle sortait la première afin de vérifier que les cipayes n'étaient pas serrés-là, et elle le conduisait vers le fleuve sacré. Elle s'enfonçait jusqu'à la taille, bien en face du soleil liquéfié dans ses propres splendeurs. Et (comme Man L'Oubliée, mains jointes à hauteur du nombril) elle s'installait en pétrification pieuse. M. Balthazar Bodule-Jules demeurait lui aussi immergé, à quelques mètres derrière, sans trop savoir quoi faire de ce temps suspendu. Nuit et jour, emmêlés, tentaient encore d'impraticables alliances. La silhouette de l'Indienne, redessinée par les éclats du crépuscule, se transformait en une touffe de roseau ou en tronc d'arbre dressé dans l'allant fluide du fleuve, et recouvert d'un voilage de soie fine. M. Balthazar Bodule-Jules ressentit un étrange phénomène quand il se mit à l'imiter. L'eau du Gange semblait le traverser, grimper à l'échelle de son corps, se répandre dans ses chairs comme une huile d'énergie. M. Balthazar Bodule-Jules mit cela au compte d'une débâcle de son esprit miné par les sculptures de la caverne. Mais l'Indienne lui confia ressentir la même chose, et d'autres lots de perceptions que M. Balthazar Bodule-Jules ne put jamais comprendre. Après, elle lui lavait ses blessures dans l'eau rougeâtre du Gange, lui baignait la tête, les épaules, insistait en des points de ses tempes — à croire qu'elle s'attachait à lui enlever une ombre. Elle le fixait pour distinguer ce mal dissimulé en lui. M. Balthazar Bodule-Jules, scruté au plus profond, ne comprenait pas le sens de ce regard. Mais, aujourd'hui, le vieil agonisant avait fini par deviner qu'il s'agissait du maléfice de l'Yvonnette Cléoste.

186

Cette malédiction s'était fichée en lui ; et elle avait troublé ces femmes puissantes qui le troublaient. *Elles me croyaient perdu, elles essayaient de me sauver !...*

L'Indienne le nourrissait de bananes, de manioc, et d'un breuvage verdâtre concocté à partir des fougères qui frissonnaient comme des cheveux de méduse en certains lieux de la caverne. Lui, avalait tout cela sans dire ni hik ni hak. À mesure que ses forces lui revinrent, il put briser cet engourdi et prendre mesure de sa situation. Il se retrouvait seul et sans même un canif. Son Carcano M1938 avait coulé dans l'eau sans fond du Gange. Les cipayes avaient dû dérober son barda [1]... *tout mon attirail de chien-la-guerre errant !... Je ne peux pas leur laisser ça !...* Il lui était de même impensable d'interrompre son aide aux martyrisés de Madagascar. Quand il se sentit d'attaque, l'Indienne lui indiqua l'endroit où campaient les cipayes. Il les trouva très vite. Les trafiquants étaient une vingtaine, armés de toutes espèces de fusils-mitrailleurs, de sabres, d'explosifs et de bambous empoisonnés. Il pénétra dans leur campement à l'heure la plus sûre de la nuit, déroba sans efforts un Spectre de technique italienne (*calibre 9 millimètres, chargeur de cinquante cartouches à quatre colonnes et crosse pliante, un désagrément hyper-rapide* [2]...), et il les abattit tous avec plus d'acharnement qu'il n'en aurait fallu car dans ces moments-là une sainte fureur le métamorphosait en dragon sans manman. Environné du râle des mourants et blessés, il quitta le campement dévasté avec trois caisses de fusils Farquhar-Hill, de calibre 7,7 mm, pas très fiables et trop lourds, mais ces comiques n'avaient que ces vieilleries sur leurs mulets pouilleux !... Il retrouva une part de

---

1. Livres fétiches, coutelas, couteau-jambette, cordes, une calebasse, pistolets et munitions, quelques photos, cartes diverses, plans de villes, poste récepteur-émetteur de fortune, mappemonde, passeports de nègre marron, sachets d'herbe à tous maux...

2. *Souvenir de combats — Les exploits d'un grand Martiniquais : M. Balthazar Bodule-Jules*, Radio Lévé Doubout, Martinique, 1990.

son fourbi, puis descendit le Gange jusqu'au delta, sur des bateaux de pêcheur. L'Indienne l'accompagna sur un bout de chemin, car elle en profita pour se rendre en pèlerinage sur l'île de Sagar. M. Balthazar Bodule-Jules regretta assez vite cette descente [1] car, au fil des courants et des embarcations qu'ils parvenaient à négocier, il vit flotter des corps de saints livrés depuis mille ans à la fortune du Gange, des cadavres d'animaux boursouflés, des blocs de peaux et de poils crachés par les tanneries, des grouillements écumeux et noirâtres, et surtout ces bancs de sable horribles où des chiens sauvages, des tortues carnivores et des vautours se disputaient des cadavres mal brûlés. Ces dépouilles provenaient des rituels funéraires tenus de toute éternité sur ces rives, et que l'eau fatiguée ne pouvait plus dissoudre. En certains endroits, le fleuve sacré sentait la mort, ou l'extrême pourriture, ou la cendre de manguier, ou l'algue asphyxiée. En d'autres, il se transformait en de longues nappes huileuses, couleur acier glacé. Parfois, les bateaux traversaient des miroitements rougeâtres, irréels, qui flottaient comme des génies dissous. M. Balthazar Bodule-Jules (qui ne buvait que l'eau des pluies dans une vieille calebasse) fut terrifié en voyant l'Indienne et les pêcheurs se pencher quelquefois pour avaler une gorgée de cette eau incroyable. Mais il comprit que ce qu'ils buvaient-là n'était pas l'épouvante qu'il avait sous les yeux, mais le corps de la *Ganga céleste...*
Toutes ces eaux ! Toutes ces eaux !...

Sur l'île de Sagar, il put trouver passage vers l'île Maurice, puis vers la Réunion. De là, il embarqua en direction de Madagascar, sur un cargo aménagé pour le commerce de clous de girofle et de vanille. Dans ces puanteurs d'épices, M. Balthazar Bodule-Jules éprouva des nausées de jeune chabine nerveuse et fut secoué par des cauchemars au

---

1. *Je suis un fils du Gange.* Interview de M. Balthazar Bodule-Jules, *Aujourd'hui Dimanche*, 1990.

cours desquels l'Yvonnette Cléoste le faisait mijoter dans du piment de Cayenne. Il débarqua de nuit au cap Sainte-Marie, dans la région de Taolagnaro, où il erra durant six jours en traînant les caisses d'armes avant de les déposer aux pieds de trois représentants du MDRM. Ces derniers, silencieux, effarés, zieutèrent ces caisses comme si c'étaient des bombes, en essayant de deviner d'où pouvait provenir ce mercenaire aux yeux glacés. Il eut du mal à leur faire accepter ces armes car les chefs nationalistes (consultés par pigeons voyageurs) le soupçonnaient d'être une barbouze française en train de les piéger. Sans s'épuiser à les convaincre de quoi que ce soit, M. Balthazar Bodule-Jules expliqua le fonctionnement des Farquhar-Hill, leur abandonna les caisses et reprit sa route vers je ne sais quel autre désagrément. L'Indienne lui hanta l'esprit durant quelques semaines tandis qu'il voguait dans des caches clandestines sur le canal de Mozambique — et elle lui habitait l'esprit encore, plus intense qu'une eau vive, là sur ce fauteuil d'agonisant où ces évocations de sensualité chaste revivifiaient son corps.

D'autres femmes, sans doute, traversèrent son esprit pendant cette lente évocation de l'Indienne merveilleuse : formes fugaces parmi des clapotis, bouts de visages dans le miroir d'une flaque, courbes aquatiques qui dessinaient des hanches, et des eaux et des eaux des eaux de toutes natures !... Chaque eau tissait son paysage en caillots de roches noires, en ombres forestières, en congères neigeuses que le vent nourrissait, en blocs de glace flottante qui se cognaient entre eux... Et chaque eau filait son paysage sur des panoramas de femmes qu'il avait oubliées mais dont la dé-présence constituait un parfum, microclimat d'une onde mentale... Femmes des eaux, patate pistache !... vous fûtes aussi diverses, aussi insaisissables, que toutes les eaux elles-mêmes !... Elles s'étaient comme dissoutes dans le don sans retour qu'elles avaient su lui faire.

S'étaient dissimulées. S'étaient comme différées. Il avait apprécié sans le savoir ces équivoques sensuelles (saisies à toute heure d'une journée) dans des eaux ordinaires que ces femmes transformaient, à son insu, en tabernacle d'un impalpable trésor. Les voir, les regarder, entrer en contact très léger avec elles, tenter de les comprendre ou de devenir elles, les perdre sans s'en apercevoir. Ces eaux qu'elles savaient si bien utiliser réunissaient dans son esprit les pays qu'il avait traversés. Elles allaient de par le monde, oxygénées de mythes, de contes et de légendes, de dieux éteints ou noués à d'autres pour de brusques renaissances, et sur lesquels le jeune rebelle ne s'était pas une seule fois attardé, mais qui tissaient maintenant le limon de sa chair brûlée par l'agonie. Et ces adorations sensuelles, lui revenant de loin, le replongeaient à leur source initiale : dans ces bains innombrables que l'obligeait à prendre Anne-Clémire L'Oubliée.

(Je notais ce qui m'était possible, mais je n'étais pas capable de suivre les proliférations de son esprit ou de ses gestes. Il n'y avait là rien de déposé, ni de prémédité, mais des voltiges de sensations drainées les unes dedans les autres par des échos sans fin. Mes notes — puis l'Écrire ultérieur — ne pouvaient s'émotionner ainsi, sinon je n'aurais pu moi-même appréhender cette expérience, ni approcher en mode intelligible une idée de cet homme. Par ailleurs, je mesurais combien mon souci de (régenter) ces souvenirs m'éloignait des embrouillements de cet esprit d'agonisant ; ils définissaient M. Balthazar Bodule-Jules de manière plus féconde que les dates et vraisemblances dans lesquelles par la suite je devais m'égarer. Au pied de son fauteuil d'osier, face aux grimaces de Gasdo caca-dlo, j'eus quand même l'intuition de devoir le chercher de manière très distraite, couler dans sa parole, divaguer au possible sur l'écume de ses songes, m'abandonner aux réflexes de son corps. Griffonner sans saisir, griffonner sans raidir, me laisser investir des marronnages de sa

mémoire. Je devais m'orienter sur l'axe d'une ligne toujours défaite et toujours à refaire.

Mais, après, comment faire ?

Que faire de ces notes pas vraiment déchiffrables, de ce magnétophone aux crachées insensées ? Me fallait-il voguer comme Joyce, sous météorologie d'une tempête mentale jusqu'à [l'improbable] épiphanie ? M'ensourcer aux démesures libertaires de Rabelais ? Poindre dans les dévoilements différés de Faulkner ? M'essayer aux spirales magiciennes de Márquez ? Invoquer l'opacité épique de Glissant, forge d'un vaste renouvellement ? Ces étonnantes littératures s'étaient mises à me hanter. À s'emmêler dans cette hantise. Elles aussi confrontaient une forme d'impossible. Elles devinaient, dans leur texte même, le beau risque de l'Écrire s'exerçant à la conscience nouvelle que nous avions du monde. Elles me disaient, sans m'apporter consolation : Pas de littérature sans impossible ! Et pas de littérature sans les impossibles de toutes littératures !... Je me sentais d'autant mieux désemparé que les personnes de l'assemblée [embarquées elles aussi dans cette folle agonie] recevaient sans la moindre distance ces gestes et ces récits qui leur étaient donnés. Elles accueillaient les événements sur l'écrin de leurs propres commentaires, des paroles inutiles, de leurs douleurs qui transformaient de temps en temps une des cousines en un tonnerre de dieu. Les bonnes gens assemblés dans la case structuraient tout ce vrac en eux-mêmes par le simple souci [et la simple douleur] de tenir cercle alentour de cet homme qu'ils aimaient et qui allait mourir sans que rien ni personne n'y puisse quoi que ce soit. Ils disposaient aussi de cette angoisse commune, structurante, de voir resurgir l'Yvonnette Cléoste. Ils tremblaient à l'idée que cette diablesse pouvait débouler dans la case comme une gale de sept ans, envoyer ce Gasdo caca-dlo passer dessous une table, et transformer la mort de leur Balthaz en une damnation. Leur monde était de la parole ; sa fluidité active imposait à ma restitution l'insaisissable de cet autre impossible : Pas de littéra-

191

ture sans la parole qui va !... Pour me sortir de ces paralysies,
je riais en moi-même, à la manière d'un ababa, lançant mes
notes [et par la suite mes phrases] comme du coton de fro-
mager dans une coulée de vent, et répétant comme par bra-
vade simpliste : Pas de littérature sans une folle
inconscience !.. — Notes d'atelier et autres affres...)

DÉSIRS. Les jeux aquatiques d'Anne-Clémire L'Oubliée enveloppaient l'enfant d'une tendresse sans fin, jouissive
mais maternelle. Cette tendresse dut compenser la distance que Man L'Oubliée lui imposait tout le temps. À
mesure de son âge, cette tendresse dut se muer pour lui en
délectation trouble. Il se laissait surprendre par des
alarmes de chair, des érections voumvak qui l'asphyxiaient
de honte. Il refusa toujours cette confuse sensualité que
finit par développer chez lui Anne-Clémire L'Oubliée... ma
protectrice, manman seconde !... C'était comme si lui-
même éclaboussait de boue le lumineux d'une fleur
d'orchidée. Cette honte l'assombrissait tant qu'à maintes
reprises il restait sur la rive, confus, aux abois dans une
nasse, fuyant le regard clairvoyant d'Anne-Clémire
L'Oubliée. Chaque fois qu'il délaissait leurs bons-matins de
baignades, elle riait à embellie totale — à croire qu'elle en
percevait la raison inavouable. Il la regardait s'ébattre le
corps dans l'eau, plonger, vivre d'écume, remonter une cascade, s'emmêler aux racines d'une mangrove, élever d'indéchiffrables offrandes au soleil se levant. Une poussée
d'innocence l'amenait parfois à la rejoindre, et leurs corps
se frôlaient, et ces contacts (dont Man L'Oubliée ne prenait
pas hauteur) le chalviraient de plus en plus souvent dans
une envie pas comprenable, et pour lui imposer l'arraché
d'un supplice. Il avait cru que cette dualité restait localisée
dans ses antans d'enfance ; maintenant, il la découvrait au
long cours de sa vie... C'est ainsi qu'il trouva souvenance de
cette Bolivienne, créature à-l'écart de la région maudite du
Ñancahuazú. Il était tombé dessus durant une course

contre la mort sur la piste sans pardon de l'*El Comandante*. Le Che était entré en Bolivie sous un passeport uruguayen, affublé d'un de ces déguisements (sans barbe et cheveux blancs) dont il pratiquait l'art. Bien avant sa venue, un tocsin dramatique avait terbolisé le pays tout entier. Dix mille photos (promettant une rançon) s'étaient vues placardées au fond des mines d'étain, elles voletaient en feuilles mortes sur les altiplanos, et se déchiquetaillaient sur les arbustes roussis du désert d'Atacama. Des rangers américains (ils buvaient du Coca-Cola dans des crânes de Cubains afin de se calmer l'angoisse [1]!...) avaient quitté spécialement le Viêt Nam pour enseigner aux troufions boliviens des méthodes d'assassins. Et les radios d'État crachotaient que le Che n'oserait jamais venir.

Mais le Che était venu !

Il était entré pour se retrouver plus au sud du pays, avec ses barbudos, dans cette région maudite de mornes salés, tracassée de moustiques et de tiques sans manman. C'est dans cette région qu'il voulait installer (parmi les péons et les mineurs souffrants), une guérilla susceptible d'embraser toute l'Amérique que l'on disait latine. M. Balthazar Bodule-Jules était entré dans le pays à la suite de l'*El Comandante !* Il avait erré durant quelques semaines en consultant des cambas et en captant (sur son antique poste à galène) la radio officielle. Il avait cru localiser la trace des barbudos et s'était élancé dans cette région maudite, sans un plan, sans une carte et sans même une boussole. Ce fut alors un lent naufrage. Il égara son corps dans des cassures étroites, creusées par des torrents, étouffantes comme des vulves de reines mères. Il s'enfonça jusqu'aux genoux dans des coltas de mousses et dans des glus d'écorces en décomposition. Il se fit saigner par des trombes de moustiques plus affamés que des rats de chalands. Il eut cœur d'avancer à cause d'une incroyable escorte d'orchidées et

---

1. *Il faut parler des colonialistes !...* Une chronique de M. Balthazar Bodule-Jules, sur *Radio Campêche, la radio* carrément news and music, 1989-1990.

de broméliacées. Orchidées, orchidées ! *Mi yo ! Elles sont là avec moi !*... Soucieux de la moindre seconde, il les saluait sans trop les regarder. Elles n'étaient pas fleuries. Elles avaient l'air funeste. *L'ombre de la mort est sur le Che ! Patate pistache, Basile rôde...* Parfois, il escaladait des tumulus de roches pour chercher (mais en vain) les traces d'un feu de village, d'une cabane de terre, d'un champ de maïs, d'un sentier de pasteur... *El Comandante, tu t'es trompé ! Il n'y a pas de gens ici... La région n'est pas bonne !... Où sont les paysans... ? !* Puis, encayé sur cette angoisse, il reprenait une route dépourvue de chemin, en se marmonnant cette seule consolation : *C'est la terre c'est la terre de Simón Bolívar, le grand Libertador !...*

C'est lors d'une nuit pluvieuse qu'il rencontra la Bolivienne. Il avait dû abandonner une niche d'andésite qu'une eau glaciale commençait d'envahir, et s'était élancé vers un refuge plus sûr sous les bourrasques qui grognaient tels des monstres. Il comprit tout là-même son erreur : dans cet air raréfié, le moindre effort épuisait ses poumons, il ne pouvait s'orienter, perdait les restes de sa chaleur, et peinait à bouger le lama neurasthénique qui trimbalait son attirail de guerre. Il aperçut alors le minuscule abri. Un rien, imperceptible, lové contre une roche énorme. Une dense carapace d'herbes sèches, de broussailles et de bouse d'alpaga contre laquelle l'intempérie venait briser sa rage, et puis dégouliner. Il se précipita (à dire un naufragé en direction d'un bois-flotté) et pénétra d'un coup dans le refuge de cette Bolivienne. Une métisse, pas même définissable, qui resta impassible en le voyant bouler dans le petit abri. À ses côtés, dans l'aura d'une flambée crépitante, se tenait le vieillard le plus extraordinaire que M. Balthazar Bodule-Jules verrait de toute sa vie. Il semblait supporter le compte de quatre centaines d'années, sorte de ruine cachectique d'Olmèque, d'Inca, de Maya ou d'Aztèque, ou même d'Indien quechua. Il devait mâchonner (depuis tou-

jours et à jamais) des feuillages de coca car une bave verdâtre moussait à l'éternel dans les coins de ses lèvres. Les rides de son visage s'entremêlaient en un masque de momie qui semblait résulter d'un débattre en souffrances. M. Balthazar Bodule-Jules avait passé cette première nuit à leurs côtés, dans cet abri, en grave silence, se partageant des pommes de terre séchées et du maïs grillé — lui, enchanté par cette femme qui ne le craignait pas, et par cette momie pas vraiment revenue des catacombes du temps. C'est au-devant du jour qu'il ressentit les premiers fers d'une fièvre, et l'accablement d'un cassé-corps impossible à secouer. Il avait du mal à garder les yeux ouverts, du mal à se lever, du mal à ne pas chavirer dans des vertiges arides. La Bolivienne détenait l'art d'une médecine fondée sur la roche et sur l'eau. C'est avec ça qu'elle le soigna. Il en portait mémoire sans pourtant conserver le moindre souvenir de la nature des soins.
Eau blanche, roche noire.
Eau noire, roche blanche.
Roche d'eau et eau de roche.
Une alternance inextricable qui remit du silence dans son corps. Lui qui avait hâte de retrouver le Che l'accompagna pourtant durant quelques semaines, de hameau en hameau que sa présence rendait visibles, à la suite d'un troupeau de biquettes laiteuses, et dans l'unique souci de rester avec elle, tel un insecte s'attarde aux abords d'une lumière. La momie quechua marchait à leurs côtés, sans un souffle, sans fatigue, soulevée par l'alcaloïde félicité de la coca. Elle accompagnait la métisse dans tous ses déplacements selon un mode étrange, comme immobile et fluide, absent toujours, seulement soucieux de singer les gestuelles de la vie. La métisse bolivienne était troublante de naturel et de pureté farouche, elle l'emplissait d'une impression d'irréelle sainteté... *Sainteté...! bondieu seigneur, un mot comme ça, et qui monte d'un simple effet de la beauté!... Sainte, pas croyable, et c'est moi qui dis ça...!...*

195

Mais il se surprit quand même un trouble désir pour elle, un élan qui l'accablait d'un sentiment de salissure, tel que l'aurait causé l'oblique d'une trahison. Ils dormaient ensemble dans ces sortes d'ajoupas qu'elle fabriquait en un rien de minutes avec une impavide dextérité. La momie mâchonnante demeurait assise (ou plutôt pétrifiée) dans le halo du feu. Patate pistache ! se disait M. Balthazar Bodule-Jules. Pourquoi je reste là, mais qu'est-ce que je fais là ? !

Une nuit, il fut envahi par le chaud de son corps, *douloudouceur très tiède,* et fut surpris de ressentir les signes de ses mains autour de son nombril, et fut tourneboulé par une dissipation bien semblable au désir. Les mains de la Bolivienne parcouraient certains points de son torse, frôlaient, pressaient, vrillaient. Elle débusquait en lui des énergies informes qui l'emplissaient de plénitude. Et lui, la contemplait de ses yeux éclaircis. *Quelle taille, quel visage, quel était ton regard ! ? Qui étais-tu, ô Sainte ? !...*

Ils connurent bien des nuits comme celle-là — nuits sacrales où la sensualité gîtait aux abords d'un vertige, où la pulsion sexuelle empruntait d'autres voies, et ne peuplait que son regard dont il tentait en vain d'atténuer le brasier. Ses massages éveillaient les topographies engourdies de son corps. Elle l'emplissait d'une agacée vitalité — à croire qu'elle invoquait un sursaut de ses chairs contre il ne savait quoi. *Patate pistache !...* L'agonisant comprit soudain que cette femme avait tenté, elle aussi, à sa manière indéchiffrable, de dissiper l'ombre de l'Yvonnette Cléoste enracinée en lui. Ses mains (*Pas un massage, hébin c'était pas un massage !...*) s'efforçaient de dénouer d'interminables ombres qui dominaient son organisme.

Dans chaque hameau, on criait la métisse au chevet d'une malade car elle ne soignait que les femmes. Il put voir, à ses côtés, ces cérémonies aquatiques où elle immergeait des créatures bréhaignes pour qu'elles accèdent au fécond de leur ventre. Il la vit purifier des vestales qui voulaient le rester pour toute l'éternité. Il la vit sacraliser des objets ordinaires en les plongeant dans des eaux identiques au lait chaud d'une mamelle. À ses côtés, les paysages semblaient domptés, M. Balthazar Bodule-Jules ne souffrait plus de rien, avançait vite malgré les charges de son lama, trouvait la vie, rencontrait les gens jusqu'alors invisibles, voyait enfin le vol des grands condors... Ce paysage était le rythme interne de cette femme tout comme les grands-bois du Pays-Martinique l'avaient été pour sa manman seconde, Anne-Clémire L'Oubliée.

Les pleines lunes énervaient la momie. Elle se mettait à frissonner continûment, à dire une chatte folle travaillée de poison, et ululait des chants pas comprenables dans une langue démembrée. *Patate pistache ! c'est quoi ça ? !...* Les chants poussés à demi-souffle roulaient sur eux-mêmes à la manière d'un long-dit de conteur puis atteignaient l'ampleur d'une chorale célébrante. M. Balthazar Bodule-Jules n'avait jamais rien entendu de pareil. *Il badjole quelque chose-là, qu'est-ce qu'il dit ? !...* La métisse lui confia que la momie était son père, mais que c'était aussi son grand-père, et ses arrière-grands-pères qui tous avaient subi plus de fer que prévu au fond des mines d'argent. Que les colonialistes espagnols y avaient précipité toutes les peuplades indiennes, les mâles jeunes et les vieux pas vaillants, femmes de toutes qualités et toutes espèces d'enfants, par dizaines de centaines, puis centaines de milliers, puis millions de centaines, et que lui la momie *C'est pas croyable !* fut un de ces mitayos, n'importe lequel au fil des siècles, et que sa voix provenait du silence écrasé d'une charge de millions d'hommes, creuseurs de roche, draineurs de terre, brasseurs de boue, convoyeurs des longues eaux de rinçage, enfoncés dans cette saleté de montagne à la

197

recherche de cette saleté de minerai ; et qu'il avait vu des millions de ces âmes sombrer dans la montagne, invoquer en pure perte le dieu Tatahaccha, se fondre dans les noirs de minerai, et puis errer pour toute l'éternité dans ces tunnels amers, sans galette de maïs et sans nœud de roseau où conserver de l'eau, et sans la moindre chance un jour de s'unir au soleil, car si quelquefois on ramenait des corps et des squelettes moussus, les âmes y demeuraient avec les vieilles sandales et les outils cassés ; et que son abdomen était devenu l'unique sanctuaire qui abritait ces millions d'âmes perdues, jamais vengées, jamais saluées, et jamais honorées, errantes maudites sur la conscience des hidalgos maudits qui mangèrent durant des siècles dans des assiettes d'argent et dans des plats niellés, qui s'habillèrent en étoffes damassées brodées d'or et d'argent, et qui gobèrent des vinasses parfumées comme des roses de Florence dans des ciboires solaires, et qui connurent d'artificielles extases sous les azurs constellés de leurs voûtes, et qui jugèrent du ciel par leurs vitraux diaprés, et qui virent leur sourire dans des faïences lustrées, et qui se pavanèrent dessous leurs arcatures serties de quatre feuilles en verre filigrané, et qui remuèrent les fesses dessous leurs chapes brodées d'argent vif et de soies, et qui collectionnèrent des émaux translucides sur fond d'argent pensif délicatement dentelé, et qui moulèrent d'éclat leurs saintes lances de calvaire, et qui enveloppèrent de lumière éternelle leurs treize reliques de la passion du Christ, et leurs insignes d'empire, et leurs valves de miroir où ils cherchaient en vain l'indissoluble cause d'une tristesse de leurs yeux...

Les mines d'argent c'était l'enfer sur terre, un enfer demeuré impuni, creuset de tant de douleurs que M. Balthazar Bodule-Jules crut, à l'époque, qu'il s'agissait d'un sale délire de la momie. Il put vérifier tout cela par la suite, quand il revint en Martinique et qu'il trouva (en ses heures de vieillesse) le temps de compulser des livres ; qui fait que cette momie, bien des années plus tard, et plus encore dans son fauteuil d'agonisant, s'était mise à le hanter de sa tombe ambulante d'âmes abandonnées. Mais sur l'instant, il fut indigné par ce prodige de huit millions de morts qui ne pouvaient mourir, et qui se desséchaient sans fin dans le ventre d'une relique inusable. Alors, en une sainte colère, M. Balthazar Bodule-Jules lui avait sorti un de ses vieux couplets — (tels que j'ai pu les imaginer chargés sans doute de plus de conviction sombre que dans ces cirques radiophoniques où il contait ses guerres) — : Métisse, avait-il grondé [1], explique à cette momie qu'il y a maintenant, là comme ça, en quelque part au bord de ces torrents, l'ange du grand jugement, l'*El Comandante!* débarqué en personne pour venger toutes ces âmes, et porter à leurs enfants les moyens de se battre! Métisse, dis-lui que les feux vont s'ouvrir dans ces pays de merde où toute racaille élue à vie dans des palais fantômes, toutes juntes de colonels fripouilles soutenues par les colonialistes vont voir la cacarelle empoisser leurs bottines! Pérou, Chili, Colombie, Argentine, Brésil, Paraguay, Suriname...! *Focos!* Le feu! Le feu! Métisse, dis-lui que les mânes des sales conquistadores vont trembler dans leurs rouilles, et que les immondes Compagnies sans visage, suceuses d'or, d'étain, de plomb, de cuivre, de zinc, goules assoiffées d'argent et d'antimoine, vont trembler elles aussi dans leurs caches invisibles et sous leur dieu-dollar! Que les mines où les vies bêlent encore aux déveines vont s'ouvrir comme des ciels et offrir leur richesse à ceux qui creusent la roche! Dis-lui métisse que je suis là pour ça! Pour aider! Pour casser! Et pour défolmanter! Pour soutenir le bras de l'*El Comandante!* et éviter que la mort ne l'emporte car c'est l'ultime espoir de ces damnés sans nombre qu'elle charroie dans son ventre!... Regarde, momie, regarde ce lama imbécile que je traîne, il porte les foudres du soleil, des armes de

1. *Mon rond en Bolivie.* Un entretien avec M. Balthazar Bodule-Jules, Radio Asé pléré annou lité, 1987.

guerre capables de fendre les roches, de percer les montagnes, de dissoudre les pluies et les tempêtes !... À moi tout seul, momie, je suis comme une armée d'Aztèques, d'Incas, de Mayas, d'Olmèques ou de Toltèques, ou de tout ce que tu veux, je les suis tous, je les charroie en moi ! Je porte ceux qui se battent ou qui se sont battus ! Ceux qui n'ont pas tremblé face aux conquistadores, qui ont su résister à leurs varioles, leurs rougeoles, à leurs microbes de crasse, ceux qui maintenant font grève dans les mines salopardes face aux gueules de mitrailles et qui défient les Compagnies-vampires ! Et entends-moi bien, momie, je porte leur douleur dans ma douleur de vie !... M. Balthazar Bodule-Jules avait dû délirer comme ça durant près de deux heures, et la métisse avait dû traduire ce qu'elle pouvait comme elle pouvait, dans un langage que je ne veux plus envisager. La momie était restée échouée dans un bleu de surprise. Elle avait même dû voir l'ardoise de ses yeux s'animer d'une larme ou d'une coulée comme ça. M. Balthazar Bodule-Jules s'était peut-être tu quand elle longea sur lui la corne d'une vieille griffe, et qu'elle articula des mots pas comprenables, plus sinistres qu'une obscure prophétie. La métisse elle-aussi l'enveloppa d'un regard plein de lumières, avant de lui traduire : Il dit que tu es en même temps Uitzilopochti et Tezcatlipoca !
— Et c'est quoi ces gens-là ?!
— Mangeurs de cœurs et de sang braves : les dieux de la guerre ! dit-elle...

Durant deux-trois journées la momie s'était comme apaisée. M. Balthazar Bodule-Jules s'efforça de l'oublier pour se laisser griser par l'extraordinaire présence de la métisse. Il avait du mal à comprendre l'étrange relation qui s'était nouée entre cette femme si pure et la momie foldingue. Qu'est-ce qu'elles faisaient ensemble, à quoi se servaient-elles l'une l'autre ? Sur quoi se fondait cette alliance dissemblable ? Il ne croyait pas aux liens de parenté que la métisse lui avait racontés, il n'y avait aucune tendresse entre eux, rien qu'une concordance vitale : lui, momifié de souffrances, était une sorte de nuit terrible et monstrueuse, et elle, de simplicité belle, une volte de fraîcheur aérienne. Ils fonctionnaient selon un pacte indéfectible que M. Balthazar Bodule-Jules surprenait quelquefois avec un malau-cœur. Ils étaient liés à mort !... Durant tout le reste de sa vie, M. Balthazar Bodule-Jules avait charroyé ce mystère, toujours absurde et dérangeant. Mais là, dans son fauteuil de l'ultime crépuscule, le vieil homme eut soudain l'audace d'imaginer combien la grâce de la métisse se voyait sustentée par l'horreur sans remède qu'exprimait la momie ; la métisse était l'impossible beauté de l'œuvre tragique de cette momie, sa noblesse, sa sanctification ; et cette momie de mémoires hystériques était le socle dramatiquement humain du rayonnement à comme dire irréel de cette belle métisse. *La même personne*, se murmurait maintenant l'agonisant, *patate pistache ! c'était peut-être la même personne !...*

Une de ces heures, ils furent survolés par un petit avion de reconnaissance. M. Balthazar Bodule-Jules vit l'avion les frôler pour de vrai et s'en aller sans revenir. Puis il entendit des coups de feu s'épandre à l'infini dans des plateaux déserts, et M. Balthazar Bodule-Jules ne pouvait déterminer de quel bord ils provenaient. Chaque résonance tourbillonnante le plongeait dans des excitations dignes d'un zizitata... *La guérilla s'est ouverte !... Le Che se bat ! Le Che se bat, et je suis là comme ça !...* Il s'éloignait hagard dans les sommets déserts, puis revenait auprès de la métisse (et de la momie) qui le dévisageait d'une manière pas drôle. La Bolivienne n'esquissait pas un geste pour l'aider. Excédé, M. Balthazar Bodule-Jules finit par lui crier l'urgence qu'il avait à rejoindre l'*El Comandante !...* J'ai besoin de toi, tonnant...! Mais elle demeura impassible et lui tourna le dos. Le soir, alors qu'il nettoyait pour l'énième fois son vieux mauser et un fusil d'assaut (*un* Garand *pour extermination, made in Amérika*), la métisse lui parla d'un ton inhabituel. Avec le regard trouble des visionnaires, elle lui dit avoir vu ces hommes à barbe touffue surgir dans la région il y a quelques mois, avec, jour et nuit, planant au-dessus d'eux, *le Condor rouge*, traçant des cercles tragiques ... — Le Condor rouge, mais c'est quoi ça ?!... En guise de réponse, elle lui dit que ces hommes portaient des ombres dans les plis de leur corps, des ombres, des ombres, des ombres... identiques à celles qui se voyaient du premier coup en lui, Balthazar Bodule-Jules, et que rien ne semblait pouvoir éliminer.

M. Balthazar Bodule-Jules n'avait pas compris ce qu'elle voulait lui dire, mais, dès le matin suivant, dans le lointain blanchi d'éclat, il vit un mâle-manman-oiseau, les ailes ouvertes sur plusieurs mètres, qui exerçait très haut une lenteur funèbre. Il devait suivre de loin une vie menacée dans les bois et les roches. L'éclat lui dessinait des contours rouges, plus ou moins incertains. Un vieux présage. M. Balthazar Bodule-Jules songea aux orchidées sans fleurs qui escortèrent son arrivée, et ressentit une angoisse insondable. Elle devait l'empoigner durant tout son séjour en pays bolivien — et demeurer en lui, au gré des instants de sa vie, intacte, puissante, surgie des soutes d'un souvenir, d'une pomme de terre grillée, de la musique d'une flûte d'os... Et là, sur son fauteuil d'agonisant, pâle comme un mabouya, respirant bien à fond pour s'emplir d'énergie, il put enfin l'identifier : ce condor était le fil ultime de l'existence du Che sur les rives de ce monde [1]!... *Le Condor rouge du Che ! Cet oiseau m'a bien traumatisé !*... Il l'avait conservé en mémoire, non plus comme un condor, mais comme signe alliançant et la terre et le ciel, passé et avenir, mort née de la vie, et vie jointe à la mort. Avec les compres-

1. « *Sauver le Che !* Un combat du Martiniquais Balthazar Bodule-Jules » in *Le Naïf*, n° 245, 1981.

sions de la mémoire, il devint l'épure même de l'espèce des oiseaux. *Oiseaux !...* Les retranscriptions de ses paroles publiques me démontrèrent combien M. Balthazar Bodule-Jules avait souvent évoqué les oiseaux avec une insistance quelque peu singulière. Il me fut commode d'instituer l'histoire du Condor rouge comme source de sa tendance à doter les volatiles de symboliques multiples, le plus souvent confuses [1]...

Ce jour-là, journée du Condor rouge, M. Balthazar Bodule-Jules dénoua l'emprise de la métisse sans trop savoir comment. Il ajusta les charges guerrières de son lama, et s'en alla d'un pas trop vif en direction de l'oiseau prophétique. La métisse observa son départ sans mot dire, seule la momie hulula quelque chose tandis qu'il s'éloignait au gré de son instinct vers le groupe du Che.
Qu'était-elle devenue, cette guérisseuse ondine ?
Sans doute demeurée vierge, à l'image de ces eaux dont elle usait pour soigner les personnes. Il poursuivit donc sa

---

1. ... *Depuis l'angoisse du Condor rouge, amis, je regarde les oiseaux, et même mieux : je les vois !... Ils enveloppent le monde des effets de leur vol : Oiseaux bleus des encres de l'Asie ! Les hommes-oiseaux d'Océanie ! L'oiseau jaune-rouge de Chine, maître du chaos, qui n'a pas de visage mais six pattes et quatre ailes ! L'oiseau Anza de Babylone ! Cet oiseau très intime qui fit Charlie Parker ! Oiseaux de l'Inde qui ne se tiennent que sur les branches du monde ! Oiseaux des sourates du Coran, aptes au langage des anges, et dont les plumes verdies dessinent le mot destin ! La Grue Huppée des Bambaras qui tient force de parole ! L'oiseau-cohé de Martinique qu'il vaut mieux ne pas voir et ne jamais entendre ! L'oiseau phénix, d'Éthiopie ou d'Égypte, couleur de pourpre et d'or, et qui nomme l'immortel ! L'oiseau Sîmorgh Anqa qui apparaît aux Perses et aux gens d'Arabie à chaque plume brûlée, et qui ouvre au divin ! L'albatros de Baudelaire qui fut vœu du poète ! Et l'oiseau de Coleridge que le marin maudit trimbalait à son cou ! Et l'oiseau de Glissant, cet Okombo du peuple des Batoutos, pas plus visible qu'eux-mêmes, et qui élève ton âme et qui t'aide à durer ! Les merles noirs de Saint-Joseph qui crèvent mes pommes-cannelles ! Et l'oiseau-colibri qui fut dieu de la guerre en cet endroit où j'ai souffert ! Et cet oiseau caché dans le nom de Faulkner, et qu'il décrit comme idéal du soi ! Et l'oiseau Calao que les chasseurs du Tchad établissent à leur front ! La colombe de Noé qui ouvre aux temps nouveaux, et celle à plume brisée qui dit pour les Berbères une femme infidèle ! Et ce canard qui crée le monde dans le Kalevala !... À chaque fois j'ai frémi, à chaque fois j'ai tremblé, chaque fois j'ai soupesé ! Et ça, simplement parce qu'une fois, une seule durant mon existence, un grand oiseau, sans doute sans le savoir, fut prophétie de ma douleur...* — M. Balthazar Bodule-Jules : *Adresses aux jeunes drogués de Saint-Joseph.* Déjà cité.

route dans l'axe du grand Condor. Son pas était terrible. Silencieux. Ne soulevait pièce poussière, ne remuait aucune roche, ne laissait pas une trace dans le fragile des herbes. Seul le lama était un peu bruyant, mais son sillage restait un signe sauvage presque invisible dans cet endroit. Cette manière de prendre marcher-courir, de courir en marchant, était un enseignement d'Anne-Clémire L'Oubliée. Un mélange sans partage de course et de marcher, de rythmes respiratoires qui s'alternaient en fonction du terrain. Il avait dû l'accompagner de cette façon durant des jours entiers, apprendre à l'imiter pour ne pas s'effondrer, tenir dans son sillage par crainte d'être largué. Il savait depuis ce temps inspirer l'énergie de l'entour, expirer la fatigue, ventiler ses poumons, se reposer tout en marchant, décontracter ses muscles en continuant de courir, prendre refuge dans sa tête tandis que sa carcasse maintenait une cadence immuable, vigoureuse tout bonnement. Sans la métisse à ses côtés, le paysage redevenait hostile, mais je pouvais m'en foutre : je savais pile exact où se trouvait le Che !... Le fauteuil d'osier grinça sous une volte de son corps moribond. Le vieil homme voulut chasser la Bolivie, la Bolivienne, de son esprit : ce qu'il allait y vivre relevait d'une mâle souffrance. Il voulut ajourner cette redoutable évocation. Il s'essuya le front de manière convulsive, paupières lourdes de vingt mille souvenirs et d'un autant de douleurs.

Qu'était-elle devenue, cette guérisseuse ondine ?
Pièce case de sa mémoire ne lui avait gardé la clé de ce destin. Juste-compte son élancée (yeux fixes sur le Condor) pour rattraper le temps et pour sauver le Che... *Le Che... oh ce fer !...* Il esquissa un geste pour demander à boire, pas grand-chose, juste un remué de sa main droite, tandis que son esprit s'abandonnait aux souvenances. Une des tantantes lui apporta l'eau fraîche d'un coco jaune. Il but avec plus d'impatience que si sa gorge souffrait des échauffes d'un désert. Et c'est en buvant qu'il eut un cœur-sauté, élec-

trisé par la décharge d'un souvenir très âcre. *Ladyablès!*...
Un ouélélé se propagea dans l'assemblée de l'agonie; ces
voumvak d'émotions m'étaient maintenant familiers. Les
femmes mettaient mains à la tête, et les hommes ramas-
saient leurs épaules sous un bât de silences. Je pus identifier ce souvenir qui perturbait l'agonisant et les personnes
qui le veillaient. *Une vieille attaque de la diablesse!*... Première attaque directe de l'Yvonnette Cléoste contre lui,
jeune marmaille, et contre Man L'Oubliée...

> En fait, dès sa naissance,
> traqué par la diablesse,
> il n'attendait de la vie que ce qu'elle lui donnait,
> c'est pourquoi on ne lui connut ni surprise de jeune fille ni gros-
> saut d'ababa.
>
> « Notre morceau de fer ».
> *Cantilènes d'Isomène Calypso,*
> conteur à voix pas claire de la commune de Saint-Joseph.

Boire! La diablesse les avait attaqués un matin de bonne
heure, au moment des toilettes matinales : une cérémonie
d'eau semblable à toutes les autres mais qui se vit frappée
par le spectre de la mort. Ce matin-là, Man L'Oubliée,
comme la Bolivienne, recueillit dans la coupelle de ses
mains sombres les eaux mêlées de l'embouchure de la
Lézarde, et les voua à ses lèvres comme l'élixir d'une pureté
première. Boire dans le jour naissant semblait pour elle
célébration de la vie. L'enfant, plongé dans l'eau jusqu'à
mi-taille, ne la regardait plus, mais l'imitait consciencieusement. Boire. Vaincre les soifs de la nuit. Vaincre les
soifs de la vie. *Boire!* L'agonisant se rappela combien, dans
les régions d'Afrique, d'Amérique, des îles Caraïbes ou
même de l'Asie, plus d'une femme lui avait révélé que les
morts avaient soif, et que c'était l'une des portes de l'enfer
qu'une soif inexpugnable. Avant de l'embrasser, elles l'invi-
taient à boire pour écarter de lui les yeux fixes de la mort,
et (le désaltérant) pour l'emplir (soupçonnait-il) d'une
vigueur propice aux longues fornications. Il se souvint de
cette Chinoise, serveuse dans une gargote de mercenaires

205

au fond d'un port de Thaïlande, une créature d'une volonté terrible qui fascinait les gens, et qui s'efforçait d'être comme une onde sur la terre, aussi fluide, toute-puissante mais sans faire montre d'un vouloir de puissance. Cette manière d'être prenait toute son ampleur lors des cérémonies du thé auxquelles M. Balthazar Bodule-Jules devait chaque jour se soumettre. Il devait se laver les mains, se rincer la bouche, et observer en toute humilité la maîtrise de ses gestes autour du bol d'émaillure japonaise estampillé *Ninsei*, de la poudre de thé vert, de la cuiller d'ivoire et du fouet de bambou. L'alcôve complètement dépouillée où vivait cette Chinoise (dans l'arrière-cour de la gargote) devenait alors le palais d'une indicible splendeur, qui inspirait à M. Balthazar Bodule-Jules des sentiments de respect, de pureté et de sérénité pleine, amplifiés à coup sûr par les effluves du brûle-parfum. Cette atmosphère levait en lui, mieux que la poudre d'os de tigre et autres méchants aphrodisiaques, des désirs gigantesques. Mais, fluide, coulante, liquide, la Chinoise le tenait en respect dans ses raides envies d'elle : il ne pouvait alors que les transcender. Elle avait de cette manière zébré sa vie, sans effort, sans effet apparent, sans raison repérable, à la façon d'une pluie cruelle ou d'une buée de chaleur, et il avait conservé d'elle ce désir inassouvi qui lui happa les graines tout au long de sa longue existence, en mode imprévisible, et sans pouvoir jusqu'alors identifier son origine. Cette Chinoise fut frappée d'une balle perdue lors d'une rixe dans cette gargote de merde, et M. Balthazar Bodule-Jules, la mort dans l'âme (pour soulager le tenancier des tracasseries de la police), avait dû se résoudre à balancer son corps dans les vagues qui battaient de bleu sombre une barrière de corail en plein milieu du golfe de Siam. Toutes ces eaux *ô ces femmes !* se mêlaient dans sa tête à cette attaque de la diablesse. Entachées par la mort, elles recomposèrent aussi dans certains de ses rêves le corps de cette Congolaise du pays Batéké, femme nocturne, impossible à mater sous ses coups de

206

boutoir ou par la science persévérante de ses caresses de maître-coqueur. Elle lui demeura inconnaissable, tel le flux d'une rivière qui (dans le même allant) s'en va en permanence et en changements constants. Elle n'avait qu'un seul mot — un mot ancien venu d'un peuple perdu — pour désigner le lait, le jus, le vin, les larmes, la semence, le sang, le bouillon, la pluie, la rosée, la naissance... Elle pouvait voir tout cela dans une seule calebasse d'eau, si bien qu'il lui fallait plus de temps pour boire à cette calebasse que si elle avait dû ingurgiter l'univers tout entier. Elle mourut lors d'une émeute à Léopoldville où M. Balthazar Bodule-Jules participait aux violences populaires contre l'arrestation de Patrice Lumumba — chantre de l'indépendance congolaise, fils de la tribu guerrière des Ngongo Leteta [1] ! Une rafale lui cisailla les jambes, et elle tomba dessous le martelage des émeutiers et des bottines cloutées des sbires de l'armée belge. Il ne la revit jamais : les colonialistes belges, pour dégonfler les chiffres de leurs tueries, firent disparaître les corps, par dizaines et par grappes, dans des marais de brousse, des bacs d'acide ou dans des mines abandonnées au ruissellement des pluies. De sa rencontre avec cette Congolaise, lui revinrent des silences, des absences, des légèretés fantomatiques semblables à celles que susciterait une présence improbable, presque habitée d'un nirvana liquide. M. Balthazar Bodule-Jules — *En pleurant, mes amis !* — avait répandu une carafe d'eau dans les rues du quartier Kalamu où elle était tombée, avec le sentiment absurde de lui rendre ainsi le meilleur des hommages.

L'eau de la mort ! L'attaque de la diablesse !...

Les souvenirs assaillaient son esprit comme les cercles d'une mare tout soudain bouleversée, un cercle chevauchant l'autre, et troublant sans répit la charge d'évocation de l'autre. Une fois encore, il eut vision de cette lettrée des

1. *Lumumba, ma douleur...* Paroles d'Afrique avec M. Balthazar Bodule-Jules, sur Radio Asé pléré annou Lité, 1988.

hauts maquis de l'Algérie, calme infirmière, embringuée sans trop savoir comment dans cette guerre innommée contre la Légion française, et qui l'avait soigné dans des caches souterraines durant près de six nuits ; elle lui avait appris que ce fut l'eau qui tua Ophélie, mais que ce fut cette eau qui permit à son âme de survivre sur la barque de Charon. Prise dans les lignes barbelées que la Légion française avait saucissonnées en travers du pays, l'infirmière algérienne se vit déchiqueter par une rafale de mitrailleuse ; il demeura si peu de chose d'elle que M. Balthazar Bodule-Jules, nuit après nuit, avait tenté en vain d'aller récupérer ses restes voltigés dans les boucles barbelées ; désormais ses rêves restèrent hantés par ce corps si longtemps désiré, ces mains si douces et si puissantes, ces yeux si tendres et si terribles, qui se mettaient à ruisseler en mille lambeaux de chair méchamment liquéfiée, et qui, brillante, fragile, tenace, trembla longtemps aux pointes des barbelés comme les gouttes irrémédiables d'une malédiction. *Toutes ces eaux, toutes ces eaux !... La diablesse, mes amis, nous attaqua dans l'eau !...*

Ces eaux matinales où se commit l'attaque demeurèrent dans son esprit une alliance indémaillable de splendeur et d'horreur. Pas un lac, pas un fleuve, mangrove ou marécage, delta ou marigot, pas une lèche d'océan qui ne lui restituât un bout de cet instant. Souvent, il évoqua ce phénomène en litanies interminables [1]... Pas un lieu

---

1. *Tanganyika qui se jette dans le Zaïre-Congo, et m'offrit sa sauvegarde et l'occasion de rendre l'âme. Myama qui s'en va à la manière d'un monstre dans l'océan Indien mais qui m'offrit de la sérénité dans chacune de ses boucles ! L'île de la Dominique enchantée par ses eaux et dangereuse autant !... Le Gange, et son onction sacrée mêlée à son enfer ! Torrents de Bolivie où de beaux sangs coulèrent ! Madagascar et ses marais peuplés comme des tombeaux ouverts, abandonnés aux crabes géants !... Mangrove du Lamentin en Pays-Martinique, qui m'offrit bienfaisance de sources chaudes et mille succions pour enlisements ! Le fleuve Mékong et le fleuve Rouge, décors de mes errances aux côtés d'Hô Chi Minh, qui servaient à l'ennemi et le piégeaient autant ! Le fleuve Indus qui cesse d'être un dragon pour féconder la mer d'Oman...* In « Le cercle de minuit », France 2, émission de Michel Field, spécial Martinique, 1995.

d'eaux, prétendit-il, où il ne vécût des moments indémêlés de joie, d'amour, de mort, de peur, de fuite, de prostration, auprès de femmes éphémères qui lui frôlaient le corps avec des gestes ondins, qui le soignaient, qui le soutenaient... des femmes à chaque fois désirées !... Cela pour dire, mes amis, que j'ai toujours fêté les eaux, comme j'ai fêté les femmes, mais sans jamais oublier l'attaque qui m'était tombée dessus dans une de ces eaux !... C'est pourquoi j'ai toujours fêté les femmes en gardant à l'esprit qu'elles pouvaient me détruire !...

Elles furent nombreuses, ces femmes qui lui prolonge-raient cette poésie somptueuse mêlée à cette menace. Le souvenir de cette attaque de la diablesse les rameuta en vrac dans sa mémoire de chien de guerre, femmes d'eaux, femmes d'ondes, femmes de fleuves hors du temps, femmes de déserts capables de célébrer la moindre humi-dité, femmes de force océane et rageuse, femmes odeur de marigots enveloppantes et terribles, femmes inventives et gaies comme des coulées de sources [1] !... Il n'avait su que désirer l'embrasement de leur corps, ouvrir ses appétits sommaires autour des beautés de leur chair, respirer comme un malade le brut de leurs aisselles, plonger dans le mystère invincible de leurs yeux, mais jamais il n'avait interrogé leur relation aux fleuves, aux mares ou aux rivières...

Toutes ces eaux qu'il me faudrait revisiter !...

Et là, dans son fauteuil d'osier, bouleversé par le souvenir de l'attaque diabolique, l'indigence de ces relations le sub-mergea de honte : ses sidérations molles, ses désirs eni-vrants, ses ruts de bête brutale se révélèrent en finale misérables.

J'aurais dû tenter de mieux connaître ces femmes... !

Pour s'en défaire, il s'efforça une fois encore de les penser comme les modes d'une richesse qui se serait différée, tel l'arrière-goût, ou l'arrière-sens, d'un instant mal vécu. Et,

---

1. *Je ne sais rien des femmes, je ne sais hak !* Déjà cité.

je ne sais pourquoi, il se mit à pleuvoir, de ces pluies matinales qui font chanter les tôles, prophétisant sur les
grands-bois de Saint-Joseph la belle jouvence d'une aube
éclatée de soleil.

C'est donc un bon-matin de pluie que la diablesse les attaqua. Ils étaient en rivière, à l'embouchure de la Lézarde
peut-être... en tout cas dans une coulée lointaine, égarée
entre la mangrove et les grands bois. Peut-être, toujours
peut-être... L'enfant ne savait pas se situer à l'époque dans
les errances d'Anne-Clémire L'Oubliée. Ce jour de l'attaque
fut aussi un jour de grand désir. Il le comprit soudain. Les
lucidités de l'agonie ne laissaient pièce faveur au mensonge à soi-même.
Patate pistache!... mourir, c'est rencontrer ses vérités...!
Il revoyait le corps d'Anne-Clémire L'Oubliée dessous le
linge mouillé, ses seins vaillants, plus gorgés que des
mangues, le vivant affolant de son ventre, un ensemble
énergique et sauvage qui le plongeait dans un mal-aise
boueux, à l'époque encore inexplicable. *Une envie! Le désir
était là!...* Man L'Oubliée restait indifférente à son tracas.
De sa manière étrange, elle l'aspergeait avec les eaux
mêlées. Tout à coup, il y eut un débraillé de feuillages,
comme il s'en fait quand une mangouste pourchasse une
nichée de poule d'eau. En général, Man L'Oubliée ne réagissait pas. Ces bruits s'incorporaient à la vie des grands-
bois. Et ce jour-là ce fut pareil, elle ne réagit pas. Elle continua de lui verser l'eau mêlée sur le front, sur la nuque, les
épaules, de lui manier les os selon une liturgie inconnue
des églises. Et c'est l'enfant qui le premier aperçut la diablesse.
*Au moment d'une montée de mon désir infâme pour ma
mère seconde!*
La monstrueuse était là, bien d'aplomb sur la rive, plantée
droite comme piquette. *Yvonnette Cléoste!...* Il crut voir
une longue fougère à manières de vieillarde, qui se tortil-

210

lait pour s'allonger encore, et qui levait du sable où l'eau accumulait les soucis d'une écume. L'enfant ferma les yeux aussi dur qu'avec clous. Man L'Oubliée tournait le dos à cette apparition, et n'avait pas remué le moindre bout de son corps, mais l'enfant sentit que ses gestes sur sa peau s'étaient en un rien modifié. Ils tournaient autrement. En sens contraire. Plus vifs. Plus nets. Plus secs. Ils semblaient même avoir modifié leur fonction. Ses mains ouvertes circulaient à l'entour de l'enfant jusqu'à frôler sa peau, comme pour lui maçonner une écale de tortue. L'enfant sentit ses chairs se prendre de densité, tout son corps se raidir. Il se sentit une montée de chaleur. Un charroi intérieur. Alors, pris d'affolement, il risqua un coin d'œil, et crut voir la diablesse telle qu'il n'aurait jamais plus moyen de l'oublier.

> C'est pas tout dire que de voir une guiablesse.
> Il faut pouvoir, après, garder l'œil sur la vie sans voir derrière la mort !
> Lui, connut ce tracas.
>
> « Notre morceau de fer ».
> *Cantilènes d'Isomène Calypso,*
> conteur à voix pas claire de la commune de Saint-Joseph.

Une madame, ronde mais grande comme ces femmes-matadors dont s'émeuvent les biguines. Sa peau n'était qu'un seul effet de transparences liquides et d'argenterie gluante. Sa silhouette était raide, sans zingue de gentillesse, un corps brutal, installé dans la vie sans rêves et sans manières. *Une puissance soubawoue !...* L'enfant vit sa figure qui n'était pas visage mais un grouillement de mauvaises impressions crevé de deux billes folles. Les billes étaient fixées sur lui. Leur éclat enragé donnait la sensation de vivre un hurlement. Un bras de la diablesse se plantait à sa hanche, l'autre allongeait une main agriffée sur un bois-balata torturé par des nœuds. À sa taille, balançait un sac à guano vide dans lequel cette démone voulait à tous les coups charroyer quelque chose. L'enfant comprit (dans une goulée d'horreur) que ce sac lui était destiné. Il tomba en tremblade, voulut prendre — disparaître dans les bas-bois de l'autre rive. Mais les mains de Man L'Oubliée renforcèrent leur gestuelle et tournoyaient autour de lui de façon incroyable. L'enfant ne voyait plus les bras de la femme-mentor, il sentait juste l'éclaboussement des eaux qu'elle continuait à lui verser, et percevait le déplacement de ses mouvements inouïs. Il vit la diable soulever son bâton-balata et le pointer vers eux.

Et c'est là que la mort surgit à l'entour d'eux.

Des lapias se mirent à flotter ventre en l'air, de petits poissons blancs, des loches, des escargots, des écrevisses à pinces, de gras z'habitants sombres, des boucs bleus, grenouilles et crapauds-ladres, sangsues et gros mulets, des titiris, des brochets égarés, des vers, des bestioles d'eau... *Tous morts. Foudroyés sans battements.* L'eau coulait à contresens, frémissait chaude, puis moussait froide, clapotait autour d'eux de manière pas normale. Man L'Oubliée ignorait tout cela, elle enchaînait ses gestes. L'enfant vit la diablesse enrager d'une soudaine impuissance. Elle s'avança dans l'eau mais recula là-même comme si un vieil acide lui mordait les chevilles. L'enfant la vit s'éloigner sur la rive, changer de position, et lancer un nouveau geste de son bâton. Les bestioles mortes remplissaient l'eau, la moindre goutte accouchait d'une flottée de cadavres. *La mort ! La mort !...*

Ils étaient maintenant dans un charnier liquide, clapotant, où les vies foudroyées collaient les unes aux autres avec la consistance d'un crachat des enfers. M. Balthazar Bodule-Jules n'aurait jamais imaginé un autant d'êtres vivants dans l'embouchure d'une rivière. Man L'Oubliée, placide, déployait d'autres gestes à l'entour de son torse. Sa tête se tenait droite, sans tension, le front calme, ses yeux sans aucun pli, sans errance de pupilles ni battement de paupières, le menton dressé, la poitrine en repos : une force possédait ses épaules et irradiait sa nuque. Elle ne regardait rien mais elle semblait tout voir. L'enfant sentit une fois encore ses chairs devenir chaudes, la rivière se faire lourde, presque visqueuse. Les mains de Man L'Oubliée changèrent encore de rythme. Elles tourbillonnaient autour de son corps comme une vibrée de colibris. Alors, l'enfant crut voir la diable lever-monter les bras, faire virer son bâton comme pour y enrouler une calamité, et le pointer vers eux avec autant de méchanceté que pour leur balancer toutes les plaies d'Égypte. L'enfant (trahi par ses paupières) se crut happé par le sans-fond d'une gueule.

Bien entendu, sur cette attaque de la diablesse les versions sont multiples. Une d'entre elles avance que l'Yvonnette Cléoste surgit d'un trou d'eau sombre qui bouillonnait à l'embouchure. Qu'elle apparut à moins d'un mètre au-devant eux, telle une crachée d'écume, bras ouverts comme les ailes d'une déveine. Une autre précise que ses ongles pointaient en piquants d'épini... *Et cætera, et cætera...*
Et on pourrait driver longtemps dans ces et-cætera...
Leur explication me fut offerte par un conteur de Saint-Joseph, maestro Isomène Calypso, parleur à voix pas claire et biographe-savane de notre vieux rebelle. L'entassement des versions, très souvent délirantes, cachait pour ce conteur une raison secrète dont je dus convenir.
Elles soulignaient l'importance de l'événement.
La parole ne dit jamais « c'est important , mes amis », elle ressasse et entasse sous différents registres que l'on aurait tort de repousser sans en quérir les symboliques secrètes. Mais l'on aurait tout aussi tort, en s'immergeant dans un de ces récits, de lui allouer une signification autre que celle d'un bavardage pour le moins insensé. Le sens était global. Les symboliques gisaient dans les interactions de toutes les versions. Je m'attardai donc sur cette première attaque, et passai quelques mois sur mon ordinateur à consigner ses innombrables variantes sans me hasarder à les trier ou les

hiérarchiser [1]. Cette démarche fut payante car cette première attaque était d'une importance considérable : à force de m'y perdre, je finis par deviner laquelle.

D'après M. Balthazar Bodule-Jules [2], Man L'Oubliée le prit sous son bras gauche, en force, comme un sac de linge sale, et remonta le cours de la rivière avec l'habileté aérienne d'une mangouste. L'enfant gardera le souvenir d'une remontée pas ordinaire. Elle fendait les bassins, rebondissait de roche en roche, aspirait la chute claire des cascades pour émerger à leur sommet. L'enfant devinait sur la rive une ombre (déformée par autant de lumières que de noirceurs terribles) qui les suivait obstinément.

Bientôt, ils parvinrent en un lieu de silence où les arbres adoptaient des genres de grandes-personnes. Les roches semblaient en cet endroit plus anciennes qu'ailleurs. Des suées de lumière venaient s'arrondir sur la mousse tels des signes envoyés. L'eau transpirait de partout, des feuilles, des lianes, du lacis des fougères, l'eau composait l'air, défaisait les clartés, se propageait en insectes et substances végétales qui comblaient le moindre coin, cassaient toute perspective, enveloppaient le visible comme dans les bois mythiques de José Gamarra ou dans la jungle totale de Wifredo Lam.
Cet endroit était la source de la rivière.
Elle jaillissait d'un creux de roches noires avec une force émerveillante, clapotait tel un babil d'oiseaux noyés, et atteignait l'air libre avec l'éclat de la jouvence et de la joie. L'éclat d'un existant contraire à l'effrayante personne qui les avait traqués. Et c'est vrai que la diable avait pris-disparaître dès l'approche de cette source. Ce lieu c'était la

---

1. *Une attaque de diablesse en graines-sel et piments*, de Patrick Chamoiseau, manuscrit inédit, 788 pages, 7 disquettes, CD-Rom A et B, Écomusée de Rivière-Pilote, Martinique, octobre 2001.
2. *J'ai affronté des diablesses*, par M. Balthazar Bodule-Jules, in *Études créoles*, GEREC, 1994.

vie, un bon côté de vie !... Sur son fauteuil d'agonisant, M. Balthazar Bodule-Jules identifia cet enfantement de l'eau comme un rempart contre n'importe quel désastre. *L'à-tous-maux général !...* Il se souvint combien — en quelque coin du monde — il avait remonté de cours d'eau épuisés ou violents, avec son corps en sang, blessé de toutes manières, pour essayer d'atteindre (sans trop comprendre pourquoi) la source : ce lieu surnaturel où l'eau s'offre impudique au reste de l'univers. Une quintessence de vies originelles et de vies élargies. Une alliance du profond de la terre et du désir de ciel [1]... Ils demeurèrent plongés dans le bassin de la source comme dans un vrai sanctuaire. Comme dans une forteresse. Man L'Oubliée avait repris d'autres gestuelles sur le corps de l'enfant, aussi sereine qu'en temps normal. L'enfant se crut sorti de la réalité tant le silence amoindrissait le clapotis du flot. À bien y réfléchir, ce lieu était concentré à l'extrême : un emmêlement violent de nouées végétales, de vies grouillantes, d'eau vive et de terre primordiale, de lumière en différents états et d'ombres millénaires... Pourtant, ce désordre s'équilibrait en permanence étale, une harmonie quasi immuable, paisible et furieusement vivante, comme si la vie abandonnait en cet endroit ses vieux antagonismes, ou les vouait sans partage aux vigueurs solidaires. *Ah, l'Yvonnette Cléoste ne pouvait pas entrer dans un endroit comme ça !... Bloquée froide en dehors !...*

Ils en sortirent sous l'éclat de midi, marchèrent plus vite que vite à travers bois. Man L'Oubliée était sûre d'elle. Plus

---

1. *Il faut trouver ces lieux, mes enfants, les protéger, les garder libres pour tous ! Car l'eau est en danger dans ce monde à dollars nourri au CAC 40 ! Elle sera rare au dépassé ! Et les puissants vont se l'approprier pour la vendre en barils ! Ils vont en faire une curée commerciale à laquelle les peuples pauvres n'auront jamais accès ! Ils nous laisseront les eaux à pesticides, bourrées de mercure ou d'uranium déchu, ou ces eaux désolées que d'obscurs alchimistes vont nous extraire du sel pour les vendre à prix d'or !... Il faut écrire les* Droits universels de l'eau, *c'est le conseil que je vous donne !...* M. Balthazar Bodule-Jules : *Adresses aux jeunes drogués de Saint-Joseph.* Déjà cité.

rien ne semblait les traquer, mais son comportement demeurait insolite. Sa manière de poser les pieds, les bras qu'elle allongeait pour écarter les branches, pour « disposer » les feuilles, les signes qu'elle déployait sur l'écorce sombre de certains arbres, son application à pivoter (trois fois à gauche, sept fois à droite) autour des fromagers et des pieds-d'acacia, et à s'en éloigner en reculant durant près de six mètres avant de recouvrer une avancée normale... ces bizarreries calmaient pourtant l'enfant. Il marchait derrière elle, au plus près, posait ses pas dans les traces des siens. Il s'agissait-là d'une marche qui « arrangeait » le monde, comme me le révéla à sa façon obscure Isomène Calypso. Cette marche devait dérouter la diablesse et dut la dérouter longtemps, car l'enfant ne revit plus cette Yvonnette Cléoste de façon aussi claire avant plusieurs années.

Mais l'enfant en avait voulu à Man L'Oubliée de s'être enfuie devant cette furie. C'était, pour son sang bouillonnant, une marque de faiblesse. Cette fuite fut longtemps pour lui une défaite... Puis, à mesure de son âge, et surtout là, sur ce fauteuil d'agonisant, le comportement de Man L'Oubliée lui était revenu. Son calme. Sa détermination. Ses gestes placés d'équerre, au déroulé parfait. Rien de ce qu'elle avait fait en remontant cette rivière n'avait été la résultante d'un impensé de peur, des déraillements d'une inquiétude. Il finit par admettre qu'elle avait accompli l'essentiel : déjouer l'attaque de la diablesse.
C'était cela la victoire !
Pas un combat, pas de choc, mais l'anéantissement d'une intention adverse !...
Et cela pouvait s'effectuer sans bataille. Man L'Oubliée pratiquait l'art de vaincre sans combattre, de frapper sans toucher, de renverser toute force avec le vent de cette force même. *Elle m'avait modelé comme ça !...* Aux côtés des francs-tireurs de l'Indochine (avant ou après l'épisode de la

cage en bambou) il avait trouvé naturel de rompre devant les forces françaises, tirer et disparaître, harceler puis se fondre dans les fougères épaisses ou la brume des rizières. Dans les maquis de l'Algérie ou dans les rues de la casbah, il avait su comment — sans un coup de feu, avec juste un cri, un rire aigu — décrocher les cœurs d'une patrouille entière, peler les nerfs d'une sentinelle, et maintenir hagard jusqu'au soleil levant un poste d'avant-garde. Sans affrontement direct, il avait su tomber sur des bivouacs de légionnaires, mener bordelle et disparaître, puis savourer leur affolement avant de les abandonner à de visqueuses chimères, plus démoralisés qu'au fond d'un panier de crabes. Sur les plateaux de Bolivie, quand il avait couru à la poursuite du Che (après avoir quitté l'étrange momie et la métisse), il avait rencontré des patrouilles de rangers, et avait su, expliqua-t-il souvent, les obliger à sentir sa présence sans jamais l'entrevoir, et même les forcer à le craindre tout en le voyant fuir. Car ses courses de dérobade étaient irréprochables. Foulées égales et sans tremblade. Même s'il ne savait pas où aller, elles paraissaient s'inscrire dans un projet d'ensemble encore indéchiffrable. Le voyant fuir ainsi, les poursuivants s'arrêtaient net : persuadés d'être aux abords d'un piège, ils demeuraient sur place, saisis, à redouter des foudres imaginaires. Lui, cependant, quittait les lieux, tranquille, jusqu'à prendre disparaître. Il avait dû expliquer cette technique (toute naturelle chez lui) aux amis du Congo, aux gens de Madagascar, de Birmanie, de Grenade, aux survivants des Black Panthers..., aux foubens va-t-en guerre qui tout autour de lui voyaient déchiqueter leur belle poitrine offerte. Combien étaient morts, fracassés par leurs raideurs guerrières, *ô mes frères, ô mes fils... ! J'ai toujours été une bête de guerre insaisissable !...*
Et cette façon de faire lui provenait sûrement de cette première attaque.
Elle incluait aussi une autre gestion du temps.

217

Man L'Oubliée dans son affrontement à l'Yvonnette Cléoste avait manié le temps ; sans mollir pour l'ennemie, elle savait agencer les patiences. Elle savait attendre comme un canon chargé. Comme une arbalète qui n'a plus qu'à frapper. En fait, après la course, elle avait passé plusieurs heures dans le bassin de la source à espérer que la bataille reprenne ou se poursuive autrement. Elle avait choisi son champ de bataille en modifiant de manière mystérieuse l'équilibre des forces. Et l'Yvonnette l'avait compris, qui n'était pas venue !... Et moi qui pensais qu'on s'était simplement cachés... moi qui tremblais dans ce bassin !... J'avais appris, là, sans m'en rendre compte, qu'aucune défaite n'est jamais assez close sur elle-même pour ne pas comporter le bourgeon d'une victoire prochaine, un espace favorable à une ruée d'oxygène... Tchaka Zoulou le fils du ciel !... Béhanzin et ses guerrières du Dahomey !... El-Hadj Omar qui disait à chaque homme Va où c'est difficile !... Samori Touré guerrier dioula impitoyable !... Louverture d'Haïti qui gardait l'œil sur notre Caraïbe !... Hailé Sélassié que l'on dit roi des rois !... Et Jomo Kenyatta raide javelot du Kenya !... Le Mad Mullah de Somalie !... Mon Charlemagne Péralte que les Méricains n'hésitèrent pas à crucifier !... Mao !... Gandhi !... Hô Chi Minh !... Le Che !... Ben Bella !... Kwame Nkrumah du Ghana !... Julius Nyerere !... Mandela... tous ces chefs de combat, ces maîtres du temps, gardiens des longues patiences qui peuplent nos histoires, tous le savaient ! Tous l'avaient deviné ! Tous auraient pu soutenir comme je le dis maintenant : Si tu n'as pas vaincu en un jour attends vingt jours, si tu n'as pas vaincu en vingt jours attends mille ans, attends le temps qu'il faut en restant harcelant à chaque seconde qui passe, en demeurant dans une forme-attaquante à chaque instant de ta raide existence ! Et si tu meurs, cette forme-attaquante restera pour tes fils, creusée dans l'air et le soleil, elle restera dans la matière du temps...

Il avait le monde dans la bouche, en goûts et en paroles et en vents inutiles.

« Notre morceau de fer ».
Cantilènes d'Isomène Calypso,
conteur à voix pas claire de la commune de Saint-Joseph.

Durant les jours qui suivirent cette attaque, Man L'Oubliée circula dans les bois d'une manière hors coutume, pas sur le mode d'une bête traquée mais avec des gestes qui semblaient trancher l'air et fendre les choses à vif. Son corps se mouvait dans une économie telle qu'on l'eût dit enchâssé dans un halo onctueux. Mais elle demeurait chantonnante pour un rien. Cet amalgame de gestes terribles et d'ingénue candeur était déconcertant. L'enfant la gobait à pleins yeux comme s'il examinait un mélange détonant de braise sombre et d'eau claire, d'abandon et de contrôle aigu. La nuit, ils s'endormaient toujours sous les bénédictions des jeunes pieds-d'olivier ou d'anciens bois-moudongue, et, le jour, ils marchaient très souvent au milieu des rivières, ou sur les crêtes baignées de soleil. Quant à son regard, c'était encore une autre histoire. Malgré l'éclat joyeux de ses pupilles, elle semblait voir de près ce qui se situait loin, et distinguer l'ensemble de la moindre existence qui palpitait à sa proximité. L'enfant la voyait réagir à d'impalpables mouvements d'oiseaux, de négligeables frissonnements de chenilles, des ombres inconsistantes qui circulaient sous les grands-bois. Et ses mains, oh ses mains !... Man L'Oubliée touchait aux choses en conservant *les mains vivantes* : chaque doigt frémissant, et la paume enveloppante. Quand elles transportaient quelque chose ses mains conservaient une emprise plus savante que celle d'un vieux chatrou gobant un coquillage. L'agonisant comprit soudain que lui-même s'était efforcé de tenir ses armes de guerre d'une manière identique ; il mesura combien — avec juste-compte la sapience de ses doigts — il avait pu jauger en deux secondes une arme, suivre ses températures durant les

219

longs combats, contrôler les jeux de ses ressorts internes, à tel point qu'il ne connut jamais un fusil qui s'enraye, une culasse qui coince. Ses mains devinaient ces tracas à l'avance. *Hébin, j'ai tout appris d'elle... Tout !...*

Man L'Oubliée poursuivait le fil immuable de ses journées : le feu de midi pour cuire quelques racines ; l'après-midi où elle cueillait des simples, préparait des mixtures dans de petites calebasses ; l'approche du soir et l'ajoupa qu'elle construisait en un rien de minutes, ou que l'enfant, instruit de sa technique, échafaudait lui-même...
Les jours allèrent ainsi, inchangés.
Pourtant, malgré cette quiétude générale, l'enfant éprouvait le sentiment d'être traqué.
Sitôt après l'attaque, il y eut abondance de phénomènes étranges ; certains que l'enfant remarqua, d'autres qu'il ne put soupçonner et que l'agonisant se mit à découvrir. Les phénomènes les plus brusquants furent ces arbres qui d'un coup prenaient feu devant eux, ou se mettaient à rougeoyer comme le meilleur charbon. Ou alors, les broussailles qui se crispaient sur leur chemin pour les obliger à virer vers la gauche, et vers la gauche encore. Man L'Oubliée veillait à ne jamais virer sept fois de suite à gauche, et finissait par marcher sur le pied-bois en flammes, sur les broussailles nouées. Cette bravade provoquait alors l'arrêt du phénomène...
Mais le plus vertigineux fut l'affaire du manger.
Vers les onze heures, Man L'Oubliée mettait son manger à bouillir dans un coco de terre qu'elle trimbalait dans ses paniers. Elle mangeait sans nulle hâte, attentive à la dissolution du manger dans son corps. Ensuite, son plaisir était d'aller pauser ses reins dans la coulée d'une fraîcheur, et de se préparer une pipe de tabac en prenant tout son temps. Autour de cette pipe, ses gestes n'avaient plus d'âge, son être entier semblait avoir mille ans. Elle vivait la fumée, la conservait en elle comme un étonnement, la

relâchait longtemps, et ses pensées (tout comme son corps soudainement très âgé) s'en allaient battre misère vers des lieux de mémoire que l'enfant ne connaîtrait jamais. Eh bien, ce furent ces moments-là que l'Yvonnette Cléoste choisit de tourmenter. Déposé sur la braise, le canari d'un jour demeura froid trois fois. L'eau oublia de bouillir. Les dachines et choux durs se refusèrent à cuire. L'enfant s'en aperçut et renforça la braise. Après une heure, après deux heures, après trois heures, choux et dachines restèrent au même pareil, gluants, grisâtres, raides de leur laiteuse fraîcheur. L'enfant, qui n'y comprenait rien, prenait-nerfs sur la braise, touillait ventait soufflait. Man L'Oubliée découvrant ce prodige se mit à rire jusqu'à noyer ses yeux. La diablesse pensait les affamer ainsi !... Sans rien expliquer à l'enfant, et sans perdre de son rire, Man L'Oubliée fit voltiger le canari. Puis entreprit à sa manière de lui apprendre à se nourrir de graines des bois.

D'abord, elle le laissa sans manger durant deux ou trois jours. Il eut beau s'acharner à griller ou bouillir quelque chose, le maléfice les poursuivait. Man L'Oubliée se contentait de boire à l'eau des sources avec l'air de dire je ne peux rien faire d'autre. Quand l'enfant arbora l'œil vif des affamés, elle s'en inquiéta avec ostentation, et déclara aux vents passants qu'il leur fallait trouver quelque chose à manger. Mais quoi !?... Elle zieuta autour d'elle, les poings aux hanches et le visage ouvertement dubitatif. Puis, sous le regard désirant de l'enfant, elle fit mine de découvrir une chose, puis une autre...
Alors, les bas-bois révélèrent leurs provendes invisibles.
Là où l'enfant ne voyait que verdures, Anne-Clémire L'Oubliée lui montra de petites graines lovées sous l'ombrage des feuilles. Elle l'étonna avec des fruits infimes collés à même les troncs et des grappes comestibles qui ne pouvaient se voir qu'en sens contraire du vent. Elle lui

apprit à décoller des lanières d'écorce tendre, à mâchonner des pétales de grandes fleurs, à se confectionner une salade douceâtre dans de petites fougères. Il connut la saveur de certaines lianes grimpantes, l'amer exquis des cœurs de chapeau-d'eau, les tiges poivrées de vieux rhizomes qui couraient dans les roches comme des barbes de kobold. Il apprit à sucer certaines sèves, à mâchonner de sombres racines, à déjouer les malheurs de plantes vénéneuses dont les dieux eux-mêmes n'ont jamais su quoi faire. Elle lui apprit à se servir de ses yeux, de son nez, du toucher de ses doigts pour dépasser les apparences, déceler les poisons, et prélever nourriture dans des choses pas vraiment engageantes. Et l'affamé ne se faisait pas prier!... Il sut par elle espionner les fourmis et des touffailles d'insectes pour se nourrir comme eux. À force de la voir faire, il sut dompter d'immédiates répulsions pour goûter aux délices d'une feuillée de vers tendres. Il sut s'abandonner aux grillades de termites et souskays de pucerons dont le goût s'inventait par des branchages de thym. Ses papilles aux abois s'accoutumèrent aux concentrés acides qui vous nouent les mâchoires. Elles surent trouver saveurs dans l'aigre qui s'éternise, dans l'amer, dans le sur qui vous glace les dents ou dans l'âpre sans fond. L'agonisant retrouvait à présent ces saveurs sur sa langue, une vraie mémoire de fragrances et flaveurs, crevée comme un orage et submergeant son corps de sensations sapides. Il demandait à boire, se pourléchait les lèvres, déglutissait sans fin, gonflait les joues, tétait la langue, entrait dans des mastications presque surréalistes. L'assemblée (déjà troublée par l'évocation de la première attaque) l'observait avec quelque inquiétude. Ses yeux suivaient les blocs de souvenirs que chaque goût charroyait, des visions, des effluves, des perceptions tactiles, des états d'âme en suspension, des connaissances subliminales sédimentées tout au long de sa vie dans cette veine gustative qui semblait infinie et qui, selon ses dires, lui avait permis de vivre un peu plus que tout le monde. C'est pourquoi (durant ses vieilles années de retour au pays) il avait si souvent incité les enfants à la recherche des goûts alors abandonnés. On l'invitait sans cesse sur des radios expertes en traditions perdues et en savoirs d'antan, il s'y lamentait en compagnie d'autres vieux-corps à propos des bons temps du passé, et débitait durant des heures de fatigantes exhortations sur les graines des bois [1]...

L'enfant avait sans doute hérité les talents du papa Limorelle, car il devint expert en cette sorte de manger. Ceci donnant cela, une charge de temps plus tard, le rebelle engagé dans le monde sut se nourrir d'une manière tellement inattendue qu'elle stupéfia ses compagnons. Nous n'avons pas leurs témoignages, mais, selon ses propres dires, M. Balthazar Bodule-Jules eut science pour s'alimenter dans des biotopes où même un botaniste aurait laissé sa peau. En Indochine, il prétendit avoir trouvé dans l'obscur des forêts des corolles nourrissantes, des champignons laiteux, des drupes à peine visibles, des spores et des écorces dont il identifiait la moindre des vertus rien qu'en les reniflant. Il prétendit avoir aimé une vase de mangrove fine comme un flan au coco, des larves grises à goût de bière et les ailes d'un insecte immangeable qui craquaient sous la dent comme des frites de manioc. Il prétendit avoir picoré sur les sables d'Algérie,

---

1. *Enfant, les pois doux gris sont tes amis! Le ti-moubin est une hostie d'alcool! L'icaque à robe violette est une bénédiction mais oublie l'icaque-diable qui te dévore si tu la manges! Pense aux bwi qui sont noirs comme raisins et qui t'encollent la bouche! Près de l'aileron du morne Rouge cherche des framboises sauvages! Au morne Vallatte du Saint-Esprit demande le mangot-vakabon et le mangot-farine! Et regarde le bwatan qui est jaune mais pas tendre! Trouve manière de goûter aux pommes-lianes du Lorrain ou bien aux pommes guilliène! À l'arrière des vieilles cases du Gros Morne essaye de repérer les pruneaux à fleurs blanches, et ces grappes de doudous que le merles gobent par dix! Le cachiman plus crème que corossol est un sacré scandale pour les voraces de Derrière-Morne! Et pour la Barbadine dont on fait le madou au fond du Lamentin n'hésite pas à vouloir le jus frais ou la bonne confiture... ah mes enfants, si les icaques sont rak, et si les prunes sont sures, c'est les femmes qui sont chères... M. Balthazar Bodule-Jules : Adresses aux jeunes drogués de Saint-Joseph. Déjà cité.*

aux pires instants d'encerclement par les paras du général Bigeard, de petits insectes blancs qui trottinaient dans les désolations, et expliqué à ses comparses comment sucer certaines épines, d'insignifiantes écailles et des folioles roulées sur d'insensibles gouttes d'eau. Il prétendit leur avoir enseigné à déterrer d'interminables racines, presque sucrées, qui allaient chercher l'eau au fond des sables mouvants. Sur le fleuve Madeira, il prétendit s'être nourri de nénuphars et de lianes rouges, et, dans ses déboires en pays bolivien, avant qu'il ne rencontre cette métisse aimante et la momie démente, d'avoir mené bombance d'une chair de cactée, de petites mousses et de civettes couresses qui longeaient les torrents. En d'autres lieux, dont il n'avait plus le souvenir exact, il prétendit avoir déjoué la mort grâce à des plantes qui fleurissaient la nuit et persistaient le reste du temps en tubercules bleutés dans les roches et les tufs. Sur le Nil, au Congo ou à Madagascar (ô tabernacle des vies!), il prétendit avoir mangé des gélatines d'insectes, des radicelles fibreuses, du sang de zébu, des traînées d'escargots et de larves. Il eut même l'idée, prétendit-il encore, d'attraper aux abords d'un fouillis buissonnant des fruits ailés et des touffes de pollens qui s'en allaient répandre leurs survies hasardeuses. Ceux de ses compagnons qui voulurent l'imiter s'empoisonnèrent de suite et s'effacèrent de l'existence dans des diarrhées de dinosaure. Si bien qu'il se résolut à nourrir ses frères d'armes quand les famines rôdaient, les obligeant aux mastications lentes de machins dont ni l'odeur ni l'aspect ni le goût ne les laissaient supposer bienfaisants. Sur ce sujet des bidules comestibles, M. Balthazar Bodule-Jules portait une précision qu'il martelait de son index en l'air : ... cela dit, mes amis, mangeurs de Panzani et de hot-dogs à graisses, les seules bonnes plantes que je ne mange pas, ce sont les orchidées, car elles sont au-delà de la faim, elles existent pour le cœur, pour l'âme et pour les yeux, et nous enseignent à nous alimenter d'une maille

224

d'eau, d'un peu d'air, et de mousses à commuer en vertus nourrissantes ! Manger une orchidée reviendrait à ruiner le principe du vivant, détruire une leçon de survie inscrite dans la matière impitoyable du monde, et qui s'offre en beauté ! C'est par les orchidées que les plantes pensent ! C'est par les orchidées qu'elles nous expriment l'auguste sagesse des économes éternités et des silences immuables !... Je vis Man L'Oubliée manger de tout, sauf les orchidées ! Et nous mangeâmes comme je l'ai raconté durant des mois et des années, sous la nécessité du maléfice mais aussi par goût et par intelligence, si bien que le prodige de l'Yvonnette Cléoste finit par disparaître, que nos dachines et choux durs recommencèrent à cuire ! Seulement, ma vie avait changé ! J'étais revenu au commencement du monde, et j'étais à sa fin, car tout, même les roches, la terre et la crasse sur les arbres, pouvait nourrir ma faim violente de vivre !... Toute vie pouvait entrer en moi, tout le principe vivant, tous les animaux, toutes les substances, toutes leurs alchimies instruites des autres alchimies et capables sans faillir de s'alimenter d'elles... Je suis mangeur total !...

Il avait étudié la manière dont elle pêchait les écrevisses ou les lapias. Les pieds dans l'eau, le buste penché, une main repliée dans le dos ou posée sur la roche, et l'autre tendue, vivante, sans tension, qui se maintenait dans un juste équilibre. Durant ses pêches, elle entrait dans une sorte d'absence. Cette apparente viduité de son esprit était en fait une vigilance à peu près surhumaine. Sa main pouvait alors atteindre à une détente inouïe sans même un ordre de sa raison. Sa main devenait *prendre*. Son esprit même devenait *prendre*, tout son corps était *prendre*, voilà l'histoire pitite !... L'intensité, oui, c'est ça qu'elle savait maîtriser : l'intensité du prédateur profond qui n'est pas sanguinaire !... Être vivant à l'intense, s'investir tout entier en ce suspens où la vie rencontre le début de la mort, où l'immobile s'érige au-dessus de la vitesse extrême, entre asphyxie et souffle profond, entre le sang qui court et le cœur arrêté, entre le froid et la chaleur vitale, mettre tout son être comme ça !... La main semblait indépendante du corps. Un éclair sans orage. D'autres fois, le corps l'accompagnait dans un mouvement d'ensemble, massif et immédiat. Elle avait saisi de cette manière des mangoustes, des oiseaux, des sauterelles agressives, d'invisibles yens-yens qui la persécutaient. Il l'avait vue empoigner des serpents qui n'en revenaient pas de trouver plus vif qu'eux et s'en allaient en reptation confuse avec la certitude que le monde n'avait plus aucun sens. Durant leurs marches interminables, elle avait empoigné mille choses, comme ça, au vol, visiblement sans raison ni danger, sous le regard ébahi de l'enfant. C'était lui enseigner cette façon de saisir. L'enfant essaya à son tour, instinctivement et en cachette, mais n'eut jamais la sensation d'atteindre la fulgurance d'Anne-Clémire L'Oubliée. Et quand ses compagnons d'armes, bien des années après, s'étonneront des vitesses pharamineuses de certains de ses gestes, il en restera gêné, en leur disant souvent et sans qu'ils comprennent hak : *Ah, si vous aviez vu la madame en personne !*... Mais, bien que se sachant dépourvu de la maîtrise d'Anne-Clémire L'Oubliée, le vieil homme reconnut en lui-même que cet exemple prégnant lui épargna la mort en un lot d'occasions. Pour se nourrir bien sûr, au bord de fleuves opaques ou de torrents puissants, ou sur des roches chagrines où seuls des oiseaux soupçonneux ne posaient qu'une seconde l'offrande de leur chair. Une nuit, dans les abords de Diên Biên Phu, à l'époque où Hô Chi Minh lui-même campait parmi ses troupes, il avait stupéfié ses compagnons en capturant deux cent vingt des moustiques qui les martyrisaient. Il restait immobile, absent, lové auprès du feu sous l'eau suintante qui baignait tout, pourtant ses mains se détendaient comme des fauves sur le moindre bourdonnement.

Il roulait les moustiques capturés entre ses doigts, sans les écraser, et les jetait au feu sous les yeux ahuris de ceux qui s'amusaient à compter ces prouesses. Une autre fois, dans une taverne d'Alger, à l'époque où il affrontait les bérets rouges du général Massu, il s'était trouvé en conflit avec un ivrogne kabyle qui n'aimait pas les nègres, et qui, nonobstant les vapeurs de son alcool de fraude, lui lança en grande dextérité un poignard d'égorgeur. M. Balthazar Bodule-Jules crut le temps suspendu, et le monde entier tout soudain effacé, pour le laisser en face de cette pointe meurtrière qui lui fonçait dessus. Il crut même la sentir dans son cœur, mais réagit sans le savoir, sans le penser, trouvant un moyen hors conscience de saisir l'arme au vol et de la renvoyer dans la gorge du soûlard. La taverne demeura tellement pétrifiée de surprise et d'incrédulité, qu'il put sortir tranquille et disparaître dans une des caches qu'entretenait le FLN au fond de la casbah.

Mais les fureurs de la diablesse ne s'arrêtèrent pas là. Sept mois encore après l'attaque, les journées furent souvent des jours de mauvais temps. La pluie derrière la pluie. Vents bousculant vents. Pluies coulées dans soleil. Chaleurs et froids mariés pour renverser les arbres. Des boules d'insectes hardis leur enrobaient le front. Des débrailles de fourmis menaient bombes dans leurs couches. Des insectes empoisonneurs surgissaient sans raison à la moindre de leur halte. Des brouillards s'éternisaient à hauteur des racines comme des larmes de dragon. Des ravines s'engorgeaient soudain d'une eau boueuse prête à tout avaler. Des terres glissaient toutes seules, et des roches déboulaient vers eux avec la précision d'un malheur envoyé. Durant ces mauvais temps, les heures refusaient de passer. Tout s'imprégnait de noirceur, d'immobilité morte. L'enfant et Man L'Oubliée ne trouvaient plus que de rares graines qui nourrissaient malement — et les fruits tombés pourrissaient sans reliques.

227

Ou alors, il y eut des moments de grandes soifs. Une sécheresse inconcevable accompagnait leurs déplacements.
Même les ravines d'habitude très humides se fanaient
comme du papier mâché, et leurs fougères noircies devenaient plus cassantes que des fibres de cristal. Toujours
aussi tranquille, Man L'Oubliée ne s'inquiétait même pas
de ce mystère. L'enfant, lui, tirait la langue comme un
bœuf au soleil. Man L'Oubliée utilisa cette soif pour lui
transmettre des choses qui, du coup, se firent inou-
bliables. Elle lui apprit à se désaltérer dans des nœuds de
bambou où sommeillait une eau qui avait plus de mille
ans. Elle lui apprit à téter les roseaux qui sont dépositaires
des sources les plus profondes. Il sut bientôt recueillir de
la langue des gouttes de rosée sur les pointes de fougère,
et pourlécher ces suées qui ouvraient des miroirs sur les
grandes feuilles de chou. Il sut aspirer une goutte infime
avec autant de plénitude que s'il s'était agi d'un océan
d'eau fraîche. Et, là encore, nourri de simples gouttes
durant des jours entiers, l'enfant n'eut pièce crise de frin-
gale, de ventre qui fait glouglou sur la torture d'un creux.
Les gouttelettes récupérées ainsi lui transmettaient des
énergies insoupçonnées.
Gouttelettes du monde, suée claire du monde, la rosée porte
le monde!...
Ses comparses guérilleros (inutile de le dire) furent toujours ébahis de le voir rechercher de simples bulles
de rosée ou déguster les perles d'une bruine crépus-
culaire. Quand eux-mêmes l'imitaient, cela ne faisait
qu'envenimer leur soif. M. Balthazar Bodule-Jules leur
disait : Cela ne se boit pas, il n'y a rien à boire, il faut s'en
imprégner, offrir tout bonnement cette affaire à votre
corps, la rosée n'est pas un simple liquide, c'est la quintessence de l'univers total...! C'est pourquoi, en ses vieux
jours, on le vit récompenser ses plantes et ses chères
orchidées avec des pointes de rosée, marcher pieds nus

dans l'herbe matinale imbibée d'une eau fine qui suintait de nulle part, ou s'offrir torse nu aux vents-d'avant-le-jour peuplés d'humidités lunaires.

Malgré cette science, Man L'Oubliée et lui connurent au fond de ces bois des moments de belles dèches : semaines entières sous d'aveugles déluges, ou rigueurs de carêmes hors saison. Pourtant, Man L'Oubliée traversait ces ennuis d'une manière égale, avec ses jeux, ses rires gamins, sa gaillardise sans faille bien attentive au monde. Rien n'altérait ses gestes ou sa façon de faire. Les pluies violentes ne la forçaient jamais à se voûter le dos, elle restait droite, le menton en avant comme offert aux caresses d'un petit vent coulant. Un arbre qui tombe, une terre qui glisse, ne troublaient pas le vif paisible de son regard. Quand des fourmis surgissaient dans leur couche, elle se levait, se déplaçait en chantonnant, et s'endormait un peu plus loin. Elle pouvait endurer des semaines d'un extrême dénuement sans regretter une douceur passée. En période d'abondance, quand les maléfices de l'Yvonnette se desserraient un peu, elle savait jouir des fruits, des provendes du moment avec un appétit chantant et une joie taquine. Mais, quand l'Yvonnette les couvrait de déveines, l'enfant la vit aller aussi radieuse qu'en période ordinaire comme si un beau soleil dansait au seul mitan d'elle-même. L'enfant réussit quelquefois à imiter cette attitude, mais n'atteignit jamais une telle puissance de détachement. Il geignait parfois. Se plaignait d'une soif, d'une faim, d'une tracasserie de fourmis rouges. Son mental s'effondrait en de lourdes fatigues. Ses yeux guettaient les arbres et se méfiaient des terres déclives. La moindre rivière lui semblait aux aguets. Alors, à force d'échauffures mentales, le simple mauvais temps se transformait en quelque chose de différent : une confuse atmosphère beaucoup plus angoissante. L'enfant la dissipait en sortant simplement d'un cauchemar ; mais il se découvrait le plus souvent bien éveillé, debout dans un réel à la fois nébuleux et furieusement incontestable. Il croyait voir des influences errantes qui huilaient des écorces, infectaient les jeunes sources ou disséminaient une humeur urticante. Il croyait voir, encollant ses talons, d'épais crachats de bile amère lui tracer un sillage. Et le pire c'étaient les pierres-zombies. Ces roches volcaniques qui peuplaient les ravines, et qui soudain s'animaient d'échos et de reflets. De labiles fluidités contractaient leur masse sur des formes de personnes, sur la courbe d'un visage, en des sphères à petites dents qui pouvaient rire toutes seules, en polygones à yeux de veuve, en brusques géométries pourvues de poils ou de narines ouvertes. L'enfant pouvait alors tout y soupçonner, en des rappels anthropomorphes de plantes, de fruits, de fleurs, d'orchidées semblables à des mantes religieuses. M. Balthazar Bodule-Jules avait maintes fois évoqué ces orages qui transmutaient les bois de son enfance [1], mais ses récits n'utilisaient jamais les mêmes faits ou les mêmes images, je crus qu'il s'agissait des défaillances habituelles d'une mémoire de menteur, mais à force d'y songer j'acclimatai l'idée qu'ils exprimaient la permanence d'un indicible. L'invariant de ces multiples versions, c'était ce fantastique insidieux, protéiforme et incertain, qui n'atteignait jamais aux franches ruptures d'une hallucination. J'essayais de m'imaginer cette troublante atmosphère en repensant à ces contes créoles où les paysages sont presque des personnes, à ce que je savais de l'Apocalypse de saint Jean ou des fantaisies d'Edgar Poe. Je crus la retrouver dans les visions des anachorètes de désert, les sfumatos de l'enfer tibétain, les univers de Jérôme Bosch, de Bruegel ou de Goya, ou même dans les têtes composées du cher Arcimboldo, le vieux maître de Milan. J'emmêlais tout cela dans ma propre tête pour tenter de transcrire (sans comprendre) ce qu'il en avait dit, et

---

1. *J'ai affronté une diablesse.* Par M. Balthazar Bodule-Jules. Déjà cité.

qui pour lui-même ne fut jamais très clair. Mais je sentais l'agonisant résister à l'évocation de cette période de son enfance. Pour lui, les émois de l'enfant étaient sans doute liés aux vieux affects de l'obscur orageux, aux éclairs déformant le réel, à l'électrique de l'air qui modifiait les couleurs ou les formes, et altérait la nature même des sons. Il se répétait cela en vieillard rationnel, une main savante soutenant son menton; puis son esprit se voyait déporté par d'invincibles angoisses encore nichées en lui. Je vis son front luisant, et son regard soudain mobile, recherchant vers la gauche des choses qui ne pouvaient se concevoir qu'au-delà d'une vision normale. Puis je le vis se raidir dans un étonnement fixe, à dire qu'une pétrification de l'univers connu lui était tombée dessus. Il devait sans doute revivre cette sensation terrible qu'avait connue l'enfant en ces moments pas clairs : celle du temps-détraqué.

Le temps-détraqué !... Dans les éclats d'une grosse chaleur ou d'une pluie furieuse, tout stoppait autour d'eux, rien ne bougeait plus, rien ne se déplaçait. Une immobilisation effrayante. Une sorte d'arrêt du temps. L'enfant se voyait déambuler à vide et répéter les mêmes gestes dans un décor subitement médusé. Il devait se pichonner le ventre pour s'éveiller d'un rêve, ou défaire un visible aléatoire qui n'était pas un rêve mais qui ne revenait en place que pour remuer, et s'altérer encore dans une immobilité étrange. *Le temps-détraqué !...* Il sut à quel point le mouvement était inscrit au cœur des choses vivantes : la matière insensible des ombres et des lumières, la vibration des feuilles, la voltige des oiseaux, les courirs des mangoustes, le grouillement des insectes... tout bougeait, allait imperceptible, vibrait sans cesse... nulle conscience ne fixait l'étendue de ce mouvement profond, mais tout règne de l'immuable interdisait une perception apaisée du réel. L'indéchiffrable allant où se fondait le-temps-qui-passe renvoyait au paisible du monde, au signal de la vie bien vivante. L'immobilité suscitait une alarme immédiate, sans doute pas tout aussitôt perçue, mais majeure et totale, à tel point que l'esprit de l'enfant, projeté hors du temps, se mettait à flipper. Saint Augustin, mes amis, disait que le temps ne passait que dans l'âme, il avait raison, il passe en attentes, il passe en désirs, il passe en attentions, en souvenirs, en projections dans le futur, mais, dans ces bois maudits, ce n'était pas seulement ce que je percevais qui se figeait ainsi, mais tout l'espace autour, toute la matière du monde semblait se refroidir et se prendre de teintes pâles!...

L'enfant avait le sentiment que son cœur bégayait sur un même battement, que son souffle s'encayait dans la répétition sèche d'un oxygène unique, et que sa tête restait figée sur l'idée même de cet arrêt. Sa mémoire, dans ces moments-là, s'anéantissait dans un silence brutal devenu blanc et fixe, il ne savait plus où il était, où il allait, ce qu'il pouvait bien faire là en compagnie de cette Man L'Oubliée ; et il se mettait à flotter en lui-même dans un endroit qui serait à la fois au début et à la fin du monde. Incapable de bouger, il devenait muet, abandonné de toute parole. Ou, s'il bougeait, il croyait recomposer un geste qu'il avait déjà fait et qui alors revenait inutile. S'il parlait, il lui semblait souffler des mots qui ne s'accrochaient à rien et que Man L'Oubliée ne semblait pas entendre. D'autres fois tout s'inversait, il s'imaginait revenu dans la marche d'une journée précédente, ou du moment éprouvé juste avant : le même arbre, la même odeur, le même instant!... Ces retours en arrière le plongeaient dans une confusion à laquelle Man L'Oubliée demeurait insensible. Elle ne semblait pas vivre ces désordres du temps. Quand le temps-détraqué l'emprisonnait, l'enfant ne la percevait plus à ses côtés. Elle n'était plus dans sa conscience, il ne la sentait pas, comme s'il se retrouvait enkysté en lui-même, sourd-aveugle, sans mémoire. *Emmuré*. Et c'est elle qui le sortait de ces états terribles, avec de grands rires et une tape dans le dos.

Ce maléfice lui marqua l'esprit d'une sorte irrémédiable, car, tout au long de sa vie, M. Balthazar Bodule-Jules avait dû tenter de subsister avec. Temps-arrêté. Temps-inversé. Temps-mélangé. Temps-éclaté en mille éclats d'instants qui ne s'associent plus. Le temps m'a donné bien plus de fer que toutes les déveines connues en ce bas monde !... Baudelaire, ce tourmenté, écrivait que le temps était « l'ennemi vigilant et funeste », et je dois être le seul à savoir vraiment ce qu'il essayait de dire !... Il s'était donc souvent déclaré martyr du temps qu'il affublait volontiers des patronymes de Béké, Patron, Toubab, Chien-fer, Bête-à-mille-pattes, Cochonnerie, Gale-à-trois-couches... À l'en croire, le temps, dans ses détraques maléfiques, l'avait crucifié, lapidé, dégrainé, grillé au bûcher de bois-bombe, liquidé à petites douches de gaz, empalé sur des piques de goyavier séché, épluché vif dans une sauce de piment... Mais, là, sur son fauteuil d'agonisant, il reconnaissait enfin qu'en certaines circonstances cela s'était montré utile ; ces désordres du temps se produisirent pour lui dans des moments de crise intense, sous des arrosages au napalm, des explosions interminables qui terrifiaient tout entendement. Ils surgirent aussi lors de ces charges nocturnes contre les postes avancés des forces françaises de Diên Biên Phu, charges kamikazes où les chairs fracassées, les reptations suicides à travers des champs de mines, les fracas, la mort, les bonds et les replis tourneboulaient dans sa conscience. Lui-même, hurlant comme un damné, se mettait à tirer, à crier, à mordre, à briser, sans trop savoir ce qu'il faisait ni combien de temps cela pouvait durer, jusqu'à se retrouver (presque ababa) à son point de départ : pour lui le temps s'était figé. Les paysans Viêt-minh qui avaient vécu une charge désespérée perdaient souvent l'esprit : ils tremblaient sans remède, pleuraient d'un œil, ou chantonnaient des idioties avec une petite voix de veuve sans amygdales ; leurs pupilles flottaient en sens contraire et leurs cheveux blanchis se voyaient emportés par le moindre souffle d'air. Mais lui, revenant de ces charges avec l'esprit indemne, pouvait recommencer dès la nuit suivante, et la suivante encore. Le temps lui avait aussi joué des tours bénéfiques durant ses longues marches dans les djebels de cette chère Algérie, en pleines zones interdites infestées de paras, tandis qu'il avançait en compagnie des fellaghas de sa région, pas à pas, longuement, lentement, dans une nuit sans horizon avaleuse des repères ; ils devaient avancer à la boussole de l'âme, parfois derrière un vieux berger doté d'une perception animale de l'espace, mais le plus souvent seuls, avancer dans la peur, dans l'attente aiguë d'on ne savait trop quoi, avancer dans la certitude d'être moissonné au prochain pas, avancer tout en imaginant la gueule fatale des mines, les fils piégés à fusée éclairante, avancer. M. Balthazar Bodule-Jules tentait alors de s'accrocher au monde, mais son être basculait dans le temps-détraqué, dans cette horreur où il flottait, reculait, avançait, répétait sans progression des pas qui moulinaient dans un vide insondable. Il n'osait appeler à l'aide, sortir un son, faire quoi que ce soit qui puisse mettre en danger ses compagnons, alors il se concentrait sur ce temps-détraqué, et s'efforçait de tout son être de l'accepter. Il se contentait de garder le geste ferme, le pied qui avance, la main bien vibrante sur son arme, et d'attendre qu'une rafale, un cri, un ordre, déchire le maléfice, et qu'il en émerge en respirant comme un noyé remontant des abysses. Cela se produisit aussi dans les caches de la casbah d'Alger, quand (blessé dans le maquis) il avait dû rejoindre le panier de crabes des résistances urbaines, cloaque de traîtres, de dénonciations obliques, de légionnaires qui n'avaient plus de lois, de perquisitions barbares, d'emprisonnements arbitraires, de tortures préhistoriques et aveugles... L'atmosphère démente de la guerre totale dont nul ne sort indemne, où toute psyché humaine pouvait se voir ruinée à n'importe quel moment!... Eh bien, là, dans un trou creusé à l'arrière d'une armoire, dans l'interstice d'un toit, dans un coffre, un panier, je pouvais rester des jours et des jours, immobile, avec l'esprit en feu, puis l'esprit engourdi, puis l'esprit emporté dans le temps-détraqué! Pire que si l'on m'avait enterré tout vivant, car le temps-détraqué n'est pas une inconscience, c'est une lucidité extrême figée comme une pointe rougeoyante!...

Les compagnons de son réseau (harcelés sans répit par les desperados du général Massu) l'oubliaient très souvent, et s'étonnaient de le retrouver lové à la même place, dans la même position, pétrifié dans une terreur imperceptible. Il demandait où on était, en quel jour, quelle heure, quelle année, puis éclatait de rire pour tout remettre en marche. *Oh, le retour du temps!*... C'était alors comme si tout son être se défaisait d'une gangue totale. Une bourrasque de mouvements réinvestissait la moindre de ses cellules. Tout ce qui le composait, qui composait le monde, qui tissait l'univers, s'ébrouait dans un désordre colossal. Il croyait même percevoir les galaxies reprendre l'impulsion de leur vieille catastrophe. Ses amis algériens (sans estimer ses gestes désordonnés et ses yeux un peu fixes) l'avaient souvent appelé au sortir de ces caches : *Le maître des patiences*. Mais ce fut l'unique titre qui lui donna une envie de pleurer.

Mais la détraque du temps pouvait le dominer pendant des jours entiers, quand il se voyait confronté à des massacres inconcevables : des femmes et des bébés, des vieux-corps et des petites-personnes, des maisonnées entières arrosées de napalm, des cases de paysans explosées sans raison et inscrites aux statistiques comme bâtiments

235

ennemis. Partout, les colonialistes, les exploiteurs, les pré-
dateurs de toutes natures, appliquaient la même terreur
dans la même démesure, comme s'ils en rajoutaient pour
effacer l'idée même de justice ou bien d'humanité. Il vit
des populations entières déplacées à coups de crosse et
humiliées pour toute l'éternité. Il vit des troupeaux abattus devant des bergers desséchés de douleurs. Il vit des
femmes dénudées à coups de fouet et désarticulées par
des viols titanesques. Il vit des cimetières labourés par des
bottes insolentes, et des cadavres outragés dans des fosses
à ordures, remplies d'huile de vidange. Il vit des colonialistes balancer en riant des chapelets de grenades dans des
grottes où pleuraient des dizaines de blessés. Il vit des
corps mutilés par des vindictes qui n'avaient rien d'humain, et des hommes torturés bien au-delà des imaginations. Le Qohéleth, fils de David, roi de Jérusalem, disait
dans l'Ecclésiaste que l'œil n'en a jamais assez de voir, et
que l'oreille n'est jamais pleine d'entendre, mais les miens
ont vu tellement d'horreurs, entendu tant de fureurs,
commises par des nations civilisées, qu'ils préféraient
souvent tout immobiliser!... *Stop!*... *Déposez!*... Ils lançaient comme un signal, provoquaient le court-circuit
d'une distorsion, et le maléfice de mon esprit (censé me
torturer) m'expédiait dans le temps-détraqué! Mais cette
torture se transformait en un heureux-bonheur. Car je
flottais comme ça, à l'huile! Sans trop savoir où j'en étais
tout en le sachant trop, perdu dans les obscurités de toute
l'espèce humaine! J'étais au fond de nous, de vous, de
nous tous, de toute chair, et je n'entendais que des gueules
qui jappent, des violences poilues, des griffes érigées en
consciences, des morales à crinière, une catastrophe bien
ancrée au profond de moi-même comme de l'espèce
entière! C'était cela le maléfice de l'Yvonnette Cléoste :
elle avait pensé me tuer par le temps-détraqué, mais
n'avait fait qu'amplifier ma perception du genre humain!
J'étais relié à elle, donc branché-sensible aux méchancetés

du monde! Car le mal n'a pas de passé ou d'avenir, il est constant, immobile, permanent comme l'unique horizon! Violences, fureurs et malveillances sont de même nature! Courage, beauté et gestes justes se tiennent dans la même fixité, bien en dehors du temps! Car j'ai aussi vu, en ces endroits, des vies sublimes, des hommes droits, des femmes astrales, des courages divins, des héroïsmes célestes, des abnégations qui me faisaient pleurer, des hommes et des femmes admirables, noirs, blancs, jaunes, des Français, des Anglais, des Belges, des Congolais, des Vietnamiens, Amérindiens des hauts plateaux, gens de forêt, de ville ou de savane, dieux et déesses vivants submergés par l'horreur et exhaussant quand même le vieux flambeau de l'homme!... Et, là encore, ce spectacle fabuleux me détraquait le temps car il noyait les lieux les époques et les âges!... Il circulait total! Je pouvais demeurer dans cette crise temporelle et poursuivre une marche tranquille, nettoyer mon fusil, boire une eau-de-café dans un coin de pays dominé, vivre en semblant paisible dans ce temps détraqué qui me renvoyait au plus ancien de nous-mêmes!...

En d'autres fois, c'étaient toutes ces langues, ces peuples traversés, ces dieux qui lui tombèrent dessus, ces manières tellement diverses auxquelles il avait dû s'accorder, ou recevoir d'un mode égal, et qui, au fil de ses errances, finirent par lui engouer l'esprit durant des mois entiers. Il ne savait plus ce qui était juste ou ce qui ne l'était pas, ne savait plus quelle langue était la bonne ou la belle, et quels dieux étaient préférables à quels autres. Durant des lustres, il était entré en suspension au-dessus de tout ça, avait glissé comme sur une eau épaisse en évitant de couler jusqu'au fond. Mais le fond le rejoignait toujours, et se superposait à d'autres fonds par l'entremise des femmes qu'il avait approchées. Elles furent comme des pièges aspirants, des gouffres de désordre ou d'harmonie extrême où il allait toucher aux lointains d'une âme et approcher des vérités jamais envisagées. Des vérités qu'il savait à peine regarder bien en face. Là encore, il échappait à la folie par le temps-détraqué grâce auquel ces façons d'être et de vivre allaient en suspension, se mélangeaient dans des effets multiples de concordances ou de contrastes anciens. Indiennes. Africaines. Américaines. Européennes. Asiatiques. Femmes d'eau. De terre. De feu. De chairs furieuses. De sperme et de salive. Femmes tout en esprit. Femmes de rouges à lèvres et d'huiles parfumées. Femmes de guerre et de sang. Femmes de vie solitaire ou de mort silencieuse. Femmes visionnaires ou femmes aveugles. Femmes animales ou divines. Insignifiantes ou totales. Femmes perdues... Avec ces souvenirs de femmes, il n'était jamais parvenu à structurer son temps passé de manière convenable. Il se trompait dans leurs regards, leurs âges, mélangeaient leurs cheveux, leurs sourires, trouvaient des convergences insoupçonnées entre les sons de leurs voix et leurs langues inconnues. Les parfums de leurs chairs (aisselles, coucounes, pliures des seins, lobes de l'oreille...) étaient présents à son esprit, et agissaient encore sur ses glandes à désir, mais sa mémoire l'avait souvent trahi et avait composé des femmes nouvelles, nées de plusieurs autres, qui se mettaient à peupler ses fantasmes et troubler son sommeil. Ces créatures mémorielles l'écartelaient alors entre plusieurs de ses âges, associaient des instants et des lieux qui n'auraient pu se rapprocher. *Temps-détraqué à fond !...* Si bien qu'il s'était souvent réveillé en sursaut, en quelque côté du monde, languissant après une féminité chimérique qui avait enflammé son sommeil, et il était demeuré sur sa couche, échoué, avec le sentiment résiduel d'être habité profond par l'inlassable diablesse...

Mais l'agonie lui renvoyait ces affres avec plus de distance.

Il lui semblait maintenant que chaque langue, chaque

dieu, chaque peuple, chaque goût, chacune de ces femmes qu'il avait tant aimées, qu'il avait craintes ou détestées, avaient été des boucles actives du temps. Boucles différentes entre elles, et qui, boulées en vrac dans sa pauvre mémoire, s'abolissaient pour lui laisser le sentiment d'un irréel complet. Soudain, il sut pourquoi il avait toujours aimé raconter, et raconter encore, tant disserter sur ses péripéties, répéter, gonfler, exagérer, mélanger, revenir, s'énerver en descriptions interminables, stagner à l'infini sur de petits détails, dire et redire pour mieux dire... comme pour fixer un temps qui n'avait plus de sens et qui, pour lui, s'était perdu dans sa forme coutumière depuis la nuit de son enfance.

Man L'Oubliée l'éjectait des détraques du temps par un grand rire sonore et une tape dans le dos. Tout se remettait en marche pour quelques jours encore. Ce rire était étrange — un peu comme le rire de la chose que Kafka appelait *Odradek* dans une de ses nouvelles, sorte de bobine à pointes d'étoile, qui pouvait rire franchement mais sans joie, sans gaieté, sans comique, sans tragique et sans nécessité ; sorte de rire essentiel, absurde mais complet en son genre, un vrai rire-sans-poumon projeté d'une douloureuse éternité. Ce n'était pas le rire de tous les jours qui accompagnait ses macaqueries d'enfant. C'était un vibrato sonore qui claquait comme un ordre. Il zébrait le monde avec la force d'un éclair. Il pénétrait dans ses chairs mêmes, modifiait sa conscience, et agitait ses membres d'une foudre électrique. Ce rire (qui réamorçait une mise d'aplomb du temps) déclenchait chez l'enfant un fou rire sans sortie. Lui et Man L'Oubliée restaient plantés sur place, à rire-ventre-coupé, et à rouler par terre comme s'ils s'étaient souvenus d'une bonne blague de conteur. Ils filaient la journée dans une joie sans fatigue, à rigoler de tout, à rigoler d'eux-mêmes, hors d'atteinte de l'orage ou des usures de la sécheresse. Man

L'Oubliée utilisait le rire dans une logique indéchiffrable.
Elle pouvait s'esclaffer tout bonnement sans raison. Elle
pouvait tressauter sous un rire silencieux en restant affairée à l'une de ses tâches. Il l'avait vue en éclats badineurs
alors qu'ils devaient fuir sous la rage d'un cyclone, tandis
que de grands arbres s'abattaient autour d'eux. Il l'avait
vue hilare alors qu'il venait de chuter aux deux tiers d'une
falaise, et s'était suspendu à une racine débile au-dessus
d'une ravine mortelle. C'est en riant qu'elle s'était fabriqué
une corde de liane-mahaut, et qu'elle était descendue vers
lui, centimètre par centimètre, alors que la falaise s'effritait maille à maille. Ses gloussements avaient enveloppé
l'enfant d'un baume imperceptible, et, sans affolement,
riant lui-même de sa situation, il avait su attendre, puis
s'accrocher à ses épaules, et se sentir en joie alors qu'elle
peinait à remonter et qu'à tout instant des roches descel-
lées les drainaient vers le fond. Accroché à ses épaules, il
avait perçu la puissance de son corps, sa volonté sévère
qui ne cédait en rien à la roche friable. Mais ce qui l'avait
véritablement rassuré, c'étaient les soubresauts heureux
de sa poitrine : en ce moment critique, cette dernière
s'emplissait du rire le plus nature qui soit. M. Balthazar
Bodule-Jules découvrit par la suite que Rabelais devait à
Hippocrate la thèse du rire thérapeutique, et il est vrai que
la lecture d'un bel extrait des errances du *Quart Livre*
l'avait toujours plongé dans un entrain vaillant. De même,
il s'était toujours fait attentif aux rires des vieux conteurs
dans la misère des plantations, eux qui vivaient au rire,
aimaient au rire, bêchaient au rire, souffraient au rire,
duraient et enduraient au rire, enveloppaient cet univers
d'un rire qui contestait l'ordre établi des oppressions. Et
ces grands vents de rires dissimulaient le sens rebelle de
leurs paroles. C'est avec eux — lorsque plus tard il fréquentera leur monde — qu'il vit circuler le rire qui lie et
qui relie, le rire qui enseigne, le rire qui pleure, le rire qui
exhorte, le rire qui anime et ranime, le rire qui lève les

240

émotions, qui force la clairvoyance... Il avait retrouvé cette même série de rires chez sa Congolaise *(Mais c'était quoi son nom ?!...)*, militante au Mouvement national congolais de Patrice Lumumba. Elle alimentait les sections de quartier, en encre, en papier, en enveloppes et en alcool pour les polycopieuses. Elle transportait des tracts à travers toute la ville, et animait des discussions pour promouvoir (à la demande de Lumumba) un front commun des opposants au colonialisme belge. Dans ces réunions, elle déployait plus de rires que de thèses, mais ses hilarités suscitaient une adhésion rapide de ceux qui se pressaient pour l'écouter. M. Balthazar Bodule-Jules la découvrit dans une de ces séances ; il fut tétanisé par ses lèvres sans pareilles et ses dents magnifiques offertes aux embellies. Il avait déboulé au Congo, harnaché comme un tank, et prêt à s'embarquer dans la moindre étincelle. Il pensait rejoindre Joseph Kasavubu, leader un peu sorcier de l'Abako (mouvement nationaliste que les Belges redoutaient), mais, un soir, il entendit un enregistrement de Patrice Lumumba et se dit que c'était cet homme-là qu'il lui fallait rejoindre. Le discours l'avait quelque peu ennuyé, mais la vibration singulière de la voix lumumbienne, sa droite sincérité capable de regarder la mort, l'avait séduit. Après la réunion, il aborda la Congolaise qui rentrait en riant-chantonnant sur une vieille bicyclette. Il vit deux-trois misères pour lui faire admettre qu'il ne voulait ni la violer ni lui voler sa bicyclette. Il vit encore plus de misères pour lui expliquer qui il était, ce qu'il voulait, et pourquoi il tenait à se battre auprès de Lumumba. Méfiante durant quelques semaines, elle avait quand même toléré de le revoir, puis s'était finalement habituée à le voir apparaître dans ses réunions de quartier. Elle se mit à le présenter en disant : *L'ami-frère des Antilles, du pays de Césaire...* Puis il la raccompagnait sur vingt mètres, sur trente mètres, puis jusqu'à cet entrepôt qui lui servait de chambre. Il réussit à lui offrir une bière, puis parvint à l'emmener dans un trou (impossible à titrer) où une mystérieuse Bamiléké, échappée du Cameroun, cuisinait un mélange de viande de chèvre et de riz collant arrosé d'huile de palme et de piment. Il la raccompagnait en parlant des Antilles, de ses voyages dans des soutes de cargo, de ses guerres qui l'amusaient beaucoup. Une nuit, il dormit dans sa chambre, au pied de la porte, l'esprit tracassé par son corps qu'il sentait endormi à quelques mètres de lui. Puis, une fois, à force de révolutionner le monde, elle s'était assoupie dans ses bras, et lui était demeuré pétrifié comme un gardien de pierre, à veiller son sommeil et à vivre en désir animal son corps qui se collait au sien. Il leur fut bientôt naturel d'être ensemble, lui marchant dans son ombre, elle éclatante de joie sur sa bécane et dans les réunions. Il avait insisté pour rencontrer Lumumba mais elle ne lui faisait que de vagues promesses, soit à cause d'un restant de méfiance, soit simplement du fait que l'homme sillonnait le pays pour plaider l'unité nationale par-delà les ethnies, les chefferies et les dieux. Si elle se méfiait de lui, elle ne le montrait pas, tant sa joie, ses rires, sa vibration heureuse, demeurait persistante et profonde comme celle de la Gabriella (au teint de cannelle fraîche) du bon Jorge Amado. Elle riait de ses armes enterrées dans un sachet-plastique, elle riait des cicatrices qui lui zébraient la peau, de sa méfiance inexplicable envers l'entourage de Patrice Lumumba. À part le jeune rebelle, aucun politicien congolais ne trouvait la moindre grâce à ses yeux. Pourtant, M. Balthazar Bodule-Jules ne le vit en personne que lors du grand meeting d'avant l'émeute où la Congolaise devait perdre la vie. Lumumba revenait du Ghana récemment libéré par l'inflexible Kwame Nkrumah. Les peuples africains s'étaient rassemblés autour des hautes visions de ce dernier, et tous avaient rêvé d'une Afrique unifiée et pleinement souveraine. À son retour, cent mille Congolais s'étaient amassés afin d'entendre le compte rendu de cette

242

réunion, et là, en plein Léopoldville, le verbe de Patrice Lumumba s'était fait dangereux comme une flamme ; et, là encore, la militante aux belles lèvres avait ri, ri à chaque mot, ri à chaque envolée, à croire qu'elle ne soupesait pas la gravité de ce qui était dit. Cette parole dut brusquer les esprits car des troubles éclatèrent dans la ville. Elle dut aussi perturber la jeune Congolaise, car son rire devint strident et demeurait actif même durant son sommeil. Il la vit rire devant des jeeps bourrées de soldats belges, et face aux tueurs armés qui lors du couvre-feu sillonnaient Léopoldville pour surprendre des meneurs communistes étrangers au pays. M. Balthazar Bodule-Jules l'avait crue vraiment folle jusqu'à comprendre (bien après sa mort effroyable au quartier Kalamu, cisaillée par cette mitrailleuse) qu'elle avait géré au rire ses émotions de colère, de peur, de joie, d'exaltation et même d'amour, car lorsqu'il se retrouvait avec elle dans une cache quelconque, et que son désir lui titillait les reins, elle le sentait de suite et se mettait à rire comme une nichée de hyènes — ce qui anéantissait les moyens de nostr'homme. Mais, amis, auprès d'elle qui demeurait insaisissable, j'aurais pu articuler ce vers de Rabindranath Tagore : Je trouvais, disait ce clair mystique épris de sa belle-sœur, le monde baigné d'une gloire ineffable, des vagues de joie et de beauté éclatante et déferlante de tous côtés !...

M. Balthazar Bodule-Jules avait fini par déclarer que le rire était une puissance d'avant le verbe, qu'il était ami de l'âme, le familier des passions primordiales, et l'ultime assise d'une conscience en danger. Ces réflexions qu'il jugeait très profondes lui vinrent, sans doute, du cercle de savants-bagnards que décrivit Soljenitsyne dans un de ses ouvrages [1] : ces hommes oubliés dans les geôles de Sta-

1. *Le Premier Cercle*, de A. Soljenitsyne, trad. M. Kybarthi, Robert Laffont, 1968. L'ouvrage a été retrouvé dans un panier caraïbe qui se trouvait derrière la case. Très abîmé par de multiples lectures, il ne comportait aucune annotation.

line se conservèrent en vie à force de rires ou de débats joyeux, et se reconstituèrent à l'insu des bourreaux un petit monde mieux respirable. M. Balthazar Bodule-Jules se vantait aussi d'une vertu clair-audiante qui très souvent lui fit entendre de vives syncopes de rires dans les souffrances du jazz. Lors de ses philosophies radiophoniques (que plus personne ne prenait le souci d'écouter), il s'était mis à situer le rire au-delà du cri et du grognement car *mes amis !* le rire suppose toujours une conscience qui peut se voir et se moquer d'elle-même. J'ai donc compris que dans chaque rire il y avait une sorte de commencement, la naissance d'une nouvelle vision, d'un homme possible différemment. Et là, sur le fauteuil de l'agonie où la Congolaise aux belles lèvres peuplait son corps d'une songerie joyeuse, le rire dut lui apparaître comme un espace de destruction, de réorganisation, de désordre et de remise en ordre momentanée de toute conscience humaine. Riez, mes enfants ! Riez contre la force ! Riez contre les armes ! Riez si vous le pouvez contre les canons pointés ! Riez quand un ordre vous écrase ! Riez devant la mort ! Riez même si cela sonne faux car c'est dans le rire que l'on trouve son rire !... Et, comme aurait pu dire mon Rabelais ou Villon le brigand : vaut mieux mourir en riant que de vivre sans sourire[1] !...

Il avait débité ces sentences un peu partout, aux paysans rencontrés dans les malheurs du monde, et qui l'avaient regardé passer sans oser le rejoindre dans une guérilla pour eux libératrice. Les paysans riaient niaisement, lui faisaient de petits signes d'une main mélancolique, lui offraient une galette du pays ou une vieille poularde, mais le laissaient finalement seul avec ses compagnons charger les oppresseurs. Il se souvint aussi des conceptions du rire qui s'opposèrent aux siennes, telle cette Malienne très persuadée que le rire fréquentait la folie, ou cette maigrelette

---

1. M. Balthazar Bodule-Jules : *Adresses aux jeunes drogués de Saint-Joseph.* Déjà cité.

244

d'Australie pour laquelle un enfant qui souriait aux anges au cours de son sommeil ne tarderait pas à partir les rejoindre... Certaines « embêtantes » lui rappelèrent avec force que les démons riaient comme ils respirent et que les sorcières dans leurs sabbats immondes riaient aussi à s'en péter la gorge. Une Algérienne chagrine lui avait soutenu que rien n'était plus maléfique qu'un rire poussé soudain. Il apprit de la bouche d'une femme koulie de Trinidad qu'il ne fallait pas rire en cuisant du boudin car c'était le moyen le plus sûr de le faire éclater. Mais, en positif ou en négatif, pas une de ces femmes qui parcouraient ses songes n'avait considéré le rire comme négligeable ou anodin. Une putain de Calcutta lui avait révélé que dans les textes védiques le monde avait surgi d'un cri, et combien les Grecs, dans leur fameux logos, affirmaient que toutes choses naissaient du dit des dieux. Il eut souvenir d'Ogotemmeli qui parla du Nommo créateur de l'univers dogon. Partout en Asie, en Casamance, dans le pays des Bambaras, chez les gens du Soudan, au fin fond de cette vieille Europe, dans les réserves amérindiennes où il dut supporter des chamans radoteurs, il était dit que la force vibratoire était la source de tout, et qu'il y avait dans la voix et le chant, dans le verbe et le mot, un sacré que le rire concentrait à haute dose. C'est cette vibration qui se mettait en œuvre quand le rire de Man L'Oubliée le délivrait des griffes de ce temps-détraqué. Cette vibration le remettait en axe, anesthésiait le maléfice planté dans son esprit, le libérait un peu. Elle procédait par une tape dans le dos qui le secouait comme un prunier, puis l'éclaboussait d'un rire plus spacieux et mobile qu'une tempête océane. L'enfant revenait alors dans le mouvement du monde avec une conscience exacerbée du temps. Il sentait *aller* le temps, aller terrible, aller dans tous les sens, et structurer en lui son passé, son avenir et la fluidité des instants qu'il vivait avec force. De ce fait, sa mémoire fut la meilleure du monde : mémoire tragique instruite du

245

rire. Il oubliait peu, se souvenait de presque tout. Les cellules de sa chair fonctionnaient comme de petites pierres ponces où se gravaient des souvenirs d'une précision hallucinée. C'est pourquoi son agonie s'était transformée en éveil de sa chair, en excédent de vie vibrante, car chaque miette de son corps exprimait sans attendre (et en vrac) toute la mémoire de ce qu'il avait été et que j'avais du mal à recueillir dans mes lentes écritures. Cette agonie — épique, tragique, impossible comme un conte et en même temps bouffonne — était une vie totale.

La tranquillité radieuse de Man L'Oubliée était très contagieuse. Forcé d'aller comme elle pour ne pas rester seul, l'enfant se projetait dans son esprit, et se surprenait à rire, ou à jouer, là où pas un chrétien n'aurait échappé aux falbalas du désespoir. Elle pouvait donc agir très vite sur les couleurs de son mental. Quand cela ne marchait pas, qu'il chignait sans suspendre, Man L'Oubliée s'asseyait près de lui, et d'un index pointé dessinait un simple cercle autour d'eux. Siwouap. Un cercle. Et tout plongeait dans une sorte de silence sous-marin. Vents. Arbres. Pluies. Craquelures des sécheresses. L'hostilité ambiante coulait dans une épaisseur glauque, à dire qu'une bulle les enveloppait pour apaiser l'enfant qui du coup s'endormait. Durant les découragements de ses guerres, M. Balthazar Bodulé-Jules n'avait jamais osé s'enfermer dans un cercle de poussière, il s'était contenté d'imaginer les postures joyeuses d'Anne-Clémire L'Oubliée. Oui, sans doute, j'ai dû me forcer à rire quand j'aurais dû pleurer, me convaincre d'enthousiasme quand mes os roucoulaient de fatigue, chanter quand ma gorge était nouée, aller chercher par des mimiques une volonté de vivre introuvable en moi-même, et qui alors se réveillait un peu. Oui, mes amis, j'ai cherché dans des poses cette ressource vitale, et quand je la trouvais ce ne fut jamais avec la force complète d'Anne-Clémire L'Oubliée !... Si ses compagnons d'armes le nommèrent souvent *l'Indestructible* ou *Griffes-d'acier*, et que tous renforcèrent leur courage à la source de sa raide volonté, en réalité M. Balthazar Bodule-Jules se sentit bien souvent déchiquetaillé de désespoir. Plus d'une fois (sous le napalm, poursuivi par les tirs d'une mitraillette traceuse, mis aux abois par des traques inlassables, affecté par des morts et des mutilations, courbé sous des gerbes de sang qui effaçaient le ciel), il s'était cru anéanti, mais sans pour autant modifier les traits de son visage ou le sombre illisible de ses yeux. C'était juste la posture, la mimique, le semblant, qui le tenait debout. Ce jeu était en grande part inconscient, mais ma seule force c'était de savoir qu'une telle manière d'être faisait partie des aptitudes d'une femme. Et cette idée, je la mettais en cercle autour de moi.

> Oala, Ti-Cham : nous, nous connaissions la mémoire qui souffre,
> et la mémoire qui fait souffrir.
> Lui, dans ses chairs, devait sûrement connaître cette mémoire qui ordonne.
>
> « Notre morceau de fer ».
> *Cantilènes d'Isomène Calypso,*
> conteur à voix pas claire de la commune de Saint-Joseph.

De cette période d'après l'attaque, l'enfant conserva un mélange de souvenirs contradictoires. Les grands-bois furent à la fois paradis et enfer. Durant ce temps difficile, il observa et imita comme jamais auparavant le comportement d'Anne-Clémire L'Oubliée. Il en avait conservé une cartographie précise qu'il ne s'était jamais explicitée à lui-même, mais qu'il sut retrouver intacte — et examiner — dans cet espace grandiose que lui offrait son agonie. *Man L'Oubliée, qui étiez-vous ?!...* Vous étiez attentive à ce qui vous était dit. Quand on s'adressait à vous, votre être se concentrait sur le parleur, vous le buviez, buviez son âme, à tel point qu'on avait le sentiment que vous entendiez bien plus que ce qu'on vous disait. Vous entendiez le dit et le non-dit, la voix muette

247

de l'esprit, les demi-vérités et les pensées rapides qui accompagnaient la parole prononcée. Ce phénomène aurait pu être insoutenable s'il n'avait été empreint de bienveillante tendresse. De ce fait, on avait toujours envie de vous parler vraiment, pas en mots inutiles, mais en *parler au plus sincère du cœur*, en cette manière où le fil de chaque mot mène l'échange d'un bout d'âme. Votre écoute s'accordait à la vie la plus intense et la plus essentielle.

Une autre de vos attitudes : le soin porté à votre corps. Vous le regardiez comme on regarde un compagnon, ou comme on veille son propre enfant, votre corps était l'ami intime. Vous saviez l'écouter, le baigner, le laver, le masser. Vous existiez en lui de manière immédiate, telles ces petites bestioles qui sont toutes dans leur chair. Je vous ai vue le questionner dans des moments critiques ou lors d'un calme qui vous paraissait suspect. Je vous ai vue y disparaître quand vous deveniez muette. Vous sembliez dissociée de votre corps, et, en même temps, plongée dedans de la manière la plus parfaite. Dans tous les coins du monde où j'ai traîné mes armes, je n'ai rencontré aucun être humain, aucune femme, aucun homme, qui sut le faire ainsi. Je compris qu'habiter son corps n'était pas donné avec le cri de la naissance. Que c'était le travail d'une vie, le fruit d'une veillée quotidienne. Noué à la chair, l'esprit devenait une énergie charnelle qui imposait (à ceux qui savaient voir) le sentiment d'être en face d'un grand arbre.

L'agonisant avait ouvert les yeux et observait ses propres mains, ses jambes puissantes placées de biais au-devant du fauteuil, il regardait son ventre, les muscles noueux de ses bras, il abaissait le front pour contempler son torse qu'un souffle animait légèrement. Il semblait vouloir s'installer dans ses chairs, rechercher une place entre ses os, se répandre sur la couche de son sang. Ses mouvements imperceptibles faisaient murmurer le fauteuil, et Gasdo caca-dlo, accroupi à ses pieds (avec son arme pointée sur quelque hostile chimère), se détournait de temps à autre pour l'observer. Il se demandait si le vieil homme n'était pas investi par un quelconque zombi. Mais le vieil homme était très calme. Presque heureux. Il redécouvrait Man L'Oubliée en lui. Elle n'en finissait pas de s'éveiller en lui. L'éclat vigilant de ses yeux m'inspirait l'idée qu'il lui parlait directement, avec le *Vous* de l'honneur et respect ou bien le *Tu* de l'audace déférente. Elle se révélait en lui avec une densité jamais perçue auparavant. Dans son corps même. Dans le grain même de sa mémoire. M. Balthazar Bodule-Jules avait entendu de nombreux témoignages qui le disaient porteur d'une force physique radieuse, d'une puissance animale. Même aux heures où il s'était senti cassé, ses compagnons l'avait perçu plus djok qu'un bout de bois-moudongue. Était-ce moi qui dégageais cette impression, ou était-ce vous, Man L'Oubliée, qui m'habitiez déjà ?

À force de vivre dans les bois, vous aviez, Man L'Oubliée, développé une sorte de sens spécial. Combien de fois, marchant dans votre sillage, je m'étais efforcé de penser à quelque chose de mal, à un serpent, à une chute, à un fait douloureux. Ces pensées n'avaient pas abordé aux rives de mon esprit que déjà vous vous immobilisiez, flap, attentive, bras ballants, le corps arqué frémissant comme une herbe. Vous restiez en suspens, et regardiez autour de vous. Moi, comme surpris dans l'exercice d'une faute, je chassais ces pensées de ma tête. Alors vous repreniez votre route.

Tu semblais vaste à tout moment. Droite. Peuplée de pensées bonnes. Pas une ombre. Pas d'inquiétude. Pas une chimère. La pure incise d'un esprit clair, délié sur les moindres détails. Tu évaluais l'invisible de chaque ombre.

249

Tes yeux captaient la consistance des choses, et plus rien ne te surprenait. Tu atteignais, en tout lieu tout instant, la plénitude des perceptions. Le tranquille de ton corps provenait du calme majeur de ton esprit. Sans relâchement et sans tension, tu étais ferme et fluide. Maintenant, je comprends ton secret : ton esprit n'abritait pièce faiblesse vis-à-vis de toi-même, il levait sans faillir plus tranchant qu'une écale de gros sel et plus vif qu'une eau de pluie violente. L'enfant avait appris à faire cela, et le vieil homme ne le sut que maintenant.

Pour fumer la pipe, Man L'Oubliée semblait se retirer du monde. Cela se produisait au lever du serein, quatre heures d'après-midi, quand la journée commençait à boucler ses affaires. Ce moment lui appartenait de manière intangible. C'était son temps à elle, inviolable, inaccessible, son corps déposé sur une roche et son esprit perdu au plus profond d'elle-même. Elle sortait son tabac d'une vieille boîte de métal, cabossée, saisie de rouille et des écailles d'une peinture ancienne. La pipe y reposait aussi dans un roulis de feuilles séchées ; c'était un bout de bambou noirci qui ne ressemblait à rien, et qu'on ne reconnaissait qu'une fois bourré, allumé, et porté à ses lèvres pour la première bouffée. Alors, Man L'Oubliée devenait comme une roche. Rien n'existait plus que cette fumée qui lui creusait les joues et pénétrait son corps au rythme d'un lent plaisir. La fumée naissait d'un mouvement de ses lèvres, pulsait en cercles mobiles, et flottait autour d'elle comme un voilage fantôme. Man L'Oubliée abandonnait son corps pour s'en aller songer dans ce lait vaporeux — s'en aller à la fois très au-delà du monde et au mitan d'elle-même. En ces instants étranges, l'enfant perçut souvent un trouble de son regard.
Un trouble qui provenait de loin.
Il comprit assez vite qu'elle remontait dans sa mémoire de femme-dont-nul-ne-savait-rien. Qu'aviez-vous vécu, ô

mystérieuse? Qu'avais-tu souffert? Pourquoi ce tant de solitude? D'où provenait ton impalpable puissance? Man L'Oubliée était seule à savoir ces réponses, et elle les conservait dans sa terrible mémoire. Cette mémoire était un univers où elle ne s'aventurait qu'en compagnie d'un silence insondable, de ses yeux troubles et de la fumée d'une vieille pipe en bambou. Elle n'y rencontrait aucun souvenir heureux car pièce éclat n'éclairait ses pupilles, pas un sourire ne venait habiller le mouvement de ses lèvres. L'heure de la pipe était de nature grave à la façon d'une liturgie. Sans que je comprenne de prime abord pourquoi, l'agonisant avait réclamé une pipe de bambou, et s'était mis à fumer de manière concentrée, pas exta-tique mais douloureuse, en lentes et longues bouffées dont les volutes s'attardaient aux abords de son crâne. C'est avec ce genre de macaquerie qu'il avait toujours voulu se faufiler dans la mémoire d'Anne-Clémire L'Ou-bliée. Pourtant, malgré la pipe, les gestes et la mine affec-tée, malgré cette clairvoyance offerte par l'agonie, il n'y parvenait pas. N'y parvenait jamais. Il avait tenté cette rapine mémorielle à maintes reprises durant sa vie, tou-jours en vain, toujours pour rien, à tel point qu'il avait dû se raconter une histoire : se convaincre que Man L'Oubliée ne remontait point dans une mémoire qui lui serait personnelle, mais dans un passé collectif, accessible à chacun d'entre nous, donc d'abord à lui-même, Baltha-zar Bodule-Jules. Une fois cette astuce établie, il avait décrété (sur les radios ouvertes à ses délires) que cette mémoire provenait de l'esclavage et de la traversée des bateaux négriers : ... nous l'avons refoulée, et nous cher-chons à l'effacer, mais Man L'Oubliée savait la retrouver à chaque sucée de sa vieille pipe!... Ah, elle la retrouvait non pour maudire et pour chigner mais pour mieux affronter ses journées! Car la mémoire est comme une sève! Elle nourrit comme un feu et peut détruire autant! Et je suis sûr que, durant ces plongées en mémoire, elle rendait un hommage à des gens invisibles, car ses yeux douloureux étaient pleins de saluts et brillants de fierté!... Et je voyais ces mêmes éclats emplir les yeux du vieil agonisant qui tirait sur la pipe.

Remonter dans sa mémoire afin de rendre hommage, M. Balthazar Bodule-Jules l'avait fait pour sa manman et son papa, et pour tous ceux qui l'avaient tant aidé. Pour Man L'Oubliée elle-même, mais aussi, bien plus loin, pour tous les transbordés au-dessus des eaux immenses, tous les esclaves, les résistants, pour tous les suppliciés. C'est sans doute à cause de cette gymnastique qu'il put s'inventer (sans pour autant mentir) cette naissance (dont il se vantait tant) dans le ventre d'un bateau négrier, et ces aventures marronnes durant les temps esclavagistes où il n'était pas né. Ces explorations mémorielles incessantes constituèrent son esprit de mémoires innombrables, sortes de tracas émotionnels qui peuplaient son cerveau, car il prétendit avoir su deviner les autres mémoires du Pays-Martinique, mémoires des peuples amérindiens génocidés tout de suite, mémoires des vieilles familles békées qui plantèrent sur ce sang, mémoires des immigrants indiens et toutes autres mémoires (connues ou inconnues) de pauvres gens échoués dans les emmerdes paradisiaques des isles du sucre amer. Il prétendit avoir su élargir ces mémoires à mesure qu'il découvrait le monde et de nouvelles réalités, chaque mémoire s'agglutinant à l'autre et s'augmentant de l'autre dans un mouvement sans fin. En Indochine, il fréquenta les mémoires de ce peuple qui depuis l'origine, et sans aucun répit, dut se battre contre toutes sortes de rapaces jusqu'à finir par vaincre l'apocalypse américaine... En Bolivie, il fut happé par les mémoires hurlantes de la montagne du Potosí, et ces horreurs (nouées au délire de la momie) lui restèrent dans l'esprit comme une traîne d'yeux-crevés. Sur le fleuve Madeira, auprès de la sorcière des marécages, il crut entendre un babil de mémoires fracassées sans reliques par la variole des caravelles !... Cette lie mémorielle moussait le long des fleuves, encore tout ahurie qu'il ait pu exister conquistadores et missionnaires, aventuriers et chercheurs d'or, sbires d'Espagne et marchands portugais... Durant sa course à la rencontre du Che, M. Balthazar Bodule-Jules fut convaincu d'avoir capté, en pleine forêt amazonienne, la mémoire d'un Chavante qui n'avait jamais vu autre chose que lui-même, il prétendit aussi avoir touché aux souvenirs des peuples Yanomanis qui, par crainte de la mort, incendiaient les défunts et oubliaient leur nom pour toute l'éternité. En Inde, il dit s'être perdu dans les mémoires des dieux qui possédaient les pierres et l'eau morte du grand fleuve. Dans le trouble du Congo, il prétendit avoir intercepté treize mémoires silencieuses, peuplées de grands espaces et de forêts impénétrables où l'homme le plus habile avait du mal à exister ; il prétendit avoir connu la mémoire des peuples Nzi, polie, hospitalière, et pour laquelle l'homme n'était qu'un orgueilleux secret ; il crut entendre les mémoires des Hutu et Tutsi que les Belges opposèrent pour des siècles et des siècles... En Algérie, mes chers amis, j'ai été habité par la mémoire berbère, bruyante de cavaliers numides et d'éléphants de guerre, peuplée de Phéniciens divins ; je la vis résister aux Romains, puis faiblir à mesure que les canaux d'irrigation faisaient lever du sable la vigne et l'olivier, les céréales et les troupeaux ; j'ai entendu les hordes vandales, byzantines ou arabes, et tant d'autres infernales qui traversaient les terres ; j'ai pu entendre le chant d'Abd el-Kader dressé contre les Français, puis l'anesthésie lente de tous ces peuples vaillants tandis que leurs terres étaient offertes à des hommes venus de France, d'Italie, de Malte ou bien d'Espagne... De ces mémoires, M. Balthazar Bodule-Jules n'avait jusqu'alors retenu que les rumeurs guerrières conservées par le temps dans les hauts paysages. Mais, durant son agonie, ces mêmes rumeurs laissèrent une place inattendue à des présences de femmes qui furent de toutes les résistances, aussi farouches, aussi violentes que n'importe quel soudard. En y réfléchissant, l'agonisant prit conscience que partout (malgré ses armes et son souci de mener la vie dure à l'oppresseur du coin) il avait su préserver une empathie active avec des femmes rencontrées par hasard et qui surent le troubler. Grâce à elles, grâce à leur corps qui conservait (dans l'ivresse des plaisirs et des sueurs) l'absence-présence de leurs aïeules, il put voguer dans les mémoires des lieux, les deviner, les inventer sans doute, les vivre à sa façon. Il y puisait la fureur de se battre et de risquer sa peau comme un fils du pays... Il faut savoir, bande de crabes, imaginer le monde, imaginer les lieux, inventer les histoires! Moquez-vous des historiens coloniaux, pissez sur leurs documents, et libérez vos imaginations sur les objets, la terre, les yeux des femmes, les gestes des hommes, sachez vivre les lieux de cette manière totale qui est donnée par votre corps et l'esprit qui désire!... Ça, j'ai su le faire dès mon enfance auprès d'Anne-Clémire L'Oubliée qui tirait sur sa pipe, et c'est pourquoi je suis plus martiniquais que vous, plus guadeloupéen qu'Ignace le rebelle, plus guyanais que le premier des nègres marrons qui rencontra l'Amérindien, plus saint-lucien que cette mulâtresse qui mena résistance contre la force angliche avec des bougres des bois et une vieille guillotine, plus haïtien que Toussaint Louverture, et plus algérien que Ben Bella lui-même, et plus fils du Viêt Nam que le vieil Hô Chi Minh, et congolais autant que Patrice Lumumba, et frère des opprimés à la manière du Che!... Quand vous parlerez de moi, dites que j'ai été fils de Harlem comme Malcolm X, et né dans les townships comme ce cher Mandela, pétri dans la roche de Grenade comme mon Maurice Bishop! Inventez-vous cette mémoire fondatrice, que l'on jardine en soi-même et qui dicte son principe d'ouverture aux puissances de ce monde! Apprenez à faire ça! Imaginez pour chaque

endroit, chaque case, chaque femme, ses prolongements
dans des constellations de lieux, d'endroits, de cases, de
toiles, d'alcools ou de parfums, l'un appelant l'autre,
l'autre présent dans mille autres, allez comme ça, errant
de prolongement en prolongement, jusqu'à vous sentir le
plus humain possible[1]...

L'agonisant tirait sur la vieille pipe. À moitié enveloppée
par sa paume, elle disparaissait entre ses doigts devenus
affectueux. Il aimait vraiment ce bambou bricolé. Il le
traitait comme la meilleure des pipes. Pourtant, bien longtemps par la suite, on découvrit dans son armoire des
dizaines et des dizaines de pipes qu'il aurait pu utiliser
durant ces heures ultimes[2]. Mille pipes, venues de mille
coins impossibles. Mille pipes chargées comme des morceaux de destins. Pourtant, l'agonisant n'en avait pas
voulu. Il en avait réclamé une, d'un simple geste à hauteur
de ses lèvres, et l'on avait couru dans tous les sens pour lui
trouver le bout de bambou, la pincée de tabac, l'allumette
Victoria. C'est une vieille tantante qui avait confectionné
une pipe de fortune à la manière ancienne, avec des gestes
anciens et une science pas visible. Cette pipe, ainsi
construite, était sans doute semblable à celle qu'avait dû

1. M. Balthazar Bodule-Jules : *Adresses aux jeunes drogués de Saint-Joseph.*
Déjà cité.
2. Bouffardes de pierre calcinées par leurs âges ; brûle-gueules de paysans ; des
houkas à bec d'ambre venues du fond de l'Inde ; une vieille pipe du Maroc sertie
de vieil ivoire et de pierre de sable ; un calumet de grand canyon ; une pipe d'abo-
rigène creusée dans une roche striée de nervures végétales ; une chibouque turque
à long tuyau d'émail ; une pipe du Congo taillée dans une ébène frémissante
comme un derme, et qui portait des annelures d'ivoire et des bagues de fer-blanc ;
un narghilé des peuples persans où la fumée traverse une essence de jasmin... Les
policiers notèrent sur leur procès-verbal qu'il y avait aussi dans cette armoire une
pipe de commissaire Maigret et une autre à courbe longue comme celle de Sher-
lock Holmes ; ils s'étonnèrent d'une sorte de pipe plate semblable à celle que véné-
raient les vieux Arapahos près des rivières de l'Arkansas, et prirent même
quelques photos d'une pipe à opium gravée à Macao. Sans doute troublés par ces
objets, les flics des services généraux listèrent (sans trop savoir pourquoi) une
pipe du Japon en porcelaine de coquillages cousus dans une écorce de cerisier,
une pipe de Guyane sculptée par un bagnard dans un os de baboune, une pipe en
acier lourd, et une autre modelée dans de la pâte de verre...

mâchonner Man L'Oubliée elle-même. La vieille tantante lui avait tendu le bambou bricolé comme un médicament, et lui, l'avait bourré, et transformé en pipe par une première bouffée. Toute l'assemblée (et moi-même encore plus) le regardait creuser les joues comme s'il officiait dans une messe de grimaces. Et lui fumait. Fumait de belle pose en belle pose, le regard envolé, instaurant du même coup une rupture sensible que je pris tout d'abord pour un malaise sénile avant de l'identifier (sans trop de certitude) comme une plongée dans ses mémoires.

Lorsque quelque temps plus tard je me mis à l'écriture de cette agonie, je m'aperçus que mes premières évocations n'indiquaient pas la manière dont Man L'Oubliée s'adressait à l'enfant. Je relus toutes mes notes, les coupures de journaux, réécoutai les crachotis de mon sale magnéto, les interminables émissions radiophoniques du vieux rebelle, et l'impression se confirma. *La femme-Mentô semblait muette.* M. Balthazar Bodule-Jules avait signalé ses manières enfantines, ses blagues, ses cris, mais sans jamais préciser ses mots.
Comment parlait-elle ?
Sans doute en langue créole, mais avec quel balancé de phrases, à l'économie ou en verbe débraillé ? Incapable d'imaginer le parler de cette femme. Je recherchai des indices dans les interventions de M. Balthazar Bodule-Jules, que j'avais patiemment récoltées sur les radios, les journaux, les tracts ou les affiches, et tous modes de médias où il s'était commis. Je redécouvris une interview complètement anodine où le vieux rebelle évoquait une femme des bois côtoyée durant des temps non précisés. Il y disait que cette femme lui parlait en *Apatoudi*. Il appelait ainsi des espèces de sentences populaires jamais répertoriées par aucun spécialiste. Les ethnographes avaient relevé les proverbes, les comptines, les titimes, mais nullement les *Apatoudi* qui le plus souvent en étaient

dérivés, et qui formulaient sur un ton différent la philo-sophie populaire de nos oralitures. M. Balthazar Bodule-Jules traduisait l'amorce d'un *Apatoudi* en : *Il ne suffit pas de dire que...* et leur chute par : *... il fallait encore faire dire ou savoir telle ou telle autre chose.* L'ensemble s'équilibrait ainsi : *Il ne suffit pas de dire faire ou savoir telle ou telle chose, il faut encore dire faire ou savoir telle ou telle autre chose.*

Apatoudi !...

Man L'Oubliée s'exprimait peut-être de cette façon quel-que peu sentencieuse, mi-rieuse mi-provocatrice, et con-forme à la manière d'une grande personne s'adressant aux enfants. Une fois repérés, les *Apatoudi* s'offrirent à moi un peu partout dans la moindre des phrases de M. Balthazar Bodule-Jules. Il les lançait aux auditeurs avec une force, une drôlerie, une canaillerie qui vous pénétrait l'âme et qui vous transformait sans doute durablement. Je pris moi-même du plaisir à les relever tous, et même à en inventer pour bien comprendre leur mécanique. J'appris à les repérer sous-jacents dans les discours des vieux conteurs et des vieilles gens autour de moi. Et, souvent, j'imaginai Man L'Oubliée les disant à l'enfant, de temps en temps, fichés dans un écrin de silence qui conférait à cha-cun de leurs mots une puissance exceptionnelle. L'enfant dut en maintes occasions entendre ceci en langue créole, que j'essaie (pleurant d'avance) de vous esquisser en ce langage contraint que m'impose l'Écrire :

Apatoudi de reconnaître les sages,
il faut savoir faire ce qu'ils font, ou éviter ce qu'ils évitent.

Apatoudi d'éviter les épines,
il faut savoir ne pas se plaindre de leur simple existence.

Apatoudi de prier dieu,
il faut savoir ne pas compter sur lui.

Apatoudi d'avoir l'esprit ouvert,
il faut savoir le tenir droit.

Apatoudi d'apprendre,
il faut savoir trouver.

Apatoudi de mettre un beau visage,
il faut du cœur en dessous.

Apatoudi de vivre,
il faut savoir ne pas craindre de mourir.

Apatoudi de faire et-cætera de choses,
il en faut une qui soit parfaite.

Apatoudi de vouloir enjamber la rivière,
faut savoir se mouiller[1]...

En m'amusant à lister ces *Apatoudi*, je fus soudain en mesure de mieux comprendre une scène extraordinaire. Elle s'était produite un soir de l'agonie, et elle m'avait déconcerté. Je me la remis longuement en mémoire. Avec son bambou bricolé, le vieil homme fumait à la manière d'Anne-Clémire L'Oubliée; son visage semblait celui d'un tracassé qui essaie d'explorer sa mémoire. Autour de lui — que ce soit Gasdo caca-dlo qui abaissa son arme avec un sourire niais, ou les tantantes qui se mirent à vadrouiller avec les mains aux hanches — toute l'assemblée se retrouva d'un coup avec la bouche remplie de mots pas comprenables. Les nègres à mobylette qui jusqu'alors allaient-viraient tout autour de la case sans trop oser s'en approcher, s'étaient accoudés aux fenêtres avec leur gueule tordue par les effets du crack; d'épais colliers en or pendouillaient sur leurs clavicules creuses tandis qu'ils allongeaient le cou pour essayer d'entendre; on percevait les

1. Voir, en Annexe, l'intégralité des *Apatoudi*.

couinements de leurs bidules-portables avec lesquels ils épiaient les fréquences-satellite des services de la douane chargés de les traquer. Eux aussi écoutaient les tantantes qui allaient et venaient en murmurant ces mots presque inaudibles que je ne comprenais pas. Les tambouyés, échoués sur leur tambour, s'étaient mis à ricaner comme des poissons crevés. Les vieux tafiateurs, épars dessous un goyavier en compagnie de leurs dames-jeannes, approuvaient bruyamment, avec des sons de gorge éraillée par la soif. La plupart des cousines-cuisinières demeuraient très sérieuses à peler ces légumes qui n'en finissaient pas d'emplir les canaris et de se fondre dans les gosiers; les autres écaillaient des paniers de poissons que des pêcheurs venus de loin déposaient chaque matin; mais chacune d'elles longeait l'oreille à sa manière. Depuis le début de l'agonie, des dizaines de personnes étaient venues rendre leurs hommages, une tralée de figures échappées aux oubliettes du temps, silencieuses et discrètes, et n'osant le plus souvent même pas s'approcher du fauteuil¹. Certains déposaient leurs offrandes à l'entrée, d'autres longeaient les cloisons intérieures de la case et ressortaient par le jardin; les plus familiers s'aventuraient jusqu'au vieil homme pour lui glisser un bonjour à l'oreille et des nouvelles d'une quelconque commère. Certains étaient repartis là-même, d'autres s'étaient agglutinés comme des touffes de colles-roche. La terrasse avait parfois été emplie comme un carrefour de Fort-de-France quand les Syriens soldent; en d'autres moments, elle s'était creusée d'un cercle de silence autour du vieux bon-

1. ... charroyeurs de charbon, fouilleurs d'ignames de la Saint-Jean, boutiqueuses à chopines et roquilles, cordonniers pour sabots et sandalettes en pneu, vieilles potières des Trois-Ilets et de Sainte-Anne, tonneliers inutiles, forgerons sans adresse, sculpteurs de chouval-bois, gardiens de bœufs en grande savane, marchandes de lait et de topinambours, creuseurs de fosses pour l'igname pacala, grilleuses de cacao, amarreurs de balais-bambou, tresseurs d'herbe-bakoua, tenancières de *Privé* et de *Débit de la Régie*, grageurs et cuiseurs de manioc, empailleurs de toitures, marchands de sinoball, réparateurs d'horloges, couseuses de sacs à sucre, vendeurs de manicous et de peaux de serpents...

homme et de ce gardien improvisé qui guettait à ses pieds l'apparition de la diablesse. En certaines heures, une fièvre avait laissé entendre qu'elle était à deux pas. En d'autres, qu'elle n'allait pas tarder. Les pêcheurs avaient soutenu que les diablesses ne se montraient jamais en pleine lumière, mais les pacotilleuses avaient affirmé que ce genre de calamité pouvait aller-venir au soleil comme de nuit selon les modes de sa puissance. On avait discuté. On s'était énervé sans trop pouvoir trancher. Mais, en ce moment particulier, tout le monde avait évacué de sa tête l'approche terrible de la diablesse. Quimboiseurs, neg-désordreurs, danseurs de gros damier, vieux conteurs accablés, tous marmottaient dans leur coin avec entrain et canaillerie. J'entendais tout sans rien comprendre. Petites phrases sillonnantes, vite ouvertes vite fermées. Boucles de sons porteurs d'un sentiment fugace. Rythmiques de termes brouillés par un rire avisé. Les mots, à peine articulés, passaient de bouche en bouche avec une vitesse pas familière pour moi. Ce n'est qu'au moment d'écrire cette agonie que ce moment étrange devint un peu plus clair : l'assemblée s'était échangé des *Apatoudi...* !
~~Ça ne pouvait être que ça !...~~

> ... Apatoudi de savoir où l'on va,
> il faut pouvoir y arriver les yeux fermés.
>
> Apatoudi d'avoir le manche,
> il faut les reins pour le pousser.
>
> Apatoudi d'ouvrir la porte,
> il faut savoir empêcher la déveine d'y entrer...

Apatoudi... Apatoudi... Tous se les répétaient, se les envoyaient, se les échangeaient dans un créole pas clair. *Apatoudi par-ci... Apatoudi par-là...* Un ouélélé de rires cachés et de poses un peu folles, de grimaces et de hanches soulevées, de manières provocantes et de mines philosophes qui me déroutèrent comme un chien sur une yole. Le vieil homme sur son fauteuil continuait à fumer, mais une lueur malicieuse (traversant son regard alourdi) témoignait qu'au plus profond de sa fatigue il appréciait ce moment-là. Un monde perdu émergeait devant moi avec l'éclat de son ancienne splendeur, sa force de dérision cachée, son aptitude à se moquer des déveines coutumières. Et moi, je ne voyais qu'une embrouille d'attitudes sur lesquelles j'étais forcé de réfléchir pour en surprendre le sens. Je ne repris pied dans l'entendement des choses qu'au moment où la volière surgit.

La volière est un vol des moustiques du soir. Ils sortent d'on ne sait quel enfer d'eau stagnante pour fondre sur les chrétiens vivants. Ce soir-là, ils devaient être pour le moins enragés, car (à l'exception du vieil agonisant) on sentit leurs brûles-démangeaisons à travers la grosse toile des tricots. Cela frictionnait, tapait, injuriait avec la foi en Dieu, à tel point que les *Apatoudi* se mêlèrent aux opinions très malveillantes sur l'engeance des moustiques. *Cochonnerie!... Gale sept ans!... Patate pistache et Andièt sa!... Lâchez-moi s'il vous plaît!... Déposez!...* Les vieilles tantantes disposèrent de vieilles casseroles sur les îlots des braises qui rougeoyaient un peu partout. Dans ces casseroles, je les vis étaler des morceaux de bois-gomme et des feuillées de citronnelle. Bientôt, une vapeur blanche, odorante, labile, se mêla aux injures qui visaient les moustiques. Sa dispersion jeta un affolement dans la volière, cette dernière tournoya dans tous les sens, puis voltigea en beau désordre entre les tranches des persiennes. Libéré des moustiques, percevant mieux cette joie encore diffuse dans l'assemblée, je pus me détendre, poser mes carnets, lâcher mon vieux crayon, laisser couiner le magnéto, et vivre cette passe de soulagement. Alors, j'entendis dans le lointain les premiers cantiques de Noël. On chantait en famille dans des villas lointaines, et dans des cases du fond de la ravine.

Bondieuseigneur, le vieil homme va mourir aux abords de Noël!...

Cette révélation, je m'en souviens encore, m'avait affaissé dans mon coin. Une tristesse envahit mon esprit. Elle acheva de m'éloigner du sens profond d'un résidu d'*Apatoudi* que l'assemblée, maintenant alanguie, murmurait mollement.

Les personnes qui venaient lui rendre hommage l'appelaient par des noms différents. Endimanchées, elles s'avançaient vers lui d'un pas lent, la mine grave, le dos voûté sous le poids d'une tristesse. Et c'est de près qu'elles murmuraient son nom. D'après ce que j'ai cru entendre, on l'appelait *Balthz, Balthaz, Balza*. D'autres, d'un ton plus badin, énonçaient des *Talazar, Zaltar, Zatbalt*, et même *Thazard* pour lui prendre un sourire. Certains disaient *Enfant-de-Manotte*, ou *Ti-Manotte* du prénom de sa mère, ou encore *Ti-Limorelle* du prénom de son père. D'autres, noués de la gorge, reniflaient un son qui devait être un nom. Les plus âgés disaient *Alors mon bougre ?* Ou encore : *Eh bien ti-mâle ?...* Les vieux conteurs semblèrent le désigner en référence aux vertus que sa légende lui attribuait, je crus les entendre dire : *Hé le Morceau-de-fer ! Hého Le-pas-facile ! Holà Le-sans-mollir ! Roychi Le-cœur-vaillant ! Eh bien l'Entendant-Justement !...* Mais le nom était de rigueur. Il fallait le nommer. Il recevait ces appellations, front incliné, avec l'humilité gourmande d'une prise de baptême. Chaque nom disposait d'une fonction particulière; il fondait une proximité ou une distance, un respect ou une simple déférence; souvent, il rappelait une complicité d'enfance ou des instants tragiques dans les affaires de sa famille. Certains noms restaient enveloppés d'ombre : noms de ferveur soufflés très près de son oreille comme on passe un secret. Ceux-là étaient censés engaillardir son âme du simple fait de leur sonorité contraire à toutes celles de la mort ; d'autres encore agissaient comme un frôlement de son mental, une caresse stimulante au plus intime de lui. D'autres, à peine prononcés, étaient des noms secrets qu'il s'était octroyés en partage avec deux-trois amis d'enfance, ou que ces derniers lui avaient attribués : ces noms secrets visaient à conférer un supplément de force. Moi, je l'appelais M. Balthazar Bodule-Jules. D'abord parce que j'aimais la trompe sonore de ces syllabes, mais aussi parce que le nom complet n'était jamais utilisé par ces gens qui le connaissaient bien. De lui donner l'entièreté de son nom me permettait ainsi de créer un nouveau personnage, un personnage m'appartenant, riche de ce qui m'était accessible dans la mémoire des autres, et qui se rassemblait là, dans ce vocable presque fictif, pour effectuer, à chaque usage, une récapitulation de tout ce qu'il pouvait être.

Il nommait aussi ceux qui s'approchaient de lui. Bien que murmurante, sa voix (chargée comme un grondement de tigre) emplissait la terrasse. Il ne devait pas utiliser de noms secrets ou cachés, on entendait distinctement les vocables appliqués à ceux qui se penchaient vers lui : *Ho Soulbi !... Ah Célina te voilà !... Antralka mon ami ! Gilimayo oui tu es là ! Bonjour Didine ! Uranie ma commère...* C'était des *titres*. Ils résonnaient comme des agréments, enveloppaient l'arrivant d'une tendresse très rude et d'une coulée de souvenirs qui me restèrent inaccessibles. Aux vieilles madames, il disait : *Ah Bonne-manman Théotine...* ou *Manman-doudou ma Symphorise c'est toi !... Tantante Élyacine mais c'était pas la peine...* Les hommes âgés portaient toujours le mot *Papa* : *Papa Éleuthere bien content de te voir... Papa Adolphin je vois que tu vas bien...* Et c'était tout. Il repartait dans ses souvenirs. Disparaissait dans sa mémoire. L'arrivant se dandinait au-devant du fauteuil, puis cherchait quelque part où se mettre, une personne à embrasser, une accroche bienveillante pour s'installer dans l'agonie.

Il disparaissait dans sa mémoire. Comme au cours d'un naufrage. Il ne nous était plus accessible, mais les traits de son visage se mettaient à vivre de manière très intense. Les souvenirs le ranimaient ainsi : en nous restituant son corps dans un silence peuplé de gestes. Un vrai discours charnel que seuls les yeux pouvaient entendre ; une confession totale, dissoute dans un silence que les oreilles seules pouvaient apercevoir. Il était tout à la fois en train de se reconstituer dans l'enfantement de sa mémoire, et de se décomposer lentement. Je n'avais pas encore une vue très claire de l'homme qui se révélait à lui-même et à nous, mais j'avais compris que le rebelle à voix haute, l'homme de guerre sans manman, le beau parleur sectaire, macho et dominateur, avait laissé la place à un marais d'incertitude. Une incertitude — cette agonie — pas du tout mortifère. Elle lui permettait au contraire de renaître en lui-même, dans ce qu'il était vraiment, avec la force généreuse des désastres génésiques. Et génériques des renaissances sans fin.

(Je me revois sur cette terrasse de l'agonie, notant tout ce que je croyais être juste, être signe ou geste de récit, mots et maillons d'un large dire imprononcé, et qu'aujourd'hui — attelé à l'Écrire — je m'efforce d'inscrire dans une continuité. Où était M. Balthazar Bodule-Jules dans tout cela ? Je sentais déjà que ce n'était pas l'aboutissement de ce récit, cette mort après une agonie, qui m'en donnerait la clé, mais justement ce cheminement dans ces mémoires mobiles et dans ce que ce corps conservait de sa vie. J'essayais d'écrire dans cette boucle incessante d'observateur-concepteur, de témoin-créateur, sans laquelle je me serais perdu dans l'illusion d'une pure fiction. Toutes ces croyances, ces dires multiples, ces mouvements de gestes et de paroles étaient infiniment

interprétables : ils étaient délirants, ambigus, incertains, trop partiels. Mais j'aurais plongé dans une plus grande pauvreté encore en me posant en clarificateur ou démystificateur. Je laissais les légendes, les mythes et les délires là où les logiques d'un prétendu réel les avaient épuisés ; et j'ensemençais de fiction, de mythes et de légendes ces endroits où trop de clartés rationnelles les avaient vidangés. Tout cela dans l'unique souci de m'approcher de ce qu'avait été cet homme, et, sans trop comprendre vers où j'allais, j'épousais ce qui m'était donné par lui, et par ceux qui accompagnaient ses ultimes instants. Notes d'atelier et autres affres.)

En début d'après-midi, Man L'Oubliée disparaissait parfois de manière mystérieuse. Elle installait l'enfant aux abords d'une source, dans un endroit réputé sans danger, et elle disparaissait. L'enfant, pendant longtemps, demeura où elle l'avait laissé. Bientôt, il prit coutume de s'éloigner un peu, puis de battre les bois sans aucune crainte de la diablesse. Ces errances devinrent audacieuses : Man L'Oubliée revenait vers le soir approchant, s'installait avec sa pipe dans une nouvelle absence et ne s'inquiétait jamais de ce qu'il avait pu faire. Il avait donc tout loisir de se baigner dans les cascades, plonger nager sauter telle une cribiche en folie. Il escaladait les grands arbres pour découvrir au loin la fumée d'une usine, le clocher d'une église, la mer éblouissante qui troublait l'horizon. À la cime des fromagers, il se soûlait de vents chargés d'odeurs étranges et de sables de désert. Il tentait d'apprivoiser mygales grives mangoustes iguanes et manicous... Il leur parlait. Les recueillait entre ses bras. Devenait un des leurs. Ces petites créatures venaient auprès de lui naturellement, il faut dire que maintenant l'enfant savait d'instinct se tenir comme un arbre, apparaître comme une branche, se mouler au feuillage, faire partie de l'humus. Ce n'étaient pas des procédés de caméléon mais une aptitude insolite, imitée de Man L'Oubliée, qui l'inscrivait comme minéral ou végétal dans l'ordonnance des bois, avec les mêmes odeurs, les mêmes ombres et surtout le même rythme intérieur. *Tout était affaire de rythme!...* Quand il était excité, tout aux folies de sa jeunesse, les poules sultanes s'éloignaient, les tortues-molocoyes se faisaient agressives, de vieux mabouyas moussaient en sa présence; mais quand il retrouvait sa mesure intérieure, son rythme posé à la manière exacte d'Anne-Clémire L'Oubliée, qu'il grimpait aux arbres avec plus de souplesse qu'une liane vivante, sans déplacer les feuilles, alors les animaux s'approchaient, ou bonnement l'ignoraient. Et lui, tentait de les saisir dans le creux de sa main, de les amener sur ses épaules. Quand il était en bien-être dans son corps, les bestioles se réfugiaient auprès de lui à la moindre alarme. Il apprit à rester impavide sous des touffes de fourmis-camarades. Il sut considérer tranquille des mygales langoureuses qui tricotaient sa peau. Il connut de longues intelligences avec des punaises affectueuses, s'installa dans des conciliabules entre des chouvals-bois qui semblaient le confondre avec une branche de leur espèce. Il vit ramper sur lui d'étonnants fers-de-lance aux pupilles altérées par leurs mille ans de vigilance; sur lui, ces reptiles éprouvaient une euphorie lascive comme s'il était constitué d'écailles et de matières femelles. Ce fut la période de sa vie où il rencontra le plus d'oiseaux aujourd'hui quasiment disparus[1]. Cette aptitude à fasciner bestioles et animaux s'amplifia à mesure qu'il en prenait conscience. Il s'amusa bientôt à se faire suivre du doigt par des papillons jaunes, à se faire ceindre la tête par une couronne de libellules, ou à se concocter une armure de sauterelles qui lui couvraient la nuque et le haut des épaules. Un jour, il se découvrit capable d'éloi-

---

1. ... des élaènes siffleuses, des cohés à queue blanche, des bécasseaux roussâtres, des gravelots à double collier, de petits martinets noirs, des coulicoux charmeurs à bec jaune et œil vif, des canards routoutous, des merles fous à lunettes, des moucherolles et des moqueurs-trembleurs...

gner les moustiques ou les mouches par une simple répulsion intérieure. *Ah, j'avais de l'influence sur les bêtes !...* Il prétendit avoir eu aussi de l'ascendant sur les grands arbres eux-mêmes ; ils le reconnaissaient, lui abaissaient leurs branches, lui dégageaient l'espace pour qu'il puisse mieux grimper. Tous ces arbres — auparavant inaccessibles, épineux, glissants, touffus d'ombres menaçantes — s'ouvraient comme des dentelles de pure lumière, et l'admettaient (du moins il l'affirma) comme une partie de leur écorce ou l'une de leurs feuilles. L'enfant n'avait jamais parlé de ce petit pouvoir à Man L'Oubliée ; il soupçonnait qu'elle disposait du même, à un degré bien plus élevé, mais ne l'avait jamais vue utiliser cette faculté comme lui pouvait le faire ; il devina ainsi que l'usage qu'il en faisait devait être quelque peu dérisoire. Pour ne pas dire vulgaire. Et il avait déjà un souci permanent : ne présenter à Man L'Oubliée (comme à ceux qu'il estimait ou qui le côtoyaient) que le plus sobre et le plus noble de ses capacités. C'est pourquoi, si Man L'Oubliée n'en sut jamais rien, ses compagnons d'armes — dans les rocailles à scorpions, au fond des magmas végétaux touffus de sauvageries et de fauves affamés — ne le virent jamais autrement qu'attentif, l'œil mobile, pied prudent, alors qu'il se savait capable de séduire n'importe quel animal. Ils ne comprirent jamais comment il était souvent le seul à ne pas être mordu dans la pire des jungles, comment il accédait aux arbres les plus chargés de glus et de bêtes venimeuses, ni surtout comment il pouvait patrouiller, de nuit sans lune en nuit sans lune, dans des lieux infestés de félins, et revenir indemne.

Mais l'enfant avait une autre raison de ne pas s'en vanter : son influence sur les animaux et les bestioles s'éteignait quand il était souffrant. Une blessure, une indisposition, un rien de fatigue, désorganisait ses cadences intérieures, et les animaux le traitaient comme ils traitaient les autres, avec même plus d'agressivité. Cette aptitude était donc inconstante ; elle allait et venait et de manière de plus en plus aléatoire à mesure qu'il perdit l'innocence des enfants ; il ne lui était jamais possible de savoir dans quel état de forme intime il se trouvait. Ainsi, tout en étant conscient de cette curieuse capacité, il ne compta jamais sur elle, et l'oublia le plus souvent. C'est pourquoi il fut toujours heureux (et surpris) quand un papillon, un colibri, une vieille mygale aigrie se mettait tout soudain à faire douceur sur son épaule.

De cette période des errances solitaires, sa mémoire lui restitua de petits faits étranges qu'il avait dû affronter seul, et que maintenant, sur son fauteuil d'agonisant, il identifiait comme provenant de l'Yvonnette Cléoste. Le plus terrible de ces incidents après l'attaque fut qu'un jour il entendit crier son nom : *Baltaza !*... Il se retourna flap et ne vit rien. Son nom résonna à droite, puis à gauche, puis en haut. Comme si c'étaient les arbres eux-mêmes qui le criaient ainsi. *Baltaza !*... Il prit-courir et retourna poser son corps là où Man L'Oubliée lui avait dit de rester. La voix surgissait de temps à autre, imprévisible, comme un souffle glacé à son oreille gauche. D'autres fois, c'était un froissement de fougères qui se mettait à glouglouter comme une coulée d'eau avant de se changer en plainte d'autant plus effrayante qu'elle était mélodieuse : *Baltaaaaaza !*... La voix ne l'appelait pas pour l'attirer en quelque coin de l'enfer : *elle me désignait à on ne sait quels zombis malfaisants !*... Il prétendit aussi qu'elle dispersait une partie de son âme pour l'émietter dans le néant. Il sentait à chaque fois *une diminution de sa présence sur terre.* Il arrivait que la voix répétât son nom à l'infini, en une litanie envoûtante qui se concentrait sur elle-même. L'enfant sentait les possibles de son être se concentrer à leur tour en un point solitaire, de plus en plus étroit, comme s'il perdait ses potentialités pour se trouver réduit à quelque chose d'unique. À ce moment-là, le monde s'estompait légèrement, le paysage environnant sortait de sa conscience comme dans une usure progressive sous un brouillard de pluie. L'enfant ne pouvait en parler à Man L'Oubliée. Il lui aurait fallu expliquer qu'il quittait les refuges pour s'en aller en drives. Il préféra se débrouiller tout seul. Quand la voix surgissait, il sursautait, se retournait, laissait tomber son cœur : en fait, il répondait à son nom !... Il sut à force qu'il lui fallait ne pas répondre.

Un jour, il s'était aventuré sous une voûte de gommiers de plus de quatre mille ans, en compagnie de trois araignées qui mâchaient leur vieillesse. Soudain, l'une de ces araignées fut prise de frénésie, et se mit à rapiécer sa toile. Dans ce dérangement, il entendit avec une proximité effrayante : *Baltazaaaaa !...*

L'enfant parvint à ne pas réagir.

Pas un geste, pas un frisson. Il sembla n'avoir rien entendu, ni senti de froidure. La voix vibra encore, mais le nom ne le concernait plus. Ce n'était plus le sien. Du coup, l'enfant se sentit mieux. Quand le prodige se reproduisit de temps à autre, il n'eut pas plus de réaction que s'il avait perçu le craquement d'un bambou. Alors le maléfice s'éteignit. C'est sans doute pourquoi — de l'enfant au vieux rebelle — on ne le vit jamais lever la tête au seul vocable de Balthazar... Un unique nom répété à l'infini peut t'effacer de l'existence, multiplie tes noms, porte plusieurs noms en toi, sois en toi-même à plusieurs tout le temps [1] !...

Il y eut d'autres tracas. Un jour de drive, il perdit son chemin, avec (comme si le temps se détraquait encore) le sentiment de ne pas avancer : les même arbres, les mêmes ailes de racines, les mêmes fougères se répétant à mesure de sa marche. Impression terrifiante d'accélérer le pas et

1. M. Balthazar Bodule-Jules : *Adresses aux jeunes drogués de Saint-Joseph*. Déjà cité.

de se voir à la même place. Pour s'en sortir, l'enfant eut l'idée de courir yeux fermés. Il réussit de cette manière à s'extraire de ce charme et à regagner le refuge du jour. En d'autres occasions, il vit aussi des arbres s'enflammer devant lui, ou des broussailles se resserrer, mais ça il savait les combattre en avançant dessus, et en riant kra kra kra kra comme sa Man L'Oubliée : ces prodiges n'aimaient pas les affrontements directs.

Mais il y avait autre chose : d'insignifiantes distorsions du réel.

Ce n'était rien : une feuille en bourgeon sur le tronc nu d'un arbre, une vache en train de mâchouiller ses propres excréments, une grappe de quénettes développée hors saison, ou des calebasses carrées balançant en clochettes au mitan d'une branche... Il vit aussi des merles silencieux qui volaient d'une seule aile, ou des cercles de coccinelles posées à même le sol. Il vit une eau limpide couler d'un nœud de fromager, et certains arbres d'habitude familiers lui donner l'impression d'avoir changé de forme. À force de voir ces bizarreries escorter ses errances, l'enfant sentait son esprit vaciller. Son cœur allait boudoum bidam, il activait le pas vers n'importe quel côté, et, en proie à la panique, finissait par s'égarer dans des dédales de sabliers, de bois-pelé et de bois-pistolet. Cette fois encore (si l'on en croit les vantardises de M. Balthazar Bodule-Jules), l'enfant décida d'affronter l'événement. Tel mangot apparu hors saison était cueilli, reniflé et mangé sans autre forme de souci. Tel olivier-pays avait changé l'emplacement de ses branches?... il lui grimpait dessus pour jouer au ouistiti dans les ressorts de son feuillage. Telle poulette noire frisée traversait son chemin en marchant à l'envers?... l'enfant la poursuivait avec l'idée de se l'assaisonner... Quand cette affaire devint un jeu pour lui, les anormalités se raréfièrent jusqu'à finir par disparaître. M. Balthazar Bodule-Jules avait fait de cette période (où il prétendit avoir affronté seul les maléfices de la diablesse) un épisode de ses légendes ; pour mieux accentuer ces exploits, il avait diminué son âge de l'époque afin de se donner des allures de Ti-Jean l'Horizon au pays de la Bête-à-sept-têtes. Cette période avait été raccommodée en bouche. La parole inutile l'avait chargée de péripéties dignes du petit Hercule. M. Isomène Calypso, l'ultime conteur de Saint-Joseph (déclaré seul maître-affaire sur la vie de M. Balthazar Bodule-Jules), me raconta à sa manière pas claire combien l'enfant se battit avec des fromagers qui marchaient à quatre pattes, des oiseaux à dents de cochon, et des icaques-vampires qui lui sautaient au cou. Il me fila des émerveilles sur sa force, sur ses ruses et ses vices, sur son capable d'aller à cloche-pied entre de hautes flammes, ou de boire l'eau d'orage crevé en plein soleil, ou sur son mode de sectionner une rivière mal placée pour traverser à sec...

Tout cela me paraissait quelque peu biscornu.

J'avais du mal à imaginer Man L'Oubliée abandonnant l'enfant à une telle solitude, sans une vraie protection, alors qu'elle le savait traqué par la diablesse. Quant aux délires de M. Isomène Calypso, tellement exagérés, ils signifiaient qu'en un temps de sa vie l'enfant Balthazar Bodule-Jules s'était retrouvé assez souvent tout seul. *Pourquoi ?* Man L'Oubliée devait être l'unique personne à le savoir. J'interrogeai une vieille dormeuse et deux Haïtiens guérisseurs au Gros-Morne (maîtres de cérémonies au chapitre des mystères). Pour eux c'était clair : un Mentô qui laisse seul un enfant lui soupèse les graines.

Je leur disais : C'est quoi peser les graines ?

Ils me disaient : *C'est dire qu'il le soumet à une espèce d'épreuve.*

Je leur disais : Et c'est quoi cette épreuve ?

Ils me disaient : *C'est un temps de rupture qui ouvre à d'autres modèles de choses.*

Je leur disais : Et dans cette rupture, on casse quoi ?

Ils me disaient : *On casse la vie d'avant.*

271

Je leur disais : Pourquoi casser la vie d'avant ?

Ils me disaient : *Pour entrer dans un autre modèle de vie...* — et sans plus de détails car dans le monde de la parole l'explication laisse toujours les choses à leurs mystères... et la question à sa fatigue.

Mais il est dit que l'Yvonnette Cléoste avait d'autres façons d'attaquer. Durant ces après-midi de solitude, l'enfant mangeait des fruits sucrés et des graines de douceurs. Un jour, il dut se tromper — ou la diablesse l'aveugla d'une tromperie — et il mangea quelque chose qui se répandit dans son corps de manière pas normale. Il perçut là-même le danger et recracha. Mais une partie de la chose eut le temps de se prendre dans ses chairs. Il se sentit l'agacement d'un glacé sur la langue. Il se sentit une brûlure des ongles et une fièvre-frisson qui lui persécutait la colonne vertébrale. Il vomit comme vomir peut s'écrire. Il n'eut même plus la force de rejoindre le refuge du jour, et fut forcé de se renfrogner dans un creux de racines, plus démantibulé que par une volée de bois vert. Là, il sentit venir sa mort. Une froidure. Ses yeux qui voyaient des choses bleues. Ses narines abandonnant le fil de toute odeur. Son corps perdant toutes ses attaches au monde, il n'avait plus envie de résister à rien. Mais voilà — et c'est sans doute le signe qu'il n'avait jamais été seul pour de bon — Man L'Oubliée surgit. Toujours calme, impassible, impériale. Un peu moqueuse. Elle lui tapa sur la nuque : et il put se lever. Elle lui tapa dans le creux des genoux : et il put se remettre à marcher, puis à courir dans son sillage. Ils revinrent en des zones familières, et là, l'enfant put s'effondrer en toute sécurité. Man L'Oubliée le soigna avec quelques bains de feuillages, trois tisanes à trois goûts, sept breuvages à sept goûts qu'elle lui fit avaler au fil sombre de la nuit. Par les vomis, les sueurs, les pisses et le reste il dut se vider de tout ce qu'il y avait d'ancien en lui, ses chairs de jeunesse se desséchèrent, d'anciennes

manières d'enfant gâté se dissipèrent dans les coulées fié-
vreuses. Il fut délavé en son âme et son corps. Il demeura
deux ou trois jours flapi, et retrouva une autre vigueur.
D'autres muscles. Un autre port de tête. Il fut alors mille
fois plus attentif à ce qu'il mangeait. Il devint même soucieux de pouvoir se soigner. Dès cet instant-là, Man
L'Oubliée consacra du temps à lui apprendre les secrets et
les mensonges des plantes.

Pour les plantes comme pour le reste, Man L'Oubliée
enseignait sans beaucoup de paroles. Elle désignait. Elle
faisait voir. Elle agissait devant ses yeux. Puis elle le basculait dans l'action. Elle dut d'emblée lui révéler la graine
qui l'avait infecté. Cette saleté devait sans doute imiter
l'icaque mûre, ou se prendre des allures de prune jaune du
Chili. Il faut supposer qu'elle lui apprit à mieux scruter
cette graine selon le vent et la lumière, pour déjouer ses
mensonges et supposer ce qu'elle raconte. Car les plantes
racontent toujours quelque chose. Elles disent des bienfaisances ou des malédictions, elles vous murmurent
des fables ou des stances diaboliques. Il en existe même
qui fredonnent des biguines tandis que d'autres psal-
modient des prières de caverne. Il la vit donc, devant
chaque plante, chaque racine, chaque graine, chaque
feuille, chaque liane, palper, sentir, attendre, aller et revenir en fonction du soleil. Attentif à ses mains autour de
ces arbustes, il s'aperçut qu'elle les traitait comme des
personnes. Elle les saluait. Elle leur flattait le flanc, leur
caressait l'extrémité sensible. Il lui fut soudain clair que
Man L'Oubliée ne vivait pas dans une forêt mais dans une
société où les présences se constituaient en arbres, en
graines, en fruits, en orchidées, ou en raziés de toutes
espèces... Bien qu'elles soient immobiles, ces présences
végétales formaient des alliances et des antagonismes.
Elles élaboraient des lieux neutres et des espaces chargés.
Certaines délimitaient des emplacements puissants où

toute vie pouvait se conforter, et d'autres fomentaient des cuvettes où aucune existence n'échappait au danger. Cette géographie ne pouvait pas s'apprendre : il fallait juste aiguiser sa conscience, et libérer (à force de silence et patience) ce sens animal qui donne leur âme aux autres. L'enfant vit Man L'Oubliée passer des heures figée à l'écoute d'on ne sait quoi, avant de s'approcher d'une certaine plante, de la toucher, d'oser lui prendre une feuille. Elle lui montra des poisons coutumiers comme le jus de manioc, les invisibles poils à bambou maîtres en hémorragie, l'arbre mancenillier qui graine d'appétissantes attrapes, les daturas qui immolent l'innocence avec d'augustes clochettes et des senteurs orientales... Elle lui montra l'antique galère de mer, ou la canne marronne dont la frappe ignore l'existence de la miséricorde. Il la vit déterrer d'épaisses racines en forme de cœur avec des gestes organisés comme une ancienne musique. Il la vit trier des amas de rocailles pour déprendre un gros bulbe, grimper à des troncs lisses gardiens d'une mousse virginale, glisser entre des épineux juste pour libérer une mince radicelle. Il la vit cueillir la fleur de Jéricho, détacher les fibres du vieux bambou indien, compacter la tige de l'aloès, lisser l'herbe citronnelle, capter le poivre coolie, soulever l'écorce de cannelle blanche... Il la vit saluer des cotonniers dont les racines (bouillies jusqu'au breuvage jaunâtre) étaient porteuses de la tranquillité. Elle lui apprit la démarche du canard sur la boue des mangroves, et la cueillette (sous les palétuviers) de champignons à goût de cendre aptes à vous rendre conscient du plus profond de vous-même. Dans des caillasses éreintées de soleil, elle lui décrocha une plante de couleur métallique qui projetait l'esprit dans la volonté de vaincre. Elle lui fit avaler une touffe de roseaux qui permettaient de voir (dans les nuits les plus sombres) les choses les plus obscures. Elle lui montra des chiendents qui endorment, des ananas qui soutiennent le courage, des siguines qui déjouent les douleurs, des cressons à franges bleues qui procurent du bien-être et d'autres qui vous nettoient la vessie et le sang. Elle lui fit connaître une gourde qui capturait les mauvais rêves et les laissait gazeux dans le gros intestin. Elle lui apprit à s'adresser aux arbres et aux plantes avec seulement des gestes, à séjourner auprès d'eux en silence, dans une pose impeccable, et à attendre qu'ils lui disent quelque chose. Il sut bientôt (selon ses dires) distinguer le message du poison du clair signal de la vigueur. Il prétendit s'être montré plus réceptif que les rats piloris qui ne croisent jamais une plante dangereuse. Elle dut lui montrer tous les états des plantes bénéfiques afin qu'il puisse les reconnaître en toutes circonstances : en bourgeons de naissance, en détresse de sécheresse, en calcinées par le soleil, en noyées par les pluies, en grand âge terminal... Elle lui enseigna la couleur des bonnes lianes, l'odeur parfaite des pois, le toucher de santé pour juger des pelures. Il put sonder les feuilles nouvelles, déchiffrer le flexible d'une branche, fréquenter les écorces de mille façons fructueuses... L'enfant apprenait d'autant mieux qu'il savait (dans sa chair) que le moindre de ces savoirs était tout à la fois une arme et une sauvegarde.

L'agonisant se rendit compte qu'il avait oublié cette initiation en quittant les bois-profonds pour rejoindre les hommes. Elle demeura dans son esprit, silencieuse comme ces connaissances qui ne sont plus des savoirs. Elle lui revint (totale, massive, intacte) dans cette région de l'Indochine, à Cao Bang, où il dut sauver la vie de ce cher Hô Chi Minh. Cela faisait déjà des mois qu'il participait aux guérillas des soldats-paysans contre les bérets rouges du général Leclerc. Avec les fascistes japonais, il avait connu la misère de la cage en bambou, et la survie guerrière en bois et marécages. C'était maintenant au tour des Français d'essayer d'avaler ce pays, et M. Balthazar Bodule-Jules (sans un jour de repos et sans trop de changement) avait glissé d'une guerre à l'autre. La rumeur avait couru que l'Oncle Hô était rentré pour mener l'offensive. Il avait installé son poste de commandement dans la grotte de Pac Bo, en plein dans un vrac de montagnes. C'était la province des minorités Nung. Ces paysans vivaient disséminés en petits groupes au fondoc des vallées ou à flanc de falaise. M. Balthazar Bodule-Jules avait pu intégrer une section combattante du Comité de Cao Bang grâce à l'appui d'une jeune militante, très active au combat. Avec ce petit groupe, en déplacement constant, il harcelait les postes français ou escortait les files de bicyclettes qui transportaient toutes espèces de ferrailles vers les foyers de résistance de la ligue Viêt-minh. Son groupe avait reçu l'ordre de rejoindre le poste de commandement afin de renforcer la sécurité de l'Oncle Hô. Tous sautèrent de joie, et M. Balthazar Bodule-Jules encore plus. Sur place, le comité interprovincial les répartit dans des postes de confiance tout autour de la zone. M. Balthazar Bodule-Jules piétait jour et nuit sous un gros banian, avec une arquebuse et une balise radio de l'époque des Romains. Le soir, il rejoignait les autres dans un hangar de latanier, mangeait là, dormait là, écoutait sans comprendre les enseignements des instructeurs, et gardait l'œil ouvert avec l'envie d'entrevoir l'Oncle Hô dans la lueur molle des lampes. Il demeura plusieurs semaines sans rencontrer l'intraitable combattant, car celui-ci était malade. Il devinait juste l'endroit où s'ouvrait la caverne qui lui servait de logement. Elle était couverte par une végétation qui en rendait l'accès à moitié impossible. En temps normal, l'Oncle descendait à l'aube travailler au bord d'un petit lac, creusé dans le calcaire et les fougères, puis s'en allait donner un cours de politique dans les paillotes des environs. Il prenait ses repas dans la grotte, auprès d'une flambée qui n'atténuait pas le froid vif de la roche. Un mois avait filé sans que le vieux chef-combattant n'apparaisse au-dehors. Tout le monde était anxieux.

Les responsables de comités ressortaient de la grotte plus que désespérés. Ils murmuraient que l'Oncle était la proie d'une fièvre maligne, que malgré sa vigueur indomptable il avait du mal à seulement s'asseoir. Les déplacements sans fin, le travail et de jour et de nuit, le manger toujours maigre, les grottes glaciales, les eaux de jungle léchées sous des filtres de calcaire... avaient fini par l'user jusqu'à l'os. On craignait le pire. Il déclinait comme une chandelle de mauvaise huile. On ne pouvait le nourrir qu'avec de l'eau de riz. Il délirait parfois. Quand la fièvre lui laissait un répit, il enclenchait là-même des séances de labeur, vérifiant par le détail les plans d'action de chaque cellule, puis s'effondrait en tremblotant comme une épingle de matador. Les cadres du comité interprovincial avaient fait mander quelques sorciers du coin, vieillards d'ethnies diverses, rompus aux cabales végétales, et capables de soigner les pires modèles de fièvre. Deux ou trois étaient venus. Deux-trois lui avaient concocté des tisanes et mixtures. Sans succès ni clarté. Le découragement avait gagné les camps aux alentours. Les responsables transmirent des messages alarmants au Comité central, et implorèrent des instructions aux plus hauts responsables. Il régnait dans la province un tel découragement que M. Balthazar Bodule-Jules confia au chef de sa section qu'il pouvait soigner l'Oncle Hô. Je ne sais pas trop pourquoi j'avais dit cela mais je sentais pouvoir le dire. J'avais déjà oublié ce que Man L'Oubliée m'avait transmis sur les secrets des plantes ; je n'avais recours à cette connaissance-là que sous mode machinal, animal, pour moi-même, sans jamais l'élaborer dans mon esprit pour en faire jouir les autres. Mais, ce jour-là, il y avait un tel risque de voir trépasser l'Oncle Hô, et avec lui la résistance aux forces françaises qui prenaient le pays, que j'avais baragouiné en langue tho ou en anglais : *Je peux le soigner !...* Les chefs m'avaient regardé d'un air bizarre, puis, dans le doute, le désespoir étant si grand, ils me conduisirent vers la grotte.

Je me rappelle encore combien mon cœur battait.

Cela faisait des mois que je galérais dans ces rizières avec les paysans Viêt-minh, sans jamais avoir rencontré un des grands dirigeants, et encore moins l'Oncle Hô lui-même. Le moment était donc venu, et je ne l'avais pas imaginé comme ça. J'entrai dans la caverne — (fouillé, désarmé, serré de près par une escouade de commissaires) —, elle était immense et profonde, plus glaciale que je ne le supposais. Tout au fond un petit feu battait misère près d'une silhouette fragile. On me dit d'approcher.

Et je me souviens de ce moment où je le vis.

Han danne !... Hô Chi Minh lui-même !...

Il n'y avait rien dans la caverne. Quelques lattes de bambou. Une caisse à munitions sur laquelle trônait une machine à écrire (vieille baby portative), des feuilles de papier, quelques livres. Deux grosses malles. Le petit feu. Et, auprès du petit feu, une sorte de zombi aux joues usées, livide, à barbiche et cheveux grisonnants. Un calot de mauvaise toile lui réchauffait le crâne. Une veste bleue sans manches lui couvrait les épaules. Ses jambes squelettiques sortaient d'un short kaki trop grand pour se croiser sous lui. Il leva la tête et je vis ses yeux. *Alors, mes amis, excusez !...* Moi qui ai vu tant de force chez les vivants du monde, jamais je ne rencontrai plus de puissance que dans ce regard-là ! Son corps était démantelé par la fièvre, mais son âme constituait un bloc de paix indestructible. Une détermination sans égale qui pouvait maintenir son cap dans les épreuves les plus tragiques. Il m'adressa la parole en anglais. Il avait entendu parler de moi, tout le Viêt Nam avait entendu parler de moi, de mon inexplicable présence de nègre antillais parmi les résistants. Je crois qu'il me demanda des nouvelles de la Martinique. Je crois même qu'il me dit avoir traversé les Caraïbes quand il était cuistot sur des navires marchands. Mais je ne suis sûr de rien, d'abord parce que sa voix n'était qu'un fil aphone, ensuite parce que ma conscience était mobilisée sur ce que je voyais de lui. Tant de calme. Tant de force. Tant de certitude. Tant d'attention sereine au moindre mouvement de vie. Pas une maille de fanatisme. Pas une graine de violence. Rien que... Seigneur la Vierge : *de l'amour!... L'amour des hommes!...* Je bredouillai quelque chose tout en l'examinant. Ses yeux, ses pupilles, la couleur de sa peau. Je m'imprégnais de ce mal qui le rongeait, à la manière de Man L'Oubliée. Puis, avec mon anglais de chalutier, je lui affirmai connaître les plantes et pouvoir le soigner. Il me fit signe qu'il accepterait ma médication. Je sortis tandis qu'il s'adressait aux responsables des comités dans un timbre sans souffle mais plein de volonté, leur parlant de la conjoncture internationale, de tactiques, des occasions nouvelles de passer à l'action. Je n'entendis pas très clairement tout cela, mes enfants, car j'étais tourmenté : maintenant qu'ils avaient accepté mon intervention, je n'avais aucune idée de ce que j'allais faire.

Je me rendis dans la forêt, m'enfonçai assez loin, me laissant guider en somnambule par les odeurs, l'eau, les circulations du feuillage. Peu à peu mon trouble s'apaisa. C'est en fait ce désarroi même qui, dans son bouleversement, me restitua d'oubliées connivences avec les bois-profonds. J'avançai en silence dans cette forêt tellement proche et tellement étrangère, et retrouvai sans en avoir conscience des réflexes anciens. Des oublis se défirent un peu partout dans mon esprit comme de petites gousses, ouvrant leurs fleurs, libérant leurs parfums... Et me revint à l'esprit cette fièvre qui soudain avait terrassé Man L'Oubliée... *Ho Man L'Oubliée!...* Elle était tombée malade d'un coup. Elle qui n'avait jamais connu le moindre trouble de santé se retrouva agitée de frissons, recroquevillée sous l'ajoupa du jour sans pouvoir dire un mot. Je sentis qu'elle allait mourir et qu'il fallait lui trouver quelque chose. Et j'étais parti comme cela, de la même manière, enfant désemparé au fond des bois, laissant faire mon nez, ma peau, mes yeux, et ce sens non localisé qui les assemble tous. Ces deux séries de souvenirs devaient sans doute se mêler dans la tête du vieil agonisant : celle de l'enfant soignant Man L'Oubliée, et celle du guérillero en pays vietnamien soucieux de sauver Hô Chi Minh. L'agonisant fut agité de petits rires, sans doute parce qu'il prit soudain conscience que Man L'Oubliée l'avait — *Patate pistache!* — mis à l'épreuve en simulant une maladie. Elle me faisait avaler tellement de figues, de blagues et de baboules!... Ça devait être ça, elle n'était pas malade mais je l'avais cru, et j'étais affolé, tout comme je l'étais dans cette forêt de Cao Bang. Au bout de quelques heures, je sentis qu'il me fallait demeurer auprès d'un immense végétal. Majestueux. Bienfaisant. Je l'observai longtemps. Je ne le voyais pas comme un arbre mais ça l'était sans doute. Pour Man L'Oubliée aussi, ça devait être un arbre qui stoppa mon errance. Ce n'étaient pas les mêmes arbres, mais ils émettaient le même message, comme une nécessité rafraîchissante, quelque chose d'indiciblement bon. Et puis ces arbres ou ces choses végétales leur ressemblaient à tous les deux. Sérénité. Patience. Détermination sans raideur. Man L'Oubliée et l'Oncle Hô étaient si proches, finale de compte!... J'avais touché aux feuilles. Humé de fins bourgeons. Écouté. Puis j'avais gratté à leur pied pour libérer une de leurs racines. Elles étaient d'un blanc de manioc. Magique. Elles s'enfonçaient en mille détours dans les sanctuaires du sol. Je mis du temps à dégager une part de ce rhizome. Les mains de l'enfant et celles du combattant se mêlaient encore plus dans l'esprit du vieil agonisant. Il avait déposé sa pipe, et, sur ses genoux, il effectuait des gestes bizarres avec ses doigts : Creuser ! Il creusait dans quelque chose !... Je pris mille précautions pour détacher l'extrémité d'une radicelle. C'est une matière dure, crayeuse, en même temps translucide, et douce à l'incroyable, ses fragrances circulent entre thym, bois-d'Inde et basilic. Je la recueille. Je la fais rôtir. Jusqu'au brun intense. Je l'écrase jusqu'à fine poussière.

Je la mélange à l'eau de riz dans un petit bol, c'est pour l'Oncle Hô.

À l'eau de source dans une calebasse, c'est pour Man L'Oubliée.

Je rapporte le tout à l'Oncle Hô.

Je reviens vers Man L'Oubliée.

Le vieux combattant s'est allongé sur une natte, couvert par un bout de toile et quelques morceaux de laine. Man L'Oubliée aussi est allongée de cette manière, sous un carré de madras. Je lui fais boire alors qu'il délire un peu (« ... *solitaire, je vais le cœur ému, je scrute au loin le ciel du sud, je songe à mes amis* »...) dans une langue que je ne connais pas. À Man L'Oubliée, je fais boire aussi, lentement, sans qu'elle ne dise un mot, mais, elle, elle me regarde, m'observe, me jauge... Je ressortis en compagnie des commissaires alors qu'il se recouchait, et je passai la nuit à l'entrée de la caverne comme je l'avais passée, tant d'années auparavant, au bord de l'ajoupa où grelottait Man L'Oubliée. Le lendemain, cette dernière se réveilla sans fièvre, aussi en forme que si rien ne s'était passé. Pour l'Oncle Hô ce fut plus long, mais dès le lendemain il allait déjà mieux. Je lui fis transmettre des mélanges de cannelle, d'ail et de thym. Des toniques et des purifiants. Un jour, depuis le banian où je montais la garde, je le vis sortir de la grotte pour rejoindre le bassin, y faire un peu de gymnastique et quelques ablutions. Petite silhouette pâle, irréelle dans cette eau verte et cette cathédrale de verdure. Puis je le vis remonter d'un pas ferme. *Manman, quelle solitude !*... Il dut sentir mon regard car il se retourna et me salua chaleureusement. Le troisième jour il était guéri, et je ne devais plus le revoir que de loin [1].

---

1. *Ma rencontre avec Hô Chi Minh.* Un souvenir de M. Balthazar Bodule-Jules, sur *Radio Saint-Louis*, juin 1998.

Les plantes trompent mais elles ne sont pas menteuses. Elles peuvent être dangereuses mais elles ne sont pas méchantes. Elles ont des secrets mais elles ne dissimulent pas. Elles peuvent aimer mais ne tombent jamais fanatiques. Elles peuvent te faire du bien mais ne rendent pas service. Elles peuvent t'accompagner sans être domestiques. En fait, elles ne connaissent pas le bien ou le mal, le juste ou l'injuste, elles connaissent les équilibres du monde. À toi de t'inscrire dans les aplombs du monde. Encore le rythme, la mesure, l'aptitude au sensible comme vertus primordiales. L'agonisant (qui s'était redressé pour regarder une à une ses plus proches orchidées) dut découvrir cela.

Durant ses temps de solitude, l'enfant avançait parfois jusqu'à l'orée des bois. Les champs ouvraient alors de claires géométries. Marées de cannes à sucre. Crêtes de fleurs frissonnantes. Fragrances de sucre mûr et de terre en travail. Il voyait nègres et négresses de terre qui achevaient de djoubaker sous le soleil. Il les voyait couper les dernières cannes du jour, les déverser dans les longs cabrouets que trimbalaient les bœufs. Il voyait les bandes de négrillons creuser les drains qui répartissaient l'eau, ou enterrer les mesures de l'engrais. Il voyait commandeurs et géreurs aller-virer du haut d'un alezan, sur la couenne d'un mulet, et crier, ordonner sans la moindre affection. Ce spectacle était pour lui très émouvant. Il le renvoyait aux souvenirs inachevés de son papa et de sa manman. Il l'emplissait de plénitude béate. L'enfant se sentait proche de ces gens. De temps en temps, il voyait passer des patrouilles de gendarmes à cheval, qui s'esclaffaient terribles avec de drôles d'accents. Ces hommes blancs en armes s'enfonçaient souvent dans la frange des grands-bois à la poursuite de nègres ou de koulis en fuite. Man L'Oubliée les avait toujours évités, de même qu'elle avait toujours évité ces bandits-grands-chemins qui traversaient les bois. L'enfant savait se rendre invisible à ces gens, et personne de vivant n'aurait pu le découvrir tapi dans une racine. Temps en temps, des békés chasseurs traversaient les bas-bois en compagnie de leurs chiens ; là encore pièce de ces bêtes de chasse n'avait su déceler Man L'Oubliée, à croire qu'elle n'avait plus d'odeur humaine, et que sa peau respirait comme l'humus sans âge. L'enfant devait émettre une senteur identique car des meutes de chiens créoles et de molosses des Flandres longèrent souvent sa cache sans ralentir une maille. Donc, il s'avançait vers les hommes, sans crainte, et de plus en plus près. Tout en demeurant invisible à ces gens, il éprouva une vive attirance pour cette vie si proche et, en même temps, tout à fait éloignée des grands-bois.

Un autre monde s'ouvrait ainsi à lui. Un autre monde où basculerait sa vie. Pourtant, le vieil agonisant fut surpris de ne trouver, aux premières lignes de son esprit, que des silhouettes de femmes. Les cannes, les vérandas d'habitations, les ferraillages d'usine, la terre et les vieilles cases ne servaient de décor qu'à des présences de femmes. Il comprit que sa curiosité enfantine à l'égard de ce monde avait surtout été alimentée par elles. *Femmes, ô mes chères !...* Car durant cette période il vit des femmes autres que Man L'Oubliée, et il connut un démaillage de sentiments bizarres. Comme Man L'Oubliée rayonnait au centre du monde de son enfance, les femmes lui semblèrent les personnages déterminants de cet autre univers. Il y avait aussi, sans doute, cette lancinance d'une douceur ancienne, d'un goût de lait perdu et jamais retrouvé, et qui (dans les ravines de sa mémoire) lui constituait Man Manotte, sa manman. Au début, ses yeux furent captés par les silhouettes qui lui rappelaient Man L'Oubliée, ou les manières de Man Manotte : il suffisait de rien... *un bout de madras, un port de tête, les mouvements d'une hanche qui transporte un panier...* pour que l'enfant s'accroche à cette personne et la suive du regard durant des heures sans fin. Puis il finit par s'intéresser à la simple grâce d'un corps, à l'offrande d'une croupe qui déforme soudain l'ordonnance du réel, aux lumières d'un visage ou d'une volonté, à l'animalité chaude d'une poitrine qui secoue ses merveilles au rythme d'un travail... Son petit cœur — avait-il raconté en deux-trois occasions [1] — s'était ému de ces jeunes filles qui maniaient des coutelas. De celles qui arpentaient les traces de cannamelles pour distribuer aux ouvriers des calebasses d'eau de source. Il fut émotionné par ces négresses de terre, ou puissantes ou fragiles, à grosses paroles ou silencieuses, canailles ou pleines de grâces, qui vivaient dans les cannes, bourraient la terre de leurs jardins, entretenaient des cases, et inventaient du fond de leurs misères un futur pour leurs traînes de marmailles. Il les surveillait tant qu'il les voyait se ramasser dans un coin de raziés pour leurs besoins urgents, et se sentait électrisé en les surprenant debout roides, gaule ouverte, yeux en l'air, pour pisser d'un jet chaud fumant sous le soleil — un jet qui domptait l'herbe folle dressée entre leurs chevilles.

Et des visages traversèrent son esprit.

Oh désirs !... Je vous vois ! Je vous vois !... Elles persistaient dans sa mémoire selon de claires exactitudes : il retrouvait le grain de certaines peaux, l'alcool dense de leurs sueurs, des impressions fugaces devenues éternelles, et qui s'offraient à sa conscience nouvelle aussi nettes qu'un fossile. Chacune, distincte et enchâssée dans l'ensemble des autres, chacune à la fois autonome et diluée dans la mouvance globale. Des prénoms, des surnoms lui sautaient en mémoire, explosaient dans son esprit sans trop savoir sur quel visage se déposer, ni quelle silhouette vêtir des vibrations de leur musique : Osange, Bombe-sirop, Juliana, Cordélia, Anastasie, Chalèpiment,

---

1. *Les femmes poteau-mitan.* Une communication de M. Balthazar Bodule-Jules, journées internationales de la femme, Amdor, 1987.

Gratienne, Mayotte, Sidonie, Bonda-au-champ, Thérésine, Envol-tétés, Caroline, Sinia, L'échelle-poule, Gerty, Vonne... Elles l'avaient envahi à jamais et avaient déclenché des fièvres dans son esprit trop jeune.

Les gendarmes à cheval étaient féroces, les cliquetis de leurs armes, le fracas de leurs bottes, leurs accents étrangers accompagnaient les jours d'une aura de violence. L'enfant la sentait suspendue tout-partout, prête à s'abattre sur les vivants comme une absurdité. Mais ce ne fut point par eux qu'il découvrit les premières frappes de la brutalité. Ce fut par, et dans, le corps des femmes! *Ah, je les voyais, je les voyais!...* C'est ainsi qu'il les vit, à la levée des tâches, barrées par un béké ou par un commandeur, happée par un géreur, qui leur prenaient une aile et qui les renversaient dans la paille sombre des cannes. Avec stupéfaction, il vit les mêmes renverser des fillettes, les transpercer à coups de reins sauvages, et s'en aller sans un regard sur ces âmes violentées. Celles qui résistaient étaient taxées de brigandage et interdites des tâches offertes sur les habitations. Certaines tombaient folles et devenaient marronnes, ne trouvant leur pitance que dans la cendre des routes. D'autres, plus rares, flexibles comme des lianes, leur glissaient entre les griffes en conservant sur le visage la macaquerie d'une vague promesse : alors le prédateur tolérait qu'elle s'en aille sans éprouver de rancœur. Mais, au fil des mois et des nécessités, la plupart devaient finir par se soumettre aux appétits de ces bougres tout-puissants. Le plus extraordinaire, c'était, pour l'enfant, de voir ces femmes se relever vaillantes, et continuer à vivre comme si de rien n'était. Pas une trace de l'homme n'apparaissait sur elle, pas une trace de l'homme ne demeurait en elle. L'agonisant fut pris d'un petit rire en songeant peut-être à ces paroles d'Agur, souvent citées tout au long de sa vie, au chapitre xxx des proverbes de la Bible, où l'infortuné confronté à la femme adultère s'écriait avec grand désarroi : Il y a trois choses qui sont au-dessus de ma portée, même quatre que je ne puis comprendre : la trace de l'aigle dans les cieux, la trace du serpent sur le rocher, la trace du navire au milieu de la mer, et la trace de l'homme chez la jeune femme...

Et cela, il avait pu le constater lui-même, après ses nuits d'amour de soudard en goguette, ces luttes plus ou moins tendres qui l'épuisaient jusqu'au creux des vertèbres, il avait toujours été surpris de voir ses amantes en émerger intactes. Leur beauté, ce mystère, restait inaltérable. Hors d'atteinte de ce qu'il avait cru saisir. Lui qui s'était ingénié à les mordre, les aspirer, les purger, les manger, les faire passer dans les broyages de ses désirs, avait vu leur magie en revenir fringante. Et combien son désir demeurait diligent du fait même de cet échec à vaincre leur mystère, cette beauté. Seuls le temps et l'habitude, et le quotidien terne en compagnie d'une femme, pouvaient vaincre (et encore) ce sentiment d'inaltérable. Et le vieil agonisant se souvint : *Ô femmes, ô amantes, vous savez la violence!*... Combien d'entre vous, retrouvées au cours de mes errances, plus virginales que si je ne vous avais en nul temps pénétrées de mon amour anthropophage, plus intactes qu'aux époques de mes langueurs voraces dans le sillon de vos parfums! Et je devais mobiliser des souvenirs, me remémorer votre corps chiffonné dans le feu cannibale de mes bras, pour me convaincre que je vous avais, chair dans chair, rencontrées!... Il s'était souvent consolé avec cela — mais, à chaque fois, il avait retrouvé ces femmes en apparence plus étrangères à ces prétendues frappes que s'il ne les avait en pièce temps approchées.

Je les avais possédées mais je ne les avais pas aimées! C'est ça qu'elles me disaient : Où est ta vérité, sacré grossomodo? Où est le sentiment? Ce n'est pas avec le poids de tes graines et ta pointe en chaleur que tu peux nous toucher, mais avec le donné de ton âme, le plein du sentiment... Dieuseigneur, je n'ai même pas su les aimer... L'agonisant eut un sanglot. Cela lui arrivait de plus en plus souvent, de manière erratique, les yeux secs ou trop fixes, et il me fallait du temps pour imaginer à quoi les rattacher...

Ces assauts contre la gent féminine dévalaient l'escalier des pouvoirs. Le béké commençait, le géreur poursuivait, imité au plus près par les commandeurs et par les petits-chefs en différents travaux. Enfin, la fourmilière des journaliers agricoles se glissait dans les interstices de ces dominations, reproduisant parfois la même compulsion prédatrice envers les femmes de leur entour ; certains bougres les ignoraient, à croire qu'elles n'étaient pas inscrites sur les tables de ce monde ; d'autres s'efforçaient de les considérer de même complexion qu'eux, pourvues du même nombre de graines ; mais la plupart demeuraient à languir dans leurs traces, les frôlant, imaginant le poids de chacune de leurs formes, levant l'œil vers le ciel pour deviner pourquoi Bondieuseigneur avait conçu des créatures pareilles. Quand ces femmes revenaient à leur case, parmi la trombe de leurs enfants, auprès de leur nègre du moment, la violence se faisait insidieuse. Les bougres-à-case (amis, concubins, géniteurs de passage) les zieutaient de travers. L'enfant avait entendu s'élever de ces cases la flambée des soupçons perpétuels sur des négrillons un peu trop jaunes ou qui n'avaient pas la couleur de leur père. Les bougres-à-case savaient que leurs compagnes connaissaient le béké, connaissaient le géreur, savaient le commandeur, manipulaient les petits-chefs, et que tous étaient en relation très spéciale avec elles — une relation à laquelle, en pièce temps, ils ne sauraient avoir accès. Alors, dans les cases, sous les yeux grands ouverts de l'enfant, ceux qui s'aimaient le faisaient en silence, sans gestes, sans mots, sans parolailles sucrées, avec juste la

287

présence de l'un auprès de l'autre, l'aller-ensemble, le faire-ensemble, le vivre-ensemble sous la déveine, dans cette jointure de solitudes qui construisait en mode opaque (mais tellement clair pour l'enfant clairvoyant) le plus tragique des vœux d'amour.

L'enfant qui vivait depuis plusieurs années dans l'abandon aux équilibres dut sans doute se méprendre. Il accueillit cette violence comme une donnée du monde. *Une donnée de ce monde.* Quelque chose avec lequel il se mit à fonctionner nature. Il regarda ces femmes souffrir sans chercher à les plaindre, en guettant juste les stratégies qu'elles déployaient pour vivre et pour survivre, tenir et résister. Il ne vit pas ces clichés habituels de mères en sacrifices qui supportent l'édifice de cette pauvre société : il regardait celles qui savaient se battre comme des maîtresses de vie, des leçons de combat. Certaines semblaient des plantes vivaces qui déployaient leurs radicelles dans le feuillage d'un manguier triomphant, jusqu'à finir par l'étouffer. D'autres lui rappelaient ces arbres graciles qui arcboutaient leur escalade sur des poiriers puissants jusqu'à atteindre (de manière plus prospère que celle de leur support) la zone ensoleillée. D'autres étaient pour lui des lianes, diffuses sans être visibles dans le soleil des frondaisons, et actives dans l'ombre à hauteur des racines sur la moindre goutte de lumière. Certaines étaient sans force : elles se desséchaient sous la déveine comme des fougères débiles, ou tombaient folles, vaincues par le virus d'une détresse, telles des herbes rabougries qui rumineraient leur épuisement. L'enfant ne les plaignait pas plus qu'il ne plaignait les arbres morts ou les plantes asphyxiées par une vivacité mieux ardente que la leur. Il détournait son regard des vaincues pour contempler les autres, soupeser leur vigueur, apprendre les voies secrètes de leur science du survivre. Et, en la matière, à force d'endurance et de faiblesse présupposée, les femmes des cases et des champs de cannes se montraient d'une sapience sans égale...

288

L'agonisant émit un long soupir.

Cet enfant de son passé était trop insensible ! Il aurait préféré découvrir en lui un peu de cette compassion sereine
que la vieillesse et la mort approchante lui avaient restituée. *Dieu seigneur, à cette époque je n'étais pas un être
humain !...* Il ne retrouvait de lui qu'une petite bête sauvage, traquée, trop consciente des présences attentives de
la mort, avide de voir le monde, de vivre et de survivre. On
ne lui devait rien, il ne devait rien à rien. Il était né dans la
violence, avait grandi un peu vivant, un peu défunt, appris
à retenir son souffle dans des arrois de forces aveugles.
Instruit dans l'univers des arbres, il se comportait avec le
souci élémentaire des végétaux : survivre à volonté tendue, continuer à sucer le soleil, le voir et l'aspirer pour
sans cesse se maintenir. L'enfant des bois qui approchait
vers ce monde colonial pouvait passer du chant à la
colère, de la douleur au rire, avec la même fixité de
l'esprit. Au fil des ans cette disposition lui demeura.
L'homme de guerre qu'il devint put utiliser les armes avec
autant de naturel qu'il offrait son soutien pacifique : il
pouvait massacrer et caresser dans le même temps, avec
la même application. Il pouvait s'émouvoir d'un rien et
longer sans frémir d'inépuisables horreurs. Dans la barbarie il devenait terrible, dans les situations douces il devenait le plus suave des hommes. Quand il voyait passer les
gendarmes à cheval, l'enfant n'avait pas peur d'eux ; il percevait leurs effluves barbares, leur foi aveugle qui légiti-
mait les attentats commis en ces terres coloniales. Mais
l'enfant ne se plaignait pas de leur existence, il se déplaçait juste ce qu'il fallait à leur approche comme devant
certains serpents jaunes, trop corrompus par l'âge pour ne
pas constituer un danger aberrant.

De jour en jour, il s'éloignait de la vie des grands-bois. Il
eut envie d'aborder les jeunes filles de son âge qui s'affairaient aux travaux des champs, tellement belles et rieuses

malgré leurs hardes infâmes et l'ouvrage forcené entre les pièces de cannes. Il y en eut une... très jeune...

... *Roye je m'en souviens...!*

L'agonisant se renfonça dans son fauteuil, yeux brillants, une main frottant la paume ouverte de l'autre. Il effectuait ce geste à chaque fois qu'une femme émergeait de l'ensemble des autres, et s'avançait au clair de sa mémoire pour lui restituer une ancienne douceur. Celle que l'enfant voulut approcher se rendait tous les jours dans les hauteurs de la rivière. Laver des draps. Les battre. Les tordre. Les disposer aux embellies. De coutume, les femmes consacraient leurs jeudis aux affaires de lessive; elles s'assemblaient dans une cuvette hérissée de rochers rondouillards. Celle-là, au contraire, y allait tous les jours, solitaire, et privilégiait un endroit déserté. Elle remontait jusqu'à un bassin clair, et là, seins nus, la gaule nouée sur les cuisses découvertes, elle nettoyait ses draps en chantant doucement des biguines de Saint-Pierre. C'était pour l'enfant une sorte de féerie. L'eau vive et le savon l'auréolaient d'étincelles mobiles. À l'entour de ses cuisses l'eau devenait ardente, et son ombre s'allongeait jusqu'à la rive, bordée de nitescences. Sa peau : un noir sans fond. Ses yeux : immenses et enchantés d'une énergie rieuse. Une bouche à-ne-pas-croire sur des dents plus somptueuses que des perles de Thaïlande. Ses seins étaient deux hosannas élancés vers le ciel, et qui, au rythme de ses gestes, récapitulaient toutes les messes de la vie. L'enfant la regardait comme regarder peut être un contentement et une petite douleur. Il regardait son corps comme on se laisse mourir. Il entendait sa voix comme un secret des dieux. Cet enchantement durait des heures, selon une émerveille immuable, puis l'Admirable sortait de l'eau en fin d'après-midi, son panier de draps blancs essorés sur la hanche, et disparaissait sur les traces vers les cases. L'enfant n'osait la suivre. Il rebroussait chemin en commençant à l'espérer jusqu'au lendemain. Un jour, n'en

290

l'Admirable ✓
Alentour

pouvant plus, il fit rouler une pierre dans le bassin près d'elle. *Tikitik Ploc!...* Elle se redressa et murmura de sa voix d'innocence fatale : *Saki la-a?* Qui est là?... Un rien d'inquiétude lui traversait les yeux. Craignant qu'elle ne s'en aille, l'enfant resta dans sa cachette, et répondit : C'est rien, c'est moi.

— *C'est moi qui moune?* répondit-elle.

— Bodule, enfant de Manotte et de Limorelle.

— *Alors montre ton corps si tu n'es pas un zombi...*

Il osa sortir de sa cachette. Elle regarda l'enfant, et, à la vue de son âge, ou sans doute de sa beauté (comme M. Balthazar Bodule-Jules s'en vanta bien souvent), elle l'accueillit avec grand soulagement : *Alors c'est toi qui me surveilles depuis tout ça de temps!...* Confus, il essaya de bredouiller quelque chose. Il n'y parvint pas et recula dans sa cachette. L'Admirable se mit à rire, et l'appela : *Ti-Bodule, allez viens, viens me voir!...* L'enfant hésita. Puis trouva le courage d'aller jusqu'à la rive. Là, il la vit de plus près. Vraiment une créature à-ne-pas-croire. Trop de grâce. Trop de perfection dans la moindre attitude. À mesure qu'il pénétrait dans l'eau, l'enfant se sentit flotter, comme déposé sur une yole invisible qui glissait sans à-coups vers l'admirable personne. Alors, flap, il se sentit perdu. *La diablesse!...* Cette évidence zébra son âme comme un fouet de lumière. L'enfant se mit à trilbucher dans l'eau. Il rejoignit la rive à quatre fois quatre pattes et s'abrita sous un pied-cacao. L'Admirable regardait dans sa direction, déconcertée, toujours trop majestueuse. Et belle. Trop belle. Quand elle se remit bien tranquille à ses draps, il se dit consterné : Ah non, ce n'était pas l'Yvonnette Cléoste... Qu'est-ce qui m'a pris?!

Il put surveiller l'Admirable durant les jours suivants. Elle lavait son linge sans prêter attention à sa probable présence; à croire qu'elle avait oublié jusqu'à son existence. Elle soulevait les draps, les battait, les frottait. Ses gestes anciens s'accordaient au paysage des rives et aux mouvements de l'eau. Une petite voix chuchotante en lui-même lui conseillait d'aller vers elle. Mais quelque chose le retenait. Rien de distinct, juste un nœud au fond de son esprit, qui l'incitait à demeurer caché.

Un jour, l'enfant comprit pourquoi.

Un commandeur des environs surgit au bord de la rivière. Son cheval assoiffé avait dérivé vers ce coin sans adresse. L'enfant l'avait déjà entr'aperçu. C'était un grand mulâtre, à voix brutale, grossière. Il ne parlait qu'à gorge blessée comme un damné. Une brute, sans doute échappée d'un enfer. Le commandeur eut un beuglement de plaisir. Il fit se cabrer son cheval, *Mi bel Ti-moune, mi!...* puis descendit de sa monture pour l'attacher à un figuier maudit. Son pistolet battant ses flancs, son fouet noué à la main, ses hautes bottes crissant comme des menaces, il approcha de la rive en fixant l'Admirable. Ses yeux semblaient deux tisons archaïques qui reflétaient ses appétences. L'enfant se sentit mourir. Il avait déjà vu cette brute martyriser des femmes, les battre jusqu'au sang et les violer au détour d'un sentier. Abusant d'une impunité totale, il était capable de tuer n'importe qui à la moindre résistance. Il était tout-puissant, et cette toute-puissance ne lui inspirait que des férocités. Il répandait une taiseuse terreur sur les champs d'alentour. Mais l'Admirable ne semblait pas le craindre. Tu es qui est-ce toi? gronda le commandeur. De quelle habitation tu sors? Je ne t'ai jamais vue par ici... L'Admirable s'était redressée et lui souriait comme à l'enfant deux jours auparavant. *Viens*, disait-elle au sauvage, *viens me voir par ici...* L'enfant n'en croyait pas ses oreilles : le même ton gracieux, la même invite nimbée d'une innocence fatale. Quelque chose n'allait pas! Le commandeur ne s'aperçut de rien. Il avançait vers l'Admirable comme un cow-boy dans un saloon. Quand il fut tout près d'elle, il lui posa une main sur la hanche Alors ma biche, tu es de quelle habitation? Est-ce que tu es gentille au moins ? L'Admirable le regardait toujours en souriant. Les draps s'étaient enroulés autour de ses cuisses comme une corolle de nénuphar, et elle arquait son corps tout en grâces comme le pistil d'un hibiscus. Le sauvage se pencha vers elle. Il lui posa ses lèvres sèches sur le cou. La serrant contre lui dans un ahan brusque, il la souleva de l'eau. L'enfant s'était mis à trembler. La brute charroyait l'Admirable dans ses bras. Il lui mordait le cou, lui léchait les oreilles, semblait vouloir la dévorer sans sel et sans piment tandis qu'elle riait aux éclats. Mais elle riait de manière pas croyable. Son rire s'élevait jusqu'aux nuages, et retombait sur terre comme un cri d'animal !... L'enfant recula de dix mètres pour mieux se perdre encore sous une ombre de bois-d'Inde. Le commandeur, malgré sa frénésie, n'en crut pas ses oreilles. Pétrifié, il regarda ce qu'il avait dans les bras. L'enfant, lui, serré sous son pied de bois-d'Inde, ne croyait pas non plus à ce qu'il devinait. Quand la brute avait soulevé l'Admirable, il avait vu, dans une voltige de draps mouillés et d'écume frissonnante, surgir de gros sabots de bœuf, en corne jaunâtre, épaisse. *Bondieuseigneur*... Ce n'était plus une jeune fille mais un grouillement de frénésies véreuses qui s'accrochait au corps du commandeur. Celui-ci s'était mis à hurler comme un bourreau en confession. Il essayait de déposer sa proie mais celle-ci demeurait agrippée sans remède. Il trébucha sur la rive, se redressa comme aspiré par des ficelles de marionnette et chancela vers les sous-bois où sa silhouette tremblota comme une fin de chandelle. En un moment de temps, il n'y eut qu'un affligé silence qui pesait sur l'endroit. Le cheval qui s'était libéré galopait ventre à terre. L'enfant demeurait écrasé : Le commandeur avait rencontré une diablesse avaleuse !...

Les gendarmes à cheval sillonnèrent la région durant plusieurs semaines. Ils juraient que le commandeur avait été occis par quelque kouli marron. L'enfant les vit aller-virer, les évita souvent. Un jour, il les surprit à remonter la rivière, yeux fixés sur les roches en quête du cadavre. Il les vit parvenir au bassin où l'Admirable se tenait affairée au lavage de ses draps. Malgré le fracas des chevaux et des armes, la créature ne sembla point les entendre arriver. L'enfant se rapprocha encore, excité à l'idée de ce qui allait se passer. Mais la patrouille des gens en armes remonta la rivière, longea le bassin où lavait l'Admirable, et poursuivit sa route. Ils fixaient l'eau, chaque pierre, le sable noir des rives, les touffes de fougères et de lianes, attentifs et tendus, ils examinaient tout mais ils ne la virent pas. L'enfant comprit tout de suite : *Pour la voir, il faut être d'ici, il faut être du pays !*... Quelques jours plus tard, l'enfant revit l'Admirable qui se rendait à la rivière, toujours gracieuse et pleine de charme. Mais ses yeux s'étaient ouverts. Il avait perdu une ultime naïveté. Il décela tout de suite sous le mouvement des hanches de petites distorsions qui lui glaçaient le sang. Et puis les draps étaient trop blancs : ils ressemblaient à des peaux de dragon que l'on aurait grattées. L'enfant préféra enlever son corps de cet endroit.

Un jour, à la vue d'un géreur qui venait d'abuser du corps d'une fillette, une facétie lui passa par le crâne. La malheureuse était restée allongée dans les cannes, un peu abasourdie, puis elle avait pu se lever bizarrement, et flageoler jusqu'à la rivière proche. L'enfant avait suivi ce géreur avec l'envie de lui jouer un sale tour. Mais, chemin faisant, une méchanceté lui vint. Il attira l'attention du géreur, *Wop*. Ce dernier arrêta son cheval et se retourna. C'était un bougre à la sueur aigre, musquée, et aux joues ravagées par la petite vérole. L'enfant lui fit signe d'approcher. Le géreur impulsa une secousse au cheval et revint sur ses pas, en direction de cette marmaille bizarre. À mesure qu'il avançait l'enfant reculait, reculait encore. Pris au jeu, le géreur, Hé toi là, attends, putain, reste là !...

se mit à le poursuivre. À petites touches d'apparitions, l'enfant mena son poursuivant vers le bassin où l'Admirable s'affairait sur ses draps. Là, il disparut dans une houppe d'alpinias, en ricanant d'avance. Le géreur aperçut la personne au milieu du bassin. Là même, une fièvre libidinale lui empoigna le ventre. Il appela l'Admirable, lui demanda qui elle était tout en fixant la bride de son cheval à une branche-tamarin. Persuadé d'être patron de toutes les existences, il lui ordonna de venir sur la rive. Mais l'Admirable (toujours avec sa voix d'ingénuité fatale) lui rétorqua de la rejoindre. L'invite était si suggestive, totale et sans remède, que le géreur tomba assis par terre sous un plein d'impatiences. Il se tortilla pour enlever ses bottes, et pénétra dans le bassin en grommelant des idioties sur sa beauté. L'enfant suivait la scène avec une joie féroce. Le bougre débotté parvint auprès de l'Admirable. Elle commençait à rire, toute en sensualité et en miel de promesses. *Elle semblait jouer!* Le géreur ouvrit les bras en lui ronflant de se montrer gentille. Elle se dérobait, se réfugiait derrière ses draps, voltigeait des gouttes d'eau, tournait autour de lui de manière malicieuse. Ils riaient tous les deux, gloussaient comme des enfants. L'enfant, atterré, ne comprenait plus ce qui se jouait ainsi. Il se fit un peu plus attentif, et découvrit soudain que les draps sortaient de l'eau et accrochaient le bougre. Ce dernier voulut les écarter pour embrasser sa proie, mais les draps ne se décollaient plus. Mouillés, lourds d'écume savonneuse, ils faisaient ventouses, succions, prenaient des genres de tentacules avides. Quand le géreur eut l'intuition du piège, son heure avait sonné. Il n'était plus qu'une masse informe de peau rose et de draps. Le rire de l'avaleuse gonflait jusqu'aux nuages, et retombait en tournoyant plus aigre qu'un cri de manicou. Il y eut un geyser qui atteignit les arbres, pour s'effondrer dans un bouillon sauvage. Puis, soudain, le bassin redevint calme et lisse. Dans le silence pas ordinaire qui s'installa alors, l'enfant crut entendre la voix de l'Admirable. Elle sortait de partout telle une brume driveuse, flottait entre les feuilles qui frissonnaient sans cesse. Elle était prise de satisfaction pleine, langoureuse, que l'enfant écouta comme une récompense.

Tout aux cruautés de son enfance, il attira vers le bassin deux-trois békés, six commandeurs et petits-nègres-chefs plus méchants que des chiens. Il mettait à cette tâche une frénésie cruelle, exerçant moins l'idée de venger les victimes que de confronter leurs agresseurs à une férocité qui surpassait la leur. Il était moins justicier que voyeur de violences. Moins redresseur de torts qu'amateur de combats. C'est pourquoi, entre l'enfant et l'avaleuse, il se forma très vite ce panachage indémêlable de *complot* et de *complicité* que les vieux-nègres appellent une *complocité*. Ils se zieutaient de loin. Elle lui souriait bien mais ne l'invitait plus à se rapprocher d'elle. Il lui faisait des signes et restait dans sa cache. Elle ne répondait jamais à ses signes mais elle le regardait, sans doute reconnaissante de ses dons de chair fraîche. L'enfant veillait à ne pas s'attarder en cet étrange endroit. Chaque seconde aboutissait en lui par une envie d'aller au milieu du bassin pour toucher l'avaleuse. *Bizarre qu'elle m'attire moi aussi, alors que je n'ai rien fait de mal ! Pourquoi pourrait-elle vouloir m'avaler alors que je n'ai rien fait de mal ?!...* Pour s'en faire le cœur net, il aurait fallu qu'il avance à portée du malheur des draps de l'avaleuse. Elle verra bien que je n'ai pièce méchanceté en moi, que je ne suis touché d'aucun crime, d'aucun sang, se répétait l'enfant pour se rassurer. Il prit cela comme un bel exercice et résolut de la mettre à l'épreuve. Un jour, à découvert, il marcha vers la rive. L'Admirable le vit. Elle le regardait avec un sourire bel et une tendresse profonde. L'enfant se sentit sous l'emprise d'un aimant. Il se sentait tomber vers elle, vers sa beauté, vers son autant de grâce. Et tandis qu'il s'en approchait tout son être se diluait. Sa volonté déjà très forte s'était dénaturée en désir d'abandon. Il avança dans l'eau comme un zombi domestiqué au sel, le corps déraidi et raidi. Un reliquat de lucidité faisant marotte dans son esprit. Il se répétait qu'il lui faudrait rebondir vers la rive au moindre mouvement de l'avaleuse, se méfier de ses draps, s'écarter des trous d'eau. Et il savait qu'il ne le pourrait pas. Et il s'approchait d'elle en regrettant chaque pas.

Alors, l'Admirable se redressa.

Elle le regardait toujours avec grâce et tendresse, ses yeux fixes dans les siens. Mais, à mesure de son approche, une inquiétude troubla l'intense regard de l'Admirable. Elle le scrutait comme un objet bizarroïde. L'enfant vit ses sourcils s'arrondir un peu plus sur l'incompréhension, il la vit ramasser une part de son sourire. *Tu es quelle personne, petite marmaille ?* lui dit-elle. *On aurait dit que tu n'as plus de vie... pourquoi cette charge de nuits qui s'avance avec toi ?...* L'enfant était maintenant près d'elle. Elle avait perdu de sa grâce. Son visage n'avait plus d'expression. Sa peau s'était ternie. Les formes de son corps (dévoilé par la gaule détrempée) se faisaient incertaines. Les draps gonflaient sous le travail de bulles étranges, et ils se resserraient autour de leur maîtresse comme pour mieux s'éloigner de l'enfant. *Qui te protège et qui te tue dans le même temps ?!...* soupira la diablesse-avaleuse. Mais l'enfant ne comprenait plus rien à ce qu'elle lui disait. Il ne comprenait même plus ce qu'il fabriquait là. Un conflit d'influences brouillait son entendement. Soudain, l'avaleuse se retourna vers l'autre rive. Vivacité terrible. Toute sa force animale se déclencha dans cette torsion des moindres fibres de son corps ; l'eau voltigea sur dix mètres alentour comme une frayeur de merles. Dans l'endroit qu'elle observait, l'enfant crut entrevoir Anne-Clémire L'Oubliée. Une ombre. Un regard vigilant. Un visage impassible, tellement serein qu'il attestait d'un pouvoir sans limites. Ce dut être un mirage car la silhouette se dissipa tandis que l'avaleuse, ses draps tremblants contre elle, reculait vers l'arrière du bassin. Elle étudiait la rive comme si l'apocalypse y prenait son élan. L'enfant la vit tellement inquiète qu'il sortit du bassin dans un bond de macaque. Très vite, il rejoignit le lieu où Anne-Clémire L'Oubliée aurait dû se trouver. Il l'appela, mais rien ne répondit. Il examina chaque miette de cet endroit mais ne vit aucune trace. Quand il rejoignit le bassin, l'Admirable avait pris disparaître. *Incertitude !...* L'agonisant avait revu cette scène à maintes reprises dans son esprit, en des âges différents. Il se demandait encore s'il avait déliré ou si Man L'Oubliée l'avait, en fait, toujours accompagné, toujours présente à son insu, le protégeant toujours. Sur ce sujet, il ne l'avait jamais interrogée, n'avait pas osé lui révéler son pauvre trafic avec cette Admirable aux draps épouvantables. Elle n'en sut jamais rien. Ou fit toujours semblant de ne rien en savoir.

L'agonisant s'attardait sur le souvenir de cette rencontre. Son esprit errait autour de l'Admirable sans trop comprendre cette soucieuse insistance. Cette créature lui avait apporté quelque chose ! Il acceptait maintenant de s'y abandonner. Peu importe que ce fût une diablesse, c'était d'abord une femme, une vraie substance de femme. La regarder. Regarder jusqu'à voir. Ce furent des heures de plénitude souffrante. L'enfant souffrait qu'elle fût si belle, et si décidément hors d'atteinte de ses vœux. Et c'était un bonheur qu'elle fût si magnifique, si belle à l'impossible. La voir c'était comme découvrir l'immensité peuplée d'harmoniques célestes et d'aigles frères du soleil. Tout était suspendu par cette contemplation. L'enfant n'était même pas capable de savoir ce qu'il avait considéré, il devinait s'être immergé en elle, s'être laissé avaler à distance, un don passif de sa propre existence. Un effacement de son être qui s'amorçait dans la contemplation. Il la regardait tant qu'en certaines heures il se sentait investi de lumière, comme un aveuglement né au fond de lui-même et qui s'élargirait jusqu'à prendre son regard. Il y avait alors comme un éveil. Une bascule vers une précision étonnante des détails. Il la voyait mieux. La forme de son nez. L'élan de ses cils. Le grain de sa peau. L'ourlet d'une lèvre. Ses ongles. Le souffle qui soulevait ses seins. Il n'avait plus conscience de regarder mais de voir d'une manière totale qui lui viendrait des secousses de son cœur — Bondieuseigneur, comment était-ce possible ? ! Auprès de ce bassin j'étais comme D'Annunzio contemplant les Sibylles dans la splendeur de la Sixtine, et qui découvre alors son long destin de solitude...

Quand l'enfant parvenait à s'en arracher, il se retrouvait avec lui-même, dans un état de solitude irrémédiable. Projeté dans le monde. Il devait réapprendre à respirer, apprendre à se sentir en vie. Il était seul et rien ni personne ne pouvait rien pour lui. Elle lui manquait. Il avait besoin d'elle, grand besoin de la voir, et ce manque renforçait la conscience qu'il avait de lui-même, de son corps qui changeait, de son esprit qui prenait des envols, et de sa solitude. L'agonisant avait le regard clair, mais il m'était facile de deviner les questions qui lui troublaient le front : Pourquoi tant de beauté pour camoufler tant de violence ? Qu'est-ce que la beauté avait à faire avec cette fureur sans égale ? C'était sans doute la force mortelle de l'avaleuse qui l'avait fasciné : cette capacité surnaturelle à vaincre ces brutes, à transformer l'ordre des choses, à défaire le réel, inscrite dans tant de grâce et de faiblesse, tant d'innocence et de gestes simples autour de draps si redoutables. Tant de beauté, bien au-delà du mal et en dehors du bien. Tant de beauté liée — indissoluble — à la mort.

Cette rencontre avec une diablesse-avaleuse réactiva dans l'esprit du vieil homme, et pour tous ceux qui l'assistaient, l'attaque initiale de l'Yvonnette Cléoste. Celle-là était d'un autre calibre!... Un retour d'inquiétude agita l'assemblée. Gasdo caca-dlo avait serré son arme jusqu'à blanchir ses ongles. Il avait fait claquer sa vieille culasse et soulevé son canon à hauteur d'une visée instinctive. Il avait plissé les yeux et tout son corps s'était raidi. Il ne bougeait pas la tête, mais son regard semblait soudain devenu vague, ce qui (pour un bougre des bois) indiquait qu'il s'était mis en vision large de la terrasse : il guettait une irruption de la diable! Elle avait dû se rapprocher! Peut-être même qu'elle était déjà là, bien serrée parmi nous!... Les quimboiseurs avaient repris leurs signes, et pas un tambouyé n'osait plus faire ronfler son tambour. Quand l'inquiétude nous empoignait comme ça, c'est le tafia qui devenait mobile. Les bouteilles et dames-jeannes circulaient dans une fièvre de timbales et de calebasses. Le jardin avait fini par se vider, car tout un chacun s'était trouvé prétexte pour s'approcher des autres, et s'entasser sur la terrasse. Et c'est peut-être dans ces instants de panique collective que je me montrais un peu plus lamentable. Moi qui ne croyais en rien surtout pas aux diablesses, et qui notais tout cela avec un air d'ethnographeur, je me mettais à trembler du crayon sous un trop de fatigue. Je m'efforçais de noter les histoires qui peuplaient mes oreilles, mais je guignais sur les timbales de rhum qui passaient à portée. J'en saisissais au vol, plus souvent qu'à mon tour, et je les avalais en me brûlant la langue. J'étais heureux que l'on me presse, heureux de me sentir environné de jambes, de cuisses, de flancs et de dos ronds qui offraient leur chaleur. On se bousculait tant que je perdais de vue l'agonisant, d'autant plus que je fermais les yeux pour les ouvrir soudain dans la crainte de découvrir à ma gauche ou ma droite, dans le raidi d'un œil, la façon d'un visage, que la diablesse était déjà présente, déguisée en quelqu'un, et prête à me damner. Les notes prises durant ces moments-là étaient d'infâmes gribouilles, mots bossus, phra-

300

ses défaites, détails grotesques listés dans un vol de tremblades, serrant leurs fourmilières sur des pages et des pages...

Des années s'étaient déroulées ainsi dans les grands-bois. Des milliers de jours, d'heures et de secondes, des millions d'événements, de savoirs, de paysages, de sentiments, le vrac d'une enfance que je n'avais pas su consigner dans son détail exact. *Il me manquait tant de choses!* J'étais allé trop vite, il y avait eu trop de gestes impossibles à traduire, trop d'expressions de son visage d'agonisant; certaines de ses mimiques, si claires pour bien des gens de l'assemblée, étaient restées indéchiffrables pour moi, parfois même invisibles. Il me fallut revisiter mes notes, deviner ces tracées souterraines où la transmutation s'était produite à mon insu. À chaque étape de cette enfance, je rencontrai le danger et la mort. *Ce fut la loi de la diablesse!* Une damnation qui fut son lait de force, l'obligeant à grandir. L'agonisant dut se rappeler combien, dans les dangers extrêmes, Man L'Oubliée abordait toute menace comme un jeu. Elle n'avait plus peur de mourir depuis l'antan des temps. Elle inscrivait la mort dans chaque miette de sa vie. L'enfant apprit donc à survivre auprès d'elle en apprenant à se laisser mourir. Toutes ces années de vie intime avec sa propre mort (toujours possible, toujours si proche) l'avaient fait croître en dehors du bien et du mal, et en dehors de toute molle innocence. Sa peur totale, puis ses désirs naissants, l'attaque de l'Yvonnette qui brisa le cocon végétal, ses espionnages et ses contemplations plus ou moins érotiques (comme celle de cette lavandière admirable qu'il dut se croire forcé d'enrober d'une merveille), transformèrent sa chair d'enfant débile en celle d'un jeune bougre étonnant. L'enfant avait quitté l'enfance.

(Je n'étais pas aveugle sur ce que je projetais de moi-même dans cette histoire : j'y projetais l'idée que je me faisais de lui, mon goût pour les langages, mes vices autour des mots qui jouent, mes penchants du bord des émerveilles, mes effets de fiction nés de mes pauvres lectures, le dégoût que sa mort prochaine m'inspirait et que je tentais de conjurer par un plus de vie, de mouvements, de détails, de précisions, tout en ayant conscience que cette vie supplémentaire augmentait la dispersion de ce qu'il était vraiment, et restreignait mes chances de comprendre ou d'approcher ce qu'il avait été. Dans chaque ligne, je refusais sa mort, je ne l'acceptais pas, et ce refus imprégnait, des béances de la mort même, chacun des sentiments qui nourrissaient mes mots. Je me consolais en me disant que lui-même, dans les lucidités de son agonie, n'avait pas une conscience claire de ce qui lui était arrivé, ou qu'il avait vécu, et que je ne pouvais, au mieux, que m'installer en plein dans ces incertitudes pour les soupeser, les mettre en relation dynamique, les enrober de leurs obscures réalités. Ne pas les réduire ni les fixer, exalter leur immense épaisseur. Écrire aujourd'hui était donc cela : plonger dans cet insaisissable, et s'y battre pour construire ce qui en même temps vous déconstruit, et qui à terme vous prépare à revivre. M. Balthazar Bodule-Jules m'exaltait, m'emplissait d'une connaissance de ce temps, de ce monde, de ces hommes, de cette Martinique, de tout ce qu'une génération avait sans doute vu ou vécu, de ces peuples oubliés, de ces femmes extraordinaires, de ce jeu des passions qui possèdent nos esprits. Et cela même qui me déroutait, m'investissait d'une jouvence primale, et me consolidait. Je laissais aller mes imaginations, et mes peurs, sans cesser de les soumettre à cette volonté de mieux connaître cet homme, et ce souci permanent, qui n'essayait pas de brider les énergies sauvages à qui j'ouvrais les bondes, me tourmentait comme un vieux chat sous l'aiguillon d'un rêve...
Notes d'atelier et autres affres.)

Une nuit nouvelle s'était avancée. Plus d'un s'était renfrogné autour des lampes à pétrole. Les fenêtres et les portes avaient été bouclées. On avait laissé aux premières lignes, près des portes et fenêtres, auprès du vieil agonisant, des quimboiseurs pas vraiment rassurés. Gasdo caca-dlo était chauffé comme une bouilloire ; on voyait ses doigts comprimer la gâchette ; ses yeux roulaient comme ceux des hommes des bois qui sentent venir un bon vol de tourterelles. L'agonisant restait dans son fauteuil, exalté par le souvenir de ces jeunes filles des champs de cannes qui emplirent de beauté son grand désir de vivre. J'avoue que je dus m'assoupir, de fatigue ou d'absence, ou par peur de voir vraiment l'Yvonnette Cléoste apparaître parmi nous, et tenter une fois encore d'avaler le vieux rebelle. Je le craignais d'autant plus que c'était inévitable...

(C'est l'âge qui éclaire toute enfance. Je voulais considérer que cette enfance était terminée tout en sachant qu'elle ne faisait que commencer, qu'elle s'augmenterait d'encore plus de détails, de précisions diverses à mesure que l'on approcherait de son âge mûr. Et de sa mort. Et qu'alors cette mort changerait le sens même de cette enfance qui nous était donnée dans tant d'aléas et d'incertains trop fluides. La survenance du désir dans sa vie éteindrait des innocences et en rallumerait d'autres, sèmerait de nouvelles illusions, de pieuses adorations aussi terribles que les premières. Je m'étais attaché à l'enfant et à cet univers de bois et de diablesses, et c'est vrai que la masse des notes nouvelles, ouvertes sur d'autres monde, dérangeait mon confort et me forçait à de nouvelles tensions. Je grandissais aussi... Notes d'atelier et autres affres.)

3

INCERTITUDES
SUR LES ET-CÆTERA AMOURS
DE SON ÂGE DE MÂLE BOUGRE

On dit qu'il commença de la voir dans un aveuglement, en
plein midi d'une nuit sans lune, sous un arbre tombé tout-
debout.

« Notre morceau de fer ».
Cantilènes d'Isomène Calypso,
conteur à voix pas claire de la commune de Saint-Joseph.

RÉVÉLATIONS. L'apparition de Man L'Oubliée près du bassin de l'avaleuse préoccupa celui que je ne peux plus appeler l'enfant, et à qui je confère maintenant le titre de jeune
bougre. Il n'eut jamais la certitude qu'elle avait été là tout
au long de ses drives. Elle n'y fit pièce allusion. Chaque
après-midi, elle ramassait son petit baluchon et s'en allait,
le laissant seul sans un plus de manières. Mais cette
liberté dont il était si fier se mit à lui sembler factice.
L'idée que Man L'Oubliée ne lui lâchait qu'un peu de mou
sur une bride invisible diminua l'intérêt de ses drives. Plutôt que de partir en douce, il décida de la suivre. Non pour
savoir où elle allait, mais pour lui rendre la monnaie de sa
pièce.

Un jour, il la suivit comme ça de manière bien vicieuse.
En ces ruses dont il avait l'usage. Il la vit s'éloigner à travers les raziés, en direction des champs, en direction du
bourg. Elle avançait au calme, le dos droit, le pas ferme

304

d'une personne qui soupèse l'existence et qui la porte sans macayer. Il ne l'avait jamais examinée à son insu. La voir ainsi était nouveau. Il y trouva un contentement spécial. À certains tiers instants, elle paraissait plus que très jeune, sans doute quand le soleil lui brouillait les cheveux et sa coiffe de madras ; en d'autres secondes, elle lui semblait d'un âge impraticable, comme une arrière-éternité en promenade sur la terre. Cette impression se produisait quand elle passait sous un arbre de mille ans, ou près d'une roche surgie des profonds volcaniques. Le jeune bougre n'y avait rien compris, mais notre agonisant, ce clairvoyant tardif, crut comprendre ce prodige. Entre Man L'Oubliée et son environnement se produisait une qualité d'osmose qui la régénérait ou qui la rendait terne selon les lieux, les arbres, la nature de la terre, des sources, des fleurs, de certains animaux serrés dans les parages. Un phénomène imperceptible. Un bougé de reflets disparus en même temps qu'apparus. Man L'Oubliée semblait plus que jamais changeante, protéiforme, incertaine, tel l'insensible flottement d'une vapeur qui vivrait. À chacune de ses fluctuations, le jeune bougre avait du mal à se convaincre qu'il n'avait pas rêvé.

Soudain, il s'aperçut qu'elle avait disparu. Le jeune bougre était resté saisi. Se demandant où elle était passée : il n'y avait là que broussailles et lianes solitaires. Il regarda partout. Devant. Derrière. Côtés. Il lorgna les hautes branches. Rien. Un disparaître total. Une panique le malmenait déjà, quand — *a-a...!* — il la revit continuant son chemin à partir de l'endroit où elle s'était dissoute. Il la suivit encore. Bien décidé à la garder en vue. Mais, là, pareil, au bout de quelques mètres, flap, plus de Man L'Oubliée. Pas même un signe de sa fumée. Pas une crasse de son ombre. Puis elle réapparut en souriant aux anges. Il fut alors certain qu'il était découvert. Sans hésiter, il avança vers elle, tout son corps redressé et la figure penaude. Poursuivant sa descente, elle lui dit très enjouée, sans même le regarder : *Lô mon fi, ou ka bay épi mwen ?* Alors mon cher, tu descends avec moi... ? Sans cesser de marcher, elle détacha le baluchon de son épaule, et, comme si c'était prévu depuis l'antan du monde, elle lui tendit un short de grosse toile militaire et une sorte de casaque du temps-Marquis-d'Antin. Le jeune bougre comprit qu'il lui fallait endosser ces choses-là afin de prendre une apparence humaine et ne pas effrayer les personnes rencontrées. Il s'habilla en marchant, car jamais Man L'Oubliée ne cessa d'avancer. Il lissa les boules hirsutes de ses cheveux. Se prit une mine sociable. Adopta la démarche qu'il croyait être des bonnes gens du bourg. Et c'est ainsi qu'ils apparurent parmi notre société, et qu'on les vit ensemble, pour la toute première fois, sur un ciment de trottoir.

Le bourg était un autre monde. Mais Man L'Oubliée y bougeait aussi à l'aise que dans les bois profonds. Elle connaissait des gens. Des gens la connaissaient et la reconnaissaient. Sur les trottoirs, elle ressemblait à ces fifilles farouches qui fréquentaient le presbytère. Les vieilles-personnes, bien instruites de la vie, la saluaient avec une vraie tendresse. Les jeunes filles lui adressaient des signes de connivence. Les hommes, eux, ne semblaient pas l'admettre dans la lignée des femmes. Elle devait leur paraître sans offre à bagatelle : ni fesses pour appétit comme ils en raffolaient, ni gros-tétés tout bons à chiffonner longtemps, ni rondeurs à remplir les mouchoirs de madras et gonfler de merveilles la moindre pliure des toiles. Rien qu'un corps de liane souple, pas encore dégagé d'une enfance improbable, qui existait sans jeter de tocsin dans les consciences viriles. Et puis : son expression d'innocence décalée, de solitude irrémédiable dans la misère des hommes, n'incitait pas aux paroles graveleuses dont les nègres d'ateliers accompagnaient le déplacement des femmes. Elle leur était en grande part invisible. Le jeune bougre par contre aimantait leurs regards. *C'est qui est-ce celui-là ? Un évadé d'asile ?* Ils percevaient son étrangeté foncière, pas uniquement du fait de son allure, mais des détails bizarres qui constituaient son genre : un regard sans paupières, un corps farouche aux tensions animales, et surtout cette densité particulière qui s'imprègne aux personnes revenues de la mort.

Saint-Joseph était un bourg tranquille. Son église. Presbytère. Ses bâtiments publics. Ses mulâtres et bourgeois. Ses fonctionnaires, commerçants, et ses nègres de service. Les bourgs étaient à cette époque mal dégagés des boues et des grands-bois trop proches ; et Saint-Joseph, je le suppose, était encore à naître. On entendait partout le bruissement mâle de la rivière Lézarde et les soupirs d'amante de la belle rivière Blanche. Une humidité froide saturait l'air et nourrissait dans chaque quartier des jardins bien verdis et des champs d'anthuriums. Bien qu'emmêlée aux vieux mornes et aux bois, cette émergence urbaine constituait pour le jeune bougre un grand dépaysement. J'avais consulté des gravures d'époque et des photos anciennes qui montraient cette commune. Je voulais m'imprégner de ce qui allait devenir le lieu vrai de cet homme, son endroit de départ mais aussi son espace d'arrivée. Je ne savais pas trop à quoi cela pourrait servir — surtout pas à décrire, mais à voir ce qu'était cet endroit. Imaginer la vie sous le trait décati des gravures était pour moi précieux. De toute manière, M. Balthazar Bodule-Jules n'avait jamais décrit le bourg de Saint-Joseph tel qu'il était en ce temps-là. Il ne s'était pas non plus attardé sur les dizaines de bourgs qu'il avait traversés en compagnie d'Anne-Clémire L'Oubliée. Curieux silence, car après une si longue immersion dans les bois, l'espace urbain aurait dû être une déflagration. En fait, il fut tétanisé par autre chose. Sa vie bascula très vite dans ce qu'il appela bien des années après : *La Révélation.*

307

On ne sait pas si ce fut à la première de leurs apparitions que cette révélation se produisit. Il est certain que ce fut en plein bourg, alors qu'il accompagnait Anne-Clémire L'Oubliée. Cette dernière quittait les bois pour des choses encore indéchiffrables pour lui. Quelques nécessités se faisaient évidentes : elle s'achetait une musse d'huile, une louchée de sel ou de beurre margarine, des allumettes, bout de chandelle ou autres babioles précieuses dans l'humide des grands-bois. Elle s'attardait dans un Débit de la Régie pour se récupérer une petite fiole de rhum. L'épicière la servait sans la voir, comme s'il s'agissait de la personne la plus insignifiante qui puisse passer à son comptoir. Le jeune bougre s'étonnait de voir Man L'Oubliée traitée en négligeable, *elle qui détenait tant de puissance!* Elle appréciait l'invisibilité, la méprise sur son compte, et regrettait qu'aux abords des marchés aucun des chiens criards n'ouvrît la gueule sur son passage comme ils faisaient pour tout le monde. Ils rabattaient leur queue et couinaient de plaisir ou de crainte. Si deux-trois personnes la regardaient passer comme une boule de soleil (sans trop comprendre ce qu'elles avaient perçu), la plupart ne voyaient rien en elle et la traitaient souvent sans une politesse. Les vraies raisons de sa présence au bourg demeurèrent quelque temps un mystère. Man L'Oubliée pénétrait dans une case, ou frappait à la porte d'une maison de mulâtre, disparaissait à l'intérieur durant un bon moment. Le jeune bougre restait assis dehors à observer le vivant insolite qui emplissait les rues. Et c'est là, comme ça oui, affalé aux abords d'une fontaine, qu'il eut sa *Révélation*. Oui, tel Saül de Tarse sur la route de Damas, frappé d'une lumière qui lui changea sa destinée, je me retrouve tout soudain foudroyé par un bang de lumière surgi dans ma pupille! C'était une personne! Une jeune fille! Une existence impossible à créer en imagination! Un irréalisable de chairs et d'équilibres, hors du

308

chiffre des possibles! Un rêve domestiquant les incroyables! Je ne la vis pas, nooon : je la reçus sans restriction dans le total de tous mes yeux!...

Cette révélation se produisit dans un contexte particulier. Saint-Joseph était encore soumis aux manières campagnardes. Les békés frustes d'habitation et les nègres des basses cases n'établissaient pièce différence entre leurs traces boueuses et les trottoirs où les bourgeois natifs exigeaient des façons. Dans une rue on pouvait rencontrer n'importe quoi : cochons en débandade, poules et bêtes-longues en divagance, des lâchées de mangoustes en courir débridé. Un troupeau de cabris pouvait contrarier une procession de carême, et un caca de cheval détourner la promenade de mulâtres offusqués. Quelque chose de ce genre dut perturber la rue où le jeune bougre guettait Man L'Oubliée. Un béké des hauts mornes avait dû faire venir une bête-à-cornes de Tasmanie ou bien de Zouliki, en tout cas d'un côté oublié du Seigneur. Mais ces nègres-bouchers n'étaient pas avertis des vices de cette espèce; qui fait qu'elle avait dû leur échapper, prendre-courir par les bois, et se voir poursuivie par une clique de chiens fous et de nègres de jardin. À ceux-là s'ajouta une cabale de chasseurs avertis, tireurs d'élite pour tourterelles, maîtres en captures rapides, tous rendus très actifs par la prime annoncée. Donques, cet équipage déboula dans le bas de la rue principale en suscitant l'émoi que l'on peut supposer. La bête-à-cornes était énorme. Poitrail noiraud tacheté de blanc, elle moussait de la gueule comme une cuve d'usine. Elle avait encorné un imprudent dont la dépouille lui battait l'encolure avec des convulsions. Cette horreur la faisait ressembler au spectre du lion de Némée tel que Leconte de Lisle l'avait bien illustré. Une dévote hallucinée crut y voir le saint Christophe cynocéphale des artistes byzantins. Une autre, mal remise d'une confession tragique, se vit en face d'un Christ-centaure ou de l'évangéliste à tête de bœuf dont rêva Ézéchiel. On avait du mal à savoir s'il s'agissait du vieux cerbère aux trois gosiers cher aux délires de Dante ou du taureau maudit qu'affronta Gilgamesh, et dont le souffle produisait des crevasses. Et tenter d'y voir clair c'était prendre le risque de se faire écraser.

Dans le même temps, et par le haut de la même rue, il y eut un afflux de gendarmes à cheval. Ils poursuivaient un nègre-rouge d'atelier. Cet insolent avait frappé son contre-maître qui essayait de lui apprendre les bons modes du travail. En ce temps-là, les ouvriers ne pouvaient lever les yeux au-dessus de leur nez, ni même dresser le dos plus haut que leur labeur, et la moindre insolence était traitée à coups de balata et de frappes judiciaires. Les gendarmes à cheval (qui ne servaient qu'à ça) intervenaient tout de suite. Ils charroyaient le désordreur dans une de leurs geôles, et l'oubliaient entre les champignons et les bêtes à mille pattes. Celui-là, le nègre-rouge, s'était donc enfui de son atelier depuis le bon-matin. Il avait opéré un grand rond par les bois, et s'était retrouvé cerné par la meute policière plus enragée qu'une horde d'hidalgos devant Tenochtitlán. Le nègre-rouge avait dû porter de compliquées manœuvres pour se sortir de là, et se retrouver (finale de confiture) dans Saint-Joseph, avec vingt-sept gendarmes aux trousses, plus une crachée de ces nègres-collabos, enjoués à se montrer humains en détruisant leurs congénères.

La rue où patientait le jeune bougre se trouva investie de cette manière tragique : la bestiole-à-deux-cornes qui déboulait du bas et le nègre-rouge qui dévalait du haut ; l'un ne voyant pas l'autre, et chacun décidé à ne pas inflé chir son trajet de survie. Inutile d'imaginer le ouélélé qui s'ensuivit. Chocs de chevaux et de zébu. Chocs de nègres et de gendarmes. Chocs de bouchers et de chasseurs. Chocs de békés et de marchandes. Chocs de passants et de

310

chiens fous. D'une manière ou d'une autre, tout ce qui se trouvait au milieu des fuyards se retrouva choqué et rechoqué mille fois, broyé, étalé, piétiné. Au départ, le jeune bougre se situait au milieu de tout cela. Il put voir venir le zébu par l'en-bas, et par l'en-haut ce nègre-rouge et les brutes à cheval. Anticipant la collision, il eut le temps de bondir-s'accrocher à une frange de balcon, et laisser les deux meutes lui passer par-dessous. C'est dans cette posture-là, pendu comme un thazard que l'on va éventrer, que ses yeux s'alignèrent vers le haut, au balconnet d'en face où une fenêtre s'ouvrait à cause du ouélélé.

Et il la vit.

Elle.

La personne.

Cela ne dura qu'une seconde. Peut-être même une crasse de seconde.

Pourtant, ce qui se produisit demeura le mystère d'une longue part de sa vie.

Quand il vit la jeune fille, il y eut un rayon échappé du soleil. C'était un soleil de fin de journée, en train de disparaître. Une de ses lueurs buta sur l'angle d'un bout de tôle où tremblait une perle de rosée; cette gouttelette avait trouvé moyen de résister aux canicules, et elle miroitait-là, en pointe extrême de la toiture, prête à mourir ou à renaître selon le vent et les pluies de la nuit. La perle avait capté la lueur. Elle l'avait transformée en un rayon laser qui s'était enfoncé dans les yeux du jeune bougre, lequel zieutait la créature. Donc, pour bien comprendre : il l'entrevit, la regarda comme regarder n'est pas possible, et il tomba *flap! aveugle*, dans le noir absolu, avec — collé au fond de ses rétines — l'image irrémédiable de la belle personne. Et il balançait comme ça, suspendu, sans trop savoir où il était. En dessous de lui s'emmêlaient les cris et les douleurs des personnes piétinées, les gendarmes qui

311

mitraillaient à tort et à travers. Une salade-catastrophe impossible à comprendre. Lui, se maintenait aux ferrailles du balcon, ne pouvant ni descendre ni monter, mis entre parenthèses, pétrifié par le noir et l'incompréhension.

Durant une grande part de sa vie, M. Balthazar Bodule-Jules garda l'explication du coup de soleil aux yeux. Un éblouissement majeur qui lui aurait affecté les rétines jusqu'à le rendre aveugle durant plusieurs minutes. Il avait fini par lâcher le balcon, et retomber sur le trottoir dans une brusque accalmie. La bête-à-cornes s'était frayé un dégagement dans les amas de corps qui encombraient la rue ; le nègre-rouge, lui, avait ouvert des ailes vers un enfer dépourvu de patrons. Chacun entraînant à sa suite une meute justicière, la rue se vit livrée à un silence peuplé de gémissements et d'agonies aphones. Des estropiés, collés au sol, maudissaient sans respirer les macaqueries de la fatalité. Le jeune bougre les entendait gémir autour de lui, mais il ne voyait rien. Il restait immergé dans une noirceur sans horizon, avec juste ce restant de silhouette merveilleuse au fond de son cerveau. Il ne voyait qu'elle mais ignorait qu'il la voyait, il se focalisait sur l'absence de lumière, sur cette prison immatérielle qui tout soudain bloquait son existence. Alors, il restait immobile, cœur battant, attentif à lui-même, redoutant d'être déjà aux portails de la mort. Il finit par se croire dans un piège qu'il n'avait pu identifier. Il demeura ainsi, aux aguets, véyatif, cherchant une solution, réprimant les mouvements qui pourraient resserrer les griffes obscures sur lui. Un long moment passa jusqu'à ce qu'une main le relève — celle de Man L'Oubliée — et qu'il titube entre ses bras. Elle dut examiner son visage pour comprendre ce qui s'était passé, et lui posa une main sur les paupières — pas une main : la fraîcheur de son âme. Ce simple geste lui restitua la vision comme une boulée inattendue de mer ardente et de soleil. Ce noir aveugle semblait avoir duré vingt-trois éternités.

L'agonisant avait une fois encore revu cette scène de la Révélation. Je le vis déplier les bras au-dessus de son crâne avec l'air de s'accrocher à quelque chose, et lever un regard extasié au plafond. Il mimait une histoire racontée à lui-même. Il revoyait tout. La forgerie du balcon. La perle d'eau. Le rayon de lumière. Le volet qui s'ouvre. *La personne.* Et ce cri de soleil qui lui perce les yeux jusqu'au fond du crâne. Il voulut une fois encore accepter la solution du coup de soleil, mais soudain, je l'entendis grommeler : *Anaïs-Alicia... mais qu'est-ce qu'elle fait dans mon aveuglement ! ?...* Il retrouva l'image, intacte, puissante, ciselée d'une acuité qui lui dévoilait tout. Il voyait la jeune fille. Il la reconnaissait. L'histoire qu'il allait vivre auprès d'elle se mêla à cet instant de l'aveuglement. *Ils étaient liés !* L'agonisant les avait dissociés durant sa vie entière, pourtant cette fraction de seconde prophétisait l'éternité du sentiment qu'il éprouverait pour elle ! Elle ouvrait à une part prodigieuse de sa vie ! Comment était-elle, oh je sais, je la vois, mais non je ne sais pas, je ne sais plus, je ne sais pas encore, mais je la vois soudain, et c'est mon corps qui se rue dans mes yeux, mon sang, mes os tout soudain liquéfiés, projetés dans mes pupilles ! Je comprends ! Je comprends ce qui s'était passé !... Je m'étais senti happé par un rêve pas rêvable, par un bout de moi-même qui revenait vers moi, pour m'habiter, me compléter, m'ouvrir et me fermer ! Le pire c'est qu'elle m'avait vu elle aussi, qu'elle m'avait regardé ! Et ce regard avait explosé en lumière dans mes yeux ! Ou alors ce fut son sourire qui rencontra en moi tous les sourires imaginés, et tous ceux que je ne serais pas capable d'imaginer ! Ou alors ce fut ce parfum qui déifiait son corps, pas un parfum : un principe olfactif de son être, une vertu inhérente à ses chairs ! Qui me prit l'odorat, se dissipa dans ma moelle épinière, foudroya mon cerveau et mit mon esprit à genoux ! Dès l'ouverture de sa fenêtre, cette fragrance décomposa l'oxygène de la rue comme une nuée ardente de jasmin, de lys bleus et d'épices troublantes, et cette nuée m'enivra jusqu'à éblouissement. Je comprends, je comprends : *C'était elle, Anaïs-Alicia, ma Révélation !...*

La parole sur cette personne de la Révélation reste assez embrouillée. La supposition s'en était emparée pour en faire une créature à différentes façons. En certains cas, il s'agissait d'une supposée négresse au corps de nuit sans fond qui aspire votre esprit comme une faible lumière ; parfois, d'une supposée kalazaza à yeux clairs de pirate, où la glace et la flamme s'associent pour vous tuer ; parfois, d'une supposée Brusquante capable de vous cailler le sang par une odeur d'aisselle. Il y eut des périodes où la supposition en fit une de ces chabines dont le sale caractère vous fascine sans remède ; et d'autres où on la présenta en supposée câpresse à la peau mélangée, qui vous crève la conscience du pic de sa beauté. Il y eut des audaces pour en faire une de ces mulâtresses si claires qu'elles font rêver plus d'un persécuté par la noirceur du monde ; ou même une supposée koulie dont la peau charbon-bleu vous effraye et vous attire autant. On en fit très souvent une de ces Chinoises à la paupière pincée, toutes en douceur jaune paille au fond des épiceries, et toutes ensorcelantes pour l'imagination. Il y eut des délires pour en faire une de ces femmes-békés qui flottent comme des brouillards de tentation sur le damier des vérandas... Il y eut ci, il y eut ça, mais aucune supposition n'apaisa la question :

C'était quelle sorte cette madame-là ?

J'entendis cette demande errer dans l'assistance de l'agonie, et atténuer la crainte d'une irruption de la diablesse. On secouait la tête en des hochements savants. On claquait de la langue, et on reniflait sec. On calculait en fronçant les sourcils, chaque figure plus raidie qu'un bout de pain rassis. Les femmes n'éprouvaient point de souci, elles se tenaient plutôt absentes et sans avis sur la question, mais l'esprit des hommes s'était mis en tracas. Les vieux rhumiers avaient maté les dames-jeannes de rhum vieux, et, au fil des goulées, ils s'efforçaient d'imaginer la dame de la Révélation. Cette réflexion leur rougissait les yeux et asséchait leur gorge pourtant bien arrosée. Un quimboiseur sortit une boule de cristal et des cauris brillants, qu'il disposa devant les yeux d'une compagnie hallucinée, et il se mit à détailler l'anatomie des madames à grosse viande qu'il croyait voir dans les reflets et dans les coquillages. Les neg-désordreurs s'étaient lancés dans des paroles grivoises, avec poils, dos bombés, huîtres à gober et hanches qui roulent la joie ; ils disaient tout savoir des manières de la dame ou de l'unique organe envoyé par les cieux et capable d'aveugler un bonhomme à bonnes graines. Les tambouyés et les danseurs avaient stoppé leur hommage de veillée, abîmés dans des souvenirs qui leur brisaient le cœur. Certains criaient avoir vu cette personne en des temps oubliés. Deux-trois donnaient vision de poitrines à scandale et de cuisses qui font chanter alléluia... Chacun pouvait parler à fond, décrire et détailler, sans s'inquiéter des vérités qu'affirmait le voisin. Et c'est une des vertus de cette Révélation : elle évoque sans montrer, indique sans souligner, et ne dispense sur son chemin que bon-vouloir et pense-ce-qui-te-plaît. C'est pourquoi M. Balthazar Bodule-Jules (bien que témoin direct) ne décrivit cette personne qu'avec des mots et des manières qui n'étaient pas les mêmes, et qui (mis bout à bout) relèveraient du délire. Même avec force détails incroyables, il l'avait toujours vue avec les malvoyances du sentiment.

Une lueur mobile dans le regard de l'agonisant : il se parlait avec fougue en lui-même. Il devait se raconter la signification profonde de cette vision-aveuglement. Je notai qu'il me faudrait reconstituer ce discours intérieur sur ce qu'il comprenait alors de cette Révélation. Il en avait tant

315

parlé qu'il me fut assez facile, le moment venu, d'ajouter
aux discours habituels le sens nouveau de cette présence
de la jeune fille. Voilà sans doute ce qu'il devait se dire :
... C'était en fait un trop-plein de douceur ! Moi qui m'étais
habitué à voir le monde tout peuplé de diablesses et de
monstres ; oui, moi qui avais vécu dans la terreur, voilà
que tout soudain toute la douceur du monde surgissait
dans mes yeux sous la forme d'une jeune fille, toute la
tendresse, toute la bonté, toute la bienveillance, toute
l'extrême douceur qu'un être humain peut révéler possible ! Et moi recevant cela d'un coup *bidim* et sans
annonce ! Le choc ! L'information massive ! C'est pourquoi
je tombai dans le noir ! Il me fallait repenser mon cerveau,
le remettre en état après ce bogue mêlé de foudre et
d'incendie, cette déflagration qui invalidait ma pauvre
vision du monde, et me rendit vingt-six minutes aveugle,
pas aveugle dans l'infirmité du noir et de la douleur, mais
aveugle dans la vision extrême qui transforma Saül de
Tarse, devenu l'apôtre Paul, en l'inventeur du Nouveau
Testament ! Moi, je n'inventai rien, à chacun son boulot,
mais c'est le monde qui commençait à m'inventer ! Le
monde de la douceur et de la bienveillance ! Celui du souci
pour l'autre et de la compassion ! Cette jeune fille était
belle, mais pas d'une beauté comme les autres : elle était
belle de la beauté qui ne paralyse pas, qui ne domine pas,
qui ne renverse pas sous les foudres de sa loi, mais qui
vous mène à plus de beauté encore, celle qui donne, et qui
niche dans la bonté qui donne, magnanime, au-delà des
générosités, et qui vous change n'importe quoi en un ban
de tendresse ! Cette personne, ô *Anaïs-Alicia*, par son existence même, par l'extrême douceur de ce qu'elle pouvait
être, était un don total offert aux existences ! Elle était
faite pour donner, c'est-à-dire pour *révéler ce qui manquait
en soi* ! Et mes yeux étaient comme ça, retournés sur eux-
mêmes, décrochés de mon cerveau bogué pour m'observer moi-même, mes yeux bien ouverts mais operculés

d'une nuit lumineuse, mes yeux aveugles et clairvoyants, qui croyaient avoir saisi dans cet éclair le sens ultime de toute vie, mes yeux pris dans les impossibilités multiples qui tissent la chair humaine, impossibilités parmi lesquelles il me fallait choisir, et qui m'offraient, avec la piste de la douceur offerte, la complexité définitive d'une existence humaine!...

Cette journée à Saint-Joseph se termina ainsi. Ils revinrent aux habitudes des bois. Le surlendemain, Man L'Oubliée n'avait pas amorcé sa descente que le jeune bougre piaffait déjà à ses côtés, avide de retrouver le bourg. Elle ne fit pas de manières pour l'emmener. Cela lui semblait naturel. Il est possible qu'elle ait toujours envisagé ce temps particulier. Si vrai que, ce jour-là, elle n'emprunta nullement son trajet habituel, mais se rendit dans la même rue que la fois précédente. Là, elle frappa à la porte d'une maison à balcon que le jeune bougre ne reconnut pas. La Bonne de cet endroit (de ces négresses sorties des cases en paille, et qui admises chez la gent riche s'instituaient en croisade contre la négraille du monde) lui ouvrit à regret. Elle interrogea Man L'Oubliée avec cette moue hautaine que l'on inflige aux gens des bois. Le jeune bougre se sentait mourir quand on traitait Man L'Oubliée ainsi. Il avançait déjà pour lui purger ses gros tétés quand cette dernière, d'un geste imperceptible, lui ordonna de se tenir tranquille. Man L'Oubliée était gentillesse, obligeance et patience; elle arborait une mine charitable à laquelle la détestable Bonne répondait par un bal de grimaces. La grimaçante finit par repousser la porte et disparaître derrière. Le jeune bougre entendit le frou-frou de ses jupons déchirer le silence des salles intérieures. Il y eut des murmures, puis elle revint ouvrir la porte en grand, la mine bien plus aigrie, le regard au plafond, et une main signifiant que le maître de céans acceptait leur détestable visite. Man L'Oubliée, d'un air tout en miséricorde, entra. Le jeune bougre, prêt à mordre, la suivit en regardant la Bonne dans le mitan des yeux. Et cette dernière, bien majorine, lui en fit tout autant.

C'était une maison haute-et-basse typique des mulâtres d'En-ville. Un nid de meubles en bois précieux, avec piano, tables, lustres, porcelaines, nappes brodées, statuettes, tableaux et lampadaires. Il y avait des miroirs partout. De grands miroirs aux manières sombres. La Bonne, qui précédait Man L'Oubliée et le jeune bougre, jetait à ces derniers un regard soupçonneux, comme s'ils étaient capables d'empocher à chaque pas un bibelot du décor. Elle leur fit traverser une salle à manger. Puis un salon nimbé des nitescences d'une grotte à trésor. Elle finit par les introduire dans une pièce attenante, moellée d'ombre claire et d'une stase de mémoire fermentée. Ce fut un lieu déterminant pour le jeune bougre. Il découvrit une petite salle, avec au centre un immense bureau en bois-mahogany, creusé de tiroirs à friselis, luisant de rouge et noir, couvert de papiers, d'enveloppes, de dossiers, de journaux découpés, de cahiers, de plumes et d'un gros encrier. Aux murs, des rayonnages partaient du sol pour atteindre le plafond. Ils abritaient des livres de toutes natures, avec des airs de peau flétrie ou des allures d'antiques bijoux. Il y en avait partout, serrés face contre face, empilés ou livrés aux équilibres qu'ils négociaient eux-mêmes. Le jeune bougre se crut dans un sanctuaire d'influences invisibles tel qu'il en avait vu dans le profond des bois. Là, dans ce bureau, ne flottait point l'aura d'une présence séculaire, mais une densité trouble qui transformait ces livres en choses pas habituelles. On aurait pu les croire dotés d'un mental autonome. À force d'avoir rencontré des mains, des regards, des songeries éternelles, amitiés silencieuses et connivences secrètes, ils s'étaient imprégnés d'un peu de leurs lecteurs tout en leur accordant une offrande singulière. Il percevait ces livres comme des pièges bienveillants qui vous concédaient tout sans rien perdre d'eux-mêmes. Le jeune bougre ressentait cette générosité l'atteindre tel un alcool; dans un trouble, il crut entendre des voix, des murmures, des soupirs filtrés des rayonnages : ils remplissaient la pièce avant d'aller s'évaporer dans le silence de la maison. Un impalpable prodige dont il était le seul à surprendre les effets. C'est pourquoi les livres intégrèrent à jamais les besoins de sa vie : ils lui parlèrent d'emblée.

Dans la pièce, il y avait un petit bonhomme. Ce n'était pas un mulâtre, mais un bougre à peau noire, un très foncé-congo comme on en voit plutôt en train de se débattre au fond des champs de cannes. Un bonhomme assez court, bedonnant, qui devait avoir été autre chose que ce qu'il était alors. En le découvrant, le jeune bougre ressentit une gêne indéfinissable, comme s'il s'agissait d'une étrangeté de la nature. Le petit bonhomme portait un pantalon de lin blanc, escampé bien lustré, et une chemise pour messe de semaine sainte, à grandes manches et dentelles, boutons de nacre et col fermé. Il se leva à leur entrée. Il avançait de manière blip, tel un taureau, sans les falbalas de ces mulâtres que l'argent rend hautains, car lui, allait direct dans l'unique franchise de ses muscles et de ses os. Une force naturelle, simple, sobre, qui produisit un bon effet sur le jeune bougre. Le petit bonhomme avança vers Man L'Oubliée avec plein d'obligeance, une gentillesse semblable à celle que savent offrir les gens des pauvres cases, une civilité soucieuse, même une vraie déférence : *Bonjour madame L'Oubliée, et donnez-vous la peine, je m'appelle Timoléon, Nicol Timoléon...* C'était pour tout de bon un nègre qui savait vivre. Ce comportement avec Man L'Oubliée, si différent de celui de la Bonne à grimaces, le rendit encore plus sympathique au jeune bougre.
C'était davantage qu'une simple courtoisie.

Le jeune bougre comprit pourquoi.

Nicol Timoléon dit à Man L'Oubliée qu'elle avait été annoncée par une de ses amies, *une amie très chère à qui vous avez fait beaucoup de bien,* et qu'il se mettait de fait à son service, *votre dévoué, pour vous aider en fonction de mes faibles moyens, mais les moyens sont toujours peu de chose sans une bonne volonté...* Man L'Oubliée s'assit dans le fauteuil qu'il désignait. Le jeune bougre voulut rester debout derrière sa mère seconde, presque sur la défensive, non parce que le petit bonhomme l'intimidait mais sans doute qu'il subodorait la suite, et la déniait d'avance.

— Que puis-je pour vous, ma chère dame ? Parlez sans crainte...

Man L'Oubliée lui parla en créole, un créole qui n'offusqua point Nicol Timoléon. Malgré ses lingeries de mulâtre et son parler-français, tout en lui respirait la case, les champs, l'aménité des nègres de terre anciens. Anne-Clémire L'Oubliée lui dit alors ceci : Monsieur, voici cette marmaille, il s'appelle Balthazar Bodule-Jules, il n'a pas pu aller à l'école car il a perdu de grand bonne heure et son papa et sa manman, alors j'ai envie de le voir apprendre, apprendre lire et écrire, connaître les choses, savoir tout ce qu'il peut et ce qu'il faut... Et c'est là que le jeune bougre entendit pour la première fois la Voix de Man L'Oubliée.

Elle avait utilisé une intonation particulière, inhabituelle, telle une musique réinventée pour vous capter l'oreille sur des portées imperceptibles. Le jeune bougre fut surpris. Il crut déceler, sous la douceur du ton, *un ordre total* qui s'imposait à Nicol Timoléon, et qui ne lui laissait aucun moyen de refuser. Ce dernier aurait pu poser mille questions, hésiter, s'enquérir de son âge, comprendre ce qui s'était passé, l'histoire de ses parents, savoir où il avait vécu, s'il était en âge d'être encore à l'école... mais il ne posa rien de tout cela. Il ne fit qu'acquiescer en se réjouissant que l'on pensât à cultiver notre jeunesse, car ce pays a besoin de savoir, madame L'Oubliée! Il a besoin que ses enfants quittent les rives de l'ignorance et la nuit sans avenir des cases en paille! Et qu'ils regardent le monde avec des yeux de connaissance, les yeux de la science, les yeux de l'esprit! C'est ainsi qu'ils comprendront ce qui nous est fait, à nous, gens des îles, peuples des champs de cannes, nègres déportés dans ces enfers des Amériques! C'est seulement avec une tête bien pleine qu'ils sauront se battre pour se construire en êtres humains et exister bien debout dans ce monde!...

Le jeune bougre ne l'écoutait pas.

Il se sentait anéanti par la demande de Man L'Oubliée. *Elle ne m'en a même pas parlé!...*

Une indignation totale, mêlée de panique, le submergeait. Il n'avait aucune envie d'apprendre à lire et de se retrouver dans cette maison avec ce bougre à moitié déguisé. Il allait pousser son cri de bête sauvage, quand la porte s'ouvrit en coup de vent, et que la jeune fille apparut, ce vent de beauté, cette tornade de tendresse, de bonté et de parfums mêlés, cette quiétude puissante comme un cyclone! Elle fit irruption dans la pièce et dit d'une voix de mangue verte *Excusez-moi, je ne savais pas que vous aviez du monde...* Elle l'avait dit comme ça, avec sa voix de jeune mystère en fleur, mais elle aurait pu l'avoir chanté dans un éclat de source et d'oiseaux mélodieux, elle aurait pu l'avoir exhalé comme une fraîcheur de menthe et de basilic franc, elle aurait pu l'avoir glissé d'une pleine lune comme un bain de douceur allié aux nuits moelleuses de l'époque des Avents. Et à peine l'avait-elle dit qu'elle avait disparu. *Clac.* Ne laissant que la porte, ciselée dans ses acajous rouges et sa poignée de porcelaine. Le jeune bougre vit passer des choses noires dans ses yeux, et il réalisa qu'il l'avait vue la veille, et qu'elle vivait dans cette maison, il comprit que le fameux balcon se trouvait juste en face, et que la jeune fille qu'il avait cru boire (je voulais écrire *voir* mais *boire* c'est aussi vrai) comme un punch de lumière, juste *avant* ou *dans* son aveuglage, c'était elle! *Elle existait!* Elle était de ce monde, chargée des grâces d'un ange approché de nos chairs!

Là, dans cette maison!

L'horrible demande d'une seconde plus tôt se transforma en une très bonne idée. Le jeune bougre se sentit enjoué, gaillard et bien vivant, cette apparition l'avait mis en confiance, surtout en contentement. Il n'avait pas envie d'apprendre à lire ou à écrire, mais l'idée de revenir chez cette personne était bénédiction. Quand Man L'Oubliée prit rendez-vous pour dès le lendemain, il ne dit rien, il eut même un sourire, et il serra la main du petit bonhomme avec un enthousiasme qui força ce dernier à couiner comme une rate : il lui avait broyé ses délicates phalanges.

Ainsi ils descendirent régulièrement au bourg. Man L'Oubliée le déposait chez le Nicol Timoléon vers le début de l'après-midi, et disparaissait dans le mystère de ses affaires. En fin de journée, il la retrouvait patientant à la porte, ou c'est lui, sorti un peu avant, qui l'attendait assis sur le palier. Il était rare qu'elle le fasse patienter très longtemps, à croire qu'elle demeurait raccordée à son âme et connaissait le moindre de ses gestes. Elle ne lui demandait jamais ce qui s'était passé, ce qu'il avait appris, si cet enseignement le rassasiait ou non. Ce qui se passait entre lui et le Timoléon des livres relevait d'un monde qui n'était pas le sien, et surtout d'un destin qui n'était plus le sien. Pour le jeune bougre cette attitude était le germe d'un abandon. Le temps de la séparation était proche : Man L'Oubliée le restituait maintenant à une vie hors des bois. Il se consolait en imaginant qu'elle l'estimait enfin capable de se défendre tout seul, de résister aux malfaisances de l'Yvonnette Cléoste, et surtout d'affronter cet univers qui s'ouvrait devant lui. Mais le jeune bougre se sentait inapte à vivre ou à survivre sans elle, bien qu'il perçût au fondoc de lui-même de grands désirs de liberté. Alors, c'est lui qui racontait à Man L'Oubliée. C'était sa manière de la retenir. Il lui disait sa journée. Lui rapportait ce qu'il avait appris. Lui parlait sans arrêt, avec ce verbe baroque dont il ferait un style. Elle lui accordait cette attention extrême qu'elle mettait à toutes choses, mais ne faisait aucune remarque, ne demandait nulle précision. Au fil des jours, le jeune bougre put mieux connaître Nicol Timoléon, découvrir la maison, approcher la jeune fille, et basculer de raides révélations en surprises incroyables. Et c'est là que les fils s'embrouillent et qu'il nous faut essayer de les suivre maille à maille...

Loquenciers, laissez-moi la parole...

Le jeune bougre avait d'abord cru que Man L'Oubliée et le Nicol Timoléon des livres ne s'étaient jamais vus auparavant. Qu'elle lui avait été adressée par quelqu'un à qui Man L'Oubliée aurait rendu un bienfait capital. Des mises en doute de cette version allaient lui être apportées par la suite, de manière incidente, souvent contradictoire. Car, sur l'arrivée du jeune bougre chez le Nicol Timoléon, l'incertitude règne en de multiples *on-dit*, *peut-être*, *à-ce-qu'il-paraît* et *il-était-une-fois* semés par une tralée de prétendus témoins trop imaginatifs. Il faut en prendre et en laisser, ou accepter de s'y perdre sans se poser de questions.

Par exemple : on dit qu'il n'y eut jamais d'histoire de nègre-rouge en fuite ou de bête-à-cornes folle. Donc même pas de soleil dans les yeux et encore moins une quelconque Révélation dans la grand-rue de Saint-

323

Joseph. Qu'en fait Man L'Oubliée et lui arrivèrent direct chez le Nicol Timoléon, sur la demande de quelqu'un qui aurait transmis cette supplique à quelqu'un qui connaissait quelqu'un qui lui-même connaissait quelqu'un qui savait où trouver Man L'Oubliée et comment l'aborder. La chose était plausible. Comme le jeune bougre l'apprendrait par la suite, il arrivait souvent que Man L'Oubliée soit hélée au chevet de personnes en grande difficulté. Toujours est-il qu'une après-midi, Man L'Oubliée se présenta en compagnie du jeune bougre dans cette maison où on l'avait appelée. Ils entrèrent, accueillis par le Nicol Timoléon (la Bonne à grimaces disparaissait le plus souvent dans cette version), et plongèrent sans transition dans une salade de douleurs et de cris. Une femme de la maison, peut-être l'épouse ou la sœur de ce Nicol Timoléon, devait accoucher d'une fille ou d'un garçon. À mesure du développement de la grossesse, l'embryon (qui était seul au départ) se trouva entouré d'une compagnie inattendue. La première matrone-accoucheuse qui lui vint au chevet affirma qu'ils étaient finalement trois là-dedans. La deuxième (appelée en renfort quand le ventre de la dame se déforma comme un sac plein de crabes) déclara sans ambages qu'ils étaient sept au minimum. Une autre, de grande science (appelée en urgence quand le ventre de la dame occupa la moitié de la pièce, et que sa peau voulut céder sous le grouillement d'un troupeau de cabris), déclara qu'ils étaient cent cinquante-six là-dedans, avec autant de garçons que de filles, plus quelques créatures au sexe pas très fixé, de ceux qui font coiffeurs pour dames ou danseurs de mazouk dans les groupes folkloriques. Le pire n'était même pas la question de leur nombre, mais celle de leur appétit. Selon la science de ces matrones, les bébés avalaient pour de bon l'intérieur de la dame, ils lui dévoraient les ovaires, lui dégrappaient les trompes, buvaient ses eaux, rongeaient l'ampoule rectale, grignotaient ses boyaux, aspiraient son sang à travers les membranes, bref menaient des agapes de nature cannibale et du même coup pas catholique. À mesure que son ventre prenait des ampleurs fantastiques, le corps de la malheureuse, sa tête, ses membres se rapetissaient comme ceux d'une poupée aspirée du dedans.

Les matrones avaient tout essayé.

D'abord d'en tuer quelques-uns pour n'en garder qu'un seul, mais leurs tisanes et leurs onguents semblaient au moindre effet multiplier leur nombre. Elles avaient voulu les extraire en provoquant des contractions avec des théschenilles, mais chaque contraction transformait la malheureuse en un lot de douleur — pas la douleur prévue dans les foudres de la Bible, mais une douleur qui n'avait pas de sens. Donc, drame dans la maison. Les matrones s'arrachaient les cheveux autour de cette couche impossible. Comment chasser ce petit peuple de cannibales sans sacrifier la vie de cette madame ? En désespoir de cause, elles avaient fait crier (avec la permission de ce Nicol Timoléon qui n'avait rien à perdre) une certaine Man L'Oubliée.

On avait dit au Nicol Timoléon que cette Man L'Oubliée n'était pas une accoucheuse mais bien plus que cela. Qu'on ne savait rien sur elle, mais qu'elle possédait science de ces situations où la vie s'embrouillait dans la mort et qu'il fallait en démêler les fils. Man L'Oubliée rejoignit les matrones dans la chambre, auprès de la malade qui hurlait sa misère. Le Nicol Timoléon, forcé d'attendre derrière la porte, se prit de sympathie pour le jeune bougre demeuré dehors lui aussi. Il rechercha auprès de lui de quoi étayer ses angoisses solitaires. Il le prit par l'épaule et l'emmena dans le sanctuaire où les livres atteignaient le plafond. Au lieu de livres, le jeune bougre perçut un édifice de sentiments vivants, de manières et d'auras. Ses sens de bête des bois les captaient de la sorte. Et là, l'indéfinissable petit bonhomme lui avait offert une liqueur que le jeune bougre ne but jamais. Il conserva entre les doigts ce récipient de cristal ciselé où la lumière des trois lampes à pétrole venait se perdre en de fixes étincelles. Hypnotisé par le nectar ambré qui se mêlait aux féeries du verre, il regardait de tous ses yeux, gardant l'oreille sur les murmures presque incessants des livres et le babil de ce Timoléon. Le bon-homme lui racontait son existence d'instituteur commu-niste qui n'avait peur de rien ni de personne, car il est notoire, jeune homme, que Dieu est mort depuis long-temps, et que les hommes se trouvent désormais seuls en face de la douleur absurde, de la misère, de l'oppression, de la sauvagerie des plus forts, de la rage des dominants et de l'horreur colonialiste !... Ce fut la première fois que le jeune bougre entendit prononcer le mot de *colonialiste*, mais il ne résonna pas dans sa tête de manière funèbre comme on aurait pu le croire, ce fut juste un vocable parmi d'autres.

Le Nicol Timoléon avait perdu son poste d'instituteur, radié des cadres par un gouverneur qui ne supportait pas qu'un pionnier de l'école laïque puisse être de l'engeance communiste. Il avait perdu son poste mais, qu'à cela ne tienne, s'était trouvé de quoi vivre en exploitant les terres d'un arrière-grand-papa, mises en gérances et colonats divers. Cela lui avait assuré l'aisance définitive, laquelle lui permettait une insoucieuse liberté de parole. Liberté exercée aux extrêmes dans la cellule du Parti, créée à son instigation dans la commune de Saint-Joseph. Nicol Timoléon semait la panique à chaque réunion. Il prônait la constitution d'un Parti communiste autonome qui n'aurait de comptes à rendre à personne sauf à son peuple. Il allait jusqu'à prétendre dans des diatribes ardentes que Staline menait des choses pas claires dans les goulags. Il brocardait le peu de réflexion du Parti

326

communiste français sur les questions dites coloniales. Il se lamentait contre les divisions et les chapelles venues des métropoles, et adaptées sans plus de manières aux pays coloniaux. Il exhortait les camarades à trouver l'unité par-dessus ces divisions factices pour lutter tous ensemble, peuples noirs, peuples non blancs, contre le colonialisme! Car l'alliance n'est pas une subordination, être solidaire avec les ouvriers d'Europe n'est pas déserter ses propres urgences! Les idées et les doctrines sont faites pour nous libérer, nous autres nègres oubliés en enfer colonial! Ce n'est pas nous qui sommes faits pour les servir, si précieuses fussent-elles! Donc, mon cher ami (c'est quoi votre nom Balthazar Bodule-Jules? Bon disons *Bibidji* pour simplifier!...), je les traumatisais en leur réclamant plus d'idées personnelles, de réflexions indépendantes sur le sens vrai des choses! Je les acculais à considérer ce qu'avait fait réellement l'Occident dans l'univers des hommes noirs et des peuples non blancs! Je bousculais leur ordre du jour bidon pour leur crier *Les colonialistes! Voilà l'ennemi!* c'est le colonialisme que nous devons penser et comprendre, car personne ne le fera à notre place, c'est à nous nègres arabes malgaches coolies peuples jaunes peuples rouges peuples en chien qui sommes dessous ce fer!... Balthazar Bodule-Jules!? Drôle de nom...

Donc à force d'invectiver tout le monde, le Nicol Timoléon à livres s'était fait éjecter par ses copains de la cellule; ou alors, un soir de réunion, il leur avait balancé sa carte en vingt-deux confettis, restés collés au plafond du cagibi où les camarades tenaient leurs séances grandioses. Les confettis s'étaient mis à reluire lors des grandes circonstances, à tel point que plus d'un militant en pleine fougue oratoire se vit tout soudain regardé par ces vingt-deux pupilles d'une conscience critique. Les camarades essayèrent de les décoller à l'eau de Javel, puis firent repeindre la cellule tout entière. Mais, sitôt qu'ils eurent à prendre des décisions non conformes à l'esprit du Nicol Timoléon, les confettis brillèrent de nouveau comme des yeux de chat mort dessous la peinture fraîche, troublant d'angoisse les choix de ces pauvres militants. Dès la rupture et les effets de cette conscience éclatée au plafond, le Nicol Timoléon s'était mis à faire figure de papa-référence. Il était devenu un sage-aux-yeux-ouverts auquel les camarades venaient soumettre des questions importantes. Il les invectivait pendant une heure avant de leur proposer une idée lumineuse pour emmerder le gouverneur, foutre la frousse aux usiniers et aux planteurs, attiser une grève d'ouvriers agricoles, et jeter dans l'ordre colonial le piment des soucis. Maintenant, il vivait une dernière passion : la fabrication du sirop-batterie. Il s'était acheté un lopin de cannes hyper-sucrées, et là-dessus, plutôt que de poser une sucrote à la manière traditionnelle, il avait travaillé ce produit qui, selon lui, allait capter la sympathie du monde. C'était une merveille quasi naturelle. Elle était obtenue après évaporation lente du jus de canne pur, que l'on laissait bouillir dans des cuvettes spéciales, selon une température spéciale et un rythme spécial, jusqu'à ce qu'apparaisse ce sirop noir extraordinaire, cette virtuosité de nuances et de saveurs, de sucre et d'alcool commençant, cette boule de goûts vitaminés, nectar épais et lourd, charmeur et aérien, qui pouvait se prêter à trente-six mille usages. Dans les punchs. Dans les gâteaux. Dans les sucreries. Dans un simple verre d'eau. Pur, dans du pain ou à même la langue pour se rafraîchir l'âme... Le Nicol Timoléon était intarissable sur ces deux pôles de son existence : la lutte communiste à inventer contre le colonialisme, et les vertus sans limites du sirop-batterie qu'il faisait vendre par les bourgs et quartiers, dans des flacons de verre venus de la Barbade, et étiquetés par un antique comptable, maître en calligraphie à plume sergent-major...

Et le bonhomme avait parlé comme cela durant toute la journée, puis toute la nuit, puis toute la journée suivante, et puis la nuit d'après, car le travail n'en finissait pas autour de l'accouchement. La science de Man L'Oubliée semblait patiner en face du phénomène. Sitôt entrée dans la chambre, elle avait posé une main sur le front de la dame en proie à mille douleurs, et cette dernière s'était apaisée, les douleurs refluèrent de son ventre qui entra de ce fait dans un calme effrayant. Le troupeau cannibale qui y menait bombance s'était fait attentif, une placidité inquiétante qui fit reculer les matrones : elles craignaient qu'il ne jaillisse du nombril de la dame pour les manger toutes crues. Toujours impassible, Man L'Oubliée avait examiné ce pauvre corps amoindri par l'épreuve, et ce ventre titanesque, cristallisé comme une écorce et soudain pétrifié comme un bloc de sel. Ses mains s'étaient avancées vers la peau tendue, vers le nombril proéminent, et c'est là qu'elle avait commencé ses caresses, des espèces de mouvements inconnus par ici. Même les matrones (vicieuses en matière de massage pour ventres brusqués en couches) ne comprenaient pas ce qu'elle pratiquait là. C'était des signes : une parole exprimée sur la peau, qui pénétrait le ventre telle une bienfaisance. Le petit peuple de cannibales semblait s'être replié vers une porte des enfers. À mesure que Man L'Oubliée accentuait ses caresses, le ventre se dégonflait, comme désinvesti par des gaz abondants, et la dame reprenait des couleurs et des vies. Mais, dès que Man L'Oubliée levait la main, le troupeau revenait, en bousculade, telle une bande de babounes affamés. Ils menaient une sarabande de stress dans le ventre de la dame, et déclenchaient des douleurs dont il vaut mieux ne pas parler. Man L'Oubliée avait repris sa lutte, impassible, heure après heure, jour après jour, s'opposant à cette force qui tuait la malheureuse sous les regards médusés des matrones réfugiées dans un coin.

Il paraît que Man L'Oubliée avait surgi dans le salon pour annoncer au Timoléon des livres que la dame avait perdu son enfant, qu'elle lui avait juste sauvé la vie, que la dame vivrait quelque temps encore, mais que bientôt la dame s'en irait rejoindre ce fils inabouti — ce fils dispersé en une série de vies contradictoires qu'on ne pouvait rassembler. L'enfant était reparti en emportant une bonne part du souffle vital de la manman. Le Nicol Timoléon avait écouté en silence. Les matrones étaient debout derrière Man L'Oubliée dans une attitude de respect incroyable, à croire qu'elles se trouvaient en présence d'une mâle-femme, bien plus puissante qu'elles. À leurs côtés, Man L'Oubliée rayonnait d'une sapience millénaire, elle paraissait mieux ancestrale, pas affectée par l'âge, mais imprégnée d'un plus de souvenirs. Le Nicol Timoléon avait écouté la terrible sentence sans mot dire, et c'est sans doute là que le jeune bougre avait découvert une nouvelle vertu de la Voix, cette manière de parler qu'utilisait Man L'Oubliée dans les moments critiques : une intonation spéciale, un ondulé de sons, qui emplissait la pièce d'inaudibles vibrations, et portait courage à ceux que la douleur aurait dû dérailler. En lui parlant ainsi, malgré son impassibilité, elle l'avait soutenu, elle l'avait aidé, elle lui avait transmis la force de résister. Et lui, Nicol Timoléon, sans clairement le savoir, avait perçu cette aide, si bien que quelque temps plus tard, bien après la mort annoncée de la dame — partie en souriant, et dans un apaisement inconnu en ce monde —, il avait accueilli Man L'Oubliée comme on accueille une amie chère, et répondu sans hésiter à sa demande.

Dans cette version il est dit que le jeune bougre découvrit la jeune fille dans la bibliothèque où il écoutait Nicol Timoléon délirer entre le communisme, le colonialisme et le sirop-batterie. La jeune fille était sortie de son lit durant la seconde nuit, affectée par la misère de sa manman en couches. Elle était entrée comme un zombi pour tomber dans les bras de l'ex-instituteur, et c'est là que la Révélation s'était produite avec une intensité autre et sans qu'il tombe aveugle. On prétend qu'il s'était vu enlever du monde par une comète noire bougeant devant ses yeux, que cette noirceur s'était dissoute sous son envie de voir la créature. Le Nicol Timoléon l'avait prise dans ses bras, emmenée hors de la pièce pour la remettre en les mains de la Bonne (hébin, la revoilà!), laquelle l'avait ramenée doucement aux étages, dans son lit. Nicol Timoléon était revenu auprès du jeune garçon qui cette fois ne pouvait plus l'entendre, mais qui se sentait soudain très bien dans la maison d'une si belle créature. L'agonisant se souvint peut-être qu'il avait voulu de toutes ses forces que Man L'Oubliée réussisse, tout en sachant d'emblée, à cause des lourds effluves qui huilaient la maison, qu'une chose irrémissible s'était constituée-là. Il savait que Man L'Oubliée ne se dressait jamais contre l'irrémissible, elle pouvait en amoindrir les effets douloureux, mais ne contestait jamais un certain ordre des choses. La mort n'était pas son ennemie, car la mort est au-delà de tout, hors du débat des hommes, hors des intentions et des désirs de ce côté de la réalité. L'ennemi c'était le désespoir, la souffrance, les tortures, le feu de l'âme, les injustices, les agonies interminables, l'oubli, mais pas la mort. Elle la savait liée à la vie, elle la voyait ouvrant des espaces au vivant, et disait dans ses *Apatoudi* que toute mort était une chance offerte à des horizons neufs.

Cette version se poursuit par un fait surprenant. Après l'annonce terrible, Man L'Oubliée rejoignit sa patiente. Le Nicol Timoléon demeura à côté du jeune bougre. Bien qu'encore soutenu par les effets de la Voix, l'ex-instituteur était abasourdi. Soudain, à dire un automate, il fit ce qu'il avait toujours fait dans les moments de désarroi : il s'approcha des rayonnages de sa bibliothèque. Le jeune bougre intrigué par son air insolite l'observait à pleins yeux.

Et ce qu'il vit dut le marquer à tout jamais.

Le Nicol Timoléon observait les ouvrages, il effleurait leurs tranches d'un doigté tremblotant, sensible, électrique, cherchait au délicat, captait des pulsations infimes. Il entretenait avec ces livres une connivence parfaite, immédiate, sentimentale, sensitive et tactile. Il les avait tant triturés sous la fièvre de les lire que ces objets d'encre et de papier avaient chargé ses doigts de stigmates qu'ils pouvaient investir pour se faire reconnaître. Le premier livre qu'il prit parlait de la douleur. Il l'ouvrit, en lut quelques extraits. Puis il en prit un autre et fit de même. Puis un autre à propos de la mort. Et un autre... Et c'est là, comme ça, une nuit durant, de livre en livre, de lecture en lecture déchirante que le jeune bougre entendit les plus beaux poèmes de ce temps sur la douleur et sur la mort. L'agonisant les avait oubliés, il en avait conservé une terrible impression mais les mots s'étaient dissous dans sa mémoire de petite bête sauvage. L'émotion induite par la jeune fille n'avait laissé que peu de place aux détails du moment. L'agonisant put quand même quérir au fond de lui la trace de ces poèmes, il dut chercher la voix de ce Nicol Timoléon, retrouver les ondes amères de sa douleur. En y associant ses lectures ultérieures, quelques rappels de vers et de poètes aimés, il dut pouvoir reconstituer un peu ce trésor qui lui avait été donné. J'avais déniché une émission de radio consacrée à la mort du Che[1]. M. Balthazar Bodule-Jules, d'un timbre caverneux, y évoquait son amour pour le grand disparu et ce périple qu'il avait effectué dans les plateaux de Bolivie pour tenter de le rejoindre avant l'issue fatale. De temps à autre, sa voix se brisait de douleur dans des miettes de poèmes qui lui

---

1. *Gloriyé pour Che Guevara.* Avec M. Balthazar Bodule-Jules, sur Radio RLDM, 1997.

prenaient la gorge. Grâce à cette trouvaille, je pus imaginer ce Nicol Timoléon allant de livre en livre, accablé par sa vie devenue solitaire. Je le vis desséché, asphyxié, rompu par la douleur, et puisant dans Corneille, Lamartine, Du Bellay ou Verlaine, manière de transformer de simples lectures en petites gorgées d'eau, en ombres fraîches, en oxygène précieux — de transposer ce qu'il vivait dans la beauté des vers :

« L'humilité, la peine étaient son allégresse,
Et son dernier soupir fut un soupir d'amour »...

« Quoique jeune sur la terre,
Je suis déjà solitaire
Parmi ceux de ma saison,
Et quand je dis en moi-même :
Où sont ceux que ton cœur aime ?
Je regarde le gazon »...

« On ne peut divertir le cours de la douleur »...

« Tout suffocant et blême quand sonne l'heure,
Je me souviens des jours anciens, et je pleure »...

La première fois qu'il entendit ces poèmes, le jeune bougre ne réagit pas. Il ignorait encore que dans son vieil âge il se réfugierait ainsi auprès de quelques poètes, et trouverait moyen d'y puiser réconfort. Dans les caches de la casbah d'Alger, traqué de près par les paras cinglés du colonel Bigeard, des poèmes avaient peuplé ses moments de conscience, comme des mantras dont la vibration apaisait son cerveau. Au-dessus de Diên Biên Phu, quand les avions français dévastaient les hauteurs sous des bombes incendiaires, et qu'il lui fallait vivre durant des mois entiers dans un trou de souris, un vers, une strophe, une chute poétique, avait comblé l'éternité et suspendu le temps. Et quand il avait passé des jours à essayer de rattraper le Che, et que le froid des hauts plateaux de Bolivie le médusait dans un creux de rocaille, il avait conservé un reste de raison avec juste une torsade de mots, ciselés par un poète dont il ne savait rien. Pour lors, dans cette bibliothèque auprès de ce Timoléon, il ne songeait qu'à la jeune fille, et il percevait combien la lutte de Man L'Oubliée dans une des chambres du haut était désespérée. Lorsqu'il sentit que la dame était sauvée (pour quelques jours ou pour quelques semaines), et que son ventre s'était vidé, il ne lui resta dans l'esprit que ces poèmes qui emplissaient la pièce, et ses pensées qui s'en allaient veiller sur la jeune fille endormie dans un lit. Il imaginait son univers intime : un lit à baldaquin comme dans les grands-cases, des oreillers de coton blanc, des frissons de dentelles, des draps fins, une moustiquaire, des meubles en bois pensif, une petite lampe à vierge près d'une cuvette de porcelaine... Sans doute aussi un miroir décati, cadeau d'une grand-mère, et quelques formes à brillances douces réparties dans la pièce. Au petit matin, il s'en alla avec Man L'Oubliée, laissant derrière eux une maison apaisée, puis ils revinrent après — la dame étant morte entre-temps — pour introduire le vœu d'apprendre à lire et à écrire. Cette version retombait-là dans le récit commun.

(Avant de m'y résigner, je fus épouvanté par toutes ces versions, le moindre détail pouvait courir en seize variantes et se perdre dans l'absurde. De même, dans cette agonie, entouré de ces gens qui l'interprétaient de toutes les façons possibles, il n'existait pas de point de vue privilégié. Je n'étais pas le mieux placé pour observer et comprendre ce qui se passait là. D'autres voyaient, savaient, interprétaient et déclenchaient dans leur proximité des significations tout aussi importantes que les miennes. Et qui m'échappaient à jamais. Le vieil homme à l'agonie disparaissait sous nos yeux à force d'enclencher des histoires, et ces mêmes histoires le précisaient dans nos esprits. Il s'élevait et s'effondrait, se montrait et se cachait. Cette double logique ne permettait ni interprétation ni écrire linéaires. Je devais devenir berger d'un troupeau de visions à mettre en œuvre dans leurs complémentarités antagonistes. Il était à craindre que je ne parvienne pas à dire qui était cet homme. J'allais vers l'incompréhensible, le non-élucidable, pas vers le dévoilement d'une destinée humaine mais sur l'abscisse incessante d'un vertige. L'important n'était peut-être pas l'achèvement de cette histoire mais son cheminement proliférant. J'aurais pu dire aussi — avec plus d'amertume que d'orgueil — sa beauté. Notes d'atelier et quelques affres.)

Les séances d'enseignement s'étaient faites régulières. Le jeune bougre n'entendait rien, ne comprenait rien, restait coi devant les feuilles sur lesquelles l'ex-instituteur lui traçait des lettres, des syllabes et des mots. Il ne pensait qu'à la jeune fille. Il sursautait quand un frôlement se produisait. Il tendait l'oreille pour l'imaginer quand le silence de la grande maison se voyait déformé par un bruit du couloir. Il ne l'avait jamais revue, il ne pouvait que l'imaginer, trouver l'image fixée au fond de son cerveau, et la réanimer avec ce qu'il avait capté d'elle dans la bibliothèque ; et le reste de ses pensées tournoyait sans accroche comme une bielle désaxée.

Nicol Timoléon était content d'avoir le jeune bougre sous la main. Il n'avait nullement conscience que celui-ci n'apprenait pas grand-chose. L'ex-instituteur ne consacrait même pas un tiers de son esprit à ce qu'il enseignait. Il disposait simplement-là d'une tribune permanente. La moindre leçon servait de prétexte à évoquer le communisme, le colonialisme ou le sirop-batterie. La science transmise au jeune garçon inattentif était empreinte des

335

houles guerrières de sa conscience[1]. Parfois l'esprit du jeune bougre atterrissait auprès de lui, dans un plus d'attention, il prenait alors conscience de cette foi ombrageuse qui possédait l'ancien instituteur, de cette fureur que suscitaient en lui les injustices du monde. Mais à chaque regard, le jeune bougre retrouvait le malaise qu'il avait éprouvé dès leur première rencontre. *Quelque chose n'allait pas chez le Nicol Timoléon!* Temps en temps, sa voix déraillait en intonations douces qui semblaient provenir d'une gorge différente. En d'autres moments, ses gestes s'imprégnaient d'une grâce surprenante, en rupture avec la violence de son verbe. Au fil des mois, le jeune bougre se prit au jeu de ce mystère et oublia quelque peu la jeune fille — du moins, entre les moments où un froufrou dans la maison le renvoyait vers elle. Donc, il écoutait Nicol Timoléon de plus en plus souvent. Il observait ses gestes quand il bourrait sa pipe, ouvrait un dictionnaire, s'humectait un index pour tourner une page. Il étudiait sa manière de se croiser les jambes dans le creux du fauteuil, ou de battre des paupières pour soulever une pensée. Il examinait ces lassitudes qui changeaient son visage alors qu'il l'obligeait à des pages d'écriture ou à la lecture laborieuse d'une strophe d'Alphonse Daudet. À force de

1. Dans la bouche de Nicol Timoléon l'alphabet se muait en vrac sauvage avec des *B* comme *Bonaparte qui remit l'esclavage* ! *N* comme *Négrier!* *C* devenait *Congo-océan où des peuples crèvent en construisant des voies ferrées!* Et *S* (bien entendu) fulminait en *Staline* ou s'adoucissait en *Sirop-batterie!* Les synonymes dégénéraient en de vrais labyrinthes car *Métropole* était égal à *Vampire, Religion* à *Opium, Colonie* voulait dire *Dénis de justice souffrances!* Les adjectifs n'étaient plus que des bombes *sanglantes brutales barbares maléfiques nuisibles!* L'arithmétique se transformait en chimie déroutante car *2 conquistadores + 100 000 Aztèques* était égal (au bout du génocide) à *2 conquistadores!* Et lorsque dans une population de *3 millions d'Amérindiens* on introduisait *200 Européens*, il ne restait au total du destin que des Européens! La géographie devint une vision hallucinée de frontières injustes, de drapeaux carnivores, de pays qui dominent et de pays agressés, de terres exploitées et de terres exploiteuses, de peuples disparus ou de peuples en voie d'être effacés! Il disait au jeune bougre que l'Histoire à grand *H* était une fumisterie que les Occidentaux plaquaient sur le réel du monde, que les histoires des peuples s'étaient vues occultées, qu'étudier cette Histoire à grand *H* devait au contraire servir à deviner les peuples oubliés sous la chape des silences!...

l'observer, il perçut d'abord un tremblement de sa personne, comme s'il n'était pas ce qu'il paraissait être. Il eut ensuite le sentiment qu'il était quelqu'un d'autre. Puis son flair de bête des bois identifia une senteur aérienne qui levait de son corps, une émanation attendrissante. Quand Nicol Timoléon se penchait au-dessus de lui pour vérifier un exercice ou rectifier une addition, le jeune bougre se sentait enveloppé par un chaud généreux, une tiédeur maternelle. Ce trouble, déjà connu auparavant, lui donna maintes fois l'impression de se trouver auprès d'un être de même nature que sa Man L'Oubliée. Alors, un jour, sans trop comprendre pourquoi, il eut la conviction brutale que le Nicol Timoléon était une femme.

Désemparé, le jeune bougre ne pouvait quitter des yeux le phénomène qu'il avait devant lui. Le Nicol Timoléon perçut son trouble. Foudroyé par son regard pénétrant, il dut se sentir mis à nu d'un seul coup. C'est peut-être ainsi que le jeune bougre découvrit la force de son regard ; il avait passé tant d'années à guetter dans la nuit les ombres de l'Yvonnette Cléoste, que son regard vous traversait déjà. Le reste de sa vie allait renforcer la puissance de ses yeux. À tel point que, dans la casbah d'Alger, quand il lui fallait circuler vers une mission quelconque, il s'habillait en femme, portait le voile des musulmanes, et plissait les paupières pour dissimuler le brasier de ses yeux : un tel éclat aurait suffi pour le faire contrôler par les paras cinglés qui ceinturaient la ville. Il conta aussi comment dans les plateaux de Bolivie, à la poursuite du Che, il se trouva nez à nez avec un vieux puma, un de ces fauves affamés par les pluies, et qu'il parvint à tenir en respect avec le magnétisme très spécial de ses yeux. Le fauve se détourna comme s'il avait croisé un fauve de même engeance. Mais pour l'instant, à cette époque de Saint-Joseph, rencontrer ses pupilles vous donnait l'impression qu'il savait tout de vous. Le jeune bougre en avait été surpris mais l'agonisant comprenait mieux maintenant : la seule fulgurance de ses yeux avait pulvérisé les défenses que le Nicol Timoléon s'était forgées autour de son secret. Il sombra dans le fauteuil avec un soulagement profond. À croire qu'il déposait enfin un fardeau de mille ans qu'il était seul à charroyer depuis la mort de la dame. Nicol Timoléon s'adressa au jeune bougre avec une voix de vieille femme. C'était toujours la sienne, toujours la même, mais plus libre, livrée aux toniques de sa féminité. Abasourdi, le jeune bougre écouta le récit de cette nouvelle personne, cet autre Timoléon.

En fait, Nicol Timoléon s'appelait Déborah. La dame qui avait trouvé la mort malgré l'intervention d'Anne-Clémire L'Oubliée était non pas sa dame mais sa sœur, et elle s'appelait Sarah. Cette dernière était tombée enceinte des œuvres d'un charpentier bizarre qui avait séjourné dans la maison, le temps de fixer une tuile et remplacer deux-trois solives mangées par les poux-bois. Déborah et Sarah Timoléon étaient nées sur une habitation où leur père était chauffeur d'une vieille Dodge et leur mère cuisinière. Elles avaient vécu dans une case proche de la grand-case où vivait le maître-patron béké, et avaient eu accès aux galeries de la maison pour épousseter, balayer, disposer des goyaves dans une corbeille fleurie ou des oiseaux-de-paradis dans la gueule des grandes jarres. Le béké avait perdu sa femme. On l'avait retrouvée pendue à l'horloge du salon, laquelle (devenue folle) actionnait ses aiguilles en sens contraire du temps. Le béké s'était un peu renfermé sur lui-même. Il avait délaissé les principes de sa caste pour vivre selon son cœur et les tendances de sa nature. Qui fait qu'il laissa les fillettes se promener dans la grand-case comme si c'était chez elles : elles lavaient les carreaux, nettoyaient l'argenterie, faisaient briller les marbres, battaient les draps des lits et jouaient aux zombis dans les longues moustiquaires. Elles pouvaient aussi

338

traîner dans la bibliothèque, caresser les images d'un vieux livre, s'interroger sur le mystère des lettres, imaginer leur sens, apprendre à lire toutes seules. Quand le béké les surprenait là-dedans, cela lui paraissait tellement incongru qu'il les prenait sur ses genoux, et, pour faire le malin, jouait au maître d'école comme on fait pour les singes, racontait des histoires, élucidait un mot, leur faisait ânonner une syllabe. Sans le savoir, il leur apprit ainsi à trouver du plaisir dans la merveille des livres. Les fillettes se prirent les yeux flottants de ces enfants qui rêvent et qui ne trouvent réalité qu'au fond de leurs chimères. Elles s'intéressèrent au monde et découvrirent très tôt des choses que les champs de cannes n'offraient à aucun nègre vivant. Elles épuisaient leurs jours dans des bibles poussiéreuses, et usaient leurs pupilles une bonne part de la nuit sur d'impossibles ouvrages reliés en peau de bouc. On venait de loin pour voir ce phénomène. Le béké très fier en avait informé ses oncles et ses cousins; ils se réunissaient le dimanche à midi, autour d'une cuisse de bœuf, pour observer les négrillonnes savantes et tenir des réflexions philosophiques sur l'humanité probable des êtres à la peau noire. Qui fait que lorsque leur mère voulut les envoyer au bourg le plus proche — à l'école d'un jésuite qui pensait faire exploser le monde en instruisant des nègres — le béké fut d'accord et leur trouva une pension dans la commune de Trinité. Sarah et Déborah vécurent dans cette commune le reste de leur enfance, et leur adolescence. Elles ne revinrent jamais dans cette habitation.

La pension était en fait la maison d'un pêcheur et de sa femme. Le bougre s'en allait sur la mer tous les jours, parfois huit jours de suite, sans doute écartelé entre les concubines qu'il possédait à Sainte-Lucie et les bien-aimées qu'il nourrissait en Dominique. Sa femme, elle, s'occupait (dans leur salle à manger) de défriser les négresses à tête-fer qui maudissaient la tignasse que le Bondieu avait mise sur leur tête. La femme du pêcheur leur concoctait des papillotes somptueuses, des mises en plis à trois étages, des shampoings d'huile-ricin et de fleurs d'hibiscus, des bains d'huile d'avocat et de jaunes d'œuf battus, des massages au gros thym, au rhum et au vinaigre pour décrocher les pellicules. Les tête-fer sortaient de là avec des chevelures fleurant le vétiver, qui tenaient bien sept jours dans un carcan de vaseline. Ce commerce capillaire lui ramenait deux-trois sous, des légumes rares et des grappes de fruits. En plus, douée du sens des affaires, la femme du pêcheur louait une chambre aux fillettes qui devinrent comme ses filles : elles étudiaient bien, comprenaient bien les livres, passaient les examens, cueillaient des bourses et des certificats. Elles étaient pareillement douées pour les études mais existaient de manière différente. Déborah se montra au final plus studieuse que sa sœur, mieux accrochée au sol et aux réalités. Sarah révéla assez vite son insolite nature. Son esprit vagabondait en l'air comme un coton de fromager, ses yeux allaient au vague, ses silences étaient longs, et elle aimait se promener sur la grève à l'heure du crépuscule. Ce n'étaient pas de ces promenades auxquelles goûtent les bonnes gens pour respirer du frais, et s'envoyer un vent sur la moiteur du corps, c'était une procession très lente au cours de laquelle Sarah disparaissait au plus profond d'elle-même, et jetait sur les ombres un regard qui semblait voir des choses. À force de s'y rendre chaque soir, elle rencontra sur la plage de Trinité une sorte de qualité d'espèce d'individu tombé de la pleine lune, qui lui cassa du bois sucré dans les oreilles, lui versa du sirop dans le cœur, lui emporta l'esprit dans le miel d'une ivresse, et l'engrossa tout de suite en moins de six coups de reins. Sarah mettait au jour cette fillette qui allait enchanter notre jeune Bodule-Jules, tandis que Déborah poursuivait ses études, gagnait l'École normale, et devenait institutrice pour le gouvernement. Leurs parents furent honorés par cette réussite sans même en profiter. Le papa mourut dans l'explosion de la vieille Dodge qu'il bricolait tous les matins afin d'assurer les sorties du béké. La manman, elle, disparut à peine six mois plus tard avec ce même béké dans l'incendie de la grand-case : une flambée déboulée d'un orage. La parole malveillante prétend (jusqu'à présent !) qu'à la mort du papa la manman s'était lovée dans le lit du béké, et que les forces divines (peu charitables pour ces amours contre nature) détournèrent cet orage pour régler le problème : une foudre sans merci avala jardins et potagers, les cases et la grand-case, les dépendances, les entrepôts, les paillotes à outils, pour ne laisser en lieu et place que des soupirs de cendre et un sanglot de charbon.

Sarah, après son accouchement, abandonna l'étude. Elle passait beaucoup de temps à nourrir sa fillette du lait de ses tétés qui coulaient sans arrêt. Déborah devint institutrice à Trinité. C'est là que ses ennuis commencèrent, car à la même époque, avant de disposer d'une carte du Parti, elle était déjà une communiste dans l'âme. Elle citait Marx et Engels. Étudiait Lénine. Voyait partout des oppressions, contredisait le contenu des livres et des enseignements. Elle avait déniché les récits des premiers anthropologues qui, découvrant l'Afrique, s'étaient émerveillés de la beauté de ses empires et civilisations. Depuis, elle se disait négresse africaine et Congo comme on dit *Je suis belle*, se proclamait fille du peuple, prolétaire, et expliquait un peu partout qu'aucune chose de cette terre n'appartenait à qui que ce soit mais à tous dans le partage total. Bref, elle menait une belle bordelle dans cet établissement, suscitant l'angoisse de ses collègues qui croyaient aux vertus des mœurs gréco-latines et restaient persuadés que l'homme blanc d'Occident avait mission de colporter à ses épaules tout le reste du monde. Qui fait

Marx Engels
Lénine

qu'ils la mirent à l'index, puis décidèrent de ne plus lui parler, enfin de lui mener une vie de misères. Qui fait que chaque jour, entre une diatribe contre le colonialisme et une apologie furieuse du communisme, elle s'était mise à les traiter de toutes espèces de noms. Le directeur, qui en prenait à même dose pour son grade, la signala au gouvernement général dans un acte d'accusation de deux cent trente-neuf pages, avec autant d'annexes diverses, témoignages confirmés et preuves incontestables. Qui fait que le gouverneur de ce temps — tout-puissant en ces terres coloniales — lui signifia sa radiation et la fit expulser de cet établissement par une brigade de gendarmes à cheval. Pour leur échapper, Déborah s'enferma dans sa salle de classe avec tous ses élèves qui criaillaient *L'Internationale*, puis elle grimpa sur les toits pour déployer un drap où on pouvait lire : *Mort aux colonialistes !* et sur un autre barbouillé à l'éponge : ~~*Il faut rêver ! Et*~~ *travailler consciencieusement à la réalisation de ses rêves ! Signé : Vladimir Ilitch Oulianov.* Les gendarmes réussirent à lui saisir une aile et à l'emporter gigotante dans les draps. L'affaire fit grand bruit dans les quartiers de Trinité car à cette époque la plupart des bonnes gens pensaient qu'un communiste relevait d'une engeance diabolique, et que si les femmes se mettaient à en être, on atteindrait sans coup férir l'en-bas du démoniaque. La population de Trinité regarda donc Sarah et Déborah comme des crapauds lépreux. La femme du pêcheur se mit à perdre sa clientèle tête-fer. Elle leur demanda de quitter la maison, car vous comprenez ici on peut pas admettre de communistes ni mettre un bois dans les fesses d'un macaque sous prétexte de jouer !... Elle les avait chassées d'autant plus volontiers que son bougre de pêcheur avait fini par disparaître en mer (ou par rester chez une des bien-aimées de Sainte-Lucie ou de la Dominique), et qu'elle avait en vue le bedeau de l'église — sorte de nègre à jaquette qui prétendait parler latin et ne demandait qu'à s'installer dans la maison avec ses brodequins et ses trente-quinze costumes.

Déborah et Sarah quittèrent donc la commune de Trinité avec une sale réputation. Elles trouvèrent cette maison, au bourg de Saint-Joseph, grâce aux économies réalisées par Déborah. Sarah se chargea du décor, trouver des meubles, des nappes, des rideaux, des bibelots, tandis que Déborah s'occupait du rangement de ses livres. Sarah avait la passion des miroirs. Elle savait les dénicher dans les dépôts hétéroclites des marchands syriens, et les disposait un peu partout dans la maison. Elle agrémentait ses journées de la présence de ces miroirs où elle était la seule à surprendre certaines choses ; le reste du temps, tout en berçant sa fille, elle plongeait dans une Bible à dorures dénichée dans le grenier de la maison. Deux ou trois jours après leur arrivée à Saint-Joseph, un de ces miroirs changea la vie de Déborah. Lors d'une lecture sur l'effondrement des civilisations aztèque et maya, elle plongea dans une telle colère, un tel désir de guerre, de combat et de violence, qu'elle dansa comme un guerrier zoulou en invectivant Colomb, Pizarro, Balboa, Cortés, Díaz de Solis, Núñez Cabeza de Vaca et toute la clique conquistadore qui dévasta les Amériques. C'est au fond de cette rage qu'elle se trouva devant un des miroirs de Sarah, et qu'elle vit son propre corps tout en muscles tendus, sa face raidie par la colère, la foi sauvage qui la bandait comme un arc de Papou. Elle ne se reconnut pas. Elle crut voir Assourbanipal le roi-guerrier de l'Assyrie qui revenait de la campagne d'Égypte, puis Balassi poète-soldat hongrois qui effraya les Turcs, puis Lukéni ce martial Congolais qui inventa la forge et construisit des villes ; enfin, le miroir dut s'élargir sous l'éclat d'une force brute lancée à chair perdue dans une soudaine bataille, une créature échevelée, terrible, parcourant les routes d'Israël et soulevant les peuples bergers, les obligeant à empoigner leurs armes en se dénouant la chevelure. Elle reconnut Débora la vieille mère d'Israël qui leva son peuple de nomades endormis contre les hommes de Canaan. Elle vit les cheveux de Débora se libérer comme un défi, puis s'envoler pour laisser place au casque de guerre de Baraq ben-Abinoam. Cette vision transforma sa vie. Déborah du coup s'était coupé les cheveux. Sa fougue et sa force révolutionnaire étaient telles que son corps n'avait plus les rondeurs éthérées des femmes qui font la femme. Elle possédait des hanches étroites, des épaules larges, une constitution vibrante de rage et d'énergie, qui pouvait sans problème passer pour celle d'un homme. Elle se fit appeler Nicol, au lieu de Déborah, et devint un homme — je veux dire : un notable exalté de la commune de Saint-Joseph, connu pour son ouvrage dans le sirop-batterie.

Tandis que Sarah restait dans la maison à scruter ses miroirs, à mignonner sa fille, à déchiffrer sa Bible, Déborah-Nicol Timoléon sillonnait les quartiers à dos d'un vieux mulet, passait du temps avec les gens des cases en paille. Tout en recherchant des variétés de cannes à sucre pour son sirop-batterie, elle touchait aux quotidiennes souffrances de ce qu'elle appelait « les prolétaires ». Elle conseillait, exhortait, rédigeait de grands paniers de lettres à toutes espèces d'autorités, organisait des écoles de campagne où les négrillons tout nus dans leurs guenilles s'asseyaient autour d'elle pour écouter des contes au gré de l'alphabet, s'exercer à les dire, les lire et les écrire. Elle effectuait des démarches incessantes pour des contrats de travail, déclenchait des grèves d'atelier, perturbait les samedis de paye, couvrait de plaintes le greffe du tribunal contre les géreurs et commandeurs qui abusaient de leurs pouvoirs. Ces plaintes se perdaient dans les labyrinthes du palais de justice, à Fort-de-France, où elle descendait une fois par mois commettre de vieux scandales et rappeler (en hurlant dans le hall) que la justice devait s'inquiéter des souffrants, et non pas conforter les grands du capital ou les engeances békées. Ces dénonciations ne troublaient pas beaucoup la coloniale magistrature : elle demeurait dans ses bureaux, dessous le cercle vital des grands ventilateurs, et laissait les gendarmes repousser l'excité (qu'ils croyaient être un homme) fermement jusqu'aux grilles. Mais l'excité (que pas un averti n'aurait pris pour une femme) campait dans le jardin, sous la statue du sieur Victor Schœlcher qui libère une négresse. De ce coin symbolique, elle leur sortait de longs réquisitoires contre l'esclavage, le colonialisme, le capitalisme et son stade virulent qu'était l'impérialisme, jusqu'à ce que sa voix finisse par se briser et qu'elle s'accroche au dernier autobus pour rejoindre Saint-Joseph et son lot de misères oubliées dans les cases.

À force de crier dans le vide, Déborah-Nicol Timoléon résolut de former le peuple à la chose politique, et décida de monter une cellule communiste en plein dans Saint-Joseph. Au grand étonnement général, elle y refusa toute responsabilité, laissant la direction et l'encadrement à de jeunes métalliers, forgerons, artisans, ouvriers agricoles, tous découvrant l'idée du communisme et s'enflammant à l'heureuse perspective d'une dictature des damnés de la terre. Les nouveaux communistes saint-joséphains se lancèrent à corps perdu là-dedans, aidés par sa puissance de conviction, son énergie tenace, par ces nuits qu'elle consacrait à rédiger le Bulletin de la cellule, à le ronéoter en trois cents exemplaires, et puis à chevaucher son increvable mulet pour les déposer un à un dans les quartiers les plus lointains. C'est dans ces mêmes quartiers qu'elle anima d'homériques réunions au fil desquelles on la vit s'éloigner du discours officiel. Elle y parlait à tout va de colonialisme, de conquistadores, de génocides, d'esclavage, de peuples non blancs exploités dominés, tout un vocabulaire négro-politique pour lequel les camarades de la cellule n'avaient pas reçu de directives précises. Elle se mit à les inquiéter vraiment, puis finit par les invectiver sans qu'ils osent réagir. Ils endurèrent en silence jusqu'à ce que l'un des camarades saint-joséphains eût l'intuition que ce Nicol Timoléon n'était pas ce qu'il paraissait être.

Un jour de raide discussion à propos de Staline, les camarades saint-joséphains supportaient tête baissée le fiel de ses diatribes. L'un d'entre eux, perdant soudain la tête, se jeta sur lui avec l'idée de l'étrangler, et en profita pour lui arracher sa belle chemise à jabot boutonnée jusqu'au col. Qui fait que les tétés de Déborah (plus pointus que des têtes d'orphies et d'un noir velouté) apparurent comme des gargouilles sur la poitrine du soi-disant Nicol. Celui-ci, estébécoué, perdit toute sa fougue oratoire et prit-courir hors du cagibi, cramoisi de honte et d'humiliation. Les camarades assommés par la révélation avaient fermé portes et fenêtres. Ils étaient demeurés en conclave pendant trois jours-trois nuits pour déterminer la conduite à tenir. L'annoncer à tout le monde aurait jeté un discrédit irrémédiable sur la cellule. Dans un pays où les femmes restaient à case pour s'occuper des négrillons, dire que le plus ardent des militants de Saint-Joseph était une femme n'apparaissait pas comme une très bonne idée. C'est pour cela qu'avec le sceau d'un vote unanime ils en firent un secret qui demeura dans les annales de la cellule, et que nul n'évoqua jamais plus. Le camarade Nicol Timoléon resta le camarade Nicol, on ne lui enleva pas sa carte, ou alors c'est lui qui la leur renvoya. Après quelques mois de guerre froide, il réapparut aux réunions publiques en se faisant discret, ne mit jamais les pieds aux réunions de direction, et redevint aux yeux de tous ce Nicol Timoléon que chacun connaissait : communiste ardent, insatiable soutien des faibles et démunis, phare fondateur de la cellule de Saint-Joseph. Mais le phare, traumatisé par l'agression, avait perdu de son éclat. En tout cas, il sortait plus difficilement, montrait beaucoup de retenue, vieillissait plus vite, et demeurait volontiers dans sa maison auprès de Sarah et de sa fille qui allait en beauté. Déborah-Nicol Timoléon avait pris en main l'éducation de la fillette afin qu'elle ne s'infecte pas le cerveau à l'école coloniale. L'enfant grandit dans la maison comme dans un œuf, entre sa tante appelée Nicol aussi rugueuse qu'un homme, et sa mère Sarah, créature aérienne nourrie de Bible et de miroirs. On l'avait appelée *Anaïs-Alicia*. Pour cette dernière, les choses étaient très simples : Déborah-Nicol Timoléon était à la fois homme et femme. Elle n'aurait pu imaginer que cette condition n'était pas naturelle. Manman-Sarah et elle l'appelaient *Déborah* dans leur intimité ; dès l'apparition de la Bonne ou de quelqu'un de l'extérieur, Déborah redevenait pour tous *Nicol Timoléon*, instituteur à deux graines, en retraite méritée.

Sitôt révélée la vraie nature de Timoléon, les choses se firent plus affectueuses. Le jeune bougre et elle devinrent complices dans cet univers de livres et de savoir. Il ne s'intéressait pas plus aux enseignements mais se laissait enchanter par l'énergie de Déborah-Nicol. Elle disait que cette opiniâtreté lui provenait de loin. Pour l'en convaincre, elle lui avait sorti la Bible de Sarah, au chapitre V du livre des Juges — car c'est Sarah qui avait découvert ce chant-poème depuis la vision du miroir —, et lui avait lu ces extraits sur un ton exalté :

> *À l'abandon était le plat pays*
> *En Israël, à l'abandon,*
> *Avant que tu ne fusses debout, Débora,*
> *Debout, ô mère d'Israël !*
>
> *Éveille-toi, éveille-toi, Débora !*
> *Éveille-toi, éveille-toi, lance ton chant !*

C'est avec ces quelques mots qu'elle avait pu supporter d'être recluse, abandonnée des camarades de la cellule. Elle se voyait solitaire comme cette Débora dans sa tribu de Bédouins (nomades hirsutes qui finiraient par vaincre les villes fortes de Canaan), solitaire dans un pays vaincu, solitaire dessous la botte colonialiste, solitaire sur les digues de la résistance, solitaire parmi les armes désaffectées. Elle se voyait née pour hanter solitaire les chemins et appeler à chaque pas les peuples en rébellion. À l'intention du jeune bougre, elle mimait la Débora des tribus d'Israël, marchant dans la poussière, seins au vent, le vouloir transfigurant sa belle féminité, donnant de l'énergie guerrière aux éleveurs de moutons, aux Bédouins errants, aux sidérés des champs de cannes, aux ahuris des cases en paille, faisant lever une fougue non pas au nom de Yahvé, mais au nom de la justice, de l'égalité, de la fierté des peuples noirs ; et tous rejoignaient à travers elle le concert des autres peuples ! Ce cirque quotidien ravissait le jeune bougre qui marchait à sa suite dans la bibliothèque. Les livres servaient de boucliers, de lances ou de projectiles. Le bureau devenait une des villes de Canaan ou une maison békée. Les fauteuils étaient (selon l'humeur) des navires à grandes voiles ou des éléphants de guerre chevauchés hardiment. C'est ainsi qu'elle lui fit pénétrer des univers livresques sans qu'il s'en aperçoive. D'abord, le poème de Débora qu'il finit par connaître, et que M. Balthazar Bodule-Jules, en son temps de vieillesse, débiterait durant des heures sur des radios débiles. Puis les poèmes épiques des tâcherons du Parnasse pour se donner du cœur, puis les griseries sensibles des poètes romantiques pour chanter le repos des guerriers, puis des livres de grammaire pour rédiger de bons traités de paix, et un peu de calcul pour dénombrer l'ennemi ou les richesses à partager entre les pauvres du monde. Le jeune bougre n'avait pas conscience d'apprendre. Ce n'est que plus tard, au gré de ses nécessités, qu'il saura avoir accumulé des

une fois de plus.— apprentissage inconscient

connaissances diverses sur les langues, les cultures et les peuples. Car Déborah-Nicol ne se contentait pas de lever le peuple de Martinique contre l'oppression békée et des forces coloniales ; aidée d'une petite mappemonde, elle s'élançait bientôt sur la mer Caraïbe à la recherche des peuples amérindiens trucidés sans restant ; dans le même temps, elle rameutait les descendants d'esclaves de Saint-Domingue, d'Haïti, de Sainte-Lucie, de Barbade, bondissait d'île en île à la manière des Arawaks et Caraïbes ; une fois cette zone lavée par la révolution, elle égrenait les peuples d'Amazonie, les Noirs du Brésil au fond des favelas, les gens des Andes et des plateaux, soulevait des flammes dans l'Amérique latine, prenait feu aux volcans de l'Amérique centrale, et rejoignait, à la tête de ces peuples, les Noirs américains en compagnie desquels la justice communiste grimpait jusqu'aux glaciers du Canada. Et pour le reste, elle réunissait l'Afrique en un seul poing, et se mettait à envoûter les peuples asiatiques, et partout elle leur disait, *Libérez-vous libérez-vous ! et affirmez votre manière de voir le communisme, soyez vous-mêmes en tant qu'hommes libres, et soyez communistes en demeurant vous-mêmes !* Et c'est dans cette pièce, entre des romans, des poèmes, des encyclopédies, des dictionnaires, des images de toutes sortes et cette vieille mappemonde, que le jeune bougre et elle répertoriaient les peuples dominés, les tribus écrasées, les langues mortes, les dieux éteints, les cultures démantelées, les sépultures exposées au soleil... Ils listaient tout cela pour être sûrs de ne rien oublier, puis ils établissaient leur longue marche révolutionnaire à travers la planète, l'exécutaient dans la bibliothèque puis la recommençaient avec quelques variantes jusqu'à tomber de fatigue. Et de jour en jour, de semaine en semaine, de mois en mois, le jeune homme apprit de la sorte des histoires guerrières, des géographies belliqueuses, le drame des langues menant leurs batailles contre d'autres langues, des cultures disposées en armées contre d'autres cultures. Les conjugaisons même devinrent martiales et les temps une immense tragédie : tant de massacres dans l'imparfait ! Que de violences et d'invasions rapides dans le temps passé simple ! Que d'oppressions dans le temps du présent ! Que de menaces logées dans le temps du futur !... Elle lui restituait tout cela dans une saga qui empoignait le monde pour le décomposer, et le précipiter dans une mythologie folle que Déborah-Nicol tout à son délire inventait devant lui. *Je l'avais réveillée !...* se dit l'agonisant. *Je lui avais servi de catalyseur pour une renaissance, et, dans sa ruse ardente, elle m'avait fait naître d'une autre manière...*

Déborah-Nicol lui disait : En découvrant les Occidentaux, les Amérindiens se demandèrent s'ils étaient des dieux ou des hommes. En découvrant les Amérindiens, les Occidentaux se demandèrent de quelle espèce de singes il s'agissait ! Toute la différence est là ! L'Occident est une mécanique ethnocidaire, une puissance aveugle génocidaire ! Ce n'est pas un lieu quelconque en Europe, ce n'est pas un monde blanc ou un arc-en-ciel de peaux rosées ou claires, c'est un principe qui ne supporte pas la diversité et le babil des peuples ! Et c'est surtout une intention pointue comme une flèche, aiguisée comme un sabre, *une intention productiviste,* une soif de rentabiliser le monde, la terre, le vent, les feuilles, les animaux, les ancêtres, une force d'exploitation qui n'a pas de limites et qui ne peut supporter ceux qui rêvent avec les bisons, qui honorent le soleil, qui laissent dormir l'or au cœur sombre des montagnes, qui offrent les diamants à la parure des dieux, qui parlent avec le vent dans des langues qui chantent, ou qui laissent les arbres se hisser vers le ciel sans en faire des planches ! Pour être rentable, la danse éparse des doigts doit disparaître dans l'unique boule du poing !...

Cette frénésie anticolonialiste lui permettait quelquefois

d'oublier l'irréelle Anaïs-Alicia. Il devinait son existence céleste dans les silences de la maison. Elle vivait avec l'impesanteur des libellules de mai au-dessus d'une boue chaude. Elle cultivait la discrétion des zombis qui n'apparaissent que le vendredi saint. En certains jours de pluie, il la rencontrait au bas de l'escalier, fantomatique, presque impalpable, tellement elle rayonnait de douceur virginale. Quand il s'en émut auprès de Déborah-Nicol, cette dernière lui énonça sur le ton du regret qu'Anaïs-Alicia était une sorte d'enfant élémentaire, sans doute un peu simplette ou débile, et d'une légèreté coupable sur les choses de la littérature. Un jour, elle surprit le jeune bougre tendant l'oreille vers l'étage, puis se tordre le cou pour guetter l'escalier. Elle sortit en ricanant un ouvrage de Gérard de Nerval, ce doux poète, aux chimères sans limites, et lui déclama une description que le jeune bougre crut inspirée des rares apparitions d'Anaïs-Alicia : « ...*fleur de nuit éclose à la pâle clarté de la lune, fantôme rose et blond glissant sur l'herbe verte à demi baignée de blanches vapeurs...* » Déborah-Nicol se moquait de cette « pâle clarté », cette « herbe verte », ces « blanches vapeurs » — *ce fol délicieux enfonce des portes ouvertes !* — mais le jeune bougre y percevait la fluidité troublante d'Anaïs-Alicia, et reçut en beauté l'intention du poète. Depuis la mort de sa manman Sarah, Anaïs-Alicia en avait adopté les façons insolites : elle s'intéressait aux miroirs qui peuplaient la maison, et consacrait du temps à les examiner comme de beaux paysages ou des lucarnes ouvertes sur on ne savait quoi.

Déborah-Nicol ne parlait pas souvent de sa sœur Sarah, ce fut le jeune bougre qui dut l'interroger, tant il était avide de comprendre Anaïs-Alicia. Mais, au seul bruit du nom de Sarah, Déborah-Nicol se prenait de tristesse. Son visage se fermait comme l'herbe Manmzelle Marie, et elle s'abandonnait à une mélancolie en buvant du rhum vieux...

Sarah était supérieurement intelligente, plus intelligente que moi, lui dit un jour Déborah-Nicol, mais elle avait un défaut : elle tombait amoureuse de n'importe quoi. Dans son plus jeune âge, on la crut muette, jusqu'à ce qu'on s'aperçoive qu'elle racontait des choses aux fourmis rouges et aux moustiques. Elle pouvait consacrer des journées à la gale d'un vieux chat comme si c'était une personne de sa famille. Elle pouvait rester avec la tête en l'air, du matin jusqu'au soir, pour observer les merles, et s'asseoir au mitan d'une savane pour les laisser becqueter de la farine-manioc dans le creux de ses mains. Des mulets échappés, des moutons en chagrin, des cabris à yeux moroses stationnaient auprès de la maison jusqu'à ce qu'elle sorte les mignonner avec des graines de riz. C'était incroyable de voir comment — (à l'époque où Déborah restait plongée dans les livres du béké, ou demeurait recluse dans sa chambre d'étudiante à consulter des textes de Marx ou de Hegel) —, comment de multiples chiens errants, perroquets égarés, cayalis souffreteux, chattes noires en déshérence, venaient rôder à l'entour de Sarah, semblaient la reconnaître et la solliciter pour *on ne sait quoi* qu'elle leur accordait *on ne sait trop comment*. On la voyait toucher aux arbres d'une main affectueuse, plus sensible et profonde que celle d'une aveugle, et contempler leurs branches en donnant l'impression d'entendre un boléro. Elle regardait passer le vent avec l'air de surprendre son visage, de capter sa couleur, et de comprendre le vrai de ses pensées. On craignait le pire, mais au fil de son âge ce phénomène avait décru. On avait supposé que Sarah redevenait normale. Elle s'adressait maintenant aux gens avec une politesse exquise et ressemblait (un peu titak) à une jeune fille sur terre. Sa seule lubie (irrémédiable) était de lire des textes ésotériques, de vieilles choses en latin, des grimoires grecs, des incunables semblables à du vieux cuir de bouc. Elle avait un don pour décoder les textes enfouis dans des langues oubliées et y trouvait des sens cachés qu'elle conservait en elle. Elle avait l'art, c'est vrai, pour dénicher dans de veilles jarres d'antiques rouleaux de papyrus, de fines tablettes gravées, ou dégager de la poussière d'une malle de Syrien des livres étranges faits de longues feuilles pliées comme des draps de Castille, et maintenus ensemble par deux planchettes de bois, ciselées comme des bijoux. Les marchands syriens lui disaient à chaque fois qu'il s'agissait de livres mayas ou aztèques qu'on avait retrouvés dans un galion échoué, et Sarah s'était plongée là-dedans en oubliant sa vie, lisant des mythes et des légendes que Déborah-Nicol disait ne pas connaître, et apprenant des langues bourrées de longues voyelles, dont les sonorités atteignaient les oreilles comme le frou-frou des oiseaux-mouches. Quand elle lisait à haute voix (Déborah-Nicol disait qu'il ne pouvait s'agir que de nahuatl et de maya) on croyait entendre les mots s'agglutiner telles des écumes et former des images qui elles-mêmes s'assemblaient en bouquets musicaux impossibles à comprendre. Cela avait quand même rassuré le petit peuple de Trinité de la voir plongée dans ces espèces de livres, car lire à cette époque était un signe d'intelligence certaine, et une grâce pour échapper au malheur des champs de cannes. Mais Déborah-Nicol Timoléon demeura inquiète pour sa sœur, surtout quand elle délaissa les livres pour se lancer dans l'affaire des miroirs. *Saint Christophe, gardez-nous des démons !...*

Sarah lui avait dit un jour qu'elle distinguait des anges. Pas partout parmi nous : dans un petit miroir, bordé de nacre rose. Elle avait découvert cet objet dans une veste persane qu'un Syrien lui avait accordée en échange d'un verre d'eau. Le petit miroir l'avait émue, on ne sait trop pourquoi, et Sarah s'était mise à en dénicher dans les valises de pacotilleuses ou les charrettes de marchands syriens qui stationnaient au bourg au moins une fois par mois. Ses premiers miroirs furent minuscules, petits éclats qui tenaient dans la main, miroirs carrés bordés de cuir, miroirs ronds cerclés de huit étoiles, miroirs octogonaux cachés dans de petits coffrets, miroirs infimes, triangulaires, maintenus sous un fermoir de jade. Certains étaient en une roche noire polie qui provenait d'Afrique, d'autres étaient en cuivre frictionné ou en bronze d'Arabie plus sonore qu'une cloche. Le plus beau de ces miroirs fut en verre clair fragile, plaqué de vieil argent, et provenait de la Venise ancienne ; le plus solide fut en acier poli plus profond qu'une eau pure ; le plus extraordinaire était taillé dans un bois sombre que l'on avait verni ou frotté de fine graisse... Les Syriens qui les avaient accumulés au fond de leurs charrettes les lui cédaient bien volontiers : personne à cette époque n'envisageait le risque d'avoir ces choses auprès de soi. On disait dans les cases que les miroirs buvaient les âmes, aspiraient la lumière qu'on avait dans les yeux, et offraient aux défunts une porte trop facile pour rester dans ce monde. Le soir avant de s'endormir, Sarah disposait sa collection de miroirs à l'entour de son lit, à gauche de l'oreiller, et en conservait deux qu'elle manipulait entre ses doigts somnambules durant ses longs sommeils. Quelques-uns de ses miroirs étaient sans doute de la famille du ciel, car à certaines heures, sous certains angles, elle prétendait y voir des cimes de hautes montagnes, des palais de nuages déformés par des ailes de cigognes, des féeries neigeuses qui brillaient au soleil, et puis soudain : des anges.

Déborah-Nicol écoutait ces chimères avec consternation. Sarah prétendit (en secret à sa sœur, laquelle se garda bien d'en parler à quiconque) avoir vu passer ainsi l'ange Gabriel en train de dessiller le regard d'un enfant, et l'ange Michel dont l'aile gauche était tachée du sang de sept dragons, et l'ange Raphaël qui parsemait les routes de pierres blanches. Elle dit aussi avoir vu, durant certaines pleines

Modèle d'énonciateur non-rationnel.

lunes, quatre de ses miroirs lui révéler mille angelots à six ailes, qui pouvaient voler en se cachant et la face et le sexe. Ces anges passaient tout simplement, ne la regardaient pas, ne lui révélaient rien. Parfois, c'étaient des formes de lumière. D'autres fois, c'étaient des brumes rosâtres, fluides comme des fumées de cigarette. Elle en vit deux-trois plus intenses que des flammes, et d'autres plus opaques qu'une argile mouillée. Tous ne portaient pas d'ailes, certains volaient avec l'aide de petits éventails, d'autres maniaient des cerfs-volants reliés à leurs cheveux, quelques-uns disposaient de colibris qui transformaient leur corps en mouvement frémissant. Elle dit en voir qui flottaient sur des feuilles de fougères ou sur des nénuphars. Beaucoup chevauchaient des filets de lumière, et il y en eut même un qui allait de travers sur une ânesse volante. Souvent, ces anges étaient sans forme précise, c'était juste le miroir qui ondulait sous une esquisse vivante que le cadre arrêtait.

— *Comment tu sais que c'est des anges ?* lui disait Déborah de plus en plus inquiète.

Sarah lui répondait : Ce sont des anges, car ils n'ont pas l'air d'habiter par ici, ni dans aucun des côtés de la terre. Elle disait aussi : Ce sont des anges, car ils n'ont pas de nombril. Ou bien : Ce sont des anges parce que leurs yeux sont beaux comme des arbres fleuris. Ou encore : Ce sont des anges car ils ne respirent pas. Ou pire : *Ce sont des anges car ils dégustent des mangots-verts et avalent leur graine comme une friandise.* Déborah-Nicol se dit qu'elle n'avait plus toute sa raison, et resta impuissante contre cette fièvre des miroirs auxquels Sarah dédiait sa belle intelligence. Elle les disposait autour de son assiette pour se donner de l'appétit, elle les posait auprès de la bassine de sa toilette du soir ; elle les frottait toute la journée avec un bout de satin noir mouillé à l'eau de Cologne. Souvent, au profond de la nuit, Déborah-Nicol la surprenait bien réveillée, accoudée à son lot d'oreillers, contemplant les miroirs qui luisaient comme des écailles de lune.

C'est donc par ces miroirs que Sarah cessa de vivre dans ce monde-ci pour exister à la chimère, reliée à ces reflets où des oiseaux, des contrées et des anges passaient et repassaient. À chaque passage, les anges lui transmettaient des gestes qui n'avaient pas de sens, des histoires in-commencées et qui ne s'arrêtaient pas, des oraisons loufoques qui s'installaient en bourdonnements dans ses oreilles. Elle devint un être qui n'était de nulle part. La femme du pêcheur (dans cette pension de Trinité où les deux sœurs vivaient) ne s'en offusquait pas ; elle sentait bien que Sarah mûrissait bizarrement, mais elle se mettait à l'adorer bien plus. En fait, tout le monde l'aimait de plus en plus, car on la sentait à tout jamais débarrassée de la jalousie, de la mal-parlance, de l'envie, de la curiosité sale, de la gourmandise, de ces travers qui gâchent la vie des êtres humains et leurs rapports entre eux. Elle devenait une pure présence, toute disponible et sans menace pour qui que ce soit. La voir vous remplissait de joie, et vous forçait à des gestes de tendresse. La regarder vivre faisait plaisir car le moindre de ses actes s'alliait à un souci de bienveillance totale. Sans que nul n'en prenne conscience (sauf peut-être Déborah-Nicol), elle se mit à faire ce qu'elle voulait, comme elle le voulait, c'est-à-dire d'une manière toujours inhabituelle ou pas vraiment normale. Elle rapporta dans leur chambre des miroirs de plus en plus grands, qu'il fallut bientôt entasser dans un coin. Charmées par ses manières, la femme du pêcheur et ses clientes tête-fer lui en offrirent à chaque anniversaire, de grands, d'énormes, à lourd cadre doré, ou bordés de plastique. Et le pêcheur lui-même lui ramena (d'on ne sait quelle épave) un vieux miroir de capitaine pirate, au tain brouillé vivant des reflets sombres qui semblaient provenir d'une nappe de pétrole.

Déborah-Nicol elle-même n'avait jamais rien vu dans ces miroirs. Quant au jeune bougre, chaque fois qu'il dut se déplacer dans la maison de Saint-Joseph où tous ces miroirs avaient fini par atterrir, il ralentissait toujours devant ceux qu'il rencontrait en espérant y surprendre quelque chose. Il n'y voyait rien : juste l'image de la pièce où il se trouvait, ou sa propre tête de jeune bougre des bois, un peu insolite dans cet univers feutré de velours et de tapis. Il lui arriva d'entrevoir Anaïs-Alicia traverser ces mêmes salles, et regarder ces miroirs en souriant, les yeux striés par la clarté que procurent les visions séraphiques. Elle possédait sans aucun doute le même don que sa mère, pour distinguer dans leurs reflets des oiseaux ivres et des anges égarés, des neiges belles éternelles, et des sites d'altitude où le vent siffle froid.

Mais la plus grande lubie de Sarah n'était pas cette histoire de miroirs. À force d'y voir passer les anges, elle avait appris à les reconnaître dans la rue. C'est pourquoi elle s'accoudait longtemps à la fenêtre, ou s'asseyait sur un banc du balcon pour observer la rue. Puis vint la période où elle goûta aux promenades inattendues, en pleine après-midi ou à certaines heures des couchers de soleil. Elle disait *bonjour bonsoir* aux gens qu'elle rencontrait, vous regardait en plein mitan des yeux, avec l'air d'examiner la moelle de vos vertèbres. En revenant de ces promenades, elle semblait un peu plus fourvoyée sur cette terre, l'épaule ronde de fatigue, les bras aussi fourbus que l'aile droite d'un oiseau migrateur, la paupière tout autant languissante, et les yeux nettoyés comme ceux de ces marins qui font le tour du monde en fixant les vents fous. La Bonne lui ouvrait la porte avec les sourcils noués, puis se liquéfiait devant son sourire trouble de visionnaire céleste. Déborah-Nicol Timoléon ne sut jamais à quoi ressemblait un ange en flânerie dans une rue, mais un jour de confidence Sarah les prétendit faciles à reconnaître. D'abord parce qu'ils sucent trop souvent une graine de mangot-vert. Ensuite, et surtout, parce qu'ils semblent bien-contents d'être là, les orteils écartés d'allégresse, gourmands d'être accrochés au sol comme des palmes de canard, et savourant chaque pas dans un bonheur total. On comprend là-même qu'ils ne sont pas en train de vivre à l'habitude comme la plupart des gens mais bien de se distraire à fond. C'est pourquoi, en certaines circonstances, recevant on ne sait quel signal, Sarah s'en allait seule marcher dans les raziés ou sur la plage de Trinité. Et là, un jour, elle rencontra cette personne pas vraiment de ce monde et qui serait le papa (inconnu à jamais) d'Anaïs-Alicia. Elle avait raconté cette brève amour à sa sœur Déborah qui l'avait crue tombée folle sans remède, car mis à part l'affaire du sentiment, le bougre était de ces zombis qui hantent les cimetières et tracassent les bonnes gens, ho saint Christophe, protégez-nous des trois calamités !...

Le zombi de Sarah était d'aspect normal : c'était un petit homme très maigre, tous feux éteints, la peau couleur de sapotille séchée, un nègre insignifiant comme on en voit oyant la musique militaire de nos 14 Juillet, ou transpirer (même un dimanche) dans les jardins de gombos. Il cheminait cassé dessous le poids de ses milliers d'années et la charge d'une tristesse infinie. Les zombis ne meurent pas de vieillesse pour la simple raison qu'ils ne sont jamais nés. Le temps passe devant eux, sans les toucher : ils le mesurent de loin comme on estime la portée d'un nuage. Le pire c'est qu'il voyait (au même instant) et le présent et le passé ; hier croupissait aux côtés d'aujourd'hui, et avant-hier moisissait dans le même coin que le surlendemain. Pour lui, soleil et lune ne changeaient pas de lumière ; le jour lui parvenait sur un mode identique aux nuits les plus obscures où il pouvait voir clair avec des yeux de vieille chatte électrique. Si bien que le temps, au lieu de passer vraiment, restait intense et fixe comme un serpent sidéré par l'ennui, et qui doute sans remède en s'avalant la queue. L'éternité lui pesait, lui filait l'amer-tume des absinthes trop vieilles, gommait les paysages qu'il avait pu connaître, détruisait les bonnes gens qu'il avait approchés ou bien persécutés : elle effaçait ou trans-formait les choses qui composaient sa vie interminable en route fixe vers nulle part. Il voyait l'ombre des morts emmêlée aux éclats des vivants, les pluies anciennes sta-tionner dans le beau du soleil de chaque jour. Ce qui avait été persistait sous un mode pâle dans ce qui existait, et cet embrouillement qui n'avait pas de fin lui donnait la migraine. Tous les méfaits qui d'habitude lui servaient d'amusement (comme d'effrayer les voyageurs de nuit, tambouriner contre une case où les gens n'étaient pas baptisés, bouger la table des presbytères pour agacer les vieux abbés et leur faire croire à Lucifer...) avaient fini par ne plus l'amuser. Au moment de sa rencontre avec Sarah, il errait de plus en plus acide, les os pleins de soupirs, cagou de ne pouvoir se confier à quiconque ou mordre à l'illusion d'un sens possible de l'existence. À force d'avoir côtoyé des vivants, goûté leurs peurs, leurs joies et senti-ments, d'avoir hanté des lits et des buffets sans âge, s'être imprégné de vieux vêtements volés dans des caveaux, à force d'avoir porté les gros bijoux anciens que les dames égaraient, il avait acquis par contamination une sorte d'humanité. Un réchauffement de chair avec des similis de sentiments trop tièdes qui fermentaient dans sa poi-trine. Ce trouble humanoïde ne cadrait plus avec sa condi-tion de zombi sans manman, inconnu de la mort et du temps. Il prit cette apparence de petit-nègre-insignifiant pour aborder les êtres humains des cases, se mettre au plus près d'eux, vivre comme eux jusqu'à l'insignifiance en espérant qu'un jour la mort se tromperait et l'emporterait d'un coup. Il drivait pour rencontrer les gens, et si les hommes ne lui accordaient pas beaucoup d'importance (sauf peut-être ces bellâtres à longs cils pour qui Dieu n'a pas été très clair), les femmes lui parlaient volontiers, lui souriaient souvent : elles percevaient sans le savoir l'étourdissement de cet abyme toujours ouvert en lui, comme un alcool qui réveillait leur sang. À croiser son chemin, des picotements tricotaient leur nombril, une petite fièvre leur cuisinait la joue, et un filet d'éther circulait dans leur souffle. Sur la plage de Trinité, Sarah avait d'abord ressenti sa présence (une nappée d'huile amère dans un gaz de cannelle calcinée) et s'en était venue lui faire conversation, lui refaire le moral. Ils passèrent de longues heures de promenade sur cette plage de Trinité, puis se revirent à n'importe quelle heure du jour ou de la soirée, marchant dans les écumes, traînaillant dans le sable où le zombi ne laissait aucune trace. Il lui racontait des choses qui auraient pu être incroyables si elles disposaient d'une signification quelconque dans le monde d'ici-bas. Il lui livrait des secrets qui imbibaient ses chairs d'une tendre fatalité. Leurs rencontres aggravaient son air d'être absente parmi nous, et ornaient sa beauté d'un incompréhensible halo de sainteté païenne. À force de se voir et de se parler (à moins que cela ne se fît dans l'illico presto... *qui peut savoir vraiment ?*), ils finirent par se toucher, peut-être s'embrasser, puis se fondre l'un dans l'autre comme un pain caco-doux dans un bol de lait chaud.

L'agonisant se mit à sourire : je pus déterminer sans peine ce à quoi il songeait. Sans doute à la mine désemparée qu'avait prise Déborah-Nicol Timoléon à ce stade du récit. *Je ne sais pas comment on fait la malélevée avec un zombi !* s'était-elle exclamée. Est-ce que ces choses-là ont de la chair, des sentiments, un cœur qui bat, des graines ? Qu'un ange puisse s'accoupler avec une poule ou une cigogne, je pourrais le comprendre, à cause des parentés qu'établissent les plumages et les ailes. Mais un zombi, Bibidji, c'est de quelle sorte d'espèce, avec quels chromosomes, quel vieux panier de génotypes, de quelle famille

360

ça peut descendre ? ! En tout cas, celui-là devait être équipé pour la reproduction, et sans doute disposer d'une semence zombifique, une qualité de laitage mercuriel, à nez de vieux porto, bourré de comètes fécondantes et de larves de moustiques, car Sarah sortit de ce coqué très bref et très indescriptible avec un ventre qui profitait trop vite, et qui finit par engendrer Anaïs-Alicia. L'enfant naquit ainsi, sans un cri, laiteuse et transparente, à tel point qu'on la crut albinos. Puis sa peau devint d'un rosé de lambi. Puis on la vit tramée du chatoiement bleuâtre des belles peaux africaines. Depuis, elle eut cet aspect incertain qui fait que nul n'aurait pu dire si elle était négresse ou coolie, chinoise ou mulâtresse, et si elle n'était pas tout cela en même temps selon les goûts et l'axe de la lumière. Déborah-Nicol Timoléon étudia la question avec rage et méthode. Elle avait conclu que ce zombi n'était en fait qu'un salé dorlis, de ces incubes qui guettent les femmes pour leur jouer des reggaes somnambules à la jonction des cuisses. L'ennui pour l'équilibre de sa belle théorie fut qu'un dorlis est toujours stérile, et que celui-ci avait quand même trouvé moyen de féconder Sarah. Elle s'en sortit en déclarant qu'à déraison ouverte autant s'y mettre à fond : le dorlis avait sans doute quémandé l'aide de l'archange Gabriel qui sut faire fusionner des cellules allogènes, et convaincre Sarah d'on ne sait quel mirage trop vite somatisé en folie ovulaire.

Le zombi avait disparu comme il était venu. Sarah avait erré en vain sur cette plage de Trinité, soudain désenchantée, asphyxiée par l'odeur de la cannelle brûlée. Puis le zombi était revenu, un soir de moitié lune, à travers un miroir de la chambre. Sarah, qui pensait ne plus jamais le revoir, se réveilla une nuit et découvrit sa face tragique penchée au-dessus de son ventre : il regardait au fond de ses entrailles comme au fond d'une eau claire. Il pleurait avec les larmes de sel de la tortue qui pond, et ballottait de la tête en se grattant la plus pointue de ses oreilles. Le ventre de Sarah lui était apparu comme une anomalie. Le châtiment d'une faute commise qui venait perpétuer sa détestable éternité. Il ne pouvait admettre ce prolongement de lui-même (par un fils ou une fille) dans cette durée sans fin qu'il voulait arrêter. Alors, il voulut emporter le ventre de Sarah. Il apposa ses mains de vieux cactus sur ses flancs, lui transperça la peau avec ses ongles verts, et fit manœuvre pour lui déchouker l'abdomen tout entier. Malgré la vive douleur, Sarah le regarda et lui dit simplement dans une tendresse totale : Qu'est-ce que tu fais ? *Sa'w ka fè la-a ?* Le zombi, qui n'avait jamais rencontré un autant de tendresse, la reçut comme une foudre d'alcool. Bouleversé de colère et de honte, il se jeta au fond d'un des miroirs. Sarah (qui au final n'était pas si fofolle) avait tout de même mesuré la menace. Avec l'aide de la Bonne (experte en toutes ripostes contre les zombiries), elle transforma sa chambre en un blockhaus inexpugnable. Elle garda sur son ventre deux crucifix d'argent, disposa un bol de sable fin dessous chaque miroir des cloisons, sous la fenêtre et en face de la porte. Nuit après nuit, le zombi mélancolique voulut atteindre la chambre par l'une de ces voies, mais (d'après les codes de la merveille) il devait calculer le contenu du bol où il posait le pied, compter graine-sable après graine-sable sans en oublier une seule. Qui fait que le temps passait et repassait à mesure qu'il comptait, se trompait et devait recompter, et que l'église se mettait à sonner les mâtines, et que quelqu'un de la maison s'éveillait en sursaut et mettait fin sans le savoir à sa présence dans cet endroit. On l'entendit rôder dans la maison. Sur le toit. Au grenier. On vit bondir un feu follet de miroir en miroir dans le couloir et le salon. Nul ne le vit directement, mais ce fut une époque où Déborah-Nicol — qui consacrait ses nuits aux diatribes communistes — entendit les soupirs du plafond, sentit se déformer les moustiquaires et les rideaux, écouta larmoyer l'eau de chaque robinet. Elle discerna des gémissements moroses qui expulsaient les clous de la charpente comme des vers maussades ; elle se sentit poisseuse avec de longues tristesses qui ombraient les buffets et les vases de cristal, et baignaient la maison d'une moiteur de méduse. Elle crut voir, un jour, des larmes perler aux persiennes de la chambre de Sarah, et surprit dans les miroirs qui reflétaient son lit des teintes de crépuscules et des moirés de deuil. La Bonne se prit d'angoisses nocturnes et d'une série de sauts-de-cœurs qui gâchaient ses journées. Elle se mit à saler le manger, et à mal nettoyer le poisson, et à laisser brûler le riz doux des dîners. Elle se rendait en confession tous les deux jours, et ne marchait qu'à reculons pour tenter de défaire une collante des déveines.

Quand Anaïs-Alicia naquit, le zombi dut être projeté on ne sait où. Sarah fut sans doute seule à le savoir mais n'en parla jamais. Dès le premier cri d'Anaïs-Alicia, elle sentit la tristesse cannelle-amère qui l'enveloppait à tout moment s'éloigner comme une pluie douce sur un fil d'alizé. Sarah organisa sa vie autour de son enfant qu'elle maintenait sur sa poitrine à tout instant de la journée, la nourrissant à volonté du lait de ses beaux seins qui sentaient l'algue et l'iode. Étrange enfant que Déborah-Nicol ne voulut jamais envoyer à l'école par décision anticolonialiste, mais surtout par peur d'exposer leur famille à la langue malveillante capable d'en faire sans distinction une niche de zombis. Elle garda Anaïs-Alicia recluse dans la maison, et lui enseigna tout ce qu'il fallait apprendre pour durer dans cette vie. Mais la gentillesse de l'enfant faisait drôle de ménage avec la fougue guerrière de Déborah. La douce enfant qui n'envisageait que la bonté du monde, la devinait sans le vouloir, la respirait sans y penser, ne comprenait pas ces bruits et ces fureurs avec lesquels Déborah-Nicol lui enseignait les sociétés humaines.

Parfaite élève, Anaïs-Alicia laissait de côté les furies, et prenait dans ces enseignements ce qu'il y avait de délicat, d'élégant, de sensible. Quand Déborah-Nicol lui racontait un débarquement de marins colonialistes, la douce enfant y voyait la beauté pathétique d'hommes perdus en mer qui retrouvaient enfin l'asile d'un paysage. Si Déborah-Nicol lui décrivait l'horreur d'une charge amérindienne contre le feu d'une bombarde, elle oubliait le sang pour magnifier les héroïsmes altiers qui nimbaient ce massacre. Quand elle commençait à injurier Staline, la douce enfant pleurait sur ce chef qui devait avoir peur à chaque seconde de la journée, et vivre sans oxygène la plus étroite des solitudes. Et quand Déborah-Nicol plongeait dans l'horreur des bateaux négriers, la douce enfant voyait des renaissances somptueuses, des survies admirables, et ces douleurs qui remontaient les chaînes pour détruire à jamais l'âme des esclavagistes. Pour n'importe quelle situation, elle dénichait sans se forcer le charme inattendu d'un détail très humain, l'axe d'une vision positive que Déborah-Nicol ne voyait pas et qu'Anaïs-Alicia lui exposait avec tant de douceur que l'institutrice guerrière la soupçonnait d'être têbê.

Mais le plus étonnant c'est qu'Anaïs-Alicia s'enticha très vite de la poésie.

Elle apprenait les poèmes instantanément comme s'il ne s'agissait que d'une simple syllabe. Elle les récitait ainsi que des ballades de rue, les utilisait dans la vie de chaque jour pour demander à boire, prendre nouvelles, dire bonjour. En d'autres heures, elle prononçait les vers avec l'intensité d'une vérité secrète qu'elle vêtait de son souffle pour les faire naviguer comme des bulles de savon dans toute la demeure. Elle pouvait passer une journée entière dans la circularité d'un poème qui ne racontait rien, glissant dans ses discontinuités, ses ruptures hagardes et ses boucles incessantes, à tel point que la Bonne (prise par cette litanie) se mettait à battre les paupières devant de clairs mirages et croyait voir passer au-dessus du bassin des troupeaux de bisons ou des baleines à ailes. Elle s'attardait sur des sonorités qui (à force d'être reprises dans les mystères de sa voix suave) prenaient soudain autant de signification qu'une image très nette ; parfois, l'image redevenait une simple résonance, tremblait, disparaissait, resurgissait enfin avec un nouveau sens. Si Déborah-Nicol instituait la poésie en élégance de son savoir — un instrument de plaisir délicat mais pas vraiment utile dans le combat des jours —, la petite Anaïs-Alicia, elle, l'érigeait en espace intérieur, tel l'horizon lumineux qui conduisait ses pas et installait dans son regard des brumes apostoliques. La moindre de ses phrases, même les plus anodines, provenait de Nerval, de Verlaine, de Musset, en un mélange que personne ne pouvait démêler mais qui, pour Déborah-Nicol, résonnait avec le timbre distinct de chacun de ces poètes. C'était un prodige que la raison de Déborah-Nicol refusait à toute force, mais qui surgissait de temps à autre dans son esprit, l'éveillant en sursaut et l'amenant à s'exclamer : *Bon dieu seigneur, elle fait parler ensemble Péguy et Saint-John Perse ! Elle assemble mon Baudelaire avec Leconte de Lisle !...* Elle qui, par tradition aristotélicienne, séparait en cases fondamentales le lyrique, l'épique et le vers dramatique, se retrouvait dans une belle confusion quand, au cours du dîner, elle s'abandonnait aux agglutinations poétiques d'Anaïs-Alicia. *C'est délicieux, mais c'est une barbarie !...* murmurait-elle en échappant à cette hypnose.

Un jour, la petite Anaïs-Alicia fut de science achevée sans paraître savante. Elle savait tout sur tout. Elle avait lu ligne par ligne trois encyclopédies, épuisé les romans, les recueils de poèmes, déclamé les grandes pièces de théâtre, fréquenté jusqu'aux usures les ouvrages de toutes matières avec lesquels Déborah-Nicol Timoléon travaillait pour combattre le monde ; et tout cela habitait son esprit comme une grâce naturelle éloignée de la science, et sous une aura de douceur sans partage. Déborah-Nicol se mit à sursauter en constatant jour après jour ses connaissances inapparentes et l'habileté de son esprit à parer le réel d'une couleur de belles choses. *Elle n'est même pas idéaliste, ni même hors de ce monde, elle est tout bonnement une aberration anthropologique!...* Elle aurait pu passer n'importe quel examen de bourse, gagner l'École normale et devenir une incroyable institutrice, mais elle semblait tellement inapte au monde (comme sa manman Sarah) que Déborah-Nicol fut vraiment soulagée qu'elle demeurât dans la maison, à lire et à relire ses livres de poésie, à dormir comme on chante, à rêver comme on rit, à apprendre comme on joue, et à lorgner avec des yeux d'enfant un univers indécelable dans des miroirs mélancoliques.

Anaïs-Alicia et sa manman Sarah ne se parlaient pas, ne se caressaient pas, ne s'embrassaient pas. Elles semblaient pourtant en connivence totale, une intimité qui n'avait pas besoin de mots ou de gestes, juste du silence qui voit et de cette douceur aérienne autour d'elles. Anaïs-Alicia était le prolongement de chacune des cellules de Sarah. Elles semblaient respirer le même air, disposer du même sang. À croire que ce sang quittait les artères de Sarah, traversait l'air pour atteindre le corps d'Anaïs-Alicia afin d'y faire un petit tour complet, puis rejoignait l'organisme maternel pour un autre petit tour, et ainsi de suite. Elles étaient différentes mais c'était le même être, la même brique de personne, la même incongruité qui ne pouvait durer que dans cette maison préservée du dehors, et entre des miroirs. La Bonne, engagée par Déborah, n'eut jamais pièce problème avec elles. Elle les adorait à mort, tant la bonté, la lenteur, la douceur sont des charmes puissants. Elle craignait Déborah-Nicol, mais traitait Sarah et sa douce Anaïs-Alicia comme des bébés-cadum, leur préparait des confitures de fleurs d'hibiscus rouges qu'elles dégustaient comme des enfants. Elle ouvrait les fenêtres en riant quand un merle envoûté voulait atterrir sur le sein de Sarah ou s'endormir dans la paume d'Anaïs-Alicia. Elle accompagnait leurs rêveries de thés d'étamines chauds, de crèmes jaunes d'un pollen récupéré sur des abeilles, de galettes de farine-coco mélangée aux bourgeons du jasmin. Elles adoraient mâcher des tiges d'herbe kabouya, ou de tendres feuilles-citron que la Bonne épiçait avec des gouttes de rosée... Une nourriture étrange à laquelle Déborah-Nicol avait voulu goûter, et qu'elle avait trouvée sinon fade mais toute creuse, comme si ses papilles gustatives basculaient dans un vide, lui laissant entre les dents l'ouverture sidérale d'une miette de cosmos. L'agonisant s'humectait les lèvres, les yeux pleins d'interrogations. Il essayait de retrouver cette sensation que Déborah-Nicol Timoléon lui avait décrite et qu'il avait si longtemps négligée, lui qui — dans ses pérégrinations guerrières, dans le sillage de ces femmes de passage suivies jusqu'en enfer, il avait mangé tant et tant de fleurs sauf celles des orchidées, gratté tant de pollen dans de petites corolles — n'avait pas éprouvé cette sensation curieuse. Il l'avait peut-être recherchée sans le savoir en s'adaptant aux nourritures des peuples rencontrés, naviguant sans états d'âme entre le cuit, le cru et le pourri. Mais il s'était toujours montré soucieux de la fibre végétale à la manière d'Anne-Clémire L'Oubliée, et finalement de cette façon qu'avaient Sarah et Anaïs-Alicia d'alimenter leur existence... Ce détail m'avait marqué, et m'a sauvé la vie !... J'ai été un dieu en ne mangeant qu'une graine de pollen ou qu'une fleur légère, et presque un saint en ne mangeant qu'une tige d'herbe grasse, et un homme vrai en m'asseyant à des tables maigres avec des hommes au ventre creux ! Et quand j'ai pu me vautrer dans des viandes et des graisses, de hautes platées de riz, de semoule, de racines ou de poisson bouilli, à cette même époque où je passais la langue dans les bourrelets des femmes obèses, je me sentais tombé au ras niveau des chiens [1]!...

Sarah eut d'autres amours. Certainement avec des êtres étranges qu'elle pouvait reconnaître au fil des rues de Saint-Joseph. La Bonne la vit, une fois comme ça, endormie avec un gros oiseau qui ressemblait à un jeune malfini; l'oiseau disparaissait à l'aube, mais revenait au soleil descendant s'étendre à côté d'elle comme un aigle languide; il y passait la nuit, la fixant de son œil de rapace tandis qu'elle se lovait dessous ses grandes ailes. D'après la Bonne, elle pratiqua commerce avec une créature dont elle parla très peu, une sorte de spectre-personne plus redoutable qu'un dorlis de quartier. Elle l'avait rencontré sous un vieux fromager, en train de gazouiller sur une musique qu'il était seul à pouvoir distinguer. Le spectre-personne était guilleret, enfantin, espiègle, il gloussait pour un rien et tapait dans ses mains mieux qu'un débile content. Sa distraction était de dénicher sur terre des voies et des chemins qui ne mènent nulle part, de les emprunter jusqu'au bout et de revenir sur ses pas pour en dénicher d'autres. Et c'est avec ça qu'il remplissait sa vieille éternité. Sarah lui adressa la parole; ils restèrent à bavarder durant quinze-seize minutes, puis Sarah l'oublia. Mais cette rencontre modifia l'humeur du spectre déluré. Lui qui ne s'était jamais intéressé aux affaires de la chair se prit un goût inextinguible pour les poils cachés et les trous naturels. C'est peut-être d'avoir respiré le parfum de Sarah, senti le vivant généreux de sa peau, deviné son corps de belle miséricorde sous les voltes parfumées de sa gaule, qu'il entama cette perdition en bacchanale charnelle. Peut-être fut-ce à cause de tout cela en même temps, plus une série de phéromones impos-

1. *Adresses aux jeunes drogués de Saint-Joseph.* Déjà cité.

sibles à comprendre. Toujours est-il que (instruit de la chose par un vulgaire dorlis trouvé en train de se masturber au pied d'un arc-en-ciel) il put disposer du pouvoir affligeant d'entrer dans n'importe quelle maison comme dans un vieux moulin, et de se satisfaire de ces femmes qui dorment nues sans un bracelet ni même un collier-choux. Durant des mois, il vécut dans la satisfaction de ses fantasmes d'autant plus abjects qu'ils étaient innocents. Ce spectre-personne n'établissait pas de différence particulière entre le bien et le mal, entre le coup et la caresse, entre le ouaye de douleur et le ouaye de bonheur. Il ne soupçonnait même pas qu'il pût y avoir des dissemblances tragiques entre les jeux de main, et qu'il y eût des choses à faire et d'autres à ne pas faire. Les femmes, charmées par des rêves en forme de labyrinthes, ne se réveillaient pas, et il plongeait en elles par tous les coins possibles, maniait leur corps comme une pâte à modeler conçue pour ses lubies de cochon infernal. Les excréments qu'il expulsait alors se mêlaient au sperme cyclopéen qu'il projetait en l'air tels des feux d'artifice, les mucus et le sang conjoignaient en de critiques alliances où plaisirs et douleurs n'étaient qu'un ouélélé. À force de surexcitations malsaines, son membre devint phénoménal et se divisa comme une langue de serpent, puis comme une hydre-deux-têtes qui pénétrait les corps par le haut et le bas, et se déchaînait profond en nœuds vibrants et tressaillements. Dans ces amours de nuits honteuses, il devenait bestial, aveugle, cavalcadait dans les anatomies avec un débraillé de mammouth dans une boue. Il vécut dans des poils fourragés aux extrêmes, disparaissait presque entier dans des vagins traumatisés, transformait des sphincters en soleils offusqués. Il restait encollé à des ventres par les sucres du désir, suçait des dents, mordait des amygdales, dévastait les seins ensorcelés sous des succions pharaoniques et des morsures de Léviathan ; enfin, il s'en allait au lever du soleil avec la gueule mousseuse de la pituite des folies sales. Sa victime se réveillait avec le corps tout bleu, les entrailles à l'envers et une fatigue de trente-trois siècles qui lui nouait les vertèbres en diminuant sa taille d'au moins quatre centimètres. Tout cela avait fini par avachir l'âme de ce spectre égaré. Sa joie congénitale et son rire ingénu n'étaient pas plus habités d'innocence qu'un aboiement de chien. Mais il ne s'en doutait pas encore.

Son malheur fut de vouloir retrouver celle qui l'avait si raidement bouleversé.

Une nuit, le voici qui pénètre dans la chambre de Sarah. Le voici s'approchant de son lit avec son corps de coqueur invisible. Et le voici se penchant au-dessus d'elle. Et le voici tombant sur l'aura de sa bonté et de sa gentillesse, de sa pureté céleste et de son innocence. Le pire c'est qu'Anaïs-Alicia, encore bébé et lovée dans ses bras, multipliait ces effets-là à des degrés cosmiques. Et c'est là que la Bonne eut du mal à expliquer quelque chose de finalement très simple : *le spectre avili rencontra la pureté* et se vit là-dedans comme dans un miroir du Jugement dernier. Il perçut d'un coup la bête immonde qu'il était devenu, une monstruosité dont il prit conscience dans une calotte de foudre, et qui l'anéantit dans la pire des détresses, celle qui naît dans l'absurde, hors des valeurs terrestres et sans un idéal. Il était revenu s'échouer dessous le fromager comme l'albatros tombé des nuées, confit dans un sel de souffrance. Sarah elle-même, avertie de ce drame on ne sait trop comment, était venue le retrouver. Elle s'était assise auprès de lui, avait écouté l'effroyable confession de ses frasques nocturnes, et à chaque fois elle avait su lui désigner une graine de beauté, une maille de douceur, une crasse de sentiment qui surnageait de-ci de-là dans ses fornications. Et lui, petit-petit, reprit le goût de vivre. Il chercha en lui-même un semblant de pureté. On ne sait pas s'il découvrit grand-chose, mais il dut à coup sûr essayer d'en trouver chez Sarah, car la bienfaisante se retrouva enceinte. Son ventre devint dur, puis il devint carré avec des angles apparents très aigus. Enfin, il s'arrondit autour d'un œuf préhistorique. On suppose que ce fut elle qui voulut de cet enfant, espérant sans doute que cette mansuétude restituerait au spectre-personne son innocence perdue. Mais là encore, le ventre de Sarah devint une torture pour l'étrange géniteur. Il se sentait enfermé en dedans, avalé, pénétré par des flots de douceur inconnus des usages. Il disparut donc par on ne sait quel coin, mais en emportant avec lui une part du ventre de Sarah. Un jour, elle se réveilla non pas avec la boule qui distendait son ventre, mais un creux, un renfoncement de l'abdomen, à croire que ses fressures s'étaient vues arrachées par une main géante. Elle demeura avec ce creux sous la poitrine, hanté par des gaz de souvenirs dans des ovaires déménagés. Ce creux était effrayant mais la beauté-douceur de Sarah, et les gaules flottantes qu'elle portait désormais (voilages qu'elle couturait elle-même avec des fils d'argent) et qui l'habillaient de ces souffles vivants dont parle Saint-John Perse, dissimulaient cette épouvante. Le creux finit par disparaître à force d'être oublié.

L'ultime amour de Sarah fut ce charpentier que Déborah-Nicol Timoléon avait haï d'emblée. Il était arrivé au lendemain d'une pluie enragée, alors que personne ne l'avait appelé. La maison avait coulé toute la nuit. L'on avait dû distribuer des seaux pour cueillir les rivières qui filtraient du grenier. Au petit jour, alors que Déborah-Nicol s'en allait marchander un couvreur, le charpentier était arrivé avec son matériel dans un sac de cuir mou. Il offrit ses services avec tant de candeur que Déborah-Nicol n'y trouva rien de bizarre. Elle se dit qu'il était bien tombé (sans savoir d'où) et le laissa s'installer au grenier où il passa trois jours à réparer on ne sait quoi. Bien entendu, en moins de quelques heures, Sarah rejoignit le grenier :

elle l'avait senti arriver ou l'avait entr'aperçu dans ses miroirs de folle. Et là encore, il s'était passé des choses qui firent que le ventre de Sarah fut de nouveau garni. Mais cette fois l'affaire avait dû être malsaine : cette énième grossesse se développa en un troupeau de cabris dans le mystère de sa matrice, et finalement lui déchouka sa vie. Ce charpentier devait être un démon de basse catégorie. Déborah-Nicol essaya d'y penser quand Sarah s'était mise à souffrir; elle tenta de revoir ses manières, les traits de son visage, elle voulut se souvenir de ses mains, de ses ongles, de la forme de son dos, ou d'autres signes d'une origine pas bonne... *Hak!* Aucune claire souvenance. Le bougre s'était maintenu devant elle plus visible-invisible qu'un soupir de moustique. Elle avait voulu se rappeler les bruits de son travail dans l'ombre du grenier. Là encore, sa mémoire lui avait joué des tours : ce qui lui revenait à l'esprit ce n'étaient pas des bruits de marteau, d'égoïne ou de clous redressés, c'étaient des chuchotis de complot dans une mare, avec glouglou baveux et clapotements de boue. Celui-là n'avait pas emporté le ventre de Sarah, mais Sarah tout entière, il avait éteint sa flamme vitale sans une once de pitié. Nonobstant cette malédiction, Man L'Oubliée avait trouvé moyen pour que Sarah s'en aille tout de même bienheureuse.

> Sa jeunesse avait baigné en féerie, c'est pourquoi son regard distinguait les laideurs...
>
> « Notre morceau de fer ».
> *Cantilènes d'Isomène Calypso,*
> conteur à voix pas claire de la commune de Saint-Joseph.

Anaïs-Alicia n'avait pas semblé comprendre que sa mère était morte. Elle avait embrassé le cadavre exposé, suivi le cercueil dans le rituel de l'enterrement, mais sans une larme. Rien n'avait changé en elle, ni la douceur de son visage, ni le calme féerique de ses yeux, ni ce corps tranquille qui semblait ondoyer sur cette terre. Déborah-Nicol Timoléon l'avait habillée de tuf noir, et de voilettes brodées qui lui couvraient les cheveux et brouillaient son visage. Dans cet accoutrement de douleur, mains jointes, elle semblait une orante africaine, enveloppée de toiles, et qui déambulerait comme une doña de ville. Le noir du deuil se transformait sur elle en habit de splendeur qui propageait à chaque onde de son corps toute la douceur et la tendresse d'une âme humaine. Très naturelle, presque rassérénée, elle — qui fut tant inquiète durant les affres de l'accouchement fatal — était la mieux portante du cortège funéraire. Le cercueil de Sarah était léger-léger. Les croque-morts doutaient de transporter quelque chose dans cette boîte. Ils tâtaient le cercueil pour se persuader qu'il n'était pas en papier cartonné. Ils le secouaient, discrets, pour savoir si quèquechose remuait à l'intérieur, et comme rien ne bougeait cela les projetait dans des sueurs et des gênes : ils eurent du mal à marcher droit, du mal à grimper les marches de l'église, du mal à longer les travées vers l'autel ; ils fixaient le cercueil pour se convaincre que leurs mains étaient pleines, et marmottaient des prières de sauvegarde. Durant la cérémonie, alors que le prêtre chevrotait ses obscures homélies, Déborah-Nicol dut être la première à voir entrer des oiseaux pleins de couleurs, et des papillons vifs comme des étincelles, et de graves libellules. L'autel fut envahi de chats, de chiens et de mangoustes, une faune qui divaguait désemparée, et qui, se rencontrant hasard après hasard, forniquait sans respect des espèces, d'une manière pitoyable. Papillons et libellules menaient des danses piteuses. Des abeilles solitaires vovonnaient des navrances. Quand le prêtre s'en aperçut — un Berrichon simplet, pas très sophistiqué — il s'écria *C'est quoi cette chiée de bordel ?!* Puis, voulant sauver la liturgie, il poursuivit son homélie mortuaire dans la frénésie des insectes lamentables et des bêtes démentes. Déborah-Nicol vit par contre un léger sourire sur les lèvres d'Anaïs-Alicia, non qu'elle admette la farce de ces pauvres bestioles, mais elle les observait comme on contemple des feux de vie qui conjurent la mort. L'agonisant eut souvenir que Déborah-Nicol (qui zyeutait sans arrêt Anaïs-Alicia) fut surprise de sa transformation. Sarah était encore plus présente auprès d'elle, elle semblait habiter sa bonté, sa bienveillance et sa douceur. La jeune fille fut désormais empreinte d'une double bonté, double douceur, double bienveillance, double toute qualité, qui la multipliaient sous les voilettes noires. Durant la liturgie, et jusqu'au scellement du caveau, Anaïs-Alicia eut d'infimes mouvements du chef qui laissaient à penser que Sarah marchait à côté d'elle, et lui causait tout le temps.

Le jeune bougre avait eu le loisir de constater ce que Déborah-Nicol lui avait raconté. Quand il croisait Anaïs-Alicia dans l'escalier, dans la salle à manger ou un couloir de la maison (elle qui souvent ne semblait pas le voir), il sut qu'elle distinguait quelqu'un dans les miroirs. Cela ne pouvait être que Sarah. Le plus troublant, c'est qu'elle avait des gestes qui n'étaient pas les siens, à croire qu'un autre esprit utilisait son corps. Ce que Déborah-Nicol lui avait dit de Sarah lui permit de reconnaître sa gestuelle dans les gestes de sa fille, à moins que cette dernière ne se soit mise à l'imiter d'une manière troublante. Il sut quand elle s'asseyait comme Sarah sur le bassin de la cour. Il sut quand elle se coiffait comme elle aux approches du soir, ou quand elle stationnait comme elle en longues contemplations devant de vieux miroirs. La différence, c'est qu'Anaïs-Alicia ne sortait pas de la maison. Elle restait plongée dans ses livres de poèmes, se les murmurait tel des mantras d'élévation. Il la rencontrait ainsi, assise dans un coin d'escalier, ou engoncée dans le fauteuil de cuir qui régnait au salon, ou allongée sous la table de la salle à manger à dire un animal qui se cache du soleil. Souvent, elle disparaissait dans les hauteurs de la maison où le jeune bougre ne s'aventurait pas trop. Elle vivait flottante, aérienne dans la plupart des pièces, légère comme

374

miroirs

le voilage qui haletait aux persiennes, délicate comme une grâce agréée sur cette terre.

Pour Déborah-Nicol Timoléon, sa sœur et sa nièce étaient un peu simplettes. Elle les pensait victimes de ces viscosités qui engendrent les mollusques. Ces êtres, ainsi confectionnés, ne pouvaient qu'habiter les nuages à la manière de ces oiseaux qui ne se posent jamais. Pas faits pour vivre, ils sont faits pour longer les vivants, leur camper un décor de leur sacrée douceur, car la vie est une lutte, une violence sans manman, une exigence barbare de déposséder l'autre et de lui enlever la lumière du soleil! C'est pourquoi tous les êtres vivants ont des dents, des crocs, des griffes, des becs, des aiguillons, des rostres, des cornes, des trompes, des mâchoires à gros muscles! Quand on n'a pas ça on est infirme! On est bon pour servir d'os à moelle aux molosses qui actionnent la vieille horloge du monde! Sarah et Anaïs-Alicia sont comme ça, Bibidji, nées sans armes, sans bec sans griffes, elles sont forcées de s'inventer des histoires de zombis auxquelles je fais semblant de croire, contes à dormir debout que j'écoute en soupirant toujours, car je sais qu'ils justifient l'inaptitude à vaincre les contredits de la réalité!... L'agonisant se souvint que le jeune bougre partageait cet avis. Il ne pensait pas qu'Anaïs-Alicia était ababa ou moitié-presque folle, mais il considérait son vent de douceur comme une aberration qui serait bien trop tôt balayée. *Qu'est-ce qu'elle pourrait faire, ô la doudouce, en face d'une diablesse comme l'Yvonnette Cléoste?!...* Son cœur se pétrifiait à cette seule pensée, et il charriait durant quelques minutes un deuil prémonitoire. C'est sur ce sentiment que l'agonisant attardait ses pensées. *Que s'était-il passé-là, dans cette maison, et que m'a apporté cette chère Anaïs-Alicia?* Alors, par les clairvoyances désespérées de l'agonie, le vieil homme discernait mieux la vraie substance de ces moments où il la rencontrait : à chaque fois, il s'était vu secoué par sa vision de la jeune fille ! J'aurais pu me croire plongé d'un coup et en même temps dans les mille-et-une nuits, dans les contes du cher Grimm, de Perrault, d'Andersen, de Wilde, dans les spirales des griots africains et les coulées sans temps des conteurs créoles ! Seigneur, du fond de ma jeune sauvagerie, je constatais le calme prodige d'une douceur d'astres en paix déposée dans des chairs, et animant l'essence d'un être humain, ce n'était pas seulement la douceur elle-même mais l'idée que l'on pouvait s'en faire, et toutes les douceurs désirées, toutes les grâces invoquées, tous les apaisements qui désertaient les nuits de fièvre et que l'esprit recherchait à pleine soif, tout était là, en elle, concentré et total, comme une fantaisie qui vous noyait l'esprit ! Dans ma sauvagerie de petit bougre des bois, elle présentait soudain une répartition tout en courbes et en grâces, un sanctuaire biologique mesuré sur son seul avènement ! Et je voyais, je voyais — aux côtés de la silhouette de sa manman Sarah bien affirmée en elle —, je voyais l'arc-en-ciel d'une tendresse, autre silhouette tremblante de la géométrie parfaite ! C'était tomber dans un dédale de plénitudes dressé en piège irrémédiable au pauvre éclat de ma vision ! *Elle était fragile mais fatale ! Fragile-fatale : elle était fragile-fatale !...* La face du vieil agonisant s'était saisie d'une douceur pas croyable, elle provenait d'un sentiment lointain, d'un arrière-temps de vie serré dans l'obscur de ses chairs, et qui maintenant pouvait l'empreindre jusqu'à redessiner les traits de son visage. Toute la douceur du monde sur cette face burinée par les âges et les guerres. À n'en pas croire mes yeux : Fragile-fatal aussi ce vieux bougre devenu !...

Le jeune bougre s'était porté volontaire pour rendre service dans la maison, nettoyer, passer torchon mouillé, allumer un charbon, déloger d'une cloison des peuplades d'araignées trop à l'aise dans leur corps, mais aussi porter à la jeune fille ses théières d'hibiscus, ses galettes de pollen ou de farine de pluie, nourritures impensables que le jeune bougre contemplait effaré sans jamais y toucher. Il frappait à la porte de sa chambre comme on frappe à un confessionnal. Car, debout devant elle, il sentait son regard entrer en lui facile, happer son âme, s'infiltrer au fondoc de ses pensées secrètes, baigner de douceur lumineuse son intime de jeune bougre écorché. Il avait le sentiment d'être soudain exposé à la plus totale des investigations. Accepter de paraître devant elle relevait de l'exhibition masochiste ou de l'indécence folle mais il ne pouvait s'empêcher d'y aller. Sans doute parce que au fil du mois il n'avait pas le sentiment qu'elle jugeait quoi que ce soit. Elle pénétrait son âme non pour saisir, juger ou soupeser, mais pour y répandre ses aubes de douceurs, son donné sans limites qui la laissait impassible et sereine, hors d'atteinte de ce qu'elle pouvait voir. Et le plus étrange, c'est que ce regard ne provenait pas de l'extérieur. À bien y réfléchir, l'agonisant se dit qu'il naissait en lui-même, s'élargissait jusqu'à rejoindre Anaïs-Alicia et offrir tout son être à ses yeux ! *En fait, la voir déclenchait un dévoilement de sa présence en moi depuis la nuit des temps !* Anaïs-Alicia l'accueillait toujours avec une gentillesse cosmique, il lui déposait son manger, et s'en allait très vite, car il n'osait pas encore lui tenir compagnie. D'abord, parce qu'il lui était difficile d'être là sans disposer du moindre recoin intime, mais surtout parce qu'il n'osait pas lui parler, asphyxié qu'il était par sa beauté et ces flots de douceur qui nimbaient sa personne. Elle aurait sans doute accepté qu'il demeure dans la chambre (avec le même naturel qu'elle acceptait qu'il s'en aille tout de suite), mais elle ne lui avait jamais rien proposé. Le jeune bougre avait sans doute espéré cette sollicitation, mais l'agonisant qui voyait clair savait maintenant qu'elle n'était pas de mise : *Ces êtres-là, les-amis, ne demandent rien, n'exigent rien, ils vivent et s'offrent à vous comme des dons du bondieu ! Ils sont donnés sans demander... !*

Anaïs-Alicia ne demandait rien mais on avait envie de tout lui donner. Il fallait toujours la faire appeler six ou sept fois pour qu'elle vienne déjeuner ou dîner. Le jeune bougre la pensait capable de demeurer trois-quatre jours de suite sans boire et sans manger, mais une fois (alors qu'il se trouvait au fond du jardin de derrière à rassembler des bouteilles pour la Bonne) il la vit, penchée à la fenêtre, recevoir de temps en temps de petites graines — graines roses et noires que des cicis lui apportaient. Les oiseaux ne se posaient même pas, ils voletaient à hauteur de ses yeux; elle prenait leur offrande en relevant le front et en pointant la langue vers cette curieuse hostie. Il la vit aussi, un jour de pluie, tendre les mains en coupelle, recueillir l'eau du ciel, la porter à ses lèvres avec autant de solennité que si elle avalait un présent de l'orage. Mais elle ne semblait solliciter ni les oiseaux ni les humains pour quoi que ce soit la concernant, elle était plutôt soucieuse qu'autour d'elle tout aille bien, elle vous regardait l'âme afin de repérer la moindre graine de tristesse, le moindre découragement, le moindre germe de cette fatigue qui mène aux fièvres-mélancolies — et elle cicatrisait ces blessures surgissantes avec ses palmes de douceur. Le jeune bougre sortait de la chambre comme apaisé, ou rentrait du jardin dans une plénitude inexplicable qui le rendait joyeux, puis le manque revenait avec la force d'une houle cyclonique, et, plus souffrant qu'un crapaud dans une bassine de sel, il entrait en languir dans l'attente de remonter la voir.

Quand le jeune bougre lui portait son thé, il était accueilli par la nébuleuse de douceur clairvoyante, et il s'en allait dans une brume d'ouate fine ou de soie du Japon. Elle imprégnait ses vêtements, se plaquait à sa peau comme une humidité, et l'emplissait d'une ineffable langueur. La douceur lui demeurait dessus, accrochée en parfum ou en une rosée tiède qui refusait de sécher, et il passait la journée avec ça, heureux de ce qu'elle lui avait donné. Déborah-Nicol percevait cette douceur qui lui baignait le corps. Elle s'écriait qu'il finirait ses jours dans un service de charité, à enlever des chiques à de vieux nègres sans dents, ou à déambuler dans la boue des quartiers, menant des quêtes évangéliques pour les tuberculeux ! Qu'infecté par ce vice de douceur, on le verrait en toute béatitude tendre une joue imbécile aux canons des mitrailles et aux bottes cloutées ! Elle l'exhortait à redoubler de conscience, aiguiser sa vigilance comme une arme, ne pas laisser troubler la clarté de ses yeux, connaître les choses et les fondements du monde avec l'aigu sans concession d'une arête de gros sel, sinon tu seras en-chien, tu deviendras une brebis d'abattoir, un cabri de sacrifice pour les prêtres koulis !... Pour lutter contre cette infection et lui secouer l'esprit, Déborah-Nicol prit l'habitude d'imposer des travaux, des livres à lire, des fiches à rédiger, des recherches à mener dans la bibliothèque. Elle ne lui laissait plus une maille de répit. Elle l'accablait d'exercices en voulant dissiper la sédative douceur qu'Anaïs-Alicia lui transmettait chaque jour et dans laquelle il se vautrait comme un vieux cochon-planche. Ces travaux forcés l'ennuyaient. Ils le précipitaient dans l'univers guerrier de Déborah-Nicol, dans le champ des forces qui tiraillaient son décryptage du monde, il respirait misères par les mathématiques, éprouvait des blessures par les chapitres d'histoire, mourait de faim par les géographies. Elle lui expliquait à sa manière Marx et Engels, et l'obligeait à s'asseoir pour entendre ses diatribes solitaires contre Nietzsche, Platon, saint Augustin, Montaigne, Descartes et ce fol de Voltaire. Le savoir que lui transmettait Déborah-Nicol Timoléon était comme une matière qu'il pouvait sentir, boire, humer, avaler, goûter, qui était chaude ou froide, brûlante ou tiède, glaciale comme la mort ou hasardeuse comme le vivant. Les livres lui devenaient des ports imprévisibles pour aventures extrêmes, les encyclopédies l'expédiaient en rétiaire dans l'arène du monde où l'attendaient des lions, des fauves, des affreux, des barbouzes, des mercenaires, des flics, des légionnaires, des paras, des généraux, des tueurs aveugles et des colonialistes dont la conscience n'était qu'une tache de sang. Il se penchait avec elle au-dessus d'une mappemonde qui devenait folle entre ses doigts furieux. Tandis qu'elle éructait on ne savait trop quoi, le jeune bougre voyait le malheureux globe rapetisser sous sa colère, se laisser animer par sa science, et se soumettre en grinçant aux volontés de ses doigts boudinés. Le jeune bougre se retrouva avec tant d'exercices à rendre du jour au lendemain, qu'il ne pouvait plus les effectuer dans les ajoupas d'Anne-Clémire L'Oubliée. Certaines nuits, remonter dans les bois devenant impossible, il restait à travailler dans la maison Timoléon. Il en informait Man L'Oubliée qui l'attendait devant la porte, et celle-ci acquiesçait sans un mot, et s'en allait aussi paisible qu'en toutes époques de l'existence. Le temps passa ainsi, il rejoignit rarement Man L'Oubliée, et celle-ci ne vint plus le chercher.

Il pensait que les dieux avaient créé l'Occident pour susciter dans tous les coins du monde des résistants et des guerriers...

« Notre morceau de fer ».
Cantilènes d'Isomène Calypso,
conteur à voix pas claire de la commune de Saint-Joseph.

Chaque nuit, après le dîner, la Bonne (encore plus grimaçante au fur et à mesure de la tombée du jour) se réfugiait dans un cagibi du côté de la cuisine. Elle fermait la porte à double tour, comme si, du moment que les ombres possédaient la maison, cette dernière était livrée à des zombis de toutes natures. Et — comme Déborah-Nicol lui avait enflammé le mental en l'initiant à la merveille de quelques autres contrées — elle avait tendance à croire que les zombis-pays obtenaient des renforts auprès d'elfes-satyres, de farfadets-crapauds à salive corrompue, lutins-cyclopes à pupilles de méduse, nains-fous fils de madame Hubert,

380

fantômes-nègres-marrons à tête de manicou, spectres-à-main-noire amateurs de sang frit... et autres calamités pas vraiment fréquentables. Elle n'eut jamais confirmation de ce lot de chimères, car dès la mort de Sarah elle ne vit jamais rien, ni n'entendit le moindre gémissement, mais sa peau graisseuse entrait en chair de poule chaque fois qu'un des miroirs reflétait son image. Plus d'une fois, et mine de rien, elle les avait couverts de crêpes, de mouchoirs, de rideaux, de nappes et de serviettes, sous prétexte de leur épargner un envol de poussières. Anaïs-Alicia émergeait de sa chambre comme un vaisseau de grâce, et les enlevait un à un, avec une gentillesse et un sourire tellement charmants que la grimaceuse s'émerveillait de la voir, l'aidait même à défaire les caches des miroirs, et retrouvait ses boules d'angoisse intactes dès que la doulce jeune fille avait tourné le dos.

Déborah-Nicol Timoléon dînait avec eux, puis elle se réfugiait auprès de ses livres et de ses colères contre le sens du monde. On l'entendait invectiver on ne sait quel colonialiste, lire à haute voix les articles qu'elle expédiait à la presse communiste, puis on ne l'entendait plus. Sans quitter son bureau, elle devait prendre sommeil dans une bible marxiste ou l'un des *Poèmes barbares* de Leconte de Lisle qui lui résonnait jusqu'au profond du crâne avec une perfection martiale. Anaïs-Alicia dînait en silence, les yeux flottant de temps à autre vers les miroirs de la salle, c'était un regard trouble, profond, perdu dans les ondulations d'une herbe de grande savane. De grands espaces s'ouvraient sans doute pour elle à hauteur des persiennes ou dans l'ombre de l'horloge tictaquante; et quand ses yeux retrouvaient un miroir, sa vision devenait un regard plus précis, activé sur un invisible très proche, et qui en mille manières devait faire partie d'elle. Elle n'était pas rêveuse ou absente, elle était bien là, dans le dîner, attentive à chacun, présente avec des attentions, un peu de

381

miroirs

sauce, une fourchette, un bout de pain, elle se levait au moindre désir et prévenait la moindre envie, elle écoutait intense la moindre parole qui se disait. La Bonne tournait autour de la table en zieutant Anaïs-Alicia comme une icône de Vierge Marie. Elle lui servait ses plats particuliers, bourrés de pollens et de pétales de fleurs, qui enrobaient la table d'un souffle de floralies. Souvent, Déborah-Nicol transformait le dîner en une répétition des savoirs. Elle ne posait pas de questions directes mais lançait des conversations qui forçaient à naviguer dans l'histoire, la géographie, les langues, la sociologie, la philosophie, la littérature, les sciences exactes, et autres flamboyances du savoir des humains. Quand elle s'en prenait au jeune bougre, l'affaire était bien lamentable, il bafouillait, pataugeait dans l'approximation, errait dans des remarques fuyantes ou vaporeuses, puis réfugiait ses ignorances dans une lampée consciencieuse de sa soupe. Il était d'autant plus atterré qu'avec Anaïs-Alicia ces répétitions devenaient des merveilles érudites qui fulguraient dans toutes les tables de la connaissance. La doulce jeune fille semblait tout savoir. Ce n'était pas une mémoire simplement exercée mais une sapience consubstantielle à sa douceur elle-même, une extension de ce qu'elle était. Elle pouvait lister toutes les langues effacées, les civilisations écrasées, les peuples disparus ou en passe de l'être. Elle pouvait parler de la pluie, des arbres ou des oiseaux, avec des approches scientifiques et des envolées d'une série de poèmes. Elle savait ce que Déborah voulait qu'elle sache, mais elle allait plus loin en y ajoutant sa teinte particulière : miséricorde et compassion, douceur et optimisme, lyrisme et poésie. Parfois Déborah-Nicol lui faisait raconter l'arrivée de Cortés, ou le premier massacre des Caraïbes par les bombardes du Français d'Esnambuc, elle les évoquait de sa voix séraphique, puis rappelait les hécatombes de la variole chez les Aztèques et les Mayas, ou décrivait une fois encore avec des mots toujours de grande douceur les bateaux négriers qui troublaient l'Atlantique, chargés de chairs souffrantes, citait les titres angéliques dont les évêques les gratifiaient, précisait leur tonnage, détaillait leurs membres d'équipage, listait les noms des bonnes familles de Nantes ou de Bordeaux qui fêtaient leur retour, épelait les chiffres effrayants de ces siècles de voyages. Mais l'évocation de ces horreurs n'entamait pas la douceur subliminale de la jeune fille, et ce qu'elle exposait prenait l'éclat d'un héroïsme dans le tumulte des ombres humaines. Elle rabâchait ces chutes de la conscience des hommes mais les joignait toujours à ses très beaux sursauts, et chaque crime, chaque assassinat, chaque spoliation, chaque fer, chaque croix dominatrice, augmentait son infinie douceur et décuplait sa gentillesse envers le genre humain. À la fin du dîner, après le riz-au-lait, elle embrassait Déborah-Nicol, embrassait le jeune bougre aussi — *ses lèvres sur ma joue étaient comme l'effleurement d'un pur vertige stellaire* [1]... — et elle flottait dans l'escalier pour rejoindre sa chambre. C'était une lumière qui les abandonnait. Sa douceur n'était pas mélancolique, elle était vibrionnante de vie sans pièce extravagance, une force patiente, versée horizontale, enveloppante comme une fatalité. La pièce, malgré les lampes, les miroirs et les reflets de porcelaine, devenait terne à son départ, et même l'énergie guerrière de Déborah-Nicol perdait de sa vigueur. Celle-ci se renfrognait dans ses rognures de riz-au-lait, et, oubliant le jeune bougre, se mettait à marmonner contre le colonialisme, seule nourriture capable de la maintenir en vie. Ensuite, elle s'enfermait dans la bibliothèque pour écrire plein de choses sur un lot de cahiers, rédigeait un courrier incalculable à des compagnies marchandes, des trusts internationaux, les organismes d'exploitation des minerais du tiers-monde, elle injuriait à mort leur président et chaque membre de

1. Balthazar Bodule-Jules : *Premières amours et autres dégâts*, in *Antilla Madame*, 1997.

leur conseil d'administration, et le reste de la nuit, entre deux cauchemars, elle menait d'imaginaires révolutions à la manière de l'antique Débora sur les routes d'Israël.

Le jeune bougre s'était trouvé un coin dans la salle. Il y installait quelques hardes et s'allongeait pour terminer la nuit. Et c'est sur la table de la salle à manger, en pleine nuit, ses répertoires et ses livres déployés devant lui, qu'il demeurait aigri à ruminer des amertumes. Aigri devant ses cahiers, pensant à Anaïs-Alicia, au dernier effleurement de ses lèvres, à un reste d'intonation de sa voix, offert aux rêveries que lui communiquait son incalculable douceur. Il s'endormait devant les exercices qu'il refusait de faire, ou que le plus souvent il ne comprenait pas. Certains soirs, il voyait passer Anaïs-Alicia dans la lueur de la lampe à pétrole, ou la voyait se refléter dans presque tous les miroirs à la fois. Elle descendait à la cuisine se boire sa friandise d'hibiscus, arrosée d'une pointe de miel d'acacia, et remontait en lui adressant juste un sourire de douceur sans limites. Le sommeil enrobait la jeune fille d'une aura irréelle; mêlés à l'ancienne image de sa manman Sarah, ses traits étaient un peu troublés; sa perpétuelle douceur s'étalait dans ses chairs comme une brume endormie depuis la nuit des temps, et qui rêverait encore. L'agonisant retrouva en lui l'émotion du jeune bougre, une houle profonde qui lui nouait l'estomac et consommait son oxygène. Et cette apparition l'enivrait comme un lapia, et l'éloignait des exercices qu'il bâclait plus ou moins. Il aurait voulu la suivre dans la chambre, s'allonger auprès d'elle, et rester pétrifié de bonheur toute la nuit en écoutant son souffle, et en reniflant les parfums du sommeil de sa peau. C'était une vraie souffrance qui le maintenait dans une veille hallucinée, et devait se répandre comme des effluves d'oranges amères dans toute la maison.

384

Lors d'une de ces nuits, Anaïs-Alicia vint le trouver. Elle avait perçu les effluves citron-orange de sa souffrance, et, comme elle prenait en charge tous les malheurs du monde, cette misère l'avait attirée. La première fois, elle était venue en soupirant, avait pris son cahier sans un mot (et son geste était si doux que rien n'aurait pu s'y opposer), et lui avait rédigé avec soin les solutions du problème qui attisait son insomnie. Ensuite, elle lui avait redonné le cahier. L'agonisant revoyait la scène avec une acuité douloureuse qui l'obligeait à plisser les paupières. Ce cahier qui revenait vers lui n'était pas une restitution ou un don de quoi que ce soit, ce geste était enrobé d'une telle aura de bienveillance qu'il semblait un geste de remerciement ou de gratitude pour il ne savait quoi. Elle lui accordait une offrande et, en même temps, le remerciait de cette offrande qu'elle lui faisait. En d'autres nuits, avec sa voix de petite flûte des vents, et une patience à toute épreuve, elle lui avait expliqué deux-trois choses, et ses explications s'imposaient au jeune bougre en évidence ahurissante. Elle ne lui enseignait rien, ne lui apprenait rien, mais lui parlait au naturel dans une saison de douceur, et cette douceur éparpillait toutes les défenses de son esprit, et cette douceur lui dévoilait des connaissances en lui donnant le sentiment qu'il les savait déjà. Tout se simplifiait par cette douceur inépuisable, tout était simple, et l'agonisant comprit que c'était cette douceur qui livrait ces exercices à la jeune fille avec autant de facilité, et lui permettait de les faire comprendre avec autant d'aisance. *Déborah avait tort*, se dit enfin l'agonisant, *ce n'était pas une faiblesse, c'était sa force!...*

J'ai toujours dit *douceur* car je n'ai jamais trouvé en mon jeune âge d'autres mots pour désigner ce que c'était! C'était une impression, c'était un sentiment, c'était un ordre ou un senti majeur! Ça s'imposait à votre regard! Cela vous empoignait l'esprit d'une totale évidence : *douceur!...* M. Balthazar Bodule-Jules allait la rencontrer en

385

mille circonstances de ses drives guerrières, des lieux terribles où l'image de la jeune fille venait offrir à son esprit un apaisement soudain. C'était comme si la douceur identifiée chez elle s'était faite générique pour l'exercer à reconnaître ses manifestations les plus subtiles : dans le fragile d'une fleur, la courbe tendre d'une poterie, dans la sérénité d'un bas-relief indien, sur la pierre d'un stupa. Il put la retrouver dans des calligraphies chinoises où la nervosité s'alliait à la souplesse et à la force pour atteindre à la simple douceur ! Il avait retrouvé cette douceur dans les statuaires du vieux peuple Nok d'Afrique, et dans certains tissus anciens de la cour de Kyoto, au Japon. Il l'avait vue, infinie dans les représentations du Christ rencontrées tout-partout à chaque grand port du monde. Il l'avait devinée dans les images de saints, les visages d'hommes de paix, de chamans, de griots, ou chez ces cénobites avaleurs de scorpions, qui ne sachant sourire pouvaient quand même vous submerger de bienveillance ! Il l'avait vue chez des guerriers zoulous, chez les moudjahidin, les compagnons du Che, les Black Panthers..., chez tous ses frères en résistance plus terribles que des fauves ! Il se souvint de cette perception ineffable qui fit presque surgir la suave jeune fille à ses côtés, dans les hautes terres du Canada, alors qu'il avait pris conscience (en pleine exaltation) de l'extrême douceur de l'*Indian Summer*. Certains crépuscules, nimbés de rouge et de jaune, se déployaient dans un obscur tellement songeur qu'il lui avait semblé la voir, oui elle, Anaïs-Alicia, éthérée dans les reflets de la baie d'Along ou au-dessus d'une brume de rizière, ou encore dans le delta magnifique du fleuve Rouge, parmi les huttes entourées de maïs, de cochons libres et de pavot. Elle lui était venue alors qu'il somnolait dans des jonques infâmes en s'efforçant de griller au cigare des sangsues affolées par son sang; ou alors qu'il fiévrotait dans un trou d'eau fétide serré sous une toile boueuse pour déjouer les photos des avions Bearcats. En ces terres

du Viet Nam, cela lui arriva souvent car l'atmosphère bouddhiste mêlée au taoïsme engendrait chez les gens une douceur des pensées, des gestes et des manières, amplifiée par l'idée qu'une seule posture vertueuse pouvait ouvrir au salut éternel. Et lorsqu'en ses heures de vieillesse il retrouva un certain goût des livres, et qu'il s'attarda dans les textes de Verlaine, là encore la jeune fille surgissait : elle tremblait dans la musique des vers, dans leur simplicité, se faisait belle avec leur légèreté, leur lente mélancolie, ou leur sensualité voilée comme un parfum qui se retient. Et puis il y eut ce vers de Saint-John Perse, qui fatalement le ramenait vers elle : *Et celle à qui je pense entre toutes les femmes de ma race, du fond de son grand âge lève à Dieu sa face de douceur...* Aujourd'hui, j'abandonnerais le mot *douceur* pour dire *énergie claire*, c'est ce terme qui me vient, et qui me semble juste, car la douceur — ou l'énergie claire — associée à l'amour s'élargit en tendresse,
alliée à la beauté elle génère la grâce,
unie aux tristesses elle donne mélancolie,
combinée à la force elle offre la bonté,
assortie aux violences elle engendre la cruauté,
mêlée à la miséricorde elle s'ouvre en bienveillance,
mise dans la charité elle dispense la compassion,
mariée au merveilleux elle prodigue le sublime...,
et elle est infinie car je pourrais la mélanger comme cela toute la nuit [1] ! Donc, Anaïs-Alicia était pleine de cette *énergie claire* qui régente l'alchimie des émotions et des puissances humaines ! Mais je dis encore *douceur*, c'est vrai, car le mot conserve ses vibrations bien accordées sur elle, ce mot lui appartient, comme cette douceur qui ne flotte impériale que dans les sons matures des hautbois et des violons tranquilles [2] !

1. *Adresses aux jeunes drogués de Saint-Joseph.* Déjà cité.
2. *Premières amours et autres dégâts.* Déjà cité.

Mais, au fil des nuits, en face d'Anaïs-Alicia, le jeune bougre se sentit lourd, épais, analphabète, une monstruosité confrontée à la grâce, un débile côtoyant une sapience sans limites, et, pour ne rien arranger, il la regardait avec des yeux de poisson frit sans sel. Déborah-Nicol Timoléon recevait ses devoirs, les corrigeait avec sa rapidité effrayante, et les lui redonnait sans un mot, avec une belle note, mais en lui jetant juste un œil inquisiteur, comme une question muette auréolée de l'arrière-ombre d'un doute. Le jeune bougre ne supporta plus qu'Anaïs-Alicia lui explique quoi que ce soit ou lui fasse ses devoirs. Il était heureux qu'elle vienne à ses côtés, et qu'elle y demeure tandis que la nuit coulait exsangue vers l'aube aux doigts de rose. Il adorait qu'elle soit là et, pour ne pas se soumettre aux fastes de son savoir (qui final l'écrasait nonobstant ses douceurs), il se mit au travail.

Il lut plus que d'habitude. Il réfléchit jour et nuit. Il dévora les journaux entassés dans les coins de la bibliothèque. Il écouta Déborah-Nicol avec plus d'attention, lui demandait de répéter, se faisait expliquer sans fin certaines calamités humaines qui renvoyaient à mille zones du savoir. Il devint une éponge avide, agressive, qui entendait voyait écoutait disséquait examinait reprenait organisait listait et répétait mille fois ce que la bibliothèque pouvait lui révéler. Il apprit à relier des connaissances entre elles, à pratiquer d'audacieuses analogies, à rapprocher sous divers angles ce qui n'était pas rapprochable, et à faire preuve de hardiesse pour structurer des cohérences d'ensemble entre toutes les disciplines. Bientôt, il se mit à surprendre Déborah-Nicol. Elle se taisait pour l'écouter quand il comparait la furie agressive des colonialistes occidentaux à la vitalité meurtrière de certains protozoaires marins ; ou qu'il resituait les négriers ou les conquistadores dans les équilibres impitoyables d'un vaste écosystème. Elle fut encore plus silencieuse quand il lui démontra à quel point sa bibliothèque était purement occidentale et qu'elle raisonnait et se battait avec des concepts et des idées émis par la pensée occidentale, et quand il la sentit quelque peu déroutée — bafouillant que l'exercice de pensée était justement, dans ce discours, de penser le non-dit de manière autonome — il lui lança (presque par miséricorde) qu'il existait sans doute en Occident une face de lumière. Quand arrivait la nuit, et qu'Anaïs-Alicia se matérialisait à ses côtés, sur la table de la salle à manger, il devint de plus en plus partenaire de sa science. Il interrompit sa douce parole pour se mettre à pérorer comme un vieux maître d'école accusant une névrose sous le choc du savoir. Lui qui n'avait connu que le créole de Man L'Oubliée, et un français lointain entendu dans la bouche des gendarmes à cheval, mit un soin particulier à aiguiser sa maîtrise du beau parler français. Il adopta l'articulation soucieuse de Déborah-Nicol, qui transformait chaque syllabe en une volte sonore. Il adopta son goût pour le vocabulaire, les tournures embellies, il fit de sa parole une illustration maladive de la grammaire et des effets de rhétorique. Devant ce nouveau riche des choses de l'esprit, la doulce jeune fille se tut, et l'écouta avec une intensité qui l'excitait encore et le poussait à disserter sans fin. Il lui montrait différentes solutions pour un même devoir, allait toujours plus loin en des variantes qui n'étaient pas requises, plongeait à fond dans les thèmes proposés jusqu'à en dégager d'autres, rien que pour lui montrer qu'il n'était pas le sauvageon des bois qu'elle devait supposer. *Toute mon énergie était tendue vers cela*, se dit l'agonisant : *pouvoir échanger avec elle, me hisser à son niveau, voyager dans les mêmes zones altières de son esprit !*

Pourtant, quand elle finissait par se soustraire à son délire et partait se coucher, il restait à se morfondre dans sa laine, confondu par ses incertitudes. Rien qu'en plongeant dans le regard d'Anaïs-Alicia, il éprouvait l'irrémédiable sensation de ne rien savoir de la vie et du monde. Sans jamais être sortie de sa chambre, elle semblait avoir voyagé dans des déserts où d'irréelles usines produisent de l'acide sulfurique, exploré des mers de glace où le sel prisonnier hurle comme du cristal. Elle aurait pu avoir partagé la pitance solitaire des pêcheurs de morue, ou vécu dans les plus anciennes sociétés sénoufos, ces doux artistes mangeurs de mil et insoucieux de conquête. Elle aurait pu avoir transporté des tisons enflammés parmi des peuples pygmées dans des forêts touffues, humé brûlants la poussière et les rêves de la conquête de l'Ouest, hanté les bas quartiers de Londres où une tribu de book-makers concoctait d'effroyables combats entre les rats et les chiens. Elle savait tout, avec des détails impossibles, des sensations inattendues qu'on ne pouvait avoir connus par les seules pages d'un livre. Au moindre défi qu'il lui lançait ou à la moindre de ses questions-pièges, Anaïs-Alicia lui transmettait un univers entier, empreint d'une gentillesse irrésistible et sans ostentation, et il sentait qu'elle ne lui accordait-là qu'un extrait de l'immense conte du monde dont elle possédait le début oublié et la fin à venir. Et c'est pourquoi le jeune bougre, stimulé par cette jeune fille étrange, réussit (d'après le dire de M. Balthazar Bodule-Jules) à dépasser le simple choc du savoir qui fait tant de dégâts parmi les nègres d'ici. Il se mit à intérioriser les livres, les journaux, les dictionnaires et les encyclopédies, avec une ferveur méthodique et discrète, et surtout silencieuse, et qui ravit Déborah-Nicol Timoléon. Il développa des procédés mnémotechniques qui lui permettaient de relier de vastes pans de connaissances, d'égrener dix mille dates de différents calendriers et de les mettre en relation féconde. Il apprit à rêver pour mieux comprendre, et à imaginer pour mieux approfondir. Il sut associer les contraires et instituer toutes vérités entre leurs aplombs instables. Il élargit sa mémoire avec des intuitions, et s'exerça à deviner le futur pour comprendre le passé. Exerçant son esprit critique avec autant de parti pris que Déborah-Nicol, il devint plus expert qu'elle dans la mise en doute des récits occidentaux qui expliquaient le monde. Il sut, mieux qu'elle, plonger dans les conceptions des autres peuples — peuples meurtris, vaincus, écrasés, disparus, dominés —, chercher leur vérité, la pierre de leur apport, exalter beaucoup de ce que l'Occident instituait comme barbare, hors de l'Histoire et de la Civilisation. Déborah-Nicol crut qu'il s'éveillait enfin et redoubla d'ardeur pour lui transmettre sa glose guerrière du monde. Il accueillait sa vision comme elle le désirait, mais tout cela s'inversait sitôt qu'il retrouvait Anaïs-Alicia : elle lui révélait le même monde en ses beautés et ses douceurs. Il est donc dit que le jeune bougre vécut de cette manière, durant un temps sans longueur précisée, dans le champ de forces de deux extrêmes contraires : aiguillonné-guerrier par Déborah-Nicol, et apaisé-douceur par l'irréelle Anaïs-Alicia.

La montée de son savoir n'impressionnait pas Anaïs-Alicia. Il ne percevait aucun changement de son attitude envers lui : ni plus d'intérêt ni moins de douceur. Elle le rejoignait auprès de la table juste pour apaiser le douloureux besoin qu'il avait de sa présence. Elle se contentait maintenant de l'assister tandis qu'il rédigeait ses exercices, dissertait sur un thème ; et elle ne contestait jamais ses commentaires. Son opinion n'apparaissait qu'à la demande du jeune bougre, quand il réclamait son avis pour mieux le réfuter, et elle l'exprimait dans sa douceur évangélique, sans un mot plus haut que l'autre, et lui, se sentait terrassé par cette autre vision tout aussi recevable que la sienne, et bien mieux implacable. Il pouvait argumenter durant des heures contre sa représentation angélique du monde, ses accents trop simples sur l'amour, la fraternité ou le don. Elle l'écoutait avec une intensité sereine qui laissait au jeune bougre le sentiment de l'avoir convaincue. Mais, quelque temps après, ou tout de suite, toujours à sa demande, elle lui ré-exposait sa conception quasi christique des choses, avec le même calme, la même sérénité, la même solide confiance déposée en douceur. Pour lui résister, le jeune bougre développa d'orgueilleuses rhétoriques, des sophismes mis en scène dans le grondement théâtral de sa voix qui annonçait déjà celle de M. Balthazar Bodule-Jules. Utilisant l'opinion de Déborah-Nicol, il l'accusait d'être une erreur angélique, une distorsion céleste inapte à soutenir la violence du réel. Il s'affirma ainsi dans la vision guerrière que Déborah-Nicol lui transmettait jour après jour. Il campa dans ses connaissances raidies en armes miraculeuses. Il jurait de les hisser contre les chiens du monde, d'affronter ces derniers sans répit, de mourir sous leur botte ou de les vaincre sans rémission. Cette perspective belliqueuse ne troublait pas Anaïs-Alicia. Elle ne la contestait jamais. Elle lui demandait même des précisions pour mieux comprendre son attitude ou ce qu'il allait faire. En face de son désordre guerrier, elle se contentait d'être elle-même, d'examiner son autre manière d'envisager les choses, et, en contrepartie, d'offrir sans relâche pour elle-même, et pour toute la maison, et pour l'espèce humaine, le déploiement illimité de ses douceurs. Et quand elle s'en allait, sans trop savoir pourquoi, il se sentait vaincu.

> Lui qui avait vu tant de dieux parmi les hommes
> comprit qu'ils étaient le reflet du multiple,
> et ce reflet n'est ni au départ ni à l'arrivée,
> mais dans le cependant du démultiplié ééé.
>
> « Notre morceau de fer ».
> *Cantilènes d'Isomène Calypso*,
> conteur à voix pas claire de la commune de Saint-Joseph.

Le jeune bougre avait l'impression qu'Anaïs-Alicia et Sarah c'était la même personne. Souvent, durant leurs discussions, il se surprit à l'appeler *Sarah*. Il lui arriva même d'utiliser indifféremment *Sarah* ou *Anaïs-Alicia*, sans que la jeune fille ne tressaille ou ne lui fasse une remarque. L'agonisant avait beau repasser cette période dans sa tête, cette impression restait la même. La doulce jeune fille semblait vraiment être deux personnes. Le jeune bougre n'avait pas assez connu Sarah pour être sûr de quoi que ce soit, mais il la sentait là, habitant Anaïs-Alicia dans une symbiose native.

Sarah-Anaïs-Alicia! c'est ce nom qui lui va! songeait-il à présent.

De même, Déborah-Nicol (avec son veston, sa montre de gousset et sa lavallière de soie naturelle) se mouvait à l'aise dans ses deux personnages. Elle lui parlait en homme, et en d'autres fois elle lui causait en femme. Elle passait de l'une à l'autre de ces deux conditions avec une aisance telle que le jeune bougre ne savait plus très bien à quel moment *Nicol* était là, et en quels instants *Déborah* s'exprimait. C'est avec Déborah qu'il se sentait le mieux ; cette personnalité féminine était plus ronde mais énergique, totale, violente : des traits qui s'accordaient bien à la nature impétueuse du jeune bougre. Quand Déborah laissait place à Nicol, surgissait une vivacité policée qui se prolongeait dans un rêche de rocaille. Quand les protestations s'élevaient en raz de marée d'apocalypse prêt à tout balayer, il s'agissait de Déborah. Avec Nicol, tout devenait formel, parole d'instituteur, français fleuri, manières et convenances, fac-similé mulâtre, cadré dans une image académique de la classe bourgeoise; dans cette condition-là, elle effectuait les gestes qu'elle pensait être ceux d'un homme, et sa protestation contre l'ordre du monde n'allait pas aux extrêmes des possibles, mais restait circonscrite par le rôle qu'elle jouait. Le jeune bougre avait voulu ignorer Nicol. Toute sa vie, il n'avait conservé que Déborah dans les pliures de son esprit. Mais l'agonisant, revivant leurs échanges dans cette curieuse bibliothèque, découvrait que les deux personnalités étaient indissociables : Déborah nourrissait Nicol, et Nicol engrangeait

Déborah pour lui donner mesure ; l'un n'était pas plus pauvre que l'autre car ce n'était pas l'un ou l'autre, *bondieu ho ! c'était toujours les deux en même temps, riches l'un de l'autre, à tout moment !*

La Bonne ne connaissait que Nicol Timoléon. Pour elle, Déborah était maître d'école en retraite, *gros-grand-grec, gros-poète*, avec des manières pas comprenables de personne à cerveau. Les visiteurs — marchands, fournisseurs, gens-campagnes ou militants qui venaient consulter l'érudit communiste aux façons un peu rudes — n'avaient d'elle que cette seule perception. C'était *monsieur Nicol* par-ci, *monsieur Nicol* par-là, et nul ne pouvait soupçonner qu'il y avait là une femme. Il aurait fallu pour cela être (comme le jeune bougre) attentif à sa voix dans les envols de ses colères fréquentes : elle atteignait certains extrêmes et changeait de registre dans une cassure brutale. Déborah ne redevenait elle-même que dans le secret de sa bibliothèque, sous les yeux du jeune bougre toujours curieux du phénomène. Monsieur Nicol Timoléon refermait la porte avec un soin maniaque, déboutonnait veston et desserrait cravate, puis s'affalait dans le fauteuil de la bibliothèque comme un ballon qui se dégonfle, et tout son être devenait un embrouillamini qui frissonne, se trouble, hésite, et puis soudain se stabilisait en la personne de Déborah.

Entre Anaïs-Alicia et Déborah, le jeune bougre n'avait perçu que des contraires irrémédiables, deux blocs étanches, antagonistes, qui s'ébrouaient parallèles. Mais l'agonisant y songeait à présent de manière plus nuancée : il y voyait d'un meilleur clair et percevait chez les deux personnalités une même instabilité. C'est dans cette instabilité permanente que Déborah-Nicol Timoléon s'instituait en une personne unique. Et c'est dans cette même instabilité que Sarah-Anaïs-Alicia disposait d'une troublante harmonie. Et malgré leur terrible différence, une étroite parenté les associait ainsi. Avec Sarah-Anaïs-Alicia, il recevait l'aura de mémoires très anciennes, une mystérieuse conscience en résonance dans des tunnels du temps, et qui se prolongeait dans de larges espaces comme des ondes lunaires. Avec Déborah-Nicol Timoléon : plus de soleil ardent et d'incendie outré, une perception constante des moindres misères du monde, une juvénilité qui n'avait peur de rien, et qu'elle exprimait en d'immanentes, d'inépuisables, et très sacrées colères. Ces deux femmes, pourtant très fortes, étaient irrémédiablement incertaines et fluides.

L'agonisant ne put s'empêcher de penser à ces femmes puissantes qu'il avait rencontrées, des prêtresses, des guerrières, des mantes volcaniques, des folles échouées sur leurs propres misères, errantes ou militantes qui se battaient comme des soldats, des femmes tellement musclées qu'elles semblaient des gaillards, et des créatures d'une féminité fatale dont le mental était celui d'un homme. À la réflexion, aucune, nonobstant leur beauté ou leur sensualité, ne correspondait à l'idée traditionnelle qu'il se faisait d'une femme, toutes avaient été plus riches et plus opaques, et à vrai dire tout aussi incertaines et fluides. Mais il lui était difficile de voir clair dans ces femmes à moitié oubliées, il ne les avait pas assez regardées, pas assez soupesées, pas assez estimées, il avait toujours considéré la prise de leur coucoune comme une prise de l'ensemble, et c'est le plus souvent à ce stade qu'il s'était arrêté. Et ces êtres, restés inaccessibles, le contemplaient encore du haut de leur mystère... Pourtant, j'aurais dû être prêt à mieux saisir leur complexité, j'avais eu l'exemple de Man L'Oubliée, et celui de Déborah-Nicol, et j'avais sans doute aimé Anaïs-Alicia comme il n'est plus possible pour un bonhomme d'aimer, j'avais eu d'emblée toutes les chances pour bien comprendre les autres femmes, les aimer et les voir, mais je suis demeuré fermé tel un soudon, comme si cet enseignement originel s'était vu différé jusqu'au jour d'aujourd'hui ! Mais à quoi ça me sert maintenant, en cet âge-crépuscule, de tout élucider, pourquoi tenter de percevoir cela, pourquoi m'obstiner, et quel est l'enjeu de cette compréhension face à cette mort qui vient [1] ?...

(Comme il ne tournait jamais les yeux vers moi, j'en profitais pour l'examiner et ne rien perdre du moindre de ses gestes. De temps à autre, je voyais son visage accuser les interrogations hagardes de ce qui lui arrivait. Il avait cru pouvoir dompter la remontée de ses souvenirs, mais c'était une houle de mémoire qui déboulait en lui. Cette houle violente allait en dispersion. Ce que j'avais noté, et que je pouvais relier aux informations disponibles sur lui, naissait d'un bouillonnement de souvenirs dilapidés, de femmes redécouvertes mêlées à celles qu'il avait oubliées, une fuite hémorragique des sensations de sa vie, et qui semblait le déconstruire. Cette agonie était de mon point de vue une déperdition ; je ne pouvais la régenter, ni même l'ordonner dans le récit de guerres anticolonialistes envisagé d'abord. J'avais cru qu'elle serait au bout de cet écrire, sorte de delta où tout aboutirait. Mais, soumis au maelström des notes que j'en avais rapportées, j'étais forcé d'écrire dans une mouvance polycentrique, disséminée, dispersante, plongée dans un désordre d'évocations multiples. Les digressions occasionnées par le naufrage de son esprit, l'irruption incessante des femmes connues dans ses périples, femmes venues de partout, réelles ou fantasmées, ses découvertes de lui-même et ses émois introspectifs, me déportaient sans cesse. L'agonie n'était plus une fin comme je l'avais imaginé : en focale très instable, elle renvoyait à des avants indéchiffrables, disparates, présents avec force, chacun à son tour ou simultanément, jusqu'à tout envelopper d'un brouillard déroutant. Cela m'était pénible, mais je ne pouvais

1. M. Balthazar Bodule-Jules : « J'ai rencontré des femmes », in *Elle*, 1998.

qu'accepter l'aventure. Écrire avec des incompréhensibles, des hasards, des accidents, des événements et surtout des échecs. Je m'efforçais de le savoir et notai pour moi-même qu'il me fallait inscrire sous chaque silhouette d'une femme retrouvée — sous chaque sourire, chaque visage récupéré dans sa mémoire — toutes celles qui, anonymes sous l'oubli, alimentaient une dernière fois son âme. Prendre le poids des baisers effacés sous un baiser qui reste. Notes d'atelier et quelques affres.)

Une autre conséquence de la présence de Sarah-Anaïs-Alicia fut que le jeune bougre se préoccupa de sa manière de se vêtir. Dans les bois, son apparence n'était pas un souci, mais depuis, obnubilé par la doulce jeune fille, et perturbé par son indifférence, il s'était inquiété de son corps. Il faut dire qu'elle s'habillait de la façon la plus étrange qui soit — étrange mais aussi séduisante. Son visage, sa peau, ses mains et ses ongles étaient d'une luminosité naturelle pas croyable, elle semblait toujours fraîche comme au sortir d'une source d'oxygène ou d'un lait de chamelle ; elle sentait la mandarine et l'eau d'oranger jeune ; au réveil, dans les lumières tendres du bon petit matin, elle irradiait l'aura des mousses de citronnier ou de bois-angélique, et vers midi cette fragrance se stabilisait en un flottement de vétiver et d'amande douce ; quand elle se matérialisait le soir auprès de lui, il percevait des effluences d'alamanda et de datura jaune, légèrement teinté selon le climat (selon qu'il fasse très chaud ou que le vent soit frais) d'une pointée de jasmin... L'agonisant respirait à petits coups rapides, à croire qu'il recherchait les treize senteurs nocturnes qui peuplaient la terrasse. L'assemblée s'était assoupie parmi les relents de marmites. Moi, je m'étais quelque peu redressé : l'agonisant songeait aux parfums de Sarah-Anaïs-Alicia, si souvent évoqués dans ses cirques médiatiques. Ce souvenir rejoignait dans sa tête certaines de ses lectures, et, quand il renonçait à en dire les arômes, il les qualifiait de manière nébuleuse mais aussi suggestive : *tel le parfum troublant de l'amante de Baudelaire, ou le parfum vague des poèmes de Verlaine, ou même les parfums-brousse qui bourdonnent chez Senghor ou le parfum-lumière dont parle Victor Hugo...* Mais ce souvenir le ramenait plus souvent à Baudelaire — Baudelaire avec ses *parfums-verts* dont l'image ouvrait à des champs infinis. Si bien qu'on l'avait entendu poétiser en deux-trois occasions que Sarah-Anaïs-Alicia était moins un être biologique qu'un parfum frais comme une pluie de décembre, moins une créature qu'un parfum chaud de piment rouge, moins une personne qu'un parfum bleu de perdition en mer, moins une femme qu'un parfum mélangé comme la corbeille de fruits d'un vieux temple bouddhiste... Ces parfums n'étaient pas innocents. Pour le jeune bougre, ils reflétaient l'humeur de Sarah-Anaïs-Alicia ; ils variaient selon qu'elle était bienheureuse ou troublée, absente ou pleine d'élan pour tout le genre humain. Certains jours, son parfum purifiait la maison, atteignait les miroirs et les vidait de leurs nuées orageuses : alors, la Bonne se sentait mieux et se mettait à chantonner une biguine-vagabonde. Quelques-uns des parfums la démultipliaient : le jeune bougre, sensible à sa présence, la percevait dans toutes les pièces où ses effluves s'étaient cristallisés avec la densité exacte de sa présence physique. La première fois, il se crut tombé fou, puis se mit à savourer cette escorte odorante, fidèle comme un bon-ange pourvu du don d'ubiquité, en tout lieu, à toute heure, jusque dans son sommeil. Comme à chaque fois qu'il évoquait Sarah-Anaïs-Alicia, l'agonisant se sentit asphyxié par les parfums de ses voyages, relents d'algues et de sel, remugles d'huile et de graisse, touffeurs odorantes des soutes de chalutiers, gaz poisseux de goélettes, de jonques ou de sampans, effluences des fleuves sombres sous de molles vapeurs, encens de temples abandonnés, résines pourries de forêts vierges, peaux de

398

femmes en sueur et catastrophes d'aisselles... Il se souvint de ses armes qu'il parfumait toujours en mêlant à leur graisse une résine quelconque. Il se souvint des parfums de la mort, de ceux de la souffrance, de la douleur ou de la peur; il reçut comme un frisson les parfums de la joie autour d'un feu de camp ou dans la couche d'une Cubaine qui savait chantonner. Il dut comprendre combien l'image de la jeune fille (sans atteindre à chaque fois sa conscience) avait flotté auprès de lui dans ces rites funéraires où l'on parfumait les stèles et les caveaux, embaumait les cadavres flanqués à tout jamais d'une fiole de parfum. Elle fut avec lui dans ces temples, ces pagodes, ces grottes, ces églises où l'encens taciturne renforçait les prières, et dans ces rites improvisés au fond d'un champ de bataille où *l'agréable-parfum* élevait douze espérances vers les dieux les plus proches. Il dut penser à elle (ou à quelque créature de passage) quand on lui offrit ce parfum-cœur-d'amour dans un village de Colombie, petites boules d'une pâte grise que l'on devait brûler, et qu'il brûla. Sarah-Anaïs-Alicia lui avait apprêté tout un lit de mémoire, petit jardin bien préparé où s'étaient acclimatées toutes les odeurs du monde, et c'étaient les odeurs qui dessinaient les paysages, les visages et les scènes, avec une précision telle que M. Balthazar Bodule-Jules déclara plus d'une fois : *Tout parfum est un bloc de mémoire!*

Déborah-Nicol Timoléon acceptait bien ces parfums étranges qui parfois empoignaient la maison. La Bonne les supportait mal : pour elle, les mille zombis de Saint-Joseph aimaient à se nourrir de ces espèces d'odeurs. Déborah-Nicol arrêtait ses lectures, pour humer les effluves du moment, et, dans un jeu de narines et de moqueries astrologiques, lui filait alors les dominantes du jour, *Hmm l'absinthe qui renverse les obstacles, Hmmm l'iris qui nourrit la vertu poétique, Hummmm la menthe aquatique qui donne vitalité,*

Hummmmm le jasmin qui hèle la force de volonté,
Hummmmmm la fleur d'oranger qui élève les pensées,
Hummmmmmm le tilleul qui vainc la jalousie...
Sarah-Anaïs-Alicia accordait tant d'importance aux parfums que le jeune bougre prit l'habitude de toujours disposer de bois de vétiver, de menthe poivrée et de feuilles-basilic, avec lesquels il se frottait longuement les aisselles. Il fit aussi grande consommation d'eau de Cologne qu'il subtilisait dans les affaires de la Bonne, et qu'il vidait dans la bassine où il prenait son bain. Il dut sans doute se transformer en parfumage mobile que Déborah-Nicol abordait en fronçant les narines et que Sarah-Anaïs-Alicia ne remarqua jamais.

La doulce jeune fille portait de longues gaules vaporeuses qui provenaient d'un autre siècle, c'étaient toujours les couleurs enchantées du madras, la soie polychrome des broderies anglaises, les éclats brochés or-argent du brocart, les cotonnades à armure de taffetas que les gens du pays adoraient tout bonnement. Sarah-Anaïs-Alicia reprofilait elle-même les robes que la couturière (une moitié-vieille-folle, militante du vieux costume créole, et qui passait son temps à reproduire les hardes de ses aïeules et des costumes loufoques que des marins de passage lui avaient dessinés) lui livrait. Les dimanches après-midi, la doulce jeune fille passait les heures chaudes à pédaler sur une machine Singer. Elle disposait de quatre ou cinq gaules qu'elle transformait à volonté, jusqu'à donner l'impression qu'elle en avait cinq mille, ouvrant par-ci, resserrant là, ajoutant un voilage, une dentelle, une branche de couleur vive, smocks, falbalas, fanfreluches, tous ajouts très souvent aberrants mais qui, mis en scène par sa grâce, la transformaient en une reine éclatante. Le jeune bougre la voyait surgir ainsi, auréolée des parfums du moment et des éclats de mille couleurs joyeuses. Il imaginait être en face d'un bouquet d'orchidées, ou d'un peuple de flamboyants exaltés de soleil. En sa présence, non seulement la salle devenait terne, l'ancestral buffet (d'habitude si luisant) tombait en laide grisaille, mais lui, jeune bougre, croyait se transformer en débris repoussant jeté dans la maison. Il se sentait sale, pas net, chiffonné, malodorant, un peu graisseux — et ce sentiment achevait de le tuer.

Il n'avait pas osé en parler à quiconque, mais Déborah-Nicol (sensitive malgré son état de colère permanente) comprit là-même qu'il lui fallait liquider ce problème. C'était l'unique moyen pour que son protégé poursuive ses progrès fulgurants. Elle l'avait d'abord emmené chez le coiffeur de Saint-Joseph. L'artiste capillaire connut un sauté-de-cœur en voyant le jeune bougre : il n'avait jamais vu une telle tignasse de fer sur un seul crâne humain. Cet ancien forgeron avait trouvé très tard ce viatique capillaire, imparable pour le sortir de sa condition nègre. Il avait consacré sa nouvelle vie à rêver de beaux cheveux filasse, de boucles et de franges, de crinières soyeuses à transcender sous les ciseaux et les vaselines, à tel point qu'il s'était spécialisé en cheveux-mulâtres, cheveux-békés, cheveux-Blancs-France, et prétendait ne rien savoir de ces cheveux crépus qui lui couvraient le crâne. Faut dire qu'il les éliminait inexorablement, chaque jour, en se rasant six fois le cuir chevelu, les sourcils, les moustaches et la barbe, et en y appliquant des sortes de désherbants. Lorsqu'il vit Déborah-Nicol débouler avec son jeune bougre soubawou, et cette crépelure de mouton hystérique qui lui couvrait le crâne, il fut pris d'une sainte indignation. En s'épongeant le front à petites touches d'une dentelle brodée, il grommela à l'intention de Déborah-Nicol :
— Monsieur Timoléon, silouplaît, il nous faut l'attention et la vigilance, ici c'est un *salon*, une sorte d'endroit où la civilisation passe, avec ses façons et ses manières, c'est pas un champ de cannes, c'est pas un hangar, c'est pas un Débit de la Régie, faut l'attention et la vigilance devant les

choses, et pas confondre à tout moment, sauf votre respect sans vous dérespecter, cocos et z'abricots. Et puis moi, je ne suis pas un « coupeur de cheveux », tout le monde croit que « coiffeur » c'est être « coupeur de cheveux », c'est pas ça et ça n'a rien à voir, sauf votre savoir de la vie et je sais que vous savez les choses, c'est pourquoi je dis la vigilance et l'attention, parce que moi, je suis un artiste, c'est un mot qui veut dire le style et la manière, le genre, la gamme, la dièse et le respect, ça veut dire qu'on va dedans mais pas n'importe comment, ni dans n'importe quoi ! Vous comprenez, monsieur Timoléon ? C'est la question juste pour la question, mais je sais que vous comprenez...

L'artiste capillaire se sentait des vapeurs. En guise de remontant, Déborah-Nicol Timoléon lui fit respirer l'eau de lavande verte qu'il utilisait contre les feux du rasoir. Elle l'allongea dans son propre fauteuil et lui formula son désir implacable d'une coupe de cheveux destinée au jeune bougre. Cette demande n'aurait pas émané de Nicol Timoléon — personne de bien, connue à Saint-Joseph, membre éminent du Parti communiste, bienfaiteur des souffrants, lecteur de livres et manieur de français — il est certain que le coiffeur aurait occis l'ébouriffé pour cause d'offense à son lignage, ou qu'il aurait fermé boutique plutôt que d'avilir son art dans cette crinière abominée. Si bien qu'il dut s'y mettre, la mort dans l'âme. Déborah-Nicol Timoléon demeurait campée au milieu du salon, l'œil en procès-verbal et la mine s'opposant à toute échappatoire. Le coiffeur bloqua porte et fenêtres pour se soustraire aux malveillances publiques. Il recouvrit le fauteuil d'un ciré protecteur, fit asseoir le jeune bougre, puis déambula autour de la tignasse avec l'air de songer aux misères du destin. Il se mit à couper, à déraidir, à couper, à coiffer, à couper, à détendre, en se demandant quelle espèce de coiffure il pourrait faire de ça. Puis il utilisa des ciseaux de toutes tailles qui voletaient comme des merles dégoûtés. Puis, final, une tondeuse avec laquelle il plongea dans la masse en retenant une part de sa respiration. Il passa une heure, vomi au bord des lèvres, à finir son travail car (aucun chien n'échappant à son vice) il se prit au jeu de dompter cette crêpelade. Si bien que le jeune bougre se mit à changer de tête, et que le coiffeur vit surgir devant lui, dans son miroir éclairé par une lampe, ce qui allait être l'étonnant visage de M. Balthazar Bodule-Jules, une face large, aux traits de fauve en train de naître, commençant à se durcir d'une volonté sans faille, et puis le coiffeur découvrit le feu de son regard qui pénétrait n'importe quel sang jusqu'à le faire bouillir. L'artiste (sans doute quelque peu féminin dans l'arrière de ses chairs) se vit ému par son aura, et lui permit de revenir aussi souvent que nécessaire. Il passa tout de même le reste de sa journée à désinfecter son salon, ses outils, son fauteuil, et à dissimuler (dans de petits sachets qu'il brûlait sans attendre) la moindre boulette crépue susceptible à elle seule de lui faire perdre sa clientèle. Et pour finir, il se prit vingt-sept jours de vacances afin de se remettre de cette mésaventure [1].

À l'occasion de cette coiffure, Déborah-Nicol fut contente de découvrir cet autre jeune bougre. Bien que sensible à sa beauté, elle réagissait surtout à cette fougue combative qui travaillait ses muscles, à cette avidité bien bourgeonnante déjà dans le fond de ses yeux. Le jour même, elle lui avait demandé d'essayer de vieux vêtements qui proliféraient tout seuls dans la chambre inusitée de Sarah. Depuis la mort de cette dernière, ces hardes avaient rempli l'armoire au gré d'on ne sait quel passage d'un neveu, d'un cousin, d'un oncle, d'un quelconque militant du Parti, hébergés d'une nuit, oublieux d'un restant de mal-

1. Elle demeura finalement un des grands moments de sa vie (si l'on excepte l'occasion qu'il eut de tracer une raie à un sous-préfet de passage) car il la raconta mille et mille fois, de manière bien différente, et même valorisante, quand M. Balthazar Bodule-Jules se mit à faire parler de lui dans les radios et les télés.

lette. Quand Déborah-Nicol ouvrit l'armoire, en compagnie de la Bonne et du jeune bougre, et qu'ils constatèrent ce déversement de pantalons-zazou, blue-jeans, gilets, djellabas, tee-shirts, kilts, pagnes, gabardines, treillis, soubrevestes, chlamyde, bermudas, costumes de toutes natures, de toutes époques et tous pays, ils comprirent que cette mystérieuse prolifération devait être liée aux personnages fantasques que Sarah (en son temps) disait surprendre dans les miroirs ou dans les rais de soleil qui filtraient des persiennes. Elles trièrent cet amas impensable, en mirent de côté pour le jeune bougre, et balancèrent à la poubelle des frusques qui avaient dû tomber de Galatie ou de Corfou, du fond de la Papouasie ou des contrées de la Turquie. Le jeune bougre les avait laissées faire. Ignare en parure de cette sorte, il enfila des chandails bariolés, des pantalons bouffants, des chemisettes phosphorescentes, des hauts-de-forme moroses, des bottines à talons. Il refusa des vestes matelassées et des gilets à rembourrage car il avait trop chaud. Il n'eut jamais de goût pour les choses à jabot ou à dentelles volantes. Puis (dans l'amas qu'on lui avait tassé sous l'escalier transformé en dressing de fortune) il finit par choisir des pantalons très larges et des chemises blanches à boutons simples et manches courtes, ouvertes sur la poitrine, qu'il laissait retomber sur ses hanches, et qui caractériseraient sa manière d'être à tout jamais. Mais au début, à l'époque où il voulut éblouir Sarah-Anaïs-Alicia, il s'habilla avec un lot de fantaisie, se parfuma du ploum-ploum de la Bonne, passa du temps à s'observer dans les miroirs. Il dut porter casaques et carmagnoles, se pavaner dans des tribons, transpirer dans la laine d'une chlaina, éternuer dans un frac. Il redoubla d'ardeur pour dénicher des vêtements dans l'armoire où finalement il se rendait en catimini, à tel point qu'avant de s'arrêter une fois pour toutes aux chemises blanches, il avait essayé (juste pour faire de l'effet) des péplos, des ponchos, des toges de magistrat, des habits verts d'Académie, des anoraks, jaquettes et blazers noirs à écusson... Cette toquade vestimentaire amusa Déborah-Nicol et inquiéta la Bonne, mais elle ne changea rien à l'attitude de Sarah-Anaïs-Alicia, toujours égale, de douceur intangible, que rien ne semblait affriander vers lui. Elle pouvait demeurer dans sa chambre durant plusieurs semaines sans chercher à le voir, et s'il s'y présentait, il était accueilli avec la même douceur d'intensité égale. Elle n'avait pas besoin de lui pour exister, mais, quand elle percevait l'effluve orange-amère d'une douleur trop forte, elle surgissait auprès de lui, l'écoutait, lui parlait, lui rendait la vie plus agréable, et prenait-disparaître quand il se sentait mieux.

Malgré son cirque vestimentaire, Sarah-Anaïs-Alicia le regardait avec la même douceur, sans le frisson d'un quelconque intérêt. Le jeune bougre avait pris cela pour de l'indifférence, mais l'agonisant, en y songeant longtemps, s'aperçut qu'elle n'établissait pas de différence entre les vêtements. Il y avait dans ses yeux une reconnaissance immédiate qui supprimait tout éveil de surprise ou d'attention particulière : elle *reconnaissait* tous les vêtements, même les plus insolites. Si elle ne les connaissait pas, son esprit était constitué de telle sorte qu'aucun vêtement ne lui semblait plus enviable qu'un autre. Puis, en y songeant encore, l'agonisant se dit qu'elle devait voir au-delà des vêtements, tomber direct dans une vision qui transcendait ses oripeaux. *C'était ça : elle voyait autre chose, elle voyait au-delà, mais quoi ? C'est dans cette vision que j'aurais dû faire le beau...* Mais le jeune bougre, peu enclin à ces subtilités, s'égara dans son vœu d'apparence. Délaissant les fouillis de l'armoire de Sarah, il lorgna vers les pacotilleuses qui débarquaient à Saint-Joseph ou se prit de passion pour les charrettes de Syriens. C'étaient de vraies cavernes d'Ali Baba installées sur roulettes. Elles grinçaient chaque semaine dans les rues, les flancs gonflés de merveilles inutiles et de linges dernier cri. Les pacotilleuses, elles, charriaient les Amériques dans des baluchons de toile et des paniers d'osier qui crissaient comme des oies. Le jeune bougre alla ainsi d'ahurissements en émerveilles. Il aurait voulu se parer de cordons que l'on se nouait au cou comme des guirlandes de la Saint-Jean, se coudre au col des dentelles photogènes qui capturaient les mauvais rêves, se poser sur le crâne des calots qui tombaient aux oreilles pour annoncer des tremblements de terre. Il aurait voulu de ces espèces d'anneaux que l'on fixe aux poignets pour mieux canaliser les ondes de Jupiter et faire pousser l'igname. Il vit des parfums musicaux prévus pour le lobe d'une oreille et qui donnaient d'entendre le chant des fleurs qui s'ouvrent. Il vit des teintures que l'on met sur les lèvres pour résister aux punchs empoisonnés. Il vit des azurs qui rendaient les paupières transparentes et dotaient le regard d'une aptitude à trouver les zombis. Il vit des chemises en nylon qui séchaient sans forcer et ces tissus-tergal qui n'avaient pas besoin d'être lustrés au fer chaud... Mais, malgré marchandages et crédits, toutes ces merveilles avaient un prix, et le jeune bougre n'avait pas un sou. Il prit alors conscience de vivre aux crochets de Man L'Oubliée et de Déborah-Nicol Timoléon. Même si elles ne lui en avaient jamais fait la remarque, son indomptable fierté s'accommodait mal d'une telle situation.

Sans y réfléchir, il s'était transformé en bonhomme-à-tout-faire de la maison. Il déployait sa terrible énergie à seconder la Bonne. Elle ne demandait pas mieux que de le voir récurer la cour et le bassin, et accomplir toutes bricoles nécessaires au maintien vertical de cette maison de bois. Il accompagnait aussi Déborah-Nicol quand elle partait inspecter sa fabrique de sirop-batterie dans un grand fond de Macouba. Durant cette brève visite, elle inspectait la qualité des cannes à sucre, contrôlait le niveau des

chaufferies, le velours du sirop, vérifiait la mise en bouteilles, la colle des étiquettes, la tenue des bouchons, faisait les comptes avec le gérant qui finissait par s'inquiéter
qu'un homme à graines puisse se montrer à ce point vétil-
leux comme une pasionaria. Le jeune bougre lui transportait ses dossiers et ses sacs. Il avait la responsabilité des
échantillons qu'elle disposait dans un panier d'osier, en
vue de les goûter une fois rentrée à la maison. Des fois
même, le jeune bougre livrait quelques bouteilles spéciales, car Déborah-Nicol s'adonnait à de fines expériences. Elle mélangeait un peu de sirop-batterie avec un
jus d'herbe couresse, quelque décoction de l'aloès, de la
cannelle ou du gros-thym. Elle ambitionnait ainsi d'ajouter aux splendeurs gustatives du sirop quelques vertus
médicinales contre les migraines, la vieille fatigue ou bien
le mal de vivre. Parfois, juste pour la poésie, elle y précipitait des gouttelettes de mercure et les rognures d'or d'un
bijou de Guyane. Elle expédiait ces spécimens (avec des
modes d'emploi) au seul docteur de la commune, et puis
au pharmacien, de même qu'aux matrones-accoucheuses
qui sévissaient dans les quartiers. Elle les envoyait aussi à
deux hypocondriaques soucieux de leur santé et de celle
des autres. Ces expéditions (dont se chargeait quelquefois
le jeune bougre) ne produisaient pas l'effet escompté sur
leurs destinataires, ni ne déclenchaient ces ventes pharaoniques qu'elle s'apprêtait à assumer en divers plans d'action. Malgré tout, elle lui avait offert quelque sou pour son
aide, mais il avait refusé. C'était sa manière de lui rembourser cette science qu'elle lui offrait sans retenue. Déborah-Nicol (pas du genre la Croix-Rouge) n'avait pas
insisté. Cette attitude (pour le moins louable) eut surtout
pour effet de laisser le problème intouché. Il dut se tourner vers Man L'Oubliée afin de trouver quelque sou et
rénover son allure générale. Temps en temps, il quittait la
maison afin de la rejoindre dans les grands-bois et l'aider
dans ses activités encore bien méconnues et pour les-

quelles, avant même qu'il ne la sollicite, elle s'était proposé de fournir une monnaie. Et c'est ainsi qu'il découvrit l'autre face de cette personne pas ordinaire.

On dit qu'il rencontra celles qui tenaient la vie entre leurs mains, et que ces mâles-femmes le reconnurent sans signe et sans colombe.

« Notre morceau de fer ».
Cantilènes d'Isomène Calypso,
conteur à voix pas claire de la commune de Saint-Joseph.

ŒUVRE ET MALÉDICTION. L'agonisant se revit jeune bougre, accompagnant Man L'Oubliée dans ses visites particulières. Il s'aperçut que la plupart des gens la connaissaient comme matrone-accoucheuse. C'était sa face visible, une face déjà considérable car les plus honorées des matrones-accoucheuses la considéraient comme un être très spécial, et lui mandaient son aide en cas d'ennuis majeurs. Cela ne l'empêchait pas de traiter des grossesses ordinaires et d'aider tout-partout les femmes mises en-situation.
L'agonisant éprouva un léger contentement en entendant ce mot.
En-situation !
Être en-situation... ce moment incomparable où la femme se découvre enceinte et commence en conscience à développer la vie. Elle devenait dans l'imaginaire des cases quelque chose d'autre qu'une simple femme, pas encore une manman mais plus seulement une femme. Cela modifiait ses relations avec les hommes de son entour ou même ses amants les plus stables. La femme en-situation était presque déjà une Man — et la Man se situe entre honneur et respect. De plus, elle se mettait à disposer du pouvoir de féconder les plantes. Ce que plantait l'Enceinte levait deux fois plus vite. Quand elle traversait un champ tout se mettait à embellir et à tiger dans tous les sens. Elle devenait une sève ambulante, pouvait faire bourgeonner

des fleurs, grossir des fruits, mûrir les avortons qui traînaillaient leur dèche dans un coin sans soleil. Elle pouvait réveiller un cocotier stérile ou changer la nature d'un pied de papaye mâle. La femme même se sentait plus vaillante, peuplée d'une double vie, de deux cœurs, de deux souffles, et s'érigeait en personne invincible. C'est pourquoi elle redoublait d'ardeur dans les travaux des champs, ou dans ces longs battages sur le linge en rivière.

Mais l'autre face de l'en-situation, c'est que les femmes se sentaient menacées. Elles flottaient désormais entre deux eaux : les eaux de la vie, les eaux de la mort. En ce temps-là, s'asseoir en couches signifiait : s'asseoir dans la main de la mort. Les enfants qui détruisaient leur mère étaient nombreux. Ils avançaient cachés parmi les bons enfants et surgissaient sans annonce comme des briseurs-de-reins. Pour toute femme en-situation, la mort se mettait à fréquenter son ombre à mesure que son ventre grossissait et que, de lune en lune, le jour des couches se précisait. Il faut dire qu'en ce temps-là le pays ne disposait pas de maternité. Les médecins capables d'aborder au ventre secret des femmes n'existaient pas vraiment. Ce mystère était laissé aux femmes, à certaines femmes, les matrones-accoucheuses. L'agonisant en fut tout soudain investi... *Holà, je les avais presque perdues!*... Il croyait entendre les bruits de leurs ciseaux, leurs marmites bouillonnantes, le chant secret de leurs prières. Le jeune bougre les avait effleurées du regard : petites négresses boulottes, un peu brutales, avec des yeux profonds. Il lui avait fallu l'éclairage du temps pour mieux les soupeser. Et l'agonisant, maintenant, les voyait encore mieux. C'étaient toujours des femmes d'autorité qui tranchaient dans la vie sans une hésitation. Elles devenaient accoucheuses de manman en jeune-fille, en longues lignées à peine répertoriées, et qui se maintenaient sans signe et sans à-coups, avec juste leur opaque permanence dans un

savoir ancien. Chacune parachevait son héritage par des révélations personnelles, qui surgissaient lors d'un état de grâce ou d'une touche visionnaire avec les forces qui gèrent le souffle des existences. Car mettre un enfant au monde — prendre la vie entre ses mains, dans son amorce la plus fragile, et l'amener au possible des saisons, orchestrer cet instant délicat où la manman et l'enfant se séparent à jamais — érigeait les matrones en véritables démiurges ; à tel point qu'elles ne disaient jamais effectuer un *travail* mais affirmaient de couches en couches mener la belle ouvrage. Elles titraient ça : *mon œuvre*.
Œuvre de vie.

Aucune d'entre elles ne percevait chez Man L'Oubliée la puissance d'un Mentô, juste la grâce d'une révélation personnelle qui lui ouvrait des gammes d'intervention d'une autre consistance. Sur ses talons, le jeune bougre pouvait les observer, sentir leur déférence lorsque Man L'Oubliée arrivait sur les lieux. Les matrones lui disaient :
— *Bonjour Da L'Oubliée...*
Da signifiait que ces femmes de connaissance l'intégraient à leur monde. Ce *Da* l'instituait aussi manman ou grandmanman symbolique des enfants dont elle aurait orchestré la survie. En leur présence, Man L'Oubliée paraissait deux fois plus âgée, plus dense et illisible. Elle marchait plus lentement avec des gestes bien moins déliés, à croire qu'elle se dissimulait aux pénétrances de leur regard.

Il vit sa première matrone un matin de pleine aube. Man L'Oubliée (appelée par des voies mystérieuses) se rendit sans escale à une case du quartier Fonds-Poirier où un accouchement se circonstanciait mal. C'était une femme en-situation dont l'enfant s'était mis à descendre. La malheureuse s'appelait Dorante, *Roye, je m'en souviens bien !...* Un jour de lessive, en pleine rivière oui, Dorante sentit que l'enfant descendait. Il avait commencé à déplacer son corps et, sans plus patienter, s'était mis à descendre, à descendre, à descendre, à tel point qu'elle dut bientôt écarter les jambes pour se tenir debout, car il pesait sur son bassin, la tirait en arrière. Elle sentait bien qu'il tendait vers l'air libre, pas encore achevé mais soucieux de sortir.

Heureux-bonheur, il y avait parmi les lavandières une matrone-accoucheuse. Elle s'appelait Da Félicité. Une négresse jaune banane, à yeux clairs, et des mains plus épaisses qu'une écorce de manguier, d'une force incroyable. Elle s'était penchée sur Dorante qui ne tenait plus debout, lui avait dit que son ventre était tombé, et qu'il fallait le lui remettre en place. Qui fait qu'on charria Dorante à case, sur brancard de bambou, et que (là-même !) Da Félicité s'était mise à lui frictionner l'abdomen, avec des gestes tellement anciens qu'on eût dit une manière d'écriture. Elle avait augmenté son frotté d'un mélange de jaune d'œuf, de moussache et vinaigre. Tout en frottant, Da Félicité avait soufflé l'invocation à la sainte Croix, *sainte Croix de Jésus-Christ ayez pitié de moi et soyez mon espoir, sainte Croix...* Ensuite (pour dire comment elle ne rigolait pas), elle avait fait apporter une baille d'eau de rivière, dans laquelle Dorante avait dû s'accroupir. L'eau lui avait recouvert tout le ventre. Penchée derrière elle, les bras passant sous ses aisselles, Da Félicité avait continué de lui masser le ventre.
Tout cela aurait dû faire remonter là-même le bébé descendu.
Mais le bébé n'était pas remonté.
Da Félicité avait alors tout essayé, piqueté un rosaire, fait chapeleter à Dorante l'*Acte de contrition*. Débarrassé la case des treize poussières mauvaises. Frappé ses angles d'une tresse d'herbes purifiées-purifiantes. Elle avait recommencé les frottements avec des plantes sans nom et une composition de verveine caraïbe et de verveine-

queue-de-rate. Elle lui avait coulé entre ses lèvres bleutées un rafraîchi de l'écorce du pois doux.

Mais l'enfant-descendu n'était pas remonté.

Da Félicité s'était mise à tourner à l'entour de la case en récitant sa protection majeure contre l'envoi d'un maléfice : c'était l'ultime explication à la descente irrésistible de l'enfant. Mais elle avait beau articuler le *Gloria patri et filio et spiritui sanctus*, crié son *Adonaïs! Élohim! Va devant, je suis derrière! Va car c'est toi le grand maître!*... L'enfant, têtu comme un diable sourd, continuait à descendre millimètre-millimètre, et Dorante commençait à perdre le peu de tête qui lui restait. En désespoir de cause, la Da Félicité fit alors mander Man L'Oubliée.

Elle arriva au pipiri-chantant en compagnie du jeune bougre. Da Félicité l'accueillit comme un soleil après une nuit de cyclone. Les gens du quartier s'étaient massés à l'entour de la case. Ils ne comprenaient pas pourquoi la Da Félicité faisait appel à cette petite personne méconnue par-ici. Sans un mot, Da Félicité introduisit Man L'Oubliée auprès de Dorante qui restait roide, longée sur sa cabane, car le moindre remué accélérait la descente de l'enfant. Elle n'avait pas regardé la nouvelle arrivante qui se penchait sur elle : elle n'espérait qu'en Da Félicité. Man L'Oubliée avait posé une main affectueuse sur le front de Dorante et, de l'autre, elle lui avait effleuré son ventre dérangé, puis l'avait caressé. Puis, sous le regard du jeune bougre qui ouvrait grands les yeux, elle avait fait descendre le drap et appuyé ses lèvres contre le nombril de l'Enceinte en souffrances. Elle paraissait y souffler légèrement comme s'il s'était agi d'une petite ouverture, un petit souffle très doux, très simple et aussi très soutenu, qui dut remplir Dorante d'une bénédiction. Elle poussa un soupir dégagé, plus long et plus intense qu'un bambou de cent ans. Ce fut spectaculaire de voir le mouvement de son ventre ; il vivait de lentes ondulations, profondes marées de chairs, jusqu'à reprendre une apparence normale : l'enfant s'était remis en place. Alors, Man L'Oubliée avait dit à Dorante (qui la regardait maintenant comme une cousine de Jésus-Christ) : *C'est bon, il est peut-être en place, il faut attendre et voir ce qu'il va faire...* Elle n'avait pas dit plus que ça, mais cela suffit pour que Dorante et Da Félicité se mettent en joie et en respect. Man L'Oubliée les saluait gentiment, un peu embarrassée par leurs démonstrations. Elle reprit sans attendre sa route vers les grands-bois. Quelqu'un lui tendit un panier de légumes et quelques grappes de fruits qu'elle accepta en souriant. Le jeune bougre la suivit, lui-même impressionné par ce qu'il venait de voir. Mille questions lui filaient par le crâne. À l'orée des grands arbres, il parvint à lui demander ce qui s'était passé et ce qu'elle avait fait pour que l'enfant remonte. Man L'Oubliée lui répondit avec le peu de mots de ses muettes habitudes, juste pour dire, *je lui ai dit que la Malédiction n'était plus là, et qu'il pouvait essayer de vivre en étant maître de son propre corps.*

— Et c'était quoi la Malédiction ?

— *Lestravay, malédisyon fondalnatal...* lui dit Man L'Oubliée. L'esclavage : malédiction fondamentale.

... *La Malédiction !* L'agonisant se souvint du village africain où il s'était échoué, escorteur d'un convoi d'armes en route vers la Libye. Il ne devait pas être loin des côtes atlantiques et traversait des terres de l'ancien Dahomey. La caravane s'était vue attaquée par des pillards de désert, et, pour sauver sa peau, M. Balthazar Bodule-Jules avait dû s'enfoncer à l'aveugle dans des savanes arides et séjourner dans un village terre-paille où les femmes écossaient des graines ou creusaient un sol mort pour tenter d'inventer quelques plants d'arachide. Les hommes eux, à moitié pétrifiés par une obscure sidération, restaient longtemps assis, en rond, vêtus de loques

413

européennes, ils arboraient des casquettes yankees, des montres-suisses made in Japan, des bas de laine signés par *Burlington,* et suçotaient des cigarettes blondes et light à bout-filtre allongé. Ils somnolaient sous l'éclat du soleil et, le soir, se rassemblaient autour d'une vieille sorcière, sans doute sœur en sagesse d'Ogotemmeli. La bougresse était la seule à s'être dérobée au choc brutal du monde et aux prégnances européennes, elle parlait une langue tonale que les gens du village comprenaient à l'instinct mais sans pouvoir l'utiliser eux-mêmes. Elle était vêtue d'une toge de paille et arborait un masque de terre blanche qui ne lui couvrait qu'une moitié de visage. Les villageois avaient accueilli M. Balthazar Bodule-Jules comme un frère qui revenait de loin, ils l'avaient regardé avec les yeux en-bas, une expression inexplicable que le rebelle ne comprit que plus tard. L'aïeule visionnaire n'avait pas été surprise de le voir, et semblait même l'attendre car elle disait depuis la nuit des temps que des âmes déportées allaient bientôt revenir pour demander des comptes. Elle l'avait examiné avec des yeux exorbités comme si elle découvrait en lui une nuit perdue sans fond, et des menaces sans fin. Elle demanda s'il était un vivant ou un mort, il lui fit répondre qu'il était un vivant, elle eut l'air d'en douter et le regarda encore de ses yeux fixes oubliés des paupières, à croire qu'elle n'avait jamais vu une telle aberration. Puis elle s'était écriée d'une voix stridente, cri de chacal ou d'hyène sacrée, qui creva les tympans de M. Balthazar Bodule-Jules, terrifia l'assistance et la rendit hagarde dans la poussière du sol. Elle disait le même mot, répété sur douze gammes et projeté dans l'hystérie d'un ultrason de quarante mégahertz. Quand M. Balthazar Bodule-Jules demanda le sens de ce mot, on lui avait dit (dans un dialecte qu'il captait à l'époque) : *La Malédiction!* La vieille se mit à parler de navires déversant des hommes pâles, une catastrophe que ni la grue huppée ni l'hyène au long-savoir n'avait su

414

ni comprendre ni prévoir. Ces hommes, venus des au-
delà des eaux, des au-delà du sens parfait du monde, en
avaient rapporté le mal inépuisable : *La Malédiction !*
M. Balthazar Bodule-Jules se souvint qu'elle avait employé
le même terme que Man L'Oubliée, avec presque (par-
delà leurs voix et leurs langues différentes) la même
intonation. La Malédiction s'était abattue à travers ces
bateaux qui razziaient les hommes, les femmes et les
enfants, et qui les emportaient vers l'abomination. Les
hommes-rois de ces rives, malgré l'opposition des justes
de ces contrées, avaient vendu leurs prisonniers, et quand
les prisonniers devinrent insuffisants, ils s'étaient mis à
se combattre pour en trouver encore, ils capturèrent
leurs ennemis ancestraux, puis leurs voisins, puis leurs
amis, puis leurs frères, puis se saisirent eux-mêmes en
une déroute qui recouvrit la côte d'une angoisse venimeuse ; les villages se firent déserts ; et les champs se
changèrent en croûtes abandonnées ; qui marchait sur les
routes n'était qu'un captureur ; qui frappait au portail
d'une cité n'était qu'un envoyé de la Malédiction ; et cette
malédiction avait mordu l'Afrique, mordu jusqu'aux lointaines forêts, aux montagnes les plus hautes, affecté les
mémoires, décimé les griots, décomposé les rites, déconstruit les esprits, *une malédiction qui venait de la mer !*
M. Balthazar Bodule-Jules comprit qu'il s'agissait de la
traite négrière. Il fut abasourdi par ce tant de douleur.
Les hommes et les femmes, lovés sur leurs genoux, psalmodiaient des prières qui remontaient de loin, se couvraient les épaules de cendre et de poussière. Il se leva
pour expliquer (dans un mélange de gestes d'anglais de
créole et français) qu'il était revenu d'un de ces bateaux,
qu'il était né là-dedans, qu'il était né aussi dans la souffrance des plantations où on avait jeté les enfants de ces
terres ; et qu'il revenait non pour mander des comptes à
cette terre d'Afrique, cette mère et cette matrice, mais
pour annoncer la vengeance arrivée ; que les criminels

demeurés impunis connaîtraient désormais le feu des peuples libres, que partout en Afrique et dans les terres souffrantes, des hommes s'élevaient contre les colonialistes, des hommes posaient leur voix et dressaient leur mémoire! Il leur dit que la Malédiction ne restait pas à nos épaules, qu'elle giclait désormais vers ceux qui l'avaient initiée, et que c'était de ne pas les atteindre qu'elle infectait tout le monde, troublait le genre humain!... Pour ne pas étouffer de rage, M. Balthazar Bodule-Jules avait quitté ce village en pleine nuit, mâchoire serrée, les yeux brouillés de larmes, se sentant plus que jamais enfant de cette terre qui le peuplait d'une malédiction. Il s'était sans doute rappelé ces matrones qui combattaient ce mal à leur manière, et avait découvert combien ces femmes martiniquaises étaient liées à cette Afrique et à cette vieille sorcière. Il lui avait fallu venir en cette terre pour mieux comprendre l'in-comprenable de son pays, sa propre terre, sa Martinique, à l'époque illisible pour son jeune entendement. *La Malédiction!* L'agonisant se remit en mémoire le mot de Man L'Oubliée et de cette vieille sorcière, il n'avait jamais su quel était ce village, ni en quel pays il pouvait se situer, mais à y réfléchir il acceptait l'idée d'un village fantôme, quintessence des villages effacés par la Traite : ils se concrétisaient un peu partout sur le maillage du monde pour questionner sans fin une malédiction demeurée insensée.

De prime abord, les matrones s'inscrivaient mieux dans la misère de leur époque que dans celle du passé. Elles étaient, jour après jour, arquées contre la douleur qu'il fallait vaincre très vite. Pas une ne prononçait le mot *esclavage.* Certaines ignoraient même que dans les temps anciens cette terre en avait bu le fiel. Pourtant, quand M. Balthazar Bodule-Jules avait pu y penser, bien plus tard, durant les années vides de son exil à Saint-Joseph, il s'était aperçu que leurs gestes et croyances luttaient contre cette malédiction. Quand elles intervenaient leur regard tombait trouble ; elles zieutaient autour d'elles comme si l'éprouvée-prise-en-couches était cernée de malfaisances. Tout pouvait être hostile : le bois de la case, la paille du toit, les insectes, les mouvements de la porte, les voisins, les arbres dehors, le ciel et ses nuages. *L'esclavage avait tout infecté, et c'est dans cette infection que l'enfant s'apprêtait à tomber !*... Cela leur conférait devoir de préparer le nouveau-né à cet univers de mauvaiseté totale où pièce chance n'était offerte à qui n'était pas protégé par certains gestes, certaines prières, certaines postures à ordonner.

Quand on l'appelait à la rescousse, Man L'Oubliée demandait parfois à rester seule auprès de la patiente. Les matrones obtempéraient sans discuter. Elles se rassemblaient aux entours, affairées aux prières imparables et aux invocations. Parfois, cela durait longtemps, car Man L'Oubliée abordait les malheurs avec de longues patiences. Les matrones, tout aussi patientes qu'elle, s'asseyaient en compagnie de la famille et du jeune bougre. Elles parlaient de la vie, de leur œuvre, évoquaient leurs manières. Tout en parlant, elles effeuillaient des herbes qu'elles sortaient d'un panier, elles raclaient des racines, incisaient des végétaux noircis, préparaient ces mixtures qui devaient les aider à combattre le mal. Le jeune bougre ressentait leur exception, sentait leur clairvoyance. Elles, découvraient en lui l'enseignement secret de Man L'Oubliée : ses postures maîtrisées, son regard transperçant déposé sur chaque chose, sa vigilance extrême sur les flux du vivant. Elles étaient stupéfaites de son aptitude à reconnaître les feuilles, les racines, les écorces, à les nommer, les deviner. Certaines, le croyant initié à on ne savait quoi, l'enveloppaient d'une déférence incompatible avec son âge. D'autres s'imaginaient être en présence d'un monstre qui était tout sans être rien, et elles le regardaient avec un brin de méfiance. Mais toutes voyaient en lui une ombre qui déformait ses ondes vitales. Cette perception tragique dut les unir à lui. Toutes durent tenter de lui transmettre moyen de vaincre son propre destin. L'agonisant les retrouva dans sa mémoire, chacune drainait son balan d'anecdotes et d'enseignements insoupçonnés : Da Félicité, Da Eklisa, Da Carapate, Da Sésilman Camilla, Da Siyonelle, et toutes les autres... Durant ces attentes parfois interminables, le jeune bougre les avait écoutées sans trop comprendre toujours, mais avec une intensité telle qu'une charge d'années plus tard, dans son exil à Saint-Joseph, leurs mots lui étaient revenus, clairs et nets, presque fossilisés sur la membrane de ses tympans. Ne sachant quoi en faire, il les avait notés comme cela lui venait, dans le même rythme, les mêmes obscurités, jusqu'à couvrir les pages de ce cahier que les policiers retrouvèrent dans la case et qu'ils remirent à leurs experts dans l'espoir d'y trouver la clé d'un quelconque attentat ou les principes d'un nouveau genre de guérilla....

La mort qui descend te nomme ta part de cimetière.
C'est ça le lot des femmes...

Je rends service contre le mal d'enfance.
J'ai main sur l'œuvre dans la douleur des couches...

L'œuvre est œuvre de vie.
Toujours contre la mort et la Malédiction.
C'est rien que gestes en morale et sacré.

Qui paye, paye à la Sainte Vierge...

Pas de linge noir ni de linge rouge
quand tu circules vers l'œuvre [1]...

Tous ces mots sibyllins (que j'avais recopiés au bureau des scellés de la police) devaient lui passer par le crâne avec leurs traînes de souvenirs. Avec eux se déplaçaient des icebergs de souffrances épais comme des caillots. Ils déclenchaient le souvenir de petits êtres, moitié mort-nés, que les matrones pouvaient réanimer et détourner des griffes de la Malédiction. Il se souvint des petits corps qui sortaient de leur manman comme des astres sanglants, parfois hyper-vivants, petites énergies pures qui avalaient les rites déployés autour d'eux. *Que de gestes, que de gestes pour fortifier la vie !* Il avait vu ces gestes sur les rives du Gange où l'on plongeait des nourrissons voués à d'obscures déesses, il les avait vus dans le désert de Bolivie (peu après la momie) où une femme assise sur un autel de pierre élevait son enfant vers des blancheurs solaires. Il les avait scrutés dans des bayous et des mangroves, mis en œuvre par des aïeules qui roulaient le nouveau-né dans les boues noires de la fertilité. Il avait vu cracher sur des bébés pour leur transmettre la chance, ou jeter des monnaies pour fixer une naissance dans la prospérité, il avait vu confier des nombrils aux oiseaux migrateurs afin qu'ils les élèvent aux ambitions du ciel... *Par-ici et par-là !* Tous ces gestes (partout semblables et partout différents) s'étaient joints dans sa tête en un magma étrange qui combattait la mort et dont il ne trouverait plus une trace à son retour en Pays-Martinique. *Ce pays meurt !...* s'était-il bien souvent écrié. *Il n'affronte plus la mort* [2]...

C'est vrai qu'à l'époque où il avait rédigé ce cahier contre la Malédiction, M. Balthazar Bodule-Jules recherca en

---

1. Ce cahier s'intitule « Le Livre des Da contre la Malédiction », par M. Balthazar Bodule-Jules. Voir son intégralité en Annexe 2.
2. Interview de M. Balthazar Bodule-Jules, sur ATV, 1996.

vain quelques-unes des matrones. La plupart étaient mortes, aucune n'exerçait plus, et le cahier soumis à deux-trois descendantes n'évoquait que des choses très obscures. Alors, M. Balthazar Bodule-Jules repartait avec sa charge de mots, et consacrait ses nuits à les relire. Ces lectures intensives replongeaient son esprit dans des scènes et souvenirs dont la précision le confondait toujours, et l'amenait à penser que Man L'Oubliée avait voulu qu'ils demeurent dans son crâne. *Elle ne m'avait rien montré ni rien fait vivre au hasard! Tout était prévu, calculé, entendu...* L'agonisant cherchait du sens aux souvenirs qui lui étaient restés et se demandait comment Man L'Oubliée avait pu obtenir qu'il en conserve mémoire...
Sans un signe apparent, elle m'a sculpté une mémoire particulière!...
De ce monde des matrones lui revenaient souvent les *descentes de matrice*. Il avait vu Man L'Oubliée combattre cette horreur à maintes et maintes reprises. L'intervention qui lui marqua l'esprit concernait Symphorine Massidor, une rouleuse de tabac du quartier Anpanor. Elle avait accouché depuis quelques semaines, et tout s'était bien déroulé sous la bonne main de la Da Carapate. Le seul incident fut que l'enfant, un peu tête en l'air, et sans doute désorienté par la Malédiction, s'était présenté par les jambes. Il risquait de déchirer la matrice de sa mère, ou encore de s'en aller comme un voleur avec sa vie. La Da Carapate avait déployé sur elle les fastes de son savoir. Mais l'enfant qui confondait ses pieds avec sa tête ne s'était pas retourné. Quand les contractions s'amplifièrent jusqu'à devenir folles, la vie de Symphorine Massidor fut précipitée dans l'aléa d'un mauvais jeu. La douleur l'éparpillait comme un bris de verre blanc. Elle ne trouvait plus dans ses poumons un filet d'oxygène. La Da Carapate fit appeler Man L'Oubliée.

Symphorine Massidor avait les yeux révulsés. Elle éprouvait la peur de ceux qui sentent la mort sillonner dans leur chair. Da Carapate avait posé des lampes-la-Vierge dans chaque coin de la case, et il flottait dans l'air l'odeur bénie du gommier blanc. Man L'Oubliée entra, et posa sur le front de l'éprouvée une main affectueuse. Ce geste, que le jeune bougre devait la voir réaliser mille fois, détendait toute personne en souffrances, et la lui livrait pleine d'espoir. Ce geste s'appelait « poser la main de Dieu ». Symphorine Massidor redevint presque humaine, avec juste les yeux troubles de ceux qui discernent l'au-delà de la vie. Et elle fixait Man L'Oubliée avec la mine d'une inspirée qui visionne la descente d'un archange.

Man L'Oubliée demanda des gombos. Da Carapate les lui fournit comme par magie. Elle sortit de son baluchon quelques plantes chiffonnées, les froissa dans une calebasse noire, couverte de petits signes. Elle y mit les gombos avec quelques lichées d'une petite fiole d'huile verte. La calebasse fut bientôt emplie d'une matière gluante, à reflets bleus et verts, mobile comme du mercure et vivante comme un poulpe. Le jeune bougre ouvrait ses cocos z'yeux pour comprendre ce qui se passait-là. De son côté, Da Carapate surveillait le moindre geste pour tenter d'en surprendre les secrets, mais ses yeux demeuraient tellement fixes qu'elle semblait ne rien y voir ni surtout comprendre hak. Puis Man L'Oubliée se lava les mains dans une baille d'eau brûlante, à plusieurs reprises, avec du savon de Marseille, et s'enduisit les mains, un bras, avec la matière visqueuse de la calebasse. Et le jeune bougre qui se tenait dans une ombre de la case vit une de ces choses qu'il ne devait plus jamais oublier.

À la lueur irréelle de la lampe à pétrole que tenait Da Carapate, Man L'Oubliée s'agenouilla entre les jambes de Symphorine Massidor. À petits gestes imperceptibles, elle enveloppa son pubis, et fit entrer ses doigts, puis sa main,

421

puis son avant-bras. Elle fut bientôt penchée sur elle, le bras enfoncé jusqu'au coude à l'intérieur du ventre de l'infortunée. Cette dernière semblait apaisée, le regard évaporé, pas un râle ne filtrait de ses lèvres entrouvertes. Sa douleur semblait suspendue par le bras même qui s'enfonçait en elle. Man L'Oubliée fermait les yeux avec un léger froncement des sourcils qui donnait à penser que, sous ses paupières closes, elle regardait l'enfant, qu'elle le voyait. Son bras englouti semblait immobile, attentif, comme une épuisette qu'elle aurait déposée. Elle attendit ainsi durant plusieurs minutes, puis le jeune bougre crut percevoir un léger mouvement de son épaule. Puis un autre, tout aussi imperceptible. Enfin, elle retira son bras lentement, gluant, et se redressa toujours impassible en regardant le ventre de Symphorine Massidor bouger tout seul. L'enfant semblait avoir basculé, il s'était agité, puis à petits soubresauts s'était cherché un réajustement. Le ventre était redevenu comme une pleine lune sereine, frémissante sous les contractions d'un hosanna de vie.

— *Je crois qu'il s'est mis dans la voie...* dit alors Man L'Oubliée.

Da Carapate se mit là-même en manœuvre pour procéder à l'accouchement. Man L'Oubliée sortit de la pièce et regagna sans plus attendre son carré des grands-bois. Le jeune bougre ne l'avait pas suivie tout de suite. Il avait voulu voir sortir l'enfant. Ce fut une fille, une petite négresse bien en chair, vivante comme un soleil et comme une lune mariés ensemble. Son cri de vie jeta le quartier dans une joie sans mélange. Symphorine Massidor avait donc accouché sans problème, et sa vie s'était remise en train avec le bébé neuf. Mais la déveine allait revenir.

C'est un jour, dans son champ, qu'elle avait ressenti un chatrou se promener dans son ventre. Ses boyaux semblaient s'être mis debout, soudain vivants, montant et descendant. Symphorine Massidor s'était allongée en attendant que ça passe. Mais le chatrou avait continué de descendre. Il voulait absolument sortir entre ses jambes, à croire que son ventre se dévidait par là. Une masse rose, molle, sanglante. Cette apparition entre les plis de sa robe retroussée jeta l'alerte dans la compagnie des négresses de jardin qui connaissaient l'affaire. Elles se mirent à héler : *Matris la, matris li ka désann!* C'est sa matrice qui descend!... On avait fait crier là-même Da Carapate qui suivait Symphorine Massidor pour ce temps des suites-couches. Elle la fit ramener à sa case, l'étendit sur sa couche, et la déshabilla pour effectuer le signe-la-croix sur son nombril. Il faut comprendre ça : c'est au nombril que se situe l'accroche centrale du ventre, et, sous le signe-la-croix, toutes choses s'élancent aux quatre horizons mais se réinstallent tout de suite au cœur solide de cette croisée. C'est pourquoi le signe-la-croix met de l'ordre en toutes choses. Mais, pour Symphorine Massidor, ce geste de la croix fut insuffisant même si un zap de soulagement lui parcourut les flancs. Alors, Da Carapate lui tint l'abdomen d'une drôle de manière, dans un mouvement puissant. Selon la loi de cette matière, ce geste devait remonter la matrice. Mais la Malédiction était virulente. La matrice ne voulait pas rentrer. Da Carapate qui commençait à se faire vieille avait fait crier Man L'Oubliée.

Elle arriva auprès de Symphorine Massidor en compagnie du jeune bougre. Debout à ses côtés durant l'intervention, il la vit agir : Man L'Oubliée la fit sortir du lit et l'étendit sur des haillons par terre pour que son corps demeure bien droit ; elle la fit se détendre avec des mots chantés à hauteur de ses tempes. Puis, sous le regard de la Da Carapate (qui soutenait ses paupières à deux mains pour ne rien perdre de cette affaire), Man L'Oubliée se redressa. Le jeune bougre la sentit se raidir tandis que ses épaules se nouaient à mesure à mesure. Elle écarta les coudes et fit claquer ses mains au-dessus de la masse rose qui pointait encore entre les cuisses trémulantes de Symphorine Massidor. Un claquement sec. Une fois, deux fois, trois fois. Les claques résonnaient sans grand bruit, mais leur intensité était capable de défaire l'ordre des choses. À chaque claquement, Da Carapate tressaillait comme un canard décapité. Le jeune bougre, lui, se sentait livré aux flottements d'un vertige. Et c'est là qu'un souvenir pas-croyable s'échoua comme un vaisseau fantôme dans l'esprit enfiévré du vieil agonisant : *Avec l'air d'obéir aux claquements, la masse rose avait rentré la tête!* À dire un vieux chatrou menacé d'une eau chaude, qui se contracte et disparaît. Là-même, Man L'Oubliée voulut d'un grand mouchoir pour bander le ventre de Symphorine. Elle lui demanda de garder cette amarre pendant quarante-cinq jours. Avant de partir, elle s'entendit avec Da Carapate sur les trois thés de circonstance, et lui enjoignit de laisser faire les choses, que tout allait peut-être rentrer dans l'ordre. On dit que Symphorine Massidor prit un sommeil paisible et qu'elle se réveilla neuf heures plus tard, aussi fringante qu'un colibri-madère quand l'hibiscus fait fleurs.

L'agonisant repensait à cette scène impossible. Des mains qui claquent. Une chair malade qui obéit. *Je l'ai vu pourtant, je l'ai vu!* s'était souvent exclamé M. Balthazar Bodule-Jules en racontant ce souvenir. En ce temps-là, mes enfants, l'incroyable traversait plus facilement nos vies, le monde avait ses enchantements et les esprits étaient encore en poésie. Maintenant, tout s'est éclairé, tout est devenu plat sous les rouleaux de la raison et de la prose qui veut tout expliquer! C'est pourquoi, mes amis, je peuple ma vieillesse avec quelques poètes, je veux dire : *avec des enchanteurs!* L'enchantement n'est pas une faiblesse mentale ou une chimère d'enfant, c'est une grâce que l'on perd! Les matrones étaient la poésie de l'accouchement sous la Malédiction; les cliniques obligatoires et les hôpitaux-maternités en furent la prose désenchantée [1]... *Chères matrones !... Elles m'ont accompagné tout au long de ma vie !*

En certaines circonstances douloureuses, M. Balthazar Bodule-Jules avait su retrouver les gestes de ces matrones. Dans les Aurès, il avait accouché cette jeune Algérienne qui vivait avec eux dans les grottes, et qui se déplaçait durant des nuits entières, pour rapporter des jerricans d'eau, des paniers de galettes ou de semoule, et qui dans les échauffourées, malgré son état bien avancé de femme enceinte, continuait à courir, à sauter, à se battre. M. Balthazar Bodule-Jules ne l'avait pas vraiment rencontrée, n'avait pas causé avec elle. Noyé par l'épuisement, chahuté par les traques incessantes que les légionnaires-dingues mettaient en œuvre contre eux, il n'avait pu qu'entrevoir sa silhouette parmi les ombres de lune, deviné son courage quand elle réapparaissait dans le brouillard de l'aube, titubant sous la charge des vivres. Personne n'aurait pu le deviner sous les ampleurs de son treillis, mais M. Balthazar Bodule-Jules sut là-même qu'elle était enceinte ; il pouvait suivre l'évolution de sa grossesse sur le seul balancement de ses hanches et le rythme changeant de sa respiration. C'est lors d'une fuite générale que la jeune femme se mit en couches. Il avait fallu quitter les caches de toute urgence suite à des manœuvres d'hélicoptères et des mouvements de troupes. Chargé comme un mulet, chacun allait à marche forcée. C'est alors que la jeune femme se mit à perdre les eaux. Sans un mot, elle avait continué à marcher comme une somnambule, puis s'était effondrée sur elle-même à la manière d'une fleur, juste aux côtés de M. Balthazar Bodule-Jules. Elle lui avait fait signe de l'abandonner et, pistolet au poing, elle s'apprêtait à être déchiquetée sur place en abattant quelques légionnaires-dingues. Sans

1. *Adresses aux jeunes drogués de Saint-Joseph.* Déjà cité.

même réfléchir, malgré son barda et sa mitrailleuse lourde, nostr'homme avait chargé l'indomptable sur son dos et ordonné à son groupe de poursuivre le repli. Il avait dévié vers une grotte des hauteurs où il avait pu l'étendre, la faire boire à sa gourde et lui rafraîchir le visage. Et là, dans le noir tronçonné par l'éclat d'un briquet, et dans un dénuement de chien, avec juste quelques gestes bousculés dans sa tête, M. Balthazar Bodule-Jules s'était mis en demeure de lui sauver la vie. Il lui avait posé une main sur le front, lui avait parlé doucement, lui avait caressé le ventre pour la détendre. Au-dehors, il entendait les battements d'hélicoptères et les cris des paras qui fouillaient chaque millimètre carré. Après, je ne sais plus ce qui s'est passé, j'étais devenu une matrone, avec des yeux de matrone, des mains de matrone, le dos courbe des matrones, le même air dans les yeux, oubliant tout ce qui était moi, me coulant dans ce qui provenait d'elle et de Man L'Oubliée ! *Et je me retrouvai soudain avec l'enfant entre les mains, un petit Algérien nouveau dans cette Algérie qui s'efforçait de renaître !* Par chance, la jeune femme savait quoi faire. C'est elle qui recueillit le nouveau-né contre elle, qui le plaqua entre ses seins pour étouffer son cri de vie, qui se coupa le cordon. Pendant qu'elle s'était assoupie, M. Balthazar Bodule-Jules avait enterré le nombril tout au fond de la grotte, en se persuadant qu'à défaut d'arbre ce nouveau fils de l'Algérie serait porteur des forces de la montagne et des vigueurs de la roche. La nuit suivante, ils rejoignirent les autres, lui, portant barda et fusil-mitrailleur dans une main, et le bébé dans l'autre. La jeune femme avait du mal à bien tenir debout et s'accrochait à sa ceinture pour pouvoir avancer. L'agonisant se souvint de son visage avec une douceur infinie, il n'aurait su dire si elle avait été belle ou non, il retrouva juste ce visage indistinct dans sa tête, et ces yeux farouches, abandonnés de toute tendresse et du possible des larmes. Et, malgré toutes ces années, alors qu'il avait oublié son nom et le détail de sa silhouette, il sentit le manque d'elle, comme on l'éprouve pour un intime bien trop tôt disparu.

L'agonisant sursauta sous le brusque souvenir de cette femme d'Indochine qu'il avait crue éventrée par l'explosion d'une mine. C'était l'époque où ils préparaient (avec les paysans-soldats d'Hô Chi Minh et du commandant Giap) la grande attaque contre les Français embourbés dans la cuvette de Diên Biên Phu. Il fallait acheminer sur des hauteurs abruptes des armes lourdes, des canons, des obus de toutes tailles. De temps en temps, une mine sautait sur l'une des voies secrètes qui sillonnaient dans les bois et les roches. À chaque fois, un homme ou une femme se faisait déchiqueter. M. Balthazar Bodule-Jules vit ainsi cette jeune Vietnamienne, projetée en l'air avec sa bicyclette par le souffle d'une mine. Il la vit retomber comme un pantin sans âme, les vêtements déchirés, corps livré à la boue, avec cette masse rose qui lui pointait entre les jambes. Il put la prendre en charge sur son épaule, la charroyer dans un des camps-tunnels que les hommes d'équipement avaient creusés tout au long des parcours. Et là, les soigneurs tentèrent de la sauver. Tous leurs efforts furent impuissants : son ventre semblait avoir explosé à l'intérieur, et s'apprêter à dévaler entre ses jambes en une bouillie inarrêtable. C'est alors que M. Balthazar Bodule-Jules avait pensé aux descentes de matrice. Spontanément, il avait massé le ventre de la jeune femme à la manière de Man L'Oubliée, durant des heures et toute la nuit. Il le fit avec l'énergie désespérée que donne le sentiment de vivre une injustice. M. Balthazar Bodule-Jules prétendit avoir fermé les yeux jusqu'à devenir Man L'Oubliée elle-même ou une de ces admirables matrones. Il prétendit qu'à l'aube (quand l'un des guérisseurs thaïs put accéder à l'infirmerie-tunnel) la jeune femme était simplement endormie, ventre remonté et comme intact.

Le guérisseur lui prépara des thés et lui banda le ventre, tandis que M. Balthazar Bodule-Jules s'en allait rejoindre son poste dans l'avancée vers Diên Biên Phu... *C'est pas croyable !* se dit encore l'agonisant. Il se découvrait ainsi peuplé — non de souvenirs seuls — mais de gestes, actifs dans la fibre de ses muscles, et qu'il avait toujours su convoquer dans l'urgence, talonné par la mort, sans trop savoir ni comment ni pourquoi, dans un instinct total et une identification directe à ces femmes admirées : Je suis mémoire de chair, elles m'ont transformé en une mémoire de chair !

(Je devais m'accommoder de cette idée inconcevable : c'est en se désintégrant que sa mémoire s'organisait, traçait ses lignes de force et mettait en esquisse ce qu'il était vraiment. Il lui avait fallu le désordre de cette agonie pour découvrir ce que sa vie lui avait appris. Il avait dû partir — non du clair et de l'assuré — mais de l'obscur et du trouble, de l'instable et du labile, de l'incertitude et de la confusion. Il naissait à lui-même dans le chaos des certitudes qui jusqu'alors structuraient son esprit. Et les femmes, vraies bombes émotionnelles, alimentaient les réactions en chaîne de cette dévastation fondatrice. C'était comme si j'avais à décrire l'effondrement d'une cathédrale, le fracas et la poussière d'un séisme humain, et rester attentif à tous les éboulements au point de ne pouvoir réfléchir à ce que j'écrivais. Cela me plongeait dans une fable circulaire, une spirale indécise, forcée de s'observer elle-même pour surprendre [dans ses propres nébuleuses] les contours du personnage Balthazar Bodule-Jules. Je n'essayais pas non plus d'atteindre à la totalité de ce qu'était cet homme : elle serait de toute manière hors de toute vérité. Je me contentais maintenant de relier [en sorte souple et vivante] ce que je savais de lui, ou que j'avais pu deviner, mettre en convergence féconde des faits qu'il n'avait jamais songé à rapprocher, et laisser cet ensemble vivre sa vie comme une toile

d'araignée chargée de reflets et d'obscures vibrations. Cet écrire en humilité forcée devait tenter [non d'élaborer un récit] mais d'articuler un organisme ouvert, circulaire et vivant, qui trahissait la vie de M. Balthazar Bodule-Jules en la dévoilant tout autant... Notes d'atelier et quelques affres.)

Le jeune bougre rencontra un autre mystère. C'était un jour du mois de décembre. Plus que jamais bouleversé par l'indifférence de Sarah-Anaïs-Alicia, il avait rejoint Man L'Oubliée la veille. La journée s'était déroulée comme de coutume, sans qu'elle fasse mine de descendre vers les cases. Ils avaient dressé leur petit ajoupa, attisé le feu et dînaient en silence d'une soupe de racines. Soudain, Man L'Oubliée redressa la tête. Elle fixait un point indésignable perdu dans l'ombre des bois. Le jeune bougre n'avait rien entendu, mais il sentit quelque chose. Il percevait la concentration de Man L'Oubliée mais sans cette raideur attentive qui modifiait son être quand l'Yvonnette Cléoste rôdaillait autour d'eux. Ce soir-là, elle resta impassible, calebasse de soupe en main, jusqu'à ce que l'ombre se mette à vivre et qu'une femme s'avance vers eux, d'un pas hésitant, visage coulé au fond du désespoir.

C'était une femme d'origine indienne, koulie à peau très noire, ses yeux semblaient deux trous sombres dévastés, sa chevelure tombait en longues nattes sur son dos. Un mouchoir lui enserrait le front et elle avait posé par-dessus un grand chapeau-bakoua. Dans ses bras, elle portait un petit bougre étourdi, gris-brique, au muscle flasque. Il devait se trouver dans cet état depuis une charge de temps. Derrière la koulie surgirent d'autres silhouettes de femmes. Deux jeunes, et une très vieille — une matrone que le jeune bougre rencontrerait plusieurs fois par la suite : Da Eriksa. Man L'Oubliée leur fit signe de s'asseoir autour du feu. La koulie accepta sans attendre. Ses yeux, plantés sur Man L'Oubliée, laissaient croire qu'elle contemplait une image du Messie. Elle s'accroupit, l'enfant posé en travers sur ses cuisses. Elle se figea comme ça, sans trouver une parole, terrassée par une déveine sans nom. Malgré l'invite, les deux autres femmes demeurèrent en retrait respectueux. Enfin, Da Eriksa s'avança d'un pas ferme, d'aplomb mais déférent. À son approche, Man L'Oubliée se leva comme on se lève devant les grandes personnes. Il faut dire que Da Eriksa rayonnait d'une sagesse et d'une autorité sans limites, c'était une femme de connaissance de la manière la plus haute et la mieux achevée. Elle avait formé des générations de guérisseuses et de matrones. Elle n'allait chercher personne, on venait la trouver ; quand on l'avait trouvée, il fallait une bonne dose d'entêtement aux désireuses d'apprendre pour résister à ses silences, sa grogne cassante, ses gestes opaques, comprendre son enseignement qui ne disait pas son nom. Ses appreneuses l'escortaient jour et nuit ; elles devaient être là, à tout moment, sans fatigue ni absence, la suivre avec les yeux ouverts et le cœur endurci. Poussée par l'urgence de l'état de l'enfant, Da Eriksa était venue avec ses appreneuses pour présenter elle-même la pauvre koulie à Man L'Oubliée. Sans elle, il aurait été impossible pour cette pauvre manman de découvrir celle-ci dans l'infini des bois.

— *Il meurt sur lui-même...* lui dit Da Eriksa en désignant l'enfant.
Elle ne dit rien de plus.

Toujours impassible, Man L'Oubliée se mit à regarder l'enfant avec intensité. De longues minutes s'écoulèrent ainsi. La tête de Man L'Oubliée ne bougeait pas, ses yeux restaient fixes mais englobaient le petit corps. Sans rien observer de précis, elle le faisait avec une telle concentration que tous les détails devaient lui parvenir ensemble, dans leur globalité et dans leurs précisions distinctes. *Elle ne le regardait pas, elle le voyait!* Il faudra toute une vie au jeune bougre pour comprendre ce regard. Les matrones le pratiquaient aussi. La toute-puissance des yeux s'exerçait là. Regarder jusqu'à voir, c'était entendre aussi, c'était toucher aussi. Il avait utilisé cette approche visuelle dans bien des aspects de sa vie, et déjoué quelques embuscades en prenant simplement le temps d'observer un canyon, une passe de rivière, une clairière qui s'offre, la descente d'un plateau. Il avait su l'exercer de même sur le visage des femmes, la démarche d'une silhouette qui vient, et très souvent il avait mieux compris ce qu'il devait affronter. Ainsi, en bien des fois, il sut annoncer une pluie improbable après avoir seulement fixé le ciel, ou désigner un traître au châtiment de ses hommes grâce à la conjonction d'une lèvre qui tressaille et d'une paupière qui tombe.

Sans bouger de sa place, Man L'Oubliée enjoignit à l'Indienne de déposer l'enfant par terre. L'Indienne hésita en jetant un œil vers Da Eriksa. D'une baisse de paupières, la matrone lui signifia qu'elle devait obéir. L'Indienne s'exécuta et l'enfant fut allongé auprès du feu, éclairé par les flammes. Il respirait faiblement; son teint noir avait viré au vieux gris des chapelles; ses lèvres étaient caillées. Des vomissures avaient séché sur son menton et sa poitrine. En guise d'épiderme, il n'y avait plus qu'un voile parcheminé qui lui couvrait les os. C'était un petit kouli des hauts de Bézaudin. On le criait *Ti-roche* à cause des duretés de son tempérament. Il y avait des mois de cela, comme tous les agaçants de son quartier, il jouait kalibandjo. Lui-même et ses comparses avaient découvert (derrière une vieille habitation) une longue pente, très abrupte, qui descendait vers une ravine. Ils se rendaient à cet endroit pour se laisser glisser sur l'arête centrale d'une feuille de cocotier. Cette glisse pouvait atteindre des vitesses pharamineuses qui excitaient jusqu'à l'épilepsie ces cavaliers furieux. À croire que son nom signalait un destin, Ti-roche avait rencontré une roche : sa feuille s'était projetée sur la gauche, et lui-même sur la droite, et il s'était retrouvé à dégringoler fesse-pour-tête, à dire un coco sec en voltige dans un fond. On avait cru qu'il ne se serait jamais relevé. Mais Ti-roche se releva tout de suite. Un peu étourdi mais bien en forme — mis à part un petit raide du dos qui n'atténua nullement son énergie persécutante. Il enfourcha une feuille nouvelle et reprit sans mollir ses kalibandjo jusqu'au bord de la nuit. Puis il rentra dormir. Une semaine passa ainsi, sans la moindre douleur. Sans la moindre raideur.

Un jour, il se mit à pâlir. Son appétit s'enterra quelque part. Il entendit des sifflements à ses oreilles, et se sentit sous l'emprise d'une fièvre à frissons qui allait et venait, et qui venait de plus en plus souvent, à chaque fois plus violente. Son corps s'engourdissait de jour en jour, et de jour en jour il eut du mal à se lever, à vivre et respirer sans une blanche fatigue. Il finit par cabaner, comme on dit, à vivre couché sur sa paillasse à la manière d'un vieillard à l'asile. L'Indienne et son homme (un maigrelet de Calcutta qui consacrait son existence servile à mignonner les taureaux d'un béké) avaient pratiqué deux-trois cérémonies à la déesse Shiva. Ils avaient aussi consulté un quimboiseur de Sainte-Marie, lequel avait désinfecté la maison et baigné l'enfant avec des feuilles de bois-moudongue et des racines à bienfaisance. Ils l'avaient même porté jusqu'à l'église de Balata pour le plonger dans l'eau heureuse d'un bénitier. Quand Ti-roche s'était mis à ne plus ouvrir les yeux, ils s'étaient relayés pour lui parler sans fin, et faire en sorte que pièce vol de vieux rêves ne l'emporte à jamais. Ils avaient inscrit son nom sur des arbres et des roches afin qu'il demeure bien ancré sur cette terre, et, à chaque débouché du soleil, ils l'avaient présenté à la toute

432

première lueur. Rien n'y avait fait. Plus d'une âme défaitiste affirmait autour d'eux que le Seigneur lui-même allait rappeler l'enfant. Alors, sous la caresse d'une simple intuition, ils avaient sollicité Da Eriksa.

La grande matrone avait observé Ti-roche mais n'avait pas compris ce qui lui arrivait. Elle avait mandé les autres agaçants, et ces derniers (effrayés des clairvoyances de son regard) avaient fini par dévoiler l'affaire de leur kalibandjo. Da Eriksa était allée sur place examiner la pente, et c'est là qu'elle avait perçu les influences néfastes. Elle était remontée de là, suffocante, gorge amère, les yeux rouges.
Une horreur.
Cette pente était un lieu de mémoire effroyable comme il y en avait un peu partout dans le pays. Lors des temps d'esclavage, le planteur propriétaire du coin pratiquait le supplice du tonneau. Tout récalcitrant était enfermé dans un tonneau de chêne hérissé d'une quantité de clous. On balançait le tonneau dans la pente ; il dévalait vers la ravine, puis basculait dans la rivière qui achevait l'ouvrage. Le malheureux — ou la malheureuse, car certaines femmes y avaient droit aussi — se voyait dévoré par les clous, il sortait de là comme revenu des dents fines d'un hachoir. Le planteur enterrait sur place ce mélange de cerceaux, d'herbes écrasées et de chair en bouillie, et y ajoutait quelques pelletées de chaux pour stopper les odeurs. La pratique lui était venue de son grand-père, qui l'avait transmise à son père, et son fils l'avait entretenue avec la foi en Dieu. Ces âmes, ainsi torturées sur sept générations, avaient irrigué cette pente des plus extrêmes douleurs ; ne sachant où demander justice, elles vivotaient-là depuis un bout d'éternité et pour des siècles encore. La Malédiction était là, active, directe, et lors de la chute, elle avait — selon Da Eriksa — investi le corps voltigé de Ti-roche.

Donc, Man L'Oubliée observait l'enfant allongé près du feu. Elle demanda soudain à la koulie de lui mettre les pieds côte à côte, de lui coller les talons et de lui ajuster les orteils. La femme s'exécuta. Un des gros orteils dépassait l'autre, comme si l'enfant disposait d'un pied plus long de quelques centimètres.

— C'est une Blesse, dit Man L'Oubliée.

— Saint Benoît, protégez-nous des démons et des trente-trois calamités! gémit Da Eriksa.

— Sainte Philomène, protégez-nous de tout! répondirent en écho ses appreneuses.

Une Blesse! C'était la première fois que le jeune bougre entendait ce mot. Il ne savait pas encore qu'il l'entendrait des dizaines et des dizaines de fois durant toute cette période. La Blesse est un mal mystérieux, quasiment invisible, qui pouvait prendre tout le monde. Mais il empoignait surtout les jeunes enfants dont le corps n'était pas achevé et dont les organes n'étaient pas encore accrochés à leur place. Il n'y avait rien d'apparent, ni traumatisme ni contusion, les seuls signes étaient ceux du dépérissement progressif. Un mal intérieur, même pas douloureux, aspirait l'énergie de la personne frappée. Aucun médecin des hôpitaux civils ou militaires ne comprenait un tel mystère. Rien n'y faisait, ni les bains ni les thés, les tisanes ou les chapelets de prières. On ne voyait rien dans rien, on avait beau tâter, consulter chaque organe, chaque millimètre de peau, veiller le cœur et la circulation, rien n'était perceptible sinon l'inexorable dépérissement qui pouvait durer et-cætera de mois, et un autant d'années. Cette lente consumation transformait la victime en une sorte d'épave. La Blesse pouvait évoluer avec le vif d'une foudre. La victime mourait en quelques jours, avec autant de souffrances que si l'intérieur de son corps s'était mis à pourrir.

Et Dieu seul sait si au cours de mes guerres je devais rencontrer des Blesses ! Des compagnons d'armes qui se mettaient à dépérir sans que l'infirmière ou le médecin ne puisse comprendre de quoi il s'agissait. M. Balthazar Bodule-Jules avait veillé ainsi un de ses frères d'armes, Ahmed le ténébreux, qui s'était retrouvé maintes fois à ses côtés dévalant des crevasses, rampant dans des rivières, se jetant dans le vide pour déjouer des paras, et qui un jour eut du mal à marcher, du mal à avancer, et qui avait voulu rester sur place en souriant. Dès lors, il lui fut impossible de se lever, et, sans douleur précise, s'était mis à s'éteindre tout doucement. M. Balthazar Bodule-Jules avait dû le porter à l'épaule durant deux ou trois jours. Il se souvint de Phan Donc, que les soldats français avaient jeté d'un hélicoptère, en pleine jungle d'Indochine, et qui était resté pendu à un croisement de lianes. M. Balthazar Bodule-Jules (au grand dam de ses chefs) était parti le rechercher, et l'avait ramené au campement, sur son dos, d'apparence sain et sauf. Mais les guérisseurs thaïs le retrouvèrent bientôt mourant sans comprendre ce qu'il pouvait subir, car rien n'était cassé. Et ce camarade, Bongo, qui avait échappé aux tortures des officiers belges et aux sicaires du traître Mobutu, et qui s'était traîné vers les caches de Léopoldville, et que les partisans de Patrice Lumumba avaient accueilli comme un miraculé. Bongo avait retrouvé ses habitudes durant quelques jours, puis s'était mis à dépérir comme Ti-roche, avec le même teint, et les mêmes vomissements. À chaque fois, M. Balthazar Bodule-Jules avait procédé comme Man L'Oubliée : il avait fait s'étendre Ahmed, fait s'étendre Phan, fait s'allonger Bongo, leur avait enlevé les bottes et les chaussettes, et sous les regards déconcertés des guérisseurs, des infirmières ou des médecins, il avait vérifié la symétrie de leurs pieds. Et, à chaque fois, il avait constaté qu'un pied était plus long que l'autre : *signe fatal de la Blesse.* Nul ne connaissait cela. Ni les guérisseurs de l'Indochine, ni les sorciers du

435

Congo, ni les chamans des Amériques, les thaumaturges des îles, ensorceleurs de toutes natures, rencontrés au fond des continents, dans des tribus perdues, des villages oubliés ou des villes poussiéreuses, ne comprenaient ce phénomène. M. Balthazar Bodule-Jules leur montrait les pieds asymétriques, ils regardaient, ne disaient hak et soignaient l'infortuné à leur manière, sans disposer du mot ni même du diagnostic pour désigner ce mal. Certaines victimes d'une Blesse avaient été sauvées après que M. Balthazar Bodule-Jules eut désigné l'anomalie. D'autres étaient mortes car le soigneur n'y avait pas cru, ou n'avait pas compris. Parfois, il avait dû intervenir lui-même en refaisant les gestes de Man L'Oubliée. Il s'était toujours crédité d'une aptitude naturelle à soigner les mystères, mais là, le vieil agonisant — revoyant la scène où elle soigna Ti-roche — dut admettre qu'il avait tout enregistré, tout reproduit à l'identique. À chaque fois, il avait refait les gestes de Man L'Oubliée, ajouté du whisky quand il n'avait pas de rhum, de l'eau-de-vie ou du vin de palme, des alcools de toutes sortes pour conduire la chaleur. Il avait sauvé ainsi et-cætera de personnes du mystère de la Blesse. *Seigneur, il y a un mode de connaissance qui vient des gestes, là où bien voir devient apprendre...*

Man L'Oubliée avait laissé dormir l'enfant toute la nuit, sans le toucher. Elle se contentait de l'observer en essayant de deviner où se trouvait la Blesse, son ampleur, son mode d'atteinte aux forces vitales. Da Eriksa se tenait silencieuse, sans prendre sommeil malgré son âge. Elle zieutait fixement Man L'Oubliée pour ne rien perdre de son intervention. L'agonisant savait maintenant qu'une telle vigilance était classique en terre orale où les savoirs devaient se prendre. Les connaissances y étaient moins transmises que captées, moins offertes que cueillies par une attention qui sait imaginer. Au contact de Man L'Oubliée, toutes les personnes de connaissance devenaient attentives, guettant ses attitudes, ses mots ou ses silences, le moindre de ses bougers. Une manière d'apprendre que le jeune bougre exerça sans effort. Il s'imprégna ainsi de connaissances inexprimables qui, dans ses errances guerrières, sauvèrent son existence et celle de bien des compagnons. Ce soir-là, la concentration de Da Eriksa sur les gestes de Man L'Oubliée l'avait alerté, et il s'était mis à observer aussi, avec toute la vigilance dont il était capable malgré une nuit sans sommeil et le tracas d'esprit que lui causait toujours Sarah-Anaïs-Alicia.

Au petit jour, Man L'Oubliée s'était levée, et (au grand désespoir de Da Eriksa qui n'avait pas reçu signe de la suivre) elle avait emmené le jeune bougre avec elle. Elle avait avancé comme d'habitude à la recherche de simples, le buste penché, lentement, regardant autour d'elle, s'arrêtant sous les arbres et auprès des arbustes pour les entendre et les comprendre, et leur soumettre le mal du petit garçon. Elle avait arraché des feuilles du figuier-maudit, quelques feuilles de plantain, gratté la mousse jaune d'une écorce. Elle avait avancé encore pour creuser au pied d'un arbre (inconnu du jeune bougre) et extraire avec soin un bout de racine grise. De retour à l'ajoupa (sous le regard aigu de Da Eriksa), elle fit bouillir un gros canari d'eau. Elle y jeta trois feuilles du figuier-maudit, puis trois graines de gros sel, puis la mousse d'écorce pulvérisée entre ses paumes. Elle laissa l'eau bouillir longtemps, puis avec cette eau encore très chaude, augmentée d'une dose de tafia, elle frictionna l'enfant de la tête aux pieds. Le jeune bougre fut stupéfait de la force et de la vivacité aérienne de ses mains : elles massaient, purgeaient, étiraient, frottaient, bouleversaient le corps de l'enfant en utilisant l'eau aussi brûlante qu'il était supportable. Sous l'effet du massage et de l'extrême chaleur, les mains de Man L'Oubliée prenaient des reflets rouges. Cela dura presque deux heures. Avec un mouchoir, elle lui tamponna le corps, puis lui enveloppa le crâne d'une toile imprégnée de tafia. Elle le couvrit d'une petite laine que Da Eriksa avait prévue. Enfin, elle s'assit bien tranquille en préparant un thé de feuilles-plantain cassées en trois morceaux. Elle fit boire cette composition à l'enfant qui s'était réveillé. Il avait repris une apparence vivante. Son sang s'était mis en mouvement, et ses yeux s'animaient des flammèches agaçantes qui signalaient sa marque de petit explosif. Le jeune bougre vit Man L'Oubliée lui manipuler les membres puis le torse. Un sacré maniement de ses os par le biais de massages qui happaient les organes et les ajustaient selon des lois pas comprenables. Man L'Oubliée n'avait pas vérifié, mais le jeune bougre remarqua que les pieds de l'enfant avaient recouvré des longueurs identiques. Ses organes internes avaient dû retrouver leur accrochement normal. Le petit bonhomme put bientôt se mettre assis, et se lever, et repartir en compagnie de sa manman qui regardait Man L'Oubliée comme un soleil levant. Da Eriksa avait poursuivi le traitement avec des tisanes de plantain et de feuilles différentes mises en nombres décroissants. Le jeune bougre devait revoir le petit kouli quelques mois plus tard, par hasard, plus remuant que jamais...

Ces souvenirs émergeaient de la brume tourmentée que Sarah-Anaïs-Alicia avait jetée sur son esprit. *Si j'avais été vraiment disponible, comme j'aurais appris des choses !* Il dut intervenir lui-même, un jour, de manière inattendue. Au quartier Fonds-Moustiques, Man L'Oubliée et lui furent appelés dans une case d'un genre inhabituel. Là vivaient une vieille négresse et un vieux bonhomme blanc. C'était un ancien négociant-vigneron, que l'on criait *Tout-Rouge*. Il avait battu les îles pour vendre des tonneaux de vin aux colons nostalgiques, et s'était vu engluer dans la colle d'un amour pour une négresse étrange. Une demi-Africaine et demi-Caraïbe, qui marmottait une sorte d'espagnol aux accents germaniques. Elle n'avait pièce goût pour vivre parmi les personnes de son temps, à tel point que sa bouche battait toute la journée sur des conversations avec des morts demeurés en Afrique et des ancêtres de toutes espèces trouvés aux Amériques. Elle n'avait pas de nom, alors on la criait *Nomcachée*. Tout-Rouge, qui devait sûrement se chercher moyen de compliquer son existence, avait tout abandonné pour s'en vivre avec elle, dans une case comme ces blancs-gâchés qui végètent en grands fonds. Il passait ses journées à écouter les marmottements de Nomcachée ou à lui enseigner la grande magie du vin. Il accueillit lui-même Man L'Oubliée car Nomcachée était tombée muette depuis une charge de temps. Sans doute parce qu'elle avait perdu son unique fille. Cette dernière qui venait d'accoucher avait pris disparaître sous un glissement de terre lors d'une saison de pluies. L'on n'avait jamais pu retrouver son corps, mais un sauveteur (le genre chanceux aux dés) avait dégagé de la boue son bébé-petite-fille, même pas traumatisée, intacte et souriante. Le nourrisson tétait encore, et Nomcachée, déjà pourtant bien vieille, avait trouvé moyen (à force de volonté) de recharger ses tétés plats avec on ne sait quoi, et d'en nourrir l'enfant et l'en faire profiter. Le bébé (crié Jeannette-Clara-Cécile) avait grandi, était devenue pubère, puis jeune fille à tétés, puis amarreuse dans les champs de cannes, et avait fini par se faire engrosser du fait des basses œuvres d'un géreur en goguette. L'enfant de Jeannette-Clara-Cécile (bébé-fille à fossettes) était venue s'ajouter à leur vie, laissant Nomcachée muette mais créant chez Tout-Rouge qui aimait les enfants une joie sans mélange. Il la célébra avec autant de ravissement que s'il s'était agi d'un saint-estèphe ancien. Il l'avait baptisée du prénom *Bacchus*, pas vraiment au hasard mais surtout parce que ce fut le seul qui lui vint à l'esprit. Donc, Bacchus avait commencé par grandir comme il faut. C'est seulement depuis une lune qu'elle s'était mise à dépérir d'une manière incroyable.

Da Siyonnelle était venue à son chevet. Elle avait d'abord examiné Bacchus en cherchant une Blesse ou un empoisonnement. Puis elle l'avait plongée dans des complications de baignades à sept fleurs, et avait coulé entre ses lèvres des tisanes merveilleuses. Il n'y eut pièce résultat particulier, sinon celui d'aggraver le mal-être de l'enfant : elle paraissait victime d'un embrasement de la Malédiction. Da Siyonnelle se mit à calculer calculer calculer. Elle questionna sa mère, Jeannette-Clara-Cécile, et rencontra la vérité. Un homme à peau claire avait coincé Jeannette-Clara-Cécile dans un coin du champ de cannes, il l'avait charroyée sous une voûte de pierre abandonnée depuis longtemps, et là, dans la pénombre et l'odeur millénaire, il l'avait écartelée pour pratiquer son joui-la-vie en elle. Après, il lui avait rempli la tête de toutes ces paroles à sucre d'orge que l'on peut étaler sur la méfiance d'une femme. Jeannette-Clara-Cécile avait fini par se prendre en sentiment pour lui et ils avaient recommencé. Le plus souvent au même endroit où le jouisseur avait ses habitudes. *Bacchus était née de cette calamité-là !* Da Siyonnelle qui calculait encore voulut voir le lieu où Jeannette-Clara-Cécile s'était fait engrosser. Quand elle découvrit la voûte de vieilles pierres, elle reçut un choc à l'estomac. *C'était un cachot.* Une de ces oubliettes effrayantes où des nègres esclaves s'étaient vus dessécher dans leurs propres déjections. Leurs âmes s'étaient corrompues dans la pierre, avaient coulé dedans la terre, s'étaient muées en racines coléreuses qui brisaient les murailles et nourrissaient des branchages torturés jamais porteurs de feuilles. La matrone avait quitté cet endroit en courant. *C'est l'enfant d'un viol !* avait-elle hurlé à Tout-Rouge qui n'y comprenait rien. *Une enfant soumise à la Malédiction, car elle a été conçue en plein là-dedans ! La Malédiction est trop directe pour moi,* marmonnait-elle.

Man L'Oubliée arriva. Nomcachée se mit à ululer en la voyant. On ne sut jamais s'il s'agissait d'une acclamation ou d'une crainte, mais on finit par croire que la vieille négresse scrutait Man L'Oubliée comme s'il s'était agi d'une savane du Bénin ou d'un souffle de la Grue couronnée : choses incompréhensibles pour un chrétien vivant mais qui jetaient le trouble au fond de son mystère. Tout-Rouge, lui, se prit d'une sympathie pour cette jeune femme un peu spéciale. Il tint à lui faire goûter de son saint-émilion en lui exposant mille considérations quelque peu délirantes sur le vin, les nègres et les enfants malades. Man L'Oubliée l'écoutait impassible, sans arrêter le pas. Da Siyonnelle dut l'écarter d'une main de fer pour que Man L'Oubliée puisse entrer dans la case.

Le jeune bougre la suivit. À l'intérieur, ils trouvèrent Jeannette-Clara-Cécile assise sur sa cabane avec sa Bacchus entre les bras, la berçant lentement et lui chantant des chants de vignerons. Man L'Oubliée s'agenouilla. Sous le regard inquiet de la manman, elle posa la main de Dieu sur Bacchus qui geignait. Le bébé se tut là-même, et prit-sommeil comme il ne l'avait pas fait depuis une charge de temps. Man L'Oubliée l'observa durant un bon moment. Son regard suivait les lignes du petit corps. Soudain, appelant le jeune bougre, elle lui demanda de prendre l'enfant dans ses bras. Jeannette-Clara-Cécile la lui tendit avec l'assentiment de Da Siyonnelle. Le jeune bougre se retrouva avec ce bébé inerte contre sa poitrine, et que Man L'Oubliée continuait d'observer
— *Menyen tèt-li...* Touche-lui la tête, lui dit-elle.
Le jeune bougre hésita.
Il s'arrangea pour se libérer une main, et finit par toucher la tête de l'enfant. Il perçut alors quelque chose d'effrayant : *la tête de l'enfant devenait molle en certains endroits.* Il tâta encore, plus légèrement que s'il examinait une bombe. À partir de la fontanelle, les os s'écartaient

sur une longue fente qui s'étirait jusque derrière le crâne. Le jeune bougre se mit à trembler.

— *Sé an tèt fann,* dit Man L'Oubliée comme pour le rassurer.

— Dieu seigneur, une tête-fendue ! grogna Da Siyonnelle.

La tête-fendue était déveine courante en ce temps-là. Les nouveau-nés (sans doute soumis à la Malédiction) ne parvenaient pas à rassembler les os de leur crâne. À mesure qu'ils grandissaient, une fente s'élargissait sous leur cuir chevelu, comme s'ils étaient dépositaires d'une mémoire impossible à loger. Ils se mettaient à faiblir comme des fins de chandelle, et finissaient par mourir dans de longues convulsions entrecoupées de comas et de fièvres. Man L'Oubliée avait laissé Bacchus entre les bras du jeune bougre. Elle avait demandé du coton-pays. Avec ce coton nettoyé, elle avait confectionné une sorte de coquille qu'elle aspergea de rhum et qu'elle remit au jeune bougre pour qu'il la plaque comme un bonnet sur la tête du bébé. Enfin, elle s'approcha et manipula le crâne de Bacchus avec précaution, un massage imperceptible, concentré, silencieux, qui articulait et ré-articulait le moindre os, et modelait le crâne comme s'il s'était agi d'une boule d'argile. Ensuite, avec des lanières de madras, elle lui banda le front. Qui fait que Bacchus prit un air de momie endormie sans souffrances. Man L'Oubliée enjoignit à Da Siyonnelle de lui garder ce bonnet durant neuf jours et de l'arroser tous les deux jours avec un peu de rhum. Elle s'en alla tout de suite sous les jappements de Nomcachée et ce gallon de vin que Tout-Rouge avait fourré dans les mains du jeune bougre.

En sortant de la case, Man L'Oubliée se dirigea vers le cachot abandonné. Elle y alla direct comme si un effluve la guidait. Le jeune bougre la vit s'agenouiller à quelques mètres de la vieille voûte. D'un geste, elle lui avait demandé de ne pas s'approcher. Elle demeura ainsi, yeux fermés, impassible, totalement détendue, dans une pétrification qui semblait accomplie pour une éternité. En se relevant, elle salua les vieilles pierres comme de vénérables personnes, et s'en alla vers les bois sans se retourner. Le jeune bougre regarda la vieille voûte : sans avoir changé, elle se révélait maintenant apaisée, ses ombres se montraient moins charbonneuses et le soleil circulait mieux sur les mousses grises. *Il s'était passé quelque chose!*

Le jeune bougre rattrapa Man L'Oubliée pour tenter de comprendre.

— Il fallait dégager l'endroit pour bien sauver l'enfant, lui dit-elle dans son créole succinct.

Ce simple recueillement avait suffi à purifier l'endroit! *Seigneur*, comprit soudain l'agonisant, *elle avait honoré les victimes de ces pierres! Par ce seul hommage, elle les a dégagées! Un geste de mémoire, un simple geste de mémoire...* C'est du moins ce que je crus l'entendre balbutier, ou qui me vint à l'esprit, et que je notai au vol comme on happe un moustique, tandis que des larmes lui filtraient aux paupières.

Man L'Oubliée avait obtenu qu'il tienne le bébé dans ses bras, et qu'il touche lui-même à la tête molle. Ce geste l'avait marqué de manière mieux consciente que toutes les connaissances transmises précédemment. Et l'agonisant (dont l'esprit dérivait autour de cette idée) dut se souvenir de son passage dans l'île de la Grenade après la mise à mort du cher Maurice Bishop. Les Étasuniens n'avaient pas supporté ce nouveau chef d'État aux idées humanistes, et trop proche des Cubains. M. Balthazar Bodule-Jules s'était persuadé que la CIA l'avait exécuté, avait fomenté une petite guerre civile, et lâché les marines comme pacificateurs. Il avait foncé vers la Grenade avec cette sainte colère qui (malgré son bel âge à l'époque) le drivait encore vers les souffrances du monde. Arrivé bien après les grands troubles, il n'avait trouvé pièce résistance organisée, et n'avait pu se livrer qu'à quelques sabotages pour tracasser les milliers de marines qui bouclaient le pays. Serré de près par des patrouilles de représailles, et ne disposant plus des endurances de sa jeunesse, il avait ˙ dû abandonner cette île verrouillée de partout pour rejoindre en haute mer les pétroliers trinidadiens, il s'était arrimé sur un radeau de bambou qui tint la brise durant six heures mais qui finit par se voir disloquer dans le tourment des vagues. Raidi sur son épave pour ne pas disparaître avec ses lourdes armes, M. Balthazar Bodule-Jules eut le temps de contempler sa mort. C'est un pêcheur de la Grenade qui l'avait recueilli. Ce vieux-nègre des mers était admirateur de feu Maurice Bishop. Le pêcheur aurait voulu l'emmener là-même vers Tobago, car la nuit avançante se profilait sans lune, mais il ne pouvait que revenir à terre : son bébé était malade et le pêcheur redoutait qu'il ne périsse en son absence. M. Balthazar Bodule-Jules regagna la Grenade avec lui, et, serré sous des filets de pêche, il demanda (sans trop savoir pourquoi) à regarder l'enfant. La mère — une chabine assez jeune mais déjà ravinée par une pluie de malheurs — lui présenta le petit corps souffrant. Le bébé était déjà plus maigre qu'une morue séchée, il était jaune, brûlant d'une fièvre salope. M. Balthazar Bodule-Jules songea là-même à lui palper la tête. Ses doigts retrouvèrent cette sensation qui l'avait effaré durant ces temps anciens. *Une fente molle !* L'agonisant se souvint qu'il avait décidé de soigner cet enfant mais il fut incapable de se souvenir du détail de ses gestes. Il finit par se convaincre d'avoir dû opérer une passe : cette série d'actes soignants que les matrones accomplissent en urgence et que personne ne peut vraiment disjoindre. Il l'avait soigné avec tant de conviction (et d'identification à Man L'Oubliée) que l'enfant accueillit ce traitement comme une bénédiction. Il ouvrit les yeux, se mit à gigoter, et dans l'heure qui suivit, il pouvait gazouil-

444

ler... Pour l'agonisant, Man L'Oubliée savait d'avance qu'il vivrait cette épreuve, elle l'y avait préparé, à sa manière, en lui mettant la petite fille de Nomcachée et de Tout-Rouge entre les bras : *Ce contact avait inscrit la passe au plus fond de mes chairs !...* Il n'eut pas le temps de les aider à trouver des herbages, mais il leur conseilla de voir quelqu'un qui connaissait les plantes. Le vieux pêcheur (fou de reconnaissance) le conduisit la nuit suivante entre les navires américains, et le déposa sur l'île de Tobago. M. Balthazar Bodule-Jules y séjourna quelques semaines avant de s'embarquer comme nègre à tout faire sur un vieux pétrolier. Il n'avait pas parlé à la mère de l'enfant, juste entrevue, juste côtoyée, mais il la retrouva en lui, pauvre visage ravagé, penché au-dessus du bébé, pauvre visage embelli à force d'amour et de reconnaissance. *Oh, je n'ai même pas ton nom... !*

(Sa mémoire jouait. Elle développait un processus aléatoire où les événements, les gains de souvenirs, les pertes de précision, les contaminations diverses venaient bousculer et enrichir l'ensemble. Elle avait tant de souplesse que, dans la moindre de ses jointures, surgissaient des rencontres inattendues, des remontées du temps, interférences de femmes et proliférations qui m'interdisaient toute possibilité d'appréhender l'ensemble. Je devais donc écrire comme allait sa mémoire : en jouant. Notes d'atelier et quelques affres.*)*

C'était pas un prophète mais une espèce comme ça : il nous porta le monde.

« Notre morceau de fer ».
Cantilènes d'Isomène Calypso,
conteur à voix pas claire de la commune de Saint-Joseph.

Après ses interventions, on ne donnait jamais d'argent à Man L'Oubliée. Que des paniers de légumes et de fruits de saison, confitures de toutes sortes et mille substances utiles : pains de sucre, bâton de gros-caco, sachet de manioc, bay-rhum et graines rares... Elle laissait tout cela au

445

jeune bougre qui descendait les vendre sur le marché de Saint-Joseph. Il se rapportait ainsi des sous, vite dissipés dans des costumes invraisemblables près des pacotilleuses et des gros Syriens. Et c'est habillé comme un pape qu'il revenait à la maison étudier avec Déborah-Nicol Timoléon et surtout se faire voir par Sarah-Anaïs-Alicia. L'indifférence de celle-ci était telle qu'il repartait au plus vite dans les bois pour se gagner un peu d'argent et trouver le costume capable d'animer le doux regard de la jeune fille. De ce fait, il demeura longtemps sur les traces de Man L'Oubliée.

Elle allait rendre service dans les quartiers les plus lointains. Il n'y avait pas que les matrones qui pouvaient lui demander de l'aide. D'autres personnes, dirigées par des hommes de pouvoir, pouvaient se mettre à la chercher comme on cherche un Mentô. Le jeune bougre ne savait pas alors ce qu'était un Mentô. En d'autres coins du pays on les appelait les *Forts* ou les *Vaillants*. Il ne se doutait même pas que cela existait. Ni qu'une femme avait moyen d'en être. Il passera une bonne part de sa vie auprès d'elle et ne saura que longtemps après — là, durant cette agonie — combien cette femme tellement extraordinaire était bien plus qu'extraordinaire. De petits faits étranges lui revinrent dans sa mémoire chauffée à blanc. Petites choses anodines. Petits détails divers qui l'avaient étonné ou avaient suscité sa franche admiration, et qui, se reliant maintenant l'un à l'autre, lui révélaient une puissance secrète. *Patate pistache ! j'ai côtoyé une force !...*

Tout comme Limorelle Bodule-Jules avait battu les bois quand son fils Balthazar se trouvait en danger, ils étaient des dizaines chaque jour, gens de toutes races et de toutes conditions, frappés par la Malédiction, qui erraient à travers le pays en recherchant un Mentô salvateur. N'importe qui n'était pas en mesure de les trouver ou de les repérer. Trouver un Mentô nécessitait un don. Ceux qui disposaient de ce talent étaient rares. Quand ces contacts se produisaient, ce n'étaient pas eux qui le trouvaient. C'était le Mentô qui, acceptant de les entendre, se laissait voir sur leur chemin. En ce qui concerne Man L'Oubliée, le jeune bougre put assister à quelques-unes de ces rencontres. Cela se passait toujours en fin de matinée...

Man L'Oubliée, à un moment donné, cassait le cours normal de sa coutume. Elle se rendait à la rivière comme on emprunte une direction sous l'urgence d'un appel. Elle remontait la rivière la plus proche en ramassant des écrevisses. La première fois qu'il la vit se comporter ainsi, la chose parut curieuse. Ce n'était jamais une heure pour pêcher l'écrevisse-z'habitant. Elle le faisait tout de même, corps soudain juvénile, à croire qu'elle s'amusait. Cette fois-là, il vit apparaître sur la rive un vieillard impossible. Un de ces nègres chiffonnés par les travaux forcés d'une sale habitation. Ces désolés avaient fini par croire que l'univers n'était maillé que de choses malfaisantes, et qu'il ne faisait pas bon y vivre pour les hommes. Encore moins pour les nègres. Le désolé aperçut Man L'Oubliée. Une intuition dut lui permettre de voir au-delà de ses manières d'enfant, au-delà de ses jeux d'eau dans la rivière coulante. Il s'avança, tête en avant, dos courbe des traditions de la servilité, mains jointes, avec sur le visage une détresse légèrement adoucie. Le vieux nègre désolé ne dit rien. Ni bonjour ni bonsoir. Il était tombé en arrêt, et, planté sur la rive, il suivait Man L'Oubliée des yeux comme s'il s'agissait d'une comète de passage. Man L'Oubliée lui avait dit *Bonjour* avec la déférence due aux grandes personnes, et poursuivait sa descente de rivière avec l'air d'oublier sa présence. Il la suivit de mètre en mètre, sans la lâcher du poids fixe de ses yeux. Temps en temps, il coulait une graine d'œil vers le jeune bougre en se demandant ce que celui-ci pouvait faire là. L'agonisant se souvint encore des yeux de ce vieillard : une brillance embuée de souvenirs éteints, métallisés par une blessure jamais bien refermée.

447

Ce n'était pas des yeux, c'était un chant profond, impossible à comprendre, rebelle à tout partage.

Cela dura ainsi presque deux heures. Soudain, Man L'Oubliée sortit de l'eau. Elle reprit sa route vers les bois profonds avec une manière de marcher qui ne permettait pas au vieux-nègre de la suivre. Ce dernier la vit s'éloigner, et la peur qu'elle ne l'abandonne, sans un mot ni un signe, le fit s'écrouler en tremblant sur une roche. Juste avant de disparaître dans l'ombre d'un poirier, Man L'Oubliée se retourna et lui dit sur un ton sans pourquoi : *Je vais venir te voir*... Et c'est là que le jeune bougre entendit cette phrase qu'il allait si souvent répéter en mille endroits de par le monde. Face à de hautes misères — quand il dut descendre dans une bataille, assumer une mission difficile, apporter le soutien de sa force et de sa science des armes, se plonger dans une oppression ou dans une injustice comme si elle eût été la sienne — il avait dit, mille et mille fois, très simplement, comme Man L'Oubliée à ce vieux désolé, avec la conviction d'y engager l'ultime cran de sa vie, il avait toujours dit : *Je vais venir te voir*...

Elle tint parole le lendemain. Elle n'avait demandé au vieux désolé ni son nom ni son adresse, pourtant quand elle se mit en route avec son baluchon, et que le jeune bougre la suivit, elle savait direct où elle devait aller. Ils parvinrent dans un quartier perdu sous une ombre-soleil de ravines et de mornes. Il y avait là quatre ou cinq cases. Celles d'une famille unique sans doute, entourée de ses amis-alliés dans le combat contre l'existence. Les cases baignaient dans un climat particulier. Tout semblait naturel mais rien ne semblait disposé au hasard. Les cases, les arbres, leurs ombres, certains raziés posés en touffes, constituaient une muraille dressée pour le combat : les forces y circulaient en rond comme dans une calebasse, et, bien que tout parût ouvert, l'endroit était inaccessible à certaines mauvaises gens. Le jeune bougre perçut cette disposition spéciale, et il stoppa sa marche. Man L'Oubliée le rassura. Elle avança tranquille entre les cases où couraient deux-trois cochons étiques, quelques poules en dérade, des marmailles à gros nombril qui bêtifiaient dans la poussière. Sur les pas des cases, et un peu dans l'ombre des cloisons de ti-baume, de vieilles négresses assises auprès des canaris veillaient sur le manger de la journée ; d'autres restaient penchées sur un bout de jardin où tigeaient des herbages à médecine. Les bougres et les bougresses en âge de travailler avaient déjà rejoint les champs. Man L'Oubliée avait choisi cette heure pour qu'il y ait le moins de monde possible. Elle se dirigea vers une petite case, presque avalée par les vieux arbres qui ouvraient les grands-bois. Là, le jeune bougre découvrit notre vieux-nègre désolé, assis sur un banc de bambou, et qui semblait attendre.

Vieux-désolé se leva en tremblant pour accueillir Man L'Oubliée. Elle n'avait plus cet air de personne juvénile, mais une aura plus dure, fermée comme une calebasse et raidie d'une tension de chaque fibre de son corps. Le jeune bougre fut troublé de la voir ainsi. Il n'en avait pas l'habitude. Mais au fil des visites ultérieures, il apprit à comprendre cet état : *c'était son habit de guerre*, une carapace de volonté ouverte qui transformait sa chair quand elle allait affronter une déveine. Vieux-désolé restait debout devant elle, tétanisé, incapable d'expliquer quoi que ce soit. Man L'Oubliée lui avait pris la main avec une grande douceur : une main de terre séchée, insultée par les âges et les cals du travail. Le jeune bougre crut qu'elle la lui caressait. Il comprit très vite qu'elle lui transmettait de la force et tentait de mieux comprendre-toucher son insondable détresse. Elle examinait les alentours non pour *voir*, mais pour *sentir* ce qui se passait-là. La case était normale, comme celles qui en ce temps bordaient les

grandes habitations ou recouvraient les mornes. Une case
en bois, couverte de paille, de lianes et de bois-bombe,
tressés selon d'antiques principes. Autour : la terre battue
déployant son reflet, des pierres lovées autour d'un reste
de braise, casseroles, vieux outils, récipients cabossés,
quelques fleurs en bourgeons naturels... un univers familier et banal... *et qui pourtant ne fonctionnait pas.*

Quelque chose n'allait pas. Le jeune bougre était incapable de déterminer quoi. Il se rapprocha de Man
L'Oubliée, essayant de percevoir une alerte quelconque.
Rien. Man L'Oubliée lâcha la main du vieux désolé. Elle
s'avança en direction de la case, et y pénétra d'un mouvement naturel. Le jeune bougre sentit juste une augmentation de la tension de son corps. Cette sensation le
poussa à bondir, pénétrer dans la case, se retrouver près
d'elle. À mesure du développement de sa force, il se
posait en protecteur. Tout en percevant le ridicule de
cette prétention, il s'apprêtait toujours à lui dresser un
rempart de son corps. *C'est plutôt elle qui pouvait me protéger !...* Dans la case, il eut le sentiment de basculer dans
une autre époque. L'intérieur se trouvait immergé dans
un temps-détraqué comme il en avait connu dans son
enfance. Mais là, cette distorsion était rance tel un
humus de sept mille ans. La lumière qui provenait des
ouvertures s'épuisait dans une atmosphère glauque. Et
l'odeur de ce lieu était un musc de racines languissantes
comme il en flotte autour des acomas tombés depuis la
nuit des temps. Le sol était en terre lustrée. Le reste du
décor n'était rien que de très habituel : petits tabourets
taillés dans du poirier, petite bassine de zinc, quelques
poteries, un pot de chambre en terre, et une cabane de
paille sur laquelle se tenait étendue la plus étonnante
négresse que le jeune bougre verrait de toute sa sacrée
vie.

Elle était allongée avec l'air de dormir. Ce phénomène (on le sentait tout de suite) était bien plus qu'un simple sommeil. C'était une sorte d'emprise qui la maintenait absente, dans un état plus loin que le royaume des songes. Elle s'était immobilisée ainsi depuis une charge de temps. Cinq ans. Vingt ans. Et-cætera de temps. Et dès le premier bout de cet et-cætera, le vieux désolé l'avait attendue, avait attendu son réveil, un signe ou le bougé d'un doigt, attendu l'incroyable, attendu l'impossible, attendu dans une lente tragédie, attendu comme on arrête de respirer, comme on suspend son âme, attendu qu'il se passe quelque chose, et rien ne s'était passé. Il était devenu un attendre-vivant, qui ne voit pas, qui n'entend pas, ne respire pas, qui se maintient juste dans les alchimies indicibles de l'attente, sans finissement ni commencement. Et lui, pendant ce temps, s'était mis à vivre et pour lui et pour elle. Son cœur semblait nourrir le sien qu'aucune oreille n'entendait battre. Plus il attendait et restait auprès d'elle, plus son corps et sa tête accéléraient leur rythme. Et (sans qu'il le comprenne tout en le devinant) sa propre vie avait sustenté la sienne, maintenu son corps dans les bases de ce monde. Et dans cette case où le temps s'était comme pétrifié, il avait vieilli deux fois plus vite. Il s'était desséché à la vitesse fatale d'un crabe pris au soleil. Ses poils étaient devenus raides comme de petits piquants. Les grains de sa peau s'étaient serrés, jusqu'à donner une petite soie vivante, puis un blême papier bible. Sa tête s'était rapetissée, ses yeux s'étaient trop agrandis. Les voisins, voulant le secourir, avaient mandé toutes sortes de quimboiseurs, séancières, dormeuses, visionnaires de pleine lune, tireurs de cartes, lecteurs de boules-cristal, sorciers chinois rencontrés sur le port de Saint-Pierre... Tous étaient venus affronter cette misère. Tous avaient trouvé cette fixe tragédie : elle, si belle, endormie sans dormir comme la Belle des bois, et lui rivé à son chevet, vivant et respirant pour elle, et s'asséchant au rythme du doute qui le rongeait.

On ne savait plus sur qui pesait le maléfice : était-ce lui ou était-ce elle qui en était victime ? Ceux qui approchaient du lit pour la regarder éprouvaient une envie de cette paix béate. On se mettait à désirer cette extase immobile qui imprégnait le corps de l'incroyable négresse. Quand on le voyait, lui, on entrait en désolation. On préférait alors s'éloigner de ce bougre désolé-désolé. Ces derniers temps, il avait senti sa mort très proche. Il ne la craignait pas car sa désolation ne laissait pas de place aux illusions d'une vie. Ce qui l'épouvantait c'était sa bien-aimée. Qu'allait-elle devenir ? Allait-elle lui survivre ? Allait-elle demeurer dans ce monde si son souffle et son cœur n'étaient plus là pour la nourrir ? Par crainte de s'en aller ainsi, Vieux-désolé avait résolu de tenter une dernière fois d'éteindre le maléfice. C'est de lui-même qu'il s'était mis en tête d'aller chercher quelqu'un. Il ne pensait pas à un Mentô, il ne savait même pas ce que cela pouvait être, il pensait à une force, une haute volonté, une rencontre bienfaisante qu'il aurait su identifier dans les bois autour de Saint-Joseph. Il avait trouvé le courage d'y aller. Et avait rencontré Man L'Oubliée, et l'absolue croyance qu'elle y pouvait quelque chose.

Dans la case, le jeune bougre vit Man L'Oubliée contempler la négresse endormie. Une vraie Ibo des temps anciens. Elle semblait débarquée pas plus tard qu'hier d'un bateau revenu de l'Afrique. Corps délié. La peau sombre d'un bleuté magnifique, juste voilé par cet arrêt du temps qui s'accrochait à elle. On voyait bien qu'elle n'était pas d'ici, mais d'une contrée perdue, même pas identifiée. Man L'Oubliée demeura auprès d'elle, à l'observer, dans l'attente d'on ne sait quoi. Vieux-désolé se mit à parler. Comme s'il ne supportait plus le silence installé, il déversa les charges de son âme...

Vieux-désolé raconta qu'Hermance (c'était le nom de la négresse) était quelqu'un d'ici, oui, née à terre d'ici-là et pas en terre d'Afrique comme tout le monde le croyait. Qu'il l'avait rencontrée sur l'habitation en ses jeunes âges ; et qu'ils avaient grandi ensemble comme deux calebasses jumelles, œuvré ensemble dans les champs et l'usine, et s'étaient mis ensemble dans une case pour prendre commerce des sentiments, et qu'ils avaient vécu à l'heureuse-du-bonheur. Un jour, ils apprirent qu'elle ne pouvait lui faire d'enfant. Ce fut leur prime douleur. Ils l'oublièrent là-même car Hermance s'occupa des enfants qui vivaient alentour, négrillons négrillonnes, qui battaient-vie dans les raziés, nombreux à ne savoir qu'en faire. Lui, Vieux-désolé, était relié à elle selon des forces puissantes, il mourait pour elle, il la voulait près de lui, pas à côté mais collée-bien-collée. Il avait voulu habiter dans son ombre, la voir, la toucher, l'entendre, la sentir, être mouillé par sa sueur, se voir marqué par son odeur ; la nuit, il s'accrochait à elle comme au dernier radeau du naufrage de sa vie, et se laissait noyer par les flots du sommeil, et il se réveillait agrippé à son corps, hagard comme s'il s'agissait de l'unique être humain ; et c'est de la sentir présente qui permettait au jour de pouvoir commencer, alors ils se levaient ensemble, buvaient ensemble leur eau-de-café, partaient ensemble aux esclavages de la journée, souffraient ensemble sous les coups du soleil. Ensemble, ensemble, elle en moi, moi en elle. Quand elle était tombée comme ça, endormie sans dormir, toute aux rêves sans rêver, il avait d'abord cru qu'un jaloux avait jeté ce sort pour punir leur bonheur. Il avait maudit l'humanité entière. Il avait soudoyé des quimboiseurs sauvages, des sorciers venimeux, des visionnaires funestes, nuisibles de toutes natures, pour qu'ils emplissent la terre de maléfices et de malédictions. Son attente avait été peuplée comme ça, de maux et damnations envoyés de sa part sur tout le genre humain. Puis il avait stoppé ça, au grand dam des malfaisants qui s'engraissaient sur son malheur. Il avait fini par comprendre que le mal envoyé gonflait sa solitude, que les mauvaises pensées rendaient le monde immense mais le rapetissaient, lui, dans un coin dépeuplé, dépourvu d'horizon...

À ce niveau de la confession, Vieux-désolé s'était tu. Guettant Man L'Oubliée du coin de l'œil, il espérait la voir intervenir, lui répondre, donner la solution de ce malheur sans fin. Mais elle demeurait imperturbable, à contempler la belle négresse qui dormait sans dormir depuis si tant de temps. Vieux-désolé — renvoyé à lui-même — poursuivit sa douloureuse introspection...

... *Si ce n'était pas de l'humanité entière, d'où provenait ce mal ?* C'est alors qu'il avait pensé à elle. C'était peut-être Hermance elle-même qui se vengeait d'on ne sait quoi. Elle était peut-être une méchante qui l'avait entraîné au pays du bonheur, juste pour le briser au vol, éperdu dans le vent du malheur. Vieux-désolé resta longtemps ainsi, à se dire qu'elle ne l'avait pas aimé. Que c'était sa manière de fuir cet amour qu'il lui avait offert et qui ne l'avait jamais intéressée. En d'autres moments, il se disait aussi que son amour ne lui avait porté ni repos ni bonheur, sauf peut-être une fatigue si grande qu'il lui avait fallu ce sommeil sans limites pour essayer de s'en remettre. Il avait voulu la haïr, se lever, s'en aller au lointain des banquises ou l'arrière-sable d'un désert de pierres noires, un lieu de solitude où ces pensées rageuses entretenues contre elle ne seraient déviées par rien et auraient pu l'atteindre seconde après seconde. Mais il était resté auprès de son abyssale beauté, englué par cette paix endormie sans dormir qui parvenait à vaincre toutes ses mauvaises pensées. Et plus il devenait amer et torturé, plus il la voyait s'éloigner plus absente, comme si une distance s'insinuait entre son corps et le sien. Quand le temps de la détestation finit par s'en aller, il lui sembla qu'elle revenait vers lui à travers son sommeil sans sommeil...

Là encore, Vieux-désolé se tut et surveilla Man L'Oubliée. Il attendait un geste de délivrance. Mais elle demeurait sans rien dire ni bouger, laissant l'infortuné dans son débat avec lui-même. Il semblait tournoyer dans le piège d'un bocal, se balançait la tête pour nier ce qui s'ouvrait en lui, qu'il ne pouvait stopper... C'est alors que Man L'Oubliée lui avait dit sans se retourner :
— *Sa'w fey la?* Qu'est-ce que tu lui as fait?
La Voix! Elle s'était abattue sur Vieux-désolé sans lui laisser aucun point d'échappée.

Brisé par l'autorité de la Voix, il s'était mis en cause. Tout ce qu'il avait jusqu'alors refusé de comprendre lui sauta à l'esprit. *Si c'était pas la malfaisance des gens, et si c'était pas elle, c'était peut-être moi-même!?...* Il se demanda s'il ne l'avait étouffée jour après jour, aspiré sa vie en lui comme font certains goulots de mer de tout ce qui passe à leur portée. N'était-ce pas son amour cannibale qui avait aspiré la vie d'Hermance tout entière dans la sienne? N'avait-elle pas abandonné son corps pour disparaître en lui, et se résigner à vivre au profond de ses chairs égoïstes? N'avait-elle pas réalisé jusqu'au tragique ce qu'il avait voulu?... Il s'interrogea ainsi durant presque deux heures. Man L'Oubliée l'écouta impassible, et finit par lui dire : *C'est ça, c'est exactement ça...* Là encore, la Voix s'était ouverte avec l'ampleur d'un soleil qui se lève et qui soudain ne tolère aucune ombre à la ronde. Vieux-désolé se retrouva en plein sous cette lumière, aveuglé comme un insecte de nuit. Man L'Oubliée, qui lui avait donné accès à lui-même, lui dit encore :
— Si je la réveille tu vas la perdre, elle sortira de toi, et se mettra à vivre comme une personne distincte. Elle est en toi, et je sens qu'elle n'a pas de souffrance d'être en toi, c'est ce don qu'elle te fait, et ce don je n'ai pas le droit de le défaire, je n'ai pas le droit de la réveiller.

— Si elle est en moi, pourquoi je la vois pas? Pourquoi je la sens pas?

— *C'est parce qu'en elle tu ne sais voir que toi...* lui répondit Man L'Oubliée. *De sa vie tu ne connais que toi...*

Vieux-désolé fut submergé par la détresse. Une eau très chaude noya ses yeux. Il se mit à se battre la poitrine comme un crabe sémafaute. Il dit qu'il n'avait jamais voulu cela, qu'il préférerait qu'elle se réveille et aille mener toute seule sa vie de jeune fille, puis sa vie de femme, qu'elle exerce toutes ces vies qu'il lui avait enlevées. Qu'elle puisse respirer seule les ignames qui mûrissent. Qu'elle puisse accueillir seule le soleil qui fait sucrer les mandarines. Qu'elle puisse parler aux gens, entendre des musiques et des accordéons, se gonfler la poitrine dans l'effluence des terres, des suées du pois d'angole et des rosées nouvelles. Il reconnut enfin qu'il avait vécu sa propre vie et la sienne, qu'il l'avait amenée à ne vivre que pour lui, et qu'il voulait maintenant la libérer. *Je ne veux plus la retenir en moi! Fais-la se lever siteplaît!...*

— C'est maintenant sa vie qui te maintient en vie, si sa flamme s'éveille c'est la tienne qui s'éteint... lui dit Man L'Oubliée.

— Eh bien tant pis pour ça, dit-il, il faut la libérer!...

Man L'Oubliée se dirigea vers la porte. En passant à sa hauteur, elle lui dit : *Le seul à pouvoir la délivrer c'est toi. C'est toi qui as effectué cette emprise, tu peux la dénouer si tu veux, tout est en toi à condition que ton vouloir soit franc...* Et Man L'Oubliée tourna le dos pour s'en aller. Le jeune bougre avait quitté la case à reculons, les yeux rivés sur le prodige de cette jeune négresse. Dehors, un lot de curieux, sortis d'on ne sait où, s'étaient amassés. La rumeur avait signalé la visite d'un Mentô, nul n'en avait jamais vu, et chacun alerté voulait voir cette personne qu'on ne peut zieuter qu'une seule fois dans sa vie. Mais ils ne virent rien. Ou plutôt, ils virent émerger de la case du malheur une jeune fille un peu simple, qui s'éloigna dans des mouvements d'une hanche frivole. Ils virent aussi qui la suivait, un jeune bougre aux allures de mangouste belliqueuse, affublé de vêtements qui n'étaient pas d'ici. Vraiment personne n'eut le sentiment d'avoir vu un Mentô parmi ces deux insignifiants. Chacun secoua la tête et s'éloigna en se disant que le vieux Céléphon (son nom oui, enterré à jamais sous le mot Désolé) avait une fois encore perdu trace de la chance.

L'agonisant se rendit compte que le jeune bougre ne s'était pas inquiété des suites de cette affaire. Qu'avait fait Vieux-désolé ? Avait-il libéré la merveilleuse négresse ? Avait-il su dénouer la sucée égoïste qui avait aspiré cet être aimé en lui ? Comment s'en était-il sorti ? L'agonisant essaya d'imaginer ce que lui-même aurait pu faire. La libérer aurait été se retrouver près d'une jeune fille fringante, tandis que lui ne serait qu'un vieillard doublement usagé. Il lui aurait fallu la regarder vivre sa vie, sans rien pouvoir lui demander, sans rien vouloir d'autre que son parfait bonheur. Accepter (après l'attente) de se consumer au feu d'un sentiment rentré, de se laisser griller sur cette braise intérieure tandis qu'elle s'ouvrait comme une fleur, dégagée de toute hampe, épiphyte et splendide, se nourrissant des quatre vents d'une pleine liberté...
L'agonisant s'imagina capable de cette abnégation...
Désolé-désolé avait sûrement agi ainsi... il était demeuré dans la case, sur le pas de la porte, la regardant vivre, chanter, manger, dormir, s'en aller bon-matin pour le travail des champs, s'en aller pour un jour au gré de son plaisir, puis pour deux jours au gré de son envie, jusqu'au moment où — captée par les délices d'une autre vie plus loin — elle n'était plus revenue... Et lui, avait dû rester là, roussi par sa douleur, consommant la chair roide de son cœur égoïste, buvant son propre sang aux blessures de ses lèvres, et, finale, se contemplant en train de devenir cette

petite poudre en laquelle se transforment les adeptes des amours cannibales...

Il aura pu aussi ne pas la réveiller, et se consumer de même manière à son chevet; elle, s'éveillant un jour comme la Belle du conte, et ne trouvant de lui, pauvre prince effacé, qu'une seule odeur d'amour pourri... L'agonisant se vit en train d'accepter une mort de cette sorte, beau sacrifice sur un tison de sentiments, martyr au bûcher d'une amour sans limites... Il se complut dans cette vision bienveillante de lui-même, yeux au plafond, bras repliés sur l'accoudoir d'osier, avec un air de jeune vierge suppliciée...
Mais...
... affluèrent dans son esprit toutes les fois où il s'était comporté comme le vieux désolé. Il comprenait enfin pourquoi Man L'Oubliée avait voulu qu'il vive cette expérience. La leçon était sortie de son esprit, aussi légère que des spores d'orchidée. Il avait continué de vivre sans jamais la peser ou même la soupeser... Et là, alors qu'il se complaisait à juger Vieux-désolé, il se vit, une fois encore, en avaleur des cœurs et des âmes, préoccupé de son seul plaisir et de la seule satisfaction de sa seule volonté... Il vit Cécilia dont les tétés étaient pour lui des bombes bonnes à manger... il vit Zéphyrine dont le bonda était cérémonie... et Maliana dont chaque cuisse le transformait en apprenti boucher... Il crut voir Hoa-Lan, Sabrina, Nerfeti, Maïmouna, Maeva... femmes de ses errances... Idrissa, Vigdis, Liên, Anastasie, Fatoumata... chairs d'un jour, vidées comme des sacs... et laissées aux poussières de l'oubli... Il dut revoir celles dont le prénom n'était même pas resté... et qui l'avaient accompagné une saison ou deux, dans une jungle, dans une steppe, un cagibi de ville, dans les longs camouflages sur des quais de métro, sous une tente de guerre ou une hutte de passage, dans un igloo, un motel de grande route ou une case en bouse-vache, dans des

cavernes ou dans des temples, et sur lesquelles pendant les jours de leur rencontre il avait déployé le feu de son unique vouloir... si bien qu'en cherchant à présent leur visage ou le son de leur voix, il ne trouvait plus rien... rien, sinon le creux d'une belle absence, la dérobade d'une personne qu'il avait dit aimer, mais sans jamais l'envisager dans ce qu'elle avait voulu ou qu'elle était vraiment...

...Eisleben... Climène... Tess... Bethsabée... Émeline... Joad... Zéline... Il essaya de se consoler en se disant que Vieux-désolé avait eu le temps de réfléchir, et que lui, Balthazar Bodule-Jules, s'était toujours vu emporté dans les cyclones d'une vie de rebelle, courant par-ci, courant par-là, toujours porté aux feux de la rupture, toujours mis en danger, toujours poitrine offerte contre les oppressions !... *J'avais des excuses !*... Avec une vie comme ça, il n'y a pas de place pour ce genre de grandeur !... Il n'y a d'oxygène que pour la rapine, le sentiment volé, le cœur gobé comme un œuf de tortue, la coucoune déchiquetaillée par une tornade qui n'a que le temps de prendre !... *À l'arraché !*... Il se le disait, il se le répétait, mais, dans les acuités de cette agonie, cette grandeur qu'avait peut-être atteinte Vieux-désolé lui manquait... Il ne la trouvait nulle part au fond de lui : seulement ce goût sans goût des amours-cannibales où il avait tout pris : pris l'esprit et le corps, pris l'odeur et le jeu des regards, pris les rêves et les envies, pris d'irréductibles secrets sans même les ouvrir, tout avalé, tout effacé, tout consumé pour ce grand vide qui maintenant l'asphyxiait... Érande... Maurine... Eileen... Moîra... Salamé...

... Il se cherchait d'autres échappatoires... J'ai fait du bien à ces femmes, je les ai aidées, accompagnées, très souvent protégées, à plus d'une j'ai dû sauver la vie... Nous avons partagé des moments de grande paix, goûté à de beaux crépuscules ou à des clairs de lune qui renouvelaient le monde... Nous avons parlé, non... moi j'ai parlé... et elles m'ont écouté... ou alors oui c'est vrai je n'ai rien entendu de ce qu'elles ont pu dire... *C'est sûr, je débloque et perds mon fil!*... Il voulut se convaincre que ça n'avait pas été aussi clair, que ses rencontres n'étaient pas aussi stériles et aussi vampiriques : c'est moi qui ai recomposé l'histoire du Désolé selon les exigences de mon manque d'à-présent!... Cette histoire voulait sans doute signifier autre chose, mais j'ai besoin de l'entendre et de la dire comme ça, pour me remplir d'elle et me donner le sentiment de mieux comprendre ma vie... ça me rassure de mieux comprendre ma vie en m'accusant de toutes les pauvretés... je joue au martyr... je joue à être lucide et je m'imagine que la lucidité s'aiguise par le désenchantement... alors je me joue ce petit son de flûte amère et je danse en me flagellant sur le pont d'Avignon!...

L'agonisant s'essuya le front, ferma les yeux quelques instants, et les ouvrit pour laisser son regard ondoyer comme une bouée en dérade. Il devait réexaminer toutes les interventions pour lesquelles Man L'Oubliée avait voulu qu'il soit présent. Il voulait tout revoir car il était un peu mieux convaincu qu'elle ne faisait rien à la légère. Pas une miette de hasard. Tout ce qu'il avait vécu auprès d'elle devait être des leçons d'existence offertes à sa conscience afin qu'elles germent aux instants nécessaires. Il essayait de plonger dans tout cela, comprendre ce qu'il lui était possible maintenant de comprendre. Durant cette période, il n'y avait eu que Sarah-Anaïs-Alicia qui lui tenait l'esprit. *Quelle inconséquence!*... Pourtant, près de Man L'Oubliée, le monde lui avait été offert en ses souches nourricières qui permettent d'opposer face à la mort l'épaisseur d'une vie d'homme... Tout avait été là, évident et caché, offert et dérobé... *Mais Sarah-Anaïs-Alicia avait peuplé mes horizons!*... Rien d'autre n'avait plongé assez profond dans sa conscience pour déloger cet ange de douceur. Les expériences s'étaient pourtant accumulées, elles s'étaient gravées là, ici, partout, dans chaque miette de sa chair, en poussières et pépites, comme Man L'Oubliée l'avait sans doute voulu. *Grand âge, me voici, prenez mesure du cœur de l'homme...* Me voilà chercheur d'or !

Il savait que le facile menait toujours à l'immobile.

« Notre morceau de fer ».
Cantilènes d'Isomène Calypso,
conteur à voix pas claire de la commune de Saint-Joseph.

L'agonisant se souvint d'une famille Vénéré. Toute une lignée frappée par la Malédiction depuis la nuit des temps. L'ancêtre fondateur avait inauguré la longue file des malheurs. Il se fit éventrer par un taureau de béké. Il demeura paralysé sans pouvoir rien faire d'autre que contempler sa déchéance et baver à longueur de journée. L'accident lui avait développé un insatiable délire sexuel. Cela le remplissait d'un sperme incandescent qu'il lui fallait à tout prix dégorger. Sa négresse devait toute la journée le chevaucher sur sa berceuse, jusqu'à ce qu'il se dévide avec des convulsions de chat empoisonné. Cette gymnastique amenait la malheureuse à se faire engrosser au moins deux fois l'année par cette épave fertile. Les enfants naissaient en file indienne, ou trop tôt ou trop tard, grandissaient autour d'une rare infirmité, se mariaient entre eux ou avec quelque hominien de passage, et consacraient leur existence à soigner les légumes ou à multiplier les cabris de l'ancêtre. La négresse de ce dernier se prit dès l'origine une persécution de la peau qui lui changeait le derme en une croûte noirâtre, pestilentielle. Cette peste grattait comme pas possible, au point qu'elle en avait égaré le sommeil et qu'elle vivait en s'aspergeant de rhum camphré et de vaseline...
Mais ce n'est pas fini...
Leurs fils, leurs femmes et descendances avaient repris l'habitation au fil des vies qui s'égrenaient. Mais ils ne

461

pouvaient que compter les malheurs : tel qui se noie dans une rivière à sec, tel autre qui meurt sous un arbre indéracinable, tel qui grille sous la foudre d'un petit orage, tel dont le cœur explose au détour d'un sourire, tel qui s'empale sur un bambou pourtant plus haut que lui, tel qui naît avec la tête oblongue des mabolos et un air d'ababa, telle qui ne donne jour qu'à des enfants incapables de parler mais qui savent aboyer...

Man L'Oubliée eut vent de cette désolation, et s'en vint pour y porter la main. En pénétrant à ses côtés sur le domaine des Vénéré, le jeune bougre la sentit se raidir comme pour distendre les fibres d'une influence mauvaise. Elle traversa le terrain en demeurant à ses bordures. Elle évita les cases, ne regarda aucun des membres de cette famille rangée sur son passage, ni même la tralée de marmailles chargées de handicaps. Le jeune bougre regardait ces gens-là de côté ; sans montrer d'insistance il les examinait tous — lui qui verrait tant d'infirmités provenant des radiations et du napalm découvrait-là, sans le savoir, l'inventaire prophétique des horreurs de ses guerres ; d'avoir vu les Vénéré lui permit désormais de tout voir sans ciller ni trembler de la joue : les hommes de cette famille étaient des avaries géométriques empreintes d'une vague humanité ; les femmes, des agrégats de dermites insoutenables — sauf une, dont la déveine allait en elle comme un douceureux venin...
Seigneur !...
L'agonisant la vit se préciser dans ce vieux souvenir...
Longue, efflanquée, maigre comme un bois-côtelette, elle avait le crâne chauve et une peau vitreuse de sardine desséchée. Cela lui octroyait les plus grands yeux du monde. Ses pupilles étaient des océans d'intense mélancolie. Le jeune bougre fut saisi d'un émoi que l'agonisant sentit renaître en lui.
La mélancolie de cette femme avait transformé à jamais mon esprit !...

C'est elle qui allait doter d'un charme terrible toutes les femmes mélancoliques qu'il pourrait rencontrer ! Sans doute est-ce pour cela que M. Balthazar Bodule-Jules ergota bien souvent sur la mélancolie... Car c'est le visage de cette femme qui m'escorta en ces heures de vieillesse où je me fis ami du peuple des poètes ! Avec ce visage qui flottait dans ma tête, j'ai dégusté la shakespearienne mélancolie du marchand de Venise, ou celle de Choucoune, la vieille chanson créole du pays d'Haïti ! J'ai aimé la mélancolie du poète-esclave, Francisco Manzano, et celle des vieux élégiaques italiens ! J'ai avalé à fond la mélancolie saumâtre d'Apollinaire, et celle plus ironique et sensuelle de Verlaine ! J'ai accepté cette mélancolie qui s'installe solennelle dans les plaisirs chez Keats, ou qui nous embellit toutes ces Vierges-à-l'enfant du cher Botticelli ! Grâce à cette femme, j'ai découvert en moi, comme Carrera Andrade, l'indigène mélancolie qui baigne les Amériques, et pu comprendre Ahmed Nedim le Turc ! J'ai aimé par cette femme le phrasé de Tchekhov où l'épure mélancolique devient un paysage ! J'ai eu de la tendresse pour Thomas De Quincey qui dut garder mélancolie depuis la frappe d'un deuil précoce, et j'ai été jaloux de Madách le Hongrois qui sut en faire l'encre heureuse de ses vers ! Je l'ai trouvée avec pitié chez le vaillant Conrad quand il commence à s'épuiser et à écrire comme on médite ! En vérité, ô mes amis, je fus semblable à Blaise Cendrars qui parcourut le monde en poursuivant l'étoile-mélancolie, et — en terres japonaises où j'ai erré longtemps — je suis tombé fils aimant de Jocho, ce vieux maître qui sculptait de la mélancolie pure !

Man L'Oubliée se dirigea vers trois manguiers curieusement alignés au-dessus d'un monticule. L'un d'entre eux devait avoir bien plus de trois cents ans. Une de ses racines sortait de terre avec une convulsion, se tordait sur elle-même, et regagnait le sol comme un cou de dragon pétrifié. Man L'Oubliée s'agenouilla en cet endroit, et se mit à extirper les herbes, lentement, à gratter la terre, lentement, à fouiller, lentement, jusqu'à déterrer une conque de lambi. La conque semblait vieille de cinq siècles. Elle était de couleur jaune-pipi, d'une texture d'os spongieux, striée des reflets d'un objet pas normal. Rien qu'à la voir — *saint Expédit protégez-nous !* — un spasme vous agrippait les amygdales et vous bloquait les reins. Quand le coquillage sortit de terre, les Vénéré se mirent à aboyer, et leur engeance courut dans tous les sens tandis que leur basse-cour faisait voltige au-dessus du sol, sous une panique irrépressible...

Selon le peu qu'en dit Man L'Oubliée, la conque de lambi était enterrée-là depuis l'époque sanglante où les premiers Européens exterminèrent les Caraïbes à la bombarde cloutée. C'était un ensorcellement aveugle, sans papa ni manman, il rayonnait de sa calamité sans distinguer entre les hommes. Elle avait été tendue en cet endroit par un chaman de ces peuples martyrs, brisé par la douleur et rendu fou par la ruine de son monde. Cette vengeance éternelle devait venger les millions de ses morts et châtier ceux qui oseraient s'approprier cette terre. La conque de lambi avait mené son sinistre travail durant des siècles, jusqu'à se fixer sur la lignée des Vénéré... Man L'Oubliée tisonna un feu de bambous secs et de feuilles-bois-moudongue. Elle y jeta le lambi en un geste du bras qui n'était pas un simple lancer, bien qu'il fût d'apparence naturelle. Au contact du feu, cette calamité se mit à résonner d'une clameur humaine qui basculerait sans fin dans des gouffres sans fond, elle produisit des étincelles puis se transforma en une chaux grisâtre. Man L'Oubliée enjoignit aux membres de cette famille d'en prendre une pincée et de la répandre sur leurs terres d'alentour. Elle leur dit aussi de rendre hommage à ce sol, de l'honorer comme une tombe et de garder mémoire des souffrances premières... Le jeune bougre ne sut jamais si les Vénéré échappèrent aux déveines après l'intervention : il n'entendit plus jamais parler d'eux... En partant, il ne put s'empêcher de regarder la longue mélancolique, la femme si maigre, si dévastée, si belle à force de laideur saturnienne, et d'opposition triste à une déveine qui semblait insensée.

Man L'Oubliée était appelée aussi par des békés pour des affaires étranges. L'un d'entre eux, dans la zone du Gros-Morne, recevait sur sa maison des jets d'une eau glacée qui sortait de nulle part. En d'autres heures, des gouttelettes d'une urine de cheval surgissaient du néant pour vexer les visages, les rideaux, les meubles d'acajou ou d'osier du Bengale. À tout moment de la journée, quelqu'un de la maison recevait sa giclée. Les gouttelettes étaient ternes, elles coulaient à regret, blafardes comme des larmes, et séchaient dans des relents de marée morte ou de chagrin acide. Sur le devant de la grand-case, le béké avait fait officier une messe par l'archevêque. Puis il avait fait venir (par la porte de derrière) des quimboiseurs chargés de martinets en bois-moudongue et de fouets d'acacia. Ils prétendirent ainsi désenvoûter l'immense maison en la fouettant à mort. Comme cela n'avait rien donné, le béké s'en était allé lui-même chercher Man L'Oubliée, avec la même déférence qu'un des nègres de ses champs confronté au malheur. Il s'était fait conduire par une femme albinos à don spécial. *L'albinos !* Elle l'accompagnait souvent dans ses chasses, et pouvait déceler les ortolans et les gibiers secrets qui survolaient les îles et ne s'y arrêtaient que pour deux-trois minutes d'un silence sidéral. C'est avec ce don-là que cette personne put découvrir Man L'Oubliée.

Ce don devait être vraiment spécial car ce fut une des rares fois où Man L'Oubliée accepta de se rendre chez un béké. Le jeune bougre se souvint d'elle, albinos à yeux verts, qui ne provenait d'aucune des races connues. Sa peau était d'un jaune blanchâtre, étonnant, détonnant, tiquetée d'un jaune plus sombre qui donnait l'illusion d'un pelage. Ses cheveux étaient d'un rouge de flamme-pétrole dans un champ desséché. Elle avait quelque manière de Sarah-Anaïs-Alicia, pas la même douceur mais sans doute une lenteur identique, peut-être même une langueur, quelque chose qui laissait à penser qu'elle vibrait au rêve, et que sa vie relevait plus de la pâte des chimères que des consistances trop amères du réel. Elle faisait ce qu'on lui disait de faire, ni plus ni moins, pas ababa mais silencieuse, c'est pourquoi le béké utilisait ses dons pour effectuer ses chasses ravageuses. Mais elle était en dehors de cette tuerie, en dehors de ce temps, en dehors de tout ça, presque née par hasard, et subsistant en bel hasard sur l'écume de cette vie. Le jeune bougre la regardait de tous ses yeux, sans trop savoir pourquoi. Ce ne sera que bien des temps plus tard — dans les feux de ses mélancolies — qu'il aura le sentiment soudain que c'était une des plus belles femmes qu'il avait rencontrées..

L'harmonie!... se dit l'agonisant, il y avait une harmonie entre son anormale blancheur, ses yeux impossibles, et le fantasque de son esprit et de son don! Cela en faisait un agrégat de féeries qui ne pouvait être que beau. *Je sais ce qu'est la beauté*, dut se dire l'agonisant comme l'avait crié en mille autres occasions M. Balthazar Bodule-Jules, *c'est d'abord une cohérence extrême, inhabituelle, des équilibres nés d'un hasard!...* Le jeune bougre l'avait juste entrevue au moment de la rencontre entre Man L'Oubliée et le béké. Il les avait vus repartir, l'avait suivie des yeux pour ne plus la revoir, sauf en esprit : image fugace, à moitié incertaine, ouverte dans ses souvenirs comme une fleur d'orchidée qui révélerait en différé le plein effet de sa splendeur...

Man L'Oubliée avait accepté pour cette fille et pour son don. Elle s'était rendue chez le béké, elle avait parcouru sa grand-case, puis s'était avancée vers une des dépendances que celui-ci avait vouées à son vin. Il y avait entreposé ses merveilles les plus hautes, des vins surnaturels, des alcools enchantés, marcs, eaux-de-vie, et des liqueurs-maison rapportées de régions sans cadastre et sans calendrier. Un incomparable trésor qui suscitait une fierté dans la famille. Et c'est là que le jeune bougre avait perçu un raidissement imperceptible : *Man L'Oubliée recevait des effluves de la Malédiction !* En interrogeant le béké, elle sut que cette écurie avait servi d'infirmerie et de salle de contention pour nègres sanctionnés au temps de l'esclavage. On y laissait mourir les éclopés ou les mutilés. Après l'abolition, on y torturait les immigrants indiens qui voulaient s'en aller du pays sitôt la fin de leurs contrats. D'une manière générale, les propriétaires originels y réglaient leurs comptes sanglants avec ceux qui les contredisaient. Ses cloisons et son sol avaient gardé ces épouvantes comme un sel pas soluble. Si le jeune bougre l'ignorait à l'époque, l'agonisant savait maintenant que les grand-cases békées n'avaient jamais connu l'onction d'un châtiment, la caresse apaisante d'une commémoration ou d'un hommage aux victimes de l'endroit : elles étaient demeurées immobiles dans leur lustre douteux, sans un tressaillement pour décrocher le sang séché ou la cendre des souffrances incrustée dans leurs fibres. Avec ses phrases trop courtes, ses *Apatoudi*, ses gestes et son regard sans faille, Man L'Oubliée essaya d'expliquer tout cela au béké. Il ne connaissait ni ces histoires ni ces lieux, et s'en foutait un peu. *Rien à voir avec l'esclavage, moi !...* Sa famille, disait-il, avait surtout travaillé dans les entrepôts du bord de mer, dans les importations de spiritueux divers, et n'avait acheté que récemment ce domaine agricole qui commençait à se dissoudre. Man L'Oubliée avait contemplé la cave à vin : plus d'un millier de bouteilles très anciennes, allongées dans la poussière maudite et semblant ruminer leur nectar. D'immenses tonneaux s'entassaient dans les coins, chargés aussi de cette boisson qui provenait de loin. En certains angles, des dames-jeannes conservaient du rhum vieux, ou des vins canoniques en attente d'être coulés en bouteille.

Man L'Oubliée demanda au béké d'ouvrir une des bouteilles. Ce dernier crut qu'elle voulait y goûter et s'exécuta. À l'ouverture, bouchon à peine sorti, un remugle atroce empoigna toute la pièce. Le béké fut anéanti de voir un bordeaux si précieux tombé en pourriture. Il lâcha la bouteille, elle s'écrasa dans un bruit sourd et répandit une matière bleu-charbon étrangère au produit de la vigne. *Qu'est-ce qui s'est passé ?* demanda-t-il à Man L'Oubliée qui restait impassible.
— Toutes ces boissons sont mortes car cet endroit est abîmé pour toujours.
Quand le béké voulut savoir quoi faire, elle lui conseilla de tout vider, de racler le sol et la pierre des murailles. La matière récupérée devrait être rassemblée dans quelque chose d'honorable, et soumise à un rituel d'hommage. Le béké s'y engagea. Il fit venir quelques bougres des champs et des négresses à grand balai. Les bougres commencèrent à défoncer les tonneaux, à briser les dames-jeannes, à faire exploser les litres de vins rares, et, à chaque fois, ce n'était pas du vin ou du rhum vieux qui aspergeait le sol mais des concrétions opaques semblables à des fœtus, tous martyrisés par une mort empêchée. Les négresses à balai reculèrent devant les matières qui avançaient vers elles. Sauf une. Une immense femme, énorme sans être grasse, une masse d'énergie et de puissance compacte. L'Énorme regardait fixement les concrétions qui tombaient des bouteilles pour gigoter comme des vers sur le sol de l'ancienne écurie. Elle regardait tout cela sans crainte ni dégoût. Elle glissa son balai sous son bras et

sortit un long chapelet pour se mettre à égrener des prières inaudibles. Au son de sa voix, les matières gigotantes s'apaisaient, se liquéfiaient en un bourbier tranquille. Man L'Oubliée, impassible, la regardait agir : elle approuvait ce qui se passait là. L'agonisant se souvint de la ferveur qui émanait de cette femme gigantesque : mieux qu'une puissance physique, une spiritualité active lui transcendait les chairs. Ses yeux voyaient au-delà de la surface des choses, et son esprit était comme une vaste antenne. Elle éprouvait de la compassion pour ce phénomène qui demandait à être dénoué. Et, face aux douloureuses matières, dans ce devoir saisi au vol, elle s'élevait comme une prière vivante. Cette scène dut marquer le jeune bougre car M. Balthazar Bodule-Jules évoqua bien souvent cet instant de sa vie. Il prétendit avoir vu une femme similaire, en Angola, chez les Ovambos, lors d'une fête des masques où il avait échoué on ne sait trop pourquoi. La cérémonie se déroulait depuis déjà trois heures quand il vit jaillir d'un sanctuaire de terre blanche une vieille femme, colossale, sans une ride, rayonnant de sapience et de force animale, et qui, malgré l'énormité de sa masse, semblait un pur esprit. Une flamme mentale, une volonté effervescente qui vous forçait à soumission. L'assemblée s'était jetée dans la poussière, et gardait le front bas, les regards filtraient à ras du sol et les chants s'étouffaient. La vieille dansottait avec lenteur parmi les masques géants, elle n'en portait pas comme les autres danseurs, mais dégageait plus d'ondes que les masques réunis, à croire qu'elle les signifiait tous. M. Balthazar Bodule-Jules (toujours rebelle en ses manières) avait baissé la tête, mais son corps était raidi contre cette force qui voulait l'incliner. Il aurait pu demeurer ainsi mais il eut le malheur de lever les yeux, et de revoir la vieille, et de ressentir comme une frappe cette spiritualité puissante déployée sans mesure. Elle dansait (il l'apprendra plus tard) contre les colonialistes portugais et les troupes assassines du cruel Salazar, introduisant ainsi une déroute dans ce rituel de petites danses à la fécondité. M. Balthazar Bodule-Jules se retrouva malgré lui le nez dans la poussière jusqu'à ce que cette vieille disparaisse sous le dôme de terre blanche, et que les Ovambos, désemparés, se remettent à danser sans plus savoir pour qui et contre quoi exactement. Nostr'homme prétendit en avoir vu une autre, de même nature, au Groenland où il s'était serré à la suite d'un naufrage. Il y avait une tempête de neige. Les Inuits qui l'avaient recueilli s'étaient rassemblés dans l'igloo à palabres pour convenir d'une stratégie face à l'hiver terrible. Des cérémonies avaient lieu, quand soudain, parmi les danseurs, M. Balthazar Bodule-Jules vit surgir une masse démesurée, aux hanches larges, à face ronde, une femme d'une carrure impossible, mais qui semblait aérienne et légère : il crut qu'elle dressait sa volonté contre les dangers de la nature, mais — par les polyphonies de sa gorge que reprenaient les femmes — il comprit qu'elle tentait d'exorciser les marchands de pétrole qui leur prenaient les terres. M. Balthazar Bodule-Jules ne sut jamais ce que fut cet hiver, ni même si cette tribu put résister aux invasions, mais il avait contemplé cette femme comme un prodige qui le renvoya au souvenir de l'Énorme, cette négresse à balai qui conjurait les morts de la Malédiction. Les choses se calmèrent dans l'ancienne écurie quand les bouteilles furent brisées. Autour de l'Énorme, le sol n'était imprégné que d'un liquide fétide, langoureux comme une huile. L'équipe de nègres et de négresses domina toute appréhension pour la ramasser, à la calebasse, et la répandre dans de petits cercueils que le béké s'était fait fabriquer. Puis ils grattèrent, époussetèrent, nettoyèrent cet endroit durant trois jours de suite. Man L'Oubliée s'en fut le matin même, en refusant que le béké lui offre quoi que ce soit. Le jeune bougre n'eut jamais l'occasion de revoir l'énorme femme, il l'entr'aperçut une dernière fois, juste de dos, concentrée sur le nettoyage de l'ancienne écurie, l'esprit voué à sauve-garder ces âmes, damnées à force d'oubli. Elle demeura en lui comme une madone inépuisable, réinventée sans fin.

À mesure qu'il suivait Man L'Oubliée, le jeune bougre pre-nait conscience que la Malédiction empoisonnait les vies. Les anciens s'efforçaient de l'enlever de leur mémoire et de celle des enfants, mais elle était là, plus que jamais, virulente et terrible. *En perdant la mémoire on perd le monde*, lui dit un jour Man L'Oubliée, *et quand on perd le monde on perd le fil même de sa vie.* L'agonisant ne savait plus en quelle occasion elle lui avait dit cela, ni pourquoi précisément, mais cette phrase (bien étrangère au langage habituel de Man L'Oubliée) lui revenait comme une lanci-nance. Elle était souvent intervenue pour des choses ano-dines — comme cet oranger qui poussait des fruits secs, et qu'elle conseilla d'arroser du pipi de jeune femme — mais elle s'occupait de ces petits tracas de manière plus légère, un peu en passant et pour rendre service. Dans la plu-part des cas (et notamment pour ceux qui régnaient dans l'esprit du vieil agonisant) elle affrontait la Malédiction d'une manière totale, au centre d'elle-même et de son exis-tence : toute sa puissance mobilisée contre l'oubli. Cet oubli générait un malheur incroyable qui lui-même ren-forçait cet oubli. Tels ce monsieur et cette madame qui n'avaient pu avoir d'enfants, lui cordonnier, elle faiseuse de sucreries. Depuis leur arrivée à Saint-Joseph, sur un bout de terrain en bordure d'une ravine, ils n'arrêtaient pas de perdre leurs nouveau-nés, en fausses couches, hémorragies brutales, descentes d'organes et autres désas-tres. Parfois, son ventre bien gros se dégonflait soudain sans la moindre trace d'enfant. La confiseuse pleurait tout le temps, et ses larmes se mêlaient au sucre des philibos, aux confitures de caramboles ou tamarins, entraient dans ses tablettes-coco réputées à la ronde. On les achetait par grappes. Elle n'avait pas achevé une fournée, que *flap!* il n'y en avait plus. Les békés envoyaient des koulis coucher devant sa porte pour rafler la livraison du lendemain. Cela provoquait des drames politiques. Le maire (plus ou moins communiste) voulut réserver un quart de cette production aux masses populaires. Il prit un arrêté municipal interdisant toute vente massive à une seule personne. Les békés répliquèrent en tronçonnant leurs titres à rallonge. La confiseuse reçut dare-dare des missives libellées en *commande-Cyrille, commande-Pompignan, commande-Chavigny, commande-Bételcourt*... Cette astuce grossière obligeait le maire à rappeler que *Monsieur Cyrille Pompignan de Chavigny-Bételcourt* était une même personne et une même famille! Il envoyait les gardiens municipaux retenir la commande, indemnisait l'incroyable confiseuse, et, en grandes pompes, il distribuait le tout sur le parvis de l'église, en profitant pour serrer quelques mains et rappeler que le peuple trouvait son harmonie dans le partage, loin des prédations du Capital.

Cette lutte qui animait la commune indifférait la confiseuse. La malheureuse pleurait. Elle pleurait dans son sommeil. À l'aube, elle ouvrait les yeux dans un voile de larmes. Elle se douchait derrière la case avec des larmes plus abondantes que l'eau de pluie captée dans des bambous ouverts. Elle se mettait au travail en pleurant, et les gouttes de ses larmes égrenaient mieux le temps que leur antique horloge. Le cordonnier semblait seul à comprendre qu'elle était malheureuse, cela lui affaissait l'épaule, irritait ses paupières jusqu'à laisser penser qu'il pleurnichait autant. Les clients allaient-venaient, recouvraient leurs commandes, s'extasiaient sur la beauté des sucreries, humaient les relents délicieux des casseroles et du four. Pas un n'avait conscience que la pauvre confiseuse vivait en désarroi.

On comprit son état quand les amateurs de sucreries se mirent à pleurer eux aussi. Ils crurent d'abord pleurer de joie du fait de la saveur des friandises ; puis ils s'aperçurent qu'en digérant le prodige ils pleuraient de plus belle. Le plus surprenant fut que ces larmes leur laissaient sur la lèvre des bouquets de sucre cuit, des fragrances de letchis ou de mangue-julie, des goûts perdus de sapotille et de pommes-roses. Quand ces gourmets se virent pleurer (en mode plus ou moins spectaculaire selon leur résistance), ils déduisirent que ce mystère était lié à la confiseuse. Ils virent (enfin !) qu'elle pleurait tout le temps et que ses larmes baignaient la moindre sucrerie. Ne pouvant renoncer à ses délices, ils supplièrent quelques matrones de lui trouver moyen d'avoir de beaux enfants. Les matrones étudièrent la question. Elles affirmèrent d'emblée que cette tralée d'enfants mort-nés n'était pas catholique. Elles lui firent gober des œufs de tortue et du pollen vivant, lui massèrent le ventre pour raffermir ses muscles, et lui apprirent des prières entraînantes pour restaurer sa bonne humeur. Une nouvelle fausse couche anéantit tout ce travail. Sur leurs conseils désespérés, le cordonnier s'était mis en recherche d'un Mentô. Il avait erré quatre lunes dans les bois avant d'atteindre Man L'Oubliée. Il ne sut jamais qui elle était vraiment et la prit pour une guérisseuse un peu particulière. C'était un de ces nègres minuscules, à petite figure, petites oreilles, petites mains, petite voix. Sa personne dégageait une fraîcheur d'honnêteté peu courante en ce monde. C'est pourquoi il sut trouver Man L'Oubliée sans trop de forcement.

Elle n'avait pas atteint la case de la confiseuse et du cordonnier, qu'elle s'arrêta, fit demi-tour, et voulut s'en aller. Le cordonnier se jeta à ses pieds dans un grand désespoir. Elle lui posa une main sur le front en lui disant d'abandonner la case, ou alors de fouiller tout autour pour honorer ce qu'il trouverait dans le sol. Elle s'en alla sans plus d'explication. Le jeune bougre interloqué resta sur place pour regarder ce qui allait se passer. Le cordonnier et la confiseuse se mirent à fourrager les entours de leur case. Ils ne voulurent pièce aide. On ne put que s'asseoir pour les regarder faire. Ils écorchèrent la terre sans rien trouver ; puis ils creusèrent sans rien apercevoir ; puis ils fouillèrent fouillèrent fouillèrent. Ils empilaient la terre ainsi enlevée au bord de la ravine. Cela formait des monticules d'une glaise blanchâtre, qui devenait laiteuse à mesure qu'ils atteignaient le fond. Soudain, le cordonnier déterra une clavicule. La confiseuse, elle, mit au jour un tibia, puis une dent cassée. Alors, les trouvailles ne s'arrêtèrent plus. Ils se mirent à extraire (d'une couche plus opaque qu'un gisement de charbon) des crânes et des tibias, des côtes et des fémurs, des tarses et métatarses, des pierres osseuses de toutes natures. Ils trouvèrent des mâchoires brisées par les ferrailles qui forçaient les mourants à manger, des squelettes broyés dans l'emmêlement des chaînes, des sacrums défoncés par des pieux et des coccyx pulvérisés par de la dynamite. Les matrones présentes se mirent à conjurer. Elles psalmodiaient que cette case était construite sur un cimetière d'esclaves, un de ces coins inqualifiables où planteurs et jésuites balançaient la dépouille de tout esclave non baptisé, indigne d'une sépulture. On les vit durant des semaines, courbés sur cette terre en tourment, ramasser un à un une multitude d'os. Le cordonnier les disposait par petits lots dans ce qu'il avait de mieux : d'énormes godillots d'un cuir noir, chatoyants comme des phares. Il y faisait entrer les crânes et les os, comblait le moindre espace avec les miettes spongieuses. Quand l'énorme godillot était plein, il le disposait dans une boîte-cercueil qu'un croque-mort de Saint-Joseph fournissait à mesure des besoins.

Les gens des environs étaient venus assister à la récolte des os. Certains stationnaient là, abasourdis de découvrir autant de morts en déshérence dans une terre aveugle. D'autres charroyaient des fleurs qu'ils disposaient tout autour de la case. D'autres encore passaient sans s'arrêter, inaptes à supporter ces bouts d'ancêtres qui émergeaient du sol. Des quimboiseurs se mirent à rôdailler. Voulant récupérer de quoi monter des maléfices, ils profitaient des ombres pour emporter un crâne ou une treizième vertèbre. Le maire fit livrer des flambeaux pour éclairer l'endroit et alluma aux quatre coins un encens sans pardon. Les quimboiseurs prirent disparaître, et des bougres-musiciens (inspirés par ces os des douleurs) vinrent soutenir cette quête. À mesure que les restes rejoignaient les chaussures, ils élevaient des chantés de bel-air, lamentos de lunes pleines et pajambel des larmes. Autour des boîtes-cercueils qui s'emplissaient très vite, ils poussaient des gloria d'honneur, et sous leur louange certains os s'éclairaient comme des yeux de cyclope. Bientôt, on ne trouva plus rien. La terre embellit en un beau noir profond, et devint plus légère.

Le cordonnier fit charroyer les boîtes-cercueils au cimetière du bourg. Il paya une messe, et réclama un lot de tralala avec de l'eau bénite, chorales et jet d'encens, toutes choses que le jeune bougre savait bien inutiles : Man L'Oubliée conseillait d'honorer simplement ce qui peuplait le sol. L'agonisant se souvint d'avoir été choqué par ces démonstrations, mais maintenant, souriant en silence, il savait que la manière importait peu : juste le geste à mesurer, l'inclination d'une conscience au-dessus du crime abandonné. M. Balthazar Bodule-Jules (prisant les contes de fées) raconta qu'après cette récolte la confiseuse devint une femme féconde. Elle accoucha par paires et par séries de quintuplés. La case fut pleine d'enfants les plus heureux au monde. À Saint-Joseph l'on put enfin manger des sucreries sans se sentir happé par la désespérance.

M. Balthazar Bodule-Jules avait souvent conté l'histoire du cordonnier, de la confiseuse et du cimetière perdu. J'avais retrouvé dans les suppléments télé du journal *France-Antilles*, et quelques archives sonores d'une petite radio libre, ses évocations de cette femme inclinée vers le sol, et qui — un à un — extrayait de la tourbe ténébreuse des os plus blancs que des cauchemars. Avec plein de tendresse, la confiseuse les portait vers les godillots noirs. Chaque os était une marmaille qu'elle apportait au monde. La tendresse fervente éclairait son visage et le moindre de ses gestes, elle la transfigurait en une de ces vestales qui savaient naviguer entre l'ombre et la lumière : ... Une mère ! Il y a des femmes qui sont comme ça ! Des mères totales ! Toutes les femmes ne sont pas des mères, ne me racontez pas d'histoires, mais certaines femmes exaltent l'énigme de ce sacré, elles se collent au plus près de ce pouvoir originel, de l'insondable pouvoir de conférer la vie ! Toutes les femmes peuvent accoucher, ah oui, mais les vraies mères vous tiennent ici, à la poitrine, et vous développent l'envie d'abaisser les paupières ! C'est le seul signe que je connaisse pour reconnaître une mère : le respect naturel [1]!... Le jeune bougre s'était senti touché par cette confiseuse. Il avait pensé à Manotte, sa manman, qu'il croyait tout à la fois connaître et pas connaître. Chez cette femme qui récoltait des os, il retrouvait la tendresse qu'il avait reçue d'elle, et qu'il verrait dans tant de terres, tant de douleurs, tant d'amères batailles, quand des mères retrouvaient les cadavres de leurs fils, ou quand il s'éloignait d'un champ d'intervention en laissant derrière lui les râles de la souffrance, avec le sentiment que chaque râle s'adressait à une mère, laquelle, en quelque part, se levait, comme cette confiseuse, pour marcher (toute tendre) en direction de ses enfants, en direction de leurs os.

---

1. *Adresses aux jeunes drogués de Saint-Joseph.* Déjà cité.

Autre fait pas banal de la Malédiction agissant sous l'oubli : cet enfant qui naquit avec sur le cou une rougeur terrible. Une irritation irrémédiable. Elle lui dévastait la gorge et lui pelait la nuque. On ne put que le laisser vivre avec, en lui appliquant des cataplasmes de feuilles douces et des frottées d'une vaseline légère. Quand il eut près de trois ans, ses poignets et ses chevilles se mirent à suppurer. On les aurait crus en train de se corrompre. L'enfant ne souffrait pas. Mais il n'avait pas la gaieté des enfants. Le sourcil immobile, les yeux ternes, il paraissait désemparé, tel un vieillard en espère d'une visite avant l'heure du trépas. Les matrones y virent un pas-normal, et firent crier Man L'Oubliée. Quand celle-ci apparut devant lui, l'enfant la regarda comme s'il la connaissait ou la reconnaissait. Il l'examinait fixe, attentif et tragique. À cet enfant qui avait vu tant de médecins, de rebouteux et de matrones, avait reçu tellement d'onguents, de poudre de lune et de cachets, Man L'Oubliée se contenta de sourire en inclinant la tête. L'agonisant se souvint d'avoir été déconcerté par cette marque de respect. Man L'Oubliée prenait ces attitudes face aux gens de grand âge, aux femmes de connaissance, ou aux vieillards qui serraient dans leurs rides trois secrets essentiels. Elle s'agenouilla devant l'enfant ; lui embrassa les poignets ; puis les chevilles ; enfin, elle fit mine de lui détacher quelque chose du cou ; elle opéra de même autour de ses poignets, de ses chevilles, et elle le serra contre sa poitrine en une sobre émotion. Ils semblaient partager de douloureux souvenirs. Elle ne l'avait pas relâché que déjà les marques s'estompaient. En partant, Man L'Oubliée dit aux parents ceci : *C'est charroie qu'il charroie la mémoire dans ses chairs...* Elle n'avait pas dit plus, mais le jeune bougre avait su qu'il s'agissait des chaînes de l'esclavage, colliers de servitude, bracelets mangeurs de chair, carcans qui défolmantent les vertèbres du cou... Un des ancêtres de l'enfant avait dû mourir ainsi ; il lui avait transmis ce souvenir comme on envoie une pensée, mais — cette offrande ne trouvant pas de sortie — elle lui était apparue en ces endroits du corps esclave où, pendant des siècles, il s'était constitué. *N'oubliez jamais, n'oubliez jamais, souvenez-vous, libérez-les !...* Dans les pays où il passait, M. Balthazar Bodule-Jules s'était toujours montré sensible aux gueules muettes des histoires. Toujours il s'était montré preneur de la mémoire des lieux. Parfois, elle lui tombait dessus, inattendue comme celle que lui offrit la momie bolivienne, mais il veillait toujours à ne pas côtoyer une douleur séculaire sans la considérer; lui qui s'efforçait d'être dans le juste, se battre du bon côté, soutenir les bonnes personnes, gardait son esprit attentif aux marques du passé. Il quêtait toujours (dans les sites sans oiseaux, les gestes trop silencieux, la silhouette d'une femme accablée) quelque chose qui tomberait d'une mémoire oubliée et qui hurlerait en vain. Car, mes enfants, toute injustice a des racines ! Et des racines qui remontent loin ! Toute misère a une mémoire, toute violence a un terreau ! Et dans le feu des armes, il faut aussi penser à laver les esprits, à relier les symboles, à honorer les drames invisibles ! J'ai toujours essayé de faire cela, mais comme j'étais seul à le vouloir, je ne l'ai pas toujours pu...

(Je reconnus que cette agonie m'avait aveuglé. J'avais eu tendance à fixer ce formidable corps en train de mourir, à regarder ce qui se détruisait en oubliant le reste. Les évocations déduites de ses gestes constituaient, pour moi, des étincelles de vie en train de se dissoudre. Obnubilé par leur disparition, je me persuadais que tout mourait en lui. Je percevais pourtant un bouillonnement de vie. La vie. Partout, en lui, autour de lui, dans les effets qu'il suscitait en nous. Sa mémoire était vie ! Lorsque je me mis à écrire, qu'il me fallut trouver un paradigme pour concevoir ce témoignage, je pus enfin admettre l'inadmissible : considérer non pas la mort mais la vie. Non ce qui disparaissait

mais ce qui surgissait, ce qui naissait déjà sans apparaître clairement. Deviner ce qui se créait-là de manière improbable. Mais ce faisant, je me fixais moi-même car son existence me parvenait comme un raz de marée, et devait s'organiser en moi pour accéder à l'écriture, un peu comme une abeille dans un piège de pollen se charge des fondements de la fleur. C'est pourquoi, à chaque mot, j'éprouvais la navrante certitude d'élaborer moins une image de lui qu'un délire sur moi-même... Notes d'atelier et autres affres.)

C'était un chien et un bon ange,
un saint et un damné,
un bout de sucre et un éclat de piment.
C'est pourquoi on pouvait le crier : *Le-pas-facile.*

« Notre morceau de fer ».
Cantilènes d'Isomène Calypso,
conteur à voix pas claire de la commune de Saint-Joseph.

Il était difficile à l'agonisant de préciser cette période sur un calendrier. Combien de jours, combien de semaines, à battre ainsi les routes avec Man L'Oubliée ? Combien de mois, combien d'années dans cette maison entre Déborah-Nicol Timoléon, la Bonne à grimaces et Sarah-Anaïs-Alicia ? De plus, quand il se revoyait jeune bougre en ce temps-là, il ne retenait qu'une confusion de son esprit. Sa tête était encombrée par les informations belliqueuses de Déborah-Nicol Timoléon et jetée en dérade émotive autour de Sarah-Anaïs-Alicia. Sans compter ces expériences bouleversantes auxquelles le soumettait Anne-Clémire L'Oubliée. L'argent obtenu grâce à elle lui avait permis d'écumer les paniers de pacotilleuses, les charrettes de Syriens, de se vêtir au gré d'une fantaisie furieuse. Mais cela ne troublait point l'indifférente douceur de la jeune fille. Alors, il sombrait dans des langueurs, mangeait peu et se trouvait un meilleur oxygène quand Sarah-Anaïs-Alicia passait à ses côtés. L'agonisant savait maintenant que le jeune bougre n'avait pas identifié ce qui le tourmentait. Il ne comprenait pas qu'il ait ainsi envie de la voir tout le temps, et qu'elle puisse vivre sans un désir particulier de lui parler ou d'être à ses côtés. S'ils étaient ensemble, elle prenait plaisir à vivre cette rencontre ; s'ils ne l'étaient pas, elle restait seule sans éprouver de manque. Pour vivre, Sarah-Anaïs-Alicia n'avait besoin que d'elle-même, un peu comme Man L'Oubliée. Elle semblait se nourrir des radiations inépuisables de sa douceur. Ce manque d'elle s'amplifiait à mesure que le jeune bougre prenait conscience d'une vérité atroce : elle n'avait pas besoin de lui. C'est peut-être pourquoi il résolut d'accéder à cet espace secret, voué à la poésie, où elle se réfugiait aux heures brûlantes des longues après-midi : *Les poèmes !... C'est la porte pour son âme...*

Après le déjeuner, Sarah-Anaïs-Alicia s'asseyait en haut de l'escalier, ou dans sa chambre au bord de la fenêtre, et se mettait à lire. Elle était absorbée par trois petits ouvrages, des chiffonnures couleur de vieil ivoire, qui avaient enduré, et ne gardaient d'intact qu'un sigle rougeâtre : *NRF*. Déborah-Nicol les avait achetés des mains d'un camarade français, membre du comité central, lequel avait séjourné par ici pour inspecter les cellules du Parti. Elle relisait sans fin *Images à Crusoë*, *Pour fêter une enfance*, *Éloges*, *Écrit sur la porte*, poèmes d'un diplomate français qui taquinait la muse, un nommé Alexis Leger qui se criait Saint-Leger Leger et pas encore Saint-John Perse. C'était un poète béké, né en Guadeloupe dans une vieille plantation. Déborah-Nicol le détestait. Sitôt ses premiers enseignements, elle en avait parlé au jeune bougre pour lui marteler son dégoût de ce conquistador. Elle lui démontra que ses poèmes célébraient l'atmosphère colonialiste de son enfance, avec des bonnes koulies qui sentaient le ricin, et des nègres serviteurs, déposés insonores derrière les chaises de la table à manger, nègres éteints, nègres muets, nègres opaques, couleur de papaye et d'ennui, comme des astres morts... Ce poète béké avait chanté sans honte son vieux planteur de père, colon chagrin des temps anciens, et qui (parmi les servantes noires qu'il appelait des poules) s'extasiait du bras très-très-blanc de sa fille. Et — du fond de cette grand-case décrépite, encore moelleuse des ombres de l'esclavage, vivotant vaille que vaille dessous des arbres à plumes — ce chien-poète hurlait en chevrotant, *Oh j'ai lieu de louer, j'ai lieu de louer!*... Déborah-Nicol soupçonnait le camarade français de lui avoir joué un tour en lui laissant cette revue. Elle lui avait exposé dans une lettre incendiaire l'idéologie colonialiste qui rôdait dans ces pages mais le fourbe n'avait pas répondu. À mesure que Perse publiera ses poèmes, Déborah-Nicol Timoléon fera des pieds et des mains pour les avoir et les décortiquer comme pièce à conviction sur les rapports secrets qu'entretenaient la littérature et les expansions coloniales. *Les romanciers et les poètes ont souvent précédé, souvent accompagné, les colons et marchands!* Dans *Anabase*, dans *Vents*, et dans *Amers*, elle ne voyait que des chants de soudards et de sicaires qui prennent d'assaut les océans pour conquérir des terres nouvelles! Ces tueurs de peuples qui bâtissent des villes et des empires, ces extases à peine dissimulées sur la puissance occidentale, exprimées avec une arrogance et une hauteur inouïes, *vraiment!* Un conquistador de grand talent mais... conquistador quand même! Car il ne dit rien du feu des âmes dans le silence des oppressions, des peuples éteints, des misères muettes qui à force d'être gommées finiront par corrompre le genre humain lui-même! *Il les sent, les devine, mais en fait il s'en fout...! On ne fait pas de la poésie avec la puissance seule!*

Bien que touché par le discours de Déborah-Nicol, le jeune bougre se mit à étudier les œuvres de Saint-John Perse. Il les lisait, les annotait, les relisait, baignait sans retenue dans l'univers de ces versets. Il espérait ainsi intéresser Sarah-Anaïs-Alicia. Elle fut heureuse de sa démarche et, bien qu'elle demeurât indifférente autant, une lueur avivait la douceur de ses yeux quand elle le rencontrait avec une des revues. Déborah-Nicol, elle, fut désolée de ce petit-commerce avec le chantre béké. Elle se dressa contre cette dérive en lui valorisant les fureurs de Rimbaud, les déviances de Baudelaire, les furies prophylactiques du pauvre Lautréamont... — toutes foudres présumées salvatrices en ce monde où s'épanouissait la Bête colonialiste. Elle lui disait que Perse allait sous l'influence bourgeoise de ce mystique de Paul Claudel, et qu'il ramenait de Victor Segalen (ce Breton vagabond parmi des peuples non blancs) un goût du monde qu'il s'empressait de terrasser sous un chant de conquête. Le jeune bougre écoutait tout cela. Mais il restait accroché au seul poète qui le rapprochait de Sarah-Anaïs-Alicia.

En lisant ces poèmes, il crut d'abord sentir ce que dénonçait Déborah-Nicol, mais se retrouva rapidement emporté par une nuée lexicale de « gomphrènes », de « ramies », d'« acalyphes à fleurs vertes ». Il restait interdit devant des « piléas cespiteuses qui sont la barbe des vieux murs » et tout un lot d'images libres qui se nouaient en mystères. Dans *Pour fêter une enfance*, il était heureux de retrouver un entour familier (mouches vertes, café, manioc, les mulets à poil ras, cannes-à-sucre et moulins...). Mais il résistait aux « *éclats de mousseline qui inonde les sommeils* », aux « *arbres qui nouent des pactes inextricables* », aux « *fleurs qui s'achèvent en des cris de perruches* ». Il demeurait songeur, et puis désemparé devant les « *fleurs d'aube bleue à danser sur les criques du matin* », et stationnait baba en face de « *l'heure midi plus sonore qu'un moustique* ». Il n'osait interroger Déborah-Nicol sur le sens de ces vers, de peur d'éveiller son courroux, alors il s'abîmait dans des recherches interminables en compulsant des dictionnaires qui ne lui livraient rien du secret des poèmes; souvent, par leurs définitions mêmes, ils achevaient de les dissimuler. Les textes de Perse stagnaient devant ses yeux comme de cyniques absurdités. Des fulgurances hautaines qui ne mollissaient jamais : « *Ils m'ont appelé l'obscur or j'habitais l'éclat...* »

Sarah-Anaïs-Alicia lui avait passé les cahiers NRF, heureuse qu'il s'intéresse à cette poésie. Elle dut bientôt sentir son désarroi s'épandre dans la maison, et, parfois même, capter les ondes de ses révoltes contre les vers inaccessibles. Quand, désireuse de l'aider à comprendre, elle s'approchait de lui, le jeune bougre dissimulait ses manques en utilisant les thèses de Déborah-Nicol pour lui démolir Perse. Sarah-Anaïs-Alicia demeurait silencieuse. Elle l'écoutait sous une brume de tristesse, une compassion, et s'en allait en ne cherchant à le convaincre de rien. Finale de compte, le jeune bougre savourait une victoire chagrine et se mettait à douter de ce qu'il avait dit. Après de telles confrontations, Sarah-Anaïs-Alicia rejoignait Perse en lecture silencieuse, comme pour s'immerger dans un bain de jouvence capable de dissiper les insultes entendues. Le jeune bougre la guettait depuis l'ombre du jardin, il la voyait plongée avec extase dans cette lecture interminable; ses yeux allaient au rêve, et ses lèvres s'animaient sur des murmures complices. Elle était en Perse et Perse était en elle, et les poèmes se constituaient en des formules rituelles qui les mariaient en dehors de ce monde. Le jeune bougre se sentit jaloux de cette proximité, surtout de ce mystère qui permettait à Saint-John Perse d'envoûter la jeune fille. Il se remettait à lire avec le vœu farouche de déchiffrer l'énigme et s'insinuer dans cet échange. Mais, dans chaque vers, chaque poème, il se heurtait à une présence impénétrable, altière et insolente, qui le transformait en pauvre nègre refoulé à la porte d'un palais, et rôdant en guenilles dessous les hautes murailles. Il se consolait en réarmant les thèses de Déborah-Nicol qu'il balançait comme des crochets contre l'orgueil des grandes tours.

Un jour, dos courbe comme celui d'un vaincu, il rejoignit Sarah-Anaïs-Alicia au bord de la fenêtre et lui demanda de lire ce qu'il lui désignait. Son désarroi dissimulé sous un semblant de colère, il s'était préparé à bondir sur chaque mot pour l'arrêter au vol et balancer son propre trouble dans l'esprit de la jeune fille. Lorsque la voix de celle-ci s'éleva mélodieuse... « *Alors on te baignait dans l'eau-de-feuilles-vertes; et l'eau encore était un soleil vert...* » il essaya d'ouvrir la bouche pour ricaner de cette histoire de soleil vert, quand il se souvint des bains de feuilles où Man L'Oubliée l'avait souvent plongé, de leurs incandescences quand un fil de soleil exaltait leur couleur. Il se tut et écouta encore... « *Et le ciel plus profond où des arbres trop grands, las d'un obscur dessein, nouaient un pacte inextricable...* » il eut vision de son enfance dans les grands-bois, avec ces arbres vivants qui emmêlaient leurs branches comme les signes d'un serment. Et quand sa voix lui dévoila que « *Les fleurs s'achevaient en des cris de perruches...* » il n'eut pas à songer pour se sentir peuplé de ces fleurs qui charmaient les insectes, séduisaient les oiseaux, les instituaient à leur insu en une part d'elles-mêmes, explosive et mobile. Le jeune bougre éprouva ce vertige : Perse se mettait soudain à lui parler, ou alors c'était Sarah-Anaïs-Alicia qui — dans la diablerie de sa lecture — se transformait en Perse.

Il abandonna toute résistance. Il fit taire ses préventions pour savourer sa voix. C'était à croire qu'elle ne faisait pas que lui lire les poèmes de la petite revue. Elle les portait en elle et les lui restituait dans un dire musical, presque un murmure mais assez ample pour transporter des vents, d'amères errances, de grands fracas d'oiseaux et de mers vagabondes, des fulgurances de la matière humaine. L'environnement de son enfance était réinventé dans les enchantements d'une savante émotion : son décor familier nourrissait une vision majestueuse de la terre tout entière... Ils connurent ainsi de longues après-midi, dans le silence de la grande maison, tandis que Perse s'incarnait dans la voix de Sarah-Anaïs-Alicia. Il ne retint d'abord que cette fusion avec l'être adoré, qu'il pouvait contempler à loisir, la tête parfois posée sur ses genoux. Le murmure de la jeune fille (et la proximité de son corps) le plongeait en ivresse, un arrière-flou de rêve où il errait informe. La poésie de Perse explosait alors dans son être désarmé ; il en percevait les plus infimes modulations, suivait le fil de ses méditations et basculait soudain dans l'indéchiffrable éclat d'une longue intuition... Le corps du jeune bougre s'abreuvait à tout cela, tel un sable de désert sous l'onction d'une pluie... Ce bonhomme est d'ici, il a vu ce que j'ai vu, il a vécu ce que j'ai vécu, et il me le fait redécouvrir en beauté !

En quittant la chambre de Sarah-Anaïs-Alicia, il avait du mal à comprendre ce qui lui était arrivé ; il gardait la tête basse pour ne pas affronter le regard scrutateur de Déborah-Nicol. Une fois seul avec lui-même, il refusait une énième fois cette proximité entre lui et le poète béké, et finissait par se persuader d'avoir seulement goûté à la voix tant aimée, au piège de cette douceur, aux envoûtements de cette beauté. Sous le couvert de cette explication, il s'abandonna vraiment aux extases de ces après-midi en compagnie de la doulce jeune fille. Tout en rêvassant à ses pieds, l'esprit offert aux musiques du poète, il en profitait pour la regarder, et se convaincre que cette plénitude (soudain surgie en lui) provenait seulement d'elle.
Cette magie c'est sa voix !
Le jeune bougre conserva cette explication durant une charge de temps. Saint-John Perse disparut dans une ravine de son esprit, tel un conquistador qu'aurait su

transfigurer la voix bien-aimée de Sarah-Anaïs-Alicia. Il y pensait quand il songeait à cette jeune fille, et le souvenir de sa voix était cette poésie.

Sa voix c'est cette magie!

L'agonisant sourit d'un tel aveuglement.

Il savait maintenant que c'était Perse qui agissait. Que son impact en lui s'était accru par son émoi pour la jeune fille, elle avait servi de relais à une vision majeure, elle avait permis au poète d'accéder au plus profond de lui, d'y demeurer à tout jamais, planté, telle une graine qui rumine son moment. M. Balthazar Bodule-Jules passerait bien des nuits solitaires, en ses heures de vieillesse, à revenir vers ce poète comme on retourne vers un ami lointain, à se sentir très proche de lui, comme d'un semblable en train de se débattre dans les tourments d'une même tragédie. Bien des nuits solitaires à rechercher cette graine qu'on lui avait offerte!

Déborah-Nicol comprit très vite ce qui se passait-là. Pour défaire cette emprise, elle s'efforça de l'éloigner autant que possible de Sarah-Anaïs-Alicia. Elle se mit à l'emmener dans des meetings où des politiciens mulâtres, dressés sur des tonneaux de rhum, invectivaient les usiniers et les planteurs-békés. La populace présente écoutait avec fièvre dans l'attente du partage des tonneaux, puis (enflammée par le verbe et l'alcool) elle finissait la nuit en pourchassant des opposants ou en se livrant à la transe des tambours. Déborah-Nicol l'emmena aussi dans les réunions de la cellule communiste de Saint-Joseph. Là, serrée dans un coin, elle se faisait discrète et refusait de répondre aux sollicitations qui visaient à connaître son avis. Selon les saisons, la cellule préparait toutes sortes d'offensives. Grèves marchantes. Blocages d'usines. Descentes militantes contre le Conseil général. Campagnes de tracts pour dénoncer les collusions entre le gouverneur et les grands usiniers. Réunions d'information sur une guerre lointaine qui incendiait le monde, troublait la vie de Fort-de-France mais sans perturber le quotidien de Saint-Joseph. Déborah-Nicol devait savoir qu'il se passait des choses terribles à l'autre bout de l'Atlantique, elle grommelait contre un nommé Hitler, contre des SS et des nazis, mais ne livrait aucun de ces soucis au jeune bougre — ni surtout à Sarah-Anaïs-Alicia qui lui semblait déjà assez endommagée par sa tragique douceur.

Avec elle et deux-trois camarades, il visitait les ouvriers de grandes usines. Cela se passait de nuit, dans les vieilles rues cases-nègres considérées alors comme quartiers-ouvriers. Il fallait y venir de nuit car elles se trouvaient encore sur des habitations où le maître-patron demeurait tout-puissant. Dans ces cases, les familles d'anciens esclaves menaient une vie qui n'avait pas changé, une vie close sur elle-même, close sur l'habitation, close en dehors du temps, avec comme horizon l'engeance des planteurs, des usiniers et de leurs proches comparses. À ceux-là s'ajoutait une tralée de sous-fifres, petits-chefs, sous-chefs et petits-commandeurs, et qui jetaient sur la moindre existence l'œil clair des méchancetés. Un communiste aux abords d'une usine ou d'une habitation équivalait (dans l'esprit des planteurs) à une meute de chiens fous dans un galetas de porcelaines. Ces réunions clandestines se tenaient sans bougies, derrière une case où nul n'exerçait surveillance. Les communistes venaient dévoiler la domination du Capital sur les forces ouvrières et passaient le reste de la nuit à écouter les doléances. Les femmes prenaient la parole pour conter les méfaits de tel ou tel géreur. Elles disaient comment la paye disparaissait dans l'épicerie-békée, comment la moindre demande d'un sou supplémentaire se traduisait par une mise à l'index qui vous vouait aux famines sans embauche. Les hommes ne disaient pas grand-chose mais ils hochaient la tête. Le jeune bougre entendit toutes les plaintes et tous les gémissements, toutes les peurs, tous les agenouillements, toutes les aigreurs et les aveugles béatitudes qu'il verrait si souvent durant sa vie de chien-de-guerre. Mais cela ne pénétrait pas encore dans son esprit. Seule lui importait Sarah-Anaïs-Alicia.

En même temps, il se nourrissait des saintes colères de Déborah-Nicol. Elle explosait comme une flamme à chaque témoignage. Elle se lançait dans des diatribes contre les colonialistes et l'ordre vicié du monde. Ce n'était pas son dire qui le touchait mais la vibration de ses emportements. C'était une force violente qui changeait ce corps de femme en baobab viril sous lequel personne ne soupçonnait une féminité. C'est par elle, et sans trop le savoir, qu'il reçut tout en vrac : les mains calleuses, les yeux brisés, les esprits descellés, les douleurs qui rendaient ababa avec le dos courbé, les soumissions où une boue mentale engluait tous les rêves. Sans provoquer la même fureur que chez Déborah-Nicol (elle explosait à sa place) cela creusait en lui des tracées silencieuses, une trame inacceptable qui installerait, à mesure à mesure, le fond glacial de son regard.

Mais ces virées sur les habitations n'étaient pas que tristesse. Il percevait, malgré tout, la joie de vivre du dimanche des quartiers populaires. Il voyait les fêtes étourdissantes. Les dominos des rudes fraternités. Les jeux de main et les manèges à chouval-bwa. Il voyait les tambours soutenir le sillon des flûtes de bambou, et les accordéons aux entrains asthmatiques... Ce joui-la-vie paraissait indécent à Déborah-Nicol. *Le monde est la proie des ogres et ce peuple danse ! Il y a du sang qui flotte dans l'air, et ce peuple chante !* Elle se tenait raide, refusait de rouler des hanches, affectait de ne rien comprendre à la musique et de ne pas savoir danser. Après les réunions, les camarades se laissaient un peu aller avec leurs hôtes, à boire, à rire, à danser ou chanter à voix basse, mais Déborah-Nicol demeurait dans un coin, en compagnie de la négresse la plus excitée, et discourait sur le colonialisme. La malheureuse (bien qu'excitée) en revenait désemparée par cette rancœur qui l'initiait à une rancœur plus grande encore. Déborah-Nicol forçait le jeune bougre à demeurer à ses côtés. De ce fait, il ne pouvait participer aux agapes clandestines d'après les réunions, ou même à ces fêtes patronales où les communistes allaient distribuer leurs journaux et lever quelque colère contre les usiniers. Déborah-Nicol ne lui supportait pas d'autre visage que l'impassibilité ou la docte colère. Dessous cette attitude, son être captait la joie de vivre des bougres et des bougresses, la beauté des jeunes-filles et l'éclat de leurs dents, ces petits jeux en belles-paroles qui opposaient les convoitées aux soupirants. Les manières rudes accompagnaient les sucres de la tendresse et les sirops du sentiment. Il voyait des couples prendre-disparaître dans les raziés et en revenir étourdis par les anges; il voyait les yeux-doux, les dédains amoureux et les colères qui font semblant tout en s'abandonnant... Il aurait aimé se vautrer dans tout cela...

Une autre réalité atteignait sa conscience : la furie des gendarmes à cheval. Jour après jour, il avait entendu conter leurs exactions. Leurs patrouilles traversaient les quartiers en chevaliers d'une vieille Apocalypse. Déborah-Nicol Timoléon en faisait les gardiens d'une geôle invisible *dans laquelle nous sommes tous enchaînés ! C'est le bras armé de l'exploitation ! C'est le glaive des planteurs ! Le feu des usiniers ! Regarde-les, ils ne représentent ni l'ordre, ni la justice, ni la loi, mais la force assassine qui veille à son unique profit et à l'exploitation des masses populaires !* Il leur arrivait de croiser ces gendarmes dans une des rues de Saint-Joseph. Alors, Déborah-Nicol se tendait comme un arc; elle semblait prête à étouffer; elle ne les regardait pas car le moindre regard aurait pu l'embraser comme un cheveu de canne à sucre. La violence bouillonnait au fond d'elle dans un conflit terrible avec son corps de femme. M. Balthazar Bodule-Jules retrouverait cette tension chez les fellaghas algériens, chez ces femmes et ces hommes qui dans la nuit, la peur et le courage, devenaient des morceaux de chairs dures, tendues vers le coup à porter, raidies par les forces du tuer ou le refus de se faire tuer. À l'approche de l'ennemi, il avait vu des Vietnamiennes se transformer en des éclats de roche. Certaines restaient indéchiffrables comme des arbres foudroyés. D'autres duraient dans l'immobilité comme des fauves en gésine — et rien de leur féminité ne s'exprimait (si ce n'est une vibration particulière de leur cruauté).

Déborah-Nicol était sœur de ces femmes de guerre que M. Balthazar Bodule-Jules allait côtoyer dans le sang et la mort. Cette proximité fut toujours claire dans son esprit. Mais, avec la distance, l'agonisant percevait mieux ce qui les séparait. Il la découvrait prise dans l'anesthésie de cette île à sucre. Elle se débattait sous un carcan où la résistance violente demeurait solitaire, un peu folle, et pouvait prendre la forme d'un fou qui se jette sous les tirs des gendarmes ou de soudaines colères qui s'avalaient elles-mêmes. Ces colères surgissaient de même manière en Déborah-Nicol, tel un geyser d'Islande qui se dresse et s'effondre, et qui renaît sans fin. Des révoltes de cette nature flambaient un peu partout dans les quartiers avoisinants. Elles ne dépassaient pas les bornes de leur habitation. Seule radio-bois-patate avertissait les communistes. Les camarades de la cellule ne se déplaçaient pas toujours, mais Déborah-Nicol ne laissait rien passer. Elle y allait en personne, affublée (selon son humeur du moment) de ses habits d'instituteur ou d'une robe-matador qui lui ouvrait les portes. Sous l'une ou l'autre de ces apparences, elle rencontrait les gens des cases qui n'établissaient aucun lien entre les deux personnages. Elle

parvenait ainsi à recueillir leurs témoignages sur les tueries ou les emprisonnements. Ce n'était jamais facile de
prouver ces massacres. Gendarmes et planteurs savaient
gommer les traces et serrer leurs victimes ; ils pouvaient
supprimer des jours dans les calendriers, effacer le détail
d'une journée, jeter le doute dans les mémoires et installer
des vérités divines. Déborah-Nicol, instruite de leur technique, arpentait les cimetières pour dénicher les cadavres
enterrés de fraîche date, trouvait leur nom, remontait aux
adresses, retrouvait la famille. Elle offrait aux veuves les
bulletins du Parti, et passait auprès d'elles de longues
heures douloureuses. Elle répertoriait les orphelins sur un
registre caché dans son bureau. À l'intention de chacun
d'eux, elle rédigeait une lettre (d'environ vingt-cinq pages)
pour raconter la mort du père, nommer les gendarmes
responsables, communiquer des détails effrayants et tout
un lot d'indications trouvées on ne sait comment. Enfin,
elle faisait déposer ces mémorandums chez un notaire qui
devait les transmettre à leurs destinataires dès leur majorité.
— J'ensemence la mémoire, j'ensemence la mémoire avec
de petites bombes qui vont leur péter à la face dans dix ou
dans vingt ans ! Ces enfants vont se venger... hurlait-elle
au jeune bougre qui s'en allait déposer les enveloppes.
Le notaire devait se douter de quelque chose ; il ouvrait sa
porte avec une hâte nerveuse, s'emparait des enveloppes
du bout des doigts, les disposait dans un dossier sans titre,
enfonçait le dossier dans un coffret, le coffret dans une
mallette de cuir, et la mallette dans une armoire à sept
serrures ; puis, toujours sans un mot, il raccompagnait le
jeune bougre à la porte en s'épongeant le front d'un geste
désordonné.

Pour chaque petite révolte, Déborah-Nicol fabriquait des
annales. Elle les rédigeait sur un gros cahier rouge, précises comme des procès-verbaux, avec plein d'analyses, de

notes et de croquis qu'elle infligeait chaque samedi au jeune bougre. Celui-ci (de plus en plus obnubilé par Sarah-Anaïs-Alicia) n'était pas réceptif. Déborah-Nicol ne recherchait pas son attention, elle voulait juste qu'il entende, qu'il soit là devant elle et que son corps reçoive les ondes de ses enseignements. L'agonisant les retrouvait avec surprise en lui, encore chaudes et vibrantes, à croire qu'elles avaient été des émois décisifs dans sa vie. *Elle m'a marqué du fer de ses douleurs!...* Il avait vu Déborah-Nicol pleurer d'impuissance à la lecture des événements qu'elle avait pu reconstituer. Il avait vu sa poitrine s'affaisser comme une vessie de thon, et ses mains trembloter dessous la hargne violente. Il l'avait vue s'effondrer tout entière dans le fauteuil de la bibliothèque, et demeurer prostrée à la manière des cachalots — ce qui lui permettait de s'éclipser sans subir de reproches, et s'en aller rôder auprès de la cuisine dans l'espoir de croiser la belle ange des miroirs.

Au contact de ces témoignages innombrables, Déborah-Nicol puisait les énergies de sa violence rentrée. Elle portait ces misères comme une flamme éternelle à l'intérieur de sa poitrine, exactement comme la momie des hauts plateaux de Bolivie portait en elle les morts du Potosí. L'agonisant se rendait compte qu'il avait rencontré des milliers de créatures comme celle-là, qui assumaient dans leur sang et leur chair la mémoire morte de leurs frères massacrés. Il avait vu ce phénomène à Madagascar. À Grenade. En Dominique. Au Congo. Au Zaïre. Au Mali. Au Maroc. En Corée. Dans les déserts pour peuples nomades. Dans les forêts pour les Pygmées. Dans les bas-fonds des villes. Dans les hameaux désolés du Cap-Vert et les caves de Harlem... *La mémoire des crimes demeure, mes amis!* Elle reste dans le sable si on la foule aux pieds! Elle reste dans les arbres si on l'enveloppe d'un oubli officiel! Quand on réussit à la nier massivement, elle sculpte les paysages et trouve son émergence dans une seule créature, une seule, qui survit comme une roche, et qui ressasse en elle ces crimes sans châtiment !... M. Balthazar Bodule-Jules avait rencontré en pleine mer des hommes rescapés, ficelés sur des radeaux, et qui hurlaient contre les vagues l'inventaire d'un crime dont nul n'avait mémoire. Il avait vu dans les hauteurs d'une montagne d'Asie — alors qu'il fuyait (en compagnie d'un vieux moine tibétain) une bande de tueurs chinois lancés à sa poursuite — une vieille femme demi-nue, et résistant au froid, acharnée à graver dans la glace les noms de quelques bougres qui s'étaient fait occire par on ne savait quoi.

Les réactions de Déborah-Nicol se déversaient en lui. Grâce à elle, il n'eut jamais d'hésitation sur le sens à donner à sa vie. Ce sens s'était fait naturel. *Refuser l'oppression ! Camper auprès des exploités ! Se montrer attentif aux misères sans paroles et aux douleurs sans gueules ! Deviner dans les ombres, cueillir l'espoir dans la crasse des défaites, écouter les mémoires qu'on a déménagées ! Se battre ! Ne rien lâcher ! Se battre, et repousser l'acceptation, la connivence soumise ou la fatigue complice !...* Déborah-Nicol le faisait asseoir en face de son fauteuil, par terre, à hauteur de la mappemonde sur socle comme on en voit dans les classes de collège. Elle faisait tourner cette planète de carton en lui dressant une cartographie des lieux où le colonialisme s'était abattu. Là où on massacrait. Là où on incendiait. Là où on occupait les villes à coups de canon. Là où on éliminait les peuples originels pour mettre des colons. Là où on déplaçait des milliers de peuplades pour installer des compagnies minières. Là où on pourchassait des tribus affamées pour exploiter le pétrole de leurs terres. Là où les fleuves et les marais n'étaient que cimetières pour massacres cachés... Bibidji, lui disait-elle en déplaçant son doigt sur la petite planète, lutter ici contre les planteurs, les usiniers et tous leurs chiens de garde, c'est se placer sur cette ligne du monde où tant de peuples résistent! C'est la même ligne qui traverse le même monde! Nous baignons dans leur sang! Nous goûtons à leurs peurs, nous recevons les souffles de leur courage, et nous savons comme eux que l'espoir est un ordre que l'on donne au réel!... Soupèse cette ferveur à déployer pour briser les forces du Capital et donner la parole pas seulement aux travailleurs et aux masses populaires, mais aux nègres, aux koulis, aux bougnoules, aux peuples jaunes, aux peuples barbares, aux peuples moribonds, aux petites langues, aux dieux tombés, à la folie hurlante, au vrai cannibalisme, à la danse de la pluie, au vaudou et aux chants qui célèbrent les morts, à tout ça, ce grouillement qui par son existence même est le contraire de ce que veulent les colonialistes!... Le jeune bougre regardait la petite mappemonde comme s'il s'agissait d'une porte des enfers. Il se demandait où pourrait subsister un peu de la douceur que déployait Sarah-Anaïs-Alicia. Il la lui avait apportée et l'avait fait tourner devant elle en lui listant la charge de crimes que Déborah-Nicol lui avait indiquée. Sarah-Anaïs-Alicia l'avait regardée avec douceur, mais elle semblait connaître les terres signalées, et complétait à sa manière les propos du jeune bougre. Pour chaque pays, à côté d'un massacre ou d'une domination, elle lui indiquait l'existence de bergers qui parlent aux oiseaux auprès de leurs troupeaux, ou celle de paysans qui mènent des canards en parade dans des rizières fluorescentes. Elle lui contait comment des femmes chantent la nuit pour les esprits que la pleine lune trouble. Elle lui disait comment des enfants consolent des vieillards en leur rappelant les gestes d'une bien-aimée perdue. Elle lui disait ces hommes rudes qui sculptent des pipeaux à sept trous afin de les poser à la fourche haute des arbres, juste pour vouer leur sommeil aux petits sons du vent. Elle lui parla de cases à tête de buffle qui semblent galoper quand les hommes s'endorment, et de tambours géants que des femmes orientent vers la mer pour conjurer la furie d'un volcan. Elle lui parla de cet endroit où la déesse du riz peut faire tomber la pluie, à condition qu'on la supplie. Elle lui dit ce pays où les femmes se rendent belles en se tatouant les mains avec du vieil henné. Elle lui dit en riant cet endroit où des dentistes nomades exposent des dents cariées comme des trophées de réussite. Elle lui parla de ces gens qui mangent des termites écrasés dans du miel de cactus, et d'autres qui boivent l'hostie des pluies dans une coupelle de feuille. Elle lui dit cette ville où l'on colore les peaux de chèvre avec des graines de dattes et des écorces de grenade, et ce peuple bochiman qui transporte l'eau précieuse dans les œufs d'une autruche... Elle savait une poésie des hommes qui traversait le monde et que Déborah-Nicol ne semblait jamais voir. Alors, auprès d'elle, la terrible mappemonde se transfigurait en une boule d'eau bleutée, de nuages, de femmes qui chantent, d'enfants rieurs, de savanes bienheureuses où des bergers célèbrent les chants de la pleine lune ; il croyait la voir s'animer en vallées qui murmurent et en grands arbres, parés de couleurs si somptueuses qu'un crépuscule rougeoyait autour d'eux.

Ainsi Sarah-Anaïs-Alicia lui rognait jour après jour ses ailes guerrières. Sans elle, il se serait lancé à corps perdu dans les grèves tournantes que Déborah-Nicol soutenait à distance. Il aurait attaqué à mains nues les patrouilles de gendarmes comme elle le proposait quand la cellule perdait du temps à blablater. Après une journée de soleil, il se serait glissé dans un champ pour incendier les cannes assoiffées, ou les piles de bagasse, juste pour voir l'émotion des planteurs-usiniers. Ces impulsions lui venaient quand Sarah-Anaïs-Alicia n'avait pas cherché à le voir durant plusieurs journées ; ou quand (l'ayant croisé dans l'escalier à l'aplomb d'un miroir) elle n'avait jeté sur lui qu'un œil d'indifférente douceur. Il en perdait son entendement. La violence qui sommeillait en lui surgissait dans ses yeux, et ses gestes devenaient saccadés. Il pouvait alors faire n'importe quoi. Déborah-Nicol le sentait bien. Elle le regardait fixe pour lui dire d'un ton grave : Évite les pulsions, évite les folies, ne te bats qu'en organisation, dans un ensemble, un vrai mouvement, une connaissance des choses, vois la fin de chaque acte et les méandres de ses développements, évite la tête-folle et le réflexe, ne te laisse jamais faire par la provocation ! Dans la confrontation, ta riposte doit être l'architecture d'une cathédrale, aussi mesurée, aussi complexe, aussi bien achevée et résistant au temps !... Et elle l'emmenait au bord de mer, côté de Trinité, pour lui faire observer le mouvement d'une vague : Regarde-la, regarde-la, qui enfle d'un bel ensemble, qui puise sa force en large et en profond, et qui monte doucement sur un rythme organique, incoercible, pour en finale s'abattre avec une force inarrêtable. *Sois toujours comme une vague !...*

Sarah-Anaïs-Alicia percevait aussi cette montée de la violence chez lui. Elle n'avait pas l'air de savoir que sa douce indifférence renvoyait le jeune bougre aux tumultes intérieurs. L'exaspération de ce dernier ternissait les miroirs. La Bonne sentait alors des effleurements glacés lui parcourir la nuque. Quand elle longeait un des miroirs avec les yeux fermés, elle croyait sentir un alizé de décembre, comme si chaque glace se transformait en gueule ouverte sur on ne savait quoi. Alors elle disait : *Mêsié ! Baltaza est enragé aujourd'hui, oui...* Ces jours-là, elle renonçait à faire monter une mayonnaise, à se lancer dans un riz-doux, un blaff d'oursins ou de soudons. L'aigre-violence émanant du jeune bougre se mettait à tout corrompre dans la maison : les œufs pourrissaient, les bassines de poisson frais moussaient, les bouquets du salon se retrouvaient fanés. Ce phénomène faisait germer les cristophines et durcir les ignames. Les citrons devenaient doux.

L'oignon-pays se chiffonnait amer. Les araignées abandonnaient leur toile pour se cacher dans les fentes des cloisons. La vieille maison allait grinçant comme sous la transhumance d'un grouillement invisible. Alors, Sarah-Anaïs-Alicia revenait sur cette terre et lorgnait autour d'elle. Quittant sa chambre, elle se mettait à la recherche du jeune bougre. Elle le trouvait assis (quand Déborah-Nicol était absente) dans le fauteuil de la bibliothèque, la mappemonde disposée à ses pieds, des dictionnaires sur les genoux, cherchant on ne sait quel coin du monde où s'en aller déverser sa violence. Car l'envie le prenait de s'éloigner de cette maison, de cette commune, de ce pays, d'aller loin pour échapper à la douce persécution de Sarah-Anaïs-Alicia. Elle le retrouvait ainsi, en épave venimeuse, et s'asseyait pour le regarder comme on regarde un incendie. Elle l'approchait avec une telle douceur qu'il finissait par se sentir têbê, et avait honte de sa colère. C'est peut-être dans ces moments-là qu'elle avançait la main pour lui toucher la joue. Puis qu'elle l'abandonnait très vite pour disparaître dans la maison restituée à son calme. Le jeune bougre plongeait alors dans des vertiges béats, qui se prolongeaient durant la nuit en vieux cauchemars phosphorescents.

UNE AMOUR IMPOSSIBLE. Le temps n'arrangeait pas la fureur de Déborah-Nicol. Il lui arrivait de disparaître durant des jours entiers, enfermée à double tour dans la bibliothèque, sous un silence spectral. La Bonne avait beau frapper, s'inquiéter *Eh bien monsieur Timoléon ? !...* et le jeune bougre se coller l'oreille contre la serrure pour surprendre un frôlement : rien ne pouvait indiquer ce qui lui arrivait ou ce qu'elle pouvait faire. On la devinait juste vivante car, de temps à autre, surgissait un sanglot, l'imprévu d'un soupir. Souvent, sa voix se matérialisait sur ces poèmes mortuaires dont elle avait fréquentation depuis la mort de Sarah. En d'autres temps, elle enclenchait un vieux phono sur des chansons de Tino Rossi, languissantes, sirupeuses, qui s'épandaient dans la maison comme une glu d'escargot, atteignaient la charpente qu'avait restaurée le charpentier-démon, laquelle se mettait à grincer comme un jeu de vertèbres. Le jeune bougre finit par se dire que ce n'était pas seulement le colonialisme en œuvre dans le monde qui l'affectait ainsi. Elle devait couver autre chose, comme une blessure cachée qui alimentait ses fureurs, entretenait ses abattements cycliques — un peu comme lui, éperdu de Sarah-Anaïs-Alicia, se réfugiait dans ce courroux qu'il était prêt à déverser ici-là ou ailleurs.

Une fois, entre deux cours de maths ou de sciences physiques, il la trouva rêveuse, affalée, un verre de rhum-vieux à la main, en train de regarder une photo de Sarah. Elle l'avait épinglée sur l'un des dictionnaires qui s'entassaient le long du mur. Les photos étaient rares à l'époque ; celui qui l'avait faite avait accepté de venir dans la maison avec son appareil, sa veste pied-poule, sa casquette, son pantalon troussé à pinces, son français à long manche. Sans le paraître, c'était un Saint-Joséphain. Il avait voyagé dans les Amériques à bord d'une bicyclette. On ne sait pas si c'est lui qui avait dirigé la bicyclette ou si cet engin (doté d'une âme driveuse) l'avait entraîné au-delà des boussoles. En tout cas, il en avait rapporté cette technique du futur. Il réapparut à Saint-Joseph, maigre comme un hareng saur, dépenaillé, barbu, affublé d'un poncho et d'un short mexicain qui lui serrait les fesses et laissait deviner l'épaisseur de ses graines. Il réinvestit la maison familiale, une petite case aux abords du marché, et, alors qu'on s'apprêtait à le voir quémander un bout de pain aux chiens, il se paya une enseigne. Indiquant :
Sélénique Adolphin — Photographe.
Ce qui ne voulait rien dire pour personne. Ce qui attira d'autant plus les curieux, les milaneurs, les tourmentés de

la nouvelle et de la mode. Sans y pénétrer, les gens rôdaient autour de sa case, guettaient par la fenêtre, prenaient de ses nouvelles mais sans oser lui demander *C'est qu'est-ce que c'est un photographe ?* L'affaire était de toute manière suspecte. Les gens le surveillèrent à travers les persiennes. À l'église, le dimanche, l'abbé nous mit en garde contre les vagabonds qui rapportaient au pays toutes sortes de cochonneries. Sélénique Adolphin les méprisa. Il ne répondait à aucune médisance. Il consacra deux mois à remonter un étrange appareil. Il se battait avec plein de notices, de modes d'emploi et de dessins, il vissa, colla, cousit, nettoya, ajusta, réajusta, pour en finale obtenir une sorte d'araignée noire, perchée sur trois grandes pattes. La déception fut générale. On s'attendait à tout sauf à une boîte sur pattes. Sa première photo fut pour le maire de Saint-Joseph. Il lui présenta la nouveauté lors d'une intime cérémonie, et le photographia dans le secret de son bureau. La photo fut affichée illico dans le hall, créant une affluence digne d'un film-cinéma. Les gens quittèrent les quartiers éloignés pour venir voir leur maire en papier-vivant, qui n'arrêtait pas d'être beau et de sourire tout le temps. C'est sans doute ce prodige qui le fit réélire et-cætera de fois. Il mourut dans son fauteuil, vaincu par un cyclone cardiaque alors qu'il contemplait (une fois encore) les photos successives qu'on avait faites de lui et qu'il serrait à double tour dans un coffret d'argent.

Sélénique Adolphin passait son temps à photographier les békés et les personnalités qui pouvaient le payer et qui étaient dignes, par leur niveau social, d'accéder à la postérité. Quand Déborah-Nicol Timoléon l'avait sollicité pour une photo de Sarah, il avait essayé de se défiler. Il n'aimait pas les communistes. Elle lui avait étalé deux-trois sachets de sous, provenus direct d'une vente de sirop-batterie, et il avait fini par accepter. Il était monté dans la chambre de Sarah, avait passé une matinée à la guider pour ses vêtements, car toute couleur n'est pas bonne, certaines vibrent et embellissent, d'autres pataugent et affadissent, certaines font du blanc à l'image et d'autres remplissent le cadre d'un noir désespéré, donc prenez plutôt ce violet tendre, attention aux bijoux, plutôt des perles que ces grosses chaînes en or qui vont me tuer les équilibres... Il avait ensuite passé deux heures à lui trouver une pose sur un fauteuil Louis XVI, à disposer les tissus de sa robe, ajuster les plis de son corsage, aligner les rangées de perles, ordonner un bouquet de fleurs, à mener un manège incessant entre sa bestiole à pattes et Sarah qui faisait preuve d'une patience sans limites. Enfin, il lui avait parlé du petit oiseau et lui avait demandé de sourire. L'explosion avait ébloui Sarah, soudain saisie et grisâtre comme du sel. La Bonne prit-courir en hurlant. Déborah-Nicol lui sauta dessus pour l'étrangler, persuadée qu'il avait exécuté sa sœur. Pour la calmer, il dut lui expliquer le procédé, presque en lui démontant l'appareil. Il repartit avec l'idée que la photo était ratée. Que Sarah aurait eu les yeux fermés comme sous la salve d'un peloton d'exécution.

Mais il revint le lendemain, de bonne heure, mal rasé, bouleversé, en gémissant que la pellicule était vierge, ou plutôt *excrémenteuse* selon ses termes exacts : toute la chambre y apparaissait. Sauf Sarah. Il l'avait cherchée toute la nuit sur ce maudit cliché, avec une loupe, pour finale détecter d'elle (du moins le croyait-il) un bout d'épaule reflété par deux ou trois miroirs, et capté en bout de course par celui qui tenait l'arrière-plan. Le bougre se crut victime d'une défaillance de la pellicule ou d'une distorsion scientifique inconnue des notices. Si bien qu'il en fit une autre, en changeant les vêtements, et en éliminant le fond de teint de Sarah, et par précaution une troisième, et pour finir (car ces choses-là coûtent cher) il installa

Sarah de telle sorte qu'elle apparaisse dans un des miroirs, et il photographia ce miroir. C'est la photo dans le miroir (la seule où Sarah apparut, un peu floue) qui put être utilisée et que Déborah-Nicol avait payée si cher, et épinglée sur le gros dictionnaire pour ses secrètes contemplations.

Il faut parler de cette photo. On y découvrait la splendeur de Sarah. Son visage de douceur. Ses yeux qui ne voyaient qu'au-delà de ce monde. Sa peau mate de femme rêveuse, et la mouche qu'elle s'était faite au crayon sur la joue. L'ensemble flottait dans la vitre même, et l'étrange lumière du miroir circulait comme un émoi sur son visage, avec de temps en temps en arrière-fond des paysages à moitié effacés qui apparaissaient et qui disparaissaient selon qu'il pleuve ou que le soleil baille. Le jeune bougre (qui désirait percer l'énigme de cette photo, et la raison pour laquelle Déborah-Nicol la contemplait ainsi) y retrouva un peu de Sarah-Anaïs-Alicia, avec quelque chose d'autre, comme un plus de tristesse ou d'amertume, ou sans doute d'expérience et de maturité. Sarah était belle mais pas comme une femme de chair. Plutôt comme une icône d'église. Une image qui allait entre l'avènement tranquille et l'effacement inexorable. Elle était plus que femme : une sorte de mystère, un être doté d'un don précieux encore inemployé. Il se sentit pour elle un curieux sentiment d'attachement, de regret, de désir inavouable. Toutes sensations qui — lui troublant le corps — lui permirent de comprendre l'expression bizarre qu'arborait Déborah-Nicol plongée dans ses contemplations. Entre deux cours ou deux crises anticolonialistes, il la questionna sur Sarah. Alors, sitôt épuisées ses fureurs sur l'inadaptation de cette dernière au monde, Déborah-Nicol entrait dans une mélancolie. Elle évoquait ses parfums naturels, ses gestes de soie, le bruit irréel de sa robe, la courbe précieuse de ses épaules, un sourire; elle confia qu'elle y pensait de jour comme de nuit, en obsession immuable. Elle usait de mots tendres, désirants, qui allaient bien au-delà d'un simple attachement à une sœur bien-aimée. Alors le jeune bougre finit par imaginer l'ultime secret de Déborah-Nicol Timoléon.

Par une confidence de la Bonne, le jeune bougre sut que Déborah-Nicol se rendait chaque semaine au cimetière de Saint-Joseph. Elle portait à Sarah des arums blancs. Elle lui portait aussi un peu de sirop-batterie qu'elle répandait autour de la tombe blanchie à la chaux. Et elle restait là, en compagnie de sa sœur. Cette dernière avait vu durant son existence tellement d'êtres inconnus de ce monde que sa tombe s'était mise à s'en souvenir, jusqu'à se transformer en monticule étrange. L'enduit de ciment était devenu une croûte lunaire, bardée de petits signes, l'un voulant dompter l'autre, pour final s'emmêler en un texte illisible semblable aux écritures des peuplades anciennes. La chaux, devenue fluorescente, auréolait la tombe d'une poussière flottante qui, la nuit (selon les dires énervés du gardien), luisait comme des yeux de chat noir. Et l'ennui (disait-il, pour donner la mesure de cette catastrophe) c'est que merles et colibris s'y posaient pour la nuit, et remplissaient le champ des morts (aux heures crépusculaires) d'un tintamarre de poulailler pas vraiment compatible, monsieur Timoléon, avec l'idée que l'on pourrait se faire d'un lieu comme celui-là... Le gardien aurait volontiers incendié cette tombe (sa botte secrète contre les diableries), mais il n'osait défier la rage du terrible communiste que tout le monde respectait dans les confins de Saint-Joseph. Le jeune bougre l'avait suivie. L'avait guettée dans son rituel au cimetière. Il était curieux du secret de Déborah-Nicol, et en même temps de mieux comprendre Sarah pour mieux comprendre Sarah-Anaïs-Alicia. C'était pour lui presque les mêmes personnes.

Un jour, auprès de la tombe, Déborah-Nicol fut surprise de le voir apparaître. Elle s'était assise sur le petit banc qu'elle laissait toujours au gardien du cimetière. Il le lui apportait chaque fois qu'elle parvenait à la tombe de Sarah, qu'elle se mettait à déverser son sirop-batterie, à disposer ses bougies allumées, à marmonner ses poèmes sur la mort et l'amour. Le gardien disparaissait, et (sans même regarder derrière elle pour savoir si le banc était là) Déborah-Nicol s'asseyait, fermait les yeux, et commençait à converser avec Sarah. Elle lui parlait bien entendu des colonialistes, des communistes, de Hitler, du sirop-batterie quand les affaires périclitaient, lui donnait des nouvelles de quelque peuple en voie de disparition. C'est à l'un de ces moments-là qu'il s'était glissé auprès d'elle. Qu'il s'était assis sur le sol, en face de la tombe, sans même la regarder, déjà recueilli pour ne pas briser la poignante atmosphère dans laquelle Déborah-Nicol s'était plongée. Elle eut un hoquet de surprise, mais ne put s'empêcher de poursuivre ses murmures. Elle se contenta juste de fermer les yeux pour effacer la présence du jeune bougre.

Elle parlait.

Elle parlait doucement.

Elle parlait à Sarah. Des mots incompréhensibles. Des mots-soupirs, des mots-sourires, des mots-sentiments-doux, des mots de louanges et de suppliques, des mots de silence affectueux. Des mots qui s'étalaient et s'avalaient l'un l'autre comme de petites prières. Puis le jeune bougre crut distinguer des bribes de ces poèmes d'amour qu'elle lui avait lus en d'autres occasions, et qu'elle développait ainsi, d'une autre manière, sur la tombe de sa sœur en pleurant. Elle ne les récitait plus, elle les sortait du vif d'une blessure sans âge, d'une émotion évangélique qui lui nouait la gorge et chargeait les syllabes de douceur et de braise. *Seigneur, elle l'a aimée !...*

Le jeune bougre se sentit honteux. Il avait pensé surprendre un secret essentiel, quelque chose qui lui aurait révélé la nature véritable de Sarah et de Sarah-Anaïs-Alicia, et il pénétrait par effraction dans le cœur de Déborah-Nicol. Il ferma les yeux, et se rapetissa sur lui-même comme pour disparaître dans la terre grise du cimetière. Déborah-Nicol Timoléon aimait sa sœur d'un sentiment bien plus que fraternel. C'était un attachement total, une osmose majeure qui l'avait empoignée sitôt qu'elle était née. Cette violence en alerte, cette volupté avec laquelle elle devenait un homme, et cette absence d'aventure amoureuse dans sa vie... tout convergeait vers cette tombe et y trouvait son sens. Son être était voué à Sarah... Nous étions un seul être, sans doute un même œuf, lui dira-t-elle plus tard, nous étions nées l'une après l'autre, mais nées dans le même mouvement d'âme si je puis dire ; nées d'une graine qui avait dû se diviser malgré elle et qui gardait (de mon côté) la lancinance de cette fusion originelle. Je n'avais pas seulement besoin d'elle, sans elle j'étais incomplète, en manque comme certains alcooliques. Ma nature me poussait vers l'étude, le combat, la boue du monde, ses misères, son sang, ses sueurs, ses violences. Et elle, ma Sarah, lévitait à hauteur du ciel, là où l'esprit humain préfère imaginer les choses, s'acharne à réinventer les douceurs fantasmatiques de la nature, à visionner des destinées dans les miroirs, à voir des êtres qui n'ont pas su parvenir ici-bas, et qui se sont égarés en chemin, moitié créés, moitié gommés, accorés dans leur élan par ce qu'ils surprennent de notre réalité. Sarah captait leur spleen, leurs langages, éprouvait leur pouvoir tapi dans l'ombre comme des souffles de lune, et elle se nourrissait de cela... Déborah-Nicol avait compris que sa sœur n'était pas de ce monde, et qu'elle était inaccessible pour elle. Elle avait compris cela flap ! comme une foudre de désespoir. Elle s'était trouvée face à cet impossible. Elle l'avait combattu à toute force, avec la claire conscience de perdre ce combat seconde après seconde. Elle détestait Sarah et elle l'aimait comme il n'est plus possible d'aimer. Elle avait cru que sa mort l'aurait débarrassée de ce tourment. Au fil des années — malgré son souci de former le jeune bougre, malgré ses expériences sur le sirop-batterie et toutes ces grèves qui se tramaient — elle avait fini par admettre le grand vide de sa vie. L'espèce de silence naufragé dans son cœur depuis que Sarah n'était plus là...

Déborah-Nicol ne voyait aucune trace de Sarah chez Sarah-Anaïs-Alicia. Le jeune bougre lui disait *Mais Sarah est là! Elle est dans Sarah-Anaïs-Alicia! Elle est tout près de toi, regarde bien comment fait Sarah-Anaïs-Alicia, j'ai l'impression de voir Sarah elle-même!* Mais Déborah-Nicol Timoléon refusait cette idée. Elle concédait que des ressemblances fugaces pouvaient s'admettre, mais déclarait que tout le reste relevait du délire qui baignait cette maison. Un délire qu'elle refusait de cautionner. *C'est sa fille, elle lui ressemble un peu c'est tout, à même bête même poil!* avait-elle tranché pour rompre la discussion. Depuis l'épisode du cimetière, elle ne perdait pas une occasion d'évoquer sa sœur en compagnie du jeune bougre. Sitôt qu'ils avaient fini d'étudier, qu'elle avait épuisé ses colères contre le colonialisme, elle se versait son punch et, en le sirotant, elle évoquait mille anecdotes, détails, historiettes qui avaient émaillé sa vie aux côtés de Sarah. Ne sachant comment déclarer son amour, elle lui avait disposé sur les cloisons de la maison, dans les bouquets de fleurs, dans les tiroirs où elle rangeait ses peignes et ses petits miroirs, des bouts de papier pliés en mille, et sur lesquels étaient calligraphiés des déclarations tendres et des émois divers. Sarah avait récupéré ces papiers. Elle les avait disposés autour de son miroir fétiche sans chercher à savoir qui les lui envoyait, sans jamais soupçonner Déborah-Nicol. À y réfléchir, elle devait attribuer cette profusion sentimentale à on ne sait quel zombi égaré dans les reflets de ses miroirs. Le pire c'est que les petits papiers disparaissaient de temps à autre, *sans doute gobés par le miroir,* disait Sarah, et réapparaissaient, chargés de griffonnages anciens, à croire que d'autres créatures ajoutaient leurs propres troubles aux sentiments de ces poèmes.

Une nuit, travaillée par cet amour inavouable, Déborah-Nicol s'était glissée dans le lit de Sarah. Elle avait pénétré dans sa chambre en pleine nuit, et l'avait trouvée endormie dans ces draps de soie, de lin, de coton et de satin qu'elle affectionnait tant. Elle emplissait aussi son lit de petits oreillers et coussins, de toutes natures et de toutes dimensions, et sur lesquels son corps se déployait, un pied par-ci, une hanche par-là ; elle en plaçait au creux de son épaule, contre son ventre, et les changeait de place au bon gré de ses rêves. *Je suis restée une heure à la regarder dormir, Bibidji !* Sarah disparaissait presque sous les pliures des draps et les amas de ses coussins. On aurait dit un petit-enfant ou un Lilliputien perdu dans l'immensité du grand lit à colonnes. Déborah-Nicol s'était glissée sous les draps auprès d'elle avec une soif de sa chaleur et de sa chair. Là, elle avait senti la moiteur du corps si désiré, son odeur de lavande-basilic, le souffle de ce sommeil qui s'en allait rejoindre des amplitudes cosmiques. Car Sarah ne donnait jamais l'impression de dormir. On la croyait plutôt évaporée, presque dissoute parmi les draps, presque matière dans les matières des draps, tellement absente qu'elle devait voguer en dehors de son corps. On pouvait l'imaginer sans peine se faufilant entre des astres qui rêvent. Déborah-Nicol s'était rapprochée d'elle, son ventre contre son dos, ajustant son corps au sien à la manière d'une couple de cuillères, et s'était mise à respirer au même rythme qu'elle, à s'efforcer de devenir elle. Et c'est alors que ce lit d'acajou (pourtant créé solide par le menuisier de Saint-Joseph) s'était transformé en un fragile bateau, c'est le mot qui me vient, un bateau, je fus emportée dans un vertige d'ondes et de vaguelettes, tout semblait être en eau, les draps, les oreillers, les coussins, la moustiquaire, les colonnes qui ondulaient comme des anguilles de mer, et son corps qui semblait prêt à se décomposer en une coulée d'eau tiède, je ne sais pas ce qui s'était passé, peut-être que son univers s'était mêlé au mien; et c'est serrée contre elle, serrée contre sa chaleur, respirant dans sa peau, abandonnée à l'éther de sa sueur, que je vis le monde d'une manière chaotique : des emmêlements de forces triomphantes et de douceurs vaincues, des conquistadores transformés en pierre et des femmes éplorées qui montent au ciel, des sacrifices d'âmes molles et des violences aiguës comme du carbone de sel, des dons débiles et des bagarres qui brisent les os, des fracas de fer et des mousses de coton... Tout était distendu douloureux, en conflit permanent. Sarah, qui ne s'était pas réveillée, se mit à gémir, à pleurer, à refuser ma présence auprès d'elle, le contact de mon corps contre le sien. Ce ne fut jamais très clair pour moi, mais je sortis du lit en sachant que notre union était impossible; et que cette impossibilité se fondait sur une loi qui dépassait la loi des sexes, des espèces et des hommes. Elles étaient condamnées à vivre simplement côte à côte, en sœurs antagonistes et complémentaires, l'une se nourrissant de l'autre à distance; ou l'une préservant l'équilibre de l'autre par le déploiement actif de son être.

Déborah-Nicol était ressortie de la chambre. Dévastée comme un champ de cannes après une battue de gendarmes à cheval. Elle se sentait infectée de douceur, de rêve et de mollesse. Son esprit qu'elle voulait acéré se perdait dans les rondes d'une chimère. Si elle s'endormait c'était pire : son corps entrait dans une magnanimité de ver de terre, une charité d'escargot et d'huile secourable, que le réel écrasait sans attendre. Elle se réveillait en hurlant, et s'étonnait de se trouver intacte. C'est ainsi qu'elle avait perdu à jamais le sommeil. À la tombée des nuits, elle préférait s'enfermer dans le sanctuaire des livres, et cultiver sa violence comme une rationalité contre l'idée même de la douceur ; mieux qu'une rationalité : une autre forme de lucidité, celle du hurlement, celle du cri, celle du refus érigé en principe fondateur ; mieux qu'une lucidité : une clairvoyance contre les mécanismes qui incitaient les hommes et les peuples à se soumettre aux forces dominatrices, c'était l'unique moyen pour ne pas voir surgir dans son esprit ces déchirures terribles, cette foudre qu'avait été leur rapprochement.

Elle répéta alors au jeune bougre que des êtres comme Sarah et Sarah-Anaïs-Alicia n'étaient pas faits pour cette terre. Il aurait fallu les prendre comme des plantes en pot, et les transporter vers ces frontières où ce monde s'arrêtait, et où commençait tout ce qui manquait, tous les impossibles, tous les inachèvements, tous les rêves dépourvus de corolle, tous les idéaux dont nous n'avons pas idée mais qui de toute manière ne serviront à rien...
— Et ça se trouve où ces endroits-là ? demandait le jeune bougre.
Déborah-Nicol Timoléon se rapprochait de la mappemonde, elle tenait son punch d'une main, et de l'autre elle actionnait le petit globe avec l'air de chercher un endroit sur la terre. Cela durait quelques minutes. Elle achevait son punch, épuisait le sucre et suçait le citron, tandis que le jeune bougre anxieux attendait une réponse. Sans un mot, elle appliquait ses mains sur le globe, et le maintenait sous ses paumes frémissantes, un peu comme les aveugles qui lisent leur écriture. Elle cherchait de manière sensitive ce qu'elle n'avait pas trouvé avec les yeux. Et ses mains circulaient du pôle Nord au pôle Sud, suivaient les lignes de l'équateur, longeaient les îles, vivaient les archipels, tâtaient les forêts et les déserts, s'attardaient sur les villes...

— C'est quelque part dans cet enfer, mais elles seules doivent savoir où...

Trouver ces endroits sur cette terre était une de ses préoccupations majeures, de celles qui l'abîmaient dans la solitude de sa bibliothèque, quand elle s'y enfermait dans un silence de falaise abandonnée des vents. Elle devait y penser tellement que les solutions les plus loufoques lui venaient à l'esprit, et, maintenant que le jeune bougre connaissait son secret, elle pouvait les lui soumettre pour éprouver leur pertinence. Sa théorie principale consistait à penser que ces êtres, étrangers à ce monde, relevaient d'une réalité qui subsistait sans jamais parvenir à notre perception. Elle disait que la réalité était en grande partie ce que l'on avait appris à en penser. La bête colonialiste nous a enseigné que le colonialisme était une œuvre de civilisation, un bienfait pour les humanités, une chance inouïe pour tous les peuples du monde! Même les plus écrasés le pensent! Sauf quelques illuminés comme nous qui parvenons à soupçonner que cette réalité en cache une autre! Il y a donc autour de notre prétendu réel une série de réalités de toutes natures, avec des géométries et des mathématiques impossibles, des physiques-chimies impensables, des géographies sans cartes et sans volume, des temps qui ne s'écoulent pas, des distances sans longueurs, des hors-réalités que nous ne savons pas voir, ou que notre esprit conditionné de mille manières ne sait pas voir! Ces lieux sont donc quelque part, très réels pour Sarah et pour ses congénères car leur esprit est conformé pour ça! Que ces lieux ne soient pas arrivés jusqu'à nous c'est une chose, mais qu'ils n'existent pas ou qu'ils soient introuvables en est une autre! C'est pourquoi ces êtres, s'ils demeurent parmi nous dans cette sorte d'entre-rêves-et-visions qui fonde leur existence, eh bien ces êtres, à leur mort, doivent faire comme ces oiseaux qui s'en retournent poser leurs restes dans un côté connu d'eux seuls!... Pour conforter sa thèse, Déborah-Nicol lui avait tout dit du

cimetière des éléphants. Puis, d'un ton bas, le regard en alerte vers la gauche et la droite, elle avait murmuré :
— Mais dans le cas des personnes qui nous occupent, l'endroit où elles retournent n'est pas un cimetière ! Elles s'en retournent vers le lieu de leur vraie vie ! Et je suis sûre que Sarah n'est plus dans sa tombe ! Qu'elle a dû rejoindre cet endroit très paisible, tout pétri de nuages et de cette sale douceur, cet endroit pas-possible qui pourtant reste inscrit dans la matière inconnue de ce monde... et c'est ça la question, *est-elle partie ou n'est-elle pas partie ?* Si elle est partie *c'est que ce lieu existe*, tout comme les cimetières d'éléphants que nul n'a jamais vus existent bel et bien !...
Ils se regardèrent en silence en imaginant l'un et l'autre ce qu'ils n'osaient s'avouer... Et c'est dans ce silence (ou cette supplique) que le jeune bougre reçut une sorte de mission. Qui fait qu'il se retrouva à rôder au cimetière de Saint-Joseph auprès de la tombe de Sarah, mal accueilli par le gardien qui n'aimait pas cette tombe, et qui n'aimait pas non plus ce qui venait en cet endroit pour elle. Ce bon-homme (sorte d'échappé-kouli, avec de longs cheveux gri-sâtres, et une peau à boutons) était devenu gardien de cimetière d'une manière très spéciale. Il avait passé une partie de sa vie à éviter d'avoir affaire aux morts. Dès son plus jeune âge, il avait participé aux enterrements en sui-vant le cortège selon l'orthodoxie, mais en prenant soin de s'arrêter juste à l'entrée des cimetières. Ce lieu lui avait toujours paru malsain. Il se demandait d'où provenait cette coutume lamentable de conserver ainsi des cadavres qui se décomposaient comme la pire des ordures dans leurs boîtes prétentieuses. Avec leurs humeurs, ces déchets de la vie devaient infecter et la terre et les herbes, et l'ensemble du pays, et même les rêves du genre humain. Il pensait dur que si les hommes éprouvaient des cauche-mars c'était à cause des cimetières. Les légendes psycha-nalytiques d'un conscient travaillé d'inconscient, il les rejetait au casier des délires ; s'il existe un inconscient, il

est là, dans ces saletés de cimetières qui conservent l'inconservable, détiennent l'indétenable!... Le futur gardien avait tenu ce discours jusqu'au jour de la mort de son aimée, une jeune fille d'une beauté bien plus inépuisable que celle d'une pleine lune. Il avait tout fait comme il faut pour l'épouser, les approches, l'hommage à la famille, les promenades de contact sous l'œil de la servante, les petits baisers sur la main, les petites lettres parfumées, les petits cadeaux aux papa manman sœurs frères tontons cousins, la sérénade, les fiançailles et la bague façonnée en Guyane avec une pépite d'or et un diamant de l'Ouganda, et la cérémonie à l'église, en grandes chorales, devant toute la commune. Ce jour-là, il avait tué sept cabris, vingt coqs, deux oies, et douze moutons nourris au coco sec, et concocté lui-même un pâté-en-pot digne des délires de Dante, et qu'il avait fait mijoter dans quinze chaudrons-manioc. J'avais tout prévu, donc tout était parfait, jusqu'à l'instant de prendre conscience qu'il n'avait pas fait danser la mariée, je m'en fus la trouver et, chose d'apparence tendre, elle s'était endormie dans ce fauteuil à haut dossier et accoudoirs sculptés. C'est sur ce trône qu'ils avaient accueilli les invités et leurs cadeaux. Donc, il approche doucement, je m'approche attendri par ce sommeil tranquille enchâssé comme une perle dans cette fête réussie, il s'approche et s'apprête à la réveiller d'un baiser comme pour la Belle du conte, et mes lèvres tombent sur quoi? Sur des lèvres plus glacées qu'une nuit polaire dans un roman de Jules Verne.

Elle était morte.

Et c'est là que l'injuste de la condition humaine lui était tombé dessus. Comme une météorite. La fête transformée en cauchemar. Le rêve fracassé en horreur. La joie, monsieur, qui se brise en vieille désespérance!... Le corps avait été embaumé par ses soins. Il avait voulu conserver ce moment où elle s'était éteinte; c'était mon égoïsme à moi, ne pas la restituer à l'univers qui s'était montré si tellement aberrant; la garder pour moi seul car j'étais désormais l'unique sens du monde; et veiller jusqu'aux dernières secondes de ma vie sur son sommeil! Et c'est ainsi qu'une fois le corps mis en terre dans cet espace haï, il avait fait ce qu'il fallait pour devenir aide-gardien; puis gardien-chef à la mort de son prédécesseur; et c'est pourquoi chaque jour et chaque nuit il se rendait sur la tombe de sa belle, à la veiller, à la garder, et pour tout dire, monsieur, *à l'attendre*. Attendre qu'un jour *peut-être!* elle se réveille. Et pourquoi pas, monsieur? Si elle a pu s'en aller en pleine fête dans l'acmé de nos joies et de nos innocences, pourquoi ne pourrait-elle pas simplement revenir depuis le fond de cette détresse?!...

Le jeune bougre avait fini par l'amadouer et en savoir plus sur la tombe de Sarah. Il sut par lui que cette tombe n'était pas une tombe, on dirait plutôt une ville avec ses lumières, ses bruits, ses fumées, ses voitures, ses populations, son ambiance un peu particulière. Quand, de nuit, il se rendait sur la tombe de l'aimée pour vérifier que tout était en place, et qu'il longeait la tombe de Sarah, le gardien croyait entrer dans une rumeur de foule, presque une matière tangible qu'il fallait distendre pour avancer, et qui diminuait à mesure que l'on se penchait au-dessus d'elle. Et ce n'est pas tout, monsieur : *il y a des visiteurs!* Pas seulement monsieur Timoléon, le pauvre, je comprends son amour pour sa sœur, mais des personnes qui ne sont ni d'ici ni d'ailleurs. Des types à capeline et chapeau haut de forme qui marchent comme des princes, ou des dames très pâles ou très noires, couvertes de grands manteaux malgré la canicule, et qui viennent s'agenouiller auprès de cette tombe, et disposer des fleurs séchées que je n'ai jamais vues, des fleurs étranges qui diffusent toutes espèces d'odeurs étrangères aux narines, et que je suis forcé de récolter avec une pelle et de brûler avec de l'alcali!...

Le jeune bougre s'ouvrit auprès du gardien de son souci : savoir si Sarah était encore dans sa tombe. Il lui avait posé la question du bout des lèvres, pensant que cette demande l'aurait choqué, mais le gardien l'accueillit avec une compassion soucieuse : *C'est normal de désirer le savoir, moi je vérifie tous les jours que mon aimée est bien en place, donc pas de problème...* Il alla chercher sa masse et sa pioche, pour desceller la pierre du caveau, il se coula à l'intérieur avec une lampe à pétrole et une corde-mahaut, puis il enjoignit au jeune bougre de l'y rejoindre *Allons n'ayez pas peur !* Le jeune bougre se glissa dans la tombe auprès du cercueil d'acajou : il avait pris la teinte d'une surface en laiton, verdâtre et jaune, avec des brillances de métal sans futur. Le fond du caveau était rempli d'une eau glacée qui leur montait jusqu'aux genoux. Le gardien dévissa le couvercle. Il le fit glisser à moitié, et balaya l'intérieur avec sa lampe. Là-dedans se trouvait Sarah. Elle était comme endormie. C'était elle, mais à bien y regarder le jeune bougre s'aperçut que la Sarah qu'il découvrait n'était plus qu'une sorte de poupée de tissus, un mélange textile ahurissant qui avait recomposé son corps. Le gardien toucha l'affaire avec sa lampe, et dit *C'est vrai ce n'est pas elle, c'est du tissu qui se souvient d'elle mais ce n'est pas elle, votre personne n'est plus là, elle est partie...* Ils refermèrent la tombe. Le gardien, soudain inquiet, s'en alla vérifier en courant que son aimée était toujours là, tandis que le jeune bougre rentrait à la maison pour exposer les réussites de sa mission à Déborah-Nicol.

— Un tissu ?
— Un tissu, je te dis.
— Et quelle espèce de tissu ?
— Toutes qualités : du lin, du coton, de la soie, du velours, du satin, et de l'organdi, et tout se mêle, et tout se

fond, ça donne une drôle de matière... mais qui reste du tissu...

— Et ça, tu l'as vu en regardant avec tes yeux?

— Vu, même!

— Vu comme on voit vraiment?

— Vu comme je te dis.

— Qu'est-ce que ça peut vouloir dire, qu'elle se transforme en tissu?

Ce fut la nouvelle énigme. Elle devait occuper la vie restante de Déborah-Nicol Timoléon.

La bonne nouvelle de cette découverte, c'est que Sarah avait sûrement rejoint le pays des créatures comme elle. Cela permettait de supposer que son espèce ne mourait pas comme on le soupçonnait. L'autre conséquence de cette découverte était maintenant de comprendre cette histoire de tissus. Déborah-Nicol voulut y voir un message d'outre-tombe que Sarah leur aurait signifié et qui indiquait l'endroit où elle se trouvait à présent. Elle se proposait de se faire ouvrir la tombe par le gardien, et d'étudier à fond cette Sarah de tissus. Elle sortit de ses rayonnages des encyclopédies plus lourdes que des usines, et des ouvrages savants sur les poupées de chiffon, les symboliques textiles, les rituels funéraires à base d'étoffes, et elle se mit là-même à creuser la question.

> Les dieux lui étaient toujours favorables :
> Ils ne le gênaient plus car lui, ne les adorait plus.
>
> « Notre morceau de fer ».
> *Cantilènes d'Isomène Calypso*,
> conteur à voix pas claire de la commune de Saint-Joseph.

TROUBLES POUR UNE BEAUTÉ ARMÉE. Le jeune bougre ne s'intéressa nullement à cette nouvelle énigme. Il avait pensé un instant la soumettre à Man L'Oubliée en sorte qu'elle lui donne la clé de ce qu'était vraiment devenue Sarah, mais il comprit très vite qu'il fallait laisser Déborah-Nicol avec cette piste à explorer. C'était sa manière de se maintenir en vie et de rester connectée à Sarah, en esprit, par l'étude, le souvenir, recherches savantes et réflexion... Lui ôter cela, c'était la livrer poings et mains liés à cette violence aveugle qui possédait l'autre partie de son âme. Sans compter que sur cet aspect de sa personnalité, les années passant n'avaient rien arrangé. Il la sentait portée de plus en plus à s'en prendre aux gendarmes à cheval. Elle semblait perdre la foi en l'action politique et commençait à caresser l'idée qu'il fallait, en la matière, un peu brusquer les choses. Et c'est ainsi que les armes surgirent dans la vie du jeune bougre.

Une fois, Déborah-Nicol avait fait venir à Saint-Joseph un trafiquant d'armes. C'était une sorte de Latino, une femme à peau cuivrée et au nez en crochet comme un bec de rapace. Elle accentuait ses allures de pirate dans un costume de lin blanc, un petit chapeau gris, et une cravate déboutonnée au col pour soulager ses étouffements. Elle était de passage à Fort-de-France. Comme dans les îles de la Caraïbe, elle avait contacté les mouvements politiques locaux, dont le Parti communiste, pour leur proposer ce qu'elle appelait des « *arguments convaincants pour la liberté* ». Les camarades de Fort-de-France avaient failli s'enfuir en découvrant la nature des arguments. Ils la jetèrent à la porte, et se réunirent d'urgence pour publier une motion contre l'usage des armes. Mais le bruit de sa proposition était parvenu aux oreilles de Déborah-Nicol Timoléon. Sans attendre, elle fit acheminer un petit mot à cette trafiquante, en l'invitant à la rencontrer dans sa maison de Saint-Joseph. La mademoiselle était venue. Déborah-Nicol l'avait reçue sans attendre dans le sanctuaire de ses livres, et au fil d'une conversation sur l'état des forces politiques dans la Caraïbe, la trafiquante lui avait parlé des armes. Elle était membre d'une organisation qui rayonnait sur l'ensemble des Amériques, dont le centre était tenu secret, et qui alimentait de manière militante (à ses dires) tous les mouvements révolutionnaires amérindien, bolivien, cubain, haïtien, du Brésil et d'ailleurs. Elle pouvait fournir des armes qui provenaient de toute l'Europe et de toutes les époques ; c'était du matériel d'occase tombé de guerres anciennes, et aussi du matériel neuf en provenance de la Russie, de l'Allemagne, d'usines françaises ou belges. Elle avait fini par extraire de sa sacoche (qui contenait officiellement du matériel d'ornithologue, car la mademoiselle se faisait passer pour une experte en oiseaux-mouches) trente-trois catalogues d'armes. Elle les avait laissés à Déborah-Nicol puis était revenue le lendemain avec d'autres catalogues pour matériels de guerre. Ensemble, elles s'étaient enfermées dans le bureau, durant six jours et cinq nuits. Sans s'accorder le temps de sortir ni celui de manger. La trafiquante buvait du rhum et du café. Déborah-Nicol pour garder la tête froide s'enfilait des thés de cannelle et du chocolat chaud. Déborah-Nicol gagnait souvent le cabinet pour déposer ses colis naturels, mais la trafiquante semblait n'avoir aucun besoin, ni de déféquer ni de pisser. Un chaman du Pérou lui avait appris à éliminer tout cela à l'intérieur d'elle-même, en un recyclage infini, une automaintenance qui lui permettait d'agir vite, de se cacher longtemps, de fuir sans s'arrêter durant des mois, et finale de survivre dans cette tâche dangereuse. Avec cette technique, monsieur Timoléon, je peux hiberner près de six mois, en veillant juste à boire assez, de l'eau un peu, café beaucoup, et du rhum à gogo ! Au bout des six mois son corps prenait une teinte de courgette asphyxiée ; la mademoiselle devait se rendre d'urgence au cabinet, car elle se mettait à expulser toute la merde de l'univers, une matière bilieuse, très fluide, qui lui sortait du moindre de ses pores. Après, elle devait faire trempette dans un bain de feuillage et de soufre d'Islande, trois jours durant, avant de repartir pour une nouvelle tournée, gaillarde comme un Tartare.

Profitant de cette fabuleuse possibilité de concentration, Déborah-Nicol s'était lancée dans une étude approfondie des armes adaptées à une guérilla en Pays-Martinique. La mademoiselle lui avait établi la configuration la plus efficace pour une petite armée de libération nationale, avec une hypothèse basse faite de matériel usagé, une hypothèse mixte où elle mélangeait du vieillot et du neuf, et une hypothèse haute où tout le matériel de vertu supérieure serait du dernier cri. Elles avaient âprement négocié les tarifs, puis la trafiquante s'en était allée, à tout jamais, en laissant ses coordonnées pour la commande ultime quand Déborah-Nicol se sentirait fin prête.

L'agonisant tenta une fois encore de revoir le visage de cette trafiquante. Impossible. Juste une silhouette osseuse, puissante, furtive, toujours en instance de prendre-disparaître. En certaines années de méditation, il s'était même convaincu qu'elle n'avait jamais existé, et que Déborah-Nicol n'avait fait que commander des catalogues on ne sait où. Mais il dut admettre que M. Balthazar Bodule-Jules, durant ses guerres lointaines, avait toujours pensé à cette mademoiselle. Quand il se retrouvait traqué à mort dans un côté du monde, et qu'il avait dû — devant les sicaires belges, les léopards français, les soldats portugais, barbouzes américaines, policiers de Harlem ou de Johannesburg, mercenaires de tout poil et hordes de marines bourrés de cocaïne —, il avait dû se suffire à lui-même, sans manger, sans bouger, sans rien expulser des chimies de son ventre, s'assurant juste de boire la rosée des grandes feuilles, le fond d'une gouttière, une coulure de dalot. Ses poursuivants stationnaient alentour, avec toute la patience que pouvait conférer la certitude qu'il était caché là. Et lui, ne bougeait pas. N'existait plus. Un jour. Trois jours. Sept jours. Puis les tueurs s'en allaient, persuadés qu'il était déjà loin. À chaque fois, en cette économie extrême, cette silhouette osseuse était venue à son esprit, *la mademoiselle!*... claire comme une conscience amie galvanisant sa volonté.

Après le départ de la mademoiselle, Déborah-Nicol avait poursuivi ses investigations avec l'aide du jeune bougre. Elle avait étudié les brochures, écrit on ne sait où pour compléter sa documentation. Entre deux recherches sur le pays où pouvait se trouver Sarah, et deux-trois déductions sur la Sarah de chiffon (qu'elle avait finalement enlevée du cimetière et crochetée aux rayonnages de la bibliothèque), elle constituait une panoplie d'armes idéales, et imposait au jeune bougre le descriptif très détaillé de leurs vertus et de leurs défauts, de leurs coûts d'entretien, de leurs problèmes d'acheminement et de stockage. Qui fait que le jeune bougre dut se plonger dans ces nomenclatures de matériels de guerre. Il dut apprendre le maniement de chaque pistolet, chaque mitrailleuse, chaque arme d'assaut, et en tenir un descriptif exact à Déborah-Nicol qui se montrait impitoyable à la moindre défaillance. C'est ainsi qu'il fut initié à l'univers des armes auquel il ne s'intéressait que peu mais qui prendra très vite une part essentielle des plaisirs de sa vie.

Cette plongée dans l'univers des armes et des soifs guerrières de Déborah-Nicol inquiéta Sarah-Anaïs-Alicia, si tant est qu'un tel concentré de douceur fût accessible à l'inquiétude. Elle se mit à rôder de plus en plus aux abords de la bibliothèque. Elle venait les rejoindre, zieutait les catalogues et le matériel qu'ils listaient avec soin. Elle louchait sur les bons de commande qu'ils expédiaient à la mademoiselle et à d'autres trafiquants d'armes de la Caraïbe. Déborah-Nicol l'embrassait avec beaucoup de chaleur. Elle riait de la voir contrariée, et de sentir son ineffable douceur affectée par ces armes de guerre. Sarah-Anaïs-Alicia ne lui prêtait pas une grande attention. Elle s'asseyait aux côtés du jeune bougre, le touchait de

518

l'épaule comme pour lui communiquer un peu de retenue. Lui, en oubliait ces préparatifs pour se perdre dans sa beauté flottante et s'enivrer de cette douceur. Parfois, bousculant une séance de travail, elle parvenait à l'entraîner dans sa chambre, pour une lecture de Saint-John Perse, au grand dam de Déborah-Nicol qui, en finale, se montrait assez faible avec elle.

Sarah-Anaïs-Alicia ne lui dit jamais un mot contre les armes. Elle écoutait ses éloges de leurs qualités et du bien qu'elles pourraient faire aux exploités dans les usines et dans les champs. Elle écoutait avec une attention soutenue, se renseignait sur les vertus des mitraillettes, les effets de leurs balles, ne réagissait pas quand il lui expliquait qu'une balle de Beretta pouvait, à partir d'une trouée dans le front, emporter en bouillie tout le crâne à l'arrière, ni même comment une balle de Simonov SKS, qui semblait anodine, pouvait en une demi-rafale trancher un homme (et un arbre) avec l'aplomb d'une tronçonneuse.

Mais elle regardait les armes comme des objets précieux. Ce fut un étonnement pour le jeune bougre qui lui montrait les catalogues. L'agonisant se dit que ce regard dépouillait ces objets de leurs buts meurtriers pour capter juste l'équilibre de leurs rouages. Il apprit avec elle à regarder les armes comme des outils vivants, capables de perfection, et que l'on pouvait garder auprès de soi en oubliant les guerres. Il est sûr que leur finalité meurtrière inspirait leur beauté, mais cette beauté, considérée dans sa seule perfection, pouvait inspirer un profond attachement. C'est dans doute pourquoi, se dit l'agonisant, je fus un chien de guerre attentif à ses armes ! Le seul qui voulut les comprendre au-delà de leur utilité, qui sut les regarder, les sentir, les humer, les explorer par un seul effleurement ! C'est grâce à ma Sarah-Anaïs-Alicia, à cet être de douceur qui ignorait la guerre mais qui savait saisir les beautés de toutes choses ! *C'est en s'enivrant de beautés que l'on échappe aux barbaries !* Ce regard sur les armes, M. Balthazar Bodule-Jules ne l'avait eu que de manière irrégulière. Ce fut souvent au plein de ses découragements dont nul n'avait conscience, au moment où dans le sang, les massacres et les larmes, son esprit risquait de basculer dans un non-sens barbare. À ce moment-là, il prenait l'arme du moment ; il la regardait longtemps, sans s'avouer qu'il reprenait le regard de Sarah-Anaïs-Alicia sur les terribles catalogues ; et, malgré la boue, la crasse, le sang séché qui maculaient le canon et la crosse, il se raccrochait à cette curieuse beauté.

Déborah-Nicol Timoléon se mit à craindre que Sarah-Anaïs-Alicia ne détourne le jeune bougre de ses projets de guérilla. Elle avait beaucoup avancé dans les élaborations des équipements de base, et s'apprêtait au recrutement secret des hommes et des femmes de son armée de libération nationale. Le premier d'entre les pressentis était bien entendu le jeune bougre ; elle percevait en lui une force qui s'ignorait encore. Une violence qui ne demandait qu'un vieux prétexte pour exploser. Elle pensait pouvoir en faire un de ces chefs qui galvanisent leurs hommes. Déborah-Nicol comprenait son attachement à Sarah-Anaïs-Alicia ; elle-même se montrait très sensible à la douceur de la jeune fille ; de seulement l'apercevoir la précipitait comme lui dans les abîmes d'une langueur, son métabolisme s'alentissait dans une béatitude. Elle avait compris qu'il éprouvait pour elle une fascination affectueuse, quelque chose de complexe qui pourrait être de l'amour comme dans les photos-romans des jeunes filles du couvent. Éprouver cette fascination pour un être capable de plénitude interne était normal. Mais ces êtres pouvaient vous engluer dans leur toile invisible, vous transformer en épave de douceur, avec la bave aux lèvres et l'œil naufragé. Un soir, elle décida de lui asséner la vérité. Malgré le risque de provoquer une réaction incontrôlable, elle pensait nécessaire de lui ôter l'espoir.

Un peu avant que le jeune bougre n'aille se coucher, Déborah-Nicol prenait le temps d'évoquer la mémoire de Sarah. Elle parlait aussi de Sarah-Anaïs-Alicia. L'œil du jeune bougre prenait des embellies à chaque évocation de ces êtres de douceur. Ils sont parmi nous, lui dit-elle ce soir-là, mais ça ne veut rien dire car ils ne sont pas comme nous. Ils ont accès à d'autres géométries de la réalité ! Leur esprit ne peut pas prendre sa vraie mesure dans ce côté-ci de la misère des hommes. Ils détiennent une fonction parmi nous, qui reste mystérieuse, mais ils ne sont pas faits *pour* nous ! Je peux t'assurer que Sarah (malgré mon grand amour pour elle) ne m'a rien accordé d'autre qu'un peu de bonté naturelle et cette vague affection que notre fraternité pouvait lui inspirer ! Elle qui s'enflammait pour les créatures biscornues égarées par-ici, ne me manifesta jamais qu'une atone tendresse. Son être était orienté vers un ailleurs inaccessible pour moi. Elle me tournait le dos. Son âme me tournait le dos, ne m'accordait rien de sa lumière ! *Ô Bibidji, les fleurs s'ouvrent vers l'éclat du soleil, jamais en direction des ombres...* Eh bien, pour ces êtres nous relevons des ombres ! Ils nous voient, nous aiment bien, nous soutiennent, mais leur âme s'oriente vers un soleil que nous ne pouvons imaginer !
Elle se pencha pour lui confier avec le timbre des confidences fatales :
— Ces êtres sont faits pour aimer les anges, pas les hommes, je dis les anges, c'est une image, mais qui évoque bien des non-créatures, mi-homme mi-nuage, mi-végétal mi-eau de source, mi-terre mi-feu... *Elle ne t'aimera jamais !...*
Elle avait achevé sa phrase dans un hoquet désespéré : Ne t'approche pas d'elle, ne la touche pas, n'espère jamais te

521

faire aimer d'elle ! Reste au loin, elle est déjà avec les anges merdiques, et toi tu n'y seras jamais, tu ne pourras que la voir s'éloigner avec eux !...

L'agonisant se rappela le désespoir qui s'était abattu sur l'épaule du jeune bougre. Il avait su avec force que Déborah-Nicol avait raison : *Sarah-Anaïs-Alicia n'est pas pour moi et ne sera jamais à moi !...* Cette vérité s'était levée en lui comme le vent du cimetière marin dont parle Valéry ; il lui fallait tenter de vivre avec. *Vivre sans Sarah-Anaïs-Alicia !* Il s'était enfoncé dans l'asphyxie d'une dame-jeanne. Une désolation intime qui enlevait toute saveur et toute utilité au simple fait de respirer. L'agonisant, qui revivait les affres de ce moment, découvrit autre chose. Ce n'était pas la seule raison du désespoir qu'éprouvait le jeune bougre. Il venait de percevoir une menace sans limites : *L'Yvonnette Cléoste !...* Avec son goût pour l'impossible, Sarah-Anaïs-Alicia se retrouverait aux premières lignes si la diablesse attaquait de nouveau ; cette soie de douceur s'ouvrirait sans méfiance à la violence la plus extrême. Man L'Oubliée avait su égarer l'Yvonnette Cléoste, mais il avait toujours senti que cette diablesse pouvait le retrouver à tout instant, lui tomber dessus n'importe où, comme une chaleur sur case en tôle. Et, au moment de la fatale confidence, dans une lueur soudaine, il sut que l'Yvonnette Cléoste l'avait déjà retrouvé.

Cette sensation lui était déjà venue quand ils s'étaient assis, Déborah-Nicol et lui, au bord de la tombe de Sarah — cette tombe vers laquelle tant d'êtres en douleur se sentaient attirés. Cette tombe avait dû agir comme une antenne qui dispersa les ondes de sa présence dans l'univers des monstres et merveilles. La perception mauvaise ne lui était pas parvenue à l'esprit. Au plus fort des premières confidences de Déborah-Nicol, il avait juste ressenti des froidures coutumières lui agacer la nuque. Il s'était cru renvoyé à cette époque des bois où la diablesse le traquait au plus près. Il s'était retourné, flap! et, au fond du cimetière, il avait entr'aperçu une ombre. Une silhouette sans falbalas. Celle d'une vieille négresse veuve, de noir vêtue, le visage sous un voile. Elle s'affairait au nettoyage d'une tombe. Il avait tourné la tête, et, emporté par la confession de Déborah-Nicol, il l'avait oubliée. Maintenant, tout lui revenait comme un souffle glacial. *Une menace.* Il se sentit en danger et se mit à trembler. Quelle erreur d'avoir cru pouvoir vivre sans la protection d'Anne-Clémire L'Oubliée! Il se souvint d'avoir quitté le cimetière en compagnie de Déborah-Nicol. Cette dernière délirait sur ces tombes où la plupart des dépouilles étaient mortes de misère, d'oppression; elle pleurait en marchant sur ce pays qui n'était qu'un vaste cimetière de souffrances sans témoins... Le jeune bougre l'écoutait à peine, son dos s'était un peu courbé sous le poids d'un souci même pas encore identifié. Et ses pas s'étaient faits lourds sans raison apparente.

Il quitta la bibliothèque d'une manière précipitée. Déborah-Nicol n'essaya pas de le retenir. Elle était persuadée qu'il désirait un peu de solitude afin de digérer ce qu'elle lui avait dit. Lui, s'en était allé vérifier que Sarah-Anaïs-Alicia se trouvait bien en sécurité dans l'univers biscornu de sa chambre. Il la découvrit, assise au bord de la fenêtre, avec ses vols d'oiseaux qui lui portaient des graines et ses recueils de Saint-John Perse. Elle perçut son inquiétude et voulut qu'il demeure auprès d'elle, le temps qu'elle lui lise un poème. Il s'était arraché à son emprise, et avait pris-courir dans la maison, vérifiant les coins et les recoins, essayant de deviner les voies de la prochaine attaque. Ce jour-là, il ne dormit pas sur place. Il partit dans les bois en espérant ainsi éloigner l'Yvonnette Cléoste de Sarah-Anaïs-Alicia : *Que ferait-elle si l'Yvonnette surgissait soudain dans l'un de ses miroirs ! ?* Elle se verrait détruite d'un coup, sans clique et sans reliques. La violence sans bornes de cette diablesse ne ferait qu'une bouchée de ce vent de douceur. Cette nuit-là, ce fut la première fois de sa vie qu'il ne trouva pas Man L'Oubliée. Elle avait disparu.

Ses lieux d'habitude demeuraient vides d'elle. Elle s'était effacée de l'existence et de ses preuves. Le jeune bougre dut se convaincre qu'elle avait existé. La mort dans l'âme, il redescendit en pleine nuit vers la maison de Saint-Joseph. Il avait compris que Man L'Oubliée s'était dérobée à lui. Qu'elle avait décidé de le laisser seul en face de cette nouvelle épreuve. Il en était meurtri pour Sarah-Anaïs-Alicia qui ne bénéficierait pas de sa protection, et tout autant flatté qu'une personne si puissante le juge digne d'affronter l'ennemie.

La période qui suivit fut celle d'une vigilance extrême. Il ne perdait pas une occasion de se mettre en compagnie de Sarah-Anaïs-Alicia, de lire avec elle durant des heures les poèmes de Perse et d'en disserter à l'infini. Il lui montrait ce qui chez le poète relevait d'une vision du monde qui plaçait l'Occident au centre de toutes choses, lui accordant devoir de construction, devoir de civilisation, devoir de conquêtes, fardeau de l'ordre du monde et valeurs supérieures. Et elle, toujours tranquille, lui montrait comment Perse actionnait une sensibilité qui n'était pas du monde de ses ancêtres, une vision qui le situait au-delà des étroitesses d'un univers colonialiste. Du fond de cette condition, Perse avait réussi l'exploit de transcender l'obscurité ambiante pour nous emplir de beauté. Quand on accède comme lui au commerce exigeant de la beauté, on annule l'ordre minable mis en place par les hommes. On s'installe dans l'architecture des vents, des solitudes visionnaires, des silences symphoniques, et des oiseaux qui vont... Le jeune bougre l'écoutait sans grande conviction. Elle parlait d'une voix savoureuse, qui coulait comme un fluide. Seule quelque légère inflexion laissait filtrer une ferveur, imperceptible autrement qu'en mode divinatoire. Il prolongeait ces discussions avec l'unique souci d'être à ses côtés et de la protéger. Il surveillait sans cesse les cinquante-sept miroirs répartis autour d'elle. Sur les cloisons. Au pied du lit. Suspendus au plafond. Noués à la moustiquaire. Ils répercutaient entre eux des morceaux de la pièce, ses objets, les paysages de ses fenêtres. Suscitaient un espace en reflets qui se superposait à celui de la chambre. Parfois, il croyait surprendre quelque chose au fond de tel ou tel miroir. Il se levait d'un bond, cœur battant, prêt à combattre l'Yvonnette Cléoste. Ce n'était jamais elle, jamais ça, juste un bougé de voilages répercuté sept fois dans les divers miroirs.

Le soir, il dormait dans le couloir, sur le palier de sa chambre. Il le faisait à l'insu de Sarah-Anaïs-Alicia, mais aussi à l'insu de la Bonne et de Déborah-Nicol. Cette dernière lui trouvait des manières bizarres. Il n'avait pas voulu s'ouvrir auprès d'elle de ses craintes. Elle qui considérait cet univers de féeries comme un symptôme de maladie mentale, n'aurait pu supporter de voir son guerrier s'abîmer dans de telles chimères. Les semaines passèrent ainsi sans la moindre alerte. Il finit par croire que l'Yvonnette Cléoste ne l'avait pas retrouvé. Ou que Man L'Oubliée le protégeait à distance, bien cachée quelque part. Mais il voulut demeurer vigilant. Qui fait qu'il adopta le régime de Déborah-Nicol, en thés de cannelle, gingembre et chocolat, des bombes énergétiques qui le tenaient debout ; elles transformaient ses os en armature d'acier et maintenaient ses paupières en ouverture totale. Avec cette drogue, il passait ses nuits éveillé comme un chat hystérique, attentif aux bruits de la maison, et retrouvait Déborah-Nicol au petit matin pour l'épauler dans ses divers travaux.

Le plus avancé de ces travaux visait à répertorier les lieux propices aux êtres comme Sarah ou Sarah-Anaïs-Alicia : des endroits où elles pourraient se réfugier après leur passage dans ce côté de la réalité. Il fallait les repérer dans la géographie connue dont attestait la mappemonde. Déborah-Nicol s'était mise à étudier les coutumes des hommes, les langues et les cultures, à inventorier les religions, les rites et les pratiques. Beaucoup d'endroits avaient ainsi été trouvés dans de multiples pays. Elle en discutait avec le jeune bougre dans la ferme intention de pouvoir un jour y localiser Sarah. Des paysages de bonté végétale couverts de neige tendre et de brume affectueuse. Des pointes de hautes montagnes fréquentées par des peuples qui vivaient en silence. Des niches creusées dans des falaises par des peuples doux comme des bœufs de désert. Des cultures pétries de tendresse pour la terre, d'autres émues par la musique des vents ou par les solitudes. Des rivages où l'intelligence, la sensibilité, la beauté étaient sacralisées...

Mais, dans l'idéal de ces petits espaces, quelque chose clochait à chaque fois...

Au cœur d'une vaste gentillesse battait un reste de guerre ancienne. Dans des cultures amoureuses des beautés, perdurait souvent une frange de famine. Des violences millénaires se maintenaient vivaces dans des paysanneries raffinées et civiles. Des mutilations sanglantes émaillaient la coutume de lignées accueillantes. Des fanatismes magico-religieux se nouaient à des cosmogonies tout à fait remarquables. Auprès de dieux paisibles on supprimait les bébés-filles, on incendiait les fous, on arrachait des yeux que l'on offrait aux prêtres pour soigner leur vision. Dans des architectures d'ambre et de jaspe ciselé, on pratiquait l'offrande de cœurs vivants et on buvait du sang en hommage au soleil... Quand la nature était superbe, les hommes étaient inquiets, vindicatifs, bourrés de croyances animales. Quand ils parvenaient à de sereines autorités, et pouvaient contempler la beauté d'un orage comme nourriture précieuse, leur société avait chiffonné des forêts, assassiné des eaux, offusqué jusqu'au désert d'anciennes terres fertiles, et ces gens-là n'avaient plus d'amis parmi les animaux...

Cette non-perfection des sociétés humaines précipitait Déborah-Nicol dans une vraie colère. Elle criait que la douceur était originelle, que les violences et la mort étaient venues après ! Elle criait que c'est en perdant cette mémoire initiale que l'homme était devenu l'inférieure créature de l'ordre du vivant ! *Sarah, c'est notre point de départ, notre paradis perdu !* Elle le répétait avec force, à tout moment de la journée, comme le mantra d'un exorcisme. En d'autres instants, elle hurlait que la violence nous était naturelle, et que l'état de paix n'était qu'une chimère de notre pauvre conscience ! *Sarah, c'est notre vieil impossible !...* Mais, de temps en temps, accablée d'une fatigue proche des lucidités, elle se laissait supposer que toute lumière épaississait les ombres, et que toute qualité générait son contraire. Que les choses tenaient debout dans des systèmes soumis à de vieux équilibres, et que tout équilibre suppose une poussée, un retrait. Un avant qui s'exerce en même temps qu'un arrière. Un rire qui ne prend sa ressource que dans le risque d'une larme... Dans cette chienne d'existence, la paix était sœur de la guerre, la vie était fille de la mort, l'amitié était cousine germaine de la haine sans manman... Si bien qu'ils avaient beau scruter la mappemonde, délimiter des régions inconnues, en voir le descriptif des encyclopédies, ni lui ni elle ne découvraient une quelconque présence humaine qui fût parfaite, ou pour le moins digne des éternités d'une personne comme Sarah.

Ils entraient déjà dans la saison du dé-courage quand le jeune bougre eut une sorte de clarté. Jusqu'alors Déborah-

527

Nicol avait recherché le refuge potentiel de Sarah dans le réel du monde. Mais, ignorant ce qu'elle cherchait vraiment, elle ne trouvait rien. Le jeune bougre avait eu le coup-de-cerveau d'inverser le problème. Il valait mieux, lui dit-il, *imaginer tous les refuges possibles*, les décrire avec soin, et à partir de cette liste tenter de les situer sur la petite mappemonde. *En inventant des lieux, trouver le deuxième monde caché dans ce monde-ci!* C'est ainsi que naquit ce petit cahier, à couverture rouge, qu'ils intitulèrent : *Livret des Lieux du deuxième monde*, et qu'ils remplirent page après page au fil de leurs recherches, de leurs délires et de leurs déductions. Déborah-Nicol Timoléon calligraphiait le descriptif de chaque refuge imaginé. Elle le faisait avec une encre bleue, en soulignait les titres, exécutait d'infimes topographies sur du papier millimétré. Sans pièce augmentation de pages, le petit cahier se mit à devenir très lourd. Quelquefois, il devenait craquant comme une momie de tombeau égyptien, avec des effluves d'étoupe noire et un vieux-goût de myrrhe qui vous happait la bouche. À chaque séance, Déborah-Nicol le reniflait, le soupesait d'un air gourmand, et déclarait en souriant : *On brûle, on brûle...* Le jeune bougre, lui, ne percevait jamais de différence de poids. Par contre, en y collant l'oreille, il croyait percevoir des assemblées d'oiseaux, de vents et de marées, de ces plénières sonores, indistinctes, qui laissent deviner de longues respirations sur d'immenses paysages. Ils brûlaient sans doute, mais nonobstant cette liste qui avançait chaque jour (et qu'ils stoppèrent arbitrairement en comprenant que l'exercice n'avait pas de limites), ils n'en trouvaient jamais l'équivalent dans les couleurs de la pauvre mappemonde.

Il faut parler de cette mappemonde qui suivra M. Balthazar Bodule-Jules toute sa vie. Déborah-Nicol l'avait achetée dès sa première année d'institutrice, non pour conforter ses cours mais pour pister bien à loisir la trajectoire des meutes colonialistes et des grandes forces du Capital. Elle avait tracé dessus au crayon, à l'encre bleue ou rouge, des flèches et des ronds, carrés et points d'exclamation. À certains endroits, elle avait planté des épingles, des onglets de papier tenus par une pointe d'amidon. La mappemonde avait fini par prendre l'allure d'une boule hiéroglyphique, hérissée de pointes magiques dignes d'un autel vaudou. Des creux, des bosses et des déformations lui donnaient l'allure d'un œuf de dragon mort, et témoignaient des voltiges coléreuses que Déborah-Nicol lui avait fait subir. Les flèches indiquaient les peuples déplacés ou disparus en tant que peuples. Les ronds étaient signes de massacres et de génocides. Les carrés signalaient des silences dessous des oppressions barbares ou des dictatures sous de grands timoniers. Les exclamations montraient les guerres ouvertes, là où des rebelles résistaient encore aux conquérants occidentaux. Les épingles indiquaient les endroits proches de l'un des lieux imaginés et qu'ils soumettaient à examen comme refuge potentiel de Sarah. Quand ces endroits n'avaient pas résisté à l'étude, Déborah-Nicol enfonçait leurs épingles dans la mappemonde, comme pour la punir. La petite sphère exhibait sur son dos les milliers de têtes grises de cette déception. Parfois, ils la faisaient tourner, à toute vitesse, et sans la regarder, se nourrissant juste de ses crissements, ils essayaient, à tour de rôle ou bien ensemble, de désigner d'un doigt devin les lieux imaginés comme conformes à Sarah. Déborah-Nicol imaginait ces lieux pour retrouver sa sœur, le jeune bougre exerçait sa cervelle pour offrir un refuge à son ange de douceur.

À mesure qu'ils progressaient, le jeune bougre eut l'idée de soumettre cette liste à sa chère Sarah-Anaïs-Alicia. Il espérait qu'elle pourrait leur indiquer les lieux imaginés sur la mappemonde. Il passa beaucoup de temps avec elle, à lui montrer ce cahier rouge que j'allais retrouver bien des années plus tard dans les archives de la police. Sur place, je l'avais consulté pour tenter (mais en vain) d'y comprendre quelque chose. J'avais fini par me le faire scanner pour le rendre accessible dans mon ordinateur. Je pus ainsi l'examiner à fond, en toutes tailles et manières. Déborah-Nicol avait tracé des phrases un peu curieuses, comme rédigées sous un mode hypnotique. Les verbes étaient rares, les prépositions, les conjonctions et les ponctuations étaient inexistantes. Quant à leurs sens même, en bien des fois ils me semblèrent mieux relever du délire que d'une description raisonnable. Je dus tout reprendre moi-même en une sorte de traduction, qui aplatissait tout, mais permettait d'imaginer cette fièvre qui happa le jeune bougre et l'ardente Déborah-Nicol Timoléon.

Livret des Lieux du deuxième monde

(Des endroits pour Sarah)

Principe : Il est un deuxième monde. La bestialité de la nature humaine nous le dissimule. Ce n'est pas un continent. Et ce n'est pas une île. Ce n'est pas un de ces endroits que les hommes ont cerclés de frontières et ombrés de drapeaux. Ce sont des *Lieux*.

Ce deuxième monde est fait de *Lieux*.
Et ces *Lieux* se composent de *côtés*.

Corollaire : Le *côté* est toujours en interface entre le premier monde et le monde deuxième. Cette interface est incertaine.

Un – Il est le Lieu de falaises silencieuses, creusé de niches d'oiseaux qui vivent au sol et s'envolent pour dormir. Il s'étale au bord d'un lagon de mer verte, où marcher dans l'eau devient une offrande à leurs rêves.

Ceux qui y vivent mangent des œufs de poisson. Des squales les leur déposent sur l'écume des marées. Ils en font des souskays et des soupes à base d'algues qui fécondent aux pleines lunes quelques-unes de leurs vierges.

Ils n'ont pas de langue à défendre. Ils ont dressé au centre de chaque case un autel où un dieu — que nul n'adore et dont on ne sait rien — est à jamais absent.

Le Lieu de falaises silencieuses se trouve peut-être à hauteur des mers chaudes ; ou au débouché nourrissant des courants du Gulf Stream. Les grands pêcheurs doivent le connaître.
> *Sarah lisait la Bible*
> *sans y chercher un Dieu.*

Côté : Ils ont planté une porte, grande ouverte sur les vents, en plein dans une savane de roche. Et ils s'y rassemblent pour fumer des vessies de requin desséchées au soleil.
> *Sarah parlait aux vents.*

Côté : Les femmes, certains soirs, se mettent à murmurer, juste pour souligner l'immense silence des hommes. Elles possèdent le mystère du murmure.
> *Sarah parlait aux vents.*

Côté : L'autel reste vide. Pas un ne le regarde. Sauf quand un de ces oiseaux qu'ils refusent de nommer vient s'y protéger d'un coup de vent, ou d'une pluie phosphorescente dégringolée du Nord.

Sarah voyait toutes choses
avec exaltation.

Côté : Ils apprennent aux enfants le sens de la marche. On ne marche pas pour se déplacer, explorer, conquérir : on marche pour s'installer en soi, et pour approfondir.

Sarah allait sans cesse et loin
dans une libre fixité.

Deux – Il est le Lieu des grands arbres. Les peuples habitent en eux. Ils ont creusé leurs troncs, et arrangé leurs branches. Ils se nourrissent de leur sève et consomment en toutes sauces et manières leurs feuilles, leurs fleurs, l'éponge de leurs écorces.

Ils ont une écriture dont l'orthographe change au bon gré de leurs songes. Et cette écriture dit : *Nous, gardiens de la terre et surveilleurs du ciel, et fils directs des sèves au cœur croisé des feuilles...*

Leur inconscient est une fleur d'ombre connue du grand soleil. Aucune nuit ne s'ouvre en eux.

Rien ne les surprend et rien ne les effraye, car chacun de leurs rêves est ciselé à paupières grandes ouvertes pour qu'il demeure matière primale de toutes actions possibles.

Ce Lieu se trouve dans un sable de désert où les sources d'une eau fraîche sont extraites de racines. Ils appellent ces racines : Le fixe-qui-court.

Sarah vivait au rêve.

Côté : Ils vénèrent des bambous en riant aux éclats et en les frappant à petits coups de pied. Cela les fait fleurir tous les soixante-dix ans.

Sarah célébrait toutes les plantes.

Côté : Certains se prennent pour des écorces. Les femmes sont apparentées à certaines feuilles. Les enfants sont inscrits dans les nœuds des hautes branches. Ils n'ont même pas à se faire arbre pour l'être à tout moment. Aucune lignée n'est instituée. Aucun père n'est à tuer. Toute mère dit : « Fraternité seulement. »

Sarah n'était ni mère ni fille
et son nombril s'était évaporé.

Côté : Ils entaillent des jointures de l'écorce et sanglotent à chaque goutte de la sève qui s'écoule. C'est comme un acte d'humilité, et c'est un geste de plongée dans l'essence de leur monde. Cette

essence ne leur sert qu'à s'adresser au ciel et à comprendre les vents.
Sarah semblait une brume
qui aspirait le monde.

Côté : Leur destin est de rejoindre la terre en compagnie de ces racines qui contemplent le soleil. Ils sont patients car ils n'attendent rien : ils se donnent à la vie sans reliques en compagnie de leurs avoirs. Ils se fondent dans ce don qui les fonde.
Sarah s'instituait en offrande.

Trois – Il est le Lieu d'une ville de terre. Les peuples ont fructifié là-dedans. Ils ont oublié leurs mythes des origines et vivent avec le sentiment qu'ils proviennent de partout.

Ils disent que le but de leurs routes est la route elle-même. C'est pourquoi ils ne les prennent jamais.

Ils vivent dans des lumières qu'ils élaborent avec des pierres limpides et des poignées de bêtes-à-feu. Mais ils considèrent ce métier inutile. Pour eux, seul le regard peut éclairer l'obscur.

Ils parlent des langages qui changent à chaque pleine lune, et qui rappellent de vieux lambeaux de langues. Ils ne connaissent pas ces langues : ils les désirent en les imaginant. C'est le *désir-imaginant* comme manière d'être au monde.

Ils se tiennent la main pour dormir, et le jour, ils exercent leur esprit à s'en aller très loin en rassemblant tous les endroits qu'ils peuvent imaginer. Ils errent sans fin, immobiles dans une fraternité qui les rassemble, et les libère. Pas frères de sang, mais frères dans la pratique du loin.

Les peuples bâtisseurs soupçonnent leur existence. Les peuples mystiques les devinent. Les peuples nomades les prennent pour des cousins.

Sarah semblait un petit arbre
dont le feuillage serait le ciel.

Côté : Certaines de leurs villes possèdent de hautes façades de verre qui reflètent l'asphalte, et qui dessous la pluie acide prennent des couleurs de terre. Toute ville leur est proche, où le promeneur rêve du noir sableux de la terre végétale.

Sarah se levait
quand la pluie et la terre se mêlaient.

Côté : Ils mangent dans des assiettes de corail rose. Ces assiettes ne servent qu'une fois. Ils les entassent en bordure de leurs villes, pour obliger le vent à chanter comme la mer. Cette lisière est un seuil pour initiations qui ne conforment à rien, ni ne préparent à rien. Qui initient à l'initiation.

Sarah s'exposait à la foudre des orages
et revenait de là avec un autre regard.

Côté : Certains d'entre eux s'en vont. On les appelle : « Les Immobiles ». Ou : « Bon manger des routes ».
Sarah disait que la beauté d'une route est de ne pas arriver.

Quatre – Il est un Lieu ouvert aux quatre vents. C'est un plateau de calcaire et de palmiers royaux. Les peuples y vivent en regardant les horizons, et disent voir en même temps le soleil et la lune, l'eau dormante et le feu. Ils fondent l'avant avec l'arrière, ils soupèsent le futur en soulevant le passé, et ils célèbrent leur vie dans la pénombre des tombes.

Ils prétendent rassembler leur esprit en le maintenant toujours dans une grande dispersion.
Sarah mariait les fleurs contraires et maintenait les bougies sous la pluie.

Côté : Leurs temples sont des îles. Elles sont peuplées de vieilles tortues, éternelles comme des pierres. Dès leur naissance, ils les traitent comme si elles devaient mourir dans les secondes qui viennent, et ne font pas de différences entre elles et les personnes humaines.
Sarah saluait toute vie.

Côté : Pour eux toutes choses sont causées par d'autres et génèrent des milliers d'autres. C'est pourquoi les femmes rêvent en boucles, et les hommes en spirales.

Sarah ne regardait que pour voir.
Sa vision la plus large fixait un seul détail.

Côté : Ils mettent les enfants à la fin,
et les vieillards au commencement. Et
chaque enfant se choisit un vieillard
comme dieu personnel. Et chaque vieillard se trouve un dieu dans un petit-
enfant.
Sarah savait se faire très jeune
et très vieille en même temps.

Côté : Ils disent que pour lier les effets et
les causes, il faut nouer le désordre dans
l'ordre, et l'impossible dans le possible ;
il faut créer des dieux.

Ils créent des dieux à tout instant, juste
pour mieux compliquer toutes choses.
Et ce sont les dieux eux-mêmes qui sont
chargés de ne pas s'oublier.
Sarah laissait briller les bêtes-à-feu

Cinq – Il est le Lieu d'un désert de pierres
pétrifiées par le sel. Les peuples qui y sur-
vivent sont des fils de nomades ; ils ont
connu des savanes aux herbes jaunes, des
routes sans horizon et des mers aspirées par
les fureurs du ciel.

Ils ont creusé leurs gîtes dans la fraîcheur du
sol. Leur vie se passe à structurer le vide qui
les entoure par les architectures de leurs
rituels.

Ils sont tout en solennité mais ils se moquent de la solennité. Autour de leurs morts, ils peuvent rire ensemble comme on fredonne un hymne, ou pleurer comme on mène bacchanale.

Ils disposent partout les signes du sacré mais n'ont aucune église. Leur sacré est de sacraliser les signes du sacré. Et dans ce jeu de signes, ils fondent leurs équilibres entre le bien et le mal, entre le juste et le bon. Ils ne connaissent ni les lois ni les règles : juste les signes.

Ils étudient le monde pour demeurer émerveillés par ses mystères. Leur science les rajeunit et leur savoir les rend légers.
Sarah était un étonnement constant.

Côté : De vieilles églises, réinventées dans des cultes et rituels qui n'ont plus de mystères, et qui fondent des alliances de choses diverses, célébrées l'une par l'autre.

Côté : Chaque homme apprend les rituels qui divinisent la féminité. Et chaque femme, ceux qui divinisent la condition des hommes. Et chaque couple est une célébration d'échange qui s'exerce chaque jour.
Sarah se levait
à l'approche de tout homme.

Côté : Les rituels ne confortent aucun système, ils assurent juste la proliféra-

tion incessante des rituels, l'un induisant l'autre, l'un comptable des plénitudes de l'autre. C'est pourquoi leur sacré ne craint aucune réalité, aucune science, aucune saillie de leur conscience, et n'obscurcit aucune âme généreuse.
Sarah avait des gestes.

Côté : Ils disent que le rite agence l'obscur et la lumière mieux que toute mathématique. Ils gèrent l'indéchiffrable des conditions humaines, l'in-dénoué du temps, la lumière incessante de la mort.
Sarah savait des gestes
et gardait les postures.

Six – Il est un Lieu enfoncé dans la terre comme une âme de racine. Les peuples qui y résident ne lèvent jamais les yeux au ciel.

Ils déchiffrent les poussières, sacralisent des pierres noires qu'ils jettent dans des abîmes. Ils boivent des thés d'une herbe noire de caverne et un alcool tiré du venin d'un serpent.

Ils disent scruter des horizons en s'endormant dans des trous sans lumière. Seul le silence sans clarté de la terre construit pour eux de grands espaces. Ils se disent pourtant grands voyageurs et bien connus des arpenteurs de routes et des driveurs en mer.
Sarah embrassait de vieilles pierres.

Côté : Ils disent que tout système devient pâle, et blanchit, et que seul reste dense, d'un sombre lumineux, le mystère de la vie.
Sarah saluait toute vie.

Côté : Quand ils perçoivent un essoufflement de leurs rêves, ils fêtent *le cycle des voyageurs*, et sans bouger de leurs lieux, ils célèbrent ceux qui vont et viennent par le monde, comme s'ils étaient des dieux.

Ces dieux de passage doivent leur laisser un mot de leur langue, un ustensile de leurs bagages, un poème, une idée, un sentiment qui leur soit propre. Eux, sans essayer de les comprendre, installent ces dons dans leur vie.
Sarah offrait des choses aux visiteurs.

Côté : Ils accueillent ceux qui viennent vers eux, pas avec le regard que permet la transparence du jour, mais avec cette vision que les oiseaux développent face aux splendeurs obscures — et lumineuses — de la nuit. Si bien qu'ils ne disent pas : *Bonjour, étranger.* Ils disent, comme le plus beau des compliments :
Bonjour, beau-chant-de-la-nuit.
Sarah chantait la nuit.

Côté : Ils disent que le jour est *rencontre*, et que la nuit est *relation*. Que le jour *tolère*, et que la nuit *accepte*. Que le jour *intègre*, et que la nuit *accorde*.
Sarah chantait la nuit.

Sept – Il est le Lieu qui vit dans un poème. Il se tient tout entier dans un texte écrit sur de vieux parchemins tirés des peaux de marmotte ou d'oreilles de cabri. Ce texte se voit multiplié à l'infini, chacun renvoie à tous les autres, et ces renvois tissent une géographie sur l'ensemble de la terre.

Ceux qui disposent d'une copie le lisent dans des rituels consacrés à chaque aube; ils se disent frères, sans se connaître de père ou de mère.

Ils vivent en solitaires, qui dans un désert, qui en dessous des arbres, qui dans une case d'où jaillit une source, qui sur un caillou soulevé en pleine mer, qui dans les boulevards clignotants des grandes villes.

Mais sans se voir, ils avancent comme un peuple, sur cette terre tissée de petits parchemins, dans ce cosmos de mots, de verbes et de syllabes, dans l'univers minuscule du poème.

Ceux qui pourraient les désigner n'ont plus de territoire et ne connaissent aucun des mythes des origines, et ne se soucient jamais d'eux.
Sarah ne semblait jamais seule.

Côté : Ils disent que l'alliance se fonde dans le geste répété, ensemble, peu importe le moment, peu importe la distance, peu importe l'origine.

541

Sarah dansait sur des choses
qui ne se dansent pas.

Côté : Ils disent que c'est en construisant
sa solitude comme une beauté que l'on
apprend à être ensemble, car l'on peut
alors en peser la valeur.
Sarah vivait seule
mais existait dans une multitude.

Côté : En leurs terres, les enfants
ne deviennent des personnes que lorsqu'ils ont éprouvé jusqu'au délire l'orage
violent des rêves d'enfance. Et c'est
riches de ce vertige qu'ils entrent en
créateurs dans la raison des hommes.
Sarah pratiquait une folie juvénile...

Quand le jeune bougre lui lisait la description des Lieux
(avec l'idée qu'elle les désigne sur la mappemonde), Sarah-
Anaïs-Alicia éclatait d'un rire de tourterelle. D'autres fois,
elle souriait à d'invisibles fleurs de mandarine. Elle ne
semblait pas prendre l'affaire très à cœur. On aurait pu
croire qu'il lui exposait une lubie d'enfant. Encore plus
douce que d'habitude, elle lui disait ne pas savoir où
se trouvait Sarah, et que le savoir ou ne pas le savoir
n'avait pièce importance. Il lui demandait si Sarah aurait
pu vivre dans un de ces Lieux. Elle lui répondait, en zieutant ses miroirs, que Sarah pourrait vivre n'importe où,
et que ça non plus n'avait pas d'importance. Puis, d'un
air de Vierge Marie, elle se penchait sur le Livret, le
déchiffrait lentement, et lui disait (avec sa voix de petit-
vent-dans-feuilles et un sourire malin multiplié dans les
miroirs) :
— *Pour vraiment vivre dans un de ces Lieux, il faudrait être*
partout...

Le jeune bougre y avait vu une dérobade. Elle voulait protéger le refuge où se trouvait Sarah, et où elle-même, tôt ou tard, irait serrer son irréalisable existence. Il lui en voulait un peu, mais comprenait que c'était de bonne guerre ; si les Lieux étaient des antonymes du monde, les gens qui y vivaient devaient s'assurer une protection sans faille ; sinon les Lieux se seraient vus balayés par les violences démentes qui déterminent le premier monde. Il continua de l'interroger juste pour capter des détails, noter ses réactions à telle ou telle description, et pour ensuite analyser ses réponses avec Déborah-Nicol Timoléon.

Mais l'attitude de Sarah-Anaïs-Alicia leur resta un mystère. Elle aurait dû rêver avec les Lieux, se laisser emporter, les compléter, les exalter, y ajouter ses innocences et les reflets de ses miroirs ; y ajouter des plumes et des grappes de quénettes, apporter des détails sur la couleur des sols et sur les fleurs dont chaque pétale devait être une parole. Au lieu de cela, elle se contentait de rire comme un jaune clair de flamboyant. Il insistait, revenait à la charge, et elle riait toujours. L'agonisant dut repenser à cette saison où (entre une mappemonde usée et le Livret infinissable) il l'interrogeait en vain sur les entrées du deuxième monde. Plus rien n'existait autour d'eux que ces deux objets devenant dérisoires sous le beau rire de la jeune fille. Quelques années plus tard, il s'était élancé sur les mers avec ce livret et cette mappemonde ; ces reliques avaient fait partie du barda de sa vie, entre les objets hétéroclites qui suivaient son destin. Temps en temps, il les dégageait de leur papier journal ou d'un cocon de toile usée, et les consultait avec indifférence ou une étincelle d'intérêt intrigué. En compagnie de ce livret et de cette mappemonde, il avait traversé des sables majestueux, erré dans des forêts aveugles ; il s'était arrêté dans des creux de montagne qui résumaient l'univers dans leur placidité ; il avait nagé dans des eaux bougées d'écumes merveilleuses, connu des villes et des villages où son cœur se serrait à force de plénitude. À chaque fois, il avait situé ces endroits sur la vieille mappemonde, avec une goutte de sang, un piquant de cactus, une petite croix gravée à la pointe d'un couteau. Le Livret n'avait pas eu de résonances particulières quand, de temps à autre, pris de nostalgie, il l'extirpait de son barda pour le feuilleter d'une main étrangère. Les *Lieux du deuxième monde* le faisaient songer à Sarah — et surtout à Sarah-Anaïs-Alicia. Sur les rives des fleuves, la féerie d'une rizière, la magie d'un djebel algérien, dans des mangroves ou des sables mouvants, dans une gargote de port où de grands paquebots trouaient les crépuscules, dans des tribus où *donner* s'effectuait comme une loi sans partage, il avait parfois eu le sentiment qu'un des Lieux du Livret se trouvait dans ces terres. Il avait alors exploré son barda, nerveux soudain, pour sortir le Livret, étudier les Côtés, les comparer à ce qu'il découvrait. C'est surtout devant les paysages de l'Afrique des grands fleuves qu'il pensait au Livret; il y pensait aussi dans les sables des déserts où les peuples exerçaient le prodige de survivre; il y pensait quand la nature et les hommes, en violence ou en mutations lentes, semblaient avoir trouvé de subtils équilibres. Il y pensait à cause des beautés évidentes, mais aussi à la suite de sensations indéchiffrables, d'une odeur, d'un glissé de conscience, d'un frisson de contact; quand lui-même se sentait bien, rafraîchi d'une bouffée euphorique, pris d'amour pour des gens qui lui restaient obscurs. Il ne comprenait pas toujours leur univers de cases, de temples, de villages, de bambous, de fleurs, de poteries, de chants et de prières. Il demeurait désarçonné par des rires graves et des chasses rituelles qui ne ramenaient rien. Il dut s'habituer à des tendresses rudes et des échanges muets. Il dut admettre des bains de jouvence dans des mares fétides, et des contemplations sous des sécheresses sans nom. Il fut surpris par des pauvretés qui n'interdisaient pas de nommer le bonheur. Il abandonnait alors le désir de comprendre, pour rechercher le signe, la trace, l'écume imperceptible d'un des lieux listés par Déborah-Nicol. Il les cherchait au fond d'un temple désaffecté, une croix esseulée, une agora où les femmes et les hommes compensaient leur nature. Il tentait de les trouver en face de traditions absurdes dont les enfants se délectaient. Alors, à force de côtoyer ces choses pas comprenables, il croyait discerner l'esquisse d'un de ces Lieux : petits détails, traînes de brume, une musique de calebasse, un proverbe dans une langue perdue, une couleur solitaire tombée d'un arc-en-ciel, la saveur d'une épice, des forums de vieillards éternels sous leurs rides... toutes choses infimes qu'il comparait aux descriptions jamais très claires de Déborah-Nicol. *Le deuxième monde est dans l'opaque du monde !*... avait-il griffonné, un jour, dans un coin du petit cahier rouge.

Et jamais M. Balthazar Bodule-Jules n'avait trouvé un de ces lieux dans sa globalité. Il avait fini par penser que ce livret de merde était une chimère. Que cette époque de sa vie n'avait été qu'une folie sentimentale, une hallucination dans une merveille de bas étage ; car il gardait toujours à la conscience — et dans le clair douloureux de ses yeux — les territoires des oppresseurs, les raides frontières des assassins, les nations d'égorgeurs, les dieux armés, l'emprise colonialiste, les régions des compagnies marchandes, les contrées des banquiers carnassiers... monstres sans merveilles, tapis dans la matière du premier monde ! Et je disais : *Difé pri, mes enfants !*... Le feu a tout démantelé ! Tout effacé ! C'est dans le feu qu'il nous faut recevoir l'Évangile, à la manière des scorpions irradiés, de ces virus qui résistent aux degrés Fahrenheit ou qui, au profond des abysses, puisent encore de quoi se développer ! C'est dans les climats de la violence aveugle qu'il faut nous arracher la survie!... Et M. Balthazar Bodule-Jules remisait le Livret comme une sympathique aberration qui n'avait d'importance que pour lui rappeler d'anciennes fièvres juvéniles.

Mais là, sur son fauteuil des destins finissants, l'agonisant songeait aux paroles de Sarah-Anaïs-Alicia. Il prenait pour une fois le temps de les examiner, non seulement dans leur sens, mais dans l'aura de leur douceur. Il dut sans doute les replacer aussi, pour la toute première fois, dans le jeu de miroirs qui transmutait la chambre. *Les miroirs !* Sarah-Anaïs-Alicia vivait avec eux, respirait avec eux, méditait avec eux. Durant la nuit, son corps (pris dans les draps et les flots du sommeil) était capté par les miroirs qui régentaient ses songes. Ils constituaient ses mots, donnaient leur sens profond. Ils portaient ses pensées. Buvaient son existence. Le jeune bougre ne les avait observés que pour déjouer une éventuelle attaque de l'Yvonnette Cléoste ; jamais pour mieux comprendre. L'agonisant dut vouloir y songer plus à fond.

Il se souvint qu'elle jetait en riant un œil complice vers eux ; regardant à son tour, le jeune bougre se perdait dans les reflets et les contre-reflets. Chaque coup d'œil de la jeune fille soulevait ces miroitements comme un vent de désert. Du coup, la chambre semblait s'éparpiller. Ondoyer incertaine dans de nombreux possibles.
Manman ! Les Lieux que nous cherchions étaient peut-être tout-partout à la fois !
Elle lui avait dit mille fois que Sarah aurait pu vivre partout.
Elle avait dit mille fois que pour vivre dans un de ces Lieux, il lui aurait fallu vivre en même temps dans tous les coins du monde.
Patate pistache ! Les Lieux sont partout à la fois !
Il commença par trouver cette idée absurde. Puis il

éprouva le sentiment qu'elle n'était pas si fausse. En tous coins de forêt, de désert, de grande ville, il avait eu la sensation d'une harmonie possible, d'une latence qui le précipitait en langueur bienheureuse. Même quand il avait couru dans cet enfer des hauts plateaux pour secourir le Che, il avait éprouvé ce sentiment... Il l'avait eu aux pires instants de Diên Biên Phu, dans la casbah d'Alger... Il l'avait eu au Congo quand il pleurait la mort de Lumumba... Il l'avait eu dans un coin de New York auprès du corps de Malcolm X ou d'un cadavre de Black Panther...
Les Lieux étaient là !
Toujours possibles à chacun des endroits ! Toujours maintenus invisibles par la démence des hommes ! Sarah-Anaïs-Alicia lui avait révélé cela sans le lui dire : Les Lieux sont là, le deuxième monde est là, en tous coins à la fois, mouvant comme des reflets dans une chambre à miroirs !

Ces Lieux ne fonctionnent pas tout seuls !
Ils ont chacun besoin des autres !
L'on ne peut connaître l'un sans être atteint des autres !...
Je vis l'agonisant tressaillir de manière insolite. Il tournait la tête, cherchait autour de lui. Des cousines et tantantes accoururent porteuses d'une tisane fortifiante, d'une eau de coco, d'un rafraîchi quelconque. Elles passaient leur temps à concocter des mixtures de vaillance et des philtres de santé, elles rameutaient de vieilles sapiences autour des herbes pour koubarer la mort qui rôdait parmi nous. Quand l'agonisant émergeait de ses songes, elles accouraient ainsi, soucieuses de leur dernière trouvaille, et lui, goûtait à tout avec un abandon poli : ce geste lui importait plus que les vertus promises des innombrables breuvages. Mais cette fois, il ne voulut rien boire. Il ne voulut pas non plus inhaler le bay-rhum coulé sur un mouchoir. Il murmura à l'oreille d'une tantante. Celle-ci disparut dans la case à grandes valses de grandes hanches. Elle en ressortit avec le cahier rouge que je ne

connaissais pas encore. Elle le lui disposa sur les genoux, lui tint un encrier tandis qu'il lissait une plume sergent-major (une plume très ancienne qui avait dû appartenir à Déborah-Nicol). Et, en proie à une curiosité fébrile, je le vis noter ces quelques lignes sur l'une des dernières pages — je ne devais pouvoir les lire que bien des mois plus tard, dans les locaux de la police :

Livret des Lieux du deuxième monde

Précision

Deuxième principe : Il faut rappeler que ces Lieux ne constituent ni des nations ni des patries ni des pays.
Ils sont transversaux, et en deçà.
Ils se disposent en archipels.
Ils s'amorcent ici, se poursuivent par-là, se prolongent par en-bas, s'étendent un peu là-haut, surgissent et flottent en n'importe où. S'entendent et se répondent selon des lois à découvrir.

> *Corollaire* — Définition de l'Archipel : géométrie sensible du deuxième monde. C'est sa colonne vertébrale de nuages et de vents. Vertèbres qui dressent l'ensemble, mais qui l'expriment en étendue.

L'attitude de Sarah-Anaïs-Alicia projeta Déborah-Nicol dans une intense fatigue. Comment des Lieux peuvent-ils flotter, c'est du bois de gommier ou quoi ? Et puis, accepter cette idée farfelue revenait à admettre qu'elle n'avait aucune chance de retrouver Sarah, car tu comprends, si elle est partout en même temps c'est bien qu'elle n'est nulle part!... Elle finit par penser que Sarah-Anaïs-Alicia jouait l'imbécile pour mieux les dérouter. Qu'il ne fallait pas compter sur elle dans cette précieuse recherche. Ces Lieux doivent exister même si cette mappemonde ne les a pas inscrits, il faudra les chercher avec audace et imagination, les chercher en voulant les trouver! Et puis, ta Sarah-Anaïs-Alicia n'a presque jamais mis les pieds hors de cette maison, qu'est-ce qu'elle peut en savoir!?...

Donc, elle continua de définir les zones probables de chaque Lieu, et à chercher parmi les cultures, les peuples, les dieux et les manières, quelques indices de leur présence. Elle envisagea de recruter des apôtres-enquêteurs dont la tâche serait de parcourir le monde et de chercher la moindre piste possible... Elle établit sur le papier ce que pourrait être leur barda de voyage. Elle plongea dans l'anthropologie afin d'établir un manuel pour approcher les peuples autrement que les colonialistes, et susciter leurs confidences. Elle se calmait l'humeur en consacrant ses nuits à transcrire le Livret en plusieurs exemplaires, tous destinés aux futurs missionnaires. Elle avait déjà leurs noms pour cet autre évangile : Christophe Colomb chercherait le Lieu Un,
Cortés poursuivrait le Lieu Deux,
Pizarro le Lieu Trois,
Saint-John Perse pourchasserait le Lieu Quatre,
D'Esnambuc se vouerait au Lieu Cinq,
Vasco de Gama s'inquiéterait du Lieu Six,
Stanley s'occuperait du Lieu Sept....
Et elle riait du tour qu'elle jouait ainsi à ces découvreurs-assassins et ces colonialistes. Ils nous ont mis dans la merde, c'est maintenant à eux de nous trouver un monde plus vivable !...

Enfin, Déborah-Nicol Timoléon se dit prête à fabriquer quelques prophètes, qui chanteraient sur les routes les principes de ces Lieux, qui les annonceraient partout, feraient mine de les voir, de les entendre, de recevoir leurs signes dans des rêves et des fables. Ils proclameraient le Livret à haute voix comme pour contraindre les Lieux à se montrer sous la seule force de leur parole. Pour cette histoire de prophètes, Déborah-Nicol Timoléon éprouva un flottement : elle ne savait pas trop comment les nommer. Elle ne voulait pas recourir à ces pauvres prophètes d'Israël qui avaient fait les délices de Sarah : cet Osée qui dut prendre dans sa couche une prostituée; ce Jérémie que l'on vit sous un joug; cet Isaïe qui dut s'en aller nu dedans Jérusalem; et, bizarre d'entre les bizarres, cet Ézéchiel qui dut manger des excréments! Ceux-là étaient frappés de cette extase mystique dont Déborah-Nicol se méfiait comme d'une gale; elle les imaginait toujours en mal d'une hallucination, noyés dans un pathos qui leur donnait des timbres de gargouille et des yeux de comète. Après longue réflexion, elle préféra se placer sous le signe de la poésie : les poètes étaient sans doute les créatures les plus proches des personnes comme Sarah! Déborah-Nicol écarta ceux qu'elle aimait car ils avaient les pieds bien posés en ce monde, il lui fallait rameuter les plus illuminés, à moitié inutiles, à l'écart du bon sens, capables de voir des choses qui ne seraient offertes qu'aux âmes très proches du deuxième monde. Il y eut un débat entre elle et Sarah-Anaïs-Alicia pour savoir quels étaient les poètes les mieux adaptés. Le jeune bougre faisait la navette entre elles, transportant du mieux possible arguments et contre-arguments. Ils finirent par s'accorder sur quelques noms.

Il y aurait le prophète Baudelaire. Il arpenterait des boulevards de grandes villes, entre les aciers, les vitres, les transhumances automobiles. Il s'accrocherait aux arcs des feux rouges, pour clamer les Lieux Deux et Cinq, les nommer, les appeler comme des fleurs bienfaisantes.

Il y aurait le prophète Rimbaud. Il naviguerait en gommier à grandes voiles, avec comme équipage une tribu de Peaux-Rouges. Il arraisonnerait pétroliers et paquebots, chimiquiers et autres tanks des mers, pour leur lire les Lieux Quatre et Sept ; et il les copierait sur leurs journaux de bord, il en peindrait les chiffres en jaune clair sur leur coque.

Il y aurait le prophète Isidore Ducasse, comte de Lautréamont, qui lui parcourrait les campagnes désertes, les villages éteints, les bourgs abandonnés, les champs en perdition, les sources devenues noires, pour restituer aux peuples qui s'y trouveraient encore les Lieux Un et Cinq ; et qui, devant les solitudes urbaines, agiterait leur présence ou leur venue très proche.

Il y aurait le prophète Shakespeare. Lui, n'arpenterait que les plus hauts sommets, et hurlerait tellement fort les Lieux Trois et Six, que des troupes d'aigles, de loups et de condors viendraient autour de lui ; son chant attirerait les peuples les plus barbares, qui monteraient le voir et entendraient alors les Côtés et les Lieux dont il aurait charge de haute révélation.

Il y aurait le prophète John Milton qui lui ne bougerait pas, demeurant en silence dans un endroit insoupçonnable ; et qui se contenterait (à force d'imaginer le paradis perdu) d'enchanter les démons avec l'idée des Lieux et des Côtés ; lui, pourrait attendre mille ans que Sarah daigne lui apparaître et donner son adresse...

Chaque prophète serait chargé de générer six autres, ce qui répandrait en chaîne l'appel des Lieux dans les pays de la terre.

Autre problème : comment inventer les prophètes ? Ils ne se nomment pas. Ils ne se désignent pas. Ils surgissent avec la vision de l'in-vu, la claire conscience de l'in-créé, et ils s'en vont avec cela parmi les hommes. Déborah-Nicol se dit qu'il lui fallait trouver des gens qui rêvent non pas en regardant le ciel, mais en fixant (toute vision grande ouverte) le sol, les champs, la crasse des cases, la graisse des usines, la douleur sans voix au fond d'une pupille !...

— Sarah et Sarah-Anaïs-Alicia sont peut-être des prophètes... suggéra le jeune bougre.

Mais Déborah-Nicol ne répondit rien. Comment des prophètes auraient-ils pu se comporter avec tant de mollesse ! ?

— Mes prophètes seront armés ! finit-elle par grogner. Ils n'auront ni le temps de la douceur et ni le temps des rêves ! Pas question qu'ils finissent comme ce Jean-Baptiste avec la tête sur un plateau de bar !...

— Alors comment de tels êtres pourraient-ils annoncer des Lieux si contraires à eux-mêmes ? !

— C'est justement l'astuce ! trancha Déborah-Nicol plus têtue que jamais. Ils l'annonceront dans ce qu'ils seront : terribles, impitoyables avec les oppresseurs et les colonialistes ! C'est ainsi qu'ils rendront les Lieux encore plus désirables, encore plus nécessaires !...

Cette tâche des prophètes armés occupait Déborah-Nicol une bonne partie des nuits. Le jeune bougre, lui, allait se coucher devant la chambre de Sarah-Anaïs-Alicia, attentif aux vices possibles de l'Yvonnette Cléoste. Il se demandait si la perte de Sarah n'était pas en train de rendre Déborah-Nicol pas seulement folle, mais même un peu dek-dek. Cette inquiétude était d'autant plus vive que Déborah-Nicol poursuivait en même temps son enquête sur la Sarah-de-tissus. Le gardien avait accepté de rendre ce cadavre transmué en toiles de Syrien. Il l'avait exhumé lui-même et fourré dans un sac que Déborah-Nicol lui

552

avait apporté. Dès le départ de la Sarah-de-tissus, le cimetière était redevenu normal. Enfin, presque. Il manquait les oiseaux, leurs fêtes et leur confiance bizarre. Il lui manquait aussi les étranges visiteurs qui ne remontaient plus les allées dans une traîne de soupirs et de vanille amère. Des murmures continuaient à sourdre des caveaux mal scellés et s'accrochaient aux alizés comme de petits signaux. Le gardien eut alors toute latitude pour veiller le corps de son aimée et attendre qu'une autre aberration la fasse se réveiller. Sa crainte était maintenant qu'elle se transforme en tissus comme Sarah ; alors, quand il allait la voir, il touchait d'un doigt la peau parcheminée, vérifiait la texture des chairs pétrifiées au formol et gros sel, et s'en allait tranquillisé. À son réveil, elle ne sera pas une poupée bon marché !

Déborah-Nicol avait répertorié les toiles qui constituaient la Sarah-de-tissus. L'examen s'était fait long et pénible. Chaque tissu semblait se fondre en l'autre tout en gardant sa fibre particulière. Il y avait du lin, du coton, du satin, du chanvre, du jute, de la ramie, du sisal, de l'organdi, du taffetas, de la soie, de la mousseline, du brocart, de la grosse toile écrue... Ces fibres semblaient anciennes. Les couleurs s'étaient évanouies ; surnageait juste un reste de pourpre impériale ou de bleu de Hollande ; l'ensemble s'uniformisait dans des moires de gris et des ocres de terre. Pour observer ces fibres, Déborah-Nicol accrochait une loupe à son œil le meilleur. Elle dut trop regarder car de jour en jour les choses se compliquèrent. Une fois, elle crut y découvrir cette laine polychrome que produisaient les coptes d'Égypte. Une autre fois, elle crut y distinguer une trace de ce velours doré que l'on offrit à Christine de Suède. Elle crut y voir une maille du légendaire retable de la cathédrale de Regensburg, en Allemagne, où la soie brochée d'or conte la crucifixion. Elle crut voir des fibrilles somptueuses tombées d'une nappe de tabernacle ou d'une cape des évêques de Florence. Elle crut surprendre, dans une ruine de broderies, des miettes de perles d'eau et de verre irisé. Elle crut voir des franges de ces étoffes de poil qu'aimaient tant les nomades de Mésopotamie. Elle crut voir ces fibres végétales dont les peuples amérindiens faisaient un tralala. Des tissus noirâtres s'éclaircissaient soudain en dentelle italienne qui rappelait le bel art de l'artiste Vinciolo. Elle crut voir (noyés dans un motif de laine) ces fils de verre qu'adoraient les prêtres égyptiens. Elle crut voir des fibres d'amiante qui composaient un motif effacé avant de fourmiller comme des vers à soie. Elle crut voir une gélatine qui muait en cellulose pour mieux se dissoudre dans un goût d'acétone. Elle tomba sur des bourrelets de kapok et sur des poils de lapin angora. Avec une pince à épiler, elle recueillit des poils de chèvre, poils de lama et poils de manicou, noués aux fibres de carbone... Elle avait voulu savoir comment ces toiles, ces fibres et ces matières étaient entrées en Martinique, par quel bord, avec quels immigrants, pourquoi, dans quelle visée spéciale ? Puis elle les avait cherchées dans les pays du monde, elle avait listé leurs utilisations, pointé sur la mappemonde les nations qu'elles auraient pu symboliser. Elle avait répertorié les rêves qu'elles expliquaient et les nourritures qu'elles pouvaient inspirer... Maintenant, elle étudiait les modes vestimentaires et les rites où elles apparaissaient d'une manière ou d'une autre...

— C'est incroyable, s'écriait-elle, ces tissus m'entraînent aux quatre coins des vents !...

L'agonisant, qui avait mené cette enquête auprès d'elle, se rappela comment cette hantise lui resta dans l'esprit, et combien — dans les pays où il se retrouva en chien de guerre sinistre — il s'était montré attentif aux tissus, et aux emplois que ces peuples en avaient. Ce n'était pas des examens approfondis, juste une estime fugace dans sa tête de jeune bougre. Mais là, dans son fauteuil de l'ultime solitude, faisant le compte de ce qu'il avait rencontré, l'agonisant réalisait combien la Sarah-de-tissus partait dans tous les sens... Elle avait sans doute habité cette femme turkmène qui élevait des vers à soie dans le but de se tisser d'impossibles foulards rouges... Elle fut sans doute amie de ces filles du Laos qui allaient le torse nu, ceintes d'une écharpe de soie, et qui passaient des jours à tisser un linceul... Il y avait un peu d'elle dans cette femme du Mexique, une Zapotèque qui portait tous les jours un ruban de soie verte à hauteur de poitrine, et qui semblait absente quand elle lui souriait, à peine ébauchée dans ce bord-ci du monde... *Sarah m'a habité l'esprit comme un frottement de soie!...*

L'ultime chantier de Déborah-Nicol Timoléon fut l'armée de libération nationale qui devait provoquer son malheur. Son ressentiment contre les colonialistes ne faisait qu'augmenter. De plus, les rumeurs avaient confirmé une guerre dans le monde. L'on disait que les Allemands déferlaient avec l'idée de mettre les peuples au pas et d'en profiter pour perpétrer un nettoyage parmi les races humaines... Déborah-Nicol, à peine surprise, déclara que les nazis appliquaient au monde blanc des procédés colonialistes : la Bête qu'eux-mêmes avaient lâchée contre les peuples non blancs se retournait contre eux ! Elle trouva même le temps de préparer un article très savant (que le journal *Justice* refusa de publier) où elle démontrait comment Hitler se profilait déjà dans Christophe Colomb, Cortés, Pizarro, Richelieu, Jules Ferry, Chamberlain, Livingstone, Lyautey, le docteur Schweitzer, les Boers, les pacificateurs, les négriers, les armateurs du Havre et de Bordeaux, explorateurs et missionnaires divers, et qu'ils pouvaient tous, selon la loi du jour, se prénommer Adolf !... Après avoir consigné ces précisions, elle s'était préparée à guerroyer contre ces chiens qui n'allaient pas tarder à débarquer ici.

Elle avait commencé à recruter son armée en prenant contact avec toutes sortes d'individus. Ainsi, durant plusieurs mois, la maison se vit la cible d'une procession de visiteurs. Ils s'en venaient de nuit, silencieux comme les anges du Seigneur dans Sodome et Gomorrhe. Ils grattaient à la porte comme cela leur avait été dit. Le jeune bougre les accueillait à la lueur d'une minuscule bougie car la maison (dès dix-huit heures) demeurait dans le noir d'un prétendu sommeil. Les visiteurs patientaient au salon, sans se regarder ni se dire un bonsoir, et le jeune bougre (s'aidant d'une mèche d'huile) les introduisait auprès de Déborah-Nicol. Avec des mots à double sens et paroles à tiroir, elle les sollicitait pour son armée de libération sans rien leur révéler : toute fuite vers les gendarmes aurait été mortelle... Elle avait bien choisi ses interlocuteurs. La plupart charriaient un cœur amer et une manière de désespoir. Ses propositions, même voilées, rencontraient leur accord immédiat. Ils signaient (d'une croix ou d'une gribouille studieuse) leur contrat d'engagement avec l'assurance d'obtenir, à notre libération, un poste dans l'administration d'État. Sous les directives de Déborah-Nicol, le jeune bougre répartissait les noms en régiments d'attaque, sections d'encerclement, unités de secours, et toutes autres qualités nécessaires à la guerre... Avec tous ces chantiers, Déborah-Nicol avait atteint un stade d'épuisement incroyable. Elle avait vieilli, et se livrait de plus en plus à des accès de rage qui la laissaient hagarde. On la retrouvait souvent tassée auprès de la mappemonde ou suspendue à une bouteille de rhum qu'elle tétait comme sirop. Le jeune bougre ne s'intéressa pas trop à elle durant cette période difficile, tellement il percevait des froidures sur sa nuque et sentait (sans raison apparente) que Sarah-Anaïs-Alicia se trouvait en danger. L'Yvonnette Cléoste était sûrement déjà dans la maison ! Il ne voyait pas trop comment elle avait pu pénétrer, ni où elle se serrait, mais il la sentait là.

À y réfléchir, il se dit qu'elle avait dû utiliser le flux des visiteurs de Déborah-Nicol. Les candidats guérilleros provenaient de partout avec des mines de secrets en promenade. Ils courbaient le dos, rasaient les murs, s'enfonçaient dans des chapeaux-bakoua qui cachaient leur visage. Ils déformaient leur voix dans des timbres de castrat ou de canard enroué. Ils serraient leurs noms sous des titres de béké ou des surnoms de kouli. Durant les nuits, ils remplissaient la maison, l'entrée, le salon, les premières marches de l'escalier. On les retrouvait dans la cuisine où la Bonne offrait aux épuisés des bols de soupe-pied. Certains s'endormaient dans le bassin de la petite cour, ou appuyés sur une des cloisons du couloir. Quand l'attente était longue, certains sortaient pisser dans le petit jardin qui donnait sur la rue, ou déféquaient sous l'escalier, ce qui plongeait la Bonne dans des rages homériques contre l'engeance des nègres et autres races tombées.

La Bonne et le jeune bougre s'étaient donc habitués à voir n'importe quoi aller-venir au rez-de-chaussée de la maison. Le jeune bougre menait une garde vigilante afin qu'ils ne dépassent jamais la cinquième marche de l'escalier au bout duquel se trouvait la chambre de Sarah-Anaïs-Alicia. Il eut tendance à délaisser toute autre précaution. Si bien qu'il ignora certains zouaves qui entrèrent et qu'il ne vit jamais ressortir. La chose lui fut évidente quand Déborah-Nicol se mit à rechercher des visiteurs annoncés comme présents au salon et qui n'y étaient plus. Il se demanda longtemps où ils étaient passés jusqu'à ce que la Bonne — jamais en reste de féerie — suggère qu'ils s'étaient faufilés dans un de ces sacrés miroirs qui peuplaient les cloisons. Il n'avait pas voulu y croire et s'était mis en croisade à chaque aube, dans les coins et les recoins, les trous et le grenier, sans rien trouver d'autre que les souris ou les ravets clac-clac qui peuplaient la bâtisse.

Or, ce fut une fin de nuit (alors qu'il s'allongeait devant la chambre de Sarah-Anaïs-Alicia) qu'il entendit les gazouilleurs, chuchoteurs, ronchonneurs, murmureurs, susurreurs de toutes catégories. Des sons de gorge suintaient de presque tous les miroirs à la fois ; ils bourgeonnaient sur leur cadre, s'étalaient sur les cloisons comme une huile invisible ; puis flottaient dans la maison dans des résonances spectrales impossibles à localiser. Toutes appelaient Sarah-Anaïs-Alicia pour qu'elle vienne les rejoindre on ne sait où. Le beau nom de la jeune fille résonnait dans ces tonalités non humaines qui changeaient ses syllabes en des dissonances rêches, crépitantes ou visqueuses. C'était une rumeur très basse, presque inaudible. Il fallait tendre l'oreille pour se convaincre qu'elle existait et qu'elle ondulait comme une marée de titiris sous l'attrait d'une pleine lune. Le jeune bougre avait déjà affronté ces « appeleurs » durant son enfance dans les bois, mais il s'agissait de voix de femmes ; là, c'étaient des timbres mâles, bien virils, épais comme une colle de fruit-à-pain, ou enfantins comme des pleurs de bébé à petites graines déjà plantées. La Bonne (qui avait commencé à les entendre avant lui) s'était calfeutrée dans son cagibi, emmaillotée dans une charge de chapelets, de grappes d'ail et de feuilles-basilic. Déborah-Nicol, prise dans la fièvre de ses chantiers et les miasmes de son rhum, n'entendait rien.

Le phénomène devint une des coutumes de la nuit. Le jeune bougre se précipitait dans la chambre de Sarah-Anaïs-Alicia et la trouvait endormie bien tranquille. Posté alors dans un coin de la chambre, il surveillait les reflets vides des cinquante-sept miroirs. Rien n'y apparut jamais. Parfois, sans doute du fait de la fatigue, il croyait quand même les voir se liquéfier en des membranes poreuses d'où filtraient par à-coups des souffles d'un vent glacé. Il

ne comprenait pas cette brusque effervescence autour de Sarah-Anaïs-Alicia. Cela dépassait la seule approche de l'Yvonnette Cléoste. Un événement avait dû provoquer cet afflux de créatures inconnues de ce monde. Mais lequel? Cela devait provenir de la jeune fille, oui, mais comment? Il la voyait pourtant identique à elle-même, juste sans doute un peu mieux resplendissante d'une sève angélique...
C'est la Bonne qui lui donna l'explication...

Ces temps derniers, Sarah-Anaïs-Alicia s'était mise à grandir un peu plus. Sa peau s'était faite plus fine. Ses aisselles s'étaient couvertes de poils qu'elle n'avait pas auparavant bien qu'elle approchât peut-être des vingt ans. La Bonne (qui chaque matin la forçait à se laver dans une bassine d'eau verte et l'assistait dans sa toilette du soir) sentait émaner de sa peau des odeurs de miel bouilli et de sucre frit. En d'autres heures, elle percevait des bouffées d'une sorte d'éther qui soûlait les moustiques du soir et les faisait voler comme des canards sans tête. Sa voix aussi s'était mise à changer. De douce, elle était devenue onctueuse comme un nœud de satin, et dégageait une moiteur extrême. La Bonne supposait qu'elle était en train de muer comme certaines chenilles. Qu'elle allait sans doute se faire pousser des ailes (ou quelque chose de même espèce) qui lui permettraient d'abandonner cette terre pour un casier du ciel. Mais ce qui se produisit fut de l'ordre de ce monde : ce furent des règles.

La Bonne avait imaginé que cette jeune fille pas-normale n'aurait jamais atteint la puberté. Elle avait dépassé ses onze ans sans que son corps ne perde ses innocences et ne se mette à pleurer rouge. Et de voir, oh la la, surgir dans l'eau du bain cette petite traînée pourpre — cette féerie qui dans l'eau devenait d'un jaune d'or, transformant bientôt la bassine en un bol d'or fondu — elle sut que la jeune fille avait atteint sa plénitude sexuelle. Ce n'était pas le bon âge, mais c'était sans doute celui où ce genre de personne devait y parvenir. Là où elle jeta l'eau de la bassine, la Bonne vit surgir des mouches bleues, et un brillé de bêtes-à-feu qui dura toute la nuit. Le lendemain, au même endroit, la Bonne vit lever des fleurettes d'un rouge vif. Elles poussaient sans qu'on voie, se fanaient sans qu'on voie, périssaient sans qu'on voie en imprégnant la zone (où d'habitude s'accumulaient les graisses de vaisselle, les os de poissons, la crasse du savon de Marseille...) d'une poussière rouge-fauve. La teinte était si forte qu'elle semblait un cri sombre écrasé sur le sol. Les merles se battaient pour picorer ce résidu rougeâtre comme s'il s'était agi du maïs originel que vénèrent les Aztèques.

Durant son sang de vie — tant qu'il coulait sur les toiles que la Bonne lui plaçait à la fourche des jambes — la jeune fille devenait pâle. Pas vraiment pâle, disons que sa peau devenait une pellicule sensible aux variations de la température, de la lumière et de l'espèce du vent. S'il pleuvait, elle prenait une teinte banane au miel, très tendre, et aspirait en elle des pollens invisibles : des mouches à miel bravaient alors la pluie pour envahir la chambre, plus excitées qu'aux abords de leur reine. D'autres petites choses à ailes (ni mouche, ni yen-yen, ni papillon, ni maringouin-congo) s'y rassemblaient aussi en une danse qui semblait les ravir. Autour de Sarah-Anaïs-Alicia (indifférente à elles) les bestioles voletaient sans jamais se poser. Les jours de chaleur, sa peau devenait sombre, à croire qu'elle voulait absorber le rayonnement solaire, et se charger d'on ne sait quoi.

Dès lors, en balayant la chambre, la Bonne rassembla une poussière insolite. Elle en prit dans sa main pour mieux fixer la chose, et crut distinguer des pollens de toutes modes, petit-petites graines, petit-petites particules, petit-petit-petites-écailles, petit-petit-petit-petites-gamètes, oosphères, ovocytes, oothèques, zoospores, étamines et carpelles... toutes sortes de germes et de petits organes qui n'avaient rien à faire là. Elle les jeta dans ce coin de canal où elle abandonnait d'habitude ses poussières. Et, très vite, au même endroit, elle vit surgir une prolifération increvable de lianes, de plantes, de mousses, d'arbustes, de fougères, de tiges de blé, de plants de riz, de sorgho et de mil, toutes qualités d'existences végétales de tous les coins du monde. Elle vit des eucalyptus géants et des lentilles d'eau. Des orchidées d'Asie et des plantes parasites. Des tubercules de pomme de terre ou de dahlia qui s'étalaient tout seuls... Déborah-Nicol Timoléon fut la seule à pouvoir les qualifier en s'aidant de ses ouvrages de botanique, mais il y en avait tant qu'elle fut vite épuisée. Le coin fut envahi d'une forêt furieuse. Elle couvrit le jardin, grimpa sur la façade, tricota les gouttières, provoquant l'émoi des gens de Saint-Joseph. Les plus hardis vinrent bientôt se ravitailler en plantes bizarres et en graines inconnues. La forêt dépassa le toit, et se mit à monter sur elle-même comme une aiguille de cathédrale. Elle surplomba bientôt les plus hautes cases de Saint-Joseph, ce qui la rendit visible des lointains de Miquelon où les pêcheurs de Trinité l'adoptèrent comme point fixe pour rejoindre la côte. L'aiguille végétale était une tresse de plantes sans nom empêtrées dans une lutte immobile, et s'accroissant avec l'idée d'étouffer leurs rivales. Des oiseaux vinrent y nicher et se virent emmurer dans leurs nids qu'une mousse avalait. Des vols de canards migrateurs (en route vers le Mexique) crurent bon de s'y arrêter, se poser, prendre des forces, et lancèrent des cris sourds en craignant de s'être perdus, tellement ces plantes n'auraient pas dû se trouver au soleil des tropiques. Ils repartirent dans le désordre d'une fuite, sûrs de s'être égarés dans un mystère du ciel.

Enchantée par l'onction d'une puberté tardive, Sarah-Anaïs-Alicia attirait tous les pollens de l'univers, comme si sa peau était une gamète végétale capable de les féconder tous. C'est Déborah-Nicol qui concéda cette docte explication. Elle ne s'étonna pas du prodige, cela lui donna plutôt des idées pour exploiter le phénomène et disposer d'une banque de pollens capable d'enrichir l'agriculture de sa future nation. Nous aurons de la nourriture pour tous les peuples du monde, marmonnait-elle, pour les Blancs nous aurons le blé qu'ils ont divinisé ainsi que l'orge et le seigle ; pour les Chinois et les peuples bruns de Malaisie nous aurons du riz ; pour nos frères d'Afrique noire nous aurons du sorgho et du mil ; pour nos cousins amérindiens nous aurons du maïs... puis nous mélangerons tout ça pour que tout le monde mange à sa faim !... La Bonne fut chargée de recueillir cette poussière sitôt qu'elle était fécondée par la peau de Sarah-Anaïs-Alicia. Après, il fallait la rassembler au balai, puis (pour ne rien perdre des microspores qui s'accrochaient partout) épousseter les cloisons, la moustiquaire, les meubles, les draps, les cheveux de Sarah-Anaïs-Alicia, ses sourcils et chacun de ses cils, avec des pinceaux d'horloger. La poussière devait être pesée comme une poudre d'or, et répartie en petits sacs numérotés. Déborah-Nicol demanda au jeune bougre de les ranger dans le grenier en attendant que son armée libératrice ait sauvé le pays et qu'elle puisse mettre en œuvre son projet agricole...

Le jeune bougre devait aussi tous les deux jours s'armer de son coutelas pour contenir la forêt enragée qui chargeait la maison. Elle débordait dans la rue, barrait le ciel, et commençait à crisper les voisins. Après chaque coupe, elle repoussait avec tant de vaillance qu'il avait le sentiment de lui rendre service. Il ne savait pas encore qu'il rencontrerait ces plantes, ces lianes, ces graminées, tout au long de ses guerres et de ses survies dans mille endroits du monde. Si bien que, pendant longtemps, dans des fleuves, des champs de mil, des champs de blé, des champs de canne, dans des rizières interminables sur le reflet des brumes, dans des pistes de forêt où la mort le guettait, il revit ce geste de coutelas : un geste répétitif, à moitié vain dans une immensité. Et son âme, empoignée par l'image de Sarah-Anaïs-Alicia, finissait par se confondre avec cette forêt qu'elle avait suscitée. Alors, il poursuivait son geste, taillait, coupait, tranchait, recommençait encore sans se poser de questions, vivant juste cette béatitude de retrouver en lui l'image de la jeune fille. Ses compagnons le virent ainsi, sans soif et sans fatigue, ouvrir des kilomètres de traces dans les jungles les plus raides.

Lorsque les murmureurs s'affolèrent dans les miroirs, la Bonne lui expliqua que la jeune fille pouvait désormais mettre bas, allaiter, se reproduire à l'infini en compagnie de ces créatures. Cela plongea le jeune bougre dans l'angoisse : il pensait au destin de Sarah, à son accouchement fantastique. Sarah-Anaïs-Alicia pourrait être fécondée par n'importe quoi et se retrouver investie de l'intérieur par on ne sait quel monstre proliférant, contraire à sa nature. Il comprenait mieux ces transformations qui s'étaient opérées dans ses rapports à la jeune fille. Il avait perçu les changements du parfum de sa peau, mais ils ne ressemblaient pas à ce qu'en avait dit la Bonne ; il sentait plutôt les fragrances d'une sueur savoureuse, comme une acidité légère qui lui happait le corps et l'emplissait de désir. Il était attiré par la pomme-rose de ses cheveux ; par les mouvements sucre-bois-d'Inde de ses jambes ; par ces effluves moitié coriandre moitié sueur fraîche qui émanaient de ses voilages ; par l'arôme sucre candi de sa bouche ; par les éthers de sa respiration ; par un rush de senteurs et saveurs qui l'enivraient à mort. Pour y résister, il se concentrait sur les passages colonialistes des stances de Saint-John Perse qu'il lui lisait pour la convaincre que ce poète n'était pas digne d'estime, et se prenait de honte à guetter la naissance de ses seins ou à imaginer leur tremblé sous la toile. Et il perdait toute honte quand il captait parfois une vision de ses cuisses que les voilages (lorsqu'elle croisait les jambes) cachaient et dévoilaient dans la même volte d'une même merveille.

Désormais un peu mieux attentif aux visiteurs de Déborah-Nicol, le jeune bougre refusa l'entrée à des zouaves dont on ne voyait pas le visage. Des quidams sanglés de costumes noirs qui s'exprimaient en soulevant une épaule et dont le seul désir se traduisait ainsi : C'est ici-là, siou-plé, qu'habite l'Anaïs-Alicia ? Ils semblaient fossilisés sur ce nom seul ; c'était comme l'intention d'une fixité solaire, l'axe imperméable de cet unique désir : l'*Anaïs-Alicia* ! À tel point qu'ils n'essayaient même pas de ruser et de faire semblant d'avoir été appelés par Déborah-Nicol. Ce fut sa manière de repérer ceux que l'Yvonnette Cléoste leur envoyait dans la maison. Il ne laissa jamais la Bonne ouvrir la porte. Il le fit lui-même en demandant sans ambages au visiteur s'il venait pour Sarah-Anaïs-Alicia. Comme ces créatures ne savaient pas mentir, elles répon-daient un Ouiiii gourmand, ou se mettaient à bafouiller de manière si visqueuse que cela revenait au même. C'est ainsi qu'il chassa un bougre très long et à yeux vert bou-teille, et dont les lèvres lui paraissaient trop roses. Qu'il ferma la porte sur un bougre de courte taille, qui déga-geait une densité de granit chauffé, et qui parlait dans des grincements. Bientôt, la question ne produisit plus d'effet. Quand il provoquait les visiteurs bizarres sur le nom de Sarah-Anaïs-Alicia, ils lui déclaraient venir pour Déborah-Nicol, entraient, faisaient mine de s'asseoir au salon des attentes, et, à la moindre occasion, disparaissaient peut-être dans un coin de miroir. Mais ce n'était pas leur seule manière d'investir la maison.

Toujours sur les avis de la Bonne (qui les voyait partout, et qui commençait à en perdre les cheveux) il sut qu'ils entraient aussi sous forme de papillons de nuit; ou de chauves-souris pâles; ou de grosses fourmis cramoisies; ou de mabouyas qui collaient au plafond, ou même sous forme de chenilles vertes à tête de matoutou-falaise. La Bonne n'en finissait pas de ramasser les déchets de leurs mues, des anneaux, des écailles, poils de nez et pelages de saison, des pattes lâchées, des pinces abandonnées, des squames et des croûtes délaissées, des crottes de toute nature... à dire qu'un zoo invisible s'attribuait la maison. La nuit, le jeune bougre se mit à éprouver des sensations poignantes. Il sentait qu'on commençait à se marcher dessus dans les miroirs trop pleins. Il supposait déjà l'instant où ces hordes les quitteraient pour s'abattre dans les pièces et avaler Sarah-Anaïs-Alicia, lui-même, la Bonne et Déborah-Nicol. C'est pourquoi, taraudé par la Bonne, il voulut décrocher les miroirs. La chose ne fut pas très facile.

Les miroirs faisaient ventouse sur les cloisons. On aurait dit des chatrous, étalés comme des ectoplasmes pour se fondre dans le bois. Ils ne se décrochaient qu'en se déformant dans une souplesse de caoutchouc, et laissaient à leur place un dégât de peinture et de fibres arrachées. Le jeune bougre et la Bonne décrochaient ensemble ceux qui tenaient moins bien. Les transportant tout au fond du jardin, ils essayaient de les briser ou de les enflammer. Les miroirs résistaient à tout. Sous l'action des flammes ou des coups de marteau, ils devenaient comme de l'acier poli, noircissaient comme des plaques de mica, se déformaient avec des tressaillements de religieuse enceinte, ululaient parfois dans les dilatations ou les contractions de leurs matières. Mais tous conservaient ce reflet irréel où l'on pouvait se voir, et où l'univers tout entier pouvait se refléter. Il finit par les enterrer en douce dans le jardin, un à un, couverts de chaux et d'alcali. Malgré l'obsession de ses divers travaux, Déborah-Nicol sentit que les miroirs disparaissaient. Elle en accusa la Bonne, et la menaça d'une place exposée en avant-garde de ses armées. L'idée que les biens de Sarah puissent se détacher de la maison n'était pas supportable. Si elle les a mis là, c'est là qu'il faut qu'ils restent! Le jeune bougre se moquait bien de ce que pouvait penser Déborah-Nicol. Seule lui importait la survie de Sarah-Anaïs-Alicia. Il poursuivit donc en douce sa croisade purifiante, subtilisant les miroirs qui scintillaient dans les commodes, ceux qui restaient serrés derrière les meubles et les rideaux. Les minuscules que la Bonne retrouvait dans les sacs de lentilles ou dans les pots de confiture. Ceux qui apparaissaient dans le gras de la soupe ou qui s'accumulaient dans la citerne jusqu'à ralentir (comme en carême) l'écoulement de l'eau.

La diminution des miroirs rendait Sarah-Anaïs-Alicia hagarde. Elle marchait dans la maison avec l'air de chercher quelque chose ou de suivre les ruines d'une structure brisée. Les miroirs avaient dû nouer entre eux une toile subtile, un maillage de reflets et de contre-reflets, qui s'embrouillait quand l'un d'entre eux (même le mieux imperceptible ou le plus isolé) se mettait à manquer. Sarah-Anaïs-Alicia se déplaçait de pièce en pièce sur cette géographie secrète. Elle couinait comme une niche de souris devant une place inoccupée, un tiroir déshabité, une armoire ou un pot de confiture que le jeune bougre avait privé de son âme translucide. En ces endroits (de plus en plus nombreux) sa démarche se brisait presque, elle se mettait à boiter, retrouvait mal son orientation. Elle les regardait alors avec un air de doux reproche ou de chiot torturé. La Bonne se mettait à pleurer comme une bourrelle en confession, et le jeune bougre avait envie d'implorer son pardon. Si bien qu'il abandonna la chasse aux miroirs. Il déterra même ceux qu'il avait cru détruire, et les remit à leur place, déformés et noircis, où ils reprirent là-même des messes de miroitements. La mort dans l'âme, délaissant les miroirs, le jeune bougre se résolut à protéger Sarah-Anaïs-Alicia malgré elle, au cœur même de sa chambre.

Il se cachait dans l'armoire de la chambre avec un bric-à-brac de protections diverses. La Bonne, devenue son aide de camp dans cette guerre délirante, l'avait pourvu en pointes de bois-moudongue, en croix cloutées, en crucifix montés, en eaux bénites passées au coutelas chaud, en tronçons d'aloès durcis par neuf prières. Elle lui avait donné ces bols de sel et de lentilles que les personnes mauvaises sont forcées de compter grain à grain, graine à graine, avant de pouvoir perpétrer leur forfait. Elle lui avait sorti (instruite par une cousine, servante à Fort-de-France) des gris-gris haïtiens qu'un pirate espagnol vendait au Carénage. Elle avait bourré ses poches de rondelles de citron dont l'action purifiante s'était vue aggravée par douze mantras de prêtre hindou. Lui, sans trop croire à ces folies charmantes, s'était surtout armé de son courage ; et, au moment où la Bonne aidait Sarah-Anaïs-Alicia à sa toilette du soir (dans la salle d'eau, elle la baignait de feuilles de citronnelle et de vétiver, en lui bourrant la tête de reproches en tout genre), il glissait dans l'armoire avec son matériel de guerre antizombis. Il demeurait là, porte entrebâillée, en de longues heures de contemplation où ses paupières demeuraient fixes, et qui stoppait en lui le défilement du temps.

Il vit alors comment s'agençaient ses soirées ; d'abord, sa lecture de Saint-John Perse, juste devant la fenêtre, à la lueur d'une lampe à pétrole pendue au-dessus de l'ouvrage. Ses lèvres murmuraient les versets du poète, et, à certains moments, le jeune bougre n'entendait plus le souffle de ses lèvres, mais un bourdon qui émanait de son corps en obligeant la lampe à frissonner sans fin. À ces moments-là, son regard entrait en long commerce avec une quelconque étoile et l'ultime gloire du crépuscule, et là, vraiment là, elle semblait s'en aller vers un des Lieux du deuxième monde que Déborah-Nicol cherchait vainement encore.

Elle s'endormait presque toujours sur la chaise. Puis, dans un sursaut de somnambule, elle s'éveillait, fermait les volets, et flottait en direction de son lit où elle disparaissait dans les draps et coussins. Au-dessus d'elle, le voile de la moustiquaire se transformait (dans la pénombre et les reflets de miroirs) en un bon-ange de brume penché sur son sommeil. Il devait se persuader quant à lui de veiller sur ce sommeil, car il ne distinguait plus la jeune fille. Il n'entrevoyait qu'un mélange de coussins miroitants et de draps répercutés dans le monde des miroirs. À la longue, fatigue aidant, il ne savait plus où se trouvait le lit, haut ou bas, gauche ou droite. Il ne savait plus ce qui était réel et ce qui provenait d'un chatoiement. Incapable de situer la jeune fille, il devinait entre les draps d'infimes mouvements qui laissaient à penser qu'une existence sommeillait là. Alors il regardait. Et il l'imaginait. Il imaginait son corps, en ronde souplesse inconnue de ce monde, le chaud de ses chairs, le vivant de son ventre, il revivait ces affolements que créait sa présence. Cette trouble admiration lui restituait ce regard qu'il avait porté en certains temps de son enfance sur Man L'Oubliée. Mais là, il n'éprouvait pas de honte, aucun sentiment d'interdit. La céleste douceur de Sarah-Anaïs-Alicia s'accommodait du désir d'elle qu'il sentait battre en lui. Elle était sensuelle comme une idole païenne. Modelée pour tous les jouis-la-vie. Ses chairs maintenant épanouies transpiraient du sirop des doucines qui éveillait les glandes, et qui jetait dans un émoi semblable les mouches à miel et les autres bestioles. *Elle fait crier mon corps !...* Elle lui tenait le cœur, faisait tambour dans ses battements, lui faisait flûte-bambou dans les coulées du sang. Son attirance pour elle avait quitté l'adoration, pour se répandre (comme une merveille désenchantée) dans la masse de ses os. Ce n'étaient plus ses yeux et son esprit qui adoraient. C'était son corps entier, le froid de ses ongles, les crampes, cet échauffement aux tempes, sa salive asséchée, et cette gorge incapable d'avaler. Il avait envie de sortir de l'armoire, et, l'implorant, de pouvoir la serrer contre lui, boire la peau de son cou, se perdre dans ses cheveux, se faire crabe dans les mangroves de ses aisselles. Saisir à pleine chair cette existence inaccessible — inaccessible jusqu'aux incandescences d'une douleur qui devenait réelle.

(Il m'était facile de l'imaginer jeune bougre, serré dans cette armoire avec les yeux ouverts, car là, sur son fauteuil de l'ultime désastre, l'agonisant adoptait le même air. Il s'était redressé, tendait le cou, écarquillait les yeux, et fixait quelque chose que personne sur la terrasse ne pouvait deviner. Une vision qui provenait et relevait sans doute de ces instants auprès de cette jeune personne. Comme il semblait vivant ! J'avais fini par me dire que le meilleur signe qu'il était en train d'agoniser n'était pas une quelconque baisse de vitalité, mais bien le fait que le vieil homme au fil de cette longue agonie ne s'accordait aucune rouspèle, manière créole de nommer le repos. Il conservait les yeux ouverts. Grands. Et ses yeux ouverts voguaient au gré de son passé. Tout son être restait mobilisé vers ce temps ancien, éveillé pour ce temps ancien. Et cette vitalité apparente était le signe même que sa vie s'épuisait dans le sans-fond de son passé : elle se révélait désormais incapable de se projeter. Donc, il gardait les yeux ouverts [comme dans cette armoire où il veillait sur Sarah-Anaïs-Alicia], ne s'endormait pas vraiment ; il s'enfonçait juste dans des absences placides qui le faisaient disparaître en lui-même, pupilles déménagées.

Moi, je n'avais pas cette force d'âme, je pensais avoir tout noté, tout observé. Mais cette conscience des choses, que je pensais constante, se voyait démentie par des béances inexplicables qui saupoudraient mes notes. Cela me prouvait que pendant quelques secondes, quelques minutes, je m'étais endormi. Alors, je le retrouvais lui, tonique dans son corps livré à l'agonie, et les yeux emportés par mille ressouvenances obscures, labiles, rapides, incompréhensibles pour lui-même, et que je renonçais à élucider. Je me contentais assez souvent de noter que le vieil homme n'avait pas de rouspèle et que c'était là l'effet le plus terrible, mais aussi sans doute le plus délicieux, de cette mort interminable... Notes d'atelier et autres affres.)

L'agonisant devait se revoir caché dans cette armoire, yeux grands ouverts, le cœur serré, veillant sur la jeune fille. Il avait évoqué un état de veille identique quand il avait parlé de la bataille de Diên Biên Phu. Il disait que c'était l'endroit d'une victoire où il avait participé à la première défaite d'une puissance occidentale confrontée à un peuple dominé. Il en avait fait une vanité de sa vieillesse, avait donné là-dessus des conférences, des interviews de toute nature, égrené d'innombrables détails qui lui revenaient à mesure que sa mémoire recomposait l'éclat de son histoire. Mais là, dans cette veille qui le redressait sur son fauteuil, je percevais autre chose : *comme une admiration*. Une fascine de l'esprit. Il se voyait dans la chambre, oui, veillant sur Sarah-Anaïs-Alicia. Craignant pour elle et l'adorant dans le même temps. Mais j'eus le sentiment qu'il se voyait aussi dans cette contrée de Diên Biên Phu. Auprès d'une femme... une femme guerrière...

Il avait évoqué ces femmes guerrières qui se battirent à ses côtés dans tous les conflits où il fut embringué. Dans un article [1], il avait parlé de celle de l'Indochine bien plus

1. Reportage du magazine *Elle*. Déjà cité.

que de ses compagnons d'armes. Elle s'appelait Manh Nga, de la province de Cao Bang. C'est dans les boues d'Hanoï que la jeune femme lui était apparue, vêtue de toile noire, d'un pantalon chinois, et de cette drôle de coiffe qui protège du soleil des rizières. Elle semblait juste de passage en ville. Il l'avait abordée en profitant de l'effervescence du port où s'entassait un capharnaüm de choses flottantes. *Elle me rappelait un peu Sarah-Anaïs-Alicia! Mais aussi Man L'Oubliée, mais aussi Déborah-Nicol... une curieuse créature...* Comprenant qu'elle cherchait quelque chose, M. Balthazar Bodule-Jules lui avait proposé de l'aider. Elle voulait des objets en métal qu'elle entreposait dans une barge de roseau. Il saura très vite que ces ferrailles étaient destinées à des fonderies secrètes où les ingénieurs d'Hô Chi Minh se bricolaient des armes. M. Balthazar Bodule-Jules l'avait aidé à trouver tout cela dans les tripots flottants où il s'était vautré en compagnie de gargotières hallucinées d'opium, affairées à diverses contrebandes. Avec une facilité étonnante, il lui avait déniché des lampes de cuivre, chaudières en fonte, statuettes et plaques d'acier... Elle parlait thaï, anglais, un parler des îles et un bout de français, si bien qu'il avait pu se présenter à elle comme un ami de toutes les libertés, un frère de toutes les résistances. Manh Nga avait fini par admettre l'avantage de posséder à ses côtés un gaillard d'une telle énergie et de ressources aussi inépuisables.

Avec elle, M. Balthazar Bodule-Jules se retrouva à franchir le delta du fleuve Rouge, à remonter des affluents tortueux sur la pirogue à balancier d'un récolteur de perles. Il passa des mois à décharger de la ferraille puis à la recharger, à percer des forêts dans des cortèges de bicyclettes que les avions ennemis ne pouvaient détecter. Ces fourmilières convergeaient vers les fonderies secrètes. Les espaces à découvert étaient franchis de nuit, le plus souvent sans une graine de lumière. M. Balthazar Bodule-Jules goûtait ces moments-là : il se tenait aux côtés de Manh Nga que la fatigue ne possédait jamais. Une énergie farouche la maintenait debout. Ce n'était pas la haine de l'ennemi qui lui offrait cette détermination, mais une fermeture au monde. Un sans-vivre qui la dépossédait d'elle-même pour la vouer à cette cause. *Comme elle ressemble à Déborah-Nicol !*... Il la vit trembler de fièvre, acharnée à réparer la chaîne d'une bicyclette, impitoyable avec elle-même quand le sommeil lui brisait les paupières. Il la vit tremblante sous des pluies de vingt jours avec le regard ferme. Il la vit impassible au fond des tunnels sombres où il fallait disparaître pendant des mois entiers. *Comme elle ressemble à Man L'Oubliée !*... Elle allait comme un vaisseau placide, une flamme fragile qui semblait n'avoir aucune conscience de ces éclats de mort. *Comme elle ressemble à Sarah-Anaïs-Alicia !*...

M. Balthazar Bodule-Jules avait envie (comme dans cette armoire auprès du lit de Sarah-Anaïs-Alicia) de se coller contre elle pour la protéger, offrir son torse aux balles des tireurs solitaires qui décimaient les convois de bicyclettes. Il fut son ombre durant des mois, dormait à ses côtés en gardant l'œil ouvert, se levait avec elle bien avant tous les autres. Il était un peu la curiosité générale en raison de sa peau chocolat, de son accent créole ; mais tous ces paysans-soldats avaient fini par l'adopter — un peu à cause de la légende qu'avait créée autour de sa personne l'aventure de la cage en bambou... Il put se rapprocher de l'étonnante créature quand les pluies trop fortes contrariaient les mouvements, ou que les patrouilles japonaises puis françaises les obligeaient à demeurer plongés sous des arbres renversés. Si bien qu'un jour elle fut dans ses bras, qu'il eut contre lui son corps sec et nerveux, dur, fleurant la vieille écorce, raidi de vigilance et en même temps abandonné à ses caresses hagardes. Et, comme ces moments étaient rares, imprévisibles et brefs, il les exploitait avec une violence animale que sa puissance supportait bien, et qui le rendait fou des douceurs de ses chairs. Et quand elle s'éloignait de lui, il retombait dans la solitude de son propre corps comme dans une vraie prison, et ne pouvait survivre qu'en se penchant vers elle, aller à côté d'elle, flotter au-dessus d'elle, dans son ombre, sur ses pas, dans ses traces, veilleur inépuisable, gardien inaltérable.

Malgré le masque impassible et serviable qu'il arborait tout le temps, elle le mettait en émulsion constante comme un désert peut rêver d'eau, et une pierre immergée peut rêver des sécheresses. Et ce besoin lui paraissait inapaisable, il aiguisait en lui la peur de voir son crâne exploser sous une balle perdue. Maintenant, l'agonisant mesurait combien, sous prétexte de la protéger, c'est elle tout entière qu'il voulait absorber comme (du fond de l'armoire) il avait voulu le faire de Sarah-Anaïs-Alicia : la liquéfier comme un sucre dans sa bouche et la garder à vie dans le chaud de son ventre.

Et c'est elle qui l'initia au maniement des armes.
Une fois, leur escorte se vit décimée par une patrouille française, et ils durent assurer eux-mêmes leur protection. Manh Nga avait ramassé quelques armes, M. Balthazar Bodule-Jules l'avait imitée, et ensemble ils avaient sécurisé les passages difficiles. Elle s'était transfigurée en prédateur glacial, à tel point que M. Balthazar Bodule-Jules ne pouvait que la suivre et reproduire ses attitudes. De temps à autre, elle se tournait vers lui et, d'un geste, lui enclenchait la culasse du fusil, lui vérifiait un pistolet, lui montrait le maniement d'une grenade boueuse, lui ajustait les mains sur la gâchette et le canon. Il prolongeait les gestes de Manh Nga avec une aisance qui la rendait admirative et qui lui permettait même d'illuminer ses yeux d'une manière de vie. Elle savait, elle aussi, tuer sans baisser les paupières, achever un blessé sans un tremblement d'âme, conserver le moral sous les bouillies de chair et de

573

cervelle qui les éclaboussaient. Son énergie la transformait en mécanique de guerre qui ne laissait de place qu'au tranchant de la mort. Une férocité qui s'accordait mal aux harmonies de son visage. Car elle était belle.

Belle? Là encore, l'agonisant se demanda sans doute ce qu'était la beauté. Était-ce son long cou et sa fragilité? Était-ce sa peau, nuageuse dans la pénombre, pâle comme une magie de lune, ou brûlée par les soleils et par les flammes...? Était-ce une projection de ses propres désirs, *un état bienheureux de mes seules perceptions*? Tout était organisé en elle comme une nécessité, une harmonie indécelable dont on ne percevait que la totale autorité. C'est cette autorité qu'il avait perçue chez tant de femmes qu'il avait trouvées belles, femmes claires, femmes opalines, femmes noires comme des soleils, femmes mates, femmes terreuses, femmes usées ou femmes en devenir, avec des formes et des odeurs qui parfois s'opposaient, mais qui exprimaient une telle nécessité et une vérité telle, qu'il se sentait nourri dans ce qu'il y avait de plus sensible en lui. La beauté de Manh Nga lui inspirait un désir violent et le sentiment d'un mystère que l'on aurait envie d'élucider. *Le mystère!* Son mystère était cette solitude qui demeurait intacte dans ces tunnels où ils devaient subir d'affreuses promiscuités. C'était sa façon de se maintenir toujours en décalage, à côté des rires, à côté des angoisses, hors d'atteinte des plaisanteries vulgaires, toujours en marge et solidaire toujours. *Et puis ses gestes!* Cette fleur séchée qu'elle pouvait déposer à hauteur d'un blessé. Ce feuillage insolite, entortillé pour orner une marmite ou agrémenter un camp de boue mousseuse. Sa manière d'aller seule, dans les bois, et de goûter aux silences comme on s'offre aux musiques, d'aller loin sans souci du danger. Ce soin qu'elle prenait bras écartés à goûter l'aube en solitaire, à célébrer les crépuscules en demeurant assise à la pointe d'une falaise, cette concentration pour faire pipi debout en regardant le ciel, ou se baigner nue dans les eaux les plus proches non pas pour se laver mais comme pour se dissoudre dans la matière du monde. *Le mystère!* Encore lui. L'agonisant se dit que Manh Nga était restée en lui comme une énigme qui l'avait enchanté. *Toute beauté est d'abord un mystère, un mystère qui vous tient!...*

Ne pas la perdre! Ne pas la perdre! Ce doux tourment le préservait des tourments de cette guerre, comme si cela l'enfermait dans une bulle inconsciente. L'agonisant se rendait compte combien, durant toute cette période, il s'était situé à la fois en lui-même et s'était tout autant dépossédé de lui-même. Manh Nga avait toujours été à ses côtés, mêlée aux souvenirs de Man L'Oubliée, de Déborah-Nicol ou de Sarah-Anaïs-Alicia, en une fluctuation qui peuplait son esprit de manière erratique. Alors, les yeux ouverts, il la protégeait pour tenter de ne pas la perdre comme il avait déjà perdu toutes ces personnes. *Ne pas la perdre! Ne pas la perdre!*

Quand les ordres les emmenèrent autour de Diên Biên Phu il allait une fois encore connaître un désespoir. Les Français avaient transformé la cuvette en une ville fortifiée. Mais, malgré sa puissance, l'ennemi s'était coincé dans un piège naturel. L'Oncle Hô y vit une opportunité et lança ses filets. M. Balthazar Bodule-Jules se retrouva en compagnie de Manh Nga dans un groupe d'offensive, fourmis dans l'immense fourmilière qui concentrait son frémissement sur cet unique endroit. Il fallut accéder aux cimes qui cernaient la cuvette, et y prendre position avec des mitrailleuses lourdes, des mortiers, des canons. Les pentes étaient à pic. Les boues glissantes. Les crevasses meurtrières. Il fallait hisser les pièces millimètre par millimètre durant des nuits entières, dans le silence le plus total. Un travail titanesque que la fourmilière assurait sans relâche. M. Balthazar Bodule-Jules se tenait aux côtés de

Manh Nga, prêt à bondir pour lui porter secours. Ils se voyaient ravitailler en bols de riz et en poisson séché par des coolies à balancier. Ils mangeaient debout, dans les échafaudages qui montaient vers les cimes. À l'aube, ils disparaissaient dans la boue des tunnels. Manh Nga s'endormait d'un coup jusqu'à la prochaine nuit. Et là encore, M. Balthazar Bodule-Jules veillait sur elle, yeux grands ouverts comme dans l'armoire de Sarah-Anaïs-Alicia.

Quand ils purent s'installer sur les cimes, il dormit avec elle dans des trous d'eau, sous des toiles goudronnées, et, toutes les dix minutes, il se redressait pour la mieux contempler à la lueur des boîtes de pastilles Valda qu'il transformait en lampes. Quand les commissaires de l'Oncle Hô vinrent haranguer la fourmilière pour la bataille finale, M. Balthazar Bodule-Jules demeura noué par la peur de la perdre. Il dut s'accrocher à ses épaules pour qu'elle ne se porte pas volontaire parmi ces kamikazes qui devaient se jeter avec des pains de plastic sur les haies barbelées. La nuit, juste avant la bataille, il avait chanté à tue-tête, comme elle, le chant des partisans qui descendait comme une menace vers les cernés de la cuvette — *Ami, entends-tu le vol noir des corbeaux sur la plaine, Ami, entends-tu le cri sourd du pays qu'on enchaîne...* — et que l'écho ramenait vers lui pour le hanter de même manière, en un sinistre présage.

Quand ils se mêlèrent à la marée hurlante qui couvrit la cuvette, elle était vêtue comme lui, de toile verte, de sandales-pneus, casquée de bambous entrelacés autour d'une étoile rouge. M. Balthazar Bodule-Jules resta le plus possible près d'elle, dans le fracas des flammes, des tirs, des souffles de chairs sanglantes. Il tirait sur ce qui la menaçait, brisait ce qui se dressait devant elle, anticipait tous les dangers et déversait ses foudres. Il était à la fois devant et derrière elle, sur chaque côté et au-dessus, et il tirait cognait tranchait pour lui constituer un large espace vital. Il vit les lignes de défense reculer mètre après mètre vers le drapeau central. Il vit les Français acculés percer le sol de leurs ultimes cartouches, il les vit détruire leurs dépôts d'armes à coups de grenades incendiaires. Il vit des Antillais, des Marocains, des Africains sortir des tranchées en criant *Camarades, camarades...*, puis il ne vit rien *car il ne la vit plus.* Il eut beau la chercher dans ces amas de boue, de corps et de souffrances, errer dans le campement français dévasté par les forces vietnamiennes, il eut beau soulever chaque bout d'os, chaque cadavre, tenter de rassembler des chairs, il ne la retrouva jamais. Il avait cru avoir gardé les yeux ouverts : elle avait quand même disparu dans les éclats de cette victoire. *Un désastre dans une joie !...* Et c'est pourquoi il paraissait si vif sur son fauteuil d'agonisant, cou dressé, muscles tendus, gardant les yeux exorbités pour essayer une fois encore de retrouver Manh Nga dans les souvenirs de Diên Biên Phu, jusqu'à retomber, épuisé et hagard, avec le sentiment, comme si souvent durant sa longue vie, de l'avoir une fois encore perdue, une fois encore trahie, comme il avait perdu et trahi Sarah-Anaïs-Alicia.

> Il était entré au monde par les massacres, et c'est dans la rumeur de ces massacres qu'il supposa la splendeur à faire naître du monde.
>
> « Notre morceau de fer ».
> *Cantilènes d'Isomène Calypso,*
> Conteur à voix pas claire de la commune de Saint-Joseph.

JALOUSIES ET TORTURES. Les soirées et les nuits dans l'armoire se déroulèrent ainsi : des veilles immuables. Jusqu'au soir où il vit Sarah-Anaïs-Alicia se lever, s'asseoir près de la fenêtre, son Saint-John Perse en main, et entrer en conversation inattendue avec des formes qu'il ne voyait pas. A-a, c'est quoi ça ?!... Sarah-Anaïs-Alicia n'avait rien en face d'elle, mais ses manières élaboraient de manière stupéfiante un interlocuteur. Elle penchait la tête de côté pour contempler un visage que le jeune bougre ne décelait

577

pas. Il la voyait parfois avancer une main tendre vers une épaule indevinable. Il la voyait onduler du torse avec une langueur de prêtresse dans un temple d'Aphrodite, ou celle de ces serpents qu'il verrait tellement d'années plus tard, dans les goupas de l'Inde ou dans les temples de Thaïlande, fascinés par une divinité de jaspe et de corail.

En d'autres instants, il avait le sentiment que Sarah-Anaïs-Alicia effectuait du torse une danse aquatique, ou qu'elle s'enroulait (au rythme d'une sapience religieuse) autour d'un grand oiseau qui l'emportait vers de hautes frondaisons. Une jalousie lui embrumait le crâne, sans trouver sur quoi vraiment s'abattre car il ne voyait pas à qui ou à quoi s'offrait cette tendresse. Il imaginait toutes sortes de créatures. Des commandeurs des nuées. Géreurs de grandes écumes. Des gens du deuxième monde. Des maîtres-affaires en illusions. Tous, depuis leurs limbes, devaient l'ensorceler. En d'autres moments, il imaginait des soucougnans à gueule garnie de crocs et fascinant sa chair d'un vœu autoritaire. Il imaginait même l'Yvonnette Cléoste se dissimulant sous une forme plaisante et approchant sa mauvaiseté des lèvres de la jeune fille. Il imaginait tant et tant de choses, que cela finissait par se perdre dans une angoisse diffuse, impuissante sous la contemplation.

Elle lui paraissait finalement un peu folle, victime d'une chimère sans issue capable de la détruire. Elle se recouchait à l'aube. Elle demeurait endormie longtemps, souvent jusqu'au point de midi où les miroirs devenaient intenses comme des laves tourmentées. La Bonne la réveillait, l'aidait à sa toilette tandis qu'elle chantonnait des romances inaudibles. Elle avait atteint une nouvelle plénitude de douceur, quelque chose qui ne se répandait plus aux alentours mais qui de l'intérieur lui conférait un rayonnement de flamme. Elle était plus que jamais dési-

rable, d'un éclat impossible, et remplissait la maison des
senteurs de son corps. Ces senteurs s'alliaient à ses parfums et aux chants doucereux qui ne quittaient plus ses
lèvres. Il était heureux de la voir ainsi, et, en même temps,
ce bonheur lui semblait effrayant. Elle paraissait atteindre
dre aux éclats de ces fleurs qui vont bientôt périr, et qui,
venues pour ça, déploient (sous un reste de soleil) l'étincelle
celle de leur vie. Il craignait qu'elle ne se dissolve d'un
coup, comme un coton de fromager, ou comme ces pollens
lens que l'étrange forêt disséminait sur Saint-Joseph. Il
délaissait les travaux de Déborah-Nicol pour conserver sur
elle un regard vigilant, prêt à la retenir si elle commençait
à s'effacer de cette vie. Il guettait cette éventualité quand
le malheur (le prenant à revers) lui assena une première
frappe.

Sur les bras de Sarah-Anaïs-Alicia, sur son cou, le rond
de ses épaules, il aperçut les rougeurs des caresses,
les cercles rosis de baisers tendres, les griffures amoureuses, de petits signes érubescents qui restaient sur sa
peau, si tendre et réceptive, en stigmates des amours
invisibles. Lui qui ne connaissait pas encore grand-chose
au commerce des chairs, crut qu'un zombi de la Malédiction la maltraitait durant ses longs sommeils. Ce fut la
Bonne qui lors d'un bain la découvrit ainsi exaltée de rougeurs. Elle voulut y voir les résultantes d'une tablature
de lèvres, de langues, de sucées agaçantes, de morsures
débraillées, de léchées trop goulues qui exposaient sa
peau aux chaleurs du plaisir et de ses souvenirs. Elle ne
l'appela plus désormais que « petite vakabonne à figure
d'innocente », ou « dévergondée aux impuretés ». Sarah-
Anaïs-Alicia ne comprenait pas la cause d'un tel émoi. Les
marques apparues sur son corps ne l'intéressaient pas.
Qu'elles évoluassent nuit après nuit, jusqu'à la transformer parfois en tumescence à forme humaine, ne lui
semblait pas non plus d'une quelconque importance.

La Bonne renforça ses bains avec la menthe glaciale et lui donna des tisanes d'herbes-trois-dons qui devaient lui calmer ses chaleurs et rabattre les ailes d'une libido énergumène. Quand il admit le sens de ces rougeurs, le jeune bougre tomba en belle désolation. Il n'y eut pas plus chagriné que moi, ni Roméo dans ses langueurs, ni Abélard sans Héloïse, ni Tristan sans Yseult, ni Dante contant la mort de Béatrice, ni Panurge songeant à sa dame de Paris, ni Macbeth condamnant sa Lady, ni Caliban dans l'ombre de la fée, ni le colonel Aureliano rêvant de Remedios la belle, ni Mathieu songeant à Mycéa, ni le pauvre Vieux-désolé !... Chacune des marques se traduisit en blessures vives dans son âme et son corps. Ses rêves et ses élans inaboutis se concrétisaient là, dans des traces qui attestaient de ce qu'il aurait aimé lui faire sans trop savoir comment. Ses fantasmes lui paraissaient maintenant répugnants, et chaque trace qui les lui rappelait ne s'érigeait qu'en preuve d'une trahison. Dieu !... — se dit sans doute l'agonisant (qui l'avait déclaré tant de fois sur les ondes, dans quelque émission vouée à la jalousie) — comme les signes de l'amour sont terribles quand ils surgissent sur votre aimée et ne sont pas de vous !... Ils deviennent des déchirures de ciel, petites apocalypses qui vous sautent à l'esprit et le ruinent sans attendre ! Toutes ces femmes qu'il avait approchées au long cours de sa vie, et en qui une part de son âme s'était comme suspendue, et sur lesquelles il avait découvert, au hasard d'un regard, une de ces petites marques (sans doute faites par elles-mêmes ou par un ongle inattentif), lui revinrent à l'esprit. Ces découvertes s'étaient traduites en des séismes intimes durant lesquels son esprit retrouvait (intacte) l'horreur fichée en lui par les marques de Sarah-Anaïs-Alicia — vraies bombes à déclenchements multiples. Toute rougeur sur le cou d'une femme, toute traînée à hauteur de ses seins, toute meurtrissure d'une épaule, d'une lèvre, du lobe d'une oreille, le projetait dans cette horreur qui fut la sienne durant cette période-là, et qui resta dans son esprit avec l'intensité d'un fer d'inquisition. Il avait voulu lui-même devenir un graveur de femmes. Elles sortaient de ses bras comme d'une table de torture douce qui leur émulsionnait la peau, les bouleversait en surface comme au fond. Il ne leur laissait rien qui ne soit à vif et qui ne se souvienne (en brûlure et en extase mêlées) qu'elles avaient été possédées. Le plus surprenant, c'est la rapidité avec laquelle ces marques s'évaporaient. Les femmes demeuraient en fait plus intactes que s'il ne les avait jamais touchées. *Mes enfants, les femmes sont inaltérables !* Il le savait. Mais il savait que les hommes, ses rivaux en puissance à l'affût autour d'elles, l'étaient moins. Que chacune de ces marques, inscrite sur la courbe d'un long cou, sur l'autel d'une épaule, était comme une bombe expédiée dans l'entendement du mâle posté aux environs. Cette pratique suscitait chez ses victimes de doux reproches, de petits rires qui laissaient supposer qu'elles appréciaient ce signe d'un appétit illimité. D'autres l'appréciaient moins car cela exposait en plein jour les ombres de leurs nuits. Et lui, maintenait cette pratique sans trop savoir pourquoi, savourant juste de voir ses propres marques sur ces peaux adorées qui se mêlaient sans qu'il s'en doute au souvenir de la peau de Sarah-Anaïs-Alicia.

Il l'interrogea sur les êtres qu'elle voyait dans son sommeil ou qu'elle rejoignait dans ses rêves. Elle ne voulut rien répondre à cela. Ou ne savait que lui répondre. Avec toute la douceur du monde, elle lui rappelait que chaque être était libre de son esprit, de son corps, et de son rêve. Pour le reste, son sommeil était un autre monde, une autre vie, comme un océan où elle serait plongée et dont elle ne percevrait rien des effets et des causes, ressentant juste la plénitude de vivre dans cet espace et ce temps différents. Il lui dit qu'elle était en danger, que ce monde et ces créatures n'étaient pas toujours ni angéliques ni innocents.

Que parmi elles devaient rôder des dangers et des monstres! Pour elle, en douceur pleine, toute chose était double, la lumière associée à l'ombre, la douleur au plaisir, la vie à la mort, et les choses allaient ainsi sous l'éclairage de la conscience ou dans le trouble sans limites des grands rêves. Elle lui dit aussi qu'elle voulait vivre. Vivre dans son corps et dans ses songes. Vivre dans son esprit et le fond de ses chairs. Elle lui dit que c'était le devoir de toute vie que de se réaliser dans la plénitude et dans la connaissance la plus extrême des choses. Elle lui dit aussi qu'elle le savait toutes les nuits dans l'armoire, la surveillant, la protégeant sans doute, mais qu'il se fatiguait pour rien car elle n'était pas en danger, et que même si elle l'était un jour, ce serait en des espaces inaccessibles à son courage. Elle finit en lui demandant de ne plus entrer dans sa chambre, de ne plus investir son armoire, et même de ne plus se coucher sur son palier.

Cette demande, empreinte de douceur, allait comme une supplique et comme un ordre irrésistible. Il y résista, mais, la nuit suivante, quand il voulut s'étendre sur son palier, elle surgit dans l'entrebâillement de la porte et, de son regard tendre, lui fit comprendre de s'en aller. Il était stupéfait de percevoir autant d'autorité dans une totale douceur. Elle le dominait par l'intransigeance de sa gentillesse et le mode implacable de ses désirs très doux. Bien qu'entêté comme une bourrique, il ne pouvait qu'obtempérer. Assis en haut de l'escalier, maussade contre les barreaux, il passa des nuits et des nuits de torture en imaginant ces êtres sortir des miroirs, glisser dedans ses rêves, et entrer en commerce amoureux avec elle. Il guettait quand même un cri, un bruit, un tumulte de combat ou de coups, quelque chose d'agressif qui lui permettrait de bondir, de briser les miroirs de la chambre, et de la soustraire à ces êtres malfaisants que l'Yvonnette Cléoste devait lui envoyer.

Ce qui le consolait (tout en le plongeant dans une mortelle douleur), c'est que les traces sur ses bras, sur son cou ne témoignaient que de douces caresses. Pas d'agression ou de coups. Ce n'étaient donc pas encore des créatures de la diablesse qui l'atteignaient ainsi, ni même les âmes frappées de la Malédiction. C'étaient ses propres commerces avec des êtres du deuxième monde ou des chimères qui voguaient entre vrai et pas-vrai. Pourtant, en guettant certains miroirs — pas en les regardant direct mais en les épiant dans les reflets d'un autre miroir —, il avait le sentiment que deux ou trois envoyés de l'Yvonnette Cléoste se tenaient tapis là, prêts à lui infliger une brutale damnation. Il s'agissait de traînées sombres où toute lumière disparaissait, et où le reflet même du miroir s'interrompait pour renaître plus loin. Elles étaient toujours à gauche de la glace, longilignes avec des formes de dos voûté ou d'organismes vaguement humains s'appprêtant à se tordre pour bondir. Il n'avait aucune idée de ce que cela pouvait être. Soucougnans ? Engagés ? Zombis traditionnels ? Tisapotille ? Deux-trois catégories de diablesses nouvelles ? Il était remonté à maintes reprises dans les bois pour chercher Man L'Oubliée et lui demander conseil. Mais il ne la trouvait plus. Elle avait disparu de cette terre, ou alors elle avait décidé de ne plus se montrer. Persuadé qu'elle ne l'abandonnerait jamais en face d'un risque mortel, il s'expliqua cette absence en imaginant, une fois encore, qu'elle désirait le laisser régler seul cette affaire et affermir en pleine autonomie les voies de son destin.

Le temps s'écoula ainsi entre Déborah-Nicol Timoléon qui débloquait de plus en plus, et Sarah-Anaïs-Alicia qui commerçait avec des êtres indiscernables. Le jeune bougre attendait son réveil, et l'accueillait comme un perdu quand elle sortait de la chambre. Il examinait sa peau tandis qu'elle lui souriait tendre et déclarait avoir grand-faim. Il surveillait surtout son ventre en redoutant qu'elle ne soit enceinte d'une monstruosité. Si bien qu'il essayait de deviner un changement dans la courbe de ses hanches, calculait les profitations de ses seins sous le drapé de ses drôles de vêtements. Le sentiment qui l'aimantait vers Sarah-Anaïs-Alicia était dénaturé par ces êtres invisibles qui pouvaient accéder aux saveurs de sa peau. Son élan vers elle tournait alors à vide, comme une vapeur amère qui ne trouverait pas de sortie et lui gâterait le sang. Il ne comprenait rien à ce qu'elle était devenue. Il se persuadait que sa douceur s'était dissoute, qu'elle s'était transformée en mégère acharnée à le faire souffrir. Son mystère se décomposait en un affreux rébus dont il aurait voulu dégager son esprit. Il cherchait moyen de s'en défaire. Se répétait qu'elle était folle, que ce n'était qu'une donzelle à lubies dont il fallait s'éloigner au plus vite. Il lui recherchait des défauts dans les yeux, dans le nez, dans la peau, dépréciait sa démarche en flottement somnambule, transformait sa douceur en mièvrerie et ses lectures interminables en oisiveté crasse. Il s'efforçait de trouver des signes qu'elle se moquait de lui, qu'elle le détestait même. En d'autres jours, ces affres disparaissaient. Il finissait par admettre que ce qui le faisait souffrir était justement ce qui le fascinait. Qui l'enchantait à-toute... L'agonisant comprit comment, dans ces tourments contradictoires, il avait voulu en fait que Sarah-Anaïs-Alicia devienne une jeune fille ordinaire, sans mystère, sans douceur, sans rien de cette astrale innocence qui allait pourtant la rendre inoubliable. *À force de l'adorer, et pour mieux l'adorer, je voulais détruire ce que j'adorais tant...*

Le jour, pour ne pas la quitter, il se plongeait à corps perdu dans ses lectures de Saint-John Perse. Elle lui lisait ses passages préférés, et lui, les commentait. Il tentait en douce de se rapprocher de son corps. Il eut plus d'une fois envie de se pencher vers elle pour lui happer les lèvres.

Mais il n'osa jamais, désarmé par la clarté de son regard, ou par l'idée que ces lèvres et ce corps étaient déjà conquis par des démons. Au moment de son bain (ou quand elle s'attablait en compagnie de Déborah-Nicol), il prétextait on ne sait quoi pour se rendre à l'étage et saturer sa chambre de protections sorties des délires de la Bonne. Cette dernière disposait elle-même des bols de rhum un peu partout et notait leur niveau pour savoir si des esprits étaient passés par là. Elle avait acheté un morceau de satin noir pour y rouler un bout de bois-moudongue, une racine de roseau, une écorce d'ail et une prise de sel, et elle serrait le tout quelque part dans la chambre...

Ces protections durent quelque peu marcher. Si la plupart des marques demeuraient à voguer sur le corps de Sarah-Anaïs-Alicia, elles eurent tendance à s'estomper, à refluer en masse. Mais, hélas, elles revenaient en force. En certaines semaines, elles disparaissaient ou devaient apparaître en des endroits inaccessibles au regard du jeune bougre. Sarah-Anaïs-Alicia paraissait plus superbe que jamais. Il ne pouvait s'empêcher d'en éprouver un plaisir infini. La voir s'épanouir ainsi était un pur bonheur, même s'il se mêlait (au creux même de ses os) à la douleur de la savoir offerte aux êtres-dans-les-miroirs. L'agonisant se plut à revivre cette condition particulière. Lui, dans cette première amour, tiraillé entre une jalousie et une abnégation qui l'incitait à vouloir le bonheur de cet être de douceur. La jalousie s'exerçait durant ses insomnies, longue, épaisse, veule, avec des idées de meurtre et de vengeance ; il voulait forcer sa chambre et balancer de l'eau bénite à la face des miroirs. Il voulait même la frapper, l'étrangler, et surtout conserver son cadavre à la manière de ce gardien de cimetière. Il avait maintes fois envisagé cette possession totale qu'aurait permise son corps sans vie, ce corps offert à mort, auquel il aurait pu vouer sans résistance son immense sentiment.

Au jour chantant, ces pensées ignobles refluaient comme un cauchemar. Il l'accueillait à la porte de la chambre et retrouvait son éclat de caïmite. Il se mettait à fondre devant elle : devant son teint lunaire, ses yeux plus éclatants qu'un sel sur du marbre noir, son sourire de grandes récoltes de mandarines, ses gestes tendres plus odorants qu'un panier d'orchidées. Le baiser enjoué qu'elle lui donnait parfois, sa manière de lui prendre le bras pour descendre l'escalier en direction de la cuisine où la Bonne avait déjà posé son bizarre petit déjeuner et où Déborah-Nicol, paupières gonflées, les yeux rougis par ses travaux nocturnes, les attendait en bougonnant... Voilà, mes amis, je découvris ainsi ce qu'était la passion : un mélange de sentiments contraires, une peur inouïe de la perdre et cette certitude encore confuse que je la perdrais vraiment ! Cette jalousie qui montait comme une nuit de mon cœur d'ombre, et ce tendre don de moi-même ! Cette aspiration vers une clarté qui me forçait à me dépasser pour assurer son bonheur sans pièce arrière-pensée, et son bonheur dont je me savais exclu !... C'est pourquoi toute passion est tragique ! Elle est nourrie de mort et donc de vie extrême, cassée entre le désir funeste et la volonté tendre, entre la griffe prédatrice et la main bien ouverte d'un bonhomme sanctifié ! Qui n'a pas connu tout cela en même temps, ne sait fout' rien de la passion !...

Tout en lui était tendu vers elle. Ses peurs, ses colères, ses envies indistinctes, sa folle pulsion sexuelle déjà embryonnaire, sa volonté de survivre à la Malédiction de l'Yvonnette Cléoste... s'étaient nouées sur cet unique objet. Sarah-Anaïs-Alicia devenait le pôle exact de sa survie. Elle focalisait tout ce qui manquait en lui, et ce manque, révélé par elle, devint comme une blessure impossible à guérir. Manh Nga (rencontrée bien des années plus tard) aviverait cette blessure... puis la Congolaise aux belles lèvres, morte dans une rue de Léopoldville... puis l'Algérienne qui devait perdre la vie dans les fils barbelés... puis cette Bolivienne et son affreuse momie... puis l'Indienne bossue dans le temple délaissé... puis tant d'autres... tant d'autres créatures qui hantaient sa mémoire comme des zombis indiscernables... *À chaque fois, elles m'avaient transformé en un manque total!* Même s'il n'avait voulu leur prendre que des plaisirs de chair et s'était comporté en bête libidineuse, certaines parvenaient à éveiller ce manque, et il se retrouvait sous leur emprise comme au temps de Sarah-Anaïs-Alicia, aussi démuni, aussi faible, acceptant aux abois la servitude d'une obscure dévotion. Quand il avait vécu une telle soumission dans son rapport à l'une de ces créatures, il en sortait enclin à une violence extrême envers les autres. Cela se traduisait en ce besoin total de les avaler presque. *Qu'étaient ces sentiments voraces aujourd'hui disparus ?* Il conserva d'elles — pauvres femmes consumées qui payaient pour les autres — comme une braise effervescente qui ne subsisterait que par le souvenir de son effervescence seule... Il ne distinguait même plus ces fornications qu'il avait adorées dans des huttes de feuilles, des grottes, des caves, des caches, des tunnels asphyxiants... Sa mémoire avait gommé ces luttes de chair (les mouillures, les sucées, pénétrations sauvages, morsures et cris ensoleillés) pour ne garder qu'un sentiment d'inatteignable. Il les possédait mais cette possession ne possédait rien. Il les avalait mais rien ne subsistait dans son corps affamé. Il demeurait inassouvi irrémédiable. Leur beauté rejaillissante après la défaite de leur chair le précipitait dans le même aux-abois : *Elles étaient belles ho!* Toutes étaient belles et le restaient... Il ne pouvait que s'extasier sur ces beautés — beauté une et multiple qu'il passerait sa vie à essayer de définir... L'agonisant se dit que son émoi pour la beauté exprimait quelque chose de disparu en lui, quelque chose qu'elle laissait deviner et qui ouvrait cette plénitude admirative. *Elles détenaient la clé d'une partie de moi-même, et cela les rendait belles !...*

Sa vie aurait pu s'éterniser comme cela si l'Yvonnette Cléoste n'avait une fois encore prouvé son obstination à le persécuter. Ce fut une nuit. Il entendit Sarah-Anaïs-Alicia hurler. Son cri déchira toute la maison en deux. Il s'éveilla d'un coup et bascula dans l'escalier, dégringola comme un mangot cueilli, se rattrapa en vive souplesse, et remonta les marches en courant. Le cri résonnait encore avec toute la douleur de l'univers. Il se disait que c'était Sarah-Anaïs-Alicia qui criait et, en même temps, il ne pouvait y croire : ce cri allait au-delà de la gorge humaine. Une gorge tellement poussée à l'extrême des souffrances que toute chair semblait y avoir explosé... Il défonça la porte d'un coup d'épaule et pénétra comme une furie dans la pénombre où les miroirs ouvraient leur monde de luisances féeriques. Et il la trouva endormie, tranquille, plus royale, plus tendre et plus belle que jamais. Il tourna en rond dans cette chambre si paisible qu'elle semblait enfoncée dans une ouate. Il en sortit presque honteux, persuadé d'avoir été victime d'une mal-entendance.

Le lendemain, il sut que quelque chose avait quand même eu lieu. Si Déborah-Nicol Timoléon (prise dans ses recherches et ses tétées de rhum) n'avait rien entendu, la Bonne, elle, avait bien tardé à quitter son refuge ; elle avait attendu que la lumière en cours dans l'univers connu soit bien celle du soleil, et avait fini par apparaître couverte de son chapelet, la tête prise dessous le bouclier d'une toile blanche imprégnée d'alcali, et le regard en désarroi de ceux qui ne comprennent plus le sens qui danse de l'existence. Sur le coup de midi, Sarah-Anaïs-Alicia sortit de son sommeil aussi belle que toujours, avec juste cette marque sur le front, une petite marque un peu ovale, comme un index que l'on aurait posé sur elle. Cette marque était ano-

dine, à tel point que la Bonne ne s'en aperçut pas et qu'elle accueillit la fille-douceur avec les baisers du plaisir. Pourtant, cette marque précipita le jeune bougre dans l'angoisse sans limites. *C'est un doigt qui l'a touchée là, soit pour lui soumettre l'esprit soit pour le lui voler!* Il sut làmême que l'Yvonnette Cléoste était tombée comme il le craignait sur la tendre existence de Sarah-Anaïs-Alicia. C'est pourquoi il se mit à songer très fort à Man L'Oubliée, une tension totale de son être, un appel majeur qui le noua de douleur devant la Bonne et Sarah-Anaïs-Alicia...
Man L'Oubliée seule pouvait la sauver, mais il ne savait pas comment la faire venir...
C'est alors qu'il songea aux miroirs...

Il les regarda autrement que d'habitude. Non pas avec l'idée d'y surprendre un des zombis de l'Yvonnette Cléoste, mais avec le désir d'y rencontrer Man L'Oubliée. Regarder les miroirs en l'appelant et en s'apprêtant à la voir dans un même élan du corps et de l'esprit.
Et il la vit.
C'est sûr que je la vis!
Non pas une bête image d'elle debout dans le miroir *(jamais vu ce genre de diablerie dans les miroirs de Sarah-Anaïs-Alicia!)* mais une irisation fugace, étincelante, qui se tenait dans un coin de la glace devant laquelle il se trouvait, et qui se répercutait au même endroit dans toutes les autres. Comme un point de soleil, capté on ne sait comment car la lumière extérieure ne tombait pas dans le salon. Le sentiment de bienfaisance qui l'habita à la vue de cette lueur lui permit de savoir qu'il s'agissait de Man L'Oubliée.
C'est elle qui était là!
Au même instant — et sans exagérer — on entendit *Tototo!* frapper à la porte. Le jeune bougre dépassa la Bonne qui s'y rendait déjà, en hurlant *C'est Man L'Oubliée!* Quand il la vit devant lui dans l'encadrement

de la porte, toute simple dans sa robe de négresse-bois, avec son paquet de toile, son panier caraïbe, et son air impassible, il crut se trouver en présence d'un grand arbre. D'une grande force inaltérable. Lui qui, depuis des mois, vivait les insomnies de cette passion, et mesurait son impuissance, eut le sentiment qu'une armée entière était là, debout sur le seuil, et prête à le défendre. Il aurait voulu tomber dans ses bras avec reconnaissance. Tout lui dire. Tout lui raconter. Mais rien dans l'attitude de Man L'Oubliée n'autorisait un tel débordement. Le jeune bougre demeura en face d'elle dans l'attitude qu'elle lui avait apprise : l'impassibilité digne, la tête haute, le torse abandonné mais ouvert, et l'âme sereine.

— *Sa'w ou fè yich mwen...* Bonjour, mon fils... lui dit-elle. C'était la première fois qu'elle usait d'un tel mot. Sans doute une marque d'affection. *Fils* ne voulait pas dire qu'il était de sa chair, mais qu'il se situait dans l'ordre de son cœur. Et le jeune bougre sut que cette marque inhabituelle était en fait un redoutable avertissement destiné à ces êtres qui peuplaient les miroirs. Elle avait tenu à leur dire que celui-là était sien, hors d'atteinte de leurs furies et féeries.

Comme le monde en ce temps-là était enchanté [1] *!* se répéta sans doute l'agonisant. En revivant cette part de sa jeunesse, il se croyait plongé dans ces contes de pleine lune que développaient les Da pour calmer leur marmaille. À l'époque, il avait cru à tout cela : à cette Malédiction qui infectait le monde, à ces êtres serrés dans les miroirs, à ces marques rouges causées sans doute par l'œuvre cannibale des moustiques, à cette forêt qui grimpait aux façades et n'attestait que de l'absence d'un jardinier sérieux, aux délires superstitieux de la Bonne, à la féerie qui imprégnait cette vieille maison de Saint-Joseph...

1. *Mon enfance sorcière !* par M. Balthazar Bodule-Jules, sur Radio Espérance, 1998.

Tout cela était effrayant à l'époque!
Tout cela était bien bon à présent!
Il se le repassait dans la tête en riant doucement, et en essayant de retrouver les émois de ce temps. *Patate pistache! j'ai perdu une innocence!* Honte à ce qui désenchante le monde, honte à ceux qui n'inventent plus de monstres et qui ne créent pas, de temps en temps, un dieu, un peuple, un paysage où les arbres s'enracinent au soleil!... Je vis le plaisir faire frissonner son corps dans le fauteuil des dernières solitudes. Il se tenait le cœur en souriant, comme pour l'entendre battre plus fort. Il était content de cela, comme d'une ancienne absinthe amère dont il apprécierait trop tard le sucre inattendu.

Déborah-Nicol Timoléon fit entrer Man L'Oubliée dans la cuisine. La Bonne lui offrit une timbale de café avec une moue dédaigneuse. En sirotant le breuvage, Man L'Oubliée se renseigna sur l'avancée des savoirs du jeune bougre. Déborah-Nicol lui détailla (avec force anecdotes) l'intelligence et la rapidité de ses acquisitions. Man L'Oubliée hochait la tête, avec une satisfaction de petite négresse-campagne écrasée par ce lot de savoir. La Bonne la regardait comme elle l'aurait fait d'une négresse de boue, indigne de la maison; elle n'admettait pas que M. Timoléon (même par reconnaissance) puisse lui accorder un autant d'importance. Là encore, le jeune bougre percevait l'immense simplicité de Man L'Oubliée. Elle regardait tout le monde, et la Bonne encore plus, avec respect, bienveillance, déférente attention. *Elle était vraiment invisible aux yeux du commun des mortels!* Là où lui percevait les frondaisons d'un être immense, les autres ne voyaient rien. Sauf peut-être Sarah-Anaïs-Alicia. Devant Man L'Oubliée, elle baissait les paupières, et se tenait comme un petit ange qui verrait s'approcher un des archanges de la Bible d'Israël, une présence insondable qui brisait l'ordre des choses. Man L'Oubliée ne l'avait pas beaucoup regardée, ni même la marque qu'elle portait à son front. Elle ne s'était intéressée qu'à Déborah-Nicol en train d'expliquer que son brillant élève serait bientôt *prêt pour l'examen des bourses, puis pour le lycée Schoelcher, avec quelques années de retard mais il est tellement brillant que cela ne posera aucun problème !...* Alors Man L'Oubliée expliqua qu'elle aurait besoin de lui de temps en temps, un jour ou deux dans le fil d'une semaine. Déborah-Nicol Timoléon trouva cela compatible avec les études et les travaux en cours. Quant au jeune bougre, la simple idée de renouer avec Man L'Oubliée le plongea dans une joie sans limites. Il repartit avec elle ce jour-là. Il voulut en profiter pour lui exposer les problèmes de Sarah-Anaïs-Alicia, lui révéler que l'Yvonnette rôdait autour de la maison. Mais, quand il se retrouva seul avec elle, pris dans le silence ruminant des grands-bois, il ne sut que se taire en éprouvant le sentiment qu'elle savait déjà tout, et qu'elle la protégeait déjà.

L'agonisant se dit que Man L'Oubliée était venue le chercher avec sans doute l'idée de lui apporter un complément de formation qui devait l'aider à sauver Sarah-Anaïs-Alicia. *Elle m'avait montré quoi ? Quelles expériences ? Quelles leçons que je n'avais pas su lire ?* Il se vit quittant la maison, traversant Saint-Joseph sur ses talons et retrouvant d'un coup ses manières des bois. Puis il mobilisa en lui une longue enfilade d'expériences anciennes qui s'emmêlèrent, se complétèrent jusqu'à mettre en relief des significations neuves... Et à mesure à mesure, par la grâce sans espoir de cette longue agonie, il se mit à mieux distinguer les leçons qui lui avaient été données...

LEVER LA MAIN. Au moment de son immense peur pour la survie de Sarah-Anaïs-Alicia, Man L'Oubliée avait voulu lui montrer les êtres malfaisants. De tout temps poursuivi par une diablesse, il n'avait jeté jusqu'alors sur le monde qu'un vieux regard sans innocence. Mais cela ne devait pas suffire. Elle tint donc à lui montrer à quel point le mal était présent partout, en chacun de nous, et pouvait fracasser l'esprit le plus solide. Après l'esclavage, les hommes s'étaient répandus dans le pays, et avaient tenté d'être heureux du mieux possible. Mais les miasmes de la vieille Malédiction étaient d'autant plus virulents que tout le monde s'efforçait d'oublier le passé. Le jeune bougre découvrit alors une autre facette de l'activité de Man L'Oubliée : dénicher les faiseurs de malfaisances quand ils parvenaient à échapper à la justice des hommes.

Il se rendit avec elle dans un quartier des hauteurs du Vert-Pré où une petite case se mettait à brûler sans rime ni raison. Ceux qui logeaient là-dedans étaient des gens très bien. Ils ne demandaient rien à personne et vivaient en bonne intelligence avec le reste de leur quartier. Le bougre s'appelait Gustavo, et la madame avait pour petit-nom Anastasie. Ils avaient neuf enfants dont un en chantier avancé. Quand la case se mit à brûler toute seule, en plein soleil-midi, on vint les chercher dans l'usine du Gros-Morne où ils battaient misère. Ils revinrent sur les lieux pour constater qu'il ne restait plus rien de leur case et de leurs affaires, sinon les charbons et les cendres. Ils reconstruisirent avec l'aide de tout le monde et même de l'abbé du Gros-Morne qui fit une messe pour eux. Mais ils avaient à peine tourné le dos, le mois suivant, que la case s'enflamma encore. D'un coup, comme un sec de savane au milieu du carême. Elle se consuma avec une rapidité digne des gorges de l'enfer. Ils reconstruisirent avec mille précautions mais pour la voir brûler encore, sans autre forme de manière.

Sur les conseils de voisins avisés en matière de déveine, ils la reconstruisirent avec l'aide d'un quimboiseur. Mais le temps de vous dire ça, au lendemain-midi, la case se prenait de feu à nouveau et se consuma une fois encore. Il faut imaginer la détresse de Gustavo et d'Anastasie, et celle de leurs enfants. Cette affaire durait déjà depuis trois ans. Ils devaient à chaque incendie dormir un peu partout, au clair de lune, aux froidures de serein; les enfants les plus petits trouvaient à s'abriter selon le bon-vouloir charitable des voisins. Durant les brèves périodes où la case était reconstruite, ils avaient du mal à trouver le sommeil. Tous craignaient de se voir flamber sans rémission durant la nuit. Ils en perdirent la santé, et toutes sortes de sourires. C'était si désolant qu'on fit crier Man L'Oubliée, car il fut clair pour tous qu'il y avait quelque part un malfaisant qui les persécutait.

Quand Man L'Oubliée arriva sur les lieux, la case fumait encore. Le bruit avait couru qu'un Mentô descendait, et tout le monde fut déçu de voir apparaître cette petite madame qui n'avait pas l'air d'être sortie des enfances. Les gens du quartier restèrent tout de même pour la regarder faire, tellement ses manières étaient directes et assurées. Elle tourna autour de cette ruine avec l'air de vouloir déchiffrer les amas de charbon. Puis, devant le quartier rassemblé, de plus en plus intrigué par cette jeunesse qui semblait connaître des choses, elle rassembla quelques feuilles cueillies de-ci de-là dans les raziés des environs. Man L'Oubliée sortit d'un baluchon deux-trois racines inconnues, elles avaient des formes fripées de poupées miniatures. Man L'Oubliée les écrasa longtemps dans une petite calebasse que Gustavo lui avait dégarée. Elle y ajouta les feuilles et arrosa le tout avec l'eau de rivière. La calebasse se remplit d'une mousse verdâtre à reflets rouges, qui paraissait vivante. Les voisins assistaient à la préparation. Temps en temps, le visage impassible de Man L'Oubliée se relevait vers eux, et son regard pas mol les dévisageait l'un après l'autre. Ses gestes étaient tellement précis, concentrés, qu'un silence sans faille tenait les environs, comme si l'on participait à une grand-messe d'évêque.

Puis Man L'Oubliée se redressa, tourna autour de la case incendiée trois fois par la gauche, puis trois fois vers la droite; enfin elle aspergea les ruines en déclarant à haute voix que cette composition allait terrasser le coupable, et qu'il mourrait dans les trois jours, brûlé de même manière et autant de fois que cette case, et pour des siècles et des siècles...
La prédiction fit roucler l'assistance.
La Voix avait résonné comme une trompe de lambi. Elle s'était répandue jusqu'à cent mètres aux alentours, à croire qu'elle avait été amplifiée par tout ce qui se trouvait à proximité. Donc, il n'y eut pas une âme des environs qui ne fût en mesure d'entendre la menace, et qui ne se sentît frissonner. La voix ne s'était pas tue que chacun regardait l'autre, soucieux de voir lequel se mettrait à brûler.

Man L'Oubliée s'installa sous un manguier auprès d'un feu pour passer la nuit, et se mit à attendre elle aussi. Gustavo et Anastasie avaient trouvé un hébergement chez une voisine. Leurs enfants avaient été répartis dans différentes cases. Le jeune bougre demeura toute la nuit auprès de Man L'Oubliée. Elle était plus impassible et absente que jamais, tandis que la nuit s'étirait, et que le froid des petits vents luttait avec la douce chaleur du bois ti-bombe qu'elle avait allumé. Le jeune bougre prit sommeil rapidement, en tout cas avant l'aube, car en présence de Man L'Oubliée toutes ses craintes s'apaisaient, même l'invincible tourment causé par le danger que vivait Sarah-Anaïs-Alicia s'estompait quelque peu. Il pouvait alors se détendre, et se livrer à des sommeils réparateurs comme il n'avait pu le faire durant plusieurs années. De gros sanglots le réveillèrent.

Un vieux bougre s'était avancé un peu avant l'aube vers leur campement. Il s'était glissé à quelques mètres d'eux, s'était agenouillé, et s'était mis à pleurnicher comme une marmaille. Le jeune bougre comprit là-même qu'il avait affaire à l'incendiaire. Man L'Oubliée n'avait pas bougé la tête, toujours impassible, elle semblait perdue dans des pensées qui n'étaient pas de ce monde, et ignorer le vieux bougre en souffrance. Après avoir pleurniché durant un bon moment, il parvint à former des mots entre ses lèvres tremblantes ; il demandait pardon ; il secouait la tête et se frappait la poitrine en ronflant *C'est moi c'est moi-même* ; il s'accusait d'avoir incendié la case sans pourquoi ni raison, qu'il était seul et qu'il trouvait Anastasie si belle, et les enfants si beaux... L'incendiaire s'appelait Holéon, on le considérait comme un peu quimboiseur. De temps en temps, on le consultait pour de petits problèmes sur la santé des poules et des cochons. Il vivait à l'écart du quartier, très gentil mais trop muet et beaucoup ténébreux. Durant plus d'une heure, il gémit pour Man L'Oubliée qui ne le regardait même pas. À la fin, elle lui dit : *Tu sais déjà ce que tu dois faire...*

Quand le quartier se réveilla, l'incendiaire était en train de déblayer les ruines de la case, et de commencer à reconstruire. Il se jeta aux pieds d'Anastasie pour lui mander pardon. Gustavo voulut le hacher petit-petit avec son coutelas, et les gens se mirent à le poursuivre pour le pendre par les graines. L'incendiaire s'enfuit à quatre pattes, de manière si définitive qu'on n'entendit plus jamais parler de lui... Le jeune bougre avait interrogé Man L'Oubliée sur l'affaire d'Holéon l'incendiaire, mais elle avait été très laconique, lui disant que la mixture n'était qu'une tisane bonne pour les vers et qu'elle n'aurait pas fait de mal à quiconque. Elle avait simplement servi à retourner vers l'incendiaire cette même angoisse qu'il répandait, sa propre méchanceté lui était revenue comme un vent qui dévire. La jalousie qu'il éprouvait jusqu'au délire l'avait en finale empoisonné. L'agonisant dut sourire en pensant à ces fois où, durant ses guerres de par le monde, il avait retourné des angoisses contre leurs envoyeurs, des traqueurs qui se voyaient soudain traqués, des tueurs qui se voyaient brusquement exposés à la gueule de la mort. Il avait toujours pratiqué cette technique, lui qui s'était souvent battu sans moyens et sans armes contre des adversaires plus cruels et plus puissants que lui. C'était leur propre cruauté qu'il fallait leur retourner. Et le soir, alors que l'affaire Holéon lui passait par la tête, le jeune bougre n'avait pas compris qu'il lui aurait fallu renverser cette angoisse qui tombait des miroirs. Ne pas craindre ces lueurs et ces reflets et ces êtres invisibles qui rôdaient autour de Sarah-Anaïs-Alicia, mais trouver le moyen de leur renvoyer cette angoisse qui le torturait au plus profond de lui-même.

Une autre fois, ce fut plus douloureux. Une pauvre femme avait été empoisonnée par on ne savait qui. On l'avait retrouvée dans son jardin, bleue et gonflée comme daurade au soleil. On avait pensé à un serpent mais aucune trace de morsure n'avait pu être trouvée.
C'était donc une malfaisance.
Elle s'appelait Antoinette Siloé, et laissait cinq enfants déjà sortis de l'enfance et offrant déjà leurs sueurs aux békés des usines. Mais son veuf — un crié Ephestion — se tourmentait de la voir partir ainsi sans une vengeance et sans savoir qui lui avait jeté ce sort. Autour du corps et de la veillée, il avait appelé un quimboiseur sinistre, aux yeux rouges, qui n'avait rien trouvé. Le veuf était dans un tel désespoir à l'approche de la levée du corps qu'il s'effondra comme un sac vide, avec des larmes tellement amères qu'elles fumaient sur sa peau, et laissaient à penser que c'était sa vie même qui s'en allait comme ça.

Alors, on ne sait qui avait appelé Man L'Oubliée.

Elle était arrivée en fin de matinée, au moment où le cercueil était déjà fermé. Le quartier n'avait pas de nom. C'était un amas de petites cases en paille bien perdu dans les mornes, d'un accès tellement difficile qu'il fallait recourir à des lianes-mahaut pour passer les ravines. Un de ces endroits que les nègres marrons avaient niché bien loin des plantations, hors d'atteinte des colons et des chasseurs des bois. La loi interdisait d'enterrer les gens dans ces coins désolés ; il fallait ramener le corps au cimetière du bourg, à dos d'homme, et obtenir les autorisations, puis l'ultime sacrement de l'abbé. Les porteurs avaient disposé la malheureuse sur un brancard-bambou pour l'emmener-descendre. Man L'Oubliée arrêta la descente vers le bourg, et leur demanda de faire tourner le cercueil autour des gens qui étaient là. Et elle affirma à haute voix (un grondement qui secoua les feuillages) que la morte désignerait elle-même son empoisonneur.

Il y eut un tremblé général.

Même le veuf sentit soudain une inquiétude lui prendre la gorge. Le quartier était au garde-à-vous. Les gens s'étaient déjà sanglés dans leur linge-cimetière, la larme à l'œil, tous étaient là sans exception. Quand le cercueil se mit à avancer, que les porteurs allèrent à gauche, puis à droite, puis foncèrent droit devant, un peu au hasard, telles des marionnettes livrées au vouloir du cercueil et de la malheureuse. L'effrayant équipage se faufila parmi les gens, s'arrêtant devant celui-ci, tournant autour de celui-là ; il y eut de petites tremblades que chacun tentait de maîtriser. Chacun espérait voir le cercueil s'arrêter pour montrer le coupable, mais chacun craignait qu'il ne se trompe et ne s'arrête sur lui. On se mettait à transpirer quand le cercueil venait vers soi, mais on présentait de toute urgence la clarté de son âme, et le fond de son cœur, et les porteurs se sentaient déportés sur la gauche ou la droite.

Cette affaire dura près d'une vingtaine de minutes dans le silence le plus glacial qui se soit fait entendre dans ce côté du monde. On finissait par espérer que le coupable n'était pas du quartier. Mais soudain, le cercueil se pointa sur une madame. Une personne un peu troublante, au regard d'ombre sans lune. Elle ne semblait pas vivre à la même époque que tout le monde, la toile de sa robe était très ancienne, et sa coiffe de madras n'était pas nouée à la manière du temps. Tout semblait d'un autre âge en elle, poussiéreux, dépassé, décati, sorti d'un lieu d'antan. Elle avait eu tendance à se reculer dès que Man L'Oubliée était apparue. Quand le cercueil fit mine d'aller vers elle, l'aïeule se mit à héler les treize malpropretés du pot de chambre des enfers. Cela fit sursauter les porteurs qui lâchèrent le cercueil, lequel tomba sur elle, lui creva la poitrine. Le veuf bondit pour l'étrangler, mais on le retint, et malgré ses damnations on le tint immobile. Man L'Oubliée rejoignit d'un pas tranquille l'aïeule qui toussotait sous le cercueil. Elle avait les yeux opaques, durs comme de petites roches. Elle paraissait mourir sans avoir peur, et en colère définitive. Man L'Oubliée utilisa la force de sa Voix pour l'obliger à la regarder; alors ses pupilles devinrent un peu moins sombres, et les traits de son visage s'animèrent. Man L'Oubliée lui ordonna de dire pourquoi elle avait empoisonné la malheureuse qui se vengeait ainsi. Mais elle eut une sorte d'injuriée à l'intention du veuf, puis éclata d'un grand rire de mulet qui fut sa manière de rendre l'âme, et de s'en aller, et sans qu'on en sache plus.

Man L'Oubliée se fit conduire à la case de l'empoisonneuse. Elle était toute en paille, l'intérieur était nu, mis à part une paillasse, une carafe, de petites timbales. En déchirant la paillasse, Man L'Oubliée trouva d'étranges racines tortueuses, des feuilles aigries, des bouts d'écorce qui sentaient le malheur. Elle examinait les feuilles et les écorces comme s'il s'agissait de calamités qui n'auraient jamais dû se trouver là. Elle fit sortir ceux qui s'attroupaient derrière elle, soucieux de voir surgir des diables, et avec un flambeau que le veuf lui fournit, elle incendia la case. Le jeune bougre fut surpris de voir qu'elle ne chercha pas plus avant la raison du mal. Que cette aïeule ait décidé de tuer la malheureuse allait dans l'ordre des choses, et il y avait une telle méchanceté dans sa mort que c'était sûr que cela provenait d'elle. Peu importait le pourquoi. Man L'Oubliée s'accommodait bien de ces mystères. Elle considérait la Malédiction presque comme autonome, allant par-là, pénétrant n'importe où sans trop de raisons valables ; elle la combattait comme une force globale qui ne trouvait que des asiles inexplicables parmi les hommes... Et l'agonisant se souvint de sa propre manière de combattre auprès des peuples tracassés, il allait de terre en terre, de pays en pays, luttant contre le mal, contre le colonialisme et contre les oppressions, il ne s'intéressait même pas au détail des malheurs si ce n'était par cette soif qu'il avait des femmes, des cultures, des mémoires et des lieux. Il combattit sa vie durant une entité aussi diffuse que celle que Man L'Oubliée pourchassa durant son existence.

En certaines occasions, la lutte lui fut incompréhensible, comme cette fois où il l'accompagna dans un quartier perdu dans la région du Macouba. Là, ils furent accueillis par une personne impressionnante. Le jeune bougre (sensitif comme une bête) le vit arriver et sut que ce nègre à peau rouge était une puissance vivante. Pourtant, il s'adressa à Man L'Oubliée comme un petit garçon, il semblait heureux de la voir, et lui tint la main en la secouant avec respect. Il s'appelait Cousu Boniface, on le criait Papa Boni. Man L'Oubliée le suivit dans une case sans qu'ils échangent parole, et ils se trouvèrent en présence d'une jeune fille en fraîcheur. En la voyant, le jeune bougre ne put s'empêcher de songer à Sarah-Anaïs-Alicia. Elle avait le même âge, la même couleur de peau, seule la douceur irréelle n'imprégnait pas ses traits. Et son corps était pâle comme un œuf de tortue, on voyait ses veines, et son épiderme semblait une liqueur transparente qui lui collait aux os.

Elle était en train de mourir.

La famille était assise autour d'elle, sans un mot, accablée par le chagrin et par une force qui les clouait au sol. Ils ne levèrent pas la tête vers Man L'Oubliée, et demeurèrent comme des pénitents autour du corps de la jeune fille dont l'âme s'en allait lentement.

Papa Boni et Man L'Oubliée ressortirent, et allèrent s'asseoir devant la case où quelques voisins muets s'étaient rassemblés. On avait fait un petit feu sur lequel bouillait une soupe que l'on complétait à mesure des jours. On la servait à la ronde avec des quarts de rhum et du café-soldat. Visiblement, l'assemblée était ainsi depuis déjà trois lunes. Tout le monde restait sans une parole. Man L'Oubliée, assise parmi eux, accepta le bol de soupe fumante, et demeura elle aussi silencieuse.

Et durant des heures plus rien ne se passa.

Le jeune bougre avait bu deux ou trois bols de soupe. Il surveillait tout le monde pour surprendre un geste, un signe, le symptôme de quelque chose en marche. En même temps, il avait le sentiment qu'une intense bataille était en train de se livrer. Mais nulle tension ne se percevait. Seule la concentration de Man L'Oubliée, ses yeux perdus dans le vague, et la pétrification de Papa Boni lui paraissaient des signes d'une chose pas normale.

Papa Boni semblait ne plus respirer ; il était droit, avec un air bonhomme et un petit sourire sur sa face bienveillante, mais son corps était devenu aussi dense et opaque qu'une falaise de dacite. Au bout de quelques heures, en pleine nuit, le jeune bougre vit arriver le personnage le plus abominable qu'on pût imaginer. Un grand nègre, à peau claire, il portait un bakoua qui lui couvrait l'épaule comme une queue de rat mort, ne laissant apparaître que le feu de ses yeux, et son visage telle une grimace définitive. Il émanait de ce belphégor une vigueur innommable, et le sentiment qu'il était fait de haine. Il approcha de l'assemblée avec autorité et se mit à dévisager les gens comme s'il cherchait quelqu'un. Il découvrit Papa Boni, hésita un instant. Puis il vit Man L'Oubliée. Il se rapprocha encore et la fixa, à croire qu'il s'apprêtait à lui jeter une malédiction. Les voisins s'étaient éloignés à son approche comme si c'était diable-en-personne qui leur rendait visite. Qui fait qu'auprès du feu ne demeurèrent que le jeune bougre, Papa Boni, Man L'Oubliée.

Le maudit s'assit en face de Man L'Oubliée avec une lenteur effrayante, sans jamais la quitter des yeux. Le jeune bougre sentit passer sur lui des chaleurs et froidures. Papa Boni n'avait pas bougé, mais son visage avait perdu toute bienveillance. Man L'Oubliée par contre était restée la même, juste son regard qui laissa les hauteurs pour venir se poser, léger, sur le maudit. Et ils restèrent ainsi. Yeux dans yeux. Lui, plus bouillant qu'une flamme de l'enfer ; elle, plus sereine qu'un grand ciel sous vent doux. Ils se zieutèrent ainsi jusqu'à l'aube. Rien ne se produisait, rien ne bougeait, seul le maudit, à mesure que le temps s'écoulait, perdait du feu de ses pupilles et son bouillon mauvais. Le jeune bougre le sentait vaciller. Il coulait de manière insensible. Man L'Oubliée, elle, demeurait inchangée. Soudain, il se produisit quelque chose que le jeune bougre n'eut pas le temps de voir. Il retrouva juste le maudit avec la main bloquée à hauteur des tempes, comme s'il avait voulu jeter on ne sait quoi sur Man L'Oubliée et que son geste s'était vu stoppé net. Le jeune bougre vit Man L'Oubliée à la même place, mais ses mains

(posées sur ses genoux) avaient bougé : la paume était restée à plat, mais ses doigts s'étaient relevés pour accorer le
geste du bougre.

Ils demeurèrent ainsi.

Le maudit fut saisi main en l'air pendant une demi-heure,
yeux fous, corps haletant, on le sentait lutter pour sortir
de l'emprise, on le vit tressaillir, puis reculer en se traînant à la manière des crabes. Il recula ainsi jusqu'à dix
mètres plus loin, puis il se releva, salua Man L'Oubliée et
prit-disparaître dans la nuit.

Papa Boni retrouva sa bienveillance mais resta immobile,
comme Man L'Oubliée, jusqu'à ce que le soleil se lève. Les
voisins étaient revenus s'asseoir avec les yeux flottants : ils
n'avaient pas compris ce qui s'était produit. À l'aube, Man
L'Oubliée se leva, serra les mains de Papa Boni entre les
siennes, et s'en alla sans prendre nouvelles de la souffrante. Le jeune bougre survolté ne voulut pas la suivre, il
pénétra dans la case et trouva la jeune fille assise sur son
lit, la famille réveillée, heureuse comme sortant d'un cauchemar ; éclatante de santé, elle lui adressa un sourire
inoubliable : elle avait dû penser qu'elle lui devait la vie.
Rejoignant Man L'Oubliée, il lui demanda en vain ce qui
s'était passé. Elle ne lui révéla rien, ou presque, sinon que
la Malédiction pouvait se montrer en direct, et qu'il fallait
parfois *lever la main* pour lui dire non.

— Lever la main c'est quoi, c'est un geste ?

— C'est tout ce que tu veux, lui répondit Man L'Oubliée.
Et ce fut ce terme qu'il employa en bien des coins du monde
quand il voulut rallier paysans, ouvriers ou mineurs à sa
cause militante. Lui qui se battait souvent dans des
groupuscules contre un ennemi puissant, cherchait toujours de l'aide en répétant : *Il faut lever la main ! Levez
la main comme vous voulez mais levez-la pour signifier
au mal qu'il faut s'arrêter là !* Il le disait à maintes
reprises, puis s'en allait sous le poids de ses armes et de

sa solitude, avec à peine deux ou trois effarés qui tentaient de le suivre. Il avait eu le sentiment de lever la main pour tout le monde et s'en était très souvent chagriné, mais l'agonisant se disait maintenant : *Ma main était la leur, comme celle de Man L'Oubliée avait été celle des autres! Quand le mal est partout, la main peut être n'importe laquelle...*

DISCRÉTION ET SILENCE. C'est vers cette époque de lutte active contre des malfaisants qu'il lui arriva de rendre visite à des nègres bizarres. Certains vivaient dans les bois, d'autres en bordure des bourgs, d'autres parfois se trouvaient en pleine ville dans un quartier de tôle et de fibrociment. C'étaient des hommes le plus souvent âgés, mais pleins d'une telle vitalité qu'ils semblaient ne relever d'aucun calendrier. Beaucoup étaient gais, rieurs et joueurs comme Man L'Oubliée elle-même; lors des rencontres, le jeune bougre les voyait pêcher ensemble dans les rivières, dissipés comme des marmailles, à tel point que, sollicité pour les rejoindre, il refusait au prétexte que ce n'était plus de son âge. D'autres se montraient sereins mais d'un grave millénaire; ils étaient assis dans l'entour d'arbres anciens, ou vivotaient en moines-soldats dans une case invisible. Ils accueillaient Man L'Oubliée en silence, juste un signe de la tête, et s'asseyaient avec elle pour fumer; et ils restaient ainsi durant près de deux heures, dans un halo de gestes et de rituels infimes que le jeune bougre (qui s'ennuyait dans ce genre de visites) ne considérait pas. L'agonisant dut sans doute le regretter comme il l'avait fait en deux-trois occasions, car *Mes amis ho, sans m'en rendre compte j'avais rencontré des hommes de force, des Mentô, des énergies vivantes, qui étaient là en marge, à l'écart et en lutte contre l'aberration où nous étions plongés!...* Man L'Oubliée faisait montre d'un respect sans limites pour deux ou trois d'entre eux, et ceux-là l'honoraient encore plus.

Une fois, le jeune bougre se rendit avec elle dans une case en bois-caisse, en plein dans une verdure de Fort-de-France [1]. Elle entra en criant *Tototo* mais rien ne répondit, elle pénétra alors dans la case : un petit espace bien propre, net et clair, avec une paillasse sur laquelle était assis un vieux-nègre à tête ronde. *Une boule d'énergie !* Le vieux-nègre fermait les yeux, une main sous le menton, l'autre allongée sur l'une de ses cuisses, il semblait naviguer dans un ailleurs irrémédiable. Dans cette case, le jeune bougre s'était senti déporté loin. Man L'Oubliée le fit sortir là-même. Elle le prit par le bras pour le forcer à la suivre, il exerça une faible résistance sans trop savoir ce qui l'attirait là.

Ces nègres étranges intervenaient dans le pays comme Man L'Oubliée. Il n'existait pas de hiérarchie entre eux. Le fait qu'elle soit une femme ne leur posait aucun problème. Ils la traitaient comme l'un d'entre eux, avec le même respect et la même bienveillance : ils savaient sa force ; elle connaissait la leur. Le jeune bougre ne comprit jamais le sens de ces visites ; l'agonisant, lui, dut émettre l'hypothèse qu'elles leur rythmaient le temps, ou permettaient à chacun de se recharger de l'autre. Mais aucune de ces visites ne fut extraordinaire. En leur présence, Man L'Oubliée devenait très jeune, juvénile, agaçante de fraîcheur, de rires et de joie vibrante. Eux, la recevaient comme un vent frais, ou une pluie bienfaisante, et goûtaient sa présence comme on savoure une visite honorable. Une fois, une seule, il en vit trois ensemble, avec Man L'Oubliée, dans une affaire un peu tragique qui secouait un quartier. C'était un dorlis : il avait jeté son dévolu sur quatre ou cinq maisons, il y entrait durant la nuit, se jetait sur les femmes et travaillait leurs chairs jusqu'au moment de l'angélus. Ces malheureuses se réveillaient avec le corps

---

1. Sans doute la Doum du quartier Texaco.

meurtri, la coucoune plus en feu qu'une niche de fourmis rouges. Elles traînaient alors une fatigue sans remède qui les clouait au lit durant deux ou trois jours. Leur cou était couvert de morsures et de sucées ; leurs membres étaient fourbus, et leur ventre bouleversé, à croire qu'elles revenaient d'une série d'accouchements et de jouissances sans fin. Cela se produisait nuit après nuit. Les concubins qui ronflaient auprès d'elles ne s'apercevaient de rien.

En principe, le moindre quimboiseur de quartier était capable de stopper un dorlis. Il suffisait de déposer un bol de riz sur le pas de la chambre, des ciseaux en croix, ou d'enfiler une culotte noire à l'envers... pour que la personne convoitée se voie inaccessible. Mais, cette fois, les interventions habituelles n'avaient rien donné. Toutes protections inefficientes. Ce dorlis était d'une telle puissance qu'il avait le temps de compter chaque graine de riz, ou même de sable. Quant aux culottes noires, on les retrouvait grises, transformées en charpie. Les ciseaux en croix se voyaient voltigés et tordus en des formes ironiques. Pour contrer ce dorlis pas banal on fit crier un Mentô, puis un autre, et puis aussi Man L'Oubliée.

Ils avaient examiné la question et trouvaient utile d'être tous les trois ensemble. Ils s'assirent dans le quartier sans que les gens s'occupent vraiment d'eux : ils paraissaient insignifiants. Ceux qui les avaient appelés (par des voies indirectes) devaient même ignorer qu'ils étaient déjà là ; on les vit simplement, et on crut qu'il s'agissait de ces nègres voyageurs qui séjournent dans les quartiers durant leur descente vers l'En-ville. La nuit passa ainsi. Le premier Mentô s'appelait Papa Juskoloin, le second Papa Escarpé, et enfin Man L'Oubliée. Ils demeurèrent assis ensemble, à parler de pitts, de fleurs-bambous, de chasse aux écrevisses, une petite conversation de Négritos des bois qui ennuyait le jeune homme, lequel finit par s'endormir. Il avait juste remarqué que Papa Escarpé tenait dans sa main un drôle de bâton, sans doute en bois-moudongue ; et que Papa Juskoloin, lui, gardait à ses côtés une petite carafe, couverte de signes bizarres. Man L'Oubliée, elle, n'avait rien.

Vers minuit, le jeune bougre se réveilla à cause d'un crépitement inhabituel du feu. Les deux Mentô et Man L'Oubliée riaient en jetant dans les flammes une herbe qui dégageait une vieille odeur. Soudain, autour d'eux, il eut l'impression d'entendre un courir de cheval, puis un galopé de cabri, puis le bruit d'un pas qui venait-repartait, et qui prenait-courir éperdu autour d'eux. À chacun de ses passages, le pas se rapprochait, à croire que la flamme odorante l'attirait d'une sorte invincible. Le jeune bougre vit bientôt une forme humaine, incertaine, un homme sans doute, nu, qui semblait lutter avec lui-même ; il sautillait sur une jambe puis sur l'autre, reculait comme s'il parvenait à fuir quelque chose, et revenait en traînant les pieds à croire qu'une main l'empoignait au collet. Soudain, Papa Juskoloin se leva, vif, et lui donna un petit coup de bâton. Juste un coup. Léger. Un coup sans méchanceté, comme en riant. Cette touche libéra le dorlis. Il disparut dans les bois tandis que le jour se levait. L'aube ne s'était pas ouverte que Papa Juskoloin et Papa Escarpé avaient pris-disparaître. Man L'Oubliée s'était remise en route vers les bois en compagnie du jeune bougre qui piaffait pour savoir ce qui s'était passé. Man L'Oubliée, toujours aussi laconique, lui dit que le dorlis avait été attiré puis battu d'un coup de bois-moudongue qui ne pardonne jamais, et qu'on finirait par le retrouver dans un dalot du coin, cinglé d'une marque ineffaçable, et qui le désignerait aux yeux de tout le monde. Un dorlis repéré est un dorlis neutralisé à vie.

J'aurais dû m'armer d'un bout de bois-moudongue pour tenter de sauver Sarah-Anaïs-Alicia! Les regrets faisaient grimacer l'agonisant.Il pensait à ces hommes incroyables qu'il avait côtoyés sans même les reconnaître. Ils étaient demeurés invisibles à ses yeux. Comme il aurait tenté de déchiffrer leurs regards, d'élucider leur rire, de contourner cette insignifiance qui les dissimulait! Et, soudain, il se souvint d'une nuit phénoménale : Man L'Oubliée l'avait fait assister à une réunion fabuleuse des Mentô.

C'était un jour de nature folle. Les vents déboussolés annonçaient une furie prochaine. Un cyclone n'allait pas tarder à frapper le pays. Le jeune bougre suivait Man L'Oubliée depuis déjà deux jours. Ils s'enfonçaient loin dans les bois, montaient haut, n'en finissaient pas d'aller à travers des endroits jamais connus auparavant. La végétation se tordait sur elle-même; des vols de feuilles et de brindilles les cinglaient à chaque pas. Ils parvinrent en haut d'un morne, suivirent une crête aiguisée, atteignirent une zone plate, aux arbustes ras, où battaient une pluie drue, un vent glacé-désespéré. Là se tenaient des ombres. Assises tout-partout, enveloppées dans de vieux cirés, des bouts de laine, des bâches, des tresses d'herbe séchée. À leurs côtés tremblotait la flamme d'un petit feu qui résistait aux éléments. Man L'Oubliée s'avança parmi elles, s'agenouilla auprès de chacune de ces formes. Elles levaient alors la tête et lui tenaient la main avec des yeux rieurs ou graves; des reflets diffusaient des signes sur leur visage; leurs expressions étaient des jeux de rides sans fin. Elles poussaient un petit son rieur ou un grognement sérieux. Man L'Oubliée ne présentait le jeune bougre à personne. Il se tenait derrière elle. Certaines ombres ne le regardaient pas; d'autres le désignaient en disant *Ah c'est le petit de Limorelle...,* ou *A-a! c'est celui que la diablesse veut prendre!...* Puis l'ombre secouait la tête d'un air entendu, ou se mettait à rire comme une hyène ababa, amusée à l'idée qu'un jeune bougre comme cela puisse éprouver de belles frayeurs avec une diablesse aux trousses.

Quand Man L'Oubliée eut achevé son tour, elle en avait vu une dizaine, pas plus. Une dizaine de Mentô, tous très âgés, ou hors du temps, réfugiés en eux-mêmes comme s'ils affrontaient autre chose que la réalité déchaînée alentour. Le jeune bougre s'était assis en face de Man L'Oubliée; elle avait allumé son petit feu et se tenait emmitouflée sous une grosse toile. Lui, s'était emmailloté dans de vieux sacs cousus ensemble, qui lui servaient de manteau dans les bois. Le vent se mit à battre de plus en plus serré. Le cyclone approchait. Le jeune bougre sentit la menace d'une puissance qui les fracasserait dans un vrac d'arbres, de terre et de roches. Il voulait alerter Man L'Oubliée. Celle-ci était devenue comme les autres. À mesure que le vent augmentait de violence, ils avaient commencé à se pétrifier. On n'entendait plus leurs petits rires débiles, ou ces chants insensés qui peuplaient leurs gencives. Il voulut se lever, mais Man L'Oubliée le regarda soudain avec une telle autorité qu'il sut ce qu'il devait faire : s'asseoir et laisser battre le vent. Il rentra en lui-même comme tant de fois auparavant, et trouva assez vite un havre où son esprit éliminait les sensations de son corps. Bientôt, la perception qu'il avait du vent et de la pluie, et de la vaste force, diminua. Bien que le cyclone développât sa fureur, il avait le sentiment d'en être à l'abri, d'en recevoir juste une vaste énergie. Son esprit fut zébré par des visions de grands ciels, des vues d'oiseaux grandioses qui défiaient les vents; des big-bang d'orages et de foudres; des profondeurs obscures, puis lumineuses, lardées d'étincelles et de petites étoiles que quelque chose avalait sans arrêt. Une expérience semblable à un flash de ces drogues que ses compagnons fumaient dans le désastre des guerres, mais celle-là l'emportait dans un bain d'effervescence claire, de jouvence baptismale.

C'est Man L'Oubliée qui le sortit de cet état. Il devait s'être endormi. Il se réveilla avec tous les visages autour de lui, qui riaient. Il se serait cru dans une assemblée de gnomes ou de vieux zombis. Ces visages étaient étranges : chargés de noblesse ancienne et d'innocence débile. Un déroutant mélange décliné de diverses manières, et tous se penchaient au-dessus de lui, et tous l'examinaient comme une bête de cirque. Certains avançaient leurs mains osseuses et le pichonnaient en éclatant de rire. D'autres lui posaient une main sur la tête pour lui ébouriffer les cheveux. C'est alors que dans ce babillage il entendit quelques mots qui s'adressaient à lui. Une voix lui dit : *Mets quatre miroirs l'un en face de l'autre, et lève la main contre l'un d'eux !*... Une autre : *Le bois-moudongue, brise les miroirs avec le bois-moudongue !*... Une autre, encore : *Prends une mèche de ses cheveux, colle-la sur un des miroirs et souffle bien dessus !*... Une autre, enfin : *Elle n'est pas d'ici, tu ne pourras pas la garder mais il faut la protéger, décroche trois miroirs et pose-les, l'un sur l'autre, et assieds-toi dessus en calculant sur elle...* Le tout était mêlé à des éclats de rire et de petits grognements. Il lui semblait être au centre d'une farce. Mais il avait là-même pensé à Sarah-Anaïs-Alicia. *Ils sont en train de me dire comment sauver Sarah-Anaïs-Alicia !*... Il n'eut plus qu'une idée : redescendre vers la maison Timoléon pour mettre en pratique ce qu'on lui avait dit. C'est pourquoi il avait quitté l'assemblée tout de suite, en courant, laissant-là Man L'Oubliée, sans se rendre compte que le cyclone avait tout dévasté, que les arbres étaient tombés, et que l'endroit où ils s'étaient trouvés pendant ce désastre, bien qu'exposé à mort, était resté intact.

Roye fout' : mieux vaut parler qu'écrire, mais des fois vaut mieux pas savoir lire que de lire son malheur.

« Notre morceau de fer ».
Cantilènes d'Isomène Calypso,
conteur à voix pas claire de la commune de Saint-Joseph.

TRAHISON. Il descendit presque en courant vers Saint-Joseph, effaré par le paysage qu'il découvrait. Les champs avaient disparu. Presque toutes les cases s'étaient envolées ; les rescapées se maintenaient par hasard, prêtes à l'effondrement. Le bourg lui-même avait souffert ; des tôles jonchaient les rues ; des bêtes mortes hantaient les trottoirs inondés. Une désolation. La maison Timoléon était demeurée indemne mais la forêt avait pris-disparaître : à sa place, une constellation de pollens multicolores dégoulinait sur les façades. Il trouva la Bonne en pleurs, incapable de lui exprimer ce qu'elle avait à dire. L'eau avait imbibé toutes les pièces. Elle l'emmena vers Déborah-Nicol, déposée dans le fauteuil, avec les jambes couvertes, le regard fixe, la main tremblante ; elle semblait une épave parmi les livres mouillés et l'eau boueuse qui couvrait le bureau. Elle ne pouvait ni entendre ni parler. *Et Sarah-Anaïs-Alicia, où est Sarah-Anaïs-Alicia ? !...*
Dans la chambre, il la trouva endormie bien tranquille, elle semblait juste avoir un peu vieilli, et — soudain — *j'eus le sentiment d'être parti de la maison depuis plus que longtemps !* Pourtant, il avait cru n'avoir effectué que des allers-retours avec Man L'Oubliée, et être revenu souvent auprès de son aimée pour vérifier qu'elle était saine et sauve. Les réalités lui dictaient le contraire. Le temps avait accompli un bond considérable.
— Je suis parti combien de jours ? demandait-il à la Bonne.
— Aaaah longtemps, tu as disparu longtemps... répondait-elle sans comprendre pourquoi...
Le sentiment de les avoir abandonnées lui prit le cœur à tout jamais. Il réveilla Sarah-Anaïs-Alicia et retrouva toute

611

la douceur du monde ; elle le regarda enjouée en lui demandant où il avait disparu depuis ce lot de mois. Il examina son corps, il y vit quelques marques, sans plus que d'habitude. Celle de son front s'était estompée. Il la serra contre lui alors qu'elle poussait un rire d'ange. La sachant en sécurité, il s'inquiéta de Déborah-Nicol Timoléon *Qu'est-ce qui lui est arrivé ? Je vais aller la voir...* Sarah-Anaïs-Alicia voulut qu'il demeure avec elle, qu'ils relisent ensemble quelques poèmes de Perse, qu'ils parlent une fois encore des armes, de la guerre, des violences, qu'ils cherchent une fois encore les Lieux du deuxième monde où se cachait Sarah... mais lui, croyant à un caprice, assura qu'il reviendrait tout de suite, juste descendre pour s'inquiéter de Déborah-Nicol. À chacune de ses visites, elle s'accrochait à lui pour qu'il reste auprès d'elle. Mais il avait tant à faire qu'il la laissait souvent esseulée dans la chambre...

La Bonne lui raconta ce qui s'était passé. Le cyclone n'avait pas été la seule tragédie. Déborah-Nicol avait poursuivi le recrutement de son armée de libération. Tout se mettait en place... Mais le malheur voulut qu'une grève se déclarât dans une usine du Lamentin. Quelque chose d'à moitié spontané. Cette fièvre avait surpris les communistes eux-mêmes et provoqué des mouvements de gendarmes à travers le pays. Ces gardiens de l'ordre s'étaient dégagés des casernes et d'autres caches secrètes. On les avait vus traverser Saint-Joseph, plus silencieux que d'habitude, avec des chevaux sombres, des casques et des visières, et de grosses armes luisantes jamais brandies auparavant. Certains d'entre eux étaient diaphanes, leurs pupilles tellement claires qu'ils paraissaient aveugles. D'autres étaient d'un rouge tragique avec d'énormes moustaches, et leurs yeux se perdaient dans des fentes sans lumière. Ils avançaient sur deux rangées, sans regarder ni à gauche ni à droite, plus taciturnes et lourds qu'un vieux vol de gerfauts hors du charnier natal. Certaines bonnes gens de Saint-Joseph les écoutèrent passer dans un silence spectral, d'autres crurent percevoir un grondement d'éléphants qui fissurait le sol et décrochait clac clac clac les persiennes. À leur vue, Déborah-Nicol était entrée dans une fureur prémonitoire. *Ils vont les tuer, ils vont les tuer !*... Bien qu'elle n'ait encore reçu aucune arme, elle avait voulu rejoindre la grève tournante en compagnie de ses hommes. Les grévistes passaient d'habitation en habitation pour mander aux planteurs-békés deux ou trois francs de plus. Les hommes et les femmes (pour une fois nègres et koulis mêlés) marchaient à travers champs. À chaque halte, ils demandaient aux ouvriers d'arrêter le travail, expliquaient les raisons de la grève. C'était souvent Nicol Timoléon, l'instituteur communiste en retraite, qui prenait la parole comme une furie, et qui parvenait à exalter les femmes, surtout les femmes. Ces dernières quittaient leur travail sans attendre et augmentaient la grève marchante. De champ en champ, la marée grossissait, charroyant des éclats de coutelas, des pointes aiguës brûlées au feu. On entendait dans ses rumeurs paillardes de nombreux cliquetis pas vraiment catholiques. Les planteurs en furent inquiets et certains usiniers qui se trouvaient sur leur chemin firent crier les gendarmes.

Quand la petite bande arriva en vue de l'usine centrale (celle qui faisait la loi sur les champs d'alentour), elle tomba en face d'un détachement sur pied de guerre. Les ouvriers de l'usine s'étaient cachés dans les machines et regardaient de loin. Devant la ligne des gendarmes piaffait un adjudant nerveux, un bougre débarqué d'on ne sait où. L'adjudant vit cette marée de guenilles et de cris et de piques qui déboulait du morne et ne fit rien d'autre qu'ordonner le feu. *Biwoua !* Les balles avaient sillonné la savane. Des corps s'étaient écroulés autour de Déborah-Nicol qui se trouvait déjà démantelée par terre. Ce fut la débandade. Quelques-uns de ses hommes l'avaient chargée sur leurs épaules, avaient fui avec elle à travers champs et bois. Ils avaient pu rejoindre Saint-Joseph pour la déposer comme un linge sale sur le palier de la maison. La Bonne l'y avait découverte en pleine nuit. Elle l'avait rentrée, soignée avec quelques tisanes sans trop de résultat, car, avec le peu d'énergie qui lui restait, Déborah-Nicol lui interdisait de toucher à ses vêtements souillés ou d'essayer de lui palper le corps. Elle ne pouvait parler, ni même bouger les jambes ou soulever un bras. Seuls des grognements horribles exprimaient ses vouloirs et imposaient ses ordres. La Bonne avait fini par s'en aller quérir (en discrétion totale car les gendarmes fouillaient les cases à la recherche de gens blessés) un médecin, ami de la famille. Déborah-Nicol lui avait interdit de lui défaire la veste ou de la dénuder en quelque part que ce soit. Mais il parvint tout de même à découvrir qu'*une balle, oui, ressortie par un flanc, avait touché M. Timoléon à la colonne vertébrale, et qu'une autre s'était logée dans son crâne à un endroit où il valait mieux la laisser sous peine de mort subite...* Malgré un accès limité aux blessures, l'ami-médecin avait fait de vagues pansements, et s'en était allé sans trop de pronostic. Depuis, Déborah-Nicol était restée échouée dans ce fauteuil d'où même le cyclone ne l'avait pas bougée.

Le jeune bougre était effondré de voir tant d'énergie réduite à une simple épave. Tant de rêves et de violence, immobilisés dans un corps sidéré et ne pouvant s'exprimer que par des boules de bave, ou par des yeux qui s'animaient soudain d'une fureur singulière, à tel point qu'en se focalisant sur eux il finissait par la penser guérie ; puis il prenait conscience que Déborah-Nicol n'était plus qu'une infirme qu'il fallait assister. Et c'est là qu'il s'aperçut combien il l'aimait elle aussi. Combien il s'était attaché à elle, et combien elle avait construit ce qu'il était devenu. Il tenait à lui faire la toilette hors de la présence de la Bonne, à lui faire suçoter les purées d'ignames et de carottes qu'il préparait lui-même, chaque soir, et toutes ces infusions qu'il s'était mis à concocter dans l'espoir de la ranimer par un miracle des plantes. Il lui lisait ses poèmes préférés, lui chantait les ritournelles guerrières qu'elle lui avait apprises. À certains moments, il lui relisait des passages du *Livret des Lieux du deuxième monde*, et lui évoquait le monde de Sarah, ce qui avivait quelque peu ses yeux ternes.

Il ne la délaissait que pour s'en aller rejoindre Sarah-Anaïs-Alicia et s'imprégner de sa douceur. La pauvre n'osait plus descendre vers le bureau-bibliothèque de peur de voir dans quel état gisait Déborah-Nicol. Elle n'avait pu supporter la première vision qu'elle avait eue d'elle, et s'était sentie submergée par de grandes marées noires, des pâleurs d'âme, des déperditions qui lui renversaient le regard vers le blanc. Elle avait fini par ne plus bouger de la chambre, à languir dans l'effet des miroirs qui s'étaient agrandis jusqu'à prendre de plus en plus de place entre le lit, la coiffeuse et l'armoire. L'agonisant ne comprit pas pourquoi le jeune bougre n'avait pas mis en œuvre ce que lui avaient conseillé les Mentô... *Non, ça n'avait pas été possible, j'avais été anéanti par la situation de Déborah-Nicol...* Rassuré par ce qu'il avait vu de Sarah-Anaïs-Alicia, il n'avait rien tenté, remettant tout cela à plus tard. S'occuper de Déborah-Nicol était parer au plus pressé.
Et c'est là que les choses devinrent floues, incertaines.
Tout au long de sa vie, M. Balthazar Bodule-Jules ne sut jamais ce qui s'était passé.
Il est possible que le temps ait eu des sauts curieux, comme déréglé par les miroirs qui de plus en plus aspiraient l'espace. Quand il s'était trouvé auprès de Déborah-Nicol — à s'occuper de ses pisses, ses cacas, ses baves, à lui biberonner mille tisanes et décoctions magiques, à

poursuivre devant elle les commandes d'armes, et à tenter par billets laconiques une reprise de contact avec son embryon d'armée... — le temps avait peut-être passé. Passé terriblement...

Un jour, il monta comme d'habitude dans la chambre de Sarah-Anaïs-Alicia, avec le sentiment qu'il ne l'avait laissée que durant dix minutes ... il trouva la chambre vide ... couverte d'une poussière épaisse ... les miroirs arboraient le tain dénaturé des glaces de cent ans ... Il l'avait cherchée tout-partout dans la chambre ... il n'avait rien découvert ... Ou alors, revenant de chez Sarah-Anaïs-Alicia, il avait trouvé Déborah-Nicol flasque dans son fauteuil, desséchée, consumée sur elle-même ... transformée en un machin semblable à la poupée de tissu qu'était devenue Sarah ... Ou alors ... il avait rejoint Sarah-Anaïs-Alicia, et avait été surpris de trouver Sarah à sa place ... c'était encore Sarah-Anaïs-Alicia, mais c'était surtout Sarah ... à croire que la défunte était revenue visiter la partie d'elle-même restée en la jeune fille et en avait profité pour prendre toute la place ... et il trouva une étrangère à laquelle il parla ... une étrangère qui ne faisait que le regarder ... il eut le sentiment que Sarah-Anaïs-Alicia était à nouveau en danger ... Il était alors descendu en courant pour appeler la Bonne, qu'elle demeure avec elle, le temps de mettre en œuvre les conseils des Mentô ... il avait trouvé la Bonne ... elle avait rejoint la chambre et s'était prise de sanglots en découvrant Sarah à la place de Sarah-Anaïs-Alicia ... elle ne savait pas s'il fallait rire de retrouver Sarah ou pleurer d'avoir perdu Sarah-Anaïs-Alicia ... et lui, en bas, empilait les miroirs, quand il n'entendit plus les pleurers-rires de la Bonne ... il monta en courant pour ne trouver qu'un arroi de petits oiseaux, de pollens, de graines, de spores et de piloselles qui voltigeaient dans l'espace de la chambre et qui (une fois la porte ouverte) s'engouffrèrent dans la maison, et s'en allèrent au monde par les moindres ouvertures ... Ou alors ... un jour, il n'avait pas revu la Bonne ... il l'avait appelée plusieurs fois pour qu'elle apporte une tisane à Déborah-Nicol ... elle n'était pas venue ... il s'était mis à la chercher dans la cuisine ... puis dans les chambres ... puis dans son galetas ... puis s'était soudain aperçu combien la maison était à l'abandon ...

Il y avait des rates qui couraient tout-partout. Des toiles d'araignée s'étaient mises à boucher l'escalier. Les rideaux n'étaient plus que des peaux de poussière et d'insectes semblables à des dépouilles humaines. Les miroirs étaient ternes, mais saisis d'une lumière opaline qui provenait du profond. Et le plus étrange, c'était le silence, un silence usé de cathédrale trop vieille, avec de temps à autre des clapotis de vase et des glouglous de rivières étouffées. Toutes les couleurs avaient pâli dans un terreux songeur. Il croyait voir passer des poules blanches et des chiens à trois pattes qui fouaillaient du museau les immondices du sol. Il croyait voir des vaches qui broutaient les tapis comme chez le Patriarche de García Márquez. Il croyait voir de petites fougères bleues surgir entre les planches pour se décomposer en une cire d'abeille. Il croyait voir des épingles à cheveux locher comme des pendus dans les toiles d'araignée. Il croyait voir des écorces de cannelle recouvrir les boiseries, et toutes les moustiquaires se transformer en voiles d'antiques galions fantômes... De ces mille étrangetés qui naissent dans les maisons enfoncées dans l'oubli depuis une charge de siècles... Certains jours, les pots à fleurs étaient pleins de crapauds, et d'autres, ils débordaient d'un sable de désert volatil comme une poudre égyptienne... Les meubles changeaient de place et les cloisons erraient sur de changeantes géométries... Tout semblait déréglé, rien n'était assuré... L'agonisant avait beau récapituler, heure après heure, son retour dans cette maison auprès de cette jeune-fille-douceur, il s'embourbait toujours dans cette confusion... un embrouillement du temps et de l'espace qui aboutissait toujours à la disparition de Sarah-Anaïs-Alicia, et à la mort de Déborah-Nicol devenue elle aussi une poupée de chiffon. Il essaya de se consoler en se disant qu'elles avaient dû trouver un de ces Lieux du deuxième monde où séjournait Sarah; si bien qu'il disposa côte à côte (dans le fauteuil de la bibliothèque) la Sarah-de-tissu, la Déborah de chiffon, enfin réunies sous un plein de poussière et ces cendres de poèmes que faisaient voltiger les mites mangeuses de livres.

Il allait à la recherche de la Bonne chez elle, ou à l'endroit où elle était supposée habiter. On lui répondait chaque fois qu'elle avait quitté le quartier depuis des lustres et que nul n'avait plus jamais entendu parler d'elle; elle n'avait pas d'enfants, pas d'homme, pas de sœur, comme si (tellement charmée de vivre chez de grandes gens), elle avait rompu ses attaches parmi les nègres de terre. Alors, il revenait dans la maison Timoléon pour exécuter ce que lui avaient dit les Mentô. Mais cela ne faisait pas revenir Sarah-Anaïs-Alicia. Jusqu'au jour où il se mit à briser les miroirs, un à un, dans une rage démentielle. Ils avaient perdu de leur ancienne vitalité et crevaient comme des mangues sous ses coups de barbare. Chaque fois qu'il en brisait une dizaine, il recherchait Sarah-Anaïs-Alicia dans la maison, vérifiait chaque coin. Quand tous les miroirs furent anéantis et qu'il ne la trouva nulle part, il se dit que tout était fini; que l'Yvonnette Cléoste ou l'un des zombis de la Malédiction avait bu sa douceur comme une pluie de désert et n'avait rien laissé qui puisse autoriser à se souvenir d'elle.

C'est pourquoi, un matin, en fouillant sous le lit, il fut heureux de retrouver les vieux recueils de Saint-John Perse, et il se mit à l'appeler avec ces poèmes, à les lire jour et nuit comme un coryphée somnambule, arpentant la demeure ruinée par les poux-bois et des insectes sans nom. Il ne savait plus ce qu'il lisait ; il s'enivrait des vibrations que Perse essaimait dans ses longues prières ; emporté par les vers, il crut marcher dans les paysages de sel jaune du poème *Anabase*, ou dans la poisse qui couvrit Robinson Crusoë quand il quitta son île. Les vers n'étaient que des sonorités qui lui reconstituaient le timbre de la jeune fille, mais ils détenaient cette fois le pouvoir de transformer l'univers incertain de la pauvre maison. Ce n'était plus des salles, des couloirs, des chambres, une cour ou une cuisine, mais l'emmêlement du monde, en ses clameurs et paysages, et à travers lesquels Perse voguait comme un seigneur de guerre. Il passait à travers, ou très loin au-dessus, dans une magie incantatoire qu'il déployait lui-même. Et cette manière d'aller le rendait proche de Sarah-Anaïs-Alicia, plus proche qu'il ne l'avait jamais été. Sans les entendre, il devait hurler ces vers tel un damné de Dante, ou alors ils crevaient en direct dans sa tête comme les paroles premières de la Grue couronnée. Il dut se perdre dans ce dédale où la poésie se mêlait au réel, ordonnait le réel, et fut incapable de savoir à quel moment, ni à quelle page d'un des recueils, il trouva cette lettre laissée par Sarah-Anaïs-Alicia. Feuille plissée, tombée en dansant vers le sol avec la lenteur d'une plume de cayali. En la touchant, il sut là-même qu'elle lui était destinée. Quand il l'ouvrit et la lut sans comprendre, il éprouva une honte irrémédiable : elle lui avait écrit on ne sait quoi, peut-être qu'elle regrettait qu'il ne fût pas à ses côtés, ou qu'elle l'avait longuement appelé sans qu'il ait répondu... Il me fut impossible de savoir ce qu'il y avait pour de bon dans cette lettre — qui le suivra toute sa vie, et que l'on retrouvera hachée sur la table de terrasse, et que les experts de la police analyseront en vain — mais à ce moment précis, face à l'agonisant, j'eus le sentiment qu'elle provenait de la jeune fille perdue. Que cette lettre scellait l'idée qu'il l'avait sans le savoir trahie — trahie par son absence, trahie par l'éloignement, trahie par son peu de vigilance sur le rythme du temps que l'Yvonnette Cléoste avait probablement piégé.

Le toit de la maison ne résistait plus aux averses. Les vents s'engouffraient à travers les fenêtres disjointes. Les rideaux avaient fini par tomber en lambeaux sur des cadavres de crabes et de cabris dont il ne pouvait expliquer la présence ; et les débris de miroir s'étaient transformés en confettis de verre ; et certains étaient devenus de petites perles opaques sur lesquelles il glissait... L'agonisant se souvint de ces errances dans cette maison, écrasé par cette lettre, égaré par les poèmes de Perse, divaguant et foudroyé parmi tout ce qu'il avait aimé, espéré, éprouvé, appris, rêvé, imaginé... Tout cela l'entourait desséché dans une misère mouvante et une tristesse survenue millénaire. Le jeune bougre ne comprenait pas — et même l'agonisant que je voyais le regard fixe halluciné ne pouvait pas comprendre ce qui s'était passé...
Avait-il quitté la maison depuis des années ?
Était-il revenu trop tard ?
Ou le temps à son retour avait-il eu des voltes, le plongeant sans qu'il comprenne dans la désolation ?...
C'est à ce moment qu'il lui avait fallu se convaincre qu'il n'avait pas rêvé.
Il s'était mis alors à penser aux gestes de Déborah-Nicol, à presser la mappemonde, à relire et à relire ses notes, ses lettres, ses diatribes, ses articles, tout ce qui constituait sa réalité et qui s'effritait dans la poussière et les termites. La nuit, assis dans la chambre de Sarah-Anaïs-Alicia (qui n'était plus qu'un encombrement de meubles cassés et de miroirs en poudre), il repensait à sa douceur, à ses yeux, à sa beauté, à ce sentiment qui le poussait vers elle. Il conservait la lettre serrée dans une main, car il avait fini par ne plus pouvoir la lire, tout en demeurant incapable

de s'en détacher... L'agonisant retrouvait tout cela en lui, et se rendit compte qu'il avait aimé cette jeune fille de Saint-Joseph autant que cela était possible, comme il avait aimé cette Vietnamienne, cette Indienne, cette Congolaise aux belles lèvres, cette Algérienne qui pouvait rire et chanter en même temps... toutes ces femmes, sédimentées au même endroit en lui... *ô mes sucres et sirop, ô mes douleurs amères!...*

(Sa mémoire était aussi une douleur. Une douleur qui se trouvait à l'origine de son vœu de mourir et qui servait de lien [de conducteur et de brasseur] aux souvenirs rameutés. Les souvenirs douloureux naissaient dans les restes de souffrance qui erraient dans son corps; les souvenirs heureux provenaient de ses vieilles illusions, ou de ses vieux mensonges à lui-même, en contrepoint de l'océan de douleur qui clapotait dans son esprit. Cette douleur qu'il avait su si longtemps maîtriser était devenue submergeante dans le calme de son temps de vieillard. Comme une langue de flamme dans un palais de glace, elle s'était mise à tout désorganiser, tout brouiller en marées, en cyclones, en tempêtes, à défaire un à un les boucliers de son esprit. Et, dans ce désastre, tout devenait aigu, et tout prenait ou révélait un sens inhabituel, insoupçonné. Il était recréé par cette douleur qui, à force de le détruire, se faisait créatrice. Je devais aller le chercher au fond de cette braise, et lui écrire ses chairs avec un peu de cendres, comme l'ordonnateur [impréparé] d'une initiation barbare va chercher dans la mort les guerriers à venir... Notes d'atelier et autres affres.)

Il avait eu du mal à quitter la maison. Il se disait que l'âme de Sarah-Anaïs-Alicia, celle de Sarah, de Déborah-Nicol ou de la Bonne, étaient encore là; il ne pouvait abandonner les poupées de tissu. Il avait pensé à crier Man L'Oubliée à son secours, l'avait imaginée pour qu'elle vienne vers lui, mais elle n'était pas venue. Craignant une nouvelle saute du temps, il n'osait plus quitter la maison de peur qu'elle ne s'efface de l'existence. Alors il restait là, dans des ruines qui progressaient plus vite que toutes les ruines des guerres qu'il allait rencontrer ; et c'est là que la fureur, la sainte fureur qui dynamiserait sa vie l'empoigna pour de bon. Il se dressa parmi les ruines, prêt à les défier, il déploya sa force et sa colère, et ses muscles puissants, pour arpenter tout cela d'un pas de régisseur, intimant aux choses de se remettre en place, aux vies de renaître, à Roméo de retrouver Juliette, à Remedios la belle de revenir vers nous... M. Balthazar Bodule-Jules éprouva des fureurs identiques chaque fois qu'un morceau de sa vie s'effriterait dans des ruines ; il se mettait à invoquer les morts afin de les réveiller, à demander aux Taïnos de revenir, aux Aztèques de se dresser, au Che d'être de retour dans ce monde de merde, à Lumumba, El-Hadj Omar, à Martin Luther King, à Malcolm X, à l'Oncle Hô, à Ben Bella, à Fanon...! Tout ce qui était cassé était interpellé à renaissance. Il s'était comporté ainsi dans les ruines de Diên Biên Phu quand il cherchait Manh Nga, dans le djebel de l'Algérie quand l'infirmière fut déchiquetée sur les fils barbelés, dans les rues de Léopoldville auprès de la Congolaise aux jambes cisaillées... Et c'est dans cette maison de Saint-Joseph, dans ce silence pourri, que sa voix atteignit ses plénitudes définitives. Il se mit à crier, à hurler, à braire, à libérer ses cordes vocales pour lutter contre l'effritement accéléré de la maison, jusqu'au moment où, sentant son impuissance et ayant secoué les poupées de chiffon, il avait rassemblé la mappemonde, le *Livret des Lieux du deuxième monde*, les cahiers de Saint-John Perse, la lettre de Sarah-Anaïs-Alicia, plus quelques babioles que l'on allait retrouver après sa mort dans cette case de Saint-Joseph. Il avait essayé de trouver des photos mais tout avait été bâfré par une peuplade de champignons, et les clichés étaient devenus blancs. Il avait mis tout cela dans un sac et avait cru incendier la maison ... ou ... peut-être

622

qu'un jour il s'était réveillé dans les flammes ... ou peut-être que les voisins inquiets de ses cris et démences avaient fini par mettre le feu pour qu'il s'en aille ... ou qu'une bestiole avait renversé une lampe à pétrole ... En tout cas, il était sorti de cette maison avec son maigre bagage, un baluchon qui l'accompagnerait dans ses errances et qui constituerait la seule attestation au monde que cette période de sa vie avait bien existé. Mais le doute subsistera toujours, à tel point qu'il en fit le signe même de sa vie : ... Bande de crabes, vous avez des certitudes et ce sont elles qui vous enchaînent, moi je n'en ai pas, et si j'en utilise c'est juste pour tirer un coup de fusil ou mener une action, et puis ça me passe, c'est pourquoi plus souvent que rarement, et même devant ma glace, je ne suis même pas très sûr d'exister pour de bon [1]!...

> Il commença par être une légende avant de devenir une mâle-parole qui court...

> « Notre morceau de fer ».
> *Cantilènes d'Isomène Calypso,*
> *conteur à voix pas claire de la commune de Saint-Joseph.*

CONCUPISCENCES ET AMOURS CHRYSOCALES. Il n'était plus qu'une boule de colère quand il quitta Saint-Joseph. En colère contre lui-même et contre le monde. Il ne pensa en aucune manière à retrouver Man L'Oubliée. Il lui reprochait de l'avoir abandonné. Il s'en alla seul aux drivailles du pays. Cette colère était alimentée par l'idée que Sarah-Anaïs-Alicia avait été emportée par l'Yvonnette Cléoste et c'est avec rage qu'il pensait à la diablesse. Il la haïssait tant que, plus d'une fois, sur sa route, il saisit au collet une pauvre vieille négresse et se ravisa en découvrant son air épouvanté, sa vibration humaine. Il s'enfuyait alors comme un fouben des bois, puis revenait vers les champs, rôdait autour des bourgs, repartait vers les bois. Il cherchait quelque chose, allant-venant, animé de sa seule

---

1. *Adresses aux jeunes drogués de Saint-Joseph.* Déjà cité.

fureur et des déchaînements rentrés d'une violence sans adresse.

C'est à cette période qu'il s'en prit aux gendarmes, il ne savait pas trop pourquoi, peut-être pour venger sa Déborah-Nicol. Il les voyait patrouiller dans les champs. Ils allaient toujours par deux, ou par quatre ou par groupe de six. Il les vit massacrer des grévistes, traîner dans la rocaille des nègres un peu rétifs en les attachant à l'arrière des chevaux. Il les vit semer la terreur dans les usines où le clapot de leurs sabots éparpillait les attroupements. Celui qui commençait à être M. Balthazar Bodule-Jules finit par entrer de nuit dans une grand-case pour y dérober une pétoire et quelques cartouches. L'agonisant ne pouvait se souvenir de quelle arme il pouvait bien s'agir. À l'époque, elle était de belle allure et fonctionnait comme un canon. C'est avec qu'il se mit à tirer sur les patrouilles qu'il rencontrait. Un peu au hasard. Sans chercher à tuer ou à blesser. *Po! Po! Po!* Juste pour leur faire éprouver de l'angoisse. Puis il disparaissait dans les bois avec une vivacité telle qu'aucune patrouille ne pouvait le trouver. *Po! Po! Po!*

Les gendarmes devinrent nerveux et augmentèrent le nombre de leurs patrouilles. Ils répliquèrent à ses tirs avec une précision terrible. Qui fait que plus d'une fois il échappa de justesse à des milliers de balles qui pulvérisaient l'endroit où il s'était serré. Certaines lui éraflèrent le cou, d'autres la poitrine, d'autres encore lui écorchèrent les mains. Une d'elles fit une fois exploser son fusil et le rendit caduc : des débris de métal chaud lui criblèrent la peau. C'est là que ses premières cicatrices apparurent, qu'il éprouva les premières fièvres du fait de ses blessures soumises à des eaux troubles. La rumeur dit qu'il y avait un nouveau nègre marron dans les bois. Elle gonflait comme une légende, s'étalait comme une fable, faisait des ronds comme une saga. On en fit une sorte de mandingue géant, dressé tel un dragon sur la route des gendarmes. On dit qu'il était une résurgence de Toussaint Louverture ou de cet Ignace de la Guadeloupe qui fut nègre sans merci contre Napoléon. Des quimboiseurs répandirent l'idée qu'il s'agissait du zombi de Makandal, ce nègre marron de Haïti qui échappa on ne sait comment aux troupes esclavagistes. Il passait par des états de fureur et de découragement. De temps à autre (hagard, malade, maigre-aux-os, affamé), il s'approchait des cases, se faisait recueillir par une bonne famille qui pendant quelques jours le gavait de racines. Il était alors effaré de les entendre évoquer ce nègre-bois que les gendarmes craignaient. Il se taisait, encore plus hagard et encore plus malade, et préférait prendre-disparaître pour ne pas les décevoir. Dans la consternation, il vit comment cette légende électrisait la vie des cases. Des injustices se dénonçaient en face des commandeurs. Des géreurs étaient hués. Des békés ne pouvaient plus traverser leurs champs sans entendre des injures faire trembloter les cannes. Et tous ces tortionnaires (d'habitude arrogants) préféraient se montrer conciliants, car la rumeur disait que le nègre-bois avait empoisonné une famille békée, pendu un géreur à un arc de bambou, ligoté un régisseur dans une niche de fourmis. On lui mit sur le dos le moindre incident : des incendies de champs, des sabotages d'usines, des tracas sur les ports dans le charroi des sucres. On le voyait partout, on l'annonçait dans toutes les grèves. Pendant ce temps, lui ne faisait qu'errer, empoisonné de rage folle.

Souvent, il crut que l'on parlait de quelqu'un d'autre, puis devait se rendre à l'évidence qu'il s'agissait de lui. Alors, il avait honte de ne pas correspondre à cette image qui réveillait les cases. Il se remettait sur pied, mangeait les graines-bois comme Man L'Oubliée le lui avait appris, se soignait par les plantes, se soûlait d'énergie auprès des orchidées, puis resurgissait pour jeter la panique dans une troupe de gendarmes. Il leur tombait dessus à coups de conque-lambi et de serpents projetés en lassos. Il n'oubliait les gendarmes que pour persécuter les planteurs avec des pluies de roches qui défonçaient leurs toits. Il troubla le sommeil de méchants qui semaient la terreur autour d'eux. C'est ainsi qu'une fois une capistrelle de toute beauté lui offrit quelques bananes et un peu d'eau ; ne pouvant deviner que le nègre-bois qui hantait la région était ce jeune bonhomme aux yeux fiévreux, elle lui conta qu'un géreur s'apprêtait à chasser sa famille d'une case d'habitation. Le géreur leur avait donné jusqu'au soir pour quitter le quartier. Le papa, voulant garder cette case où il avait trimé, s'apprêtait à s'y laisser mourir en défiant le géreur et ses hommes de main. Le drame se profilait donc pour la nuit, et la capistrelle se demandait que faire. Elle s'était avancée sous les grands arbres pour tenter par la chance de trouver le nègre-bois. Elle n'avait rencontré que ce pauvre bougre, trop hagard pour être le héros qu'elle cherchait ; elle était repartie après lui avoir soupiré son malheur sans trop savoir pourquoi.

Il l'avait suivie. Le soir, caché aux abords de la case, il vit arriver le géreur et ses acolytes à grand fracas de chevaux. Le géreur descendit de cheval comme un matador. Il appela le nègre de la case *(Honoré ! Honoré !)* en lui demandant de sortir et de jeter toutes ses affaires dehors. Il lui dit aussi qu'il allait tout incendier dans les minutes suivantes, et que tous périraient là-dedans. La case demeura silencieuse, noire et close, comme si la famille serrée à l'intérieur avait pris le parti d'y mourir sans remuer. Le géreur attendit sept secondes puis d'un signe donna l'ordre à ses hommes d'allumer leurs flambeaux. Celui qui allait devenir M. Balthazar Bodule-Jules ne savait pas quoi faire. Il n'avait pas d'armes. Les hommes de main avaient empoigné leurs coutelas. Certains portaient même un pistolet glissé dans une corde à leur taille. Il risquait sa vie, mais sa révolte était si grande qu'il entendit sa formidable voix s'élever des raziés.

— *Jérè an ké défolmanté'w !...* Géreur, je vais te massacrer ! Le temps d'expédier cette menace, il s'était déplacé de dix mètres et reprenait ce grondement qui pétrifiait les bougres : *An ké défolmanté'w !*

— Qui est-ce qui est là ? demanda le géreur en dégainant son pistolet.

— C'est moi !

— C'est qui, moi ? !...

Il n'eut pas le temps de répondre. L'un de ses hommes de main s'écria en tremblant : *C'est le nègre-bois !* Et ce fut la panique. Les hommes de main ne purent s'empêcher de sauter à cheval, et de s'en aller ventre à terre. Soucieux de garder la face, le géreur arma son pistolet, bondit sur son cheval, et galopa dans tous les sens en hurlant, *Vini'w, vini'w, montré mwen si'w ni grenn !* Montre-toi, viens me prouver que tu es aussi méchant qu'on dit ! Celui qui commençait à être M. Balthazar Bodule-Jules n'écouta que sa fougue belliqueuse. Il sortit dans la lumière de lune qui embrumait la scène. La famille de la capistrelle, serrée derrière les planches disjointes de la case, le regardait de tous ses yeux. Son bond effraya le cheval. Le géreur se retrouva par terre ; le temps qu'il se relève, le pied du nègre-bois lui écrasait la gorge ; et (s'il faut en croire M. Isomène Calypso quand il raconte cet épisode) ce qu'il vit l'épouvanta : pas un jeune bonhomme, mais une braise de violence démente qui brûlerait un soleil. Le géreur ne verrait jamais plus de tels éclats dans les yeux d'une personne humaine. Il se retrouva en train de courir, droit devant, sans pouvoir s'arrêter. Il en garda les cheveux blancs et une langue pendante, incapable de parole... J'ignore pourquoi je n'ai pas tué ce type ! raconta bien des années plus tard M. Balthazar Bodule-Jules. J'allais le

627

faire, lui exploser le crâne avec mon seul talon, mais ce qui me retint fut sans doute son regard, cette détresse extrême d'un regard d'homme qui rencontre sa mort! Voilà ce qui s'était passé-là, mes amis : à force de décision, je m'étais personnifié en la faucheuse elle-même! J'avais réussi à faire cela sans le vouloir, et beaucoup de mes ennemis, dans les moments les plus critiques, ont rencontré mon désespoir rageur! Au lieu de distinguer l'ultime sursaut de mon courage, ils voyaient la mort et perdaient leurs moyens! Et je sais qu'un homme qui a eu peur à fond est un homme déjà mort pour toute l'éternité! Je n'avais plus besoin de le tuer...

(L'agonie lui ensorcelait les yeux et la mémoire. Toutes ses évidences sur lui-même étaient désormais comprises et conçues autrement. Donc, je me disais pour mieux m'inscrire dans la spirale d'un incertain : ce n'était pas cette agonie qui était une genèse, mais cette genèse qui était une agonie. Notes d'atelier et autres affres.)

La famille de la capistrelle ne fut plus jamais embêtée par quiconque. Le géreur les oublia, et tout le monde la considéra comme possédant cette case. La capistrelle, assistant à la scène, avait cru reconnaître le jeune bonhomme aidé le matin même, mais elle chassa cette idée car les paroles gonflèrent l'événement jusqu'à la démesure : *le géreur et ses chiens à tête d'homme avaient affronté un nègre-marron de plus de deux mètres !* Celui qui allait devenir M. Balthazar Bodule-Jules s'amusa sans doute encore une fois à jouer au justicier; il est probable qu'il dut intervenir dans bien des misères, rien qu'en faisant entendre le grondement de sa voix, ou en laissant deviner sa présence alentour. C'est ainsi qu'une grève fut résolue dans une sucrerie de Saint-Pierre. M. Isomène Calypso raconte que les grévistes avaient barré l'usine; ils avaient incendié des tonnes de canne et de bagasse. Cernés par les gendarmes, ils s'étaient réfugiés entre les cuves et les chaudières, et s'apprêtaient à se voir mitrailler par les troupes déployées tout autour. Ce qui les retenait c'était le béké en personne : il craignait que les grévistes ne sabotent ses machines (des bielles brisées feraient perdre la récolte). Donc, il refusait le sou d'augmentation mais parlementait pour forcer les grévistes à sortir de leur cache ; il épelait leurs noms, leurs surnoms, leurs prénoms, listait les familles, parenté et alliances, parlait de représailles dans l'univers entier. Soudain, son propre nom résonna sous les bois. Caché dans une ravine, celui qui devenait M. Balthazar Bodule-Jules nomma le béké, une fois, deux fois, trois fois. Dans le grondement de sa voix, le nom se déformait comme sous le coup d'une malédiction. On vit le béké pâlir, descendre de cheval, loucher sur les bois d'alentour, puis renvoyer les gendarmes en promettant aux grévistes deux sous d'augmentation, car tout cela n'était qu'une blague si on ne peut même plus rigoler *eh bien kounia manman sa, pito...*

Celui qui devenait M. Balthazar Bodule-Jules prit plaisir à cette légende. Quand, anonyme, il se mêlait aux coupeurs de canne, c'était pour savourer les fabuleuses évolutions du terrible nègre-bois. Des rumeurs le projetaient au même instant dans mille coins du pays. Il se rendit compte que les gendarmes réagissaient. Des troupes nouvelles avaient débarqué pour ratisser les bois. Ils étaient flanqués de chasseurs et de chiens aux yeux fous, experts en sueur à nègre. Pourtant, ces fauves ne pouvaient rien flairer de lui : il avait fini par prendre l'odeur des grands poiriers ou la traîne obsédante des écorces de cannelle. Il pouvait sentir le piment vert, la citronnelle ou la caïmite trop mûre. Impossible aussi de le dénicher dans le feuillage d'un acacia. Il avait l'art de devenir une liane, de mimer une racine de fougère. Quelquefois, il s'étonnait de voir ces fauves le frôler sans qu'ils le découvrent. Il retrouverait cet étonnement au long cours de sa vie, quand il serait traqué dans tous les coins du monde par légionnaires, paras, tueurs d'élite, gendarmes, policiers, marines, tirailleurs, commandos, pirates, miliciens, tontons macoutes, mercenaires et barbouzes... toute la faune qui grouille dans l'œuvre colonialiste.

Mais il souffrait de solitude.

Lui qui avait passé tant d'années dans la maison Timoléon avait du mal à supporter cette nouvelle vie de bête traquée. Il s'en sortait très bien, retrouvait les gestes de son enfance auprès de Man L'Oubliée, mais son cœur et son corps aspiraient à autre chose. Si la plupart des gens ne pouvaient soupçonner qu'il était le nègre-bois si redouté, d'autres voyaient clair en lui, surtout certaines jeunes filles qu'il avait approchées auprès d'une source ou d'une cascade. Certaines l'avaient accueilli comme une sorte de lumière. Elles devaient le percevoir bien au-delà des apparences, par la grâce d'une vision animale. Il leur apparaissait avec l'allure de la légende, et ses oripeaux ne les aveuglaient pas. C'est peut-être pour cela qu'il vécut des amours chrysocales, des coqués de passage, une frénésie libidinale déployée sans mesure. Il approchait des jeunes filles fascinées, passait des heures à leurs côtés, les laissait se prendre aux charmes de sa voix, s'amuser de ses muscles qui roulaient comme des bêtes, admirer sa souplesse quand il jouait avec elles dans les eaux de rivière. D'une main, il les soulevait par la taille pour les emmener sous les raziés auprès d'une orchidée... L'agonisant ne savait plus combien de ces jeunes agaçantes se retrouvèrent dans les casseroles de ses désirs, écrasées sous son corps, hachées, percées, creusées, marquées, ciselées à coups de langue, de reins et de morsures. Et lui, dans ces rencontres furtives, inaugurait cette consommation des femmes qui caractériserait sa vie de chien de guerre. M. Isomène Calypso (qui fait parfois de la psychologie) prétend qu'il refoulait ainsi les émois éprouvés auprès de Sarah-Anaïs-Alicia ; qu'il congédiait les troubles de son enfance où bien des femmes l'avaient trop fasciné. Rares seraient désormais celles qui parviendraient à le saisir d'amour ou d'une quelconque adoration. Il se jetait dans les féminités comme dans un trou de chaleur et de sang. Il les happait comme des chairs à l'encan, dépourvues des prodiges qu'avait tissés son trouble autour des premières femmes qu'il avait rencontrées. Et là, le vieil agonisant ne retrouvait pièce nom, aucun visage, nulle relique de ces ébats rapides, rien qu'une amertume qui se vautre en elle-même pour mieux se conjurer.

(Comment maintenir active et fonctionnelle cette constellation de femmes qui dans leurs interactions même construisaient la nébuleuse de ce qu'avait été cet homme ? Ne sachant trop quoi faire, je décidai de m'abandonner à ce champ d'histoires chaotiques, avec comme unique base à peu près stable : ma main tremblante. C'est elle qui régentait, organisait, réorganisait cet Écrire, tandis que mon esprit la regardait faire, et qu'elle-même de temps en temps s'amusait à décrire mon esprit en train de la regarder. Le roman se trouvait désormais dans un indéchiffrable entre ma main et mon esprit. Et le romancier se lovait dans cette dynamique-là, qui ne le situait nulle part, c'est-à-dire dans la narration et en dehors d'elle, dans l'application d'une écriture qui se fait et l'incertain d'une écriture qui ne peut que se questionner elle-même... Notes d'atelier et autres affres.)

Il avait retrouvé cette solitude des bois connue dans son enfance, et, comme à cette époque, il eut le sentiment que l'Yvonnette Cléoste rôdait autour de lui. Mais son état d'esprit avait changé : il la nommait dans les coins les plus sombres avec l'espoir de la faire apparaître. Il voulait l'affronter d'une sorte définitive et venger Sarah-Anaïs-Alicia. Il ne la vit jamais. Il sentit quelquefois des froidures sur sa nuque, mais cela le projetait dans une telle fureur qu'il était prêt à fracasser toute existence autour de lui. Mais il ne trouvait rien à broyer. Il ne voyait que des crapauds qui semblaient opiner de la tête, des feux qui s'élevaient tout seuls, des formes vite évanouies qui troublaient les feuillages... toutes choses déjà connues dans son enfance et qui le projetaient dans une hargne sans fond. Il se lançait contre ces choses labiles avec l'arme du moment, avec ses ongles, avec ses dents. Il passait son temps à détruire des crapauds, des araignées à yeux de femme ou des insectes-cercueils... Mais il s'acharna souvent contre une sorte de néant, et s'échouait de fatigue comme méduse au soleil, livré au seul poison de ses fureurs. Après ces délires-là, il regagnait les bourgs afin d'agacer les gendarmes : incendier leurs fourrages ou leurs magasins de vivres, répandre un vent de panique et disparaître tout frémissant de cette violence déraisonnée.

> Les pêcheurs disaient de lui qu'il était féroce et barbare à force d'être aimant, gentil et plein de bonté.
>
> « Notre morceau de fer ».
> *Cantilènes d'Isomène Calypso*,
> conteur à voix pas claire de la commune de Saint-Joseph.

Tant de fureur à vide le laissait dérouté, livré aux souvenirs de la maison Timoléon. Ces moments de faiblesse rendaient les bois hostiles et le poussaient vers des êtres comme lui. Il se rapprochait des cases, rien que pour entendre des voix. C'est ainsi qu'il amorça un autre bord de sa vie. Un jour de décembre, alors qu'il s'était promené dans une fête patronale, les gendarmes l'avaient raté de peu. Ils l'avaient traqué durant près de quatre jours. Il se retrouva en bout de course dans une crique isolée. Un de ces endroits posés derrière le dos de Dieu et que le fil des jours essaie de contourner. On ne pouvait y accéder que par la mer, à travers des goulots où plus d'un averti aurait brisé sa barque. Avec ses vices de bougre des bois, il parvint à passer les cascades qui isolaient ce lieu. Il émergea sur une plage étroite, parsemée d'énormes bombes volcaniques et d'une plante vert-bleu qui courait sur le sol sans avoir peur des hommes. Derrière chacune de ces roches s'érigeaient quelques cases, une vingtaine peut-être, couvertes de paille à la manière des anciens temps. Des gommiers gisaient sur le sable noir comme des squales en repos. Dans l'ombre des raisiniers s'étiraient des filets, mêlés à des amas de nasses et à des bois taillés sur lesquels la plante verte essayait de grimper.

C'était une société de pêcheurs.

Ils vivaient-là, entre eux, familles de solitaires, des femmes, des hommes, des enfants à crins rouges brûlés par le soleil. Cette société devait exister depuis les temps d'antan. Elle provenait sans doute de quelques nègres marrons qui s'étaient mélangés à quelques Caraïbes, jusqu'à donner des créatures étranges à hautes pommettes, à la peau sombre parcourue d'un miroitement de bronze, et qui n'existaient qu'en regardant la mer. La mer c'était leur vie. Leur jardin. Leur ciel. Leur début et leur fin. Ils tournaient le dos à la terre noire du sol qui respirait encore les miasmes de l'esclavage. Ils ne voulaient voir au coco de leurs yeux que la terre bleue des mers, son aller vers les îles lointaines, sa charge d'autres pays, d'autres rivages et d'autres fraternités. Ils disaient que la mer n'a pas d'âge, qu'elle n'est ni homme ni femme, qu'elle va sans matricule, et que prendre sa mesure demandait qu'on l'affronte sur treize générations. Beaucoup d'entre eux s'étaient vu avaler par la grande-eau du large; d'autres avaient disparu dans des eaux-mélangées ou dans des eaux-fonds-blancs qui cachaient leur danger. Mais les survivants avaient été nombreux. Ils étaient restés là, campés en face des vagues, en silence, sans mollir, en solitude totale.

Quand celui qui devenait M. Balthazar Bodule-Jules débarqua dans cet étrange quartier, la plupart des hommes étaient en mer lointaine. Demeuraient une tralée de marmailles, quelques femmes de tous âges qui gra-

geaient du manioc ; et des vieux-corps qui réparaient des casiers de bambou, embouclaient des hameçons, reprisaient toutes qualités de filets. C'étaient des bonhommes secs comme des viandes travaillées au gros sel. Ils avaient les yeux blanchis par les éclats du soleil fort. Ils mâchaient des boulettes de tabac en évoquant des aventures dans les eaux-d'en-dehors. Ils le virent arriver sans surprise car rien ne les étonnait depuis longtemps. Il s'assit parmi eux en donnant le bonjour de manière comme il faut. Ces gens-là trouvèrent son arrivée normale, et encore plus normal qu'il s'asseye avec l'air de vouloir rester là ; il ne ressemblait pas aux nègres de terre ou à ces nègres des champs qui gardent le dos courbé : il y avait trop de solitude en lui, trop d'ombre, trop de désespoir, trop de genres de bêtes fauves, toutes choses qui leur ressemblaient un peu. Ces gens-là le prirent donc pour un pêcheur. Un pêcheur d'un autre endroit, d'une autre catégorie, mais un pêcheur quand même. Un des vieux-corps lui demanda : *Mais vous êtes monsieur qui est-ce, si donc ?* Il lui répondit comme il le ferait à tout jamais :
— Mon papa c'est Limorelle, ma manman c'est Manotte, des gens de Saint-Joseph. Et moi, je suis Monsieur Balthazar Bodule-Jules.

Quand les autres revinrent, il se porta comme tout le monde à la touche des gommiers. Donna la main pour les hisser au sec. Aida à décharger les paniers de carpes bleues, de sardes et de grands thons. Il aida celui-ci ou celui-là à rejeter les poissons trop petits ou à bassiner les gommiers chargés d'eau. Heureux de se retrouver sans crainte parmi des hommes, il manœuvra par-ci, manœuvra par-là, sans prendre le moindre repos jusqu'à ce que tout soit bien rentré. Il se retrouva mêlé à eux quand ils se firent un blaff avec des poissons-roches et des coquillages qu'ils ne vendaient nulle part. Il mangea ce délice, et, les jours suivants, alors qu'il dormait sur la plage, parmi des casiers de bambou, il put se mêler à leur lever, leur sortie en grandes-eaux, vivre leur entrée au sec. Les semaines passèrent ainsi. Aucun maître-de-gommier ne lui proposa d'embarquer avec lui vers les eaux d'en-dehors, chacun allait seul, accompagné d'un fils, d'un frère, d'un bougre qui vivait dans son ombre sans être son esclave. Leur pêche était comme un secret planté dans la famille, une manière presque rituelle de briguer la chance ; sans compter que chacun avait ses pâturages, ses trous à poissons-rouges, ses routes à coulirous, ses églises à carangues, ses bancs, ses barres, ses touffes..., une géographie secrète qu'ils appelaient les « seks » ; tout cela balisait les eaux-d'en-dedans jusqu'à celles d'en-dehors qu'ils appelaient Miquelon. Donc, pas question de livrer cette richesse à quiconque. Le jeune M. Balthazar Bodule-Jules aidait juste les gommiers à prendre la vague sortante, et les aidait dans les entrées du soir.

Pour la journée, il restait parmi ceux qui demeuraient à terre, à mille tâches à l'entour des filets, des frênes et des hameçons. Il aidait à creuser des troncs d'arbre-gommier pour tel ou tel qui envisageait une embarcation neuve. Il avait soif de ce qu'ils étaient et il épiait leurs gestes, les refaisait tout de suite avec une aisance qui confirmait l'idée de son appartenance au monde de la pêche. Certains descendaient au bourg vendre du poisson à leurs fidèles, en profitaient pour rapporter de l'huile, du sucre, de la farine ; d'autres demeuraient à briquer leurs gommiers et ranger leurs filets. Ces gens-là parlaient peu (pire que Man L'Oubliée), et passaient leur temps à scruter l'horizon pour découvrir (dans le vol des oiseaux) des descentes d'orphies bleues ou des arrivées de manmans-balaous. C'est ainsi qu'il apprit les marées, que les courants étaient des barres qui longeaient le pays vers le nord ou le sud, et pouvaient vous emmener-sortir ou vous ramener à terre. Il apprit le temps-blanc des brumes grimaçantes, le grostemps qui brouille toutes les pistes, et le temps-clair-bel-beau qui autorise la chance. Il sut qu'il fallait se régler sur la lune-descendante ou sur la lune-faible, ou sur la lune-finie qui libère les volants ou sur la lune-forte qu'adorent les seiches et les orphies. Il sut qu'aux lunes-claires aucune pêche ne donnait mais que la lune-coupée remplissait toutes les nasses. Il sut que la lune-pleine livrait le thazard blanc. Il sut que la grosse-caye portait le poisson-rouge. Il sut la manière d'accorer le poisson des grands-fonds et l'autre pour saisir le poisson des grands-seks. Il sut que la mer pouvait être debout, aller étale, rouler gonflée ou balancer mauvaise. Il apprit les filets de surface qui piègent si bien le balaou-ti-bec, ou le filet-folle qui happe les tortues et requins. Il sut qu'on pouvait battre-l'eau durant des heures pour invoquer la chance et trouver le poisson. Il sut qu'entrer bredouille était revenir-du-canal-blanc... Il sentait que ces gens-là n'étaient pas ancrés sur cette terre, qu'ils échappaient sans doute à la Malédiction : ils portaient leur poitrine vers les vents et conservaient à l'arrière de leurs yeux la sapience des abîmes.

Trois d'entre eux étaient chasseurs. Ceux-là ne bougeaient que pour affronter certains gros cachalots, tortues à bec de sang ou baleines tombées folles prêtes à gober le monde. Ce furent ceux-là qui séduisirent le jeune M. Balthazar Bodule-Jules. Ils étaient les rois de cette société. Ils ne donnaient pas d'ordre, vivaient seuls, sans femmes à case et sans marmailles qui battaient dans leurs pieds. Leurs cases étaient un peu à part, toujours très proches de l'eau ; l'une d'elles se laissait même lécher par la marée rentrante. Les chasseurs ne mangeaient que des huîtres de mangrove et du poisson cru, avec parfois quelque chair d'aigle qu'ils capturaient on ne savait comment, et faisaient cuire dans du piment, de l'huile-coco et une branche d'absinthe. Ils restaient assis devant leur case toute la journée, coiffés d'un vieux chapeau-bakoua qui leur couvrait l'épaule, et tiraient sans suspendre sur une pipe de bambou. On les aurait dits victimes d'un charme qui les empêchait d'aller-venir comme des nègres du bondieu. Ils restaient accorés, sans changer de posture, presque absents du monde. Mais leur esprit s'ouvrait pour englober la crique et les mouvements du ciel. Pas un déplacement dans les fonds ou les cayes ne pouvait leur échapper. Leurs gommiers étaient un peu plus petits, plus légers, plus rapides. C'étaient des gommiers de combat qui traçaient bien dans les passes et les loups, vibraient à vif dans les barres et chevauchaient sensibles les énergies de l'eau. Des bêtes fougueuses, presque explosives, plus difficiles à dompter sur la lame qu'un cheval à tête folle.

La première fois que le jeune M. Balthazar Bodule-Jules les vit s'élancer sur les flots fut pour lui incroyable. Les chasseurs avaient (on ne sait comment) senti la présence de quelque chose. Un monstre qui rôdait dans la rade et qu'accompagnait de loin un déplacé du bleu ou un bougé d'oiseau. L'un d'entre eux s'était élancé en poussant son gommier d'une seule main, l'autre plaquant contre ses flancs une touffe de gaulettes-dards. L'embarcation mordit les eaux d'un coupé impérial tandis que le bonhomme — nommé Sèpan-lanmè — s'équilibrait dessus, muscles noués aux avirons et le regard accroché à sa cible. On le vit s'avancer direct vers le milieu de la crique. Cela s'était passé flip-flap, comme un éclair d'orage. Le jeune M. Balthazar Bodule-Jules n'aurait jamais pensé qu'un être humain eût pu être si rapide. Les gens prévenus on ne sait trop comment se tenaient déjà debout sur le sable, pieds dans l'eau, à regarder l'affaire. Les visages étaient noués. Les bouches ouvertes. De vieilles madames avaient dégaré des chapelets et répétaient des signes de croix : la sortie des chasseurs (les deux autres se criaient Zôfimôvé et

Dog-à-zel) était toujours l'annonce d'un danger pas facile qui menaçait tout le monde.

On vit Sèpan-lanmè affronter la chose qui rôdaillait sous l'eau. Il avait brandi une gaulette-dard gigantesque, jeté quelques filets spéciaux, s'était battu au grappin dans une gerbe d'écumes. On avait vu l'embarcation se faire driver à gauche, et puis à droite, s'enfoncer à moitié, et rebondir sur les vagues comme un poisson volant. On l'avait vu frénétique, guettant, frappant, se reculant, pour finale se pencher avec un cri de victoire et sombrer dans une sucée d'écumes sans un cri ni un signe.
Il y eut un hosanna de désolation.
Les femmes portèrent les deux mains à la tête. Des bougres claquaient de la langue pour dévier le destin et d'autres lançaient des signes contre les vagues.
Sèpan-lanmè s'était fait avaler par le monstre!
Dog-à-zel avait pris la sortie à son tour. On avait vu son gommier filer vers l'épave qui tournait sur elle-même comme une tortue blessée. Quand il fut sur la zone, on avait vu ses bras lever deux gaulettes-dards dont les pointes brillaient comme les foudres d'un archange. Jambes écartées, posées sur les bordages, il semblait diriger l'embarcation à la force des orteils, la balancer par-ci, la déplacer par-là. Il hésita lorsque des tourbillons se mirent à vriller tout autour du gommier. Il changea de tactique, jeta les gaulettes-dards, et saisit à deux mains un grappin-croche recourbé et une série de piques qu'il balançait dans les écumes comme un guerrier zoulou.
Zôfimôvé l'avait rejoint.
Celui-ci avait jeté à l'eau une série d'hameçons, d'énormes zins cachés sous une chair de chatrou. Il brandissait une croche et tenait son gommier du bout d'une tresse de chanvre, comme un taureau en laisse; il était penché à moitié en dehors du bordage et frappait dans le brouillis d'écumes. La société de pêcheurs (femmes et enfants

devant) s'était avancée dans les vagues pour zieuter la bataille. Les corps étaient tendus, penchés tête en avant, accompagnant les coups et les reculs. Il n'y avait pas d'excitation comme pour un combat de coqs, on suivait le souffle bloqué, le cœur tombé-glacé, l'angoisse aux lèvres. On avait peur pour ces chasseurs qui affrontaient la mer. Et l'affaire tourna mal.

On vit Dog-à-zel défaillir puis basculer cul pour tête en hurlant une injure. On vit le gommier de Zôfimôvé se mettre à zinzoler comme paille dans un vent, il frappait quelque chose qui s'était accroché à l'un de ses gros zins. Puis le gommier prit l'eau à croire qu'une force l'entraînait vers le fond sans un pardon ni une miséricorde, il disparut presque sous le bleu puis rebondit, démantibulé, à deux mètres de voltige. Il y eut des *wacha*, des *djouboum* et des écumes rageuses. On vit des oiseaux prendre l'envol en désordre. On vit des bancs de sardines frétiller dans douze sens sur la crête des vagues. Puis ce fut le calme le plus épouvantable que le jeune M. Balthazar Bodule-Jules devait voir de toute son existence. La rade était redevenue cirée-lisse-immobile. Les trois embarcations dérivaient mol, personne ne faisait mine d'aller les chercher. Elles flottèrent longtemps, puis la marée-rentrante les ramena sur le sable où le jeune M. Balthazar Bodule-Jules et quelques autres les halèrent sur le sec.

Les jours suivants furent immobiles. Les gommiers restaient accorés dans le sable, comme menant une veillée autour des chasseurs disparus. Nul ne parlait, ni en bouche ni en geste. On ne disait rien sur rien, on ne commentait pas ce qui s'était passé. Une fatalité venue de la mer écrasait tous ces gens. Le jeune M. Balthazar Bodule-Jules avait cru qu'ils se seraient précipités pour affronter le monstre. Mais pas un n'avait bougé. Ils étaient rentrés à case en secouant la tête; les vieux-corps avaient le regard en dormance; la plupart s'étaient perdus dans des tâches diverses autour des nasses et des filets. Le jeune M. Balthazar Bodule-Jules avait du mal à accepter cela. Il allait-virait, pris de tête-dérangée, prêt à se jeter à l'eau pour affronter la bête. Il sentait qu'il devait respecter leurs manières, alors il ne disait rien, mais son corps vibrait de rage et condamnait toutes les passivités; il arpentait la plage, regardait l'eau calme de la rade, avançait dans l'écume, reculait, examinait les éraflures terribles qui zébraient les gommiers naufragés. Regardait autour de lui les femmes, les enfants, les hommes, tous impassibles, absents. Le jeune M. Balthazar Bodule-Jules dut se sentir une moue de mépris, mais l'agonisant repensant à l'affaire eut un jugement nuancé. *Ces gens n'avaient pas peur mais ils ne bougeaient pas!* Ils avaient l'habitude de résister à la mer et de lui reconnaître sa force, et ils s'inclinaient en silence quand la mer leur montrait sa puissance et gobait leurs chasseurs. Ces gens n'avaient pas peur, ils campaient en face de l'ennemie-amie, de la mère-marâtre, en opposant à son éternité le temps placide de leur patience. J'étais trop jeune et trop sang-chaud pour comprendre ça, se dit l'agonisant...

Le soir fut triste. Il n'y eut pas de tambour, ni de chantés-marrons. Que des murmures et des silences, et le crépitement des feux qui éloignait les moustiques, l'odeur des poissons frits et des blaffs du soir. Le jeune bougre, qui jusqu'alors n'avait rien demandé à personne, essaya d'interroger quelques bonshommes d'habitude gais. Ceux-là restaient bouche morte et rentrés en eux-mêmes. Le lendemain, ce fut encore plus singulier. Aucun maître-pêcheur ne hala son gommier, nul n'osa la sortie. Ils restaient encayés en face de la nappe brasillante, limpide, calme, qui semblait les appeler, et qu'ils jaugeaient sans un regard comme on soupèse un piège. Le jeune M. Balthazar Bodule-Jules se mit à regarder aussi. Sous ce bleu clair, ce sombre vert, puissant comme un mental, il y avait une menace que nul ne voulait affronter. Un défi ouvert que nul ne ramassait. Les maîtres-gommiers passèrent la journée comme des oiseaux tombés, assis de travers sur des bouts de radeau. Les anciens étaient sortis de leurs cases pour observer aussi sans rien fixer de précis ; certains murmuraient pour eux-mêmes, invoquaient, récitaient, il les vit effectuer de petits gestes sorciers sur les vagues qui grimpaient jusqu'à eux. Nul ne prit la mer durant près de six jours. La société commençait à se décomposer. Le jeune M. Balthazar Bodule-Jules surprenait des inquiétudes dans des regards qui ne voyaient plus rien. Il vit des lassitudes dans des gestes répétés sans trouver de sortie. Il vit des femmes défier les hommes avec un toisement d'yeux, une roulade d'épaule, l'insulte d'une hanche qui tangue pour mieux se refuser. Pour la première fois, il entendit des pleurs d'enfants et des disputes au fond des cases. Il était le seul, au petit matin, à descendre sur la plage, à regarder la mer si belle et si terrible, belle à faire croire qu'il n'y avait rien là, alors que ce monstre avait gobé des hommes, et attendait maintenant que quelqu'un ose sortir. *La mer n'est jamais si belle que lorsqu'elle a faim !...*

Quelquefois fixant les eaux avec l'idée de repérer quelque chose, le jeune M. Balthazar Bodule-Jules se sentait une froidure sur la nuque. Il chassa l'impression qu'il s'agissait de l'Yvonnette Cléoste serrée là, dans la rade, et qui le surveillait. Il réprima ce sentiment qui l'amenait à penser qu'il avait introduit le malheur dans cette société. *J'ai fait rentrer une diablesse chez eux, j'ai amené la déveine... !* Il chassait cette idée. Elle revenait, insistante comme chien-sans-sentiment, et le plongeait dans ce tourment que connaissent les coupables. Il dut prononcer à maintes reprises son nom dans les vagues, juste savoir si c'était elle, mais rien ne répondait, aucun signe, pièce écume, aucun bougé du bleu, juste l'azur impérial, limpidité extrême, les voltes de verts sous la frappe des nuages et, au loin, les nappées d'un bleu sombre qui montaient des grands-fonds. Et, toujours, nul n'osait sortir son gommier et affronter la mer. Quelqu'un allait oser, qui allait encore faire rebondir sa vie.

Il était seul sur la plage quand il la vit. D'abord une silhouette. Puis une femme gigantesque. Elle poussait à l'eau un des gommiers des chasseurs disparus. Cela devait être une de leurs concubines secrètes, ou peut-être quelqu'un de leur famille si tant est qu'ils aient pu en avoir. Le jeune M. Balthazar Bodule-Jules se précipita pour l'aider. Et il la vit de près. Une colossale chabine, aux cheveux d'un jaune rouge, brûlés par les sel et soleil. Elle avait une peau rougeâtre, épaisse, avec des reflets jaune banane. Ses cheveux n'étaient pas noués sous un mouchoir mais tirés en arrière, et figés dans une mêlée sauvage. Ses yeux étaient vert bouteille, ses lèvres d'un rosé-bleu presque à maturité. Une poitrine énorme lui avalait le torse, et ses hanches étaient celles d'une géante. De prime abord, on ne savait pas trop bien si c'était un homme ou une femme : c'était une force de la nature, au caractère à l'évidence terrible. Le jeune M. Balthazar Bodule-Jules comprit qu'elle avait décidé d'affronter le monstre. Sans un mot, il l'aida à préparer le gommier ; lui trouva des avirons, lui transporta les gaulettes-dards et les grappins qu'elle avait préparés. Elle le regardait en silence, méfiante mais sans jamais lui demander ce qu'il voulait. C'est lui qui parla.
— *Saka pasé la-a ?* Qu'est-ce qui se passe là ?
Elle lui répondit sans réticence. Il fut surpris qu'elle parle autant. La société de pêcheurs était confrontée aux irruptions de monstres. Ces agressions rythmaient les générations, rythmaient le temps à coups de cicatrices et de douleurs ; elles ramenaient la peur comme une pluie sur ce sable, comme si la mer voulait mettre à l'épreuve ces

bonshommes sombres qui la défiaient. Cette société avait reçu ces chocs, et chaque fois elle avait su sécréter ses chasseurs qui affrontaient la calamité et permettaient de surmonter le sarcasme de la mer. C'était la première fois que la société perdait d'un coup tous ses chasseurs, des bougres de haute engeance qui avaient terrassé des requins, des manman-balaou et une méduse géante. Maintenant, le malheur était là. Il fallait que naisse un autre chasseur. Un bon matin, un des maîtres-pêcheurs s'élancera pour affronter le monstre. Pour le vaincre. Il le battra car il y a toujours quelqu'un pour vaincre le malheur, car tout malheur crée son remède, et ce maître-pêcheur prendra à son tour le statut de chasseur. Ils ne permettaient jamais à une femme d'essayer. Comme ils n'admettaient pas qu'une femme devienne maître d'un quelconque gommier.

— *Moi je vais le faire !... et ils vont voir...*
Elle avait dit cela avec une légèreté ivre qui la rendait bizarre, et en même temps très assurée d'elle-même. Le jeune M. Balthazar Bodule-Jules ne l'avait jamais vue parmi les autres femmes, elle était demeurée à part, inapparue, loin des blaffs qu'ils dégustaient tous ensemble sur la plage, loin des chants de tambour et des danses de pleine lune. Il se sentit attiré par cette force aberrante, presque masculine et en même temps toute femme. De plus, il se sentait bien avec elle, comme avec une amie très ancienne, et ses gestes auprès d'elle semblaient des gestes d'habitude, inscrits dans une nécessité ancienne. Il n'avait plus qu'à laisser faire son corps, ne rien décider mais faire ce qui se faisait sous ses yeux. Il l'aida à pousser le gommier, passa les premières vagues. Elle y sauta d'un geste rapide et empoigna les avirons pour extraire le bateau des succions du rivage. Lui, sans même y penser, bondit à son tour dans l'embarcation. La chabine eut un sursaut de surprise et une mimique pour lui mander de retourner à terre car elle voulait être seule, gagner seule ce combat.

643

Lui, sans s'occuper d'elle, se mit à pagayer. Ils s'éloignèrent ensemble vers le monstre.

La chabine oublia qu'il était auprès d'elle. Elle ramait, tous muscles puissants qui se tordaient sous la toile de sa gaule, une gaule légère, en toile écrue, qui ne cachait pas ses seins démesurés, ni les boas vigoureux de ses jambes, ni les clartés de la peau de son ventre. Cela ne troublait pas le jeune M. Balthazar Bodule-Jules. Son corps ne vibrait que de la peur et du désir de combattre la chose. *Il allait enfin rencontrer l'Yvonnette Cléoste ! Elle était sans doute là ! Il allait enfin la transpercer, enfin la massacrer pour venger Sarah-Anaïs-Alicia !* Ils parvinrent à la zone. Elle était d'un bleu clos, calme, strié de vert et de clins de lumière qui feuilletaient la surface. Ils tournèrent sur la droite, virèrent à gauche. Puis, avec aisance, la chabine imprima des cercles au gommier qui se mit à ratisser la zone maille après maille, sans rien provoquer d'inquiétant. La chabine fixait l'eau. Son regard transperçait la surface pour atteindre les coraux, longer le sable, inspecter abysses et pâturages, scruter les jardins où des palmes s'enivraient des courants. Le ciel n'abritait pas d'oiseau. Le vent était léger. Il coulait comme pour ne pas suspendre cette menace que le silence hurlait.
Mais rien ne se produisit.

Ils allèrent et virèrent durant des heures. Sur la plage, la société tout entière était entrée dans une excitation folle. Les maîtres-gommiers s'étaient massés sur le sable et avaient injurié la chabine. Bras levés, menaçants, ils avaient crié ce qui devait être son nom *Kalamatia Kalamatia, femme revient, viré, pas rété là, où est le respect !?* C'est quoi cette vagabonnajerie ?!... Les femmes n'étaient pas en reste ; elles semblaient plus furieuses ; certaines s'étaient pointées dans l'eau jusqu'à mi-taille pour mieux l'invectiver et la damner vivante. Tous se sentaient offensés au profond, humiliés jusqu'au foie. Le jeune

M. Balthazar Bodule-Jules fut un instant dérouté de se trouver près d'elle et de participer sans le vouloir au renversement d'un des tabous de cette société. La chabine laissait cette hargne glisser sur elle comme une goutte de pluie sur une aile de canard. Elle ne guettait que l'eau. Le jeune bougre parvint lui aussi à oublier cette fureur qui embrasait la plage. Il put se concentrer sur l'onde menaçante ; elle les environnait d'un azur angélique, froid, terrible. Il scrutait comme elle les variations du bleu. Surveillait les circulations vertes qui traversaient les vagues pour éclaircir leur crête. Il suivait les rayures brasillantes, ces concentrés de sel et de soleil, ces noces lumineuses sensibles au moindre mouvement. Il guettait tout cela comme elle. Et il ne voyait rien. La rade semblait délaissée de toute vie. Du coup, l'onde paraissait veuve et menaçante autant. Ils tournèrent ainsi, tournèrent encore, tournèrent toujours. Le jeune M. Balthazar Bodule-Jules s'aperçut qu'ils s'éloignaient du rivage. La chabine empruntait de petites passes à travers la barrière et gagnait le grand bleu dans les eaux-d'en-dehors. Il la regarda mais elle n'était plus vraiment à ses côtés. Son être s'était englouti dans cette chasse. Elle était calme mais ses muscles étaient roides. Elle paraissait absente mais son corps réagissait au moindre reflet des eaux. Il se dit être en face d'une formidable chasseresse, une bête de traque, prête à risquer sa vie dans cette aventure. Ils s'éloignèrent des rives et furent bientôt assez loin de la côte.

La chabine ne laissait pas dériver le bateau : elle tenait un cap indevinable. Son silence et sa concentration étaient impressionnants. Ils s'accordaient sur une présence imperceptible, ou sur une trace qu'elle remontait dans l'invisible de l'eau. *Elle allait vraiment quelque part !* Elle pistait quelque chose selon une loi que le jeune bougre ne put jamais comprendre. Bientôt, ils furent dans les eaux-d'en-dehors. Le rivage n'était plus qu'une ligne sombre, puis un filet de brume. Ils atteignirent ainsi la grande eau. La chabine, torse immobile, roulait juste ses formidables épaules au-dessus des avirons. Elle lançait le gommier, le retenait sur une pointe de vague, ou le plaçait de biais pour mieux guetter on ne sait quoi de serré-là tout au fond.

Quand la nuit s'abattit comme une roche, elle se tourna vers lui en souriant. Elle étendit les avirons dans un coin du bordage, laissant le gommier aller à la dérive ou se stabiliser dans des boucles incessantes. Elle s'affala contre l'étrave, complètement apaisée. Le jeune M. Balthazar Bodule-Jules un peu tendu surveillait l'eau obscure. Il s'attendait à voir l'Yvonnette Cléoste débouler de ce gouffre pour les avaler sans sirop et sans sel.
Mais la chabine lui dit :
— Allez calme ton corps, ces bêtes-là n'attaquent pas la nuit... *Vini vini vini!* Viens!
Il crut ne pas comprendre et resta à sa place. Alors la chabine l'attira vers elle d'une poigne irrésistible. Il se retrouva étendu sur ce corps gigantesque, frémissant comme un monstre au repos, et balancé par les jeux du gommier qui allait aux courants. Il en fut pétrifié. C'était la première fois qu'un corps de femme le happait comme une proie, et le serrait avec une force qui surpassait la sienne. Offusqué, il essaya de la serrer à son tour pour lui signifier qu'une femme devait rester une femme. Mais elle brisa ses gestes l'un après l'autre. Il se retrouva dans la succion d'une sorte de chatrou qui lui plaquait les reins, enveloppait son dos, écartelait ses cuisses, le dominait dans une ondulation d'anaconda mangeur. Durant près d'une heure, il ne put effectuer que les mouvements autorisés par la chabine. Il perdit le sentiment d'être manipulé quand le désir lui incendia le corps, et qu'elle happa sa bouche avec la sienne, et qu'il sentit le goût de sa salive, un goût de sel, d'amande et de poisson, et qu'elle se mit à

lui parcourir les oreilles d'une langue fourrageuse, à croire qu'elle voulait lui rentrer dans le crâne. Elle était devenue une muqueuse qui l'aspirait de partout, le mordait, le pressait, le sentait, le léchait, le suçait. Souvent, il ressentait une douleur aiguë qui se défaisait en une circulation de ressentis étranges. Galvanisé par des sensations jamais connues auparavant, il la pénétra avec un *Han!* de soif et de faim millénaires, il crut alors entrer dans un temple de mousse tiède, puis dans une fleur noire pleine de petits soleils, puis dans un bouillon de chaleur insensée. Son kal était aspiré, serré à mort puis emmailloté dans une cosse de douceurs, puis malaxé dans une série de contractions à moitié électriques. Il ne pouvait bouger, c'est elle qui le bougeait, le soulevait et l'enfonçait en elle avec les battements convulsifs de ses cuisses. Il fut pressé comme une outre de désert, forcé dans de longs tressaillements à gicler d'une semence dont le monstre s'abreuvait. Elle le reprenait avec sa bouche, le pianotement des doigts, l'enduisait d'une salive volcanique (à senteur d'ail) qui le précipitait dans des perditions neuves. Elle lui plaquait sa kounia sur la bouche, lui couvrait le visage de ce crabe aspirant. Il avait l'impression d'y disparaître, corps et âme, puis d'émerger dans un autre côté d'elle pour se retrouver de nouveau avalé.

Quand le jour se leva, elle le pressait encore. Il luttait encore avec elle en recherchant l'explosion de ses graines comme une délivrance. Quand il retombait mol, elle s'empressait de le soulever par de petites morsures, le baignait de salive, de sueurs et d'huile intime. Ces humeurs se mêlaient telles des substances vivantes pour lui couvrir la peau de chaleur et de glace. Il crut même qu'elle avait pissé plusieurs fois et se sentit traversé par des urines bouillantes, il dut pisser aussi et déféquer aussi, à tel point que leurs corps emmêlés baignaient dans une bouillie qui remplissait tout le fond du gommier. Parfois, il ne voyait que l'eau de mer transmutée en un éclat de sapidités rêches, peuplée d'algues et de caillots de sel. En d'autres instants, il ne percevait que le vertige du ciel, un ciel ouvert où il flottait pour dériver encore. Puis il croyait sombrer dans une fosse pestilentielle. Une sauce de sécrétions et d'excrétions brûlantes commençait à passer le bordage et à se répandre dans les courants du large tel un glacis de bourbe. Une vapeur s'élevait de leur bataille charnelle et montait en une brume qui troublait les oiseaux.

L'agonisant se souvint tout à coup que durant leurs ébats la chabine l'injuriait.

De toute sa vie, il n'entendra jamais autant d'obscénités créoles. Elles lui brisaient toute résistance, l'obligeaient à des pulsions incontrôlées où il hurlait à la façon d'une horde de chiens-fers. Elle se mettait elle aussi à hurler comme un verrat ou une bourrique, mais jamais comme une femme. Puis il ne l'entendait plus. Il se retrouvait à flotter dans une douceur extrême, une ivresse cotonneuse détachée de son corps qui poursuivait ses convulsions bestiales. L'agonisant se dit qu'il avait connu dans ce gommier — ce déchaînement scabreux — un avilissement sans fond et une élévation totale. Il s'était senti perdu dans les fosses de l'enfer, et en même temps projeté dans ces hauteurs célestes qu'offrent les splendeurs du sexe. Durant sa vie sensuelle, il ne connaîtra jamais un tel écartèlement.

Le soleil les brûlait. Des pluies soudaines les faisaient frire. Des vagues de mer-grosse submergèrent les bordages pour briser les croûtes de sperme et de matières fécales qui raidissaient sur eux. Mais, même dessous les vagues, la chabine continua de le tordre, de l'aspirer en elle. Il finit par admettre qu'il n'était pas en train de coquer avec elle, mais de se battre à mort. *Elle veut mourir, elle veut mourir!* Elle fréquentait la mort à travers lui, comme elle avait voulu le faire en attaquant le monstre. Il eut un sursaut de survie, et réussit à placer quelques gestes dont il était seul maître. Il se mit à la solliciter dans tous les sens, la pénétrer de partout, lui repliait les cuisses, lui tirait les orteils, lui nouait les jambes et les dénouait, la renversait pour s'insinuer dessous la pointe de son coccyx. Il voulait brusquer son corps afin qu'il se rebiffe et se dérobe à cette désespérance. Mais la chabine réagissait par un plaisir dément et gobait sans effort tout ce qu'il lui donnait. Elle le renversait à son tour, et (avec ses doigts, ses orteils et sa langue) le pénétrait de partout, l'explorait comme lui-même l'explorait, à tel point qu'il croyait ressentir des sensations qu'elle devait éprouver, et la voyait réagir autant que lui à ce qu'il recevait. Il crut une fois encore que sa vie était en jeu, qu'elle était devenue folle et se pensait en train d'affronter le monstre de la rade. Il se déchaînait, non seulement à cause des variations insensées du plaisir, mais parce qu'il se sentait talonné par la mort. Il voulait s'échapper, sauter par-dessus bord, mais il lui revenait, happé par une soif de mordre d'avaler de piocher de battre et de châtier qui le remplissait d'un bien-être infini.

Ce qui le sauva fut ce choc contre la coque du gommier. Un coup sourd qui faillit renverser le bateau. Il se redressa, mais moins vite qu'elle, déjà levée, terrible, gaulette-dard à la main. Il vit une sirène les menacer soudain, *je le jure, je vis cette vieille femme-poisson sortir de l'écume comme une harpie marine*, elle avait des cheveux d'algues grises et une mousse bleue lui servait de peau, elle avait des yeux de mort vivante et une odeur de frai ou de poisson pourri, c'était l'Yvonnette Cléoste qui le regarda pour la première fois sans doute dans le mitan des yeux, il la vit c'était sûr, alors la chabine hurla qu'il s'agissait d'une monstrueuse bécune, une manman-bécune à moitié folle, à gueule démesurée, et qui devait digérer dans son ventre les trois chasseurs perdus. La chose-bécune ou la chose-diablesse bondissait contre les bords du gommier, happait l'air de la gueule en passant par-dessus, à tel point qu'ils devaient s'aplatir afin de l'éviter, et se redresser vite pour essayer de lui planter un dard. La chose allait flap, disparaissait et surgissait flip-flap, rentrait sous le gommier qu'elle essayait de soulever. La chabine, nue, couverte de croûtes diverses, équilibrait l'embarcation en bondissant de gauche à droite. Elle frappait à chaque bord. Il voyait ses tétés formidables battre comme des ailes. Il voyait sa kounia s'ouvrir comme une gueule quand elle sautait jambes écartées pour viser la bête jaillissante. Le jeune M. Balthazar Bodule-Jules mobilisait toute sa vivacité, mais auprès de la chabine il paraissait bien lent, inexpérimenté. La bécune-diablesse bougeait comme un éclair; il n'avait jamais le temps de bien la voir. Il ne savait pas anticiper ses bonds; elle n'avait pièce habitude, ne surgissait jamais du même bord ni de la même manière; il ne pouvait jamais vraiment lancer son dard, ni parvenir à un geste efficient. Il ne pouvait que suivre du coin de l'œil cette violence avec laquelle la chabine réagissait au moindre frémissement, et parvenait de temps en temps à érafler la :forme qui leur sautait dessus.

Soudain, il entendit la chabine hurler de rage et sut ce qu'elle allait faire. Elle s'était mise debout sur la pointe du gommier qui s'apprêtait à basculer. Le jeune bougre dut l'équilibrer de l'autre côté. Elle se tenait penchée au-dessus de l'eau, ses tétés pendaient en oriflammes et s'offraient à la gueule du monstre. Tout à coup, elle bondit vers le haut tandis qu'il vit le monstre se ruer vers elle. Il crut les voir s'envoler tous les deux. Il vit la forme de l'Yvonnette Cléoste se prolonger par une gueule démesurée qui s'ouvrait vers les tétés de la chabine. Il vit cette dernière qui s'élevait encore, et qui soudain, gaulette-dard en avant, s'abattit sur la forme menaçante. Il crut voir la gaulette s'enfoncer dans la gueule de la chose tandis que la chabine se cambrait pour l'engager encore. Mais il hurla en voyant la gaulette disparaître sans effet, comme dans un abîme. La chabine poussa un autre cri de colère alors qu'elle retombait dans le piège de la gueule. Elles s'effondrèrent ensemble dans une écume sanglante. Lui, avec toute la rapidité dont il était capable, se mit à balancer des piques dans les bouillons qui virevoltaient à l'entour du gommier. Il frappait de manière indigente, comme s'il savait déjà que cette bécune-diablesse était invincible et qu'il ne reverrait jamais plus la chabine. Il se jeta dans le bouillonnement qui commençait à s'enfoncer, voulut frapper encore jusqu'à ce qu'il prenne conscience de ne frapper que le bleu d'une eau calme. Il n'y avait plus rien autour de lui qui vive, si ce n'est l'eau d'en-dehors qui s'en allait tranquille se fondre dans l'horizon. Il se raccrocha au gommier et continua de dériver on ne sait combien de temps.

Il demeura transi, à sangloter d'impuissance et de rage. Il se réveilla quand il revit la chose-bécune-diablesse ou qu'il la sentit rôder autour de lui, puissante, cogner le gommier, aller et revenir. Il chercha une gaulette-dard, un coutelas, quelque pointe. Il n'y avait plus rien à bord. Il repêcha un bout de rame pour diriger le bateau vers la rive. Le monstre le laissait faire, comme s'il était sûr qu'il ne pourrait lui échapper. Il retrouva la crique, entra au sec, et parcourut le rivage comme un fou à la recherche de gaulettes-dards. Les maîtres-gommiers voulurent le retenir, mais il paraissait tellement hagard (le corps nu tuméfié, le kal ballant, boursouflé par les furies de la chabine) qu'ils s'écartaient de lui comme au-devant d'un spectre. On lui tendait de loin les gaulettes, les grappins et les croches. On lui entassait toutes sortes d'armes dans le fond du gommier. Alors qu'il s'apprêtait à rejoindre la rade où l'attendait le monstre, il sentit une présence insolite. Il se retourna pour voir Man L'Oubliée, *elle oui*, avançant à travers le rivage. Les pêcheurs la regardaient comme si c'était un astre dégringolé du ciel et qui se frayait un chemin sur cette terre. *Eux savaient.* Du fond des solitudes, ils savaient reconnaître ces vigueurs qui séjournent parmi nous. Ils s'écartèrent avec crainte et respect. Man L'Oubliée semblait absente. Pour une fois, elle ne dit ni bonjour ni bonsoir, ne prit pièce air de petite-fille ou d'innocente jeunesse. Impassible, elle parvint jusqu'à lui, droite, et dit : *Alors mon fi...?*

C'est elle qui poussa le gommier à l'eau. Lui, se mit derrière elle aux avirons, à ramer sans attendre vers le milieu de la rade. Debout à la pointe du gommier, droite par on ne sait quel mystère d'équilibre, Man L'Oubliée contemplait le bleu qui s'ouvrait devant eux. La rade se mit à bouillonner. Le monstre avait perdu de sa placidité ; plutôt que de rester en affût immobile, il marquait une nervosité qui perturbait la crique et refoulait les vagues par-delà le corail. Très vite, il se mit à tournoyer à l'entour du bateau. Man L'Oubliée le suivait des yeux. Elle pivotait à mesure que la gigantesque forme se déplaçait dans l'eau. Ses yeux l'emmaillotaient comme une toile d'araignée. Le jeune M. Balthazar Bodule-Jules vit alors une ombre émerger du profond, comme quelque chose qu'on aurait libéré. Il reconnut le corps ensanglanté de la chabine. Il orienta le gommier vers elle tandis que Man L'Oubliée tenait le monstre du bout de son regard. La rade s'était mise à frétiller d'un rassemblement de bécunes-blanches et de bécunes-chandelles. Le monstre entraînait tout un peuple de mangeurs avec lui. Il put accrocher le corps de la chabine, et le ramener par-dessus le bordage en s'étonnant qu'aucune bécune n'attaque ces chairs à vif. Il fut encore plus étonné de découvrir qu'elle respirait encore. Sa peau était hachée de mille morsures profondes. La

fureur lui revint, plus vigoureuse encore. Il reprit les rames en surveillant la forme épouvantable que Man L'Oubliée fixait intensément. Elle était devenue ce centre autour duquel la bécune-diablesse tournoyait sans pouvoir contrôler ses nageoires. La bête ne pouvait plus que tourner autour du gommier, tourner vite, détraquée. Elle ne lui lança aucun signal, mais il vit de mieux en mieux, dans ce jeu d'écume et de bleu bouleversé, la longue forme fuselée, vive d'une fluorescence gris-vert. Il vit (presque langoureuse) cette hanche de vieille femme ou cette nageoire dorsale. Il vit cette traîne d'écume ou ce cheveu de diablesse qui s'allongeait derrière. Il la sentit soudain accessible. Il posa les rames, demeura immobile, saisit lentement une gaulette-dard. Se redressa. Et — avec la rage qui l'habitait, au nom de Sarah-Anaïs-Alicia, de Déborah-Nicol, de son papa et de sa manman, de toutes ces peurs et ces angoisses qui hantaient sa vie depuis le premier jour — il s'abattit sur la forme poissonnée.
Il s'abattit sur elle dans une perdition.
Il sentit le dard qui déchirait des chairs. Il eut le temps de voir les milliers de bécunes s'éparpiller comme sous l'effet d'une explosion soudaine. Il eut un sursaut pour soulever la gaulette-dard et l'enfoncer encore dans la chair monstrueuse; il plongeait avec elle dans l'écume, s'abîmait dans un bouillon de sang. La gaulette s'était cassée. Il avait pu en conserver le dard avec lequel il tailladait, piquait, piochait à l'arraché-coupé. Il crut se retrouver dans le corps à corps infernal en compagnie de la chabine. Alors, il frappait de plus belle, avec une énergie semblable. Il mordait, arrachait, tordait. Le dard entrait et ressortait avec une force inouïe, surtout un désespoir, et il recommençait. Il se sentait aux lèvres un précipité de sel et de sang, il goûtait à cela comme à un oxygène, et il frappait encore. Soudain, la forme monstrueuse cessa de se débattre entre ses poignes rageuses. Comme il n'était plus qu'une fureur sans nom, il la frappa encore, jusqu'à être

forcé de remonter pour aspirer une goulée d'air et brailler (une fois de plus) son aversion de ce monde. Son beuglement foudroya sept bécunes et renvoya les autres vers l'inconnu d'après Miquelon. La chose-bécune-diablesse fut terrassée ainsi. Il se retrouva en dérive avec elle, environné d'une nuée de poissons carnassiers qui erraient ventre en l'air.

Il fallut plusieurs maîtres-gommiers pour haler à sec la masse d'une bécune de neuf mètres. Les femmes emportèrent le corps de la chabine. Elle était bien vivante et trouvait la force de se redresser pour regarder le monstre et le défier encore. Le jeune M. Balthazar Bodule-Jules était persuadé d'avoir occis l'Yvonnette Cléoste, il regardait l'animal, son gris-vert, ses écailles argentées, parsemées de taches noires. Il regardait sa gueule, la mâchoire inférieure qui remontait aiguë comme une gueule de diablesse. Il cherchait dans ses formes un reste de corps de femme, un reste de démone. Mais il ne voyait plus qu'un énorme poisson que Man L'Oubliée ne regardait même pas. Lui, attendait un signe qu'il s'agissait de la diablesse, mais elle lui dit seulement : *C'est une vieille bécune à dents de chien, devenue folle sous le poison de sa férocité...* Elle avait dit cela avec une telle autorité qu'il l'avait crue là-même. L'agonisant se mit à rire d'une telle crédulité : il prenait mesure de l'influence qu'elle exerçait sur lui ! *Ce monstre ne pouvait être que la diablesse ! La diablesse en personne !* Man L'Oubliée s'était déplacée car il s'agissait bien de l'Yvonnette Cléoste et une fois encore elle avait réussi à déjouer sa manœuvre. Le jeune M. Balthazar Bodule-Jules s'était précipité au chevet de la chabine. Il y passa une douzaine de jours, à lui faire avaler des soupes fortifiantes. Avant de disparaître, Man L'Oubliée était venue la voir à deux ou trois reprises, elle lui avait posé la main de Dieu sur le front et sur les blessures qui lui hachaient le corps. Puis elle avait disparu. Une fois encore. Sans rien dire au jeune bougre. Il ne s'en apercevrait que quelques jours plus tard, quand la chabine se mit à lui sourire, et à fredonner son amour de la vie.

La société de pêcheurs demeura bouleversée par cette révolution. Ses deux nouveaux chasseurs était un jeune bonhomme à peine sorti de l'enfance et une femme chabine, sans doute un peu fofolle. La chabine s'appelait vraiment Kalamatia. Elle avait sa case accrochée à l'une des falaises qui ceinturaient la rade, une case ancienne, appartenant à on ne sait qui, et qu'elle avait investie on ne sait trop à quel moment. Car on se mit à tenir chronique de sa présence et de ses origines. On ne lui trouva ni papa ni manman dans la crique, ni même d'ancienneté. Elle était apparue sur la plage, petite-fille sans parole, un jour qu'une marée de méduses colonisa la rade. La masse gélatineuse empoissait les gommiers et proscrivait toute sortie. Ceux qui parvenaient à s'extraire de cette glu ne pouvaient jeter ni hameçon ni filet. Tout cela remontait chargé de méduses de mille sortes qui regardaient toute vie avec méchanceté. L'enfant chabine était apparue à cette époque, ou sans doute était-elle là depuis longtemps, mais ce fut seulement à ce moment précis qu'on la remarqua sur la plage : elle parlait aux méduses qui fondaient au soleil. Un couple de vieux-corps aveugles la recueillit sans se poser de questions et elle grandit, un peu bizarre, sans goût du jeu, sans rien à dire, juste bonne à errer sur la plage, à jouer dans l'eau avec les méduses et à fixer la mer comme dans l'attente d'une circonstance particulière. Les vieux-corps avaient dû mourir et lui laisser la case. On avait fini par l'oublier d'autant que la disparition mystérieuse des méduses redonna vie à cette société. Cette dernière connut une décennie tranquille, sans barbe et sans soucis. L'enfant chabine pêchait en cachette. Seuls les chasseurs savaient qu'elle le faisait. Ils lui donnaient de très précieux conseils, lui montraient des secrets, car son existence curieuse les faisait rire. Ils la formèrent ainsi, en riant, à l'insu de tous, comme pour lancer une blague dans le monde vivant. C'est pour leur restituer ce qu'ils lui avaient donné que la chabine avait voulu affronter le monstre, et mourir avec eux.

Durant les temps qui suivirent, le jeune M. Balthazar Bodule-Jules et Kalamatia pêchèrent ensemble, ils le faisaient rarement, et tout le monde s'étonnait que des chasseurs puissent se rendre à la pêche. Mais les nouveaux chasseurs tenaient de temps en temps à s'éloigner des cases, et dans le bleu du bas et le bleu du haut, sous l'auréole des oiseaux qui voltigeaient autour, ils replongeaient dans ces ébats furieux d'où leurs corps ressortaient purgés de toute matière. Il y avait une telle sucrée de plaisir qui s'envolait et qui glissait dans l'eau, que leur gommier attirait une nuée de poissons les plus rares. Tous venaient goûter à la sauce de l'amour. À ce sperme, ces urines, ces sueurs, à ces matières précipitées en une mélasse boueuse qui s'en allait au gré des vagues comme un mazout de pétrolier échoué.

Kalamatia lui disait que la mer effaçait la Malédiction, et que ceux qui vivaient avec elle, en zieutant l'horizon, conjuraient ce malheur. Mais elle lui disait aussi que ce pays était hanté d'une autre calamité : les voix effacées des peuples caraïbes. Elles sont partout, hurlant à grands silences. Dans ces plages et ces vagues. Elles sont dans ces gommiers, ces nasses et ces filets. Elles sont dans nos gestes. Elles sont dans le jeu des marées. Elles sont dans les poissons. Elles hurlent une souffrance car elles ont aimé vivre. Et c'est pourquoi, lui dit-elle, les pêcheurs ont les yeux blancs. C'est pourquoi ils sont farouches, et sont graves tout autant. C'est qu'ils entendent et qu'ils voient sans arrêt, au-delà de l'oubli, des silences et des morts invisibles. Kalamatia les entendait tout le temps résonner dans sa tête; au début, enfant, elle les écoutait toute la sainte journée, puis elle s'aperçut que c'était inutile car ces voix résonnaient en direct dans son corps. Elle combattait cette amertume par des frénésies charnelles, elle plongeait dans la sexualité sans aucune limite, cherchait la force du sperme, de l'urine et des matières fécales pour dresser une muraille entre elle et ce tumulte de vieilles douleurs. Elle agissait comme le ferait plus tard M. Balthazar Bodule-Jules durant son existence, dans les bas-fonds des villes, les maquis, les forêts, les plateaux. Pour combattre sa fureur insensée et cette amertume dont il finissait par oublier les causes, il plongeait dans le corps des femmes selon cette licence que lui avait apprise Kalamatia; c'est ainsi qu'il parvenait à surprendre les femmes les plus dévergondées. Il buvait leur urine, se vautrait dans leurs huiles, dormait dans leurs matières comme dans des réceptacles de la force vivante. Il fut surpris quand cette femme de Bolivie lui révéla que Tlazolteotl, déesse aztèque des amours, était déesse des immondices et mangeuse d'ordures. Il fut étonné quand une Bambara du Mali lui montra comment brûler les excréments, et les jeter en cendres à l'attention du dieu Faro, ordonnateur du monde. Il rencontra des excréments dans les médecines secrètes des peuples les plus anciens, et sut que les vautours, les hyènes et autres charognards détenaient (par leur goût des ordures) des forces de création et des pouvoirs de connaissance. Il vit au Dahomey les excréments du serpent arc-en-ciel signifier l'abondance. Il vit, en séjournant auprès d'une femme kabyle, comment la bouse de vache était la base de quatorze charmes magiques. Dans un port d'Angleterre, il vit son aimée du moment se montrer heureuse de recevoir des fientes d'oiseaux, et soutenir que des rêves d'excréments étaient signe de fortune. Il vit dans plusieurs terres des femmes voleuses qui l'avaient fasciné laisser leurs excréments aux endroits de leurs vols pour déjouer les poursuites. Au Tibet, il vit une merveilleuse au crâne rasé qui portait au cou les excréments pulvérisés de son dalaï-lama. Il en connut qui diluaient ces matières dans des philtres d'amour, et d'autres, en Arabie, qui lui disaient qu'une merde de djinn transmutait les enfants en surdoués clairvoyants. Chez les Falis du Cameroun, une étonnante lui prétendit que des âmes anciennes dormaient encore dans les matières fécales...

Pas une d'elles ne se montra surprise par ses vices et manières. Cela renforçait en lui l'idée que cette Kalamatia était vraiment spéciale. C'est grâce à elle qu'il ne fut plus jamais surpris par les rites sexuels, et qu'il put les pratiquer sans émoi avec les belles qu'il trouvait sur ses routes. Il connut ce baiser du nez auquel le limita une belle Océanienne. Il prétendit avoir passé des nuits dans un dortoir sacré où de jeunes Indiennes venaient s'initier à l'amour, et qu'il y fit treize nuits, et qu'il en ramena treize souvenirs de ventres et d'odeurs différents. Il prétendit connaître des peuples mélanésiens où les filles non mariées offrent leur corps en signe de bienvenue. Dans ces mêmes pays, il se retrouva au travail des jardins où les femmes, après le sarclage, s'abattaient sur les hommes d'une manière terrible. Il prétendit, sur une des rives du Gange, avoir rendu hommage à la mère du monde, la déesse Yellana, et qu'à chaque éjaculation avec ces putes sacrées il s'était approché d'une sorte de sainteté. Dans le pays Niger, il dut se couvrir de terre ocre, se faire briller de graisse, écarquiller les yeux, sourire pour attester du solide de ses dents, chanter avec des gestes singuliers de la tête, et se laisser choisir par une femme danseuse, et la suivre en forêt pour honorer la pluie. Il connut dans on ne sait quel coin des femmes dont le ventre portait des cicatrices gonflées de cendres pour exciter le désir et inspirer le sentiment de la beauté. Il fut forcé, chez des Papous, d'humilier les femmes afin de briser leur pouvoir d'être maîtresses de la vie et génitrices du monde. Il connut ces îles Samoa de Polynésie où, en compagnie des chefs, il dut déflorer en public de nombreuses petites-filles, et apprendre à rafraîchir ses amantes avec de l'eau de coco. Dans le Pacifique, il apprit l'usage des philtres d'amour et les fumigations des parfums de tendresse. Il vit (on ne sait où) des femmes se parfumer jambes ouvertes au-dessus d'un feu de plantes aromatiques. En certaines îles, il dut avaler des parfums afin de les restituer dans son sperme et dans les sueurs d'amour. Chez les Inuits, il prétendit s'être enduit de graisse et s'être lavé dans son urine pour développer les romances du plaisir, et prétendit avoir connu ces épouses que l'on devait combler en l'absence de leur époux chasseur. Il mangea les fruits du bananier au pied duquel on jette les prépuces des jeunes gens du Gabon. Il connut ces femmes chinoises des hautes montagnes, qui vivaient sans père et sans mari, et que l'on ne pouvait visiter que la nuit, une seule fois, et que l'on se devait d'abandonner à l'aube sans pouvoir prétendre être père de l'enfant. Il connut ce peuple de Colombie, lié à sa terre sacrée, où les jeunes filles couvrent leur beauté sous un casque de palmier pour vous forcer à mieux les deviner. Au soleil du Soudan, il vit des guerriers s'emparer de jeunes garçons bien frêles, et les garder pour leurs plaisirs en attendant de se trouver une femme. Sous d'autres lunes, il pénétra des créatures qui lui plaquaient contre les flancs des scarifications magiques creusées dans le tendre de leurs cuisses, et connut sans ciller ce plaisir solitaire qu'offrent les femmes sans clitoris...

Rien ne l'avait étonné. Il avait compris depuis Kalamatia à quel point l'amour des corps était chargé du don et de la prédation, du construire et du détruire, du désir du bien et de l'envie de mal. Mais l'agonisant se dit qu'emporté par ces fièvres charnelles, il était passé à côté de bien des richesses, de bien des profondeurs, de bien des forces qui demeuraient cachées à son regard lubrique, à sa main fornicante. Il ne récoltait rien, tout se dissipait dès que son sperme avait séché... — sauf peut-être avec Kalamatia : leur gommier se remplissait de ces poissons charmés par leurs sauces d'amour. À leur rentrée à sec, ils distribuaient ces poissons rares, et se réfugiaient dans l'écart de leur case, en haut de la falaise, heureux dans ces jours immobiles — jusqu'au moment où les gendarmes, qui le cherchaient encore, surgirent comme un cyclone.

Ils arrivèrent par la mer, dans une série de yoles et de vedettes de douane. Ils débarquèrent sur la plage avec des chiens, des mitrailleuses, des menottes, et ils commencèrent à tout fouiller, à dévaster les cases et les filets, à renverser les gommiers pour vérifier l'en-dessous. Les maîtres-gommiers leur tombèrent dessus à coups de gaulette-dard et de boutou-requin, dans une fureur jamais vue par ici. Les gens d'armes, qui étaient habitués aux nègres d'usine et nègres de champ, découvraient des foubens qu'aucun fusil ne pouvait inquiéter. Quand Kalamatia les prit à partie avec ses piques et ses crochets, qu'elle se mit à tailler du brigadier comme de la chair de jeune daurade, il y eut une panique. La maréchaussée s'en alla sans demander son reste. Les maîtres-gommiers ignoraient ce qu'ils étaient venus chercher et n'essayèrent pas de le savoir. Ils soignèrent leurs blesses et fêtèrent leur victoire en dégustant des boyaux de thon dans une sauce-chien.
Ils étaient contents.
Mais le jeune bougre sentit une fois encore la froidure sur sa nuque.
L'Yvonnette Cléoste était de retour!
Il pensa encore une fois à Man L'Oubliée. Il l'avait laissée disparaître sans s'accrocher à elle, et il se sentit seul. Un matin, il chercha Kalamatia. Elle avait quitté leur couche

très tôt. Il la trouva debout, immense sur le sable, en train de regarder la rade comme si une nouvelle calamité venait d'y pénétrer. *L'Yvonnette revient !* Le jeune bougre s'affola. Il avait peur pour cette société. En demeurant-là, il mettait tous ces gens en danger. Les gendarmes qui ne tarderaient pas à revenir en masse allaient tout déchiqueter! Les monstres n'en finiraient pas de surgir! C'est pourquoi — comme il allait le faire en bien des fois dans sa longue existence — il résolut de disparaître. De poursuivre son errance qui ne faisait que commencer. Il quitta la société en pleine nuit. Sans au-revoir et sans adieu. Le souvenir de Kalamatia lui resta dans le corps durant des mois. Il souffrit de ne plus pouvoir se battre d'amour avec elle, de ne plus pouvoir épuiser cette rage et cette vigueur qui lui tordaient le corps et ne servaient à rien. Puis il dut la perdre au fond de son esprit.

> Il aimait venir écouter les conteurs, regarder les danseurs, et ces mâles-bougres adoraient écouter ses silences...
>
> « Notre morceau de fer ».
> *Cantilènes d'Isomène Calypso,*
> conteur à voix pas claire de la commune de Saint-Joseph.

ÉROS ET REFOULEMENT. Il marcha comme Man L'Oubliée le lui avait appris, en dehors de toute trace connue, selon un rythme et une loi que seuls certains chasseurs des bois auraient pu deviner. C'est pourquoi, durant des mois, il ne rencontra personne, pas âme qui vive, sinon de vieux serpents et quelques perroquets qui babillaient leur solitude. Dans les bois profonds, il y avait plus d'eau, moins de lumière, le jour et la nuit marchaient à mi-hauteur de demi-clair et demi-noir. Le soleil y parvenait en fines colonnes qui semblaient transpercer le feuillage pour se ficher dans les humus du sol; leur consistance était presque tangible; ce n'était plus de la lumière mais une matière phosphorescente, labile comme une huile de mercure et volatile comme un vent d'oxygène. Il connut des jours de pluies et de vents qui couraient entre les troncs tels des souffles de glace. Il devait se construire des ajoupas et demeurer longtemps dans une brume d'eau et d'effluves gelés ; et là, il mâchonnait des graines-bois et certaines écorces tendres ; se vidait le corps et l'esprit de tout ce qu'il avait dû une fois encore abandonner. *Moi qui étais devenu une mémoire vivante, je pratiquais l'oubli pour me sauver la peau !* L'agonisant finit par admettre que ce fut sa manière de survivre à ces hautes solitudes qui feraient son existence : se désemplir l'esprit, effacer les visages de Déborah, de Sarah-Anaïs-Alicia, de Kalamatia, ne plus penser à Man L'Oubliée, à son papa ou sa manman, rentrer en soi, et vivre au rythme de sa seule colère qui lui donnait déjà le goût des guerres et des querelles. Il avait besoin de ces plongées dans la matrice des bois pour reprendre vigueur et se livrer au concentré de violence qui gisait au fond de lui. *Manman, j'avançais à grand balan d'oublis, mais la mémoire restait comme un sucre de ma chair !...*

Il fut surpris de rencontrer dans la bouche d'une rivière cet homme étrange qui allait le précipiter dans une autre existence. Le bonhomme se tenait dans la rivière, il était long, athlétique, avec des muscles œuvrés à la manière d'une ciselure. Une force physique pleine d'éclat. Il devait avoir près de soixante-quinze ans, mais le temps avait coulé sur lui comme sur un parchemin ; il était resté lisse et compact tel un bois-courbaril ou ce cœur d'acoma qui ne pourrit jamais. Le jeune M. Balthazar Bodule-Jules sentit cette puissance qui s'exerçait dans d'insolites mouvements. Il évoluait dans l'eau, sur les roches, sur le sable de la rive. Il s'accrochait aux branches pour des contorsions qui semblaient être un jeu. Le jeune M. Balthazar Bodule-Jules finit par comprendre que le bonhomme dansait. Une danse étrange, mesurée, il se déliait comme une buée légère et déployait ses membres dans une lenteur totale. Ce qui troublait le jeune M. Balthazar Bodule-

Jules, ce n'était pas l'énergie de ce corps. C'était un trouble singulier, quelque chose d'onctueux, qui habitait cet homme et qui touchait son entourage de manière surprenante. Il l'observa longtemps jusqu'à ce que le bonhomme découvre sa présence. Sans en être effrayé, ce dernier se rapprocha en le scrutant, comme pour savoir s'il était en face d'un ami ou d'un ennemi :

— Je suis Polo Carcel, lui dit-il, fils de Man Louvette de Fonds-Saint-Denis, et de Polominin, un kouli blanc du Macouba que les gendarmes ont tué.

— Mon papa c'est Limorelle, ma manman c'est Manotte, des gens de Saint-Joseph. Et moi, je suis Monsieur Balthazar Bodule-Jules.

Le bonhomme avait une voix étonnamment douce, et des gestes veloutés, une prévenance et une attention inconnues du jeune bougre. Il était vigoureux sans agressivité. Solide mais infiniment suave. Résistant à l'extrême mais sans raideurs ni vibrations malsaines. Le jeune M. Balthazar Bodule-Jules crut qu'il s'agissait d'un de ces anges que voyaient Sarah ou Sarah-Anaïs-Alicia. Il eut même un instant la crainte d'avoir contracté cette maladie qui vous mettait en relation avec des êtres d'un autre monde. Mais il sentait que ce bonhomme-là était bien d'ici-bas : une souffrance gisait en lui, bien inscrite dans le réel d'ici. Ils vécurent côte à côte dans les bois. Se découvrant et s'appréciant. Polo Carcel et lui possédaient deux sapiences différentes. Lui, savait capturer des oiseaux invisibles; Polo Carcel savait trouver des œufs de grive et des chenilles bonnes à manger. Il lui montrait comment trouver des graines-bois dans les coins désolés; Polo Carcel lui expliquait comment fasciner les serpents pour qu'ils ne frappent jamais..., et fut bien étonné qu'un si jeune bougre connaisse autant de choses, et presque autant que lui qui traînait dans les bois depuis plus de trente ans. Le bonhomme était content d'avoir trouvé quelqu'un à qui parler. Il s'était retiré du monde et avait consacré son énergie à fuir les êtres humains. Même les chasseurs des bois les plus farouches n'avaient pu retenir son amitié, il les saluait, et s'éloignait très vite pour rester seul avec lui-même. Mais le jeune M. Balthazar Bodule-Jules l'intriguait. Quelque chose l'attirait en lui et le poussait à demeurer à ses côtés. Il sentait que ce jeune était (à tout jamais) tombé hors de ce monde. Au fil de quelques jours, dans un moment de relâchement, il commença à lui conter le tragique de sa vie...

Polo Carcel était danseur. Un danseur de combat. Un danseur de danmyé. Le danmyé est une lutte que les esclaves pratiquaient sur les habitations. Une danse de guerre d'origine africaine, certainement composite, qui avait survécu aux effacements du bateau négrier. Elle avait fait naître ces dangereux danseurs qui d'une volte pouvaient vous fracasser le crâne. Le monde du danmyé était plus fermé qu'une calebasse. C'était un univers secret qui doublait ce monde-ci, comme ces Lieux introuvables où Sarah avait dû s'en aller. Ses maîtres (qu'on appelait les *anciens*) étaient presque aussi invisibles que les plus grands Mentô. Cette danse avait été interdite, mais elle continuait à rythmer la vie obscure des cases. Elle attestait de son existence par ces cadavres retrouvés aux croisées à la suite des pleines lunes, en période de grandes joutes.

Le bonhomme s'était lancé dans cette pratique comme son papa, un major-danmyé pas très fameux. Lors de son premier combat, il avait pu châtier son adversaire. Il en vainquit un autre, puis un autre, qui fait qu'il approchait déjà de la légende des majors invaincus. Il parvint à un stade où il lui fallait rencontrer un des anciens. Ceux-là ne se montraient que peu. Ils n'entraient dans les rondes qu'à quatre heures du matin, et n'affrontaient pas n'importe qui. Les anciens ne se battaient qu'à mort. Mais avant qu'il n'en rencontre un, il y eut un dernier combat. Cela se produisit lors d'une fête d'usine, un samedi de lune forte, durant laquelle il affronta un jeune braille pas vraiment accompli, qu'il aurait pu fracasser en deux-trois voltes d'un échauffement. Mais celui-ci lui avait lancé une accroche qui s'était empêtrée dans son pantalon, et l'avait déchiré. Polo Carcel était tombé à la renverse, les jambes en l'air. Et on avait vu apparaître cette chose pas ordinaire qui causait le tragique de sa vie, et qu'il eut du mal à avouer au jeune M. Balthazar Bodule-Jules.

On avait vu qu'il était double.

Entre les jambes, il arborait un petit kal assorti de belles graines mais le tout — *la Vierge-Marie-Joseph !...* — se disposait autour d'une kounia bien galbée.

Certains virent un homme.

D'autres distinguèrent une femme.

Les autres en perdirent la boule.

On hurla que c'était sacrilège car il était demi-femme, ou demi-homme, ou rien du tout, et qu'il n'était sûrement pas une personne de danmyé. La ronde fut arrêtée. Depuis ce jour-là, personne ne voulut se gourmer avec lui. On rompait les cercles où il s'aventurait. On le laissait s'épuiser dans ses rondes de défi. On l'entourait de vide et de silence comme s'il était un chien-fer à bretelles.

Polo Carcel, qui ne savait comment vivre avec une telle honte, se réfugia dans les grands-bois. Il n'en sortait que les nuits, vers trois heures du matin, pour rôder autour des rondes-danmyé et voir (quand la chance était bonne) le combat d'un ancien. Dès sa naissance, la tragédie lui était tombée dessus, son papa n'avait pas voulu croire qu'il avait engendré une telle aberration ; sa manman ne dit rien, et demeura quelque peu souriante en se disant qu'elle possédait à la fois une fille et un garçon. Devant le papa, elle le traitait à la rude comme un vrai nègre-à-graines; en dehors, elle l'élevait comme une demoiselle. Polo Carcel s'habitua à circuler entre ces deux états, avec quand même cet embarras qu'il aimait les garçons et qu'il aimait les filles. Il connut toujours des amours impossibles car il ne voulait jamais montrer son anatomie à quiconque; il devait toujours, à un moment ou à un autre, se dérober pour que sa tragédie n'explose pas en plein jour. Il eut ses règles comme toutes les petites-filles et des éjaculations nocturnes comme les jeunes garçons. Il dut vivre avec cette douleur de ne jamais savoir ce qu'il était vraiment, et d'être tiraillé de manière trop profonde entre deux genres ou deux espèces.

Il résolut de devenir un garçon, sans doute — s'il faut en croire les analyses psychologico-pychologiques de M. Isomène Calypso — parce qu'il souffrait trop de l'indifférence hostile du papa. C'est pourquoi il s'intéressa au monde du danmyé. Un monde d'hommes à grosses graines. Avec patience et volonté, il cisela son corps pour qu'il devienne l'expression même de la puissance virile. Il avait bien mené sa barque jusqu'à ce que cette accroche dévoile son malheur, le forçant à se serrer au plus profond des bois. C'est là qu'il avait appris à vivre sa double constitution. Dans cette solitude, il pouvait enfin être ce qu'il était, à la fois homme et femme. Il apprit à effacer en lui cette partition ancienne qui divisait l'humanité. Sous la voix de monsieur qu'il cultivait chaque jour, il sentit émerger une voix de petite-fille, puis un timbre de madame. Ces deux voix purent se parler, échanger leurs façons et leurs visions des choses. Polo Carcel fut à jamais deux personnes en même temps. Un couple parfait logé dans une même chair. En apercevant le jeune M. Balthazar Bodule-Jules, le Polo-madame avait été charmé par son air de bête fauve aux abois; le Polo-monsieur avait vu la puissance de ce corps, et deviné combien ce jeune bougre pouvait en un rien de temps devenir un grand major-danmyé.

Les nègres des tambours et des danses l'appelaient : le monstre
des monstres...

« Notre morceau de fer ».
Cantilènes d'Isomène Calypso,
conteur à voix pas claire de la commune de Saint-Joseph.

Quand ils en parlèrent au jeune M. Balthazar Bodule-
Jules celui-ci éclata de rire. Cela ne l'intéressait pas. Il ne
comprenait pas pourquoi ces danseurs passaient leur
temps à se détruire alors qu'autour d'eux des planteurs,
des gendarmes et des juges assassinaient leurs frères !
Combattre ces forces brutales, là se trouvait le seul et vrai
combat ! *Je n'ai jamais vu un major-danmyé affronter un
gendarme ou défoncer la tête d'un béké !...* Les Polo Carcel
lui répondirent que les anciens étaient des guerriers et
que les vrais guerriers ne se battent pas comme ça.
— Ils n'ont jamais levé la main contre la Malédiction !
— Ils la combattent à leur manière !
Et les Polo Carcel lui dirent que le danmyé était un
combat contre l'oubli. La mémoire africaine du danmyé
leur avait restitué ce qu'ils avaient perdu et qui permettait,
par cette absence même, à la Malédiction de s'installer en
eux :
— Et c'est quoi, ce qu'ils ont perdu ?
— L'humanité. Le danmyé a ravivé l'humanité en eux.
— Et l'humanité, c'est quoi, c'est se battre pour tuer son
frère ?
— C'est créer avec ses frères une ronde où le principe
vital est le seul maître à bord.
— Mais ça devient un lieu de mort !
— Ça devient un lieu où donner la mort, mourir soi-
même et accepter de mourir signalent l'essentiel.
— Et cet essentiel c'est quoi ?
— Vivre dans l'éclat ou ne pas vivre... dirent les Polo Carcel.

Le jeune M. Balthazar Bodule-Jules accepta de suivre ses
nouveaux amis dans leurs descentes nocturnes vers les

joutes clandestines de danmyé. C'est ainsi qu'il observa ce monde mystérieux dont les lois lui serviraient dans ses guerres et ses fuites. Les gens arrivaient en silence en début de soirée. Tous des hommes. Les femmes qui venaient jusque-là étaient des femmes-à-graines qui pouvaient tenir tête à n'importe quel mâle-bougre. C'est le tambouyé qui constituait le cercle en frappant le tambour. Puis quelqu'un de l'assistance commençait à tourner dans l'espace du milieu, avec les mains ouvertes, des vrilles joyeuses et des chutes simulées qui permettaient de rebondir... Après s'être présenté au tambour, le candidat changeait de rythme. Sa danse devenait sautillante. Il demandait à ouvrir le cercle, esquissait des gestes menaçants. De temps à autre, il zieutait l'entourage pour crocheter un regard. C'est dans cet ensemble qu'il lançait son défi. Si personne ne le relevait, il sortait en vainqueur. Si quelqu'un le défiait en entrant dans la ronde, un combat s'inaugurait alors, et les tambours happaient les nouveaux adversaires avec un son particulier.

Pendant longtemps, le jeune M. Balthazar Bodule-Jules ne regarda que les tambouyés. Il était fasciné par cette technique qui semblait être une fièvre. C'était un vrai souffle de dragon qui vous prenait le corps et l'entraînait dans des nappes d'émotions. Cela pouvait aller de l'apaisement subit à la violence extrême. Déjà en fureur permanente, il sentait combien son cœur s'accélérait sous l'effet des coups sourds, et comment l'envie de se battre lui venait quand les tambouyés accentuaient certains rythmes. Ils entraient dans des cassures brutales qui le poussaient en dehors de lui-même. Il ne savait pas encore qu'il rencontrerait le tambour dans tous les coins du monde où il lèverait ses armes. Qu'il les verrait creusés dans des os de toutes formes, montés dans des poteries, sortis de troncs creusés, sculptés dans des boiseries ou des métaux de lune. Ils surgiraient partout, dans les naissances, les morts, les joies et les malheurs, ils accompagneraient les tueries et les guerres, les paix et les mystères. En bien des nuits de guet, cerné par des paras, il entendrait dans une coulée de vent l'invocation obscure d'un tambour rebelle. À l'amorce des assauts, il y aurait toujours ce vœu indéchiffrable qu'un guérillero soulèverait d'un tambour, et qui circulerait dans les cœurs comme un sang de dragon. En Océanie, il devra vivre auprès d'une vieille qui s'endormait avec un tambourin attrapeur des vieux rêves. Sur l'île de Pâques, sa vie sera rythmée par une femme aux yeux pers qui saluait l'aube sur une peau de requin. Dans un côté de l'Amérique, il fréquentera une prêtresse qui faisait résonner une écale de tortue... Dans ces rondes de danmyé (qui ouvraient pour lui à tant de rondes guerrières), les tambouyés déployaient une complexité rythmique qu'il retrouverait dans toutes les Caraïbes, et plus puissante encore dans les pays d'Afrique. Au cœur de leurs cadences répétitives, ils introduisaient une gamme infinie de variations subtiles et d'élévations folles. Comme un alléluia qui scintillerait des présences de chaque son, tels ces beaux firmaments constitués de mille feux solitaires. Mais le plus puissant était *la-voix*.

La-voix se tenait auprès des tambouyés. C'était un chanteur, souvent un vieux-nègre à la gorge éraillée. Son timbre montait de terre. C'étaient des chants mélancoliques, répétitions tremblées de noms ou de mots incessants qui s'accordaient aux préludes des tambours. La-voix vous incitait à déclencher une ronde de défi, et vous chargeait d'orgueilleuses vibrations pour inspirer aux autres l'envie de vous défier. Autour du chanteur venait la voix-derrière, chœur d'hommes plus jeunes qui soutenait la voix centrale et confortaient ses intentions. Si la-voix faisait bouillir le sang, la voix-derrière soutenait le cœur, renforçait ses battements, entrait dans des aigus qui affolaient les muscles... L'agonisant eut sans doute un soupir : *Les voix aussi escorteront mes errances !* Il en verrait capables d'endormir des souffrances et guérir des malheurs, il les entendrait honorer des ancêtres, parler aux dieux, célébrer des amours, conjurer les effrois de la mort et cadencer de longues initiations. Il en verrait (comme celle de Man L'Oubliée) capables d'ordonner au réel et de chasser les puissances maléfiques... Le jeune bougre était à chaque fois transformé en pulsation hagarde. Ce phénomène plongeait les Polo Carcel dans une joie bien franche. C'était pour eux la preuve que le jeune M. Balthazar Bodule-Jules était bâti pour le dan-myé. Mais, avant de l'y précipiter, ils lui montrèrent d'autres secrets.

Dans l'assistance se tenaient des vieux-nègres chiffonnés. Ils étaient debout là, immobiles, frappant des mains de manière anodine, impassibles très souvent, le regard fixe mais qui suivait pourtant les passes des majors. Ils étaient disposés à des distances variables, comme des balises ou des antennes. Les Polo Carcel lui apprirent à repérer comment les majors (en action dans une ronde) utilisaient ces forces-relais disséminées parmi la foule. Ces présences énigmatiques s'appelaient les souteneurs. Chaque combattant venait en ronde avec ses souteneurs. Ils aidaient leur poulain à prévoir l'adversaire, à se positionner pour mieux accroître l'impact de leurs coups. Sans souteneurs, il était difficile de contrôler son énergie pour la libérer au moment important. Le jeune M. Balthazar Bodule-Jules et les Polo Carcel passèrent des mois ainsi, à descendre dans les rondes, jusqu'à ce qu'ils voient combattre un ancien.

C'était un bougre à cheveux blancs. Il n'était pas épais et semblait supporter un âge respectable. Le jeune M. Balthazar Bodule-Jules fut étonné de voir ce vieux-nègre (jusqu'alors inaperçu) entrer dans la ronde ultime comme un seigneur. Il fut anesthésié par cette puissance que dégageait l'ancien. Cette danse le subjuguait. Les gestes de l'ancien étaient si impeccables qu'ils ne comportaient pas d'orgueil ou d'agressivité, ils étaient pleins, impérieux, au-delà des émotions primaires ; ils se déployaient sur une gamme dénuée de toute humanité. *Cette danse était impitoyable !* Le jeune M. Balthazar Bodule-Jules comprit ce soir-là pourquoi les anciens quittaient souvent les rondes sans trouver d'adversaire.

Mais, cette fois, un major trouva le courage d'avancer dans le cercle. L'ancien ne le regarda même pas. Il continua sa ronde. Mais les tambours et la-voix entamaient un martelage aigu, syncopé, enivrant. La voix-derrière augmentait elle aussi. D'emblée, l'assistance s'écarta. Le cercle intérieur s'était mué en un espace dangereux où la beauté des gestes se mêlait à la mort. Ils tournèrent l'un autour de l'autre pendant quelques minutes. Se jaugeant. S'approchant. Reculant. Amorçant des prises qu'ils défaisaient là-même si la riposte était campée. Le major tournait autour de l'ancien qui paraissait tranquille. Les tambours et la-voix étaient devenus des pulsations bestiales. Dans un frisson, le jeune M. Balthazar Bodule-Jules perçut quelque chose d'effrayant : l'ancien n'était plus le tremblé d'énergie du début.
Il s'était transformé en monstre [1] *!*
Les Polo Carcel ouvrirent les yeux avec une jubilation admirative. Voir un ancien se transformer en monstre était affaire très rare. Devenir un monstre c'était tomber en cruauté parfaite, bras armé de la mort. Le major dut sentir cette transformation. Il louvoya en évitant d'approcher de l'ancien. Dans le même temps, le jeune M. Balthazar Bodule-Jules le vit zieuter ses souteneurs (deux vieux koulis à crinière blême, avec des mines de princes).

---

1. M. Balthazar Bodule-Jules : *La question du damier.* Quelques souvenirs in *Justice*, février 1994.

Quand le major découvrit leurs faces décomposées, il sut avoir déjà perdu la ronde. Les souteneurs ne frappaient plus des mains, une sueur leur abîmait le front. Alors, on vit cette passe que le jeune M. Balthazar Bodule-Jules ne devait jamais oublier et qu'il reproduirait en face de bien des tueurs. Il vit l'ancien se percher sur une jambe repliée, tendre l'autre, et virevolter en sautillant tandis que ses bras l'équilibraient. Les tambouyés changèrent une fois encore le rythme et la cadence : *Ils se mettaient au service de l'ancien !* La-voix se mit à lui donner-des-ailes et lui ouvrir-la-porte. Ouvrir-la-porte — avaient expliqué les Polo Carcel — c'était octroyer au danseur dominant la plénitude des forces qui rôdaient dans le cercle. Même quand les tambouyés et la-voix n'étaient pas leurs amis, les anciens pouvaient les subjuguer et les obliger à lâcher l'adversaire. On vit l'ancien s'élever comme une bulle. Et puis on ne vit rien. Ou plutôt, on devina une vrille de son corps, achevée sitôt que commencée. Il retomba en opérant une volte gracieuse, et entama (sans même zieuter son adversaire) sa ronde de victoire. Le major, toujours fixe sur ses pieds, semblait hésiter. Il essayait de reprendre le combat, mais quelque chose s'était cassé en lui. Quand il s'effondra (plus flasque qu'un sac à guano vide) il était macchabée, déjà raide et tout froid.

Le jeune M. Balthazar Bodule-Jules fut galvanisé par ce qu'il venait de voir. En regagnant les bois, il était une électricité vivante. Les Polo Carcel n'eurent aucun mal à le mettre au travail. Lui, voulait apprendre les grands coups du danmyé, mais les Polo Carcel voulurent lui apprendre à danser : *Le danmyé c'est d'abord la splendeur de la danse, et c'est pas autre chose, c'est d'abord ça !* Ils lui montrèrent comment ces voltes exécutées avec une grâce troublante étaient un moyen de convoquer ses propres énergies tout en les dissimulant. *Dans une ronde de*

combat, lui disaient-ils, *il ne faut pas être vu, on ne doit pas savoir ce que tu penses, ni ce que tu vas faire, tu dois même donner l'impression que tu n'es pas là, et que tu n'as aucune intention de frapper, tu dois même laisser croire que tu as oublié le major qui tourne en face de toi! Cette danse est un « vu-pas-vu », une dissimulation!* Le jeune bougre se résolut à soumettre son corps à cette rigueur dansante qui bridait sa nature. Sous la direction des Polo Carcel, il apprit à attendre, à répartir sa violence dans son corps, à préparer ses muscles pour des frappes décisives. Certains jours, les Polo Carcel se mettaient au tambour et lui montraient les sons. Ils lui apprirent à ouvrir sa poitrine aux sons graves, à s'appuyer sur les poussées aiguës pour devenir léger et presque s'envoler. Ils lui apprirent à déterminer si les tambouyés étaient avec lui ou contre lui, *Avec toi ils vont te soutenir, t'ouvrir-la-porte, donner-des-ailes, contre toi ils vont casser l'élan, tailler tes plumes, te donner de la basse quand il faut de l'aigu!* Ils lui apprirent que c'était bien d'avoir ses propres tambouyés, mais que c'était mieux de pouvoir dominer la-voix et tous les tambouyés, *les fasciner pour qu'ils soient forcés de n'obéir qu'à toi et de ne rien porter vers l'adversaire!* Ils lui montrèrent comment subjuguer tambouyés et chanteurs, et les forcer à se fixer sur lui. Les mois passèrent ainsi, à danser, à danser, à surprendre des secrets par les lois de la danse, à observer les joutes, et à danser encore. Quand le jeune M. Balthazar Bodule-Jules voulait essayer son savoir dans une ronde, les Polo Carcel refusaient en disant *C'est trop tôt!* Le temps passa et dépassa, ils virent d'innombrables joutes, mais jamais ils ne lui permirent d'entrer dans une ronde. Ils finirent par lui révéler :
— Ton premier combat sera contre un ancien...
— Quoi!?
— Tu es rempli de nuit et d'ombre, et c'est ta force : seul un ancien peut libérer le monstre qu'il y a en toi...

Les Polo Carcel lui travaillèrent l'esprit d'une sorte que l'agonisant avait du mal à débrouiller. L'unique certitude fut que, durant cette période, il se trouva loin des attentes vulgaires que certains jeunes majors projetaient dans leurs joutes. Il dansait, se formait en dansant, sans désir de victoire, sans intention de dominer, sans le souci de susciter une quelconque admiration. Importaient juste l'exécution irréprochable du moindre de ses actes, et la conscience entretenue plus vive qu'un tranchant de gros sel. Ils lui apprirent à dessiner sur le sable des rivières, ou à graver des signes amérindiens sur l'écorce des gayacs, jusqu'à ce que ses mains soient les oiseaux de son esprit. Ils lui apprirent à fixer l'eau coulante jusqu'à ce que son mental devienne une onde vivante. Ils lui firent observer le feu pour lisser son moral comme une plaque d'acier. Ils lui apprirent à vivre-avec-le-vent, le vent qui vient de loin, chargé de connaissances anciennes, de presciences perdues : vivre-avec-le-vent revenait à se faire attentif aux changements de l'entour. Ils le firent s'asseoir au bout de hautes falaises, à observer le vide jusqu'au vertige, et se voir investi par ce vide lui-même. Et, dans ce vide, ils l'initièrent à une vue sur chaque chose. Ils lui apprirent à crier contre les marées, jusqu'à ce que se déchirent en lui d'ultimes retenues. Il entra en discipline pour que chaque mouvement de sa journée soit sobre, léger, énergique, achevé. Il s'exerça ainsi à ne rien faire qui soit inutile et qui ne s'accomplisse sans vigilance extrême. Ils lui apprirent à s'accorder au rythme profond des existences jusqu'à pouvoir anticiper les réactions de n'importe quel vivant. Il eut alors des gestes plus lents, chargés d'une précision terrible.

Dans les danses rapides, son esprit demeurait immobile. Dans les repos, son esprit était aussi vif qu'un balan des vents. Il le maintenait calme, comme planté sur une cime, en face d'un immense paysage. Il apprit à garder la tête droite, les yeux fixes, à situer sa quiétude à hauteur de sa nuque, assise sur ses épaules dénouées. Les Polo Carcel lui apprirent l'idée de la mort pour augmenter ses actes d'un maximum de vie. Les mouvements de ses pieds étaient simultanés, aucun pied ne devait bouger seul, mais garantir ensemble des emprises sur le sol : il pouvait alors apparaître fluide et indéracinable.

Les Polo Carcel furent ébahis de voir combien ces attitudes gisaient déjà en lui, comme si Man L'Oubliée lui avait enseigné tout cela d'une autre manière. Jamais enseignement ne fut plus fulgurant. Bientôt, il se mit à danser avec les Polo Carcel, comme deux créatures d'eau, de vent, de feu, créatures de terre et de ciel. Il s'aperçut alors que ces danses se déployaient comme des oiseaux de proie, et que ces fulgurances pouvaient devenir des coups. Mais elles étaient si belles que l'on n'avait pas envie de les gâcher ainsi. Les Polo Carcel lui expliquèrent alors que l'assaut ou le coup-porté n'était jamais une décision, mais un au-delà de toute pensée. Une frappe n'était que la nécessité de gestes qui s'étaient noués à l'extrême jusqu'à se dénouer comme une déflagration étrangère à l'esprit. Le coup était alors fatal. Ce n'était pas sa violence qui le rendait mortel, c'était sa perfection : cette énergie qu'il déchargeait soudain.

Dans la solitude des bois, ils échangeaient sur leurs conditions. Le jeune M. Balthazar Bodule-Jules leur avait raconté la diablesse. Les Polo Carcel lui avaient répondu que cette diablesse était en lui. Que chacun charroyait son malheur. Il avait fini par s'habituer à supposer deux personnes dans un corps, comme il avait su le faire avec Déborah-Nicol. Mais, dans le cas des Polo Carcel, le phénomène était plus net. Il voyait la madame pleinement, et le monsieur pleinement. Sans alternance et sans flou artistique. Les deux voix n'exprimaient pas la même opinion. Il lui semblait discuter avec un couple de personnes différentes. En de rares moments, les voix mêlaient leur timbre et exprimaient des positions communes. Parfois, l'une se taisait, comme disparue ou dominée par l'autre. Il dut admettre qu'il les préférait ensemble. Il sentait (en certaines secondes de complicité) leur féminité se répandre comme un parfum. Il se retrouvait alors sous le charme d'une femme qu'il avait envie de serrer dans ses bras. Lorsqu'ils s'affrontaient en des rondes amicales (où les coups s'esquissaient seulement) le jeune M. Balthazar Bodule-Jules percevait une résolution sans pièce miséricorde. Ces deux états si proches, si nets et brouillés en même temps, le tinrent en respect. Il se sentait attiré comme par une femme tout en percevant l'état viril de l'homme. Le plus troublant c'est qu'en certains moments cette présence mâle ne contrariait pas son désir, elle semblait même l'augmenter d'une émotion particulière. C'est plein de confusion qu'il repoussait tout cela dans un arrière de lui.

Il apprit à goûter au plaisir de les regarder se baigner, chasser, vivre auprès de lui, s'émouvoir des frôlements de leurs danses, savourer ces instants durant lesquels une pluie les forçait à rester côte à côte, ou qu'un feu mal engagé rapprochait leurs visages. Ils n'eurent jamais l'occasion de tomber dans les bras l'un de l'autre. L'agonisant dut s'avouer ces désirs refoulés qu'il éprouva pour cette créature, comme pour ces autres qu'il allait rencontrer au long de ses errances : ces personnes doubles qui cachaient leur état sous d'immenses solitudes, et se voyaient frappées de désespérances muettes qui les jetaient aux premières lignes des assauts meurtriers. Elles étaient étonnées de rencontrer chez lui une sollicitude naturelle, sans pitié ni surprise. Il fut flanqué d'une créature semblable quand il débarqua en Haïti pour tenter d'égorger ce chien de Duvalier, et qu'il fut poursuivi durant quinze jours par des tontons macoutes et deux cents zinglindô. Il dut la vie sauve à une autre quand il fut traqué par des sicaires de narco-trafiquants, quelque part sur les frontières de Colombie. Il en vit dans les jacqueries indiennes du Pérou ou dans les guérillas urbaines du Sentier lumineux où il faillit perdre une main. Il en vit une dans le Front de libération du Québec où il montrait comment poser des bombes contre les bâtisses anglaises. Il en vit chez ses frères tsiganes, en Bulgarie, quand il s'était mis en tête de les aider à résister aux attentats racistes qu'opéraient la police, l'armée et les skinheads. Il en vit, dans la bande de Gaza, en terre palestinienne, parmi les chebab lanceurs de pierre, quand il s'embringua dans des intifadas contre des rapaces israéliens. Il en vit parmi ses frères d'Irlande quand il s'était pris de colère contre « l'impérialisme culturel britannique », et qu'il se mit à goûter au whisky et à injurier V. S. Naipaul. Il en vit quand il échoua sur le sol des Français, et qu'il fut aux côtés de ses frères basques, ses amis corses, ses camarades bretons, ses copains alsaciens, et qu'il dut souvent se cacher dans des wagons de bestiaux pour dérouter la DST. Souvent, en ces lieux d'hommes à graines, il reçut l'inattendu soutien d'une sorte de Polo Carcel, comme si ces lieux de force brutale étaient propices à l'apparition d'une conjonction de sexes. L'agonisant se souvint alors d'un autre fait pas ordinaire : dans leur solitude des bois, beaucoup d'animaux à sexe double venaient vers eux, attirés par les vibrations particulières des Polo Carcel. Des crapauds à double zizi, des escargots, des vers, des chenilles, mangoustes à kal et à kounia... Désemparés par leur nature, ils venaient chercher un quelconque réconfort. Les Polo Carcel pleuraient de les voir, les caressaient longtemps, et les regardaient s'en aller, tout autant désarçonnés qu'eux-mêmes.

Ils n'eurent pas le temps de travailler beaucoup : les événements se précipitèrent. Ils étaient descendus voir une ronde. Vers quatre heures du matin, on avait vu le même ancien apparaître dans le cercle et lancer un défi. Cette fois, personne n'osa le relever. Mais cette ronde jeta le jeune M. Balthazar Bodule-Jules dans une fièvre telle que l'ancien remarqua sa présence. Il se rapprocha de lui, le regarda au plein des yeux. Ce qu'il y vit dut lui déplaire, qui fait qu'il opéra un pied-tombé : son corps feignant d'être déséquilibré pour mieux bousculer l'insolent posté en première ligne. L'ancien exécuta un tour et revint pour le bousculer encore en faisant mine d'ouvrir le cercle. Le jeune M. Balthazar Bodule-Jules se sentit humilié. Sans réfléchir, il avança un pied rageur. Les Polo Carcel essayèrent de le retenir. Il s'en dégagea d'un geste brusque. La-voix et les tambouyés changèrent là-même de rythme pour lui chauffer le sang. Rien ne put l'empêcher de se mettre à la ronde. C'est alors qu'il sentit la froidure sur la nuque : *L'Yvonnette était là !* Il regarda dans l'assistance mais ne vit rien. Puis il sentit que l'ancien dégageait une cruauté glaciale ! *Elle devait être en lui, ou c'est elle qui l'avait envoyé !* Cela le troubla tant qu'il eut du mal à entrer dans sa ronde. Dans une volte assez simple, l'ancien lui infligea une touche. Elle faillit lui exploser la tête. Il tomba blip. Étourdi comme un merle. Le temps qu'il se relève, les Polo Carcel avaient bondi dans le cercle. L'avaient poussé dans l'assistance et s'étaient élancés en dansant vers l'ancien. Ce dernier les reconnut là-même. Il voulut rompre en hurlant qu'il ne se battait pas avec *des créatures comme ça !* Mais, soucieux de sauver leur protégé, les Polo Carcel lui portèrent quelques coups sans attendre. L'ancien les évita facile, mais ils le poursuivirent tant que celui-ci fut forcé de se battre.

Les tambouyés accélérèrent. Le jeune M. Balthazar Bodule-Jules vit l'ancien se transformer une fois encore en monstre. Il sentit comment les tambouyés et la-voix avaient lâché les Polo Carcel pour lui ouvrir-la-porte. Il n'eut même pas le temps de se précipiter : le coup était déjà porté! Les Polo Carcel se mirent à cracher tout le sang de leur corps. Ils tourbillonnèrent comme un canard blessé et lui tombèrent dans les bras, sans doute déjà morts. Le jeune M. Balthazar Bodule-Jules s'élança. Fou pour de bon. Il croyait lutter contre l'Yvonnette Cléoste. Il crut même voir l'ancien prendre un genre de vieille femme. Il effectua quelques voltes autour des tambouyés et de la-voix pour les forcer à le prendre en compte. Il y avait dans ses gestes tellement d'autorité que ces derniers changèrent leur rythme pour l'envelopper aussi. L'ancien sentit le danger. Il attaqua en monstre. Le jeune M. Balthazar Bodule-Jules crut que sa vision lui jouait des tours : une diablesse velue, à gueule sale et crocs jaunes, se ruait sur lui dans une rage sans manman. Cette hallucination augmenta sa colère. Il se jeta sur la bête avec l'idée de mourir. *Le geste du mort !* En bien des coins de la terre, il devint cette désespérance violente que l'ancien rencontra. Après, tout se brouilla. L'agonisant lui-même ne put y voir plus clair malgré ses rêches lucidités. Il ne se souvint de rien sinon du sentiment d'avoir croisé le visage de Man L'Oubliée perdue dans l'assistance. Il se souvint aussi du regard effrayé de l'ancien qui semblait voir on ne sait quelle horreur se propulser vers lui. Il frappa sans pensée. Il frappa sans vouloir. Sans savoir s'il s'agissait de ses jambes, de ses poings, de sa tête, il frappa comme on meurt. Puis, en beuglant à la manière d'un buffle, il se retourna pour entamer une ronde d'hommage aux Polo Carcel. L'ancien gisait dans la poussière sanglante. Désarticulé.

Sans savourer sa victoire, il s'en alla avec le corps des Polo Carcel sur ses épaules. Avec aussi le sentiment d'apporter le malheur à ceux qu'il aimait. Il emporta le corps au plus épais des bois. Il dut l'enterrer dans un endroit dont l'agonisant ne sut jamais se souvenir. Je ne sais pas où j'ai bien pu les mettre, ni comment j'ai pu le faire. Au pied d'un acacia ou d'un vieux fromager ? Auprès d'une source vive ? Dans les hauteurs d'un pic où le vent est sauvage ? J'aimais cette créature du plus profond de moi... Il se souvint d'avoir veillé ce cadavre en maudissant l'engeance des diablesses. Ce n'était que le début — il l'ignorait encore — de bien des nuits terribles où il tenterait par une veille rageuse de déjouer les emprises de la mort. Sur les ruines de Diên Biên Phu quand il chercherait Manh Nga. Sur ces barbelés d'Algérie auprès des restes de l'infirmière. Au Congo, au-dessus des jambes déchiquetées de cette merveilleuse du pays Batéké. Sur bien des champs de bataille auprès de compagnons frappés... Il connut cette veille dans les canyons de Bolivie, quand il avait quitté la prêtresse et sa momie, et qu'il s'était lancé sur la piste du Che. Les rangers peuplaient les hauteurs mais les guérilleros du Che leur échappaient toujours. M. Balthazar Bodule-Jules avait beau accélérer sa course, il ne parvenait jamais à les rejoindre. Dans le ravin du Yuro, il n'avait pu retrouver que les cadavres abandonnés de quelques hommes du Che (*Antonio, Arturo, Aniceto, Pachungo !...*). Il tira sans se montrer sur deux hélicoptères qui survolaient le coin, et c'est dans l'épouvante qu'en réglant son vieux poste à galène il entendit sur presque toutes les fréquences que l'*El Comandante*, Ernesto Guevara de la Serna, était tombé au combat dans le ravin du Yuro. Il avait exploré cette saleté de ravin maille après maille pour retrouver le cadavre du Che. Il avait dû s'enfuir quand des hélicoptères s'étaient posés pour ramasser les corps. Il avait tiré sur ces rangers en faisant coïncider ses tirs avec leurs ripostes pour qu'ils ne puissent pas le localiser. Il les avait vus refluer en emportant les corps. Il avait éprouvé cette joie sauvage de n'avoir pas aperçu le Che parmi les dépouilles ramassées. Il s'était dit qu'ils l'avaient simplement capturé. M. Balthazar Bodule-Jules allait errer durant un ou deux jours encore dans les canyons et les à-pics, jusqu'à repérer ce petit village de La Higuera, bourré de soldats boliviens et de rangers nerveux. Il l'observa à la jumelle et vit la fièvre des envoyés spéciaux de la CIA. Ils allaient-venaient, téléphonaient, parlementaient. Il vit la petite école cernée de gardes armés et comprit qu'ils avaient dû y enfermer le Che. Il observa longtemps avec l'idée de tenter un assaut pour délivrer l'illustre guérillero. Jusqu'à ce qu'il voie celui qu'il n'oubliera jamais. Le sergent Terán. Trapu. Petit. Plein d'ombres sans avenir. Il le vit entrer en titubant dans la petite école. Il entendit la rafale la plus brève et la plus longue de toute son existence. Il sut — sans trop savoir pourquoi — que le Che avait été exécuté. Qu'il n'avait pas agi assez vite. *J'aurais pu le sauver!* allait-il répéter toute sa vie.

Il entrevit le corps poussiéreux, ficelé sur une civière, être avalé par un hélicoptère. C'est tout ce qu'il verrait jamais du Che, mais il en fit de longs discours sur d'innombrables radios. Ce corps sale. Ficelé. Avec les yeux ouverts. La mâchoire pendante. Sur les lèvres, une sorte de sourire, *oui, semblable au Christ mort du vieux tableau de Mantegna! On l'a dit et c'était vrai!* M. Balthazar Bodule-Jules garderait cette image dans la tête, tandis qu'au loin les troupes et les hélicoptères traquaient les guérilleros survivants. Il partit sur leurs traces comme un zombi sans jamais les rejoindre. Il avait perdu son énergie, comme dissipée dans une cassure de son esprit. Il dut penser à sauver sa propre peau quand les rangers comprirent qu'il y avait sur leurs arrières un spectre qui de temps à autre les tirait sans pitié. Ils le traquèrent aussi. M. Balthazar Bodule-Jules dut se perdre dans de profonds canyons. Il parvint à les égarer à force de s'égarer lui-même. Tout était devenu obscur en lui. Alors le soir, désemparé, il s'immobilisait avec cette image du Che dans la tête. Le corps maculé de poussière — amaigri, ficelé, baigné de son aura christique — était auprès de lui.

Il le veillait. Il maudissait la Bolivie. Il maudissait la CIA. Il pleurait en même temps. Il grelottait de froid et de consternation, en essayant une fois encore de conjurer la mort.

Il resta ainsi auprès des Polo Carcel, au-dessus de cette tombe des bois, jusqu'à ce que la froidure se fasse de nouveau percevoir contre sa nuque. Il eut beau fouiller le bois autour de lui : il ne vit rien. Il se dit tout de même que l'Yvonnette Cléoste l'avait encore retrouvé. Qu'elle était là, prête à profaner la tombe. Il couvrit cette dernière de signes magiques, de senteurs saintes et de bois-forts que les diablesses redoutent. Mais il la sentait là. Alors, il s'en alla pour l'éloigner de ce lieu devenu sacré ; l'éloigner de cette tombe où la créature double essaierait enfin de reposer ses âmes. C'est sans doute pourquoi ce lieu sortit de son esprit.

Le jeune M. Balthazar Bodule-Jules s'éloigna, froidure aux trousses. Il erra longtemps à travers le pays, sans aller nulle part, sans arriver jamais, et sans qu'on sache très bien ce qu'il avait pu faire. La légende du nègre-bois occupa quelque temps les gendarmes, puis elle finit par tourner folle sans se poser dans les réalités. Des bribes de confidences laissèrent supposer que le jeune M. Balthazar Bodule-Jules avait alors fréquenté des conteurs. On l'avait vu surgir dans des veillées où il se mettait à écouter les contes. Il ramenait de leurs énigmes un réconfort obscur. Il ne donnait pas les répons, ni n'entonnait les chants, mais ses silences semblaient soutenir les vieux qui chantaient la Parole. Les conteurs étaient semblables aux majors du danmyé, on les appelait Majolè, c'est dire : Majors-de-l'Air. La cour que constituaient les écoutants était leur arène ; souvent, ils s'affrontaient avec cette arme immatérielle, toute pure, aérienne et tranchante qu'était la Parole. Prendre la Parole, chanter le conte, supposait que l'on se mette debout derrière une force qui devait tournoyer toute la nuit. Il fallait disposer de milliers d'histoires, de chants, de merveilles, de jeux de mots, d'oraisons, de proverbes, de titimes. Il fallait chevaucher une imagination proliférante, capable de rebondir sur les moindres aléas. Il fallait être habile à tenir la Parole assez brûlante pour qu'aucun adversaire n'ose réclamer la main. La main doit se donner, on ne doit pas se la faire prendre. Pour la passer, les plus belliqueux disaient *Conteur contez, prenez la crasse de mes souliers !...* L'impétrant devait se mettre debout derrière la force qui tournoyait en l'air, et la maintenir à bout de gorge, le plus longtemps possible, impériale et ardente. C'étaient des joutes aussi terribles que celle du danmyé, mais presque invisibles aux profanes. Les défaites étaient tout autant cruelles, mais sans une goutte de sang, sans cadavre, rien que la débâcle d'un esprit détruit par la Parole qu'il n'avait pu maintenir. Le vaincu cessait alors de conter, et c'est comme s'il était mort.

Les vieux conteurs ne regardaient jamais le jeune M. Balthazar Bodule-Jules mais, avant de passer la main, ils le saluaient toujours, en soulevant leur chapeau ou leur bâton de force. C'est sans doute dans une de ces veillées qu'il rencontra Isomène Calypso. On sait que ce dernier allait devenir son chantre et le forgeur de sa légende, mais on n'en sait pas plus. Ils ne se virent que peu, ne se fréquentèrent jamais, mais restèrent à jamais liés. Isomène Calypso prétend que le jeune M. Balthazar Bodule-Jules pouvait chanter un conte aussi bien que n'importe quel Majolè à voix claire ou pas claire. Il connaissait les salutations angéliques qui ouvrent la Parole et par lesquelles les vieux honorent l'auditoire. Il connaissait les départs extravagants qui mettent l'oreille en forme, les oraisons qui font descendre l'exaltation mystique. Il savait les chants-respiration qui permettent au conteur de souffler en lui-même pour tenir toute la nuit. Il possédait sans doute de quoi devenir un immense Majolè, mais je ne trouvai aucun témoignage le montrant en train de prendre la main à la suite d'un conteur...

Il faut dire que je ne cherchai pas vraiment à éclaircir cette période d'errance folle.

L'errance est toujours opaque. Elle traverse la mémoire et la laisse en suspens. Elle est un mode d'envisager la vie. De se connaître et de connaître l'entour. L'essentiel dans cette période fut qu'il commençait à quitter la Martinique. À entamer l'errance de sa longue existence. Je voulus trouver comme un symbole dans cette fréquentation des conteurs juste avant son départ. Je situais ces hommes de la Parole à l'origine de nos communautés, comme des pères fondateurs, maîtres du verbe primordial. Il est sûr que leur chant (fondateur dans l'obscur) pouvait atteindre des résonances secrètes pour celui qui se détachait déjà du réel apparent. Qui regardait déjà le ciel en lui-même, et l'horizon au fond de ses désenchantements. Son état d'esprit d'alors lui rendait sans doute les contes plus incisifs. Plus signifiants qu'ils ne l'ont jamais été pour nous-mêmes ou pour nos pauvres chercheurs. Il devait y entendre ce qui vous nomme et vous fait naître d'une manière spéciale.

Comment s'était produit son envol vers le monde ?

L'agonisant ne le sut sans doute jamais clairement. Je ne trouvai aucune explication dans ses lots d'interviews et de déclarations. Juste quelques confidences sur cet amour pour une jeune fille malade. Le seul sur lequel il se montra, de tout temps, un peu trop elliptique...

> On dit que celui qui sait où il va peut même garder les yeux fermés. Ouais.
> Mais lui ne savait pas où il allait et il gardait les yeux ouverts.
>
> « Notre morceau de fer ».
> *Cantilènes d'Isomène Calypso,*
> *conteur à voix pas claire de la commune de Saint-Joseph.*

ABNÉGATION. Elle s'appelait Aurestia. On ne sait rien d'elle. Ni son air ni son genre. Pas même si elle était belle ou laide, brusquante ou vierge-marie. Il l'avait rencontrée dans une de ces veillées où il demeurait silencieux à écouter de vieux conteurs. Elle avait été fascinée par sa ténébreuse absence et la puissance de son jeune corps. Lui, toujours sans foi ni loi quand il fallait consommer une femelle, l'avait suivie. Lui avait parlé. L'avait fait rire, ou l'avait émoustillée à force de mélancolie grave. Il était peut-être revenu la voir, avait vu ses parents. Ces derniers n'avaient pas dû aimer ce bougre des bois qui ne pouvait apporter rien de bon à personne ; mais ils avaient sans doute renoncé à s'opposer à sa raide volonté. Il est dit que le jeune M. Balthazar Bodule-Jules tomba en colle des sentiments. Qu'il eut du mal à se séparer d'elle. Pour la voir, il bravait les gendarmes qui poursuivaient sa légende. Celle-ci, détachée de lui, vivait au hasard des usures.

Un jour, il avait su que la jeune personne était lépreuse. Un rien. Lors d'un instant d'amour dans les bois, ou les rivières, comme ils en avaient l'habitude. Il vit la tache blanche, puis une autre. Insensibles. Puis des boursouflures livides qui lui déformèrent les doigts et les lèvres. Les parents la cachèrent dans la case car la loi obligeait les lépreux à s'en aller vers des enfers spéciaux. Ils étaient parqués à la Désirade, une petite île au large de la Guadeloupe. On les y expédiait par bateau militaire. Il dut continuer à la voir dans la case, à la toucher, la serrer, l'embrasser comme si elle n'avait rien. Il ne voyait pas sa peau, il la voyait elle, au-delà des atteintes. C'est peut-être plutôt là que son attachement devint puissant. Cette terrible maladie dut transformer l'amourette en affection irraisonnée : un mélange de colère, de compassion et d'affectueuse pitié. Ou alors, il dut penser que l'Yvonnette Cléoste le punissait une fois encore en frappant Aurestia. Demeurer auprès d'elle devenait *affronter en direct la diablesse*, ce qu'il fit jusqu'au bout. Ou alors... mais peu importe, les possibles sont ici infinis... Bien qu'elle ne sortît plus, cela se sut. Les voisins, pas rassurés, alertèrent les autorités. Un jour, le jeune M. Balthazar Bodule-Jules apprit qu'elle avait été emmenée par les gendarmes et mise de force dans un bateau vers l'île des lépreux. C'est sans doute cela qui fit que M. Balthazar Bodule-Jules quitta le pays sur un gommier de pêcheur et qu'il n'y revint qu'aux heures de sa vieillesse.

Il débarqua de nuit sur l'île de la Désirade. Ou de jour. Comme nul n'en sait rien ça n'a pas d'importance. Il se mit à vivre auprès d'Aurestia, dans ce monde de lépreux. Un campement hétéroclite. Blancs et Noirs, hommes et femmes, grandes personnes et marmailles, soignés à l'huile de chaulmoogra, y reproduisaient des hiérarchies surréalistes. Une ordonnance royale vieille du dix-huitième siècle régentait cet endroit. À quoi ressemblait cet abîme sans espoir ? Je n'en sais rien, et n'ai pas voulu le savoir. Je préférai travailler avec cette image d'une île paradisiaque où se débattaient des monstres et des gens exilés, des enfants déformés et des marmailles en bonne santé. Une aberration où la vie cherchait encore ses plaisirs et ses joies, combattait ses détresses. On dit qu'il construisit des cases, cultiva des jardins, ramena des tonnes et des tonnes de poissons. Qu'il améliora l'ordinaire de ces abandonnés, enterra les morts, soutint les survivants, aima son Aurestia. On dit qu'il n'eut jamais peur de les toucher. Que c'était devenu sa nouvelle famille. Qu'il se baigna en leur compagnie dans cette rivière où les racines de vieux gayacs dispensaient leurs bienfaits. M. Balthazar Bodule-Jules parla toujours des lépreux de manière générale. Il les décrivait comme détenant le sens vrai de la vie, capables de soupeser la moindre parcelle du temps et les éclats du jour, et de s'accorder à l'essentiel. Ce fut pour lui un nouvel enseignement que d'apprendre à exister en tout abandonnant, à durer en endurant dans un temps impossible entre la vie et la mort. Des lépreux, il se fit toujours des amis en tous ces coins du monde où il poserait ses armes, comme une famille, *sa famille*, éclatée sur l'ensemble de la terre et se moquant des langues, des cultures et des peaux. Il ne décrira jamais ce camp de la Désirade, pas plus qu'il ne parla de son rapport à Aurestia. Et je respecte ce vœu. Mais je suppose quand même qu'ils durent vivre ensemble dans une petite case, un peu au bord de la rivière, ou sur un bout de calcaire en surplomb sur la mer. Qu'elle décorait les fenêtres avec des fleurs de raziés, de vieux objets et des fruits desséchés. Il se considérait peut-être comme déjà mort ou s'était mis en tête de mourir avec elle. Il se peut même qu'il voulût contracter la lèpre pour se rapprocher d'elle. Il la soutenait, lui parlait, lui contait des histoires, l'aidait à tresser du vétiver et à coudre des napperons. C'est peut-être ses décompositions irrémédiables qui la tuèrent. Elle ne sentait plus ses mains et se blessait souvent. Cela entraînait des plaies qui s'infectaient sans fin. Il dut y avoir un temps où ses pieds se déformèrent à cause de muscles qui s'atrophiaient, et qu'il lui fut impossible de marcher. Et il y eut aussi cette période monstrueuse où son visage se transforma en un faciès de lionne. La jeune personne se mit à étouffer et à ne plus savoir parler. Il avait déployé pour elle tout son savoir des plantes, avait invoqué durant des nuits entières Man L'Oubliée pour qu'elle débarque à leur secours. Elle tomba chagrine. Puis mélancolique. Puis désolée sans fond. Elle perdit ses sourires qui n'étaient plus que d'effrayantes grimaces. Elle s'en alla doucement. Comme ces lampes qui disposent encore d'un peu d'huile et d'une mèche, mais qui n'ont plus d'envie. C'est dans ses bras qu'elle dut tomber en long sommeil irrémédiable.

Auprès de cette nouvelle tombe, il retrouva la froidure sur sa nuque. *La diablesse!* L'Yvonnette Cléoste détruisait tout ce qu'il approchait, tout ce qu'il se risquait à aimer. Elle semblait vouloir poursuivre ses proches au-delà du cercueil. Il la retrouvait dans les morts autour de lui, mais aussi dans les peines, les larmes, les injustices, les douleurs, les événements bizarres. Il se mit à la voir dans toute misère et dans toute pauvreté. *Elle habitait tous les malheurs du monde! Tous les malheurs dont il prenait conscience!* Il faut imaginer que c'est sur cette dernière tombe qu'il décida de la combattre sous toutes les formes qu'elle pouvait prendre. Toute oppression, toute injustice, toute tyrannie devint l'Yvonnette Cléoste! Tout mal fait à des êtres humains devint l'Yvonnette Cléoste! Il quitta la Désirade non pas comme on s'en va, mais comme on part à la poursuite de quelqu'un.

Ou comme on tombe en dérive en soi-même.

On dit qu'il navigua d'abord dans les petites îles de la Caraïbe. Qu'il échoua au Brésil et au Venezuela. Il fut sans doute épris de quelques pacotilleuses qui le drivèrent de-ci de-là. Elles lui montrèrent peut-être comment bluffer les douanes et jongler avec une dizaine de passeports. Elles lui enseignèrent des réseaux de passeurs, filtreurs, transporteurs, camionneurs à double fond, chaloupes fantômes et paquebots inconnus battant tous pavillons. Elles lui ouvrirent le monde des traverseurs de frontière, perceurs d'aéroport, navigateurs de nuit silencieux comme des ombres, pilotes d'aéronefs ignorés des radars et qui volaient entre les îles comme des libellules... toute une faune flibustière qui s'était inventé des chemins de traverse. Il fréquenta des femmes qui fumaient le cigare et d'autres qui se rasaient le crâne. Il se battit dans des ports contre des gardiens de phare, des dockers, des mineurs, des chasseurs de baleines, fit saigner plus d'un tenancier qui martyrisait ses pauvres débiteurs, brûla quelques haciendas, balafra des GI et des sbires dans des duels au couteau, éborgna quatre tueurs appointés par quelques dictateurs...

Cette période en l'espace caraïbe demeure plus confuse que les autres. M. Balthazar Bodule-Jules cita des îles,

688

des villes, des coins de plage ou des bouts de montagne, en les maintenant dans un brouillard savant. Qu'il dormit dans de hautes grottes de Jamaïque. Qu'il fut ami des Black Caribs. Qu'il fut brûlé par des jets de vapeur dans la vallée de la Désolation, en Dominique, alors qu'il poursuivait une triade de forbans. Qu'il lutta auprès d'une famille haïtienne dans des champs de cannes de Saint-Domingue. Qu'il incendia des champs de cacao de la United Fruit au Costa Rica. Qu'à Trinidad il rencontra dans une émeute un jeune, nommé Eric Williams, lequel devait bien des années plus tard arracher ce pays aux griffes des Anglais. Qu'il dut apprendre à boire de l'eau de pluie sur l'île de Mayaguana. Qu'à Sainte-Croix il dut trimer dans une mine de bauxite et passer ses samedis soir à boxer des GI tombés neurasthéniques dans une base militaire. Qu'il dut manger un flamant rouge à Curaçao et un rat à Bonaire pour survivre à la suite d'un naufrage. Qu'à Cuba il égorgea six mercenaires de Batista et connut un collégien à grande gueule qu'on prénommait Fidel...

Mais d'autres rumeurs (plus ou moins admises par M. Isomène Calypso) prétendent qu'il passa le plus clair de son temps à danser dans des bas-fonds de ville ou des trous de campagne. C'est vrai que M. Balthazar Bodule-Jules fut durant ses vieilles années un étonnant danseur. Valse. Tango. Calypso. Mambo. Boléro. Cha-cha-cha. Limbo. Salsa. Bel'air... Qu'il fit le beau dans des paillotes, des punchs en musique et des podiums de fêtes patronales. L'on n'avait jamais vraiment su *où* ni *quand* (durant ces batailles qu'il aimait à lister) il aurait pu apprendre toutes ces danses compliquées. Il me fallut décortiquer ses milliers d'interviews pour glaner de petites allusions; mises bout à bout, elles se révélèrent impressionnantes et purent corroborer ce temps de chien-de-danse que fut sa drive en Caraïbe. Il nomma la congo-dance qui dut l'éblouir dans les baptêmes à Trinidad, et cette bacchanale qu'il pratiqua durant les carnavals. Il évoqua la baile de garabato qu'il dut trouver à Porto Rico. La banya qu'il dut apprendre pour séduire deux-trois marronnes du Suriname, et le Bel'air qui lui ouvrit bien des cœurs (et des corps) dans les campagnes de Sainte-Lucie. Il évoqua le callao, dansé à Saint-Domingue en compagnie d'une évadée de bagne, et même le fandango prisé en bien des terres des Amériques. Il connut des nuits de jombee dance à Montserrat où il mena des contrebandes en compagnie d'une Bretonne. Il dansa le kaseko au Suriname où il aidait les Bosneger à incendier des missions catholiques. Il fut passionné de meringue en République dominicaine où il commençait à trafiquer des armes. C'est à La Nouvelle-Orléans, en compagnie d'une Haïtienne de la troisième génération, qu'il explora la bamboula dont l'influence s'étale sur toutes les joies de l'archipel. Avec les Européennes rencontrées dans les ports, il apprit le branle, le galop, le cotillon, le menuet, la mazurka, les lanciers, le quadrille et la gigue... Il hanta des Lewoz à Saint-Claude, en Guadeloupe, au temps où il suivait une koulie mystique. Il vit naître le steel-band dans des boîtes de biscuits et dansa le calypso pour décrocher des cœurs. Il dut être bon en cette danse guaguanco où l'on poursuit les femmes en pointant le bas-ventre, et amateur de cette guaracha qui permet si bien de badiner avec des belles en susurrant quelques saletés. Durant ces danses, ces fêtes, et en dehors, il agissait comme un voyou, aussi terrible qu'un chien sans maître, sans principe sinon celui de réagir en grande violence aux injustices. Il n'était pas encore un rebelle, seulement un dogue de combat. Un dogue avec sa propre foi et une loi intime, et qui après ses gestes chevaleresques ne pensait qu'à se vautrer dans l'huile chaude des jeunes filles... *Je suis un fils des Caraïbes, mes fleuves sont l'Amazone, l'Orénoque et le Mississippi! Mes terres sont des volcans! Honte à ceux qui disent qu'il s'agit d'une*

Méditerranée, la Caraïbe est autre chose, c'est des continents explosés, c'est des croûtes terrestres qui se tordent, des volcans qui ruminent et une gerbe d'océans ! Près de cinq millions de kilomètres carrés d'une vie explosive !... L'agonisant voyait ces îles défiler dans sa tête, elles devenaient des visages, des seins, des lèvres, des bouts de personne dont il ne pouvait pas reconstituer l'ensemble...

Et un jour, au départ de je ne sais quelle île, il dut s'embarquer sur un de ces navires bourrés de Cochinchinois qui s'en allaient vers l'Indochine. Il monta à bord, en compagnie d'un jeune cuistot, militant nationaliste quelque peu névrosé. Ce dernier lui avait parlé des misères de son pays qu'il appelait du nom mystérieux de *Viêt Nam*... Le jeune M. Balthazar Bodule-Jules vécut dans la soute, dans l'ombre et dans l'odeur écœurante des vaisselles. Il ne voyait le pont que la nuit, juste pour lâcher un hameçon et garnir l'ordinaire avec une bonite fraîche. Les Indochinois lui disaient que la guerre s'achevait dans le monde ou alors qu'elle ne faisait que commencer. Qu'Hitler apparaissait, ou qu'il était vainqueur, ou alors qu'il commençait à reculer. Ils disaient surtout que désormais le monde allait changer. M. Balthazar Bodule-Jules les écoutait à peine. Il n'était qu'une bête fauve, et ne voulait pas changer le monde. Il voulait juste le débarrasser de l'Yvonnette Cléoste, et poursuivre sans le savoir les fantômes de sa vie...

C'est en Indochine auprès de Manh Nga qu'il allait devenir un rebelle. C'est à travers elle qu'il apprit à se frotter aux colonialistes, à prendre les armes, à obéir aux ordres, à donner foi aux volontés d'un peuple, à identifier les oppresseurs du monde. C'est peut-être vers cette époque que l'Yvonnette Cléoste lui sortit de l'esprit, et qu'elle y fut remplacée par toutes sortes de colonialistes, impérialistes, tyrans et oppresseurs de peuples. Une philosophie sommaire où le mal prenait une forme visible que l'on pouvait combattre. À cela s'associa le galimatias que Déborah-Nicol lui avait mis dans la tête et qui lui permit, sa vie durant, de donner du sens à ses coups de sang et à ses violences irrépressibles. Et pour le reste : mystère. Il raconta tellement de choses durant ses interviews, cita tant de pays, mélangea tant de coutumes, nous fit une telle sauce avec les choses du monde, qu'il me fut difficile de savoir ce qui s'était vraiment passé. J'essayai à maintes reprises d'organiser son errance guerrière dans une cohérence quelque peu acceptable. Il devait disposer du don d'ubiquité ou être capable de se déplacer à des vitesses phénoménales. J'abandonnai, non parce qu'il m'était difficile d'accorder tout cela, mais parce que en finale cela n'avait pièce importance. L'essentiel était de me laisser porter, juste emporter par cette descente de souvenirs, confus et merveilleux, qui dessinaient ce personnage avec une pointe de rêve, une chimie de grands vents vagabonds, un prodige de cet espace qui nous était donné...

(Plus qu'à un homme, j'étais confronté à un système ouvert. Une interaction de faits, d'événements, de sensations, de paroles, de gestes, dont l'architecture était mouvante, incertaine, modifiable par l'irruption d'un élément nouveau qui mettait en relief une composante ancienne. J'écrivais sans fermer quoi que ce soit. Je pouvais me guetter moi-même emporté dans cette aventure. Mon omnipotence ne maîtrisait rien, et mon omniscience ne savait rien. J'allais dedans. Je voulais me maintenir ainsi, dans le remous de cette histoire-histoires qui se développait. Je devais donc agir, combattre et me débattre dans tout cela. Je n'étais plus un Marqueur de paroles dans une assise maintenant balisée entre l'écrit et l'oral, mais un Guerrier dans un champ de bataille dont le point de vue d'ensemble était inexistant, et la fin improbable. J'étais devenu un doute vivant, développant une activité de connaissance dite littérature qui n'avait plus

les moyens de tout embrasser, tout dire ou tout comprendre.
Elle ne pouvait plus que se situer en moi-même dans une
posture nouvelle dans laquelle je m'arc-boutais, m'habi-
tuant au réel éclaté, aux vérités hagardes... Notes d'atelier
et autres affres.)

— La diablesse est là! Je l'ai vue! Elle arrive!...
Ce cri jeta d'autant plus d'effroi que le vieil homme qui
venait d'arriver en pleine nuit, et qui hurlait ainsi, n'était
autre que M. Isomène Calypso. Il avait plus que vieilli,
était devenu largement délirant, mais sa parole avait
encore du poids. L'agonisant tourna la tête vers lui d'un
mouvement las. Mais il demeura impassible. Gasdo caca-
dlo, embusqué à ses pieds, enclencha son fusil et se prit
une figure sanguinaire. Cela augmenta la panique. On
quitta la terrasse pour rejoindre le jardin. Les fenêtres
déjà fermées furent renforcées avec des clous. Les dealers
à portable qui traînaient au-dehors, du côté de la route,
contournèrent la maison, et rejoignirent les arrières du
jardin. L'entrée fut désertée. Les quimboiseurs se perdirent dans leurs passes et prières, certains firent sonner
des tambours et secouèrent des garde-corps. Les tantantes
conjuraient en maniant leurs chapelets. Moi, je n'osai pas
me lever. Sans doute terrifié. Paralysé par l'envie de
m'en aller de là, et celle de voir enfin à quoi ressemblait
cette diablesse, de quelle manière était cette Yvonnette
Cléoste... M. Isomène Calypso se réfugia dans une ombre
et ne cria plus rien. Il avait tant parlé de cette démone que
la perspective de la voir en direct le rendait ababa. Les
regards se braquèrent sur la porte d'entrée que l'on apercevait à travers l'intérieur déserté. La porte entrouverte
bougeait sous la caresse d'une coulée d'alizé. Elle ne grinçait pas. Elle paraissait tranquille. Au loin, on percevait la
houle des cantiques de Noël qui faisaient la joie du pays
officiel. Mais cette houle s'atténuait en parvenant à la
maison, et semblait mourir sur le pas de la porte mena-

çante. On attendait. On souffrait sous un fer. Certains croyaient compter les pas de la diablesse. D'autres l'imaginaient déjà postée dans la maison. Les regards se fixèrent sur le vieil homme en train de mourir. On oubliait Gasdo caca-dlo et son fusil, pour attendre du mourant comme une protection. Par son attitude, ce dernier réinstalla le calme. Plus que jamais, on perçut son incroyable sérénité. Cette puissance qui contredisait une fois de plus toute idée de la mort. Il continuait à se souvenir de sa vie. La diablesse en marche ne semblait pas pouvoir l'atteindre. Ses yeux questionnaient encore les raisons pour lesquelles il avait quitté le pays, reconstituaient son incroyable trajectoire sur les pistes du monde, et distinguaient maintenant les brumes de sa terre natale, aux heures lasses du retour...

4

INCERTITUDES
SUR LES RESTANTS D'AMOURS
DE SON ÂGE EN VIEUX-CORPS

EXTRÊMES TIRS DE SES GRAINES. Messieurs et dames, M. Balthazar Bodule-Jules revint dans son pays à l'âge de ses arrière-maturités. Nous le connûmes vieux. Nous le découvrîmes vieux. Mais dire « vieux » c'est juste une manière de parler car cette vieillesse était étincelante. On vit un gaillard débarquer d'une soute de bananier avec tout son barda, une bête de muscle, d'énergie et de force que ne contredisait pas sa crinière cotonneuse. Il prit là-même la route de Saint-Joseph dans un taxi-communes, essaya de retrouver l'emplacement de la maison Timoléon, erra sur les traces de quelques souvenirs, puis se fit héberger par le maire dans une soupente de la cantine. Il y demeura quelque temps en se faisant presque oublier, puis finit par s'installer dans une case de Saint-Joseph, abandonnée par un de ses cousins. Cette case se trouvait à l'écart dans les bois, et devait s'ériger sur un ancien jardin de sa manman Manotte et de son papa Limorelle. Il dut passer du temps à la remettre en état, car on n'entendit pas encore parler de lui durant une charge de temps.

Sa famille le découvrit bien avant que le pays ne connaisse l'existence de ce Martiniquais pas croyable. Les tantantes et les cousines, les tontons, les alliés, les amis d'on ne sait quand furent fascinés par ce personnage qui revenait de loin et qui avait vu tant de guerres et de morts. Lui, ne leur racontait ces errances dans le monde qu'en certaines occasions : baptêmes, veillées autour du cadavre d'un aïeul, anniversaires de neveux ou de nièces qu'il aimait bien, fêtes de parentèle qu'il honorait toujours. Il passa quelques années à retrouver ses propres traces en Martinique, sans doute aussi à rechercher Man L'Oubliée, mais de cette quête il ne parla jamais. Man L'Oubliée avait disparu de sa vie. Il avait passé et-cætera années sans même que son souvenir ne traverse son esprit. En certains moments difficiles où il frôlait la mort, il avait cru deviner sa présence, et, sitôt sorti du mauvais pas, il l'avait oubliée une fois encore, comme si ce nom avait été prédestiné. En revoyant les côtés de ses enfances, M. Balthazar Bodule-Jules avait dû penser à elle. Il avait dû réemprunter les circuits où elle puisait ses forces. Les arbres étaient là. Certains avaient pris-disparaître. D'autres s'étaient renforcés avec l'âge dans d'immobiles éternités. Nulle trace de Man L'Oubliée. Comment pourrait mourir une femme comme elle ? Comment s'en allaient ces êtres aussi puissants ? Devenaient-ils un arbre, une roche, une source ? Ou se desséchaient-ils comme certains papillons, offrant juste une poussière aux renaissances infimes ? Mais, en ces temps de son retour, il n'avait dû chercher Man L'Oubliée que dans une sorte de réflexe nostalgique. Il faudra encore attendre ses années immobiles pour que le personnage se développe en lui avec une majesté solaire.

À son retour au pays, il avait erré dans les bois de son enfance, qu'il avait trouvés désenchantés, butant sur des lotissements là où il y avait des champs de cannes et des sources. Découvrant des antennes et des centres commerciaux, là où s'étaient tissés des grands-bois majestueux. Après Man L'Oubliée, son souci avait été de rechercher sa famille. Lignées de sa manman Manotte et de son papa Limorelle. Il avait pris un soin particulier à écumer ces quartiers de campagne, toute cette part du pays qui semblait enfoncée sous la clinquante vitrine. Il s'était présenté avec beaucoup de déférence à ce peuple du pays enterré qui constituait sa famille directe et indirecte, et que j'allais retrouver massive dans l'assemblée de l'agonie. Il ne s'agissait pas seulement de tontons tantantes nièces ou cousins, d'affiliations inscrites dans une loi biologique. C'était un emmêlement de connaissances et de contacts, qu'il assumait avec un souci égal à celui qu'il aurait déployé pour de vrais frères de sang. Il dut aussi tenter de rejoindre les pêcheurs de cette anse où il avait vécu avec Kalamatia. Il avait sans doute fait de même pour les conteurs, les matrones, et les danseurs-danmyé. Il avait dû tomber à chacune de ces haltes sur des vides et des vestiges, des indigences insoutenables provenant d'une corrosion capable en certains jours de lui tuer le moral.

Pour le reste, il vivait à l'écart, dans sa case de Saint-Joseph. Sans eau. Sans électricité. Sans cuisinière à gaz. Sans téléphone. D'instinct, il ne voulut rien recevoir de ce système organisé dans le pays. Il ne se rendait dans aucun supermarché. N'achetait aucune boisson ni manger importé. Vivait à l'ancienne comme dans une case des années vingt. Deux-trois assistantes sociales vinrent lui proposer quatorze allocations, et une banque alimentaire lui fit expédier quelques sachets de riz et une tablette de chocolat. Il menaça les policières sociales de les écorcher vives, et fit brûler les victuailles d'indigence lors d'une cérémonie vaudoue durant laquelle il dansa un yanvalou et le banda. Le quartier découvrit ainsi ce Martiniquais qui refusait l'assistanat pour organiser sur son brin de terrain une autosuffisance disparue des souvenirs. Il mit en œuvre un jardin enchanteur où poussaient des légumes hors mémoire, un lot d'épices désuètes, de plantes effacées des coutumes. Ces obsolescences ne touchaient plus les goûts, mais là, déployées avec magnificence, elles levaient en chacun d'inavouables nostalgies. Sa petite case devint une curiosité à Saint-Joseph. Puis au Lamentin. Puis au Gros-Morne. On déboula bientôt du pays tout entier pour entendre ses homélies sur les fortunes nourricières de notre sol. Il savait tout cultiver. Savait pêcher dans la rivière. Savait chasser. Savait apprêter n'importe quoi et le transformer en délices pour gueule-douce. Mais le plus étonnant était de le voir s'intéresser aux fleurs comme une femme, et cultiver les orchidées avec des soins pour nourrisson.

De jeunes nationalistes qui se cherchaient des traditions pour mieux conforter leur combat, vinrent le voir. Ils voulaient apprécier l'incroyable jardin, ils découvrirent un homme pas ordinaire. Un rebelle total. C'est eux qui lui parlèrent de la situation du pays. Le pays, disaient-ils, n'était plus une colonie. Il était devenu un département de la lointaine métropole. On l'avait submergé d'allocations, subsides et protections, de largesses et d'aumônes. On avait fait grimper le niveau de vie à hauteur de celui d'un château de grand conte. On avait semé des écoles tout-partout pour mieux apprendre à devenir « une personne-d'outre-mer ». Alors que les rumeurs de décolonisation s'amplifiaient dans les vents — que des peuples se libéraient, que Frantz Fanon lui-même, enfant de cette terre, risquait sa vie pour l'Algérie — on avait vu le pays s'enterrer sous les abondances que déversaient les containers, les paquebots, les avions, les ministres de passage en cavalcade électorale. On l'avait vu se moderniser comme une voiture de l'inspecteur Gadget, briller comme ces coquillages dont on a tué la chair et que l'on a verni. Le pays s'était mis à défaillir dans ses profondeurs même, et à se réfugier passif dans une fascination pour sa métropole lointaine. Tout était décidé à des milliers de kilomètres, et, en terre d'ici, il n'y avait rien à dire, à essayer et plus rien à rêver... Métropole voulait dire : *manman, papa, famille, seule chance de survie, unique fenêtre au monde, et idéal auquel se conformer...* Quand M. Balthazar Bodule-Jules leur disait : *Mais qu'a fait Césaire, fils d'ici, chantre de cette Négritude qui a aidé tant de peuples noirs à se libérer ?...* ces jeunes militants, sans doute analphabètes, jamais sortis de leur pays, ne savaient même pas de qui il leur parlait.

En fait, ces jeunes nationalistes lui avaient confirmé ce qu'il avait ressenti en parcourant les traces de son enfance. Plus qu'un désenchantement. Une *atteinte* vitale. Il avait cru que c'était juste le temps qui avait fait son œuvre. Il n'avait pas mesuré cette usure plus profonde, car il avait évité les bourgs et les cités, et s'était promené dans les endroits anciens, campagnes et quartiers hauts, pétrifiés sous la modernisation creuse qui scellait le pays. Quel était son état d'esprit en ce temps-là ? Il n'était pas rentré en rebelle. Peut-être, sous le coup d'un ralentissement d'âge, était-il revenu vers ses premières années, reposer au berceau le reste de son âge. Lui qui avait vu tant de guerres et de libérations, proclamé tant d'indépendances, érigé tant de drapeaux, qui avait démoli tant d'oppressions et de violences despotes, n'avait pas repéré cette anesthésie douce qui tuait son pays. Il disait à ces jeunes : *Mais où sont les massacres, les assassins, où sont les emprisonnements arbitraires et les exécutions sommaires, où sont les famines et les pleurs des enfants ?!* Il sentait bien qu'une douleur allait au fil du vent. Elle était obscure, taiseuse, mais identique à celle de bien des peuples assujettis de force. Alors, il se fit attentif en regardant autour de lui. Dans ces opulences de surface, il ne voyait aucune violence contre laquelle il aurait pu sortir ses armes. Il les avait rangées dans des malles de cuir et ces ballots de grosse toile huilée, entassés dans un coin de la case. Même son barda n'avait pas été ouvert, juste déposé comme s'il conservait ses vieux réflexes de bête traquée et pouvait reprendre la route à n'importe quel instant. De tout laisser enveloppé le rassurait sans doute sur sa capacité à s'envoler sans regrets et sans rien qui l'agrippe à un chicot de terre. Une petite illusion dont il avait besoin pour se sentir un oxygène encore sauvage dans les poumons.

C'est sans doute influencé par ces jeunes qu'il se mit à fréquenter ces endroits où une agitation prenait l'aspect d'une résistance. Il hanta les grèves, où on défilait devant des C.R.S. De temps en temps, ces gens d'ordre envoyaient une grenade ou distribuaient deux-trois coups de boutou. M. Balthazar Bodule-Jules se retrouva aux premières lignes des ouélélés qui se menaient contre la moindre exaction policière ou de force officielle. Tout devenait le signe tant attendu de la brutalité coloniale. Grévistes que les gendarmes postés dans les campagnes n'arrêtaient pas de fusiller. Fermetures d'usine qui laissaient aux abois des femmes et des enfants. Conflits autour de la canne, de la banane, de l'ananas ou du rhum qui n'en finissaient pas d'agoniser... À chaque fois, M. Balthazar Bodule-Jules était là, debout, vociférant contre le colonialisme. Le temps passa. Le pays devint un peu plus calme. Les dernières usines avaient fermé. La plupart des champs se mirent à vivoter sous des torrents de subventions. Tout un chacun percevait six-sept allocations. Quant aux défenseurs du peuple, ils s'étaient trouvé (à mesure de leur cote) des postes électifs où ils représentaient on ne sait quoi et percevaient d'engourdissantes indemnités.

Mis à part sa guérilla syndicaliste, M. Balthazar Bodule-Jules lutta contre une nouvelle lubie : le tourisme à tout-va. Des promoteurs surgissaient de partout. Ils décrétaient que ce pays disposait d'une vocation touristique. Ils voulaient transformer chaque commune en hôtel. Installer des agences de voyages à l'entrée des églises. Poser des gîtes sous les grands arbres. Dresser des papillons pour qu'ils dansent à l'entour des guinguettes. Transformer les pêcheurs en guides pour charters. Les agriculteurs devaient suivre des cours d'art dramatique pour animer des saynètes bucoliques autour de la canne et de l'ananas. Les touristiqueurs se proposaient de peindre les merles en bleu, de parfumer les manicous, et de récompenser les jeunes capables de sourire aux couvées de touristes. Ils embauchaient des milliers de jeunes filles, déguisées en doudous, et qui devaient danser dans les aéroports et les débarcadères. Ils dispensaient des formations d'électricien-tourisme, maçon-tourisme, entrepreneur-tourisme, ingénieur-tourisme, journaliste-tourisme, informaticien-tourisme... Une université spéciale fut montée (en kit) pour délivrer par an sept millions de diplômes touristiques. Les terres agricoles du pays, plus ou moins dévitalisées, subirent un assaut sans précédent. Plus besoin de cultiver ou de produire quoi que ce soit. Seuls devaient pousser hôtels, piscines et marinas, touring-clubs et auberges de jeunesse villages-vacances et casinos, bateaux-à-frites et musées de rivage...

On vit alors M. Balthazar Bodule-Jules s'opposer aux déclassements de terres agricoles. On le vit arrêter des chantiers qui menaçaient une forêt, une plage ou un site naturel. On le vit déversant du sucre dans les tracteurs qui préparaient l'emprise d'un lotissement ou d'un club-méd. On le vit parmi les jeunes agriculteurs occupant des terres que les békés avaient laissées en friche dans l'espoir qu'un complexe hôtelier puisse un jour s'y nicher. L'écologie devint sa nouvelle religion. Il truffa ses discours contre le colonialisme de considérations belliqueuses sur les biotopes et les écosystèmes. Les promoteurs s'en émurent. La meute policière se mit à le poursuivre. On se pressa dans les tribunaux où il fut condamné à maintes reprises pour toutes sortes d'exactions contre la foi touristique. Il refusait les avocats pour se dresser dans les prétoires et pérorer contre le colonialisme durant près de deux heures. Il forçait les juges à suspendre les audiences, puis à tout mettre en délibéré, puis en re-délibéré, jusqu'à le condamner en douce par un communiqué remis à l'AFP. Il n'interjetait jamais appel ou n'introduisait jamais le moindre pourvoi en cassation. Il contestait globalement cette justice, et grondait aux juges estomaqués : Je vous connais car je vous ai vus au Congo, en Algérie, au Maroc, au Viêt Nam, à Grenade, en Haïti, en face de Mandela, de Malcolm X et de Martin Luther King... Je connais cette engeance qui transforme les gestes de liberté en délits de basse-cour!... Je vous connais mais je ne vous reconnais pas! Car la seule justice qui vaille est la justice des peuples, et le seul tribunal qui m'importe est celui de l'Histoire!...

Il dut se retrouver six ou sept fois en garde à vue. Jamais les policiers ne se livrèrent sur lui à leurs atrocités coutumières. Lui, n'agrippait aucune gorge qu'il aurait pu broyer entre ses terribles poignes. Il leur disait simplement, et presque avec consternation, *Les frères, allons quoi, ouvrez les yeux dites donc, bande d'ababas! Ouvrez les yeux...* Sans trop savoir pourquoi, certains empolicés se mettaient à pleurer et d'autres à rire comme des canards nerveux. Il dut être emprisonné à quatre ou cinq reprises, ce qui devint très vite la terreur du directeur pénitentiaire. Sa présence jetait une panique dans les dortoirs. Les détenus se mettaient à tout contester. Le manger. Les lits. Les punaises. Les toits qui fuient. La vie. Les chiques. Dieu. Les moustiques. L'art moderne. La mort. La promiscuité... Dans la prison, M. Balthazar Bodule-Jules se montrait toujours terrible, ou alors prostré, sans doute tétanisé par cet endroit où son papa Limorelle avait été empoisonné. Mais cet état ne durait pas longtemps. Il se lançait dans une agitation-guérillero tellement flamboyante qu'elle séduisait les surveillants qui le traitaient souvent comme un prince en exil. Tout se mettait à marcher au bizarre dans les dortoirs et les cellules. On chantait *L'Internationale*. On criait des slogans. On récitait les poèmes d'Hô Chi Minh. On se laissait pousser une barbe à la Che Guevara. On répétait des noms dont ces crapules ne savaient rien, mais qu'elles gravaient comme des quimbois sur les barreaux et les grillages. Le directeur s'arrangeait pour que ce M. Balthazar Bodule-Jules obtienne on ne sait quel aménagement de peine qui le renvoyait à d'autres libertés. Il fallait alors le forcer à s'en aller, car lui ne demandait rien, ne voulait rien, et pouvait vivre l'éternité dans n'importe quelle basse-fosse.

On se mit à le connaître et à le reconnaître de partout. C'était nouveau pour lui qui s'était toujours comporté en bête d'ombre et de silence. Lui, qui avait appris à frapper comme un fauve et à prendre-disparaître, se retrouva en continu sous les feux de toute actualité. Aller ainsi en grand soleil — assemblées syndicales, marches, grèves, meetings et coups de force face aux caméscopes des Renseignements généraux — était un amusement pour lui. Mais, depuis son arrivée, ces agitations bouillonnaient quelques instants, retombaient comme un soufflé d'igname, puis finissaient par macayer dans les destins subventionnés. Il avait espéré, à chaque fois, des embrasements révolutionnaires comme il en avait connu dans la Caraïbe et les coins de la terre, et se voyait surpris par ces retombées molles, ces léthargies qui s'installaient jusqu'au prochain sursaut. Lui, diable-sourd obstiné, s'élançait à chaque fois, anticipant déjà d'une narine querelleuse les parfums du grand soir...

Comment croire qu'il espéra de ces agitations politico-écolo-syndicales l'amorce d'une révolte libératrice ? C'était sans doute manière de se distraire. Ou de juguler l'angoisse que ce pays inoculait en lui. Dans ces circuits de militants, il rencontra beaucoup de jeunes filles et jeunes madames, militantes du créole, doctrinaires trotskistes, prêtresses des dogmes socialo-internationalistes, écologistes mystiques, angoissées de la nation et de l'identité... Elles lui emplissaient les oreilles de théories sonores, puis se taisaient pour entendre ses faits d'armes. Qu'il ait pris le fusil en un moment de son existence le dotait d'un prestige sans limites. Pour ces révolutionnaires de bibliothèque, il dégageait un parfum de démon et de soufre. Une aura pleine de délices et d'horreur savoureuse. Ce fut sans doute avec cette engeance féminine qu'il connut les ultimes feux de ses graines. Avec ces jeunes personnes charroyées dans sa case. Entre deux cris contre le colonialisme, il les passait dans l'insatiable mécanique de son corps. Elles devenaient cobayes de cette science lubrique qui l'emplissait de frénésie. Elles en sortaient chiffonnées à l'extrême, et se remettaient à vivre sans trop savoir si elles avaient été aimées ou châtiées de manière insolite.

Elles ne demeuraient jamais longtemps auprès de lui. Il finissait les nuits seul avec son corps, retrouvait la petite pluie des aubes en solitaire, les oubliait très vite, en recherchait à chaque fois de nouvelles. Ces ébats lui laissaient maintenant un goût saumâtre, comme un ennui qui se collait à lui, ou alors un grand vide qu'il lui fallait combler avec un peu de lui-même. Il recommençait pourtant, avec l'envie de s'y perdre tout entier, de se laisser mourir dans la treille des plaisirs et des cris. Mais il n'y mourait plus. Il demeurait lucide, se voyant, s'entendant, se percevant à bonne distance comme si sa conscience s'était caillée dans une veille ardente.

Le temps passait. Si M. Balthazar Bodule-Jules ne se fatiguait jamais (malgré son âge considérable), autour de lui les rangs s'éclaircissaient. Il fut bientôt presque seul, avec deux ou trois autres névrosés, à mener des coups de force. Il ne ratait aucune marche pour épauler les luttes des peuples du monde. Il soutenait des campagnes de toutes sortes pour appuyer l'ouvrier licencié. Il distribuait des tracts dedans les gares routières ou au bord des lycées. Il tenait des meetings improvisés dans les supermarchés où il grimpait sur des caddies. Le samedi après-midi, il troublait les promenades familiales, en sillonnant les centres commerciaux pour évoquer les Kurdes massacrés, les Arméniens oubliés, les Pygmées abattus par les tueurs des lobbies pétroliers, l'esclavage des temps anciens ou les purifications ethniques en cours on ne sait en quel coin d'on ne sait quel enfer... La galerie s'en amusa. Puis ses tracts se retrouvèrent par terre. Les attroupements autour de son cirque devinrent très souvent clairsemés. Devinant cette usure, il eut recours aux médias dont il s'était toujours méfié. C'est ainsi qu'on le vit jour après jour sur les télés et radios libres, dans les feuilles politiques, le quotidien et les hebdomadaires. D'abord pour des diatribes anticolonialistes, ensuite pour des réclamations syndicales, enfin pour des oraisons écologistes. Il pouvait surgir à tout moment pour un soutien à une quelconque peuplade du monde. Il dut y prendre goût, car il se mit à y apparaître en finale pour lui-même, racontant sa vie en Indochine, en Algérie, à Madagascar, en Afrique du Sud, en Palestine, au Congo, auprès de Fidel Castro, du Che, de l'Oncle Hô... Ses rencontres avec Ben Bella et Fanon. Ses prises de contact avec Lumumba. Ses équipées dans les rues de San Francisco avec les Black Panthers. Son amitié avec Maurice Bishop... C'est là que nous le découvrîmes une fois encore, fournissant mille détails sur les guerres anticolonialistes du monde, nous rendant fiers de voir combien un enfant du pays était allé loin, avait vu tant de choses et s'était comporté en rebelle véritable. Il était un cas, et une sorte d'exemple. Il nous donnait mauvaise conscience et flattait étrangement une part de notre esprit.

Quand il eut épuisé ses souvenirs de guerre, on le sollicita pour tout et n'importe quoi, les femmes, les cyclones, la démocratie, la drogue, la pilule, la monnaie, la vie du général de Gaulle, le cas de Césaire. Il parla de l'amour, de la beauté, de la peur, des émotions. Il tint discours sur la sexualité et les raisons du cœur. Il parla de littérature et de sociologie. Il disserta sur Sartre, Éric Williams, CLR James, José Martí, dialogua sur Allende, sur Bolívar, sur Fanon qu'il mettait en parallèle avec Césaire. Il disait qu'il y avait trois familles dans ce pays, celle de Fanon, celle de Césaire et celle de ceux qui criaient *Vive de Gaulle* comme des cabris à l'abattoir, et qu'il était du même sang que Fanon avec cette différence (déterminante) que lui était revenu se confronter à sa réalité... Il se lança dans des analyses psychanalytiques sur le RMI ou sur les gens qui se titraient *personnes-d'outre-mer*. Il charmait tout le monde par l'outrance provocante de son verbe qui s'accordait bien aux écrans et aux ondes. Il savait faire rire et pleurer, rêver ou sombrer dans des mélancolies quand il évoquait les matrones ou les valeurs perdues. Il participa à moult émissions sur la médecine naturelle et sur les bienfaits des eaux chaudes d'Absalon. Sa réputation dépassa nos plages et les presqu'îles. S'il était devenu la référence anticolonialiste — qui chaque semaine fustigeait l'aliénation politique du pays et continuait d'invoquer l'indispensable indépendance — il fut aussi réclamé pour parler du monde et de la Caraïbe. On vint le voir de partout. Des journaux américains, cubains, espagnols, libyens. Des gens d'Afrique l'interrogèrent sur Patrice Lumumba. Une radio belge lui demanda de comparer ce chien de Mobutu au sirupeux Senghor. Une télévision portugaise sollicita ses anecdotes sur l'admirable Sékou Touré. Un collège du Cap-Vert lui expédia trois questions sur le prodige Mandela. Deux-trois Congolais testèrent ses connaissances sur le nombre de ceux qui s'étaient vus grillés par les *soleils des indépendances*. Des Haïtiens voulurent savoir pourquoi il n'avait pas réussi à tuer le docteur Duvalier et d'autres s'attachèrent à comprendre pourquoi il n'était pas allé soutenir leur Charlemagne Péralte au temps de l'invasion yankee. Des Cubains l'interpellèrent sur le nombre de prisonniers politiques oubliés dans les geôles de Castro. Des dissidents de l'Est, en errance dans le monde depuis la chute du mur, lui firent demander s'il avait lu Soljenitsyne. Des fils de héros vérifièrent ses informations sur ce qu'était devenu le FLN dans sa chère Algérie libérée. Des Vietnamiens se montrèrent soucieux de savoir s'il avait vraiment soigné l'Oncle Hô et s'il avait compté combien de ses compatriotes celui-ci avait exécutés. Des Noirs américains le mobilisèrent sur une chronique des Black Panthers et des ultimes instants de Martin Luther King. Le magazine *Elle*, de France, lui demanda de discourir sur la Femme et les femmes de sa vie. *Cosmopolitan* lui réclama une considération sur la sexualité en temps de guerre. *Femme actuelle* obtint de lui des réflexions sur les seins et les poils. *Antilla Madame* lui confia un dossier sur la nouvelle paternité. Il dut faire la une de *Time Magazine* et une gazette du Mexique associa son nom à celui de l'intraitable Pancho Villa. Des revues de tous pays le contactèrent pour des aperçus politiques sociaux et culturels de cette dernière colonie de l'univers connu. Et lui, de bonne grâce, recevait tout le monde dans sa petite case. Aucune question ne le déroutait. Il se laissait photographier ou filmer avec son tricot ajouré, son bakoua qui ouvrait des ailes d'aigle au-dessus de son visage indéchiffrable. Et ses pieds nus se campaient dans la boue pour signifier *urbi et orbi* son amour de cette terre.

Il fut comme une vibration interminable qui fit partie de notre espace sonore. Je l'avais entendu à maintes reprises sans trop m'y intéresser, il faut dire qu'en ce temps-là j'essayais de transcrire une hallucination qui me persécutait [1]. Quand il me fallut rédiger cette plongée dans sa vie, et que je réécoutai ces bandes sonores, je crus en quelque instant entendre trembler sa voix. Discerner comme une touche incertaine dans le franc de son rire. Une teinte d'inquiétude circulait dans ces peintures de peuples qui se libèrent, et un spasme surgissait de temps à autre dans le rappel de ses actes de bravoure. Il était déjà en train de se débattre dans un malheur dont il ne percevait plus le sens. Sans en avoir conscience, il quittait peu à peu la réalité pour se réfugier dans une guérilla de bouche, déjà languissante dans ses mimodrames médiatiques. L'agonisant dut y penser à ce moment-là, car je vis comme une lueur de tristesse dans ses yeux, et un mouvement de sa main gauche, agacée.

C'est sans doute à cette époque que des bombes se mirent à exploser. D'abord sous des statues de colonialistes, génocideurs d'Amérindiens. Puis dans des guichets de perceptions du Trésor public. Enfin, sous des antennes de la télé officielle. Il y eut un incendie du palais de justice. Un autre de la Caisse générale de sécurité sociale. Il y eut quelques jeeps de gendarmes qui se transformaient de temps à autre en feux d'artifice... Ces événements jetèrent l'émoi dans le pays. Depuis la disparition des anciens nègres marrons, personne n'avait trouvé de sens à une violence libératrice. On recherCha les coupables. Dans tous les coins. Il y eut des policiers experts dépêchés de la Corse, pour venir fouiner à terre dans le pays et démasquer les poseurs de bombes. Ils étaient pâles, portaient des lunettes noires, et marchaient toujours un peu de travers comme pour mieux écouter aux murs ou surveiller leur dos. Ils soupçonnèrent bien entendu M. Balthazar Bodule-Jules et perquisitionnèrent chez lui et-cætera de fois sans trouver la moindre arme ni le moindre pétard. Je

1. *L'esclave vieil homme et le molosse*, Gallimard, 1997.

lus, bien des années après, les comptes rendus de ces perquisitions. Ils décrivaient une petite case, complètement dépourvue, meublée d'un réchaud, de quelques tabourets, d'une table désolée, de trois casseroles d'aluminium, d'une ou deux chaises en paille et d'un insolite fauteuil en osier rapporté d'on ne sait quel pays. Le suspect dormait à cette époque par terre, sur une paillasse de feuilles-banane. C'est là-dessus qu'il avait, depuis son arrivée, écartelé des lots de militantes. Il y déposait soir après soir sa fatigue, puis ses angoisses, enfin son incompréhension grandissante du pays. Il fut souvent retenu en garde à vue. Ses interrogatoires s'éternisaient sur des journées entières et ameutaient la gent anticolonialiste sur les trottoirs de l'hôtel de police. C'est sans doute là que les policiers à lunettes noires découvrirent l'étonnant personnage. M. Balthazar Bodule-Jules leur infligeait de longues diatribes anticolonialistes ; ils se faisaient livrer des sachets d'aspirine et des seaux de valium ; ils se relayaient pour soutenir ce grondement effrayant ; ils allaient se reposer dans une pièce adjacente avec l'aide de boules Quiès, et la nuque déposée sur un coussin de glace. En d'autres fois, le suspect se faisait enjôleur, leur racontant n'importe quoi, les faisant rire surtout. Ils en oubliaient leur enquête pour l'entendre évoquer quelque bizarre coutume sexuelle éprouvée dans le monde. Les gardes à vue dégénéraient ainsi tandis que les trottoirs résonnaient des hymnes anticolonialistes. L'agonisant dut sourire en pensant à ces interrogatoires et à ces hommes livides qui cachaient leurs yeux rouges sous des ray-bans obscures. Lui qui avait connu tant de sang et de tortures, abordait tout cela comme un jeu. Il pouvait passer plusieurs nuits sans dormir, buvant juste un verre d'eau. Il ne s'émouvait de rien, ne craignait rien, ne s'affolait de rien, tellement son cœur avait déjà battu et que ses yeux maintenant de glace s'étaient déjà frottés aux survenances du pire.

M. Balthazar Bodule-Jules ne fit jamais de confidences (même pas à M. Isomène Calypso) sur cette prétendue activité terroriste. Il avait appris l'emploi des explosifs en mille côtés du monde, et s'était montré disert sur des attentats organisés en compagnie de Vietnamiens, d'Algériens, de Bretons, de Corses, de Tamouls, de Tchétchènes, de Kurdes, d'Arméniens ou de frères occitans... Mais il disait aux policiers qui le soupçonnaient : *Je suis un homme de guerre, voilà ce que je suis, et vous me parlez de quoi, d'une jeep de gendarmes incendiée ! ? C'est une blague là ou quoi ? !...* Si bien que le flou demeura sur cette histoire de bombes. Elles furent revendiquées de manière anonyme. Par deux ou trois fronts de libération. Impossible de déterminer s'il en était à l'origine. Les bombes disparurent d'elles-mêmes. Comme usées elles aussi. Et la torpeur revint. Quand la statue de l'impératrice Joséphine, esclavagiste notoire, perdit sa tête et fut maculée du rouge de l'esclavage, les policiers à lunettes noires assiégèrent une fois encore sa case. *Ça aurait pu être moi,* leur dit-il, *mais si c'était le cas, c'est la statue entière qui serait pulvérisée ! Je suis un homme de guerre, pas un décapiteur pour figurine idiote...* Cela n'empêcha pas bon nombre de militants de lui attribuer le temps des attentats, et d'en augmenter son aura de rebelle. Il symbolisa plus que jamais notre nègre marron contemporain.

Il refusa toujours de laisser photographier ses armes. Il ne montra jamais de photos de sa vie auprès de ces illustres rebelles qu'il affirmait avoir accompagnés. Il couvrait toute preuve tangible d'un mystère sourcilleux. Ceux qui traversèrent sa case en ce temps-là ne virent aucun objet capable de confirmer ses combats dans le monde. Nul ne put dénicher la trace d'une existence de cette Man L'Oubliée. De même, quelque curieux tenta en vain d'élucider l'affaire de la maison Timoléon où nostr'homme disait avoir vécu entre des femmes étranges. Un journaliste rechercha pour rien un signalement de cette famille sur les registres de la mairie. Deux-trois vieux-nègres séniles lui confirmèrent juste une activité communiste dans cette petite commune et la présence en des temps oubliés d'un vague maître d'école, meneur de réunions et de grèves insolentes. Mais, en fait, il y eut peu de recherches méthodiques pour étayer cette enfance qu'il racontait maintenant un peu partout. Cela n'intéressait personne. On ne retenait juste que sa manière de décrire le pays, dans ses profondeurs, ses ombres, ses valeurs délaissées, ses héroïsmes insus, et de s'y mêler comme s'il avait tout vu, tout vécu en des époques déterminantes. Il y eut quelques voix pour avancer qu'il racontait n'importe quoi, et n'avait jamais mis les orteils hors d'ici. Ces malveillances le projetaient dans des fureurs telles qu'il assommait l'audience du détail de ses guerres, outrageait l'insolent de mille et une façons, lui transmettait des missives de défi pour le voir d'homme à homme. Deux ou trois infortunés regrettèrent cette espèce d'imprudence. Petit à petit, personne n'osa une remarque. Il redoubla de précisions sur ses exploits, ses rencontres, ses peurs et ses angoisses. Année après année, sa voix fit résonner toutes les guerres de ce siècle finissant dans nos écoutes anesthésiées. On se mit à le considérer comme un vrai combattant, un messie des violences, un humanoïde d'armes, égaré dans le monde, et qui avait échoué dans son pays natal au détour d'un hasard, jusqu'à s'y enkyster sans trop rien y comprendre.

Mes amis, quand il sortit ses armes, ce fut contre le diable en direct !

« Notre morceau de fer ».
Cantilènes d'Isomène Calypso,
conteur à voix pas claire de la commune de Saint-Joseph.

DÉVOTION PATERNELLE. Son agitation médiatique connut un acmé considérable. À l'entendre, on aurait cru que la révolution était en marche dans le pays. Que des guérilleros débarqueraient de tous les coins de l'Asie ou d'Afrique où il restait des hommes capables de mettre le feu à ce néocolonialisme. C'est sans doute vers cette époque qu'il s'adressa aux jeunes drogués de Saint-Joseph. La petite commune, comme l'ensemble du pays, avait connu l'apparition des cambriolages quotidiens. Une insécurité croissante perturbait le pays. M. Balthazar Bodule-Jules s'était souvenu de ces périodes d'antan où les cases restaient ouvertes. Les bonnes gens partaient pour la journée en laissant aux paillasses des paquets de bijoux que nul n'aurait pensé à leur voler. Maintenant, il fallait grillager les ouvertures et s'enfermer à clé avec l'arme au côté. Il dénonçait tout cela dans ses prêches médiatiques, et versait bien entendu cette infection au dossier du colonialisme. Une nuit, il entendit le craquement d'une fenêtre. Décela un mouvement. On venait de rentrer dans sa case. Il resta immobile, attentif, retrouvant ces réflexes qui lui avaient sauvé la vie dans les tunnels indochinois. Toute agression l'emplissait d'une rage froide, sans limites. Il attendit que le déplacement se précise. Pénètre plus avant. Puis il se leva comme une ombre et se coula vers la fenêtre afin de barrer toute retraite aux voleurs. Là, tranquille comme Baptiste, il alluma sa vieille lampe à pétrole et se retrouva en face de quatre jumpies, yeux rougis par les drogues, tremblant de manque et de désordre mental. Cette mésaventure était devenue courante dans le pays. Les cambriolés se voyaient livrés à la violence aveugle de ces zombies qui se cherchaient de quoi payer une dose. Ils tyrannisaient d'abord leurs parents, puis les voisins, enfin sévissaient n'importe où, talonnés par le diable du manque. M. Isomène Calypso, contant cette anecdote, nous dit qu'il faut imaginer ce que ces pauvres bougres virent paraître devant eux. Non pas le vieil homme bavassant des radios, mais un monstre aux muscles lourds, zébré de cicatrices horribles, et frissonnant d'une fureur totale. *Ces messieurs-là, bonsoir.* Le grondement de sa voix

dut achever de les anéantir. Il était debout, impossible-
ment calme, sans agressivité mais plus dense qu'un malheur. Cela suffit sans doute à sevrer les jumpies : les effets
synergiques de leurs drogues les rendaient sensitifs comme
des poules. C'est ainsi qu'ils échappèrent au massacre.
Leur panique les jeta à ses pieds. Vaincus sans même un
geste. Il s'assit en face d'eux, leur ordonna de s'installer en
face de lui. Et il se mit à leur parler. Dessous les brumes
finissantes de leurs drogues, ils répondirent à ses questions. M. Balthazar Bodule-Jules les laissa s'en aller à
l'aube, après qu'ils lui eurent raconté l'essentiel de leur vie.
C'est peut-être comme cela qu'il fut alerté sur la question
des stupéfiants.

La commune de Saint-Joseph perdait de sa tranquillité.
Le chômage était tel que les jeunes désœuvrés s'agglutinaient autour du stade, dessous les grands tamariniers,
dans les croisées dont ils brisaient les lampadaires. Ils
fumaient toutes sortes de saletés, à commencer par
l'herbe et surtout ces petites roches blanchâtres, surgies
d'on ne sait quelle géhenne yankee. Elles s'étaient répan-
dues comme une gale de sept ans. M. Balthazar Bodule-
Jules y avait vu une nouvelle atteinte du colonialisme. Il
disait que c'était une combine de la CIA qui diffusait cette
merde à grande échelle dans les ghettos américains pour
zigouiller les nègres. Et qui nous l'expédiait en douce pour
détruire notre jeunesse. Le but de la manœuvre était de
faire place nette afin de livrer la Caraïbe aux beach-boys
et aux paquebots de touristes. C'est pourquoi il se mit à
hanter les rues de la commune. Il alla retrouver ses jeunes
cambrioleurs. Avec eux, il eut accès aux fumeurs de crack,
téteurs d'herbe, buveurs de datura, épaves en bout de
course, jumpies en déshérence, dealers à portable, per-
chés sur des motos. Quand il commença ses approches, et
bien qu'il fût présenté par ses cambrioleurs, ces jeunes
l'accusèrent d'être un flic-babylone. Le crack les rendait

agressifs. Ils l'injurièrent. Sortirent des couteaux, des pistolets à gros calibre. Cette affaire aurait pu mal finir. Mais on dit que ce monstre de violence qu'était M. Balthazar Bodule-Jules demeura impassible devant eux. Ses yeux de glace les pétrifiaient. Son corps pourtant bien détendu paraissait comme un piège capable d'exploser. Il s'assit parmi eux, tel un prince en visite, et commença ces péroraisons qui resteraient célèbres. Il finit par les écrire et accepta de les publier dans le journal *Antilla* pour mieux atteindre les drogués du pays. Au bout de quelques mois, les choses rentrèrent dans l'ordre dans la commune de Saint-Joseph. Les agressions et les cambriolages diminuèrent. Les dealers se sentirent mal à l'aise et s'éloignèrent de là ; d'autres revinrent sans marchandises pour écouter et pour entendre. Son charisme les tenait en respect. M. Balthazar Bodule-Jules consacra ses vendredis soir à rester avec eux, interdisant toute vente et toute fumerie en sa présence, et s'évertuant à leur transmettre une pulsion de vie...

... Les choses sont simples, bande de crabes, il y a la vie et il y a la mort ! On se trouve soit dans un bord ou soit dans l'autre ! Jamais dans les deux en même temps, même si la vie et la mort sont liées ! Alors vérifiez dans vos gestes, dans vos pensées, dans vos décisions, dans votre manière d'envisager demain, vérifiez de quel côté vous êtes, et si vous ne surprenez pas de désirs et d'envies, d'illusions et de rêves, de peurs et de tendresses, si vous ne pouvez pas vous regarder en face sans raconter d'histoires ou accuser quelqu'un, si vous n'avez pas d'amis parmi les femmes les hommes les enfants et quelques animaux, si vous n'êtes pas capables de vous courber pour aimer, d'honorer sans trembler, de donner sans attendre, de vous réjouir sans jalouser, c'est que vous êtes du côté de la mort !...

Il ne leur fit jamais la morale, ne prononça pas un mot de reproche ni une quelconque négation. Il leur parlait de la matière du vivre, soulevait leurs émotions, éveillait leur ferveur, les apeurait, troublait leur perception des choses, les bouleversait de fond en comble, et s'en allait en leur laissant de grands vents dans la tête. C'est sans doute cet épisode qui nous livra un peu plus de sa personne et de ses voyages, car il se mit à tout leur raconter. La diablesse qui le persécutait. La mort de ses parents. Son enfance dans l'ombre de Man L'Oubliée. Ses excursions de justicier. Ses contacts avec les matrones. Ses plongées dans le monde des pêcheurs et des danseurs-danmyé. Ses luttes contre les gendarmes. Et surtout ses traversées fulgurantes dans les guerres coloniales du siècle finissant. Les jeunes étaient ensorcelés. Il les secouait de son verbe magistral et grondant. Ils furent des centaines à se rassembler le vendredi soir autour de lui, près du stade. Il répondait à leurs questions et tentait de leur insuffler son électrique vitalité. On ignore combien d'entre eux il parvint à sortir de la mort, et à renvoyer vers des centres de soins, mais je compris pourquoi ils étaient si nombreux à se presser sur sa terrasse aux heures de l'agonie. Pourquoi, entre les fumées du cannabis et les vapeurs du crack, ils laissaient échapper une larme que ces drogues transformaient (dans leur mental catastrophé) en raz de marée d'hommage.

... Si vous êtes du côté de la mort alors inventez-vous des dieux qui vous laissent libres, des rêves qui vous élèvent, des peurs qui enseignent l'exigence, des peuples et des amis qui vous donnent l'exemple et le courage, parlez aux fleurs, aux rivières et aux vents comme si c'était vous-mêmes, regardez les hommes comme de petits soleils, ayez des émotions et des admirations, laissez-vous emporter par la bonté et le désir d'offrir, aimez ce qui est vivant, qui rit, qui pleure, qui chante et chantez avec eux, ne soyez pas tendres avec votre corps, soyez bienveillants avec tout le monde, ne vous apitoyez jamais sur vous-mêmes, prenez la douleur comme un signe de vie, les ennuis comme l'écume de l'action, les

larmes ne servent qu'à nettoyer les yeux et utilisez-les pour dégager votre cœur, dites-vous que personne ne peut rien pour vous, que personne n'est la cause de vos manques et souffrances, que vous êtes seuls à décider si vous êtes du manger pour la mort ou du manger pour la vie, créez-vous une richesse qui n'a rien à voir avec les biens de ce monde, faites battre votre cœur et votre esprit, aimez la solitude comme on va vers les autres, conservez le silence comme on prend la parole, tombez quand il le faut mais ne restez jamais à terre, changez tous les jours et restez ce que vous êtes dans ce changement qui va, cherchez chaque jour quelque chose à apprécier, quelque chose à célébrer, quelque chose à construire, là où il n'y a pas d'hommes soyez des hommes, là où il y a des hommes soyez des frères, là où il y a des frères soyez des pairs, soyez dans rien pour être dans tout, là où l'on prie écoutez ce qui monte, là où on ne prie pas voyez ce qui se fait, là où on aime aimez plus que tout le monde, là où on n'aime pas chérissez la beauté, gardez un œil sur vous, un œil qui doit vous trouver beaux ! Faites de manière impeccable ce que vous pouvez faire, et ça vous le pouvez !... Et, je vous le dis, sacrés morpions : la mort n'aime pas ces manières-là !...*

Quand on sut l'influence qu'il exerçait sur ces jeunes drogués, des parents vinrent le trouver. Ils lui mandaient conseil qu'il donnait volontiers. Il leur disait : *Ce n'est pas la drogue le problème ! Tous les peuples que j'ai rencontrés affrontaient dans leurs chairs une drogue quelconque ! Et moi-même, en bien des désespoirs, j'ai dû avaler la fumée d'une substance envoyée par des dieux fatigués ou laissée par quelque diable de passage ! Mais ces peuples croyaient en quelque chose ! Leur tête était pleine d'un sacré, d'une intention, d'une illusion, et tout cela leur remplissait tellement le corps qu'aucune drogue ne pouvait y entrer de manière si massive ! Ni même y séjourner longtemps... Le problème c'est que vos enfants sont vides, assistés dans un pays assisté, perfusionnés dans un pays sous perfusion, dépourvus de rêves dans un pays qui ne rêve plus! Alors, il vous faut les remplir! Comme il nous faut remplir le pays avec les peuples de nos rêves...* Les parents n'écoutaient pas vraiment ces sentences. Ils venaient juste lui amener leurs chères épaves, échouées dans les abîmes du crack et qui cherchaient moyen de s'en sortir en vie. Mais, malgré ce style un peu philosophique, ce fut la drogue qui — pour la première fois depuis son retour au pays — lui fit sortir les armes...

> On chante qu'il descendit dans le royaume des morts, qu'il n'y est pas resté, mais qu'il n'en est pas revenu tout à fait...
>
> « Notre morceau de fer ».
> *Cantilènes d'Isomène Calypso,*
> conteur à voix pas claire de la commune de Saint-Joseph.

Une de ses tantantes eut sa fille happée par ce malheur. La tantante s'appelait Adélaïde. Je ne pus jamais vraiment la repérer parmi celles qui se pressèrent sur la terrasse aux heures de l'agonie. Elle vivait seule dans une commune lointaine, avec de temps en temps un concubin qui passait deux-trois jours et qui disparaissait. Elle avait deux garçons et une fille. C'était une petite-cousine que M. Balthazar Bodule-Jules avait rencontrée à deux ou trois reprises dans des anniversaires. Elle s'appelait Caroline, d'un genre kouli, à grands yeux noirs. D'une intelligence tendre. Quand il la vit la première fois, elle lui rappela un peu Sarah-Anaïs-Alicia, sans doute à cause de sa gentillesse. Mais son intelligence était d'une autre nature, vive, pénétrante, un rien désabusée. Il y avait un peu d'ombre en elle. C'est sans doute pourquoi M. Balthazar Bodule-Jules s'était pris de passion paternelle. Il disait : *C'est ma fille, ah c'est la fille que je n'ai jamais eue... !* Et il passait les dimanches de ses rares visites à lui raconter ses exploits. À lui parler des coutumes et des langues du monde. Il l'emmenait en promenade dans la commune, lui apprit à quitter les sentiers pour apprécier le mystère

717

des grands-bois. Ils pratiquèrent ensemble des remontées de rivière, et il lui apprit à rester en silence aux abords d'une cascade pour percevoir, au-delà du babillage de l'eau, le frisson des feuilles qu'affectionne le vent. Elle lui avait offert des livres, des fleurs, des mangots-verts qu'il appréciait par-dessus tout. Il voyait en elle l'enfant, la jeune fille et la femme, c'était nouveau pour lui que cette tendresse totale, surgie en dehors des désirs. Il lui voulait du bien, devenait exigeant, veillait à ce qu'elle soit dans le juste, transformait leurs expériences en de petites leçons, et la seule pensée qu'elle puisse souffrir, rencontrer des obstacles ou pleurer, le rendait malheureux. Il la vit grandir ainsi, de loin en loin, il ne l'oubliait jamais même si ses visites demeuraient rares, elle était en lui, et ses pensées lui produisaient (dans les merveilles de ses journées) des récoltes d'émotion qui le rendaient heureux.

Caroline avait réussi à certains examens et avait dû rejoindre l'En-ville, dans une pension de famille, afin de s'inscrire à l'université. Là, elle avait rencontré une bande de jeunes qui allait et venait plus souvent en dehors que dans l'aire du campus. Elle avait commencé à fumer des cigarettes américaines, à boire un peu de bière Lorraine, à tirer sur un joint de cannabis, puis sur autre chose qui lui avait rongé la tête. Quand la tantante descendait en visite, elle la voyait changée, avec un moins d'entrain, plus de fatigue, les yeux souvent rougis. Et elle travaillait mal. Un jour, la tantante était venue pour rien. Caroline n'était pas là. On ne l'avait pas revue dans la pension depuis déjà une quinzaine de jours. La tantante n'avait trouvé personne à l'université qui puisse lui indiquer une piste et lui dire où elle était passée. Elle s'était mise à la chercher dans les coins et recoins de l'En-ville, à questionner sur son passage en montrant une photo, jusqu'à ce qu'une bonne âme lui explique que Caroline avait dû disparaître dans « la mangrove », emportée sans doute par un dealer de crack.

On lui avait déconseillé d'aller dans ce quartier : « la mangrove » était un endroit de mort et de violence. Elle résolut de s'y rendre quand même. C'est alors qu'elle avait pensé à son neveu Balthaz : *Tu es le seul à pouvoir la sauver...* lui dit-elle presque en s'agenouillant.

Le simple récit de la disparition de sa petite-cousine plongea M. Balthazar Bodule-Jules dans une rage sacrée. Il sentit se réveiller en lui de vieilles horreurs. Depuis quelque temps, il essayait de les refouler. Il enjoignit à la tantante de regagner sa commune en toute tranquillité, et lui promit de lui ramener Caroline dans la semaine, *chère petite adorée, ma fille, oui...* On dit que M. Balthazar Bodule-Jules fut prudent comme s'il se méfiait de lui-même. Lui qui n'avait jamais rien demandé à personne, et surtout pas à la police, voulut quand même rendre visite au commissaire chargé des questions de la drogue, et lui demander d'intervenir pour récupérer l'enfant dans cet endroit appelé « mangrove ». Le commissaire, qui le connaissait pour son activisme militant, le reçut avec condescendance. C'était un Parisien. Il avait été affecté en terre d'ici depuis deux mois et découvrait l'univers inattendu des drogues en Caraïbe. Cette région est une zone de passage incroyable, monsieur Bodule, la cocaïne est cultivée en Amérique latine et en Amérique centrale par des peuples entiers et des mafias organisées, et ils l'envoient par milliers de tonnes vers les États-Unis, en la faisant transiter par nos petites îles en direction de Porto Rico ! Ils utilisent surtout les îles anglaises, lesquelles, à travers les gommiers et les yoles, viennent nous la vendre ici ! Le problème c'est le crack, une sorte de saleté, monsieur Jules, c'est toujours de la cocaïne mais une cocaïne trafiquée pour qu'elle puisse se fumer ! La cocaïne s'en va alors direct au cerveau, monsieur Bidule, elle y allume un petit soleil de force, on se sent comme un ange, on détient la puissance d'un archange, puis ce soleil s'éteint, il est bref, et le bougre dégringole dans un enfer que vous ne pouvez même pas imaginer ! Il y perd sa raison, et se voit livré à des instincts de toute nature qui vont d'une sexualité débridée à des accès de violences meurtrières ! Et puis une déchéance rapide, irrémédiable ! On y goûte et on a toutes les chances de s'y trouver scotché ! Ils ont dû piéger votre Caroline en augmentant ses cigarettes d'un peu de crack, et ça suffit pour vous briser toute volonté et vous retrouver dans les besoins du manque, ce terrible désir de rallumer le soleil ! Et chaque fois que ce soleil s'allume, cela renforce la catastrophe qu'est sa descente ! On est capable de tout pour le rallumer, on traîne par terre, on voit du crack dans la poussière, on se vend, on se prostitue, on peut tuer pour se trouver de quoi acheter une miette ! On reste sur place, sans dormir, sans faim, sans soif, dans l'espoir compulsif de se trouver une dose, et c'est pourquoi les jeunes disparaissent dans cette mangrove ! Et c'est pourquoi les dealers règnent sur ces épaves, monsieur Bidole, ils deviennent tout-puissants ! Et c'est pourquoi cet endroit appelé « mangrove » est le quartier le plus dangereux de l'univers ! Les trafiquants anglais y débarquent de nuit en toute impunité, l'endroit est un labyrinthe presque inviolable, et capable d'abriter les trafics en tout genre ! Il y a là un vaste commerce, avec des arnaques, des combines, des trahisons, du sexe bestial et de la violence diabolique ! Si vous y mettez les pieds, monsieur Bujule, on ne retrouvera de vous que de la pâtée pour cuillère à dessert ! Donc, j'ai pris bonne note de cette histoire, maintenant allez en paix et laissez faire nos services !... M. Balthazar Bodule-Jules pour une fois ne répondit pas grand-chose. Il remercia et retourna chez lui, impassible, un peu trop silencieux.

Il téléphona au commissaire le lendemain pour savoir s'il avait du nouveau. Puis le surlendemain. Le commissaire finit par en être agacé et dut lui raccrocher au nez. Ou alors, il finit par lui dire que les disparitions dans la mangrove s'avéraient neuf fois sur dix sans espoir. M. Balthazar Bodule-Jules se mit alors en route d'un pas tranquille. Le chapeau vissé sur le crâne, le tricot ajouré, les pieds nus, en quête de ce quartier. Quelques-uns de ses amis lui indiquèrent l'endroit et confirmèrent le récit du commissaire. « La mangrove » se trouvait dans la commune du Lamentin, dans un quartier détruit par cette horreur qui l'avait possédé. Il fut d'abord le royaume des fumeurs de cannabis, rastas tombés de la musique de Bob Marley, et qui tentèrent d'en faire une communauté. Ils fumaient ensemble, parlaient de Jah, mettaient en œuvre quelques vœux de paix et de solidarité. Ils monnayaient l'herbe autour d'eux comme on dispense un don du ciel. Quand les petites roches blanches surgirent, l'herbe fut rapidement supplantée, le quartier sombra dans la violence aveugle...

M. Balthazar Bodule-Jules y parvint durant la nuit. Ce qu'il vit le plongea dans une consternation. Ils étaient des centaines, agglutinés dans cette enclave de cases dépenaillées, apposées aux entrelacs de la mangrove. On y pénétrait par une allée de ciment que les rastas d'antan avaient élaborée avec l'argent de leur trafic. On traversait la haie d'honneur de dizaines de dealers qui vous proposaient des enveloppes d'herbe et des cailloux blanchâtres, puis on débouchait sur la place du « grand-marché » où s'entassaient des produits de recel, butins de cambriolages et d'agressions : bijoux, télévisions, magnétoscopes, vêtements Nike... ils servaient de monnaie dans les trocs de la drogue quand l'argent venait à manquer. M. Balthazar Bodule-Jules fut assailli par ces vendeurs de mort. Il déclina leur offre. Il n'était pas pensable d'entrer en cet endroit sans être un acheteur. C'était le signe que l'on était de la police ou d'un service des douanes. Les dealers commencèrent à le menacer. Puis à le bousculer. Mais il suffisait qu'il les regarde et l'agresseur se sentait obligé d'arrêter. Pour être tranquille, et se distinguer d'un envoyé de Babylone, M. Balthazar Bodule-Jules acheta quelques enveloppes, et quelques roches de crack. Il put alors se promener dans cette faune durant presque toute la nuit. Et il vit.

Des jeunes filles, émaciées telles des momies de cire, flotter comme des zombies, se traîner à quatre pattes à la recherche d'une miette. Il en vit, accroupies derrière des épaves de voitures, affairées à sucer des dealers. Il en vit d'autres, écartelées dans un bosquet par une bande de démons qui s'enfonçaient en elles par toutes les voies possibles. Il vit de jeunes garçons dans des poses similaires, comme s'il n'existait plus de fille ou de garçon, seulement des corps à consommer en tirant sur un joint ou une pipe bricolée. Il vit des personnes de tous âges, affalées dans des coins, endormies comme des morts, ou perdues yeux fixes dans une insomnie tragique. Parmi la foule des acheteurs et des dealers, erraient des loques humaines, effondrées sans espoir dans l'arrière-fosse de leur humanité. Les dealers se tenaient impérieux, le cou chargé de bijoux, chaque doigt saisi d'une bague, les yeux en lunettes noires étirées vers les tempes. Ceux-là ne touchaient pas à leurs produits. Certains fumaient d'énormes joints d'herbe et surveillaient tout le monde. Il y avait des bousculades, des agglutinations autour d'échauffourées, tractations et disputes. Des coups de feu déclenchaient des silences, vite effacés. Des files de voitures entraient, s'arrêtaient, ressortaient par l'autre bout, quelques tacots mais aussi des quatre-quatre de luxe, Mercedes et BMW. En certains instants M. Balthazar Bodule-Jules se croyait dans les bas-fonds de Macao, Lagos, Bombay, Shanghai ou Hanoi, dans un trou de Léopoldville ou de Mexico. Puis l'ambiance devenait irréelle, il croyait dériver dans la poisse d'un cauchemar où rien n'avait de sens, il voyait les humanités perdues dans ce qui gisait en elles d'obscur et de terrible, de reptilien et de fatal. Il sentait la maladie, la tristesse, la laideur, l'angoisse, la désespérance, la honte, la peur, avaler les lumières, cristalliser les ombres, et tout fondre dans une crasse étouffée. Tout s'alourdissait comme si on l'avait plongé dans un tombeau de sable. Cela n'avait rien à voir avec l'horreur des champs de bataille dont il avait coutume. Il ne trouvait rien sur quoi abattre sa foudre : que de l'humain tombé, jouet et victime de cette chute. Il marchait dans le royaume des morts.

M. Balthazar Bodule-Jules fut abordé par une jeune fille à cheveux blondoyants. Ce fut comme s'il se réveillait. Elle était sale, hagarde, elle sentait le cadavre. Elle lui quémanda quelques centimes. Il les lui refusa. Elle insista et le suivit comme l'œil d'une conscience. Il s'assit dans un coin, et lui offrit une de ses enveloppes d'herbe. Elle s'abattit à ses côtés, se prépara un joint qu'elle consuma en quelques minutes. Elle le regardait avec détresse, puis s'agenouilla pour lui déboutonner la braguette. M. Balthazar Bodule-Jules l'écarta et lui tendit une boulette de crack. Elle s'en empara, convulsive. Le contact avec la petite roche lui déclencha des spasmes. Elle sortit en tremblant un petit bout de tuyau recourbé, coiffé d'un papier d'aluminium percé, avec en dessous de la cendre qu'elle alluma en essayant de maîtriser ses gestes. Elle déposa le petit bout de crack sur l'aluminium, il se mit à grésiller doucement. Alors elle en aspira la fumée longtemps, lentement, profond, comme pour ingérer le tout de l'univers. Elle disparut en elle-même pendant quelques minutes. Quand elle sembla revenir en ce monde, encore plus aux abois, il lui montra une photo de Caroline. La loque ne parut point la reconnaître. Elle n'avait d'ailleurs pas toute sa raison. Il attendit un peu qu'elle s'éloigne des éclats du soleil. Quand elle fut à nouveau implorante, il l'interrogea encore, en lui laissant apercevoir les bouts de crack qui lui restait. C'est alors qu'elle lui montra les cases, perdues tout au fond de la zone, plantées dans les eaux noires de la mangrove. Les palétuviers les couvraient de mystères. M. Balthazar Bodule-Jules abandonna la pauvre personne avec une autre miette, et se dirigea vers ces cases. Il traversa la faune qui évoluait partout. Les cases étaient des agrégats de tôles et de débris multiples. Elles s'équilibraient sur des pilotis grêles qui s'enfonçaient dans les eaux noires. Les mêmes scènes se répétaient le long des sentiers de planches, avec des groupes de bougres aux mines échouées dans la colère. Ils se tenaient comme des gardiens de trésor ou l'arrière-garde d'une troupe en campagne. C'est sans doute là que se cachaient les stocks ou se traitaient les grandes masses du trafic. Quand M. Balthazar Bodule-Jules s'avança entre les cases, ils lui demandèrent de reculer, puis ils le bousculèrent, puis lui lancèrent des pierres. Certains sortirent de gros calibres et tirèrent à ses pieds pour le décourager. Les coups de feu réveillèrent en M. Balthazar Bodule-Jules des sensations terribles. Un froid mortuaire lui agrippa les os. L'agonisant dut se rappeler que dans ces moments-là, il devenait d'un calme effrayant : ce n'était plus un homme, mais une bête qui essayait de demeurer en vie, et qui alors envisageait de tout détruire.

Ce n'est sans doute pas ce soir-là qu'il sortit ses armes dans la mangrove. Il dut y retourner le lendemain. Il avait achevé la nuit dans sa case, tout au fond du jardin, prostré en face de la rivière, un endroit où il se réfugiait pour goûter aux fraîcheurs et vivre le murmure des sous-bois. Puis il avait dû dégarer ses armes, une à une, de je ne sais quelle cache située dans les touffes de bambou. Il avait dû les nettoyer, les regarder, les retrouver. Le flot des souvenirs avait dû le happer ; il s'était laissé emporter par leurs fièvres durant une charge d'heures, jusqu'à la nuit où il se mit en route.

Après, tout devient un peu plus incertain...

M. Isomène Calypso prétend que les hordes de la mangrove virent apparaître une manière d'archange qui semblait revenir d'un film américain sur la guerre du Viêt Nam. D'autres affirment qu'il demeura discret, revêtu d'un ciré de pêcheur qui dissimulait son terrible arsenal. On dit aussi qu'il contourna la foule pour s'attaquer direct aux cases. Ou alors qu'il surgit comme un démon au volant d'une camionnette, renversant tout sur son passage, balançant des bouteilles incendiaires dans les touffes de dealers. Les témoignages là-dessus ne sont pas très précis. Ni très fiables. Certains disent qu'il tira. D'autres qu'il ne tira jamais. On dit qu'il dépeça une queue de dealers qui l'assaillaient au couteau et au canon scié. D'autres prétendent qu'il les agrippa tous, l'un après l'autre, avec méthode, pour les châtier comme on accorde l'extrême-onction. Il est probable qu'il fracassa ceux qu'il rencontrait avant même qu'ils ne puissent réagir. On dit qu'il lançait des couteaux et des espèces de clous qui sifflaient telles des flèches. On dit qu'il maniait un lance-flammes et que tous les dix mètres il flanquait sur des pattes une mitrailleuse à deux canons. On dit qu'il ne visait pas mais qu'il foudroyait; qu'il ne se battait pas mais qu'il exécutait. Il allait sans trembler, marchait dans le sang, foulait les os brisés, écrasait sous sa botte des plaintes terminales... Toujours est-il qu'il parvint dans les cases, les défonça l'une après l'autre, sortit les corps amorphes qui s'y accumulaient. Case après case, il cherchait sa petite Caroline. Il finit par la trouver, effondrée dans une ordure indescriptible. Il la garda sous un bras, tandis qu'il continuait à saccager les cloisons de fibrociment, et à tout incendier. C'était un enchaînement de gestes exécutés plus d'un millier de fois, et qui s'accordaient comme une mécanique. Mais, cette fois, M. Balthazar Bodule-Jules se vit en train d'agir. Sa conscience s'était brisée : il pouvait s'observer à distance, muet de stupéfaction devant la brutalité qu'il découvrait. Il n'avait jamais connu un tel état de rupture : sa violence lui était devenue étrangère. Elle ne parvenait plus à le remplir tout entier, une part de lui demeurait à l'écart, désertée, ahurie. Il trouva des ballots d'herbe qu'il incendia là-même. Il trouva des bombes à viande salée bourrées de billets de toutes sortes, qu'il voltigea dans les eaux noires. Comme le crack était introuvable, il mitrailla des pilotis jusqu'à ce que les cases déjà dévastées s'effondrent comme des termitières. Et parmi ces ruines, il cassait, brûlait, renversait, piétinait, sans pouvoir s'arrêter. On dit que la mangrove connut cette nuit-là le bégaiement d'une apocalypse...

Quand M. Balthazar Bodule-Jules reprit la route en sens inverse, avec sa Caroline sous le bras, un silence horrifié accompagnait ses pas. Police et gendarmerie trouvèrent un espace ravagé. Les ambulances emportèrent cent vingt-sept blessés, une kyrielle d'estropiés, sans compter la dizaine d'ombres bancales qui s'enfuirent à cloche-pied en voyant la police. Nul ne put expliquer ce qui s'était passé. On supposa une émeute spontanée, ou un conflit ouvert entre sept bandes rivales. Le maire de cette commune en profita pour dépêcher quelques bulldozers contre ces cases qui servaient de tanières à toutes sortes de démons. On ne laissa en cet endroit qu'un grand champ labouré. Ce fut la fin de ce quartier.

Une autre version prétend que M. Balthazar Bodule-Jules n'arriva dans ce quartier qu'au cœur d'une fusillade entre trafiquants anglais et quelques bandes de dealers pas faciles. Qu'il traversa ce désastre avec son instinct de soldat ou sa vieille chance de nègre coutumier des déveines, et qu'il tomba pile sur la case où gisait Caroline. Ou alors qu'il sut la voir dans cette bataille en cours et n'eut qu'à l'emporter comme un sac de guano en travers de l'épaule.

On dit aussi que ce fut elle qui vint à lui, en zombie, en pleine nuit, s'effondrant contre la porte de sa case, après avoir réussi à quitter sa géhenne. L'unique certitude, c'est qu'en cette période-là l'endroit crié « mangrove » se trouva ravagé.

M. Balthazar Bodule-Jules garda Caroline avec lui durant près de trente jours. Il affronta le petit enfer qui se développa en elle durant de nombreuses heures. L'esprit de la jeune cousine se mettait à flotter en dehors de ses chairs. Son corps n'était qu'un emmêlement de nœuds. Il la massait pour libérer ses énergies et leur donner à circuler. Il la plongeait dans des bassines d'une eau très chaude, la faisait transpirer, puis la massait encore durant des heures entières. Il l'abreuvait des décoctions de plusieurs plantes, en suivant l'instinct qui le guidait dans ces cas-là. Il ne lui laissait avaler que de l'eau, et les soupes d'une herbe verte au goût âpre. La mixture lui filtrait les cellules et la forçait à se vider de partout. Les jours passèrent ainsi. Quand son corps sembla apaisé, il entreprit de la nourrir. Il lui concocta des plats d'écrevisses et de patates, il lui fit cuire des crabes touloulous et lui apporta des poissons-chirurgiens et de la viande de cheval. Il l'emmena plonger dans les rivières, puis la faisait marcher durant des heures sous les grands arbres. Il lui montrait tant de choses, lui révélait tant de secrets, qu'elle ne sentait pas ces kilomètres qu'avalaient leurs promenades. Au bout de quelques heures, elle transpirait, s'essoufflait jusqu'à devenir pâle. Il lui apprenait alors à se reposer en poursuivant l'effort, à vaincre les crampes avec sa seule respiration, à soumettre son corps aux vœux de son esprit. Il lui apprit à danser sous la pluie, et à ouvrir les bras pour s'offrir aux grands vents. Il lui apprit (lors des nuits de pleine lune) à se coucher dans l'herbe pour contempler le firmament, jusqu'à connaître le sentiment de flotter dans les astres. Il put lui parler, sans jamais évoquer son martyre dans cette case. Il avait vu les lésions de son corps, et chacune de ces atteintes lui avait révélé l'horreur qu'elle avait dû subir. Ensemble, ils évoquèrent ce qui faisait vivre et mourir les hommes, leur emplissait la tête, leur peuplait le vouloir. Il lui parla des dieux qu'il avait rencontrés, et des langues qui bruissaient dans les vents comme des poissons volants. Il lui parla des femmes et des amours qu'il avait traversées. Ils parlèrent comme on prie à plusieurs. Il déversa tant d'amour et de vitalité en elle que la tantante retrouva Caroline comme elle l'avait connue, et lui en fut à tout jamais reconnaissante.

L'agonisant songea à cette brève période auprès de Caroline. Il l'avait aimée comme sa fille. Il s'était découvert des sentiments inconnus jusqu'alors. Un attachement semblable à celui que l'on éprouve pour une femme aimée, mais sans désir, juste une tendresse céleste, qui le poussait à la serrer contre lui, à l'embrasser et à la protéger. Lui qui n'avait jamais fait la morale à personne se mit à la lui faire. Cette faiblesse la réjouissait. Certains jours, elle basculait dans son enfer, d'un coup, comme un bois-courbaril qui coule, et il devait la retenir pour qu'elle ne s'en aille pas. Elle devenait un petit diable de rage qu'il affrontait en restant impassible. Puis il la récoltait amorphe au bout de quelques jours. Il s'attachait à la réveiller en lui massant le corps, recommençant presque de zéro. Caroline émergeait d'elle-même comme d'une gangue. Il la retrouvait vibrante de vie et de soif de connaître. Alors, il l'emmenait en poésie, lui révéla Saint-John Perse qu'elle ne connaissait pas. Elle n'avait travaillé que Césaire, peut-être un peu Glissant. Il revécut des heures d'échanges autour des éloges que Perse faisait de sa période d'enfance, et eut le sentiment de retrouver Sarah-Anaïs-Alicia, la même ivresse, le même plaisir d'entendre son timbre de jeune fille se moduler dans les mots du poète. Et là encore, il lui montra comment cette beauté était tissée d'une attitude dominatrice qui s'en allait nourrir les malfaisances colonialistes. Ils passèrent des jours vraiment heureux. C'est peut-être auprès d'elle que naquit la première sensation du vide de sa vie. Sa présence le remplissait comme l'avaient rempli jusqu'alors toutes ses guerres, et cette agitation dans laquelle il s'était abîmé. Cette frénésie devait sans doute cacher un vide plus large, ouvert béant en lui depuis et-cætera de temps. Il aima s'occuper d'elle. Il aima s'oublier pour elle. Il aima savourer le vivre à travers elle. Il aima le lever du soleil et les jeux des oiseaux quand ils s'alliaient à sa présence. Quand elle était à côté de lui, les orchidées lui paraissaient plus somptueuses, les fleurs duraient plus longtemps ou en tout cas rendaient plus accessibles leurs instants de splendeur. Elle les regardait, tentait de percer leur mystère, et il lui disait : *Fréquente les mystères, n'essaye pas de tout rendre transparent comme les colonialistes...* La case et le jardin qui montrait ses raretés prenaient une vibration spéciale comme s'ils étaient enfin affectés à quelque chose qui l'ouvrait à la vie. *J'étais déjà presque mort,* dut se dire l'agonisant, *elle m'avait mis debout !*

Il sut qu'il allait la perdre quand il la regarda s'en aller avec la tantante et qu'il sentit sur sa nuque la froidure effrayante. *L'Yvonnette !...* Il ne sut quoi faire pour tenter de la sauver. Valait-il mieux la laisser s'éloigner ou fallait-il la garder auprès de lui ? Il fut saisi de colère impuissante. De loin comme de près, l'Yvonnette Cléoste parvenait toujours à détruire ceux qui comptaient pour lui. Il fut écrasé par le sentiment d'avoir condamné Caroline par cet amour qu'il lui avait donné durant ces quelques temps. *J'aurais dû me détacher d'elle, ne pas la laisser m'atteindre, juste la ramener à sa manman !* Pour dérouter l'Yvonnette Cléoste, il s'efforça de la chasser de son esprit et dut plonger dans ses croisades verbales contre la drogue et le colonialisme. Il s'obligea à l'oublier jusqu'à ce que la tantante lui envoie un message, juste pour lui apprendre que Caroline avait disparu encore, et que cette fois les gendarmes avaient ramené sa dépouille, trouvée dans une épave de fourgonnette, au fond des ruines de la mangrove. Messieurs et dames, cette perte dut casser l'esprit de M. Balthazar Bodule-Jules. L'agonisant ne se souvint d'aucun enterrement, d'aucune cérémonie, juste du blanc de mémoire qui succède à l'annonce et qui allait à travers lui comme une brume glaciale, comme si sa vie s'était effacée à mesure qu'il avait continué de la vivre. C'est peut-être là qu'il commença à rentrer en lui-même, et qu'on se mit à l'oublier.

> Il fréquenta le rien, l'inutile, l'insignifiant, le pas grand-chose, et c'est dans ça, allez comprendre, qu'il s'ouvrit aux ultimes horizons...
>
> « Notre morceau de fer ».
> *Cantilènes d'Isomène Calypso,*
> conteur à voix pas claire de la commune de Saint-Joseph.

INCLINATIONS INFINITÉSIMALES. M. Isomène Calypso témoigne de cette période en indiquant qu'il y eut d'abord un grand trou dans les radios. On ne l'entendit plus dans ses émissions coutumières. Il n'apparut plus dans les émissions de télé où sa faconde faisait merveille. Il déserta aussi les marches syndicales. Même les coups de main écologistes pour sauvegarder le patrimoine naturel du pays ne virent plus sa silhouette. Il est à supposer qu'il s'installa vraiment dans la maison. Qu'il remplaça les planches pourries. Qu'il rajusta les tôles du toit. Qu'il repeignit la case à la manière ancienne. Qu'il installa ses ballots pour une fois déballés. Qu'il se récupéra un vieux lit de grand-manman et une armoire d'héritage qu'une tantante lui apporta. C'est sans doute à ce moment-là que la case devint ce que nous allions découvrir d'elle durant cette agonie. Les objets ramenés de ses périples trouvèrent leur place un peu partout. Plantes séchées. Statuettes brisées. Douilles cabossées. Journaux, livres, cahiers et lettres. Il ressortit la vieille mappemonde et dut passer quelques jours à l'observer en compagnie de son *Livret du deuxième monde*. Il dut une fois encore se plonger avec nostalgie dans la période de Sarah-Anaïs-Alicia. Il dut enfin comprendre qu'il avait cherché Sarah, et en même temps Sarah-Anaïs-Alicia, dans tous les pays où il avait erré. Que, sans le savoir, il avait tenté de découvrir un côté de ces Lieux, et il avait été à chaque fois déçu. Qu'il avait porté cette déception comme une blessure enkystée en lui-même, et dont il percevait alors le caractère aigu. C'est peut-être là qu'il se réfugia dans ses souvenirs. Rester muet. Immobile au soleil du matin. Mécanique dans son entretien des fleurs et du jardin. Il dut repasser en lui-même ces moments incroyables auprès de Man L'Oubliée, et commencer à prendre conscience qu'elle l'avait initié à tout ce qu'il allait devenir. Il passait en revue ses gestes et ses manières, et devinait l'enseignement imperceptible que lui avait offert cette femme admirable. Il est à supposer qu'il dut battre de nouveau les grands-bois pour la retrouver. Que sur ses traces évanouies, il tenta sans succès de découvrir l'assemblée des Mentô. Qu'il se mit à rechercher les matrones survivantes, et mesura une fois encore la ruine du pays enterré. Il utilisa alors ses insomnies pour rédiger le *Livre des Da contre la Malédiction*, avec le sentiment de les entendre souffler à son oreille. Personne ne savait plus rien d'Anne-Clémire L'Oubliée. Ni de Déborah-Nicol. Ni de Polo Carcel. Ils s'étaient évaporés. Il en ressentit une détresse inattendue comme s'il avait une dernière fois besoin d'eux. Besoin d'élucider ce qu'ils avaient planté en lui et qui avait fleuri souvent à son insu.

Le plus étrange c'est que, depuis la mort de Caroline, il ne s'était plus inquiété de l'Yvonnette Cléoste. Il n'avait pas essayé de la retrouver pour la détruire ainsi qu'il l'essayait d'habitude après les pertes qu'elle lui infligeait. Il avait intégré cette nouvelle frappe comme une fatalité. La froidure sur sa nuque devint éternelle. Cela ne l'affecta pas non plus. Il dut renoncer à la combattre. Sa force vitale s'accommodait de cette mort qui l'avait escorté. Elle faisait maintenant partie de son existence ou de sa pétrification progressive. Il dut renoncer à trouver Man L'Oubliée et passa quelque temps à se remémorer l'épisode des Mentô, à percevoir leur discrète puissance. Il regretta de ne pas avoir été plus vigilant. Mieux clairvoyant pour apprécier cette richesse offerte. C'est sans doute à ce moment-là qu'il se mit à lire et à relire le *Livre des Da contre la Malédiction*, à haute voix, pour lui-même, en déambulant parmi ses orchidées.

S'il ne trouva jamais Man L'Oubliée, il dut retenir de cette ultime recherche qu'*elle était là*. Qu'elle n'avait pas disparu mais qu'*elle avait cessé d'apparaître*. Il eut parfois le sentiment qu'*elle persistait* en lui. Solaire. Affectueuse. Cela le consolait à mesure qu'il soupesait sa grande solitude. De même, saisi d'un ressassement compulsif, il pensa encore à ces vieillards insignifiants qui avaient dû lui confier en direct des enseignements indéchiffrables. Ces découvertes lui conférèrent un petit regain. Il surgit de temps à autre dans des émissions culturelles pour évoquer l'invisible des traditions perdues. Mais ses évocations se perdirent dans les silences bruyants du pays officiel. Ce nouvel échec le renvoya encore un peu plus en lui-même. Il mit sa vie à plat et passa une période sans horloge, à en décoder les mystères et les forces. C'était comme s'il se remettait à la vivre avec les patiences apaisées du grand âge. Le temps de goûter. Le temps de déguster. Le temps de revenir. Le temps de ressasser. Le temps de s'enivrer de la vigueur perdue. Tout ce qu'il avait vécu s'ouvrait en lui telles des couvées de fleurs, et venait s'emmêler aux foules des souvenirs. Au plus profond des bois, il avait découvert des combats, des luttes et des survies. C'étaient les mêmes partout. Ce qu'il avait vécu dans cette enfance sorcière, au-delà de la surface des choses, l'avait initié à rencontrer les autres. À partager. Accepter sans comprendre. Ne pas renoncer. Aider jusqu'au bout. Vivre en contact avec autant d'intensité que s'il avait été disséminé sur l'ensemble de la terre. Plonger dans le fond du pays l'avait fait déboucher dans une voûte céleste. Quand il s'était cru égaré trop loin de son pays, il avait en réalité fermé une part de son âme aux présences qu'il avait côtoyées. *J'avais reçu un ciel, et je l'avais laissé fermé en moi!...* se dit l'agonisant. *Il faut haïr le sentiment de l'exil...*

Il récolta alors des regrets de se trouver si avancé en âge. Il ne se sentait pas de fatigue. Il devinait juste combien son esprit avait perdu de ses ampleurs. Comment il était moins enclin à s'embarquer sur une volte du vent. Il regretta de ne pouvoir recommencer. Tout reprendre avec l'énergie initiale mais accrue de cette connaissance dégagée en lui-même. Il eut un sursaut belliqueux et se mit à regretter, une fois encore, de ne s'être pas mieux opposé à l'extermination des Black Panthers, de n'avoir pas vu mourir Malcolm X, d'être arrivé trop tard pour le Che ou pour Maurice Bishop... Il pensa à ces milliers de peuples qui se battaient dans l'ombre et qu'il avait ignorés, qu'il n'avait pas tenté ou pu rejoindre dans leur combat. Je n'ai rien fait pour les Pygmées. Je n'ai rien fait pour les aborigènes d'Australie, les Indiens de Guyane, les Inuits, les Peuls, les Tsiganes. Je n'ai pas été assez présent auprès des Kurdes et des Indiens d'Amazonie. J'aurais dû me dresser contre les massacres d'enfants que pratiquent les escadrons de la mort à Bogotá. Je n'aurais pas dû laisser faire les Khmers rouges. Je n'aurais pas dû laisser vivre Pinochet. J'aurais dû être dans cette grotte d'Ouvéa où les Kanaks furent abattus, et c'est ma poitrine qui aurait dû recevoir la balle qui foudroya Jean-Marie Tjibaou. Je n'ai pas été assez palestinien en Israël. Pas assez juif en Allemagne. Pas assez zapatiste au Mexique. Pas assez nègre en Afrique du Sud. Pas assez musulman en Europe. Pas assez haïtien à Saint-Domingue. Pas assez tibétain en Chine. Pas assez bosniaque en Serbie. Pas assez peaurouge au Canada. Pas assez kurde en Irak en Iran en Turquie... Pas assez dominicain en Guadeloupe. Pas assez gay à San Francisco. Pas assez paysan face au béton désertifiant des villes. Pas assez chômeur dans cette merde libérale. Pas assez femme un peu partout... Il avait tout donné. De son énergie. De sa puissance. De ses illusions et de ses rêves. Jamais les choses ne s'étaient ralenties. Il avait beau tendre l'oreille sur son vieux poste qui crachotait encore, il n'entendait que les fureurs des hommes. Écrasements. Massacres. Affrontements. Nul coin de la terre ne connaissait de paix. Toujours le champ de forces. Toujours des peuples seuls contre des ennemis herculéens. Il voyait grandir la puissance mafieuse des médias. Il voyait la connaissance scientifique se transformer en arme. Il voyait les technologies neuves se concentrer en des mains prédatrices. Il devinait un peu partout des organisations sans visage et sans âme, sans drapeau et sans dieu, qui fructifiaient dans le brouillard des hautes finances. De nouveaux conquérants déployaient leurs griffes cybernétiques dans les espaces du monde... Ils proliféraient puis se concentraient comme des poulpes. Ils traversaient les peuples comme des hordes barbares et les asservissaient sans même qu'on les perçoive ou qu'on sache où tirer. Ils traversaient les esprits, habitaient les envies, et dominaient non plus des nations ou des races, mais des centaines de millions de personnes consommant leurs produits... Le vieux M. Balthazar Bodule-Jules avait alors des réactions irrationnelles. Il éteignait sa petite radio et se mettait à tout remballer. Tentait de rendosser ses armes et de sauter dans le premier bananier en partance. Mais quelque chose le retenait. Peut-être cette froidure qui — sur sa nuque, et par sa persistance — lui indiquait qu'il fallait rester là. Ne pas fuir en croyant affronter. Ne pas se tromper d'adversaire. Livrer une fois pour toutes la véritable bataille.

Il comprit alors qu'il était en face de l'ennemie intraitable. En face de la vieillesse.

Une nouvelle guerre dans laquelle il lui fallait tomber. À l'orée de cette bataille (il en prenait conscience avec une lente surprise) il appela la poésie. Il y chercha des armes et des soutiens. C'est sans doute à cette époque qu'il se mit à relire Saint-John Perse. Il avait rencontré le poème où Perse murmure : *Grand âge, nous voici — et nos pas d'homme vers l'issue. C'est assez d'engranger, il est temps d'éventer et d'honorer notre aire, Grand âge, nous voici. Prenez mesure du cœur d'homme.* Il avait aimé cette attitude sereine. Hautaine. Royale face à la mort elle-même. Perse l'avait eue envers tous les êtres du monde, mais qu'il la garde face à la mort le rendit mieux humain. Sans doute plus proche de lui. Cette hauteur conquérante, il l'avait érigée face à la vie elle-même, à sa vieillesse et à sa mort. Il avait gardé la posture jusqu'au bout. Un exercice d'élévation dans la condition d'homme... Pour la première fois de sa vie, le vieux M. Balthazar Bodule-Jules se dit que Saint-John Perse avait été un homme. Un homme d'abord, tout simplement. Un homme en débattre dans sa pauvre condition. Il relut autrement les poèmes en éloignant ses vieilles raideurs rebelles. Ils habillèrent son existence de leurs lumières particulières. Son âge, et son curieux désordre mental, lui permettait d'accéder à une divination plus intense que celle qu'il avait connue en compagnie de Sarah-Anaïs-Alicia. La poésie de Perse devenait un extrême du vivant. Un éclat d'homme en vie. Peu importaient les faiblesses de cet homme, ses manques ou ses absences, ses pauvres croyances dressées dans le confort d'une époque aliénante. Chercher l'homme, deviner ce qu'il tentait de faire de ce désordre tragique. La poésie se mit à le nourrir ainsi, contempler les forces contraires, et supporter cette vue jusqu'à la trouver belle. Cette beauté ne résonnait plus en dehors de lui-même, comme un objet net et lisse, d'admiration savante. Elle plongeait chaotique, direct dans sa chair, nourrissait l'atmosphère tourmentée de la case et du jardin autour de lui.

On retrouva aussi dans la petite case le *Moi, laminaire* d'Aimé Césaire. M. Balthazar Bodule-Jules en avait parlé lors de sa parution. Il y avait perçu une tristesse et une franchise inouïes. Après les grands éclats contre le colonialisme, les fulgurances impériales qui avaient forgé tant de consciences, Césaire prenait mesure de son échec. Mais, au temps de son combat contre la vieillesse, M. Balthazar Bodule-Jules comprit que là encore Césaire affrontait sa seule condition d'homme. Son battre et débattre. Et il en faisait une braise poétique. M. Balthazar Bodule-Jules l'avait découvert tard, aux époques où il avait traversé l'Afrique combattante et à celles où il dut côtoyer le groupe des Black Panthers. Ces nègres de combat considéraient le *Cahier d'un retour au pays natal* comme une bible. Il fut souvent accueilli parce qu'il provenait du pays de Césaire. Il avait alors lu le *Cahier*, s'était nourri de ce verbe incantatoire qui pouvait galvaniser les cœurs nègres du monde mais aussi tous les cœurs opprimés. M. Balthazar Bodule-Jules avait murmuré la poésie de Césaire en des lieux insolites. Il avait articulé ses vers durant ses nuits de garde où divaguait le décourage. Durant ses veilles auprès du corps de ses amis. Dans ses caches au fond de la casbah d'Alger. Quand il fuyait les rangers sur les hauteurs de Bolivie... Et, à chaque fois, malgré l'opacité de la langue, la magie opérait. Comme une pulsation de tambour qui soulevait les cœurs tombés et leur donnait force de se battre. Il avait traîné le petit exemplaire dans bien des boues, dans bien des flammes, vrai compagnon de lutte. Mais, quand il était retourné au pays, avait trouvé ce que cette terre était devenue, mesuré combien cette vigueur césairienne n'avait pas opéré dans son pays natal, il avait remisé le *Cahier*. Il avait fait de même avec ce *Moi, laminaire* que Caroline lui avait offert en espérant lui faire plaisir. Il retomba dessus alors qu'il pataugeait dans les marais de la vieillesse. Et là, parmi le militant négriste, tonitruant contre le colonialisme, il découvrit le blessé gigotant. La posture humaine face à l'oppression, puis face à l'échec et au destin contraire. *Une leçon de vie soudain indémêlable.* Les Césaire se rejoignirent dans une fraternité chaotique qu'il n'aurait jamais crue possible, et qui œuvrait en lui à belle charge émotive. En explorant cette émotion, l'agonisant dut découvrir qu'il n'était pas seulement un rebelle ardent, un chien de guerre, un étalon lubrique. Il dut admettre que cette humanité (tant invoquée pour fonder ses batailles) avait disparu sous sa cotte de rebelle. À présent, il la retrouvait en lui, intacte, fondamentale, comme l'horizon perdu qui avait constitué le but ultime de ses combats et la source secrète de chacun de ses gestes.

Caroline lui avait envoyé un récent ouvrage de Glissant : *Poétique de la Relation.* Un essai. M. Balthazar Bodule-Jules s'était arrêté à *Les Indes*. Il avait aimé le dialogue entretenu dans ce poème avec Saint-John Perse. Glissant y prenait le contre-pied du chant colonialiste et faisait résonner, sous les pas aveugles du conquistador, le grouillement de la diversité des hommes et des peuples. La voix sans-voix de ceux dont Perse n'avait su percevoir la clameur. Le vieux M. Balthazar Bodule-Jules se mit à fréquenter Glissant comme on sirote un rhum ancien. Tout aussi magistral que Perse ou que Césaire. Il erra dans ses poèmes sur le *pays rêvé* et le *pays réel* qui vinrent renforcer sa propre distinction entre *pays enterré* et *pays officiel.*

Puis il découvrit chez ce poète une autorité profonde qui nommait en toute chose l'extrême complexité. Un imperium horizontal, qui provenait de loin et allait l'étendue. Qui parcourait l'ensemble du monde comme l'arche qui nous était offerte, supportait son désordre, déliait ses emmêlements sans pourtant les défaire, et cela dans une liberté qu'il n'aurait jamais crue possible. Bien inscrit dans sa terre, Glissant tentait divination du monde : il le voyait en l'inventant, il l'inventait pour mieux le voir ! Le vieux M. Balthazar Bodule-Jules se prit d'une fièvre nouvelle. Il rameuta ses expériences passées, toutes ces divagations à travers la planète, ces sensations multiples, ces rencontres insensées, il les accepta, il les planta en lui, les déposa dans le terreau de son enfance comme des plantes déracinées pourtant prêtes à fleurir. *Ces errances avaient du sens*, dut murmurer l'agonisant, *toutes ces épreuves, ces femmes, tout ce désordre pouvait se maîtriser, tels ces troupeaux de zébus que des bouviers régentent du seul son de leur voix...*

Et c'est ainsi que le vieux M. Balthazar Bodule-Jules se mit à fréquenter ces trois poètes. À les comparer. À les déplacer dans le chaos de son propre univers. Il les accompagna beaucoup de Segalen, un peu de Hölderlin, curieusement de Claudel. Il les lisait partout, dans son lit, sur la terrasse, au bord de la rivière, sous la touffe de bambou. Il les lisait l'un après l'autre, ou ensemble. Les vers de l'un se nouant aux vers de l'autre. Il épuisait ainsi ses journées, peuplé de poésie. Il comprit sans doute à quel point ces poètes l'incitaient à s'élever. Aucune entrave ne pouvait diminuer leur équation humaine. Ils étaient libres. Ou plutôt, ils ne l'étaient pas, mais dans cette contrainte même ils mobilisaient une exigeante noblesse, la plus humaine qui soit. Cela plongeait le vieux M. Balthazar Bodule-Jules dans des exaltations inouïes. S'il se mettait à pleurer comme aux moments les plus miséreux de son existence, c'était cette fois sans détresse. Juste sous l'emprise d'un enthousiasme solaire qui fleurissait dans son corps trop usé.

Il se calmait en gagnant son jardin. Il avait délaissé son angle alimentaire pour cultiver ce que la poésie lui rendait essentiel. La beauté. La beauté devint pour lui des plantes en santé verte, éclatantes, vibrantes d'énergie, du plaisir de vivre et de prendre le soleil. Il aimait ces berceaux-de-Moïse qui fleurissent à minuit, d'une fleur pâle comme une lune échouée. Ou ces griffes-du-diable, d'un rouge sang, terminées par des crocs minuscules, qui explosaient dans l'emmêlement des lianes comme des pattes de fauve. Il passait des heures à observer dans sa lisière le romarin crispé d'Amazonie. Ou la goutte-de-sang du Mexique... Il aimait à camper auprès de la corne-cerf, qui déployait de longues ailes vertes semblables aux appendices caducs des cervidés ; le cœur de cette plante était des plaques olivâtres qui finissaient par manger le support où elles se déployaient : au fil des années, on ne voyait plus qu'une peau verdâtre, hérissée de ses cornes, qui se nourrissait des matières de sa propre vieillesse, qui grossissait ainsi. Le vieux M. Balthazar Bodule-Jules restait à l'observer. Il était fasciné par cette capacité à solitude radieuse. Nourrie de peu, elle était magnifique. Sans rien attendre de quoi que ce soit, elle s'exaltait sur ses propres décombres.

Ce fut le temps où la petite case se couvrit de fleurs. Non seulement du côté de la route, auprès de la lisière, mais sur toutes les façades, au bord des fenêtres. Il en fit courir le long des gouttières. Il les entassa dans des pots à la base des cloisons. La terrasse fut envahie car il en suspendait dans les bois de charpente, en accrochait aux balustrades, en peuplait les rebords, les coins et les recoins. Cette marée de fleurs se poursuivait dans l'espace du jardin, coulait jusqu'à la rivière sous les arbres fruitiers et commençait à vaincre les alignements de son jardin de survie.

À l'intérieur, il faisait pousser des fleurs d'ombre, des fougères, des arums qui troublaient la pénombre. La case était devenue une féerie de fleurs et de senteurs qui variaient à l'infini en fonction de la saison, mais aussi de l'heure, mais aussi de la lune, et même parfois de ses humeurs. Ses mélancolies du soir étaient hantées par les arômes des daturas ou par le fleuve odorant du jasmin qui grimpait jusqu'au toit. Il saisissait la fièvre des citronnelles disposées sur la route des moustiques. Il humait les fragrances du gros thym et le sortilège noctambule de certaines orchidées. Dans ce capharnaüm de couleurs et parfums, il effeuillait, élaguait, arrosait, binait, nettoyait, avec autant d'ardeur que s'il travaillait sur sa propre chair. Il s'attardait au chevet des plantes malades, les dépotait, contrôlait leurs racines, les rempotait et les suivait heure après heure en les aspergeant d'une mixture de sa composition. Il prenait leur rythme immobile, c'est pourquoi on put le voir parmi ces végétaux avec l'air d'être tombé malcadi. Il éprouvait leur cadence au profond de lui-même. C'étaient des formes d'existence vouées à leur propre survie, d'une agressivité incroyable. Elles passaient leur temps à tenter d'affaiblir les plantes les plus proches. Celle qui était menacée par un coup, une chute ou la prolifération d'une autre, se mettait à tiger de partout. À fleurir et à tenter d'essaimer au plus vite. Elle se lançait dans une course vers la meilleure place au soleil. Le vieux M. Balthazar Bodule-Jules prit un malin plaisir à ne rien toucher dans son jardin. Les plantes en profitèrent. Il passait des journées à les regarder se débattre dans une cruauté immobile. Il fallait bien les observer. On ne les voyait pas se développer, ni avancer, ni contourner les obstacles, ni les avaler. On ne distinguait pas les mouvements de leurs troupes ni les mises à mort que leurs chefs commandaient invisibles.

À force d'être vigilant, il put les voir. Le jardin devenait un fouillis inextricable. C'était en fait un champ de bataille. Il y percevait les mouvements, manœuvres, résistances et massacres. Cet espace, où il avait recherché la beauté et la sérénité, le renvoyait à la violence qu'il avait pratiquée toute sa vie. Son âge lui montrait à quel point seul dominait le principe vital. Les hommes, comme ces plantes, étaient actionnés par ce principe vital; il se déployait en eux et les forçait à n'assurer que l'extension de leur propre existence. Les cultures relayaient ces pulsions. Cela avait donné des territoires dans lesquels il s'était tant battu, avec des rêves et idéaux, qu'il avait cru améliorer, mais qui là devant lui, dans le miroir de ces vies végétales, se poursuivaient à l'identique, en égale sauvagerie. Il cherchait laquelle de ces plantes lui ressemblait le plus. Laquelle avait ses illusions. Laquelle pensait poursuivre un rêve alors qu'elle n'était que le jouet du vivant. Il se retrouva dans la plupart d'entre elles. Cela le fit sourire. Quand il eut bien accepté tout cela, il sortit des immobilités pour entrer dans la bataille du jardin. Il ne recherchait plus l'ordre équitable des beautés domestiques, mais l'auto-organisation des énergies, l'équilibre négocié des puissances. Il raisonnait telle ou telle liane. Il contenait telle branche avec son sécateur qui ne le quittait plus. Il déchoukait des rhizomes agressifs, orientait leur horde... Pour qui ne savait pas voir, cela ressemblait à cette prolifération furieuse qui avait envahi la maison Timoléon. Mais, pour lui, une autre de forme de beauté surgissait. Plus fragile mais plus saine. Plus tremblante mais mieux proche de la vie. Il parvenait à rassurer les plantes pour qu'elles acceptent les autres. Il leur accordait assez de soleil pour qu'elles tentent (sans renoncer à elles) l'aventure du concert, du contact, du partage, comme une invocation adressée à lui-même.

Le soin le plus émotif allait vers ses plants d'orchidées. À
son retour, il avait battu les grands-bois à la recherche de
Man L'Oubliée. Il en avait profité pour les cueillir. Il ne
prenait que celles décrochées par le vent, ou trahies par
un arbre effondré, et qui se retrouvaient menacées sur
une pourriture. Au fil des ans, il en eut des centaines qu'il
accrochait un peu partout en fonction des jeux d'ombre et
de soleil. Il se méfiait du vent et recherchait, selon
l'espèce, l'éclat d'une lumière, le point d'humidité, le puits
d'un rayon de chaleur. Son univers fut envahi par ces
orchidées qui n'avaient pas besoin de lui. C'était une autre
forme de solitude et de puissance. Celle-là provenait de
loin. Elles se nourrissaient du vent, de la pluie, elles piégeaient des micronutriments. Des tantantes et tontons lui
en avaient offert. Bien des jeunes filles fascinées de
l'époque militante lui en avaient ramené de voyages acti-
vistes. Il s'était retrouvé là aussi environné de ses souvenirs. Les orchidées avaient été présentes partout dans ses
errances. C'était comme si celles qui l'avaient accompagné
revenaient auprès de lui, accomplies, amies, chargées de
souvenances, pas affectueuses mais dans une pose hautaine, identiques à ces chats qui vous tiennent compagnie
sans se faire domestiques. Certaines ne fleurissaient pas.
Il leur parlait. Tournait autour. Étudiait leurs racines. Les
déplaçait pour leur trouver une bonne situation. Il parvenait parfois à les séduire. Elles lui offraient soudain des
floraisons divines. Il se levait la nuit pour observer
l'offrande, la toucher, la humer, telle une mouche que
l'orchidée ensorcellerait pour l'affecter à son service.
D'autres lui résistaient. Il craignait de disparaître sans
avoir contemplé la couleur de leur âme. Il tournait autour
d'elles comme au bas des murailles d'une citadelle inexpugnable.

Parmi ces irréductibles, il y en avait une qui était magnifique. Elle provenait peut-être d'Asie où il en avait entrevu

quelquefois de semblables. Jamais il n'avait réussi à la faire fleurir. Déjà, sans fleur, elle était d'insolente majesté. Il l'avait accrochée dans une écale de coco, avec un peu de charbon, de brique rouge et quelques ingrédients dont il gardait secret. Elle s'était déployée, superbe, englobant son support d'un filet de racines. Ces dernières étaient d'un gris d'acier tendre, et se terminaient par la pointe translucide d'une verdure irréelle. Le vieux M. Balthazar Bodule-Jules lui parlait chaque jour. Quand elle tombait malade (que le petit vert de la pointe des racines s'étiolait) il entrait dans une fièvre batailleuse qui durait des semaines. Elle avait toujours retrouvé son éclat. Ses feuilles de santé ferme. Mais toujours refusé de fleurir. Il lui récitait des poèmes, la caressait avec un doigt en lui passant sur chaque feuille une eau de source qu'il tiédissait lui-même. Il l'avait déplacée à maintes reprises. De déplacement en déplacement, elle lui avait laissé deviner ce qu'il lui fallait comme position dans la case. Il s'était dit qu'elle voulait être la première à le voir au réveil, la dernière à le voir au coucher. C'est pourquoi il l'avait placée au mitan de la terrasse selon un angle savant où elle recevait le meilleur des aubes, midis et crépuscules. Mais elle ne fleurit jamais. Sauf pour lui annoncer ce qu'il savait déjà.

Il ne sortait plus de la case. Les tantantes un peu inquiètes le visitaient à tour de rôle. Le trouvant en pleine forme, juste un brin silencieux, elles s'en allaient à chaque fois rassurées. Elles revinrent moins souvent, puis finirent par ne plus le visiter. Il se retrouva en autarcie complète. Vivant dans sa case, vivant de la case, jusqu'à perdre le rythme chronométré du temps. Il s'accorda aux jeux des ombrages et lumières qui cadençaient la vie des insectes et des plantes. Il eut un ultime éclat auprès des jeunes drogués de Saint-Joseph qui vinrent une fois le solliciter : ils ne l'avaient pas revu depuis une charge de temps. Le vieux M. Balthazar Bodule-Jules n'avait rien à leur dire. Ou éprouvait le sentiment de leur avoir tout dit. Il les laissa s'en aller en leur promettant de passer un de ces prochains vendredis soir. Ses lectures poétiques le plongeaient dans des états désordonnés, entre veille et rêve, entre songe et flottement, entre nuit et aube claire, entre l'à-présent et le déjà-passé. Une confusion qu'il n'essayait plus de réduire. Cet état le renvoyait à Sarah-Anaïs-Alicia. Il croyait parfois devenir comme elle. Mieux accepter ses silences, ses rêveries, ses immobilisations à observer on ne sait quoi. Mieux accepter ce qu'elle lui avait apporté et qu'il ignorait encore. Il le confiait à ses plantes, et à son orchidée-sans-fleurs. Mais un de ces vendredis soir, il eut envie d'en parler à ces jeunes épaves qui l'espéraient encore auprès du stade. Il s'y rendit pour leur évoquer sa chère Sarah-Anaïs-Alicia. *Cet ange de douceur, cet être-lune-et-soleil que j'avais cru si faible...* Et il leur dit, à tous ces jeunes drogués qui n'avaient plus d'horizon que la mort, J'ai été au bout de la rage, je suis descendu au plus profond de la violence, contre le feu j'ai balancé le feu, contre la pierre j'ai enfoncé des fers, j'ai gobé du sang et avalé des larmes, j'ai tué ceux qui tuaient, assassiné ceux qui assassinaient, j'ai été comme ceux que je combattais, et cette violence que j'avais déployée dans ces pays où nous avions dressé la liberté à coups de destructions, cette même violence se mettait à resurgir entre ceux qui devaient construire ensemble cette liberté dont ils avaient rêvé ! J'ai vu les indépendances devenir des enfers de violences, de massacres et de tueries. J'ai vu les peuples se libérer pour tomber dans les reflets des anciens maîtres et s'infliger à eux-mêmes les souffrances que nous avions combattues... Et j'ai vu lever de nouveaux conquérants qui se moquent de nos vieilles armes. J'ai échoué. C'est pourquoi, jeunes inutiles, il me semble que le monde à construire doit se faire dans l'écart. Dans l'invention d'un autre chemin. À l'écart de la violence. À l'écart du feu et de l'injustice. À l'écart de la prédation, ho certes sans illusions, sans angélisme, en n'ayant pas peur de la force et de la violence, en apprenant à résister et à lever la main, mais en les considérant comme des semailles que nul ne saurait récolter! Il faut soumettre le principe vital à autre chose, le doter d'une intention nouvelle! Honte à celui qui sèmera des choses que personne ne pourra récolter! Il ne faudra semer que ce qui pousse, qui verdit, qui fleurit, qui offre toujours à n'importe quelle nature un plus d'humanité, un mieux, une avancée! Semez la fraternité : elle bourgeonne toujours plus, et plus loin, que la détestation! Semez le juste dans les sillons de la guerre! Semez l'équitable dans la vengeance jusqu'à tuer la vengeance, l'acceptation dans vos refus jusqu'à être sereins! Gardez une innocence qui sait comment se battre... N'oubliez que pour mieux vous souvenir... C'est avec cette complexité-là, ce souci de la récolte, que l'on se trouve en finale du côté de la vie et jamais du côté de la mort...

C'est parmi ses plantes que son regard se déplaça sur ce qui l'entourait. Il avait toujours ses poèmes à la main, ou plutôt il les portait en lui, il en connaissait chaque ligne; le seul problème c'était de transporter ces ouvrages qu'il n'hésitait pas à tordre sous son bras. Il n'hésitait pas à les annoter avec toutes sortes de pointes. Ils étaient devenus des choses informes, incapables de serrer des secrets. Mais leurs coutures avaient résisté comme si elles s'étaient constituées en ligne de résistance pour lui cacher une facette ultime. Mais il ne cherchait plus à tout leur dérober. La poésie lui devenait l'oxygène ordinaire. Elle produisait une telle bouleverse de son esprit qu'il disposa d'une étonnante acuité du regard, ou plutôt d'une patience des yeux. Sa vision devint d'une richesse inouïe. Il se mit à voir ce qu'il ne voyait pas. À observer l'ampleur des choses infimes. Il sut enfin qu'au mois de juin les mouches rendaient visite, elles étaient nées on ne sait où et n'allaient pas durer longtemps, mais surgissaient régulières, année après année, comme respectant une promesse faite à on ne sait quel ordre. Il ne se demandait plus d'où sortent les mouches, ni ne s'attardait à regretter leur présence, il les laissait surgir du vent et de la vie, reflets d'acier, reflets de vert nacré, petites horreurs sans nom, petites merveilles filantes, il imaginait que des poussières, des miettes de pain, des bouts de sel s'étaient mêlés à des gouttes de rosée, en accident, pour donner ces petites choses qui volent, vont, bourdonnent et disparaissent là-même, effacées d'un coup. Quand elles étaient là, il n'essayait plus de les tuer, mais s'accordait à ces zigzags sonores dont elles remplissaient la terrasse et la case. Il mesurait cette énergie désespérée qu'elles mettaient à vivre pour pas longtemps, et les regardait chacune comme un concentré de siècles instantanés.

Une chatte aussi avait surgi. La chatte s'était accommodée de la case. La chatte s'allongeait sur la terrasse et cherchait le soleil. La chatte s'abandonnait totale à cette chaleur-lumière qui l'engourdissait. La chatte se déplaçait pour suivre les mouvements du soleil, ces petites taches qui circulaient sur la terrasse. Parfois, la chatte ouvrait un œil pour observer l'imprudence d'un merle à la recherche d'une miette, puis la chatte s'abandonnait encore aux langoureuses chaleurs. Le vieux M. Balthazar Bodule-Jules l'avait crié Adine, on ne sait trop pourquoi. La chatte était blanche à taches noires, ou noire avec taches blanches. Il sortait des sardines séchées quand la chatte avait faim, un peu de lait et d'eau de source quand la chatte avait soif, et il demeurait dans son fauteuil d'osier ruminant on ne sait quel bout de poésie, mais se coulant aussi dans l'abandon de la chatte qui gobait le soleil.

Les miettes brûlées lui annonçaient le début des récoltes. Loin. Là-bas. On incendiait la canne à sucre pour lui enlever ses feuilles, la laisser nue face au coutelas ou aux dents des machines. Les miettes venaient mourir sur la terrasse comme des rêves carbonisés au vol, et gardant une ultime énergie pour rechercher encore un lieu de renaissance. C'étaient de petites écales friables, impossibles à saisir, qui se brisaient toutes seules, se dispersaient et se cachaient partout. Il les saluait maintenant quand elles arrivaient, suivaient longtemps leur dispersion, certaines restaient intactes, résistant aux souffles et aux mouvements, et conservant une précision de leur forme, c'étaient des courbes saisies au vol, des fragments foudroyés qui tentaient encore d'inventer une figure, des traces qui essayaient encore de témoigner des champs. Il y a des cannes entières dans les miettes qui volent, et ce drame des flammes, rouges de fureur, qui carbonisent les vers de terre et suppriment les hannetons...

Il savait résister aux chaleurs. Chaleur février. Chaleur mai. Les arbres gobaient le vent pour mieux fixer l'acier du ciel. La lumière se brisait en morceaux durcis, qui glissaient sur la terrasse comme des éclats de guerre. Adine même les évitait. Le bois de la balustrade craquait, comme la case entière qui murmurait sous la chaleur. Les peintures se mettaient à pâleur, puis à se craqueler, puis demeuraient inertes, ternes d'avoir subi un siècle en quelques jours. Il fallait penser à repeindre un de ces dimanches. À balayer aussi, la chaleur débusquait d'antiques poussières qui voltigeaient, ivres de sécheresse, dans la lumière. Les orchidées qui aimaient ça se mettaient à fleurir, les autres devenaient immobiles, plus patientes que jamais. Il faudra penser à les mouiller. Le jardin s'aplatissait, aucune feuille n'arborait un tranchant trop fringant, tout s'inclinait sur des ombres intérieures, comme un racornissement général sur un rêve de fraîcheur, un songe d'humidité. Lui, se racornissait aussi, mais n'attendait plus rien, il n'avait pas besoin que le temps passe, il était déjà passé, il n'y aura plus rien d'extraordinaire, l'extra-ordinaire s'était produit, tout était survenu, maintenant rien que cette lente et immobile merveille. L'agonisant se dit soudain, *Patate pistache, j'étais en vie, j'étais en vie...*

Nous ne sommes pas seuls. Il y a les yens-yens. Au-dessous des mouches, ces minuscules sont proches des grains de lumière. Ce sont des vies tellement infimes qu'il faut un verre de lampe, une gamelle grise, un rayon de chaleur pour révéler leur pleine vitalité. Impossible de les savoir mâles ou femelles, maigres ou gros, impossible de savoir s'il y en a de beaux ou de laids, nos yeux n'ont pas cette science. Il fallait juste comprendre ce qu'ils étaient en train de faire, sans doute en manger permanent, sans doute en survie très urgente, toute vie se pose en urgence, se consume pour mieux durer. La petite vie solitaire ne compte pas, elle n'est là que pour transmettre le souffle vital de l'ensemble, l'individu n'est qu'une brique d'une architecture invisible. Voilà l'effort : résister à l'intention aveugle qui vous met au service de l'espèce, du genre, et finale de la vie. La vie ne pense qu'à elle-même, elle est elle-même le bout de ses comptes. Voilà l'effort : s'accor-der à ses chairs, et vivre dans un rythme qui ne conçoit que l'unique efflorescence de soi. Prendre la tangente. Aller aux Traces. Pas rester yen-yen. Il essayait de les suivre heure après heure, gardant l'un d'entre eux sous son regard, et tentant de mesurer son effort pour trans-cender sa condition. Il y avait sans doute des rebelles parmi eux, des audacieux, des marginaux, des inventeurs de vies nouvelles. Ceux qui tendaient vers une conscience impossible à imaginer. Je ne sais même pas les voir. Il faut travailler ça. Je ne sais plus si le *Livret des Lieux du deuxième monde* a prévu les yens-yens.

Les arbres imaginent. Je vois des formes dans leurs feuil-lages et dans leurs branches. Des têtes. Des profils avec des bouches parfaites. Des contorsions de corps qui s'étirent ou qui cherchent à conjurer leur gangue. Il n'y a pas que du bois et des écorces. Il y a des possibles inexprimés, des inachèvements en devenir constant. Cela change en fonction des angles de lumière et du mouvement des ombres. Inutile d'essayer de devenir un arbre. Il faut accepter l'arbre en dehors, indéchiffrable, illisible, juste se mettre en échange avec son inflexible énigme, et accepter l'énigme. Pour savoir accepter, il faudrait plus d'une vie. J'avoue : les formes que je vois sont une faiblesse de mon esprit qui imagine juste pour se rassurer. Maintenant, il faut regarder, et mieux : il faut voir, et admettre de ne pas comprendre les formes qui se devinent et que l'arbre imagine. Ne pas les affecter à une case connue. En plus, un arbre n'imagine pas, il n'est pas comme nous. *Pauvreté!* Il faudrait une musique pour dire ce qu'il fait.

Les pluies sont de mille sortes. Il y a celle qui ne craint pas le soleil. Qui n'a pas besoin de s'avancer sous une armée de nuages sombres et d'ombre insolite. Elle surgit en lumière, comme née de la lumière, et bénit les plantes qui se mettent à briller. Elle parfume l'air d'une évaporation qui se dépose en buée sur les cloisons et sur la vie, et que les orchidées boivent. Après, il ne demeure que ces gouttes qui capturent tant d'éclat, qui sont de purs bonheurs où les anolis se désaltèrent et ou se noie de temps en temps une fourmi fofolle. On ne peut pas la voir venir, on la devine soudain mêlée à la lumière. Et puis, on surprend ces gouttes qui dégoulinent sur les plaques de peinture, ou qui se perdent dans un recoin de bois pourri. Et puis, on s'émeut de ces perles qui parsèment les grandes feuilles. Les feuilles savent parler à ces pluies, les capter, les entendre, les recevoir et les garder. Il enlevait sa chemise, déplaçait son fauteuil, se mettait sous cette pluie, avec, sur sa peau étonnée, ce chapelet d'orage improbable et de soleil dardé.

L'herbe pousse sans demander. Chaque brin s'élève jusqu'aux limites de sa courbe, puis s'arrête, comme obéissant à un ordre général. L'herbe a conquis le sol qui disparaît sous l'animation d'un long pelage ou d'une courte chevelure. Elle dissimule quelque chose à sa base, une vie qui se met à grouiller dans le touffu de sa présence. Elle prépare à d'autres invasions. Il faudrait sarcler, remettre un peu d'ordre. Non, pas d'ordre. D'abord laisser ce frémissement, ne plus voir sa menace, mais aller son achèvement que le soleil (qui l'aspirait) semble maintenant contenir. L'herbe jaunit en ses bouts, devient craquante, sèche, passe dans les jaunes, fréquente des rouges qui se craquellent, célèbre le vent d'un frémi impossible à suivre, qui n'a ni commencement ni fin, qui va en revenant déjà.

Les merles viennent jusque dessous la table récupérer les miettes de pain rassis. Quand il a mangé, bu son café du matin, cassé un quignon de pain raide, des miettes ont échappé à sa vigilance. Il balaie, il essuie, il nettoie. Ce sont les merles qui lui montrent ce qui tombe de sa vie. Certains marchent longtemps, parcourent l'espace entre ses jambes, cherchent, trouvent des pitances invisibles, ils semblent ne rien becqueter, se nourrir de rien, se consacrer à rien. Ils sont vigilants, nerveux, vibratiles. Leur plumage brille, leurs yeux sont illisibles, leur fiente instantanée. Ils s'envolent soudain avertis d'on ne sait quelle menace, disparaissent et reviennent. Ils sont dans un autre ordre de réalité, reliés à d'autres structures de réel, ils voient entendent perçoivent au-delà de ce qui m'est donné. Je me rapproche d'eux car ils font de moins en moins attention à moi, à force d'être immobile j'atteins à des complicités qu'ils identifient. Ce n'est pas le mouvement qui les inquiète, ils savent qu'il y a de la mort en guet dans l'immobile. Ce qui les éloigne c'est le vacarme d'une vie plongée dans un désordre obscur qui la consume comme une aberration.

Les grands fromagers sont mûrs. Ils ont fleuri et répandent leur coton dans le vent. Ces blancheurs infimes viennent se prendre aux cheveux, amènent les éternuées, se posent sur les orchidées qui les accueillent en messagers. Elles flottent dans la terrasse et se mêlent aux poussières de la case. Je sais les voir maintenant. Elles me déchiffrent les haleines invisibles qui traversent le jardin et font haleter la case. Cela aurait pu être de minuscules nuages tombés, ou une neige qui sait voler, mais je préfère imaginer des songes et des écumes. Pourquoi, je ne sais pas. Des songes et des écumes. Des songes et des écumes qui s'attardent entre les pages ouvertes de mes livres, se laissent avaler, renaissent quand on les ouvre, et qu'une lecture silencieuse charge d'un nouveau désir. Je sais voir ces agglutinations infimes, presque vaporeuses, leur tessiture est une sensualité qui tient à peine la consistance. Elles sont faites pour épouser les vents. Elles sont capables d'aller sur la seule énergie d'un songe. Je devrais pouvoir les envoyer au loin dans mes pensées, avec juste l'expiration d'un souvenir.

C'est peut-être juin car les mangots commencent. Les merles sont contents. Les colibris veillent. Il y a un peu plus de chants invisibles. Les vents portent des sucres qui mûrissent et les yens-yens reviennent. Je vais sous le pied de mangots-verts effectuer ma cueillette. J'ai le panier qui se remplit. Chaque mangot est un prodige. Un vert courbé tendre, un lisse qui laisse surprendre sa pellicule blanchâtre, qui s'émeut à mesure que le jaune des saveurs s'étale sur sa surface. Cette teinte va jusqu'au jaune soleil, puis au jaune-qui-meurt, puis au marron des pourritures que les yens-yens espèrent. J'imagine ce lent prodige de la racine qui se nourrit, de cette sève qui monte, de cette fleur qui s'invente, de ce fruit qui se donne à la vie. Les manguiers fleuris portent cette dentelle nuptiale à laquelle je reste sensible comme les plus simples insectes. Il n'y a pas de place pour moi dans cette alchimie qui appelle toutes les vies d'alentour. Les papillons savent. Les abeilles savent. Les mouches savent. Les hannetons savent. Les coccinelles savent. Les chenilles savent. Les fourmis savent. Ou plutôt s'ils ne savent pas, ils sont dans ce mouvement de la vie qui s'organise pour durer, qui veille à se répandre, et je me dresse là comme un obstacle. À quoi je sers moi qui pendant longtemps ne me suis pas laissé envahir par ces bestioles? J'ai existé sans doute parce que la vie dresse contre elle-même des obstacles pour mieux densifier sa vitalité. C'est pourquoi il ne faut pas être trop bon avec soi-même, exister à la température de sa propre destruction, penser contre soi, vivre en dehors du facile, du bien-être et du confort ouvert. Dresser la règle qui durcit, et qui permet tant de relâchements sans sombrer dans une consumation stérile.

Le matin, je pisse. Longtemps. Je tiens mon kal à deux mains comme un objet précieux. L'engin a maintenant l'allure d'un boa endormi. Un muscle épais, lourd, qui s'affaisse sur mes doigts dans une souplesse qui ne demande qu'à être réveillée. Je savoure cet instant. Je le laisse durer. Je l'accepte. J'attends les dernières gouttes. Je goûte aux tressaillements. Je suis heureux de le voir chaque matin, éprouvé comme une arme.

J'active encore le petit poste à galène et j'écoute les voix du monde. Il est cabossé, éraflé, défait. Je dois sans cesse le bricoler, mais il grésille avec une énergie furieuse. D'où vient sa vie? J'erre dans les grésillements qui se transforment en langues et en news, mais je me surprends à ne plus écouter, non que je me désintéresse du monde, mais cette vigilance n'a plus cours. Vieux réflexe de guérillero qui cherche à demeurer relié pour ne pas être surpris et prendre mesure de son action. Je n'ai plus besoin de ça. J'ai rangé plusieurs fois le petit poste, puis je l'ai ressorti. J'accepte maintenant d'avoir besoin de ce réflexe, je peux l'exécuter sans me mentir à moi-même, sans croire que je recherche encore un coin où déployer mes armes. Je suis seul dans la bataille que je livre présentement, et c'est la plus terrible. Elle se mène dans l'ombre, le mystère, sans arme, sans vision : l'immobile intérieur. Essayer d'être en vie dans la vie qui s'épuise. À fond.

Je prends soin de me laver les mains. Comme je lave mes fruits. Comme je nettoie le sécateur. Quelquefois je les lave alors qu'elles sont propres, comme si je craignais leur propreté nouvelle, comme si cette propreté me paraissait suspecte. Mes mains ont tant saigné, tant souffert, sont demeurées si longtemps sous des croûtes, des suies, de la boue, des saletés de six mois, que j'ai du mal à m'arranger de cette impudeur. Leurs cicatrices me rassurent, elles sont plus claires et témoignent que j'ai été vivant. Maintenant, l'une s'occupe de l'autre. Avec soin. Je les regarde faire comme si elles avaient conquis une liberté et que cette liberté m'était devenue précieuse. Elles peuvent encore m'apprendre des choses. Elles ont appris à se laver. J'ai les mains souvent propres. Je ne fais plus semblant de les conserver sales pour me persuader d'être encore un rebelle.

Je récure la case, la terrasse, l'entrée. Javel. Crésyl. Brosse. Tout sent bon. Une propreté monte de rien comme un bonheur. Après, je passe le torchon mouillé, que j'essore, que je repasse pour essorer encore. Puis je remets les choses à leur place. Ma table. Mes chaises. Mon fauteuil. La mappemonde. Je range les livres au pied de mon lit. Je m'abîme à organiser un ordre sourcilleux que je savoure ensuite, tranquille, heureux de me détendre dans une toile d'énergies maîtrisées. Puis je m'habitue à savourer aussi la lente défaite de cet ordre : mon désordre de vie qui s'installe et qui encrasse, et qui salit, et qui dérange, je vais ainsi le plus loin possible, puis je reprends ma brosse, ma Javel, mon torchon.

Je sais à présent le bonheur de la pluie sur les tôles. J'apprécie d'être à l'abri tandis que les vents et les brouil· lards battent le monde au-dehors. Je reste sur la terrasse pour recevoir le plaisir des embruns sur ma peau, ou alors je me vautre dans ma couche vibrant d'un petit enchantement. La case résiste à la furie. Les tôles grondent. Un déluge va bientôt noyer la création, et moi, je m'apprête à renaître comme une fleur de désert. Je ne comprends pas cette extase; c'est peu de chose et c'est immense, je l'explore à chaque fois et à chaque fois elle me semble infinie. En fait, mon esprit me projette dehors, je suis au chaud dans mon corps à l'abri, et en même temps exposé nu aux éléments; et, dans cette distorsion, j'éprouve le tremblement glacial et le chaud du cocon véritable. La nuit, cette extase est encore plus profonde, je m'endors, puis je prends plaisir à m'éveiller pour juste me rendormir sous l'émoi de la tôle.

Je n'ai qu'une gamelle à laver, un rond de zinc que j'ai traîné partout, qui vient de loin, je ne sais plus de quel maquis. Je m'installe pour manger avec mon poignard de guerre, et ma fourchette désolée. Et je mange, assis bien droit comme en société, pour rompre avec ces vautrements qui me servaient d'allure quand je bâfrais dans les forêts ou les déserts; maintenant, je me tiens. Je me lève de table, et je nettoie. Je fais briller la gamelle avec soin, puis je l'essuie et je la range. Je disparais dans ces gestes quotidiens qui me laissent rêvasser. La gamelle sait que j'ai changé; elle paraît même étonnée de tant de soin : je le sens en prenant ce chiffon pour essuyer ses bosses et ses misères.

Des silhouettes me traversent l'esprit puis s'en vont. Des visages aussi. Beaucoup de femmes. Je ne sais pas ce qu'elles me veulent. Elles viennent en énigmes qu'il faudrait que j'examine. Je les sens obscures, immenses, intactes, comme si je les connaissais à fond et que je ne savais rien d'elles. Il y a des noms aussi. Et des endroits.

Repasser me fait transpirer. Je garde toujours une chemise blanche et un pantalon kaki, et un autre de tergal noir. Et j'ai aussi une cravate pour les enterrements. Je vais aux enterrements où je vois tout le monde. J'embrasse et je console. Je commence à connaître les cimetières du pays. Je vais sur la tombe de Limorelle et de Manotte. Et je reste là sans rien dire. Sans même sentir la froidure sur ma nuque, la froidure qui ne me quitte plus. Je contemple les herbes folles qui assaillent les tombes et que je combats à la Toussaint. La mort m'environne mais je ne pense pas à la mort. J'ai donné toutes mes douleurs contre les morts que j'ai refusées. Je ne la refuse plus, je ne l'accepte pas non plus ; c'est-à-dire qu'elle ne fait plus partie de mes impossibles, elle est intégrée à un mouvement de vie plus large que rien ne peut atteindre. Du moins, je me rassure comme ça.

Je recouds parfois une chemise, rajuste un bouton, tiens en forme un ourlet. C'est un soin que je connais. Je l'ai gardé dans les pires conditions, manière de demeurer humain, capable d'exigence pour soi. C'est avec ça que je refusais de sombrer comme une bête durant mes éternelles batailles. Les explosions et les violences ne gardent d'éveillé que la bête en vous. La vieillesse, ici, n'éveille pas l'homme, elle tente elle aussi de l'endormir, le désarmer, défaire ses accroches à ce qui l'animait. Alors, je me donne mes rituels pour la tenir à distance, lui signifier que l'homme est là. Et je repense à ces rituels entr'aperçus, qui ouvraient à tant de vie et à tant de mystères, je me rends compte que le rituel tient aussi l'homme debout, intact, au travers du temps et des défaites. C'est ainsi que les peuples se maintenaient parmi leurs aléas. Le rituel est une colonne vertébrale. Je recouds mes boutons et je reprise.

Il y a un plaisir à vider la grande armoire, à tout sortir, à relire les lettres, les journaux, les papiers, ces objets qui viennent de si loin, chargés de tant de souvenirs. J'essuie tout car une poussière mystérieuse passe les portes et se répand profond. Puis je remets tout en place, comme si je remisais avec soin diverses parts de ma vie. Chaque lettre, chaque papier, chaque bout de toile est une histoire. Je suis tissé d'histoires qu'il me reste à comprendre et à élucider. Je suis une énigme à moi-même. Comment comprendre tout cela, avec quel temps et quelle lucidité ?

J'ai des sandales que j'enfile au réveil et je vais avec elles jusqu'au jardin. Elles traînent et produisent un pas de vieillard. Je n'essaie pas d'aller plus vite, je pourrais, mais ce petit bruit traînant m'emplit de tranquillité. Je suis tranquille. Je quitte mes sandales quand je vais plonger dans les eaux froides de la rivière, puis je les remets, orteils mouillés. Elles sont déformées. Un vieux cuir de chameau travaillé en lanières immortelles. Elles proviennent de loin. Maintenant, elles accompagnent des pas que je déploie au ralenti. Quelquefois, je les délaisse pour aller pieds nus comme aux pires temps de mes guerres, quand il fallait marcher sans équipement, avec de vieilles pétoires et des couteaux rouillés. Mes plantes de pied sont encore raides mais elles commencent à mollir. Je sens maintenant la case à travers elles.

J'aime la fricassée de cochon avec quelques carreaux d'igname. J'aime l'eau qui bout et qui mène l'igname vers des saveurs subtiles. Il ne faut pas trop cuire et j'ai maintenant le temps d'étudier ça. J'essaye différents temps, je goûte, note et recommence. L'igname est une merveille, il faut travailler pour la saisir dans la pureté d'un goût très simple. L'aider à demeurer immense.

Vers quatre heures, j'aime éplucher une orange. Je la choisis avec soin dans le pied. Je ne me laisse plus abuser par la teinte jaune ou verte. J'ai appris à deviner sa promesse et son sucre. Je cultive maintenant les subtilités d'un goût que le sucre ne trompe pas. Je cherche des acidités fines, de l'amer prolongé, des veloutés juste teintés d'une pointée de douceur. Le gros sucre m'étouffe, je demande plus d'événements dans mes papilles qui se réveillent.

J'éprouve plus de tristesse quand une plante meurt qu'aux enterrements des gens de la famille. Je me sens coupable de n'avoir pas pu la sauver. Le plus éprouvant, c'est la mort d'une orchidée. C'est une aberration, elles ne sont pas faites pour mourir, elles ont fréquenté l'éternité, elles sont frugales, légères, économes, elles savent déjouer les consumations stériles. Mais j'en perds toujours quelques-unes. Et je sens la détresse m'envahir comme une trahison. J'ai tant agi. Je suis devenu tellement attentif auprès d'elles. Je sais que la vie est tressée à la mort et qu'il me faudrait garder les yeux vers les autres orchidées qui prolifèrent autour de moi, et m'offrent beaucoup de fleurs, mais j'ai encore cette pauvreté de croire en l'irremplaçable d'un seul bout de la vie, d'une petite part aussi précieuse que l'ensemble. J'ai toujours eu cette attitude avec les peuples, et les minorités. Je n'ai supporté aucune disparition.

Je ne sors plus dans les paillotes, les thés dansants ou les punchs en musique. Mais je danse encore. Tout seul. Sans musique. Tango-voyou. Boléro-sirop. Pacheco. Salsa. Compas. Zouc. Biguine. Calypso. Danse zouloue de Mandela. Je sais la guaracha et la danse de Salomé. Je goûte à la carmagnole, à la passacaille et au boogie-woogie. C'est bon de retrouver mon corps et des contorsions que je n'utilise plus.

Je tiens des cérémonies de pleines lunes. Je reste éveillé et je goûte à cette obscure clarté. Les plantes savent le faire. Des insectes, des ravets, des bestioles de toute espèce. Les mabouyas sortent des ombres, plus pâles et translucides que des âmes obituaires. J'ai rejoint une vie autrement libre. J'ai vu tant de pleines lunes lors de guets de batailles, lors de souffrances et de malheurs, que je cherche maintenant à cueillir cette beauté surréelle, qui me transporte en contentement. C'est un autre espace. Une autre réalité. Les courbes et les formes sont différentes. Je visite chaque plante, chaque orchidée et les surprends ainsi. Leurs teintes sont réinventées. Les fleurs captent des spectres inattendus. La musique du jardin provient comme d'une âme qui s'éveille et se met à rêver. Je ne rate plus cette félicité simple.

J'ai cessé de lutter contre les rats. Il faut dire qu'ils respectent mon territoire et semblent me craindre. Ils tournent à l'entour du jardin, traversent quelquefois la terrasse, mais s'en vont sitôt que je me réveille. Je les sens là, à l'affût, me guettant, prêts à prendre la place que j'aurais délaissée. Mais je m'efforce de remplir tout l'espace, de ne rien leur laisser, non par ma présence ou par mon bruit, mais par l'ampleur de mon esprit. Ils sentent que je suis là, plus vaste que jamais, étendu sur la case, le jardin, la rivière, ouvert en direction des pitons du Carbet que je salue chaque matin.

Les pêcheurs m'apportent du poisson. Le poisson-chirurgien que j'aime, le marian, le poisson-coffre. Je les nettoie avec soin, écaille après écaille. Les épluche. Les citronne. Je pétris ces muscles entre mes mains en imaginant leur vie dans l'océan. J'enlève les branchies. J'observe les boyaux. Je retrouve dans leur panse de petits poissons, des coquillages, des alevins piégés. Je nettoie l'intérieur à l'orange sure. Les poissons se sont transformés en promesse de saveurs. Je leur concocte une saumure et les y plonge après quelques entailles aux flancs. Je les regarde devenir autre chose dans l'action des épices. Griller. Frire. Court-bouillonner. Les faire en blaff. J'hésite toujours puis j'exécute sans y penser, juste pour me donner la surprise de découvrir ce qui sera dans ma gamelle. C'est ce bonheur : nettoyer les poissons et les mener vers les saveurs.

Je ne recherche plus la compagnie des femmes. Je les retrouve en moi, en mille visages, corps ou odeurs, mais cela reste des souvenirs inertes. Je recouvre une plénitude identique à vivre dans ce temps ralenti, dans cet espace de vision élargie à force d'observation et de patience. C'est mon nouvel amour, mon rut infime, j'ai l'impression qu'une compagne est là, à mes côtés, qui regarde, éprouve, ressent, s'émeut avec moi, longe ces petits bonheurs avec le même plaisir. Une femme diffuse en moi. Je crois que c'est Sarah-Anaïs-Alicia, qu'elle les concentre toutes dans une focale qui les préserve distinctes.

Je ne sais plus comment passe le temps, j'ai creusé, exploré, étiré les secondes, et cela ne me préoccupe plus. Je ne fais pas trop de différence entre la nuit et le jour, je dors quand ça me prend et je veille quand mon esprit se déclare attentif. C'est une extrême liberté, toute simple et infinie, rien n'agit sur moi en dehors de mon apparente volonté, et si quelque chose m'anime encore par-dessus mon vouloir, cela ne m'émeut plus car je suis hors d'atteinte...

... C'est sans doute ce qu'il aurait pu écrire, ou dire, s'il avait évoqué cette période de plongée en lui-même. Une période où le temps s'était ouvert sur une immensité. Cette étape qui précède la décision de sa mort est trop obscure pour être envisagée autrement qu'en imagination. J'ai repris un peu le ton des feuilles d'épicerie où il avait griffonné ses poèmes illisibles, et (au moment où j'essayais d'écrire cette agonie) je suis revenu plusieurs fois dans cette case abandonnée. Les tantantes avaient emporté les plantes, les meubles, les orchidées. La police avait saisi le reste. La case était maintenant vide, travaillée d'abandon, de moisissure, et d'une prolifération de plantes indescriptible. Dans quelques mois, elles allaient tout recouvrir. Il avait dû régner sur elles de toute sa volonté, à la manière d'un combattant aussi, tenant en respect l'ennemi qui l'assaillait. Il avait cru les avoir maîtrisées sans comprendre que les plantes n'avaient fait que patienter, que ruminer leur bond. Il en avait sans doute eu l'intuition à l'ultime seconde où le sentiment d'avoir tout raté l'avait soudain terrassé. Et j'ai imaginé ces derniers temps de vie, devenue intense, repliée sur elle-même. Il avait dû y trouver autant d'ampleur qu'à l'époque où il errait sur les rivages improbables du monde.

Il est vrai que cette case était extraordinaire, bien placée au-dessus de ce jardin qui avait dû être magnifique, ouvert en direction de la grande arche des pitons du Carbet d'où circulaient des parfums de ciel et de jungle. Il l'avait habitée à l'extrême. Sa présence régnait encore dans cette absence comme une autorité. La case était chargée. Je refis ses gestes, dans sa chambre, dans la salle, son lever, son coucher, sa visite aux orchidées amies, son arrêt auprès de l'orchidée rebelle. Je vis passer les rats et les ravets. J'imaginais ses errances dans le jardin et sa lutte quotidienne contre les plantes. Les fleurs avaient dû être nombreuses, quelques-unes résistaient encore aux emprises des raziés. Je le voyais lire en n'importe quel endroit, puis méditer, puis rester immobile auprès des colibris et des merles qui n'avaient pas peur de lui, qu'il fascinait sans doute comme il avait fasciné tant de femmes et tant d'hommes. Je pus l'imaginer nettoyant, mangeant, épluchant, rangeant, se consacrant à ses minuscules rituels, béquilles répétitives qui le maintinrent redressé en lui-même, abandonné dans son propre corps qu'il activait d'une autre manière. Je pris le temps d'aller au bout de ces gestes, de cette vie fausse et si vraie en même temps. J'essayai d'atteindre l'usure extrême où la mécanique mise en place pour le protéger avait dû subitement dérailler.

Il avait dû lancer un nouveau nettoyage, aller dans l'armoire et retrouver la lettre de Sarah-Anaïs-Alicia. La lire une fois encore. La lire une fois de trop. Il avait dû retrouver intacte cette culpabilité qui lui signifiait son plus terrible échec. Il eut beau la déchirer et l'abandonner, dépourvue à jamais de valeur, sur la table de la terrasse, il se sentit tout de même foudroyé, comme si un voile s'était soudain haché, et qu'il se découvrait dans un de ces maudits miroirs qu'il avait combattus, lui nu, seul, démuni, sans armes, sans illusions, se regardant. Et se voyant échoué. La froidure était sur sa nuque, il se sentait seul, il se voyait seul, et d'un coup sa vie le submergea, rapide, accélérée, mais rien ne sembla réussi, ses victoires autrefois claironnantes pendaient comme des breloques, ses exploits si largement clamés s'effritaient comme du sable, il était passé, juste passé, s'était battu, avait continué, s'était encayé sur le rivage de son pays. Aucune des libertés qu'il avait engendrées avec ses armes n'avait vraiment fleuri ; ne restaient dans son sillage que la mort, les douleurs, les oppressions organisées maintenant par ceux qui avaient été ses frères de combat. Puis ce pays, son pays qui s'enterrait jour après jour sous les abondances clinquantes d'un paternel colonialisme, il n'avait rien pu faire, avait tout essayé. Il regretta d'être rentré, de ne pas être resté à errer en se gardant ses illusions, ou de ne pas être mort assez vite, comme Fanon, pour emporter quelques croyances et un rien de regrets. Le magistral sentiment de l'échec lui était tombé dessus, juste au moment où ce journaliste frappait à sa porte, un son qu'il avait depuis bien longtemps oublié. Il lui ouvrit et lui annonça la nouvelle qui allait vivement se répandre dans le pays enterré.

J'avais pressenti cette redoutable usure alors que j'étais en face de lui sur la terrasse. Puis je l'avais mieux comprise au moment de l'Écrire. Je perçus enfin l'ampleur de ce tumulte et de ce drame qui avaient dû se déclencher en lui. Et puis, j'imaginai une autre cause à cette décision de mourir. Elle me vint sur la terrasse abandonnée, c'est peut-être lui (ou ce qui restait de lui dans cet endroit) qui me la suggéra. Cette année-là, les bambous de son jardin, juste au bord de la rivière, avaient fleuri dans un mystère. Ils avaient passé sept générations à pousser des feuillages, et là, pour lui, un matin, s'étaient mis à déployer leurs fleurs étonnantes qu'une génération sur deux ne verrait pas. Les bambous n'avaient fleuri nulle part ailleurs. Lui, intrigué, s'était renseigné auprès de quelques pêcheurs qui lui apportaient du poisson.
Les siens étaient les seuls.
Les fleurs ne durèrent pas longtemps. Certaines s'étiolèrent et moururent en serrant leur secret dans les spores qui s'envolent. Son orchidée-confidente avait fleuri aussi. Une fleur odorante, longue, rosée d'un rose d'émail ancien, presque blanc et bleuté tout autant. Une pure merveille qui le pétrifia d'admiration. Il en fut exalté mais le parfum l'atteignit comme une tristesse.
Un adieu.
Comme si la fleur le saluait une dernière fois.
Toutes ses orchidées qui n'avaient jamais fleuri s'étaient mises — ce jour-là ou cette nuit de pleine lune — à fleurir. À lui offrir un hosanna de leur vie et de leur indéchiffrable

patience. Et c'est cela même qui avait du l'émouvoir. Cet hommage muet que ses plantes les plus secrètes lui offrirent soudain. Ces fleurs le précipitèrent sous un orage de larmes. L'amenèrent à s'apitoyer sur lui-même. Que lui restait-il à part ces cicatrices ? Que faire de tous ces souvenirs ? Il ne comprenait plus à quoi il avait servi. Il n'arrivait plus à soupeser ce qu'il avait bien pu ramener de tout cela. Il essaya de se réfugier dans ses patientes observations. Ces sensations infimes qu'il avait passé du temps à cultiver et qui, là, ne le remplissaient plus. Il refit les mêmes gestes, reprit les mêmes postures, tenta de retrouver cette tranquillité qu'il avait su forger. Un grand vide s'était creusé. Plus rien n'avait de sens. Plus aucune consistance. Il sentit sa gorge se nouer. De vieilles peurs lui remontèrent à la conscience. Des peurs anciennes, presque enfantines. Et c'est dans cet état de détresse, avec la froidure lui labourant la nuque, parmi les ruines d'une cathédrale intime, qu'il prit la décision irrémédiable, et tranquille, de mourir.

> Nous le vîmes enfin naître. C'est-à-dire que nous le vîmes mourir...
>
> « Notre morceau de fer ».
> *Cantilènes d'Isomène Calypso,*
> conteur à voix pas claire de la commune de Saint-Joseph.

AMOUR-GRAND. Mais je ne sentis pas cette détresse au bout de l'agonie qui maintenant s'achevait. Il avait tout repassé dans sa tête. Des orages avaient succédé aux pleines lunes. Une aube s'était ouverte en lui, je ne sais trop à quel moment. La nuit s'était épuisée. Le vieil homme s'était renfoncé dans son fauteuil. Il voyait clair en lui-même à présent. Il avait tout réexploré et compris des choses qui m'étaient encore inaccessibles. Je notais avec soin ses attitudes, son visage détendu, ses yeux qui perdirent de leur glace pour s'habiller d'un intérêt pour les bonnes gens autour de lui. Je ne pouvais percevoir aucun sentiment particulier. Ni vraiment de soulagement. Ni vraiment d'abandon. Juste une présence mieux assise en elle-même, et qui s'apprêtait à autre chose. Je pris conscience que nous avions passé-là plus d'une vingtaine de jours, je n'en aurais le compte exact que plus tard, quand je me mettrais au travail de l'Écrire.

Le jour, levant avec la pluie, avait mené une brume légère. Le vent charriait encore des restes de ces cantiques qui célébraient Noël. Il flottait comme une tendresse du monde autour de nous. La terrasse était parsemée de réchauds, de sacs, de timbales en zinc, d'épluchures de toutes sortes. Les pas et les présences avaient tout maculé. Les tantantes avaient souvent balayé, passé des torchons de crésyl, mais, à présent que l'espace s'était vidé, on se croyait revenu d'un cataclysme. L'assemblée s'était réfugiée au fond du jardin à l'annonce de l'Yvonnette Cléoste. Chassée par la pluie, elle avait trouvé le courage de revenir auprès de la balustrade. Les tantantes n'osèrent même pas se lancer dans les activités du matin. Pas de ti-nains. Pas d'absinthe du décollage. Pas de harengs saurs aux petits concombres. Pas d'eau de coco. Elles restaient pétrifiées à regarder la porte qui battait légèrement. Elle finit par demeurer entrebâillée. Une immobilité effrayante. La diablesse n'allait plus tarder, nous le savions tous. Je ne pouvais plus distinguer qui était pêcheur, qui était conteur, quimboiseur, danseur, dealer... une indistinction mise en place par la peur. Lui seul restait intact dans son fauteuil d'osier. De plus, une autre tension s'était créée. Nous sentions avoir parcouru avec lui le long chemin des souvenirs et que nous étions arrivés à un bout. Au bout de sa vie.
À l'instant supposé de sa mort.
Une angoisse diffuse empoignait tout le monde et venait s'ajouter aux craintes de la diablesse. Je me sentais prêt à pleurer sans trop savoir pourquoi. Je devinais ce grand bruissement de vie qui se tenait à présent au bord clair de l'abîme, chancelante, prête à s'écraser soudain. J'avais

souvent utilisé le « je » en griffonnant mes notes. Pour mieux me mettre à sa place. Mais je savais maintenant que j'étais devenu *lui* durant bien des instants, qu'il m'avait habité de ses émotions, que ses élans avaient trouvé des nappes taiseuses en moi. Il m'avait moi aussi éveillé, réveillé, forcé à naître à une part inconnue de moi-même. J'allais clarifier tout cela bien des semaines plus tard, mais là, devant lui, je le savais déjà. Je le regardais avec une tendresse bouleversée. Une vieille eau me brouillait les yeux. Un tel gâchis me parut impossible, injuste, inadmissible. Je tendais tout mon corps pour l'aimer, pour l'aider, lui donner de ma force. Le pire c'est qu'il ne semblait pas en avoir besoin. Il était plus que jamais calme. Plus que jamais puissant. Plus que jamais bruissant d'une vitalité incompréhensible ; elle n'avait rien à voir avec la vie ; elle se situait sans doute dans la paix de son esprit. Une paix nouvelle...

Il y eut une panique quand la porte s'ouvrit et qu'une madame endimanchée apparut hésitante. On crut que c'était la diablesse. Les quimboiseurs s'étaient mis à hurler des prières pour mobiliser les forces dispersées dans la case. Les pêcheurs, jusqu'alors effacés par la peur, se repéraient maintenant dessous des gaulettes-dards. Même les conteurs s'étaient avancés d'un pas, en préparant les mots qui tuent. Moi-même, je m'étais raidi, prêt à jeter mon corps entre la diablesse et lui. Personne ne voulait accepter cette ultime damnation. *Balthaz avait assez souffert ! Assez erré au-devant d'elle !* Il avait droit au repos et au calme. Mais la madame n'était pas la diablesse.

Elle fut effrayée de susciter autant d'émoi et de voir le fusil de Gasdo caca-dlo prêt à lui péter le crâne d'une balle en argent. On expira des soulagements, on s'apaisa, et Gasdo caca-dlo abaissa son fusil. Elle put s'avancer en direction de l'agonisant. Elle poussait un enfant qu'elle tint à lui présenter. Elle l'embrassa, lui parla à l'oreille, lui présenta l'enfant en le soulevant par les aisselles. Elle voulait sans doute lui faire croire que c'était son enfant. Nombreuses furent celles qui durant cette agonie étaient venues ainsi. Mais le petit bonhomme, comme tous les autres, ne lui ressemblait pas. Il n'avait rien de lui. Le vieil homme le regarda, lui toucha les cheveux, l'accepta sans mot dire, et se réinstalla dans son attente sans expression. La madame se perdit dans l'assemblée en allant embrasser ceux qu'elle semblait connaître. Le silence retomba.

D'autres personnes passèrent la terrible porte, nous faisant à chaque fois sursauter. C'étaient des retardataires qui provenaient de loin. La pluie les avait pressés sur le chemin. Ils avaient craint d'arriver trop tard. Ils se précipitaient à travers la terrasse, tout heureux de le trouver vivant, assis avec tant de vitalité. Il y eut des madames avec des enfants, puis des femmes d'allure superbe qui venaient juste lui rappeler on ne sait quelle tendresse. Il les accueillait, embrassait, donnait un compliment puis retrouvait son attente tranquille. Il y eut des gens qui entrèrent sans oser s'approcher de lui, se laissant absorber par l'assemblée qui réoccupait la terrasse tout entière. Mais l'angoisse demeurait forte.

J'écarquillais tant les yeux que je dus être victime d'une série d'hallucinations. J'ai retrouvé ces annotations irrecevables qui disent que je vis entrer Aimé Césaire en personne, une arrivée qui jeta un silence d'émotion, de respect ou de satisfaction. Il s'avança vers le vieil agonisant qu'il avait dû connaître en je ne sais quel lieu, ils n'avaient jamais été du même bord ni du même combat, mais lui, avait clamé son amour du poète rebelle, déclamé ses vers, regretté qu'il n'ait saisi notre existence avec la force miraculeuse de ses poèmes. Le vieux M. Balthazar Bodule-Jules avait toujours fait montre d'un immense respect à l'endroit du poète, et c'est sans doute ce qui l'amenait-là. Il avait été informé (on ne sait comment) de l'agonie, lui qui ne faisait plus partie (sinon par sa poésie qui rayonnait encore) du pays enterré. C'est peut-être ses poèmes qui l'avaient mené-là, gardé à l'écoute de cette clameur qui signalait l'immense perte prochaine.

Le vieux poète s'avança vers le vieil homme qui voulut se lever au nom de la poésie. Mais Césaire lui posa une main sur l'épaule, et l'invita à se rasseoir. Je vis les yeux tendres de l'agonisant regarder le poète. Ils étaient presque du même âge. Non, Césaire était bien plus âgé. Je vis que l'agonisant le remerciait des yeux pour ces années durant lesquelles il avait respiré par ses textes. Il lui disait *merci* pour ces vers terribles, chargés de puissance, de raideur et de force, tellement précieux aux pires instants de ses batailles et de ses doutes. De ses mains qui pressaient celles de Césaire, et de ses yeux brillants, je suppose qu'il le remerciait. Césaire dut lui faire un cadeau précieux; j'aurais voulu l'entendre quitte à me damner : il lui dit un poème. Quelque chose d'inédit qu'il avait encré à l'annonce de sa mort. Il le lui murmura en personne. L'agonisant l'écouta avec les yeux troubles sous des paupières très lourdes. Il releva le front pour murmurer au vieux poète quelques lignes de *Moi, laminaire,* celles qu'il préférait. Sans doute aussi quelque chose de Perse ou de Glissant. Une tantante amena une chaise que Césaire refusa car il devait partir. Il serra encore les mains de l'agonisant, salua l'assemblée, et sortit de son pas devenu hésitant. Tellement amer. Tandis qu'il s'éloignait, je vis bouger les lèvres de l'agonisant, et je crus déchiffrer : ... *Si de moi-même insu, je marche suffocant d'enfance, qu'il soit bien clair pour tous que, calculant les épactes, j'ai toujours refusé le pacte de ce calendrier lagunaire...*

Je crus voir aussi une série de personnages impossibles. Ils étaient vêtus de gandouras, de casaques, de fibres, de djellabas, de cache-sexe, de treillis militaires... Ils provenaient de tous les coins du monde. Ils entraient d'un pas très naturel comme s'ils étaient du pays, et que cette case était la leur. C'était impossible et familier dans le même temps. Le plus irrecevable, c'est qu'ils semblaient provenir d'un temps ancien, d'un temps perdu, de se concrétiser depuis la nuit des temps. Je dus être le seul à comprendre ce qu'ils pouvaient bien être car je notai plusieurs fois *guerriers guerriers guerriers*, sans trop savoir si je voyais Chaka le formidable Zoulou et son frère Dingaan, Ben Bella, Ranavalona Ire, El-Hadj Omar, Béhanzin, Samori, Kwame Nkrumah, Mohandas Gandhi, Jomo Kenyatta, Amilcar Cabral, Agostinho Neto, Lumumba, Julius Nyerere, le Che peut-être méconnaissable dessous la crasse, les sœurs qui sauvèrent le Viêt Nam, l'Oncle Hô et le commandant Giap, Robin des Bois, Nelson Mandela, Makandal l'empoisonneur, Charlemagne Péralte, Mustafa al-Barzani, Pancho Villa, Ignace de la Guadeloupe, Abd el-Krim, Sékou Touré, le vieux Toussaint Louverture sanglé d'un uniforme, la femme Solitude qu'André Schwarz-Bart avait su magnifier, mais aussi Malcolm X et Martin Luther King... Je voyais n'importe quoi. Je voyais aussi des êtres anonymes, couverts de leurs habits anciens, porteurs d'une arme barbare, d'un livre ou de signes religieux, culturels ou raciaux qu'ils avaient maniés comme des armes. Des femmes venaient aussi, encore plus anonymes, elles avaient dû se battre dans l'ombre, et passaient à moitié effacées sous des voiles et les brumes d'un oubli... Je vis passer les huit cent mille morts de la guerre du Viêt Nam... le million d'Algériens qui tombèrent dans leur lutte... les milliers de Tunisiens, de Marocains, de Malgaches qui offrirent leur vie pour libérer leur sol... je vis les milliers de ces tirailleurs nègres et de ces Antillais que l'on postait aux premières lignes... presque des enfants que ces guerres coloniales avaient fracassés... Leur défilé était interminable... Tous, rebelles des peuples perdus, tous s'étaient, en un temps de ces siècles passés, opposés à une domination, avaient dit *non* à une oppression, soulevé une résistance. Ils venaient tous, tombés d'une chimère du temps, rendre hommage à celui d'entre nous qui était un des leurs. Ils approchaient, et lui se levait pour les recevoir, ou peut-être demeurait-il assis et qu'eux s'agenouillaient ; ou sans doute l'empêchaient-ils de se lever et se penchaient-ils vers lui pour murmurer je ne sais quelle tendresse. D'après mes notes hagardes, ce défilé dura la matinée. Je ne savais plus qui provenait du pays enterré et qui tombait des résistances lointaines en des temps oubliés. Les personnages étranges se dissolvaient dans l'assemblée ; après leur tour d'hommage, j'avais du mal à les retrouver malgré leurs habits insolites, leur poussière millénaire et cet air indomptable assez rare par ici. Une exaltation m'asphyxiait à la vue de ces anciens rebelles que je ne pouvais le plus souvent même pas reconnaître. Mais il se passait quelque chose que je notai avec un signe sans même oser le formuler : ces forces intransigeantes sorties d'un autre temps venaient auprès de notre agonisant comme pour... apprendre quelque chose.

Je supposai alors que le vieil homme avait atteint à une connaissance qu'ils tenaient à entendre. Sans doute une *expérience ultime* qui devait leur être précieuse. Et lui, la leur disait, sans parole, en simplement les regardant, les touchant, leur communiquant ce qui constituait l'essence même de cette révélation. Ils recevaient la chose avec un brin de surprise et s'éloignaient comme renvoyés à un autre temps du monde, comme libérés de leurs échecs, augmentés dans leurs victoires, et apaisés sans doute. Je supposai que la guerre continuait. Que la résistance était là. Qu'elle était plus que jamais vive dans la mort du vieil homme à laquelle — comment l'admettre ? — on ne pouvait échapper.

Je vis alors entrer la haute silhouette de Glissant. Ou sans doute était-il déjà dans l'assemblée, et il profitait d'une accalmie pour rejoindre le fauteuil de l'agonisant. Le poète avait entendu lui aussi l'annonce de l'agonie, il était du pays enterré. Pour être là, il avait quitté cette contrée des Amériques où il enseignait pour se précipiter dans cette petite case. Sa haute silhouette touchait aux bois de la charpente. Il devait se courber pour ne pas bousculer les orchidées. Je le reconnus de manière plus certaine à son air impérial, cette tête de commandeur qui nouait autant de doutes que de hautes certitudes. Il s'approcha du vieil agonisant et se pencha vers lui. Ce dernier esquissa un sourire. Ce fut l'unique fois que je vis pareille chose sur ces terribles lèvres. Je supposai qu'ils s'étaient croisés dans les parages du FLN au temps de la guerre d'Algérie, ou en quelque coin nationaliste du pays enterré. Mais ce sourire allait plus loin. Je présumai qu'il souriait au poète. Qu'il le remerciait, lui aussi, de ce verbe détourné, obscur, qui l'avait soutenu avec tant de force aux heures des amplitudes infimes et lui avait appris à soupeser le monde. À lui, l'agonisant n'avait presque rien à révéler. Glissant savait déjà. Ils se serrèrent les mains, plusieurs fois, dans tous les sens, comme pour calmer des émotions. La haute silhouette se recula et, avant que je réalise, elle disparut dans l'assemblée, parmi les guerriers invisibles et la famille très proche. La terrasse avait retrouvé l'encombrement des premières heures mais aucune fièvre n'avait levé. On endurait le silence des attentes angoissées. L'irruption de la diablesse était imminente. L'ultime bataille du vieux rebelle allait se produire là, sous nos yeux effrayés, et je savais maintenant que nul au monde n'était capable de l'aider.

La porte était redevenue immobile. Elle s'était seulement couverte d'un frémissement de coccinelles. C'était étrange, car depuis l'usage massif des pesticides agricoles, elles avaient disparu. L'angoisse se mit à s'épaissir.
La porte s'entrebâilla lentement.
Nous sûmes que c'était la diablesse.
Ce ne pouvait être qu'elle : une froidure contredisait le

soleil de midi qui transperçait quelques nuages. Dans les rayons que la porte contenait, il y avait des bourrasques de pluie et de brume. Je vis enfin cette démone. Pas une vieille femme comme je l'imaginais, ni une créature affolante comme dans certains contes. Rien qu'une manmandoudou, couverte de madras anciens et dentelles d'après-guerre, un fouillis de vieilles hardes agencées selon la lettre des mémoires séculaires. Sa coiffe, son bâton, son panier noirci, ses rondeurs écrasées, ne provoquaient aucun émoi. Pourtant... ses gestes rayonnaient d'une telle souveraineté que nous comprîmes que c'était elle. Sa présence remplissait la case. Nous n'avions plus d'espace pour bouger, avoir peur, crier, ou nous jeter contre elle. Elle nous tint en respect rien qu'en apparaissant. Nous ne pouvions que contempler cette autocratie rêche s'ébrouer en direction du vieil agonisant. Même Gasdo caca-dlo, qui s'était pendant si longtemps préparé à tirer, restait figé comme un portrait. La diablesse ne touchait pas le sol, elle glissait sur une glu d'escargot, on entendait peut-être la traîne de ses sabots sur le bois du plancher. On ne voyait pas son visage, un ombrage impossible lui naissait aux sourcils et creusait sa poitrine. On devinait juste la furie de ses yeux. Je me sentis engoué par une poisse de malheur. Une méchanceté suintée de l'univers pour se concentrer sur cette créature. Une horreur pure que le vieil agonisant endurait depuis déjà longtemps. Au moment où celui-ci allait se lever, et avancer vers l'ennemie de toujours, la porte s'ouvrit encore. Et je vous jure — en tout cas je l'ai noté texto à ce moment-là, même si aujourd'hui je ne peux m'en souvenir — je vis Man L'Oubliée.

Cela ne pouvait être qu'elle. Je ne sais plus si c'était une jeune fille candide ou une vieille toute chargée de sapiences. Il y eut comme l'entrée d'une lune et d'un soleil. Comme un souffle des hauteurs. Une bouffée de bienfaisance et d'apaisement qui envahit la pièce pour courir en fraîcheur parmi la poisse visqueuse. L'Yvonnette ne se retourna pas. Je crus entendre sa voix terreuse qui grinçait *Aaaha non, c'est assez, tu vas le laisser pour moi maintenant, il est à moi!...* Man L'Oubliée sembla ne pas entendre. Elle demeura dans le chambranle de la porte, et se croisa les bras pour barrer la sortie à l'affreuse créature. Je crus même que l'univers était bouclé autour de nous. Le vieil homme s'était levé tranquille. Il avait élevé un bras en direction de sa mère seconde, comme pour lui demander de ne pas s'en mêler. Puis il s'orienta sur l'ennemie éternelle. Il y avait entre eux une dizaine de mètres. La diablesse flottait vers lui, nimbée d'une détermination fascinante. Lui, se mit à marcher. Et nous vîmes non pas un vieux rebelle, non pas cette tragédie longuement disséquée, mais une présence humaine, toute bonne, tout ample, tout assurée d'elle-même, se porter à la rencontre de l'horrible créature.

Mon esprit se déchira sur une révélation...

Il allait la combattre et l'anéantir, mais pas avec sa violence coutumière. Il allait vers elle avec une arme autrement plus puissante que je n'étais pas capable de définir. Quand ils furent face à face, il la regarda. Simple. Elle leva la tête, redressa son bâton. Mais celui-ci resta en l'air. L'Yvonnette Cléoste semblait déroutée par ce qu'elle voyait dans ses yeux. Elle ne savait plus respirer, des cris mouraient en elle, des clameurs se nouaient pour se dénouer dans ses boyaux. Elle chancela en face de lui qui restait immobile, bienveillant, plein d'une aura étrange qui me fit penser sans que je sache pourquoi à ce que devait être la Sarah-Anaïs-Alicia.

On vit la diablesse désemparée. On la vit perdre de son affirmation sans âge pour se défaire en une ride décrépite, affligée d'une fatigue subite, couverte de madras suris, de couleurs effondrées. Une usure fulgurante semblait la faire déteindre. Elle voulut revenir vers la porte mais vit

Man L'Oubliée. Elle se tourna vers l'assemblée qui recula, mais qui se tint compacte en ne lui laissant aucune voie de passage. Elle fut forcée de regagner la porte en claudiquant, et d'avancer vers la lumière qui noyait l'encadrure. Le soleil avait dû terrasser le nuage ; il déversait dehors une clarté éblouissante, qui se ruait à l'intérieur et irradiait Man L'Oubliée debout au milieu de la porte. C'est vers cette nébuleuse que nous vîmes la saleté s'avancer. Elle fut contrainte de s'y dissoudre pour se trouver une échappée ou pour se perdre à tout jamais dans je ne sais quel labyrinthe. Il y eut un apaisement du monde. La porte claqua. Et demeura fermée.

Le vieil homme dut aller s'asseoir dans son fauteuil, ou alors il dut aller embrasser les tantantes, les cousines, ceux qui étaient venus-là, il dut les serrer sur son cœur, les baigner de sa nouvelle bonté, apposer sur la tête des enfants la grâce de sa fraternité, chacun de ses pas soulevait des vagues d'adoration, de dévouement, de tendresse, de piété, des boules d'abnégation, affections de toutes sortes qui exaltaient les cœurs, les poussaient à la vie, nous nous sentions unis, abandonnés des solitudes, reliés et distincts dans la flambée d'une passion, il dut s'approcher pour me taper l'épaule, peut-être sourire en découvrant mes écritures, puis il dut effectuer le tour de son jardin, aller jusqu'aux bambous, atteindre la rivière et revenir pour terminer sa ronde auprès des orchidées fixées sur la terrasse. Il dut parler à l'orchidée-amie, ou ne rien dire, ou revenir s'asseoir d'une sorte irrémédiable dans le bien-être des grandes faiblesses... Mais qu'il ait fait tout cela, qu'il ait fait autre chose n'avait pas d'importance, car nous devinions au fil de ces secondes incalculables que M. Balthazar Bodule-Jules était devenu bien plus qu'un simple rebelle, sans doute un grand guerrier, et que ces déplacements empreints de majesté gravaient dans nos mémoires, comme pour l'ouvrir et l'achever, la démesure biblique de ses derniers gestes.

*(Note 1 — En pays officiel, l'annonce de sa mort ne boule-
versa que la police. Elle craignait que cela ne provoque une
série d'attentats ou des manifestations monstres. Elle débarqua, saisit le corps, mit sous scellés ce qui semblait relever
de sa vie de combats, mena une enquête absurde qui
s'épuisa d'elle-même.*

*Note 2 — Les tantantes purent alors le livrer à cette terre
de Saint-Joseph qu'il avait tant aimée, sans cercueil, sans
fleurs et sans couronnes, comme on plante un végétal. Peut-
être que cette tombe (introuvable dès le lendemain) deviendra un bel arbre ouvert à la fréquentation des oiseaux
migrateurs. Trouver lequel.*

*Note 3 — Réfléchir sur ce qui s'était passé. Quelle hypo-
thèse ? En faut-il une ? Sans le dire, penser que la douceur,
l'énergie claire de Sarah-Anaïs-Alicia lui avait permis de
résister à l'ultime attaque de l'Yvonnette Cléoste. L'immense
douceur devient une arme redoutable quand elle est exercée
par un être qui a éprouvé la violence jusqu'aux limites
extrêmes. Sarah-Anaïs-Alicia n'avait pas résisté à l'adversité
car elle n'avait que la douceur : la violence lui était
inconnue. Penser à cela.*

Note 4 — Explorer l'idée que c'est la Sarah-Anaïs-Alicia qui fut pour lui déterminante, l'amour-grand des amours de sa vie, car c'est celui qui sauvera son âme et la rendra meilleure. Cette introspection pour mieux comprendre les femmes de ses errances l'avait préparé à cela : affronter la plus terrible des femmes, trouver la bonne posture en face d'elle, la manière définitive de se défendre et d'honorer la vie.

Note 5 — Les femmes lui avaient sans doute appris cela : qu'il y a une autre voie, une utopie qui existe depuis la nuit des temps. Que nul n'a vraiment considérée car les armes et les rebelles, tout comme les pacifismes et les doux renoncements, absorbent trop de lumière. Celui qui revint des batailles, qui fut rebelle total, fils des armes, de la mort et du sang, sut prendre la pose de l'amour-grand. La somme des amours et des fraternités ouvre à l'amour-grand.

Note 6 — Supposer que l'amour-grand n'accorde ni terreau ni engrais ni oxygène ni promesse de bourgeons à ce qui conquiert, écrase, malmène, domine. L'amour-grand est le seul capable de relier les contraires, de dompter nos désordres, d'accorder nos tumultes. Il est le seul capable de fonder les alliances nouvelles dont nous avons besoin dans ce monde qui va naître. Certes, les champs de bataille seront toujours ouverts, mais présumer que nous y combattrons ainsi, avec la main levée, juste pour la satisfaction de savoir au moment de mourir, ou de vivre, que la haine n'est pas passée par nous.)

1994-18 février 2001.

REMERCIEMENTS

À M. Hugues Atine (Ti-Son) qui m'a initié au monde des matrones — avec mon estime et mon amitié.

À M. Serge Harpin dont le merveilleux travail sur les pêcheurs m'a été plus que précieux — en pleine reconnaissance.

À M. Daniel Boyer-Faustin qui m'a servi de guide-voyou dans le secret des orchidées, en m'excusant d'avoir été un si piètre apprenti — avec mon admirative fraternité.

À tous ceux et toutes celles qui ont trouvé courage de m'accompagner, de lire et de relire, et de relire encore, et qui m'ont tant aidé, et que je nomme au cœur.

À Edouard et Sylvie qui m'ont dessiné l'Arche...

À Milan et Vera qui ont su m'accorder la clameur bienfaisante..

ANNEXES

Les Apatoudi de Man L'Oubliée

Apatoudi de reconnaître les sages,
il faut savoir faire ce qu'ils font, ou éviter
ce qu'ils évitent.

Apatoudi d'avancer au plus court,
il faut savoir rester au natal de toi-même.

Apatoudi de prendre colère contre les choses,
il faut savoir qu'elles ne s'en soucient pas.

Apatoudi d'éviter les épines,
il faut savoir ne pas se plaindre de leur
simple existence.

Apatoudi de supporter,
il faut savoir ne pas chigner.

Apatoudi de dire du mal des mauvaises
choses,
il faut savoir rester tout le contraire d'elles.

Apatoudi d'avoir une solution,
il faut savoir être content quand un autre
trouve une solution meilleure.

Apatoudi de regarder,
il faut avant tout voir.

Apatoudi de prier dieu,
il faut savoir ne pas compter sur lui.

Apatoudi de ne rien posséder,
il faut savoir n'être jaloux de rien.

Apatoudi de croire ou de ne pas croire,
il faut savoir douter d'une couillonnade.

Apatoudi d'avoir l'esprit ouvert,
il faut savoir le tenir droit.

Apatoudi d'apprendre,
il faut savoir trouver.

Apatoudi de se suspendre,
il faut savoir ne pas craindre de tomber.

Apatoudi de prendre courir,
faut savoir arriver.

Apatoudi de mettre un beau visage,
il faut du cœur en dessous.

Apatoudi de vivre,
il faut savoir ne pas craindre de mourir.

Apatoudi d'entrer,
il faut savoir sortir.

Apatoudi de faire caca comme le chien,
il faut savoir trembler des reins comme lui.

Apatoudi de chanter comme la poule,
il faut savoir rester couver aussi.

Apatoudi de haïr le vieux-chien,
il faut savoir admettre la blancheur de ses
dents.

Apatoudi d'accorer la déveine,
il faut savoir la transporter aussi.

Apatoudi d'aimer le soleil qui se lève,
il faut savoir le supporter quand il se
couche aussi.

Apatoudi de faire une bonne action,
il faut savoir ne pas signer en dessous.

Apatoudi d'avoir une vérité,
il faut savoir en tirer connaissance.

Apatoudi de donner des conseils,
il faut savoir les tenir en manœuvre.

Patoudi d'étudier,
faut savoir réfléchir.

Patoudi de voir clair,
faut se voir par soi-même.

Apatoudi de voir,
il faut voir sans les yeux.

Patoudi d'écarter le mauvais,
il faut savoir emmener-venir le bon.

Apatoudi d'avoir un pantalon,
il faut des graines dedans.

Apatoudi d'étendre la moussache au soleil,
faut surveiller la pluie.

Apatoudi d'avoir de gros tétés,
faut une poitrine pour les porter.

Patoudi de prendre descendre,
faut savoir remonter.

Apatoudi de sortir de la cendre,
il faut connaître le trou du feu.

Apatoudi d'aimer rendre un service,
il faut savoir ne pas s'attraper mal au dos.

Apatoudi de planter des gombos,
il faut savoir mettre le jardin tout près.

Apatoudi de toiser les békés,
il faut savoir se protéger les yeux.

Apatoudi d'avoir un giraumon,
il faut savoir en deviner le cœur.

Apatoudi d'apprendre une grimace,
il faut savoir devenir un macaque.

Apatoudi de voir une queue de poule,
il faut prévoir le sens du vent.

Apatoudi de faire des bénéfices,
il faut savoir garder les poches sans trous.

Apatoudi d'incendier la vieille peau du serpent,
il faut savoir qu'il n'a pas fout' changé.

Apatoudi de voir la fleur du pied de papaye,
il faut savoir si c'est un mâle.

Patoudi de trier coco et z'abricot,
il faut savoir que coco a de l'eau et
z'abricot une graine.

Apatoudi de manger la farine,
faut savoir jardiner le manioc.

Apatoudi d'envoyer l'eau monter,
il faut savoir ne pas se faire mouiller.

Apatoudi de se mettre à genoux,
il faut savoir prier.

Patoudi de savoir,
il faut savoir aussi ce que tu ne peux pas
connaître.

Apatoudi de soigner sa mémoire,
il faut savoir tout oublier aussi.

Apatoudi d'emmener le serpent à l'école,
il faut savoir le mettre assis.

Apatoudi de dire,
il faut savoir mettre en manœuvre ce que
tu dis.

Apatoudi de donner sa parole,
faut savoir la tenir.

Apatoudi d'être très gentil avec les autres,
il faut savoir être dur avec soi-même.

Apatoudi d'aller bien droit comme un piquet,
il faut savoir ne pas être raide.

Apatoudi de regarder,
il faut d'abord voir clair.

Patoudi d'écouter,
il faut savoir entendre.

Apatoudi de ramasser une chance,
il faut savoir la mériter.

Apatoudi de montrer le chemin,
il faut savoir y faire marcher.

Apatoudi de mettre un vieux-nègre au travail,
il faut savoir ne pas le faire grogner.

Apatoudi d'être bien tranquille,
il faut savoir ne pas tomber indifférent.

Patoudi d'avoir envie,
il faut savoir ne pas être agoulou.

Apatoudi de faire et-cætera de choses,
il en faut une qui soit parfaite.

Patoudi de vouloir enjamber la rivière,
faut savoir se mouiller.

Apatoudi de dormir obidjoule,
il faut savoir se lever droit.

Apatoudi d'enlever les tiques au chien,
il faut savoir supporter ses mercis en coups
de dents.

Apatoudi de prendre un rat-de-dalot en chasse,
il faut savoir feinter les roches.

Apatoudi de savoir où l'on va
il faut pouvoir y arriver les yeux fermés.

Apatoudi d'avoir le manche,
il faut les reins pour le pousser.

Apatoudi de rire et de faire rire les gens,
il faut savoir ne pas être un comique.

Apatoudi de prendre goût aux musiques,
il faut savoir connaître le nom exact du
bruit.

Apatoudi d'avoir du français bien filé,
il faut un peu d'esprit.

Apatoudi de prendre,
il faut savoir tenir.

Apatoudi d'ouvrir la porte,
il faut savoir empêcher la déveine d'y
entrer...

ANNEXE 2

Le Livre des Da contre la Malédiction

Quand tout devient
possible d'une autre manière :
Tu es en Situation!
C'est dire que la vie monte et
que la mort descend.
Et que toi, te voilà en débattre
au milieu.

*

1 — La vie qui monte te donne
la force.
La mort qui descend te nomme
ta part de cimetière.
C'est ça le lot des femmes.

2 — Je rends service contre le
mal d'enfance.
J'ai main sur l'œuvre dans la
douleur des couches.

3 — L'œuvre est œuvre de vie.
Toujours contre la mort et la
Malédiction.
C'est rien que gestes en morale
et sacré.
Pas un sou vaillant. Jamais à
l'accepter.
Offre au bien ce que tu fais.
Franchetement.

4 — Qui paye, paye à la Sainte
Vierge.

5 — Pas de linge noir ni de
linge rouge
quand tu circules vers l'œuvre.

6 — Marche dans ta prière
entre deux protecteurs,
bien au milieu,
car quand tu marches vers celle
qui est en couches
Malédiction peut emmêler tes
pas.

AVANT

7 — Pour l'œuvre
mène tes gestes autour des
feuilles et des racines.
Compose tes alliances
avec le chiffre 3, avec le chiffre
7, avec le chiffre 9.
Ce sont les chiffres qui donnent
le bon en tout du long.

8 — Le pied-pistache et le pied-
balai-doux
et le pied-graine-l'église donnent
les racines-fraîcheur.
Faut rafraîchir, rafraîchir tous
les jours.
C'est la carafe qui garde le frais
du rafraîchi.

9 — Trois mois avant la couche
pense aux thés et tisanes.
Compose avec feuilles-fromager,
bonnet-carré ou bien la
glycérine. Compose pour
rafraîchir rafraîchir rafraîchir.
C'est la carafe qui garde.

10 — Frotte le ventre qui va
donner.
Frotte-le à l'eau tiède
et au savon de Marseille pour
mieux tracer la voie.

11 — Quand le ventre est
accoré
pense au pied-Marie-Honte, aux
branches-tamarin-sur et au gros
thym secouant.
Et compose en priant dans ta
prière secrète.
Cette composition donne colique
qui dégage
mais c'est gombo qui va
chercher l'enfant et qui le fait
glisser.
Le gombo ouvre la voie.

12 — Tiens le mal d'enfance au
collet
en frictionnant le ventre
avec le bois-caca et les sept
feuilles du bois-canon.

13 — Si un nœud tient l'enfant,
compose le thé-feuillages de
l'igname matoutan.
En plus : fais-lui souffler sa vie
dans trois fois trois bouteilles
et offre-lui de la main droite le
thé direct du trèfle-nègre.

14 — Si l'enfant est amarré à
mal
c'est le pois d'angole blanc qui
peut l'enlever de là,
et les trois poussières des quatre
coins de la case,

et les trois poussières des
croisées différentes :
car toute croisée disperse les
nœuds de malfaisance.

15 — Si Malédiction met
l'enfant de travers
c'est le gombo qui peut mener ta
main,
ta main qui ira ordonner la
matrice et lui donner sa raie.
La raie droite.

16 — Si Malédiction est trop
forte
renvoie l'enfant !
Renvoie l'enfant !
Renvoie-le avec la menthe
glaciale, le clair roseau-des-
Indes, le grand consul, l'herbe à
vers et l'ananas-en-fleur.
Renvoie l'enfant !

ACCUEIL

17 — Donne-lui la parole en lui
coupant la luette avec ton doigt.
Donne-lui la parole que tu as.

18 — Baigne-le à l'eau tiède
découpée par un brin de l'eau de
Cologne des princes.

19 — Assure-lui la clarté de ses
yeux par un rien de citron.
Enlève-lui le tout premier
goudron avec l'huile de ricin,
la fleur d'orange et une goutte
d'eau tiède
découpée par une pointe de
miel.

20 — Coupe le nombril aux
ciseaux francs
mais ne touche plus à ces
ciseaux tant que le nombril n'a
pas lâché son corps ·

et, pour lâcher, il prend trois à
neuf jours.

21 — Nombril-tombé se garde
jusqu'à lune pleine.
Alors, plante-le sous l'arbre
vaillant.
Celui qui monte sans macayer
ou qui porte sans suspendre.
L'arbre vaillant!

APRÈS

22 — Pense au refroidissement
car Malédiction souffle la glace
et le feu :
c'est la *suite-couches* qui tue!

23 — Frappe le refroidissement
là-même.
Prends-le au mot :
Le chocolat-cannelle chauffe
raide!
L'eau de morue bouillie peut
chalérer le corps!
Le pois d'angole grillé dans
l'herbe puante
se boit en haute chaleur comme
un café-bandé!

24 — Pendant 45 jours,
tiens la dame d'après-couches
loin de toutes les eaux froides.

25 — Pendant 45 jours,
tiens la femme d'après-couches
loin de tout joui-la-vie.
Malédiction la guette au sang
dans le plaisir de sa coucoune.

26 — Si Malédiction veut
contrarier son lait,
pense au trèfle-nourrice,
au bois-cabrit, au pied-pistache.
C'est leurs racines qui trempent
et qui s'offrent pour six jours.

27 — La tisane verte qui donne
clarté au lait évite la maladie.
Le lait de bœuf
ferré au clou chauffé à blanc
baille une conduite aux vers.

28 — Si la colique est raide,
dépose une goutte de lait dans le
creux du nombril,
au creux du lien de
rattachement.

29 — Si l'enfant va vivant, en
vaillance et vouloir,
alors l'œuvre prend fin dans ce
commencement même
et dans la soif du
recommencement.

A
ANNONCIATION
Livre de la conscience du pays officiel

B
LIVRE DE L'AGONIE

1
Incertitudes
d'un commencement au cœur ému du pays enterré

2
Incertitudes
sur les trente-douze amours de son enfance sorcière

3
Incertitudes
sur les et-cætera amours de son âge de mâle bougre

Composé et achevé d'imprimer
par la Société Nouvelle Firmin-Didot
à Mesnil-sur-l'Estrée, le 14 décembre 2001.
Dépôt légal : décembre 2001.
Numéro d'imprimeur : 57164.
ISBN 2-07-075019-1/Imprimé en France.